SE 07

Curso

La diferencia entre aprobar y sacar plaza

Personal de Administración de Universidades

Accede a tu **Curso MAD360** y disfruta de los siguientes recursos:

- Técnicas de Memoria 360.
- Test *online*.
- Temario en formato digital.
- Planificación de estudio.
- Foro entre opositores.
- Recursos y novedades exclusivas.
- Consulta sobre la oposición y el proceso selectivo.
- Actualizaciones legislativas (Boletines Oficiales).

AF617468

Para acceder al Curso MAD360* será necesaria la compra de todos los libros para esta especialidad de la edición 2024.

Valida los códigos que encuentras en la última página de tus libros y disfruta de la experiencia MAD360.

Infórmate en: mad.es/registro-campus

NOTA IMPORTANTE:

* El acceso al CURSO MAD360 estará disponible desde noviembre de 2023 (algunos recursos podrían estar disponibles en fecha posterior). Tendrá una duración de 365 días, desde la validación de códigos, o hasta el 31 de diciembre de 2024, lo que se cumpla antes.

MAD se reserva el derecho a ampliar dichas fechas.

Temario general para Personal de Administración de Universidades

Octubre, 2023

0392-01X-0-0-1023

Temario general para Personal de Administración de Universidades

Materias Específicas

JESÚS M.ª CALVO PRIETO
Licenciado en Derecho

Primera edición, octubre 2023 (624 páginas)

IMPRESO EN ESPAÑA
Diseño Portada: 7 Editores
Edita: 7 Editores
Avda. San Francisco Javier, 9 · Edificio Sevilla 2 · Planta 11 · Módulos 25-27 · 41018 Sevilla
Teléfono: 954 784 411 · WEB: www.mad.es · e-mail: administracion@7editores.com
ISBN: 978-84-142-7540-5

Presentación

Presentamos el volumen de Materias Específicas de nuestro Temario General para la adecuada preparación de las oposiciones de acceso a plazas de Personal de Administración de las distintas Universidades, con el desarrollo de los temas que frecuentemente se exigen en las pruebas de ingreso a dicho personal.

Este volumen incluye el desarrollo de los temas sobre la normativa específica universitaria, completamente adaptados a la nueva Ley Orgánica 2/2023, de 22 de marzo, del Sistema Universitario y desarrollados con profundidad y rigor para que tu preparación sea lo más completa posible.

La colección incluye otro volumen de Materias Generales y un manual de Test, con los que podrás completar tu preparación, así como autoevaluarte y comprobar los conocimientos adquiridos.

Finalmente, a través de nuestro Curso *online* MAD360, te ofrecemos una serie de recursos adicionales para completar tu preparación. Consulta las condiciones en la primera página de tu manual.

TEMA 1

La Ley Orgánica 2/2023, de 22 de marzo, del Sistema Universitario

La Ley Orgánica 2/2023, de 22 de marzo, del Sistema Universitario: Estructura y contenido. La autonomía universitaria. La naturaleza jurídica de las Universidades. Funciones del Sistema Universitario. Cooperación, coordinación y participación en el sistema universitario. La Gobernanza de las Universidades. La organización de las enseñanzas y los Títulos Universitarios. El Personal Técnico, de Gestión y de Administración y Servicios de las Universidades Públicas. El régimen económico y financiero de las Universidades. Universidad, sociedad y cultura. La internacionalización del sistema universitario

Índice

1. La Ley Orgánica 2/2023, de 22 de marzo, del Sistema Universitario. Estructura. La Autonomía Universitaria[1]

1.1. La Ley Orgánica 2/2023, de 22 de marzo, del Sistema Universitario. Aprobación

1.1.1. Antecedentes

El artículo 27.10 de la Constitución española de 1978 reconoció la autonomía de las Universidades en los términos que la ley establezca, garantizando con ella la libertad de cátedra, de estudio y de investigación, así como la autonomía de gestión y administración de sus propios recursos.

Con la aprobación de la Ley 11/1983, de 2 de agosto (BOE del 1 de septiembre) «de Reforma Universitaria» (LRU), las universidades adquirieron una considerable autonomía y autogobierno.

La LRU fue derogada por la Ley Orgánica 6/2001, de 21 de diciembre, de Universidades (LOU), que fue publicada en el Boletín Oficial del Estado el 24 de diciembre y entró en vigor a los veinte días de su publicación en el mismo, es decir, el día 13 de enero de 2002.

Esta última ley ha sido derogada por la reciente Ley Orgánica 2/2023, de 22 de marzo, del Sistema Universitario (LOSU), que fue publicada en el BOE el 23 de marzo y entró en vigor el 12 de abril (a los veinte días de su publicación en el BOE).

1.1.2. Disposición derogatoria

De conformidad con la disposición derogatoria única de la LOSU, quedan expresamente derogadas:

a) La Ley Orgánica 6/2001, de 21 de diciembre, de Universidades.

b) La Ley Orgánica 4/2007, de 12 de abril, por la que se modifica la Ley Orgánica 6/2001, de 21 de diciembre, de Universidades, salvo sus disposiciones finales segunda y cuarta.

c) El Real Decreto-ley 14/2012, de 20 de abril, de medidas urgentes de racionalización del gasto público en el ámbito educativo.

Quedan igualmente derogadas todas las disposiciones de igual o inferior rango en cuanto se opongan a lo establecido en la LOSU.

---

[1] En el presente tema será analizado el contenido de la Ley Orgánica 2/2023, de 22 de marzo, del Sistema Universitario, cuyo contenido no es objeto específico de otros temas.

1.2. Objetivos de la reforma. La Exposición de Motivos de la LOSU

En el Preámbulo de la LOSU se establece en primer lugar que la Universidad es una institución fundamental en la sociedad del conocimiento en la que vivimos. De la Universidad, y del sistema educativo en su conjunto, depende la educación avanzada de las personas, y lo que ello conlleva con relación a la igualdad de oportunidades para todas y el desarrollo económico, científico y tecnológico de nuestra sociedad en momentos de emergencia climática. Además, la comunidad universitaria ha constituido a través de la historia un espacio de libertad intelectual, de espíritu crítico, de tolerancia, de diálogo, de debate, de afirmación de valores éticos y humanistas, de aprendizaje del respeto al medio ambiente y de preservación y creación cultural, abierto a la diversidad de expresiones del espíritu humano.

La Universidad ha sido, es y debe ser fuente de conocimiento, de bienestar material, de justicia social, de inclusión, de oportunidades y de libertad cultural para todas las edades.

Como institución secular que es, ha demostrado su capacidad para combinar el mantenimiento de sus valores esenciales con la adecuación a los cambios que iban sucediéndose. Llega ahora el momento en que ha de volver a demostrar su fuerza adaptándose y acompañando las transformaciones y retos sociales, culturales, tecnológicos, medioambientales, científicos e institucionales que caracterizan el cambio de época que atravesamos.

A partir de la restauración de la democracia, la sociedad ha experimentado una transformación multidimensional a escala global. Se ha profundizado la revolución científica y tecnológica, particularmente en el ámbito de la información y la comunicación. La sociedad se ha beneficiado de una digitalización creciente. La globalización ha acrecentado la interdependencia de los países y las regiones a todos los niveles. El feminismo ha modificado las relaciones humanas en términos de equidad de género, cambiando profundamente la educación de las personas y contribuyendo a la feminización mayoritaria del estudiantado de la Universidad. La transición ecológica, la emergencia climática y el reto demográfico han cobrado un protagonismo extraordinario. La movilidad internacional de personas y talento está ocasionando una interrelación cultural que revaloriza la diversidad y abre nuevas

perspectivas a la creatividad. Han surgido nuevos modelos pedagógicos que incorporan metodologías digitales en la actividad docente, recualifican la educación a distancia y obligan a potenciar el valor de la presencialidad. La creciente importancia y significación social de la formación a lo largo de la vida complementa la formación universitaria en la juventud. La autonomía del aprendizaje en un entorno digital permite al profesorado centrarse en guiar la reflexión, e innovar la experiencia docente, complementando así el papel tradicional centrado fundamentalmente en el control de la memorización, habida cuenta de la disponibilidad y accesibilidad de la información a través de Internet.

En consonancia con estas transformaciones, el sistema universitario del Estado, complejo y multinivel, ha protagonizado un continuado esfuerzo de transformación y democratización, alejándose de una concepción socialmente elitista para abarcar sectores cada vez más amplios de la población, y de una concepción intelectual cerrada y excluyente del saber, para entablar una relación de diálogo y colaboración, a través del conocimiento, el pensamiento crítico y la investigación, con el conjunto de la sociedad, con entidades, empresas y agentes sociales. Este diálogo y colaboración contribuyen a la construcción de una sociedad democrática avanzada en un marco normativo caracterizado por un Espacio Europeo de Educación Superior cada vez más presente y expansivo, y por la autonomía universitaria y el desarrollo competencial del Estado de las autonomías que ha ido enriqueciendo y diversificando nuestro sistema universitario. Las universidades son, hoy más que nunca, no solo depositarias del conocimiento, sino productoras de dicho conocimiento. Docencia, investigación y capacidad de compartir y transferir ese conocimiento constituyen funciones centrales de su actividad. En efecto, la Universidad del siglo XXI no puede replegarse en una torre de marfil, sino que tiene que continuar la labor emprendida y seguir profundizando en su inserción, significación y capacidad de servicio con relación al tejido social, cultural y económico. Asimismo, la creciente gobernanza multinivel del sistema exige intensos esfuerzos de coordinación y cooperación entre los actores. El marco jurídico universitario ha ido desarrollándose en estas últimas cuatro décadas. Cabe destacar, principalmente, dos hitos: la Ley Orgánica 11/1983, de 25 de agosto, de Reforma Universitaria, y la Ley Orgánica 6/2001, de 21 de diciembre, de Universidades, incluida la modificación de esta operada por la Ley Orgánica 4/2007, de 12 de abril. La primera de estas leyes sentó las bases de un sistema universitario propio de un Estado social y democrático de Derecho, garantizando la autonomía universitaria, mientras que la ley aprobada en 2001 desarrolló dicho sistema y reformó la organización de las enseñanzas universitarias en consonancia con el Espacio Europeo de Educación Superior.

Han transcurrido ya dos décadas desde la promulgación de la Ley Orgánica 6/2001, de 21 de diciembre, habiéndose producido no solo los cambios y transformaciones generales ya mencionados y que exigen una renovación de las bases del sistema, sino también evoluciones significativas en nuestro panorama universitario. En las últimas décadas se ha producido un incremento muy considerable del número de universidades, particularmente universidades privadas. Si bien ello ha permitido una ampliación de la oferta educativa, los requisitos para la creación y funcionamiento de dichas universidades han de poder asegurar los criterios de calidad exigibles en instituciones de este tipo. La crisis económica iniciada a finales de la primera década del siglo XXI planteó desafíos inéditos a todas las instituciones educativas, sometiendo, especialmente a las universidades públicas, a tensiones y limitaciones presupuestarias muy profundas cuyos efectos aún persisten. Si bien en estas últimas cuatro décadas se ha duplicado el estudiantado universitario, superando ampliamente el millón y medio de estudiantes, la insuficiente financiación pública, el aumento de las tasas universitarias, las disfunciones en la configuración de su profesorado debido a las bajas tasas de reposición, la precarización de parte del profesorado asociado, interino, sustituto o visitante y el envejecimiento de las plantillas universitarias, así como la profundización de las desigualdades sociales, han puesto en riesgo la sostenibilidad y la calidad del sistema.

El gasto público en educación universitaria se redujo en la segunda década del presente siglo el doble que el gasto general educativo y tres veces más que el gasto en educación no universitaria. En efecto, la desinversión en educación universitaria ha sido más acentuada y prolongada en el tiempo que en la educación no universitaria. Además, en el ámbito universitario, se ha producido una reducción significativamente mayor de la financiación pública y, simultáneamente, un aumento de la financiación de origen privado de las universidades mediante el incremento notable de los precios públicos que soportan las familias. Así la financiación pública universitaria nos alejó de la media de la inversión de nuestro entorno europeo más cercano. Más financiación pública deberá implicar más capacidad de servicio y de alianzas con el conjunto de sectores sociales que puedan beneficiarse de esa fuente de formación y conocimiento que siempre ha sido y quiere seguir siendo la Universidad.

Nuestro sistema universitario ha ido reforzando e intensificando su integración en el Espacio Europeo de Educación Superior. Ya no es posible imaginar que podamos articular y orientar el futuro de las universidades en España sin incorporar la perspectiva, las iniciativas y la regulación que procede de la Unión Europea. La europeización del sistema universitario español no debería impedirnos ampliar el proceso de internacionalización hacia otras áreas de cooperación, en especial con el Espacio Iberoamericano de Educación Superior y del Conocimiento que cuenta con una base idiomática común de cerca de 600 millones de personas. Todo ello ha conllevado y seguirá conllevando adaptaciones estructurales e institucionales en la oferta académica, la organización de las enseñanzas, el reconocimiento de las titulaciones, el aseguramiento de la calidad conforme a criterios compartidos o en el refuerzo de la cooperación interuniversitaria internacional. La Estrategia Europea más reciente al respecto, marca objetivos y ritmos muy concretos en esa línea. En este sentido

conviene destacar que, si bien el Estado español es el primer destino del estudiantado del programa Erasmus en los últimos años y uno de los principales emisores de estudiantes de este programa, la cifra del estudiantado extranjero en España es, en términos relativos, inferior a la de muchos países de nuestro entorno europeo. Por otra parte, apenas el 3 % del personal docente e investigador universitario posee una nacionalidad distinta a la española cuando, en cambio, cerca del 15 % de los residentes en España han nacido fuera del país. La significativa y creciente presencia de universidades españolas en las alianzas de universidades europeas nos indica el camino a seguir en ese proceso imparable de compartir conocimiento, docencia e investigación a escala europea, siendo las universidades la expresión más evidente de los valores de humanismo, defensa de los derechos y valores democráticos, de libertad de pensamiento y creación, que Europa quiere proyectar al mundo.

En este contexto, se deben abordar reformas esenciales relacionadas con los desajustes entre el sistema universitario y las necesidades de la sociedad.

Para hacer frente a dichos retos estructurales, se revela necesario y oportuno abordar una reforma integral del marco jurídico del sistema universitario. En el contexto de la gobernanza multinivel, el sistema universitario debe, con base en la transformación digital a través de servicios y equipos multidisciplinares, promover una madurez organizativa y documental que favorezca dicha gobernanza y que le permita garantizar, ampliar y poner al día el conjunto de servicios públicos de educación superior de calidad, mediante una Universidad autónoma e internacionalizada, que garantice e incentive tanto la docencia como la investigación y el intercambio y transferencia del conocimiento, y que resulte efectivamente accesible, equitativa, democrática y participativa. Una Universidad que, como principal productora y difusora de conocimiento, esté al servicio de la sociedad, contribuya al desarrollo social y económico sostenible, promueva una sociedad inclusiva y diversa comprometida con los derechos de los colectivos más vulnerables y que constituya un espacio de libertad, de debate entre perspectivas culturales, sin jerarquías, impulsando el desarrollo personal, contando para ello con recursos humanos y financieros adecuados y suficientes.

Las universidades son un lugar privilegiado de formación y de conocimiento y al mismo tiempo un espacio crítico en que pueden abordarse los retos a los que nos enfrentamos, experimentar respuestas y generar puentes de colaboración y acción con el entorno social más cercano y con otras muchas universidades y centros de investigación de todo el mundo. Esta ley orgánica pretende proporcionar instrumentos y habilitar espacios y dinámicas para que las universidades puedan seguir siendo un espacio de experimentación, innovación y participación. Se trata de lograr universidades al servicio de la sociedad en la que se insertan; universidades en red para vincular comunidades, compartir conocimiento, crear nuevas ideas e instrumentos para una nueva sociedad.

Asimismo, esta ley orgánica desarrolla un modelo académico que asegura una formación integral avanzada y amplia y el desarrollo de habilidades personales y profesionales, tanto docentes como investigadoras, para desarrollar el pensamiento crítico y para acceder a empleos de calidad.

Junto con la labor imprescindible de potenciar la investigación y de generar conocimiento, contribuyendo a su divulgación y contraste con la comunidad científica, se trata además de convertir ese conocimiento en socialmente útil, generando vínculos con los actores sociales más próximos a la temática de cada investigador, de cada grupo y centro de investigación, partiendo de la especialidad de cada uno, pero buscando en la interdisciplinariedad y la multidisciplinariedad las vías con las que responder a la complejidad creciente de los retos a los que nos enfrentamos como humanidad. Necesitamos una Ciencia Abierta, que asuma ese conocimiento como un bien común, accesible y no mercantilizado, una Ciencia Ciudadana en la que se construya conocimiento de manera compartida, asumiendo la complejidad de la investigación de manera colectiva. Por ello, esta ley orgánica promueve la labor conjunta con la sociedad de creación y difusión del conocimiento, fomentando la Ciencia Abierta y Ciudadana mediante el acceso a publicaciones, datos, códigos y metodologías que garanticen la comunicación de la investigación.

Las universidades han venido siendo esencialmente espacios de formación para los jóvenes. Se debe ahora ir más allá, reforzando la capacidad de servicio al conjunto de la sociedad para lograr una Universidad para todas las edades; un lugar en el que la formación a lo largo de la vida para cualquier persona y colectivo sea un objetivo básico; una Universidad en la que la experiencia de una docencia presencial y compartida sea un valor central y diferencial; un lugar en el que converjan y se relacionen científicas y científicos, estudiantado, profesionales que buscan actualizar sus capacidades, especialistas y agentes sociales, buscando todas ellas y ellos reforzar conocimientos, construir competencias y plantear caminos de transformación e innovación de manera compartida.

Por ello, esta ley orgánica incluye la formación permanente o a lo largo de toda la vida como dimensión esencial de la función docente de la Universidad. Igualmente, se establecen fórmulas de transferencia y conexión entre la formación profesional superior y la Universidad al servicio de los procesos de actualización laboral y personal del conjunto de la población.

Además de la plena integración ya mencionada en el Espacio Europeo de Educación Superior, se entiende necesario incentivar las redes de conocimiento y de formación compartida con el Espacio Iberoamericano de Educación Superior y del Conocimiento, y reforzar las dinámicas de colaboración abiertas en la cuenca mediterránea o en la apertura de nuevos vínculos con los centros de educación superior de América del Norte, Asia y Oceanía. A tal fin, esta ley orgánica incorpora, por primera vez, un título dedicado a la internacionalización, y fomenta un sistema universitario de calidad, con mecanismos ágiles y fiables de evaluación de la misma, en línea con lo que la Unión Europea propone. Se prevé además la elaboración de estrategias de internacionalización por parte de las diferentes Administraciones públicas y de las propias universidades, la creación de alianzas interuniversitarias y la participación en proyectos de carácter internacional, supranacional y eurorregional. Por otra parte, se impulsa la movilidad del conjunto de la comunidad universitaria, se incentivan los doctorados en cotutela internacional y se insta a las Administraciones públicas a eliminar los obstáculos a la atracción de talento internacional, agilizando y facilitando los procedimientos de reconocimiento y homologación de títulos, de admisión en las universidades o de carácter migratorio.

Esta ley orgánica no quiere imponer soluciones ni trazar caminos concretos en que todo ello deba resolverse. Busca abrir posibilidades, facilitar conexiones, desde un compromiso de

los poderes públicos de financiar adecuadamente ese nuevo escenario de transformación y cambio. Las universidades públicas españolas han sufrido de manera persistente una insuficiente financiación pública en el último decenio, y una gran precarización y deterioro de las condiciones de trabajo, que han pasado socialmente inadvertidas sin que ello haya generado una reacción social a la altura del retroceso sufrido. Recuperar niveles de financiación adecuados deberá ir en consonancia con una mayor presencia de las universidades en los entornos sociales en los que se asientan y una mayor y más visible contribución a las necesidades que tiene planteadas el conjunto de personas y colectivos del país, más implicación en las dinámicas de desarrollo local, en la búsqueda de alternativas frente al reto demográfico o la emergencia climática. Alcanzar un mínimo de financiación pública del 1 % del PIB, como recoge esta ley orgánica, debería ser una exigencia de todos y todas. Pero también debería serlo reforzar la docencia, mejorar los procesos formativos de la ciudadanía sin distinción de edades, orígenes, género o capacidad económica, trabajar por la empleabilidad o generar más y mejor investigación desde una lógica de transferencia e intercambio.

El estudiantado, sea cual sea su edad, ha de tener el papel de protagonista. Con este objetivo, esta ley orgánica refuerza la docencia, es decir, se preocupa por la formación y actualización de las capacidades del profesorado, por generar espacios para que se vele por la adecuación de contenidos y formatos de enseñanza, por facilitar que sea el propio estudiantado el que asuma labores de tutoría, mentoría y experiencias de prácticas efectivas, por la salud emocional del estudiantado, promoviendo asimismo su participación en el gobierno de la universidad en sus distintas unidades y en la propia gestión de servicios. Adicionalmente, y en defensa de los derechos del estudiantado, la ley permite avanzar hacia el horizonte de la gratuidad de la educación superior universitaria pública, mediante la reducción de precios públicos, así como la disminución de su disparidad entre comunidades autónomas y la concepción de la beca como un derecho subjetivo vinculado a la situación socioeconómica de las personas solicitantes. Asimismo, la ley incorpora modificaciones sustanciales en las disposiciones relativas al estudiantado. Por una parte, el estatuto del estudiantado se incorpora a esta norma, consolidando y ampliando un catálogo de derechos y deberes que hasta ahora venía recogido en una norma reglamentaria, y añadiendo el paro académico como derecho del estudiantado. Por otra, se otorga mayor publicidad a la oferta académica y se clarifica el régimen de acceso y admisión. Asimismo, se prevé que cada universidad fomente la participación estudiantil en todos los servicios y aspectos que les afecta en su trayectoria académica y vital, la calidad e intensidad de la experiencia universitaria y se propone el reconocimiento al estudiantado de créditos académicos por su implicación en actividades sociales y universitarias.

La construcción de una Universidad equitativa impregna el contenido de toda la ley. Así, se establecen requisitos en materia de igualdad entre mujeres y hombres previos a la creación de una universidad como los planes de igualdad, o la eliminación de la brecha salarial y de toda forma de acoso. A su vez, la ley establece que los órganos colegiados y las comisiones de evaluación y selección en las universidades garantizarán una composición equilibrada entre mujeres y hombres, medidas de acción positiva en los concursos y a favor de la conciliación y el fomento de la corresponsabilidad de los cuidados, entre otras muchas actuaciones. En materia de accesibilidad las universidades deben garantizar a personas con discapacidad un acceso universal a los edificios y sus entornos físicos y virtuales, así como al proceso de enseñanza-aprendizaje y evaluación.

Esta norma apuesta por una Universidad como espacio de libertad, de debate cultural y de desarrollo personal. A estos efectos, se fomenta la condición de las universidades como agentes de creación y reflexión cultural, así como de protección, conservación y difusión del patrimonio histórico y cultural del que son depositarias. Por otra parte, las universidades se configuran como actores clave en la promoción y fomento de la diversidad y riqueza lingüística del Estado, en el desarrollo local y en la cohesión territorial en un contexto de lucha contra el cambio climático.

Esta norma parte del reconocimiento de los recursos humanos del sistema universitario como núcleo de su fortaleza. Respecto del personal docente e investigador, esta ley orgánica tiene como uno de sus objetivos prioritarios la eliminación de la precariedad en el empleo universitario y la implantación de una carrera académica estable y predecible. Se establecen tres niveles de progresión frente a los cuatro vigentes hasta ahora. Así, la carrera académica seguirá las etapas de incorporación, consolidación y promoción. Por otra parte, se reduce del 40 al 8 % el máximo de contratos de carácter temporal del personal docente e investigador que pueden estar vigentes en las universidades públicas. Esta norma persigue poner fin a la precariedad asociada a determinadas figuras del profesorado laboral, ofreciendo a quienes se encuentran en dicha situación vías de entrada adecuadas para que continúen la carrera académica si cumplen determinados requisitos. Asimismo, se incentivan programas de estabilización y promoción de forma transitoria y se garantiza la equiparación de derechos y deberes académicos del profesorado funcionario y laboral permanente. Finalmente, en materia de personal investigador esta norma configura pasarelas entre la carrera investigadora y la Universidad. Entre otras cuestiones, se incentiva la atracción de personal investigador de programas de excelencia mediante la reserva de un porcentaje de determinadas plazas universitarias.

Esta nueva ley revaloriza la figura del personal técnico, de gestión y de administración y servicios, como un actor clave para el funcionamiento eficiente y eficaz de la institución universitaria. En línea con este objetivo, se incorpora la carrera profesional horizontal de dicho personal, así como el marco para la evaluación de su desempeño. Igual que sucede con el personal docente e investigador, la norma persigue la reducción de la temporalidad y se fomenta la formación y la movilidad de dicho personal.

Para asegurar una Universidad autónoma, democrática y participativa, en la que, simultáneamente, la toma de decisiones y su gestión pueda realizarse de forma eficaz y eficiente, la ley consagra la transparencia y la rendición de cuentas de las universidades públicas, en correlación con el desarrollo y protección de su autonomía. Como parte del sector público institucional, el binomio autonomía-transparencia deberá regir toda su actividad, especialmente en lo relacionado con su régimen económico y financiero y la selección de su personal. Así, en este último caso, se refuerza la objetividad en el acceso a los cuerpos docentes y a las modalidades de contratación laboral estableciendo que la mayoría de los miembros de las comisiones de selección no pertenezca a la universidad convocante y que sean elegidos mayoritariamente mediante sorteo.

En lo referente a las estructuras internas y la gobernanza de la Universidad, la ley refuerza la autonomía universitaria en el marco de las bases comunes del sistema universitario, la necesaria conexión y colaboración con el entorno en el que se inserta la universidad mediante el Consejo Social, al mismo tiempo que adopta novedades en relación con la elección de la Rectora o Rector, y en relación con los límites de los mandatos de las personas titulares de los órganos unipersonales electos. Finalmente, esta ley orgánica fomenta la multidisciplinariedad e interdisciplinariedad mediante una estructura interna que permita la cooperación entre sus diferentes elementos.

Por otro lado, la participación de los diferentes sectores de la comunidad universitaria se erige como un componente definitorio de las universidades públicas. De esta forma, se apuesta por el desarrollo de procesos participativos, consultas y otros mecanismos de participación del conjunto de la comunidad universitaria asegurando la igualdad de oportunidades y la no discriminación. Además, entre otros aspectos, se aumenta la representación mínima del estudiantado en diversos órganos de gobierno de la universidad, y se mandata la creación de un Consejo de Estudiantes en cada universidad.

El conjunto de reformas que se aprueba parte del pleno respeto al principio de autonomía universitaria, integrado en el derecho fundamental a la educación reconocido en el artículo 27 de la Constitución Española. Asimismo, estas reformas se fundamentan en el reconocimiento de la distribución competencial entre el Estado y las comunidades autónomas en materia de política y gestión universitarias. En esta línea, la ley establece un mínimo común denominador, habilitando un amplio margen al desarrollo de sus disposiciones mediante la labor normativa de las comunidades autónomas y las concreciones de los Estatutos y normas de organización y funcionamiento de las propias universidades.

El expresado contenido de esta ley orgánica se divide en 100 artículos, que se articulan en un título preliminar al que siguen diez títulos. El título I regula las funciones del sistema universitario y la autonomía de las universidades, mientras que el título II se dedica a su creación y reconocimiento, así como a la calidad del sistema universitario. El título III versa sobre la función docente y la organización de enseñanzas. Por su parte, el título IV aborda lo relativo a la investigación, la transferencia e intercambio del conocimiento y la innovación, y el título V organiza la coordinación, cooperación y participación en el sistema universitario. Los títulos VI y VII tratan de la imbricación de la Universidad en la sociedad y en la cultura, así como de la internacionalización del sistema universitario, respectivamente. El título VIII incorpora el estatuto del estudiantado en el sistema universitario, al que sigue el título relativo a las universidades públicas. Así, el título IX, en sus cinco capítulos, se ocupa del régimen jurídico y estructura de estas, su gobernanza, su régimen económico y financiero, su personal docente e investigador y su personal técnico, de gestión y de administración y servicios, respectivamente. Por último, esta ley orgánica se ocupa en el título X del régimen específico de las universidades privadas.

Por otro lado, la parte final de la ley orgánica se divide en diecisiete disposiciones adicionales, doce disposiciones transitorias, una disposición derogatoria y doce disposiciones finales. Así, las disposiciones adicionales recogen determinaciones particulares respecto a la regulación contenida en el articulado, que mayoritariamente se refieren a instituciones universitarias con elementos que las singularizan.

A continuación, las disposiciones transitorias fundamentalmente persiguen facilitar el tránsito al régimen jurídico previsto por la nueva regulación tanto a las instituciones universitarias como al personal que en ellas desarrolla su labor.

Por su parte, la disposición derogatoria deja sin vigencia expresamente, para mayor seguridad jurídica, tres normas de rango legal: la Ley Orgánica 6/2001, de 21 de diciembre, de Universidades; la Ley Orgánica 4/2007, de 12 de abril, por la que se modifica la Ley Orgánica 6/2001, de 21 de diciembre, de Universidades, salvo sus disposiciones finales segunda y cuarta, y el Real Decreto-ley 14/2012, de 20 de abril, de medidas urgentes de racionalización del gasto público en el ámbito educativo.

Las disposiciones finales, además de las determinaciones típicas, incluyen la modificación de la Ley 53/1984, de 26 de diciembre, de Incompatibilidades del personal al servicio de las Administraciones públicas, con la finalidad de autorizar la compatibilidad para el desempeño de un puesto de trabajo en la esfera docente como Profesor universitario asociado en régimen de dedicación no superior a la de tiempo parcial; la Ley 14/1986, de 25 de abril, General de Sanidad, en lo relativo a la vinculación asistencial del personal docente universitario laboral; la Ley Orgánica 4/2000, de 11 de enero, sobre derechos y libertades de los extranjeros en España y su integración social, en lo relativo a la vigencia de las autorizaciones iniciales de estancia por estudios superiores cuya duración se extienda más allá de un curso académico y a las prórrogas de las autorizaciones de otras categorías, así como respecto de los lugares de presentación de las solicitudes y exigencia de comparecencia personal; la Ley 33/2011, de 4 de octubre, General de Salud Pública, para clarificar la regulación relativa a los requisitos para el ejercicio profesional de la psicología en el ámbito sanitario y la Ley 14/2013, de 27 de septiembre, de apoyo a los emprendedores y su internacionalización, para ampliar los períodos de eficacia de las autorizaciones de residencia del estudiantado para búsqueda de empleo y la autorización de residencia para prácticas.

En la elaboración y tramitación de esta ley orgánica se han observado los principios de necesidad, eficacia, proporcionalidad, seguridad jurídica, transparencia y eficiencia, exigidos por el artículo 129 de la Ley 39/2015, de 1 de octubre, del Procedimiento Administrativo Común de las Administraciones públicas. Así, su necesidad resulta de los retos que debe afrontar el sistema universitario ya descritos. La ley cumple los principios de eficacia y proporcionalidad puesto que aborda tales retos a través de innovaciones normativas idóneas y necesarias para llevar a cabo las transformaciones que requiere el sistema universitario para adecuarse a lo que se le demanda en el siglo XXI. Igualmente cumple

el principio de seguridad jurídica, pues su contenido es coherente con el resto del ordenamiento jurídico, nacional y de la Unión Europea, así como internacional, en particular con el Espacio Europeo de Educación Superior y, por otro, ofrece un marco normativo sistemático, ordenado y claro para facilitar la toma de decisiones por los particulares y la gestión de sus recursos por las Administraciones Públicas con competencias en la materia. Asimismo, en aplicación del principio de eficiencia, en esta ley orgánica se limitan las cargas administrativas a las imprescindibles para la consecución de los fines descritos previamente, siempre dentro del marco del ordenamiento jurídico nacional, de la Unión Europea e internacional. Por último, en aras del principio de transparencia, además de la realización de los trámites de consulta previa y audiencia e información públicas, y a fin de obtener la mayor participación posible de las partes interesadas, se ha posibilitado la participación de la sociedad y de las restantes Administraciones públicas; participación que se ha visto reforzada con la información al Consejo de Universidades, la Conferencia General de Política Universitaria y el Consejo de Estudiantes Universitario del Estado.

Esta ley orgánica se dicta al amparo de las reglas 30.ª y 1.ª del artículo 149.1 de la Constitución Española, que reservan al Estado la competencia para la aprobación de las normas básicas para el desarrollo del artículo 27 de la Constitución, a fin de garantizar el cumplimiento de las obligaciones de los poderes públicos en esta materia y la regulación de las condiciones básicas que garanticen la igualdad de todos los españoles en el ejercicio de los derechos, así como en el cumplimiento de los deberes constitucionales, respectivamente.

De lo anterior se exceptúa el título IV, el artículo 56.4, el artículo 57.7 y los artículos 60, 61, 62 y 63 que se dictan al amparo del artículo 149.1.15.ª de la Constitución que atribuye al Estado el fomento y coordinación general de la investigación científica y técnica, así como la disposición final primera de modificación de la Ley 53/1984, de 26 de diciembre, de Incompatibilidades del personal al servicio de las Administraciones públicas; la disposición final segunda de modificación de la Ley 14/1986, de 25 de abril, General de Sanidad; la disposición final tercera de modificación de la Ley Orgánica 4/2000, de 11 de enero, sobre derechos y libertades de los extranjeros en España y su integración social; la disposición final cuarta de modificación de la Ley 33/2011, de 4 de octubre, General de Salud Pública, y la disposición final quinta de modificación de Ley 14/2013, de 27 de septiembre, de apoyo a los emprendedores y su internacionalización, que se incardinan en las competencias expresadas en las leyes objeto de modificación.

1.3. Estructura de la Ley Orgánica del Sistema Universitario. Naturaleza

1.3.1. Estructura

Los 100 artículos de la Ley Orgánica del Sistema Universitario tienen la siguiente estructura:

- **Preámbulo**
- **Título Preliminar**: Disposiciones generales (art. 1)

- **Título I:** Funciones del Sistema Universitario y autonomía de las Universidades (arts. 2 y 3)
- **Título II**: Creación y reconocimiento de las Universidades y calidad del Sistema Universitario (arts. 4 y 5)
- **Título III**: Organización de enseñanzas (arts. 6 a 10)
- **Título IV:** Investigación y transferencia e intercambio del conocimiento e innovación (arts. 11 a 13)
- **Título V**: Cooperación, coordinación y participación en el Sistema Universitario (arts. 14 a 17)
- **Título VI**: Universidad, sociedad y cultura (arts. 18 a 22)
- **Título VII:** Internacionalización del Sistema Universitario (arts. 23 a 30)
- **Título VIII**: El estudiantado en el Sistema Universitario (arts. 31 a 37)
- **Título IX:** Régimen específico de las Universidades públicas (arts. 38 a 94)
  - Capítulo I: Régimen jurídico y estructura de las Universidades públicas (arts. 38 a 43)
  - Capítulo II: Gobernanza de las Universidades Públicas (arts. 44 a 52)
  - Capítulo III: Régimen económico y financiero de las Universidades Públicas (arts. 53 a 63)
  - Capítulo IV: Personal docente e investigador de las Universidades Públicas (arts. 64 a 88)
    - Sección 1.ª El profesorado de los cuerpos docentes universitarios
    - Sección 2.ª El personal docente e investigador laboral
    - Sección 3.ª El profesorado de la Unión Europea
  - Capítulo V: Personal técnico, de gestión y administración y servicios de las universidades públicas (arts. 89 a 94).
- **Título X**: Régimen específico de las universidades privadas (arts. 95 a 100)
- Disposiciones Adicionales (17)
- Disposiciones Transitorias (12)
- Disposición Derogatoria (1)
- Disposiciones Finales (12)

De conformidad con el artículo 1 de la LOSU cconstituye el objeto de esta ley orgánica la regulación del sistema universitario, así como de los mecanismos de coordinación, cooperación y colaboración entre las Administraciones públicas con competencias en materia universitaria.

A los efectos de esta ley orgánica, se entiende por sistema universitario el conjunto de universidades, públicas y privadas, y de los centros y estructuras que les sirven para el desarrollo de sus funciones.

Por su parte, se entiende por universidades aquellas instituciones, públicas o privadas, que desarrollan las funciones centrales de docencia, investigación y transferencia e intercambio del conocimiento, además de las recogidas en el artículo 2.2 de la LOSU y que ofertan títulos universitarios oficiales de Grado, Máster Universitario y Doctorado en la mayoría de ramas de conocimiento, pudiendo desarrollar otras actividades formativas.

1.3.2. Naturaleza de Ley Orgánica y habilitación normativa

Del articulado de la LOSU tienen carácter orgánico el artículo 1.2, el título I, el título II –salvo el artículo 5.4–, el artículo 6 –salvo su apartado 2–, el artículo 7.1 y 2, el artículo 9 –salvo sus apartados 6 a 8–, el artículo 11 –salvo sus apartados 4 y 5–, el artículo 29, el título VIII –salvo los artículos 32.2, 3, 4 y 5, 33.o) y 37.2–, el título X, las disposiciones adicionales cuarta, octava y novena y la disposición final tercera, apartados dos y cuatro.

Se habilita al Gobierno a dictar, en el ámbito de sus competencias, las disposiciones necesarias para la aplicación, la ejecución y el desarrollo de lo establecido en la LOSU.

1.4. La autonomía universitaria

1.4.1. Configuración de la autonomía universitaria. La autonomía universitaria como derecho fundamental

A) Introducción

El artículo 27.10 de la Constitución española de 1978 reconoce la autonomía de las universidades en los términos que la ley establezca, garantizando con ella la libertad de cátedra, de estudio y de investigación, así como la autonomía de gestión y administración de sus propios recursos. Con este precepto los constituyentes españoles pretendieron modificar sustancialmente el anterior régimen jurídico administrativo centralista de la Universidad española.

Podemos afirmar, con LUCIANO PAREJO ALFONSO, que hay una conciencia de autonomía de las universidades desde antes de la Constitución misma, pero que se trata de un derecho de configuración legal cuyos confines y contenido queda al alcance de la potestad legislativa.

El reconocimiento constitucional de la autonomía universitaria provocó, una intensa labor de producción normativa que transformó radicalmente el contexto legislativo del sistema universitario español; la principal de estas disposiciones fue la Ley Orgánica 11/1983, de 25 de agosto, de Reforma Universitaria (LRU). La LRU fue derogada por la Ley Orgánica 6/2001, de 21 de diciembre, de Universidades (LOU), que fue publicada en el Boletín Oficial del Estado (BOE) el 24 de diciembre y entró en vigor a los veinte días de su publicación en el mismo, es decir, el día 13 de enero de 2002. Esta última ley ha sido derogada por la reciente **Ley Orgánica 2/2023, de 22 de marzo, del Sistema Universitario (LOSU),** que fue publicada en el BOE el 23 de marzo y entró en vigor el 12 de abril.

En su Disposición adicional decimoquinta la LOSU establece que la aplicación y el desarrollo de lo dispuesto en esta ley orgánica respetará la autonomía universitaria reconocida constitucionalmente en el artículo 27.10 de la Constitución, así como las competencias atribuidas a las comunidades autónomas por sus respectivos Estatutos de Autonomía.

La jurisprudencia del Tribunal Constitucional, en un primer momento, vino a encuadrar a la autonomía universitaria en el doble campo de los derechos fundamentales y de las garantías institucionales, pero el Tribunal Constitucional, en su conocida sentencia 26/1987, de 27 de febrero, entendió **que tal reconocimiento de la autonomía universitaria era un derecho fundamental,** cuya regulación se traslada al legislador, pero manteniendo un núcleo indisponible o esencial que la propia Constitución garantiza "en términos reconocibles para la imagen que de la misma tiene la conciencia social en cada tiempo y lugar".

En este sentido, **la comunidad universitaria**, como sujeto colectivo, es titular de un derecho fundamental, y en virtud del mismo, puede defender ante otros poderes jurídicamente prevalentes la imagen que la sociedad tiene en cada tiempo y lugar de la universidad, preservándola en términos recognoscibles (Sentencia 32/1981, de 28 de junio, del Tribunal Constitucional).

La autonomía universitaria tiene un **contenido esencial**, formado por todos los elementos necesarios para el aseguramiento de la libertad académica, que a su vez comprende la libertad de enseñanza, estudio e investigación. El legislador puede regular dicha autonomía en la forma que estime más conveniente, dentro del marco de la Constitución y de respeto de su contenido esencial y de su garantía institucional o imagen típica, pero esta regulación legislativa no puede rebasar o desconocer la autonomía universitaria introduciendo limitaciones o sometimientos que la conviertan en mera proclamación teórica (Sentencia 26/1987, de 27 de febrero, del Tribunal Constitucional).

Una vez delimitado legalmente el ámbito de su autonomía, la universidad, posee, en principio, plena capacidad de decisión en aquellos aspectos que no son objeto de regulación específica en la ley, lo cual no significa que no existan **limitaciones** derivadas del ejercicio de otros derechos fundamentales (igualdad de acceso al estudio, docencia e investigación), o de un sistema universitario nacional que exige instancias coordinadoras; lo cual se complementa con la potestad de autonormación de las universidades entendida como capacidad para dotarse de su propia norma de funcionamiento o, lo que es lo mismo, de un ordenamiento específico y diferenciado, sin perjuicio de las relaciones de coordinación con otros ordenamientos en los que el universitario tenga necesariamente que integrarse, en el marco de la ley que sirve como parámetro controlador del límite de legalidad de los estatutos, que son la pieza básica de concreción de la autonomía de las universidades (Sentencia 55/1989, de 23 de febrero, del Tribunal Constitucional).

La Sentencia del Tribunal Constitucional 235/1991, de 12 de diciembre, complementa los anteriores pronunciamientos con la declaración de que la configuración constitucional de la autonomía universitaria es la propia de un **derecho fundamental** cuya titularidad ostentan las universidades, por lo que la legitimación originaria para la defensa de dicha autonomía tan solo a ellas asiste.

B) Consecuencias de conceptuar la autonomía universitaria como un derecho fundamental

Como señala OLIVER ARAUJO la opción por la tesis del derecho fundamental frente a la tesis de la garantía institucional comporta estas cinco consecuencias:

a) Hay un contenido esencial de la autonomía universitaria.

b) La normativa de desarrollo deberá adoptar la forma de ley orgánica (reserva de ley orgánica).

c) Existe la posibilidad de interponer el recurso de amparo, ordinario y constitucional, para defender el derecho a la autonomía universitaria.

d) Se prohíben los decretos legislativos y los decretos-leyes en el ámbito de la autonomía universitaria.

e) Deberá seguirse el procedimiento superrígido de reforma constitucional para modificar el precepto que reconoce el derecho a la autonomía universitaria.

1.4.2. Alcance de la autonomía universitaria. Contenido esencial

Tal y como señala el artículo 3 de la LOSU las universidades están dotadas de personalidad jurídica y desarrollan sus funciones en régimen de autonomía en virtud del derecho fundamental reconocido en el artículo 27.10 de la Constitución Española. Y en su artículo 3.3 establece que la autonomía universitaria garantiza la libertad de cátedra del profesorado, que se manifiesta en la libertad en la docencia, la investigación y el estudio.

La autonomía universitaria tiene un **contenido esencial**, formado por todos los elementos necesarios para el aseguramiento de la libertad académica, que a su vez comprende la libertad de enseñanza, estudio e investigación. El legislador puede regular dicha autonomía en la forma que estime más conveniente, dentro del marco de la Constitución y de respeto de su contenido esencial y de su garantía institucional o imagen típica, pero esta regulación legislativa no puede rebasar o desconocer la autonomía universitaria introduciendo limitaciones o sometimientos que la conviertan en mera proclamación teórica (Sentencia 26/1987, de 27 de febrero, del Tribunal Constitucional).

Este contenido esencial, como subraya la Sentencia anterior, se encontraba, en el artículo 3.2 de la propia Ley de Reforma Universitaria que fue conservado por la LOU en el artículo 2.2 y trasladado al artículo 3.2 de la LOSU, y comprende, siguiendo a ANTONIO ARIAS RODRÍGUEZ, los siguientes aspectos:

a) **Autonomía normativa**. La elaboración de los Estatutos y de las demás normas de funcionamiento interno.

b) **Autonomía política**. La Universidad cuenta con un amplio margen de libertad a la hora de ejercer esta potestad de auto-organización, hasta el punto de que se sustrae prácticamente al control jurisdiccional, que podrá adentrarse en aspectos formales o procedimentales, pero no, como afirma JOSÉ RAMÓN CHAVES GARCÍA, en los criterios de oportunidad o de fondo. También se incluye la creación de estructuras específicas que actúen como soporte de la investigación y de la docencia.

c) **Autonomía académica**. En relación con los planes de estudio, con el profesorado y con los estudiantes.

d) **Autonomía financiera**. En relación con la elaboración, aprobación y gestión de sus presupuestos y la administración de sus bienes. En este sentido, el artículo 3.4 de la LOSU señala que, para el desarrollo efectivo de la autonomía universitaria, todas las Administraciones públicas con competencias en la materia deberán asegurar a las universidades públicas su suficiencia y estabilidad financiera conforme a lo establecido en el Título IX.

Efectivamente, el artículo 3.2 de la LOSU establece que, en los términos de esta ley orgánica, la autonomía de la universidad comprende y requiere:

a) El establecimiento de las líneas estratégicas de la universidad, entre otras, en las políticas docentes, de investigación e innovación, de aseguramiento de la calidad, de gestión financiera, de personal, de estudiantado, de cultura y de internacionalización.

b) La elaboración de sus Estatutos, en el caso de las universidades públicas, y de sus normas de organización y funcionamiento, en el caso de las universidades privadas, así como de las demás normas de régimen interno.

c) La determinación de su organización y estructuras, incluida la creación de organismos y entidades que actúen como apoyo para sus actividades.

d) La elección, designación y remoción de las personas titulares de los correspondientes órganos de gobierno y de representación.

e) La autonomía económica y financiera.

f) La propuesta y determinación de la estructura y organización de la oferta de enseñanzas universitarias oficiales, así como de enseñanzas propias universitarias, incluida la formación a lo largo de la vida.

g) La elaboración y aprobación de planes de estudio conducentes a la obtención de títulos universitarios oficiales de Grado o de Máster Universitario, o que conduzcan a la obtención de títulos propios, así como la oferta de programas de Doctorado.

h) La expedición de los títulos correspondientes a las enseñanzas universitarias de carácter oficial, así como de títulos propios, incluida la formación a lo largo de la vida.

i) El establecimiento e implantación de programas de investigación y de transferencia e intercambio del conocimiento e innovación.

j) La selección, formación y promoción del personal docente e investigador y personal técnico, de gestión y de administración y servicios, así como la determinación de las condiciones en que han de desarrollar sus actividades y las características de estas.

k) El establecimiento de sus relaciones de puestos de trabajo o plantillas, y su eventual modificación.

l) La admisión del estudiantado, régimen de permanencia, verificación de conocimientos, competencias y habilidades, y la gestión de sus expedientes académicos.

m) El fomento y la gestión de programas de movilidad propios o promovidos por las Administraciones públicas.

n) La organización y desarrollo de actividades de tutoría académica y de apoyo al estudiantado.

o) El impulso de programas específicos de becas y ayudas al estudiantado, así como, en su caso, la colaboración en la gestión de estos cuando son establecidos por las Administraciones públicas.

p) La definición, estructuración y desarrollo de sistemas internos de garantía de la calidad de las actividades académicas.

q) La definición, estructuración y desarrollo de políticas propias que contribuyan a la internacionalización de la Universidad.

r) El establecimiento de relaciones con otras universidades, instituciones, organismos, Corporaciones de Derecho Público, Administraciones públicas o empresas y entidades locales, nacionales e internacionales, con el objeto de desarrollar algunas de las funciones que le son propias a la Universidad.

s) El desarrollo de las normas de convivencia y de los mecanismos de mediación para la solución alternativa de los conflictos en el ámbito universitario.

t) Cualquier otra competencia o actuación necesaria para el adecuado cumplimiento de las funciones señaladas en las letras anteriores.

Como nos recuerda ARIAS RODRIGUEZ este artículo es reconocido como orgánico, lo que supone un sustancial blindaje del espacio competencial propio de las universidades.

Por otro lado, el artículo tercero de la LOSU, en su apartado quinto, establece que, en el ejercicio de su autonomía, las universidades deberán rendir cuentas a la sociedad del uso de sus medios y recursos humanos, materiales y económicos, desarrollar sus actividades mediante una gestión transparente y ofrecer un servicio público de calidad.

Finalizamos este apartado con las palabras del profesor GARCÍA DE ENTERRÍA, indicando que la vertiente exterior de la autonomía universitaria se configura como la defensa de un servicio público libre de interferencia, (protegiendo su libertad académica) y que la vertiente interior o colegial, que deja en manos de los académicos las principales decisiones, no es por autosuficencia, sino en razón de su eficacia real, de los altos e imprescindibles fines que han de cumplir las universidad en la sociedad de nuestro tiempo.

1.4.3. Límites de la autonomía universitaria

Como recuerda el Tribunal Constitucional (STC 106/1990, de 6 de junio), una vez delimitado legalmente el ámbito de su autonomía, la universidad, "posee, en principio, plena capacidad de decisión en aquellos aspectos que no son objeto de regulación específica en la ley". Lo cual, como hemos precisado no excluye la existencia de otras limitaciones a la autonomía universitaria.

El citado derecho a la autonomía universitaria cuenta, tal y como señala ARIAS RODRIGUEZ, con los siguientes límites:

a) La concurrencia de otros derechos fundamentales, como la igualdad de acceso al estudio, la docencia y la investigación, o sobre todas, la libertad de cátedra.

b) La coordinación del Sistema Universitario Nacional y la existencia de instancias coordinadoras del mismo.

c) El carácter de servicio público que la Universidad realiza mediante la docencia, el estudio y la investigación, como forma de provisión pública o privada.

d) Los mandatos constitucionales (o legales) para todas las Administraciones públicas, como el mérito y la capacidad en el acceso a la función pública o su sistema de incompatibilidades y los principios de legalidad y eficacia previstos en el artículo 103 de la CE.

Las limitaciones anteriores se complementan con la potestad de autonormación de las universidades entendida como capacidad para dotarse de su propia norma de funcionamiento o, lo que es lo mismo, de un ordenamiento específico y diferenciado, sin perjuicio de las relaciones de coordinación con otros ordenamientos en los que el universitario tenga necesariamente que integrarse, en el marco de la ley que sirve como parámetro controlador del límite de legalidad de los estatutos, que son la pieza básica de concreción de la autonomía de las universidades (Sentencia 55/1989, de 23 de febrero, del Tribunal Constitucional).

2. La naturaleza jurídica de las Universidades en la Ley del Sistema Universitario. Funciones del Sistema Universitario

2.1. Configuración

Establece el artículo tercero de la Ley Orgánica 2/2023, de 22 de marzo, del Sistema Universitario (en adelante LOSU) que la universidad están dotadas de personalidad jurídica y desarrollan sus funciones en régimen de autonomía en virtud del derecho fundamental reconocido en el artículo 27.10 de la Constitución Española.

La LOSU, en su Título II, regula la creación y reconocimiento de las universidades y calidad del sistema universitario, estableciendo a tal efecto las reglas para su puesta en marcha y funcionamiento.

La regulación reglamentaria actualmente vigente en materia de universidades y centros es el Real Decreto 640/2021, de 27 de julio, de creación, reconocimiento y autorización de universidades y centros universitarios, y acreditación institucional de centros universitarios, que ha venido a sustituir a un Real Decreto del año 2015.

Podemos señalar que la LOSU respeta el diseño de la universidad que realizaba la ya derogada Ley Orgánica 11/1983, de 25 de agosto, de Reforma Universitaria (LRU) y la Ley Orgánica 6/2001, de 21 de diciembre, de Universidades (LOU). Es decir, hay universidades públicas y hay universidades privadas, y entre estas últimas se configuran con determinadas peculiaridades las Universidades de la Iglesia Católica.

El artículo 1.2 de la LOSU establece que, a los efectos de esta ley orgánica, se entiende por sistema universitario el conjunto de universidades, públicas y privadas, y de los centros y estructuras que les sirven para el desarrollo de sus funciones.

Por su parte, se entiende por universidades aquellas instituciones, públicas o privadas, que desarrollan las funciones centrales de docencia, investigación y transferencia e intercambio del conocimiento, además de las recogidas en el artículo 2.2 y que ofertan títulos universitarios oficiales de Grado, Máster Universitario y Doctorado en la mayoría de ramas de conocimiento, pudiendo desarrollar otras actividades formativas.

2.2. La Universidad como servicio público

La LOSU atribuye en su artículo 2.1 señala que el Sistema Universitario presta y garantiza el servicio público de la educación superior universitaria mediante la docencia, la investigación y la transferencia del conocimiento.

Como apunta J.M. Souvirón Morenilla la noción de servicio público aquí utilizada opera como título finalista y abstracto de un régimen jurídico peculiar que halla sus claves fundamentales en los siguientes tres elementos determinantes:

a) La reserva legal de la institucionalización de las universidades. La facultad de creación de centros docentes reconocida en la Constitución española a los poderes públicos (artículo 27.5) y a las personas físicas y jurídicas (artículo 27.6), puede dar lugar respectivamente a la creación de universidades públicas o universidades privadas, institucionalizadas como tales mediante la aprobación de la correspondiente ley de creación o de reconocimiento, ley que es condición inexcusable en ambos casos de la institucionalización de tales centros como universidades.

b) La reserva estatal de la homologación de los estudios y títulos. La LOSU establece, sobre la base de la competencia estatal para la regulación de las condiciones de obtención, homologación y expedición de títulos académicos y profesionales (artículo 149.1.30), y no obstante la autonomía académica reconocida a las universidades, una reserva estatal para el otorgamiento de carácter oficial y validez en todo el territorio nacional a los títulos acreditativos de las enseñanzas impartidas por aquellas y los centros de educación superior. Esta reserva estatal se concreta en el establecimiento por el Gobierno de las directrices y las condiciones para la obtención de los títulos universitarios de carácter oficial y con validez en todo el territorio nacional (artículo 8 de la LOSU); las universidades aprueban los planes de estudios, pero deben obtener la verificación del Consejo de Universidades de que dicho plan se ajusta a las directrices y condiciones establecidas por el Gobierno (arts. 8 y 9 LOSU). Tras la autorización de la Comunidad Autónoma y la verificación del plan de estudios que otorgue el Consejo de Universidades, el Gobierno establecerá el carácter oficial del título y ordenará su inscripción en el Registro de universidades, centros y títulos (art. 35.3). Igualmente, el Gobierno establecerá las condiciones de homologación de títulos extranjeros de educación superior (art. 10 LOSU).

c) Las formas de la provisión de la educación superior. Las universidades públicas aparecen como el aparato instrumental de las Administraciones Territoriales (Estado y comunidades autónomas) para prestar el servicio de la educación superior, lo que sitúa la actividad de las universidades públicas en las típicas coordenadas de la actividad prestacional de la Administración, es decir, del servicio público. No sucede, sin embargo estrictamente lo mismo con las universidades privadas, pues la necesidad de ley para el reconocimiento de aquellas y los requisitos establecidos para su creación, o el control de los cambios sobrevenidos en su titularidad y funcionamiento no responden en este caso a las exigencias y rasgos del servicio público como tarea del sector público y llevada a cabo por este o, por encomienda del mismo, por el sector privado, sino a la reserva de institucionalización de las universidades.

La declaración que la LOSU realiza de la educación superior como servicio público, implica, en primer lugar, que aquella constituye un "servicio a la sociedad". Por ello tanto las universidades públicas como las privadas han de "rendir cuentas del uso de sus medios y recursos a la sociedad" (art. 3.5 LOSU). Pero ese servicio a la sociedad es susceptible de prestación concurrente tanto por la Universidad pública como por la Universidad privada.

2.3. Personalidad jurídica. Funciones de la Universidad

El artículo 2.2. de la LOSU establece que son funciones de las universidades:

a) La creación, desarrollo, transmisión y crítica de la ciencia, de la técnica y de la cultura.

b) La educación y formación del estudiantado a través de la creación, desarrollo, transmisión y evaluación crítica del conocimiento científico, tecnológico, social, humanístico, artístico y cultural, así como de las capacidades, competencias y habilidades inherentes al mismo.

c) La preparación para el ejercicio de actividades profesionales que exijan la aplicación y actualización de conocimientos y métodos científicos, tecnológicos, sociales, humanísticos, culturales y para la creación artística.

d) La generación, desarrollo, difusión, transferencia e intercambio del conocimiento y la aplicabilidad de la investigación en todos los campos científicos, tecnológicos, sociales, humanísticos, artísticos y culturales.

e) La promoción de la innovación a partir del conocimiento en los ámbitos sociales, económicos, medioambientales, tecnológicos e institucionales.

f) La contribución al bienestar social, al progreso económico y a la cohesión de la sociedad y del entorno territorial en que estén insertas, así como a la promoción de las lenguas oficiales de las mismas, a través de la formación, la investigación, la transferencia e intercambio del conocimiento y la cultura del emprendimiento, tanto individual como colectiva, a partir de fórmulas societarias convencionales o de economía social.

g) La generación de espacios de creación y difusión de pensamiento crítico.

h) La transferencia e intercambio del conocimiento y de la cultura al conjunto de la sociedad a través de la actividad universitaria y la formación permanente o a lo largo de la vida del conjunto de la ciudadanía.

i) La formación de la ciudadanía a través de la transmisión de los valores y principios democráticos.

j) El fomento de la participación de la comunidad universitaria y de la ciudadanía en actividades promovidas por entidades de voluntariado y del tercer sector que se encuentren en línea con los principios y valores del sistema universitario.

k) Las demás funciones que se les atribuyan legalmente.

El ejercicio de las anteriores funciones tendrá como referente los derechos humanos y fundamentales, la memoria democrática, el fomento de la equidad e igualdad, el impulso de la sostenibilidad, la lucha contra el cambio climático y los valores que se desprenden de los Objetivos de Desarrollo Sostenible.

3. Cooperación, coordinación y participación en el Sistema Universitario

Recoge el Título V de la LOSU bajo la rúbrica "Cooperación, Coordinación y Participación en el sistema universitario" la regulación de la Conferencia General de Política Universitaria, del Consejo de Universidades y del Consejo de Estudiantes Universitario del Estado.

Las comunidades autónomas son responsables de la política universitaria de acuerdo con lo previsto en la Constitución y en los Estatutos de Autonomía, mientras que al Estado, conforme al artículo 149.1.30.ª, le corresponde establecer las normas básicas para el desarrollo del artículo 27.10 que reconoce la autonomía de las universidades. La articulación de este complejo organizativo de Estado-comunidades autónomas y universidades requiere alcanzar una armonía de todos los agentes implicados y una relación clara y fluida entre todos ellos. Es especialmente importante articular las relaciones intergubernamentales, de un lado, y de otro, la coordinación y cooperación en el ámbito académico. Por ello, la LOU creó y la LOSU mantiene **la Conferencia General de Política Universitaria y el Consejo de Universidades** con funciones de asesoramiento, cooperación y coordinación en el ámbito académico. Además, como órgano de nueva creación la LOSU implementa el Consejo de Estudiantes Universitarios del Estado.

3.1. Cooperación y coordinación del Sistema Universitario

De conformidad con lo dispuesto en el artículo 14 de la LOSU, la Conferencia General de Política Universitaria y el Consejo de Universidades son los órganos de cooperación y coordinación entre las universidades y las Administraciones públicas con competencias en política universitaria, para el adecuado funcionamiento del sistema universitario.

Las universidades, en el marco de las funciones que les son propias, fomentarán la cooperación y colaboración entre ellas, con otras instituciones de educación superior, con organismos públicos de investigación, con organismos de investigación de otras Administraciones públicas, con otros organismos o Administraciones públicas, con entidades, empresas, agentes sociales y organizaciones de la sociedad civil y con otros agentes del Sistema Español de Ciencia, Tecnología e Innovación o del sistema europeo de investigación e innovación, o pertenecientes a otros países, mediante, entre otros instrumentos, la creación de alianzas estratégicas y redes de colaboración.

Sin perjuicio del respeto y pleno desarrollo del principio constitucional de autonomía universitaria, corresponde al Gobierno y a las comunidades autónomas el desarrollo de las tareas de coordinación de las universidades de su respectivo ámbito competencial.

3.2. Conferencia General de Política Universitaria

3.2.1. Naturaleza

De conformidad con lo dispuesto en el artículo 15 de la LOSU, la Conferencia General de Política Universitaria, sin perjuicio de las funciones atribuidas a los órganos de coordinación universitaria de las comunidades autónomas, es el órgano de **cooperación y coordinación de la política universitaria** entre las distintas Administraciones públicas, al que corresponden las funciones de:

a) Planificar, informar, consultar y asesorar sobre la programación general y plurianual de la educación universitaria.

b) Informar las disposiciones legales y reglamentarias que afecten al conjunto del sistema universitario.

c) Formular propuestas para asegurar la transparencia, evaluación, desburocratización y eficacia de los principales procesos docentes, investigadores y de financiación y gestión de recursos humanos y económicos, que se desarrollan en las universidades.

d) Informar con carácter preceptivo sobre la creación y reconocimiento de universidades.

e) Aprobar, para cada curso, la oferta general de enseñanzas y plazas de las titulaciones oficiales del sistema universitario.

f) Plantear medidas y acciones que garanticen el acceso a los estudios universitarios, la continuidad en ellos y la finalización de estos, en igualdad de condiciones para todo el estudiantado.

g) Formular propuestas e informar los planes para fomentar la relación entre el sistema universitario y el entorno social y económico.

h) Elaborar informes sobre la aplicación del principio de igualdad de género, y de las políticas antidiscriminación o de reconocimiento de la diversidad en todos los aspectos de la vida universitaria.

i) Establecer y valorar las líneas generales de política universitaria, su internacionalización y, en especial, su articulación en el Espacio Europeo de Educación Superior y su interrelación con las políticas de investigación científica y tecnológica.

j) Desarrollar cuantas otras funciones le atribuya el ordenamiento jurídico.

Bajo la presidencia del Ministro o Ministra de Universidades, estará compuesta por las personas responsables de la educación universitaria en los Consejos de Gobierno de las comunidades autónomas.

La organización y el funcionamiento de la Conferencia se establecerán en su reglamento interno, en el marco de lo dispuesto en la Ley 40/2015, de 1 de octubre, de Régimen Jurídico del Sector Público.

3.2.2. Funciones de la Conferencia General de Política Universitaria previstas en la LOSU

Además de las funciones ya analizadas, determinados preceptos de la LOSU introducen previsiones específicas de medidas que deben ser objeto de decisión en el marco de la Conferencia General de Política Universitaria.

A) Creación y reconocimiento de Universidades

El artículo 4 de la LOSU establece que para la creación de universidades públicas y para el reconocimiento de las universidades privadas **será preceptivo el informe previo de la Conferencia General de Política Universitaria**.

B) Garantía de la Calidad

El artículo 5.2 de la LOSU establece que el aseguramiento de la calidad se hará efectivo en las condiciones y mediante los procedimientos de evaluación, certificación y acreditación que establezca el Gobierno, mediante real decreto, **previo informe de la Conferencia General de Política Universitaria**.

C) Títulos universitarios oficiales

El Gobierno, mediante real decreto, previo informe de la **Conferencia General de Política Universitaria** y del Consejo de Universidades, establecerá las directrices y condiciones para la obtención y expedición de los títulos universitarios oficiales. Estos serán expedidos, en nombre del Rey, por el Rector o Rectora de la universidad (art. 8.1 LOSU).

D) Acceso a la Universidad

Corresponde al Gobierno, **previo informe de la Conferencia General de Política Universitaria** y del Consejo de Estudiantes Universitario, mediante real decreto, establecer las normas básicas para el acceso del estudiantado a las enseñanzas universitarias oficiales, siempre con respeto de los principios de igualdad, mérito y capacidad y, en todo caso, de acuerdo con el artículo 38 de la Ley Orgánica 2/2006, de 3 de mayo, de Educación, así como con el resto de normas de carácter básico que le sean de aplicación (artículo 31.1 LOSU).

El Gobierno**, previo acuerdo de la Conferencia General de Política Universitaria,** podrá establecer límites máximos de admisión de estudiantes en los estudios de que se trate para cumplir las exigencias derivadas de la Unión Europea o del Derecho Internacional, o bien por motivos de interés general igualmente acordados en dicha Conferencia. Dichos límites afectarán al conjunto de las universidades públicas y privadas (art. 31.6 LOSU).

E) Excedencia del personal de las Universidades

El profesorado funcionario de los cuerpos docentes universitarios, las Profesoras y Profesores Permanentes Laborales y el personal técnico, de gestión y de administración y servicios, funcionario o laboral con vinculación permanente, que fundamente su participación en las actividades de investigación a las que se refiere el apartado 1 del artículo 61 podrán solicitar la autorización para incorporarse a dicha empresa o entidad participada por la universidad, mediante una excedencia temporal.

El Gobierno, mediante real decreto y **previo informe de la Conferencia General de Política Universitaria**, regulará las condiciones y el procedimiento para la concesión de dicha excedencia que, en todo caso, solo podrá concederse por un tiempo máximo de cinco años. Durante este período, el personal en situación de excedencia tendrá derecho a la reserva del puesto de trabajo y a su cómputo a efectos de antigüedad. Si con anterioridad a la finalización del período por el que se hubiera concedido la excedencia la persona interesada no solicitase el reingreso al servicio activo, será declarada de oficio en situación de excedencia voluntaria por interés particular (artículo 61.3 LOSU).

3.3. El Consejo de Universidades

3.3.1. Naturaleza y funciones

Tal y como establece el artículo 16 de la LOSU el Consejo de Universidades **es el órgano de coordinación académica del sistema universitario español, así como de cooperación, consulta y propuesta en materia universitaria.** Está adscrito al Ministerio de Universidades y le corresponden las siguientes funciones, que desarrolla con plena autonomía funcional:

a) Servir de espacio para la colaboración, la cooperación y la coordinación en el ámbito académico entre las universidades.

b) Informar las disposiciones legales y reglamentarias que afecten al conjunto del sistema universitario.

c) Prestar el asesoramiento que en materia universitaria sea requerido por el Ministerio de Universidades y la Conferencia General de Política Universitaria o, en su caso, por las comunidades autónomas.

d) Formular propuestas al Gobierno y a la Conferencia General de Política Universitaria en materias relativas al sistema universitario.

e) Verificar la adecuación de los planes de estudios.

f) Coordinar las características que deben seguirse en las distintas modalidades de impartición docente en el conjunto del sistema universitario, para garantizar su calidad.

g) Desarrollar cuantas otras tareas le encomienden las leyes y sus disposiciones de desarrollo.

h) En su Reglamento también se le atribuye "la acreditación nacional para el acceso a los cuerpos docentes universitarios, de acuerdo con el procedimiento establecido en el Real Decreto 1312/2007, de 5 de octubre".

La organización y el funcionamiento del Consejo de Universidades se regularán por Real Decreto del Consejo de Ministros. Por Real Decreto 1677/2009, de 13 de noviembre, se aprobó el Reglamento del Consejo de Universidades.

3.3.2. Composición del Consejo de Universidades

De conformidad con lo dispuesto en el artículo 16.2 de la LOSU el Consejo de Universidades será presidido por el Ministro o Ministra de Universidades y estará compuesto por las siguientes vocalías:

a) Los Rectores o Rectoras de las universidades del sistema universitario.

b) Cinco miembros designados por el Presidente o Presidenta del Consejo, uno de los cuales habrá de ser una persona perteneciente a la Conferencia de Consejos Sociales de las Universidades Españolas y otra al Consejo de Estudiantes Universitario del Estado, a propuesta de estos órganos de representación, y otra un representante a propuesta de los sindicatos más representativos en el ámbito universitario. De los dos restantes, uno será el titular de un órgano directivo del ministerio que ejercerá como secretario, y otro, un profesional de reconocido prestigio. Se procurará, en todo caso, la presencia equilibrada de mujeres y hombres.

3.3.3. Funciones del Consejo de Universidades en la LOSU

Además de las ya vistas con anterioridad la LOSU recoge las siguientes funciones del Consejo de Universidades:

1. Títulos universitarios oficiales.

   El Gobierno, mediante real decreto, previo informe de la Conferencia General de Política Universitaria y del **Consejo de Universidades**, establecerá las directrices y condiciones para la obtención y expedición de los títulos universitarios oficiales. Estos serán expedidos, en nombre del Rey, por el Rector o Rectora de la universidad.

   La iniciativa para impartir una enseñanza requiere el informe preceptivo y favorable sobre la necesidad y viabilidad académica y social de la implantación del título universitario oficial por la Comunidad Autónoma competente, el informe favorable a efectos de la verificación de la calidad de la memoria del plan de estudios por la agencia de calidad correspondiente, la verificación por el **Consejo de Universidades** del plan de estudios y la autorización de la implantación de este por la indicada Comunidad Autónoma (art. 8 LOSU).

2. Convalidación o adaptación de estudios, homologación y declaración de equivalencia de títulos extranjeros, validación de experiencia y reconocimiento de créditos.

Corresponde al Gobierno, **previo informe del Consejo de Universidades**, regular:

a) Los criterios generales a los que habrán de ajustarse las universidades en materia de convalidación y adaptación de estudios cursados en centros académicos españoles o extranjeros. Este procedimiento deberá estructurarse partiendo de los principios que sustenten el Espacio Europeo de Educación Superior, en cuanto al mutuo reconocimiento de títulos académicos de los países que lo han implementado, así como de acuerdo con el Convenio sobre reconocimiento de cualificaciones relativas a la educación superior en la Región Europea (número 165 del Consejo de Europa), hecho en Lisboa el 11 de abril de 1997.

b) Las condiciones de homologación de títulos oficiales extranjeros de educación superior con títulos universitarios oficiales españoles.

c) Las condiciones para la declaración de equivalencia de un título oficial extranjero de educación superior en relación con el nivel académico universitario oficial de Grado o de Máster Universitario. Los títulos de Grado expedidos por universidades en los Estados miembros de la Unión Europea serán equivalentes, a todos los efectos, a aquellos expedidos por universidades españolas.

d) Las condiciones para el reconocimiento académico de la experiencia laboral o profesional, así como la formación a lo largo de la vida.

e) El régimen de convalidaciones y de reconocimiento de créditos entre las enseñanzas oficiales universitarias y las otras enseñanzas que constituyen la educación superior (artículo 10 LOSU).

3. Estructura de las enseñanzas oficiales.

   Los estudios de Doctorado se organizarán en la forma que determinen los Estatutos o normas de organización y funcionamiento de las respectivas universidades, de acuerdo con los criterios que para la obtención del título de Doctor o Doctora apruebe el Gobierno, mediante real decreto, previo informe del **Consejo de Universidades**. Este real decreto regulará, entre otras, las menciones internacional e industrial en el título de Doctor/a (art. 9 LOSU).

4. Acceso a la Universidad.

   Con el fin de facilitar la actualización de la formación y la readaptación profesionales, el Gobierno, **previo informe del Consejo de Universidades**, establecerá reglamentariamente las condiciones y regulará los procedimientos para el acceso a la Universidad de quienes, acreditando una determinada experiencia laboral o profesional, no dispongan de la titulación académica legalmente requerida al efecto con carácter general (artículo 31.3 LOSU).

5. Acreditación de los cuerpos docentes universitarios.

   Por real decreto del Consejo de Ministros, **previo informe del Consejo de Universidades**, se regulará el procedimiento de acreditación. En estos procedimientos el sentido del silencio administrativo será desestimatorio (artículo 69.3 LOSU).

Podrá presentarse una reclamación ante el **Consejo de Universidades** contra las resoluciones de las comisiones de acreditación. Una comisión, cuya composición se determinará reglamentariamente, valorará la reclamación (artículo 73 LOSU).

6. Ámbitos de conocimiento del personal docente e investigador.

   Todos los puestos de trabajo de profesorado funcionario y laboral deberán adscribirse a los ámbitos de conocimiento que serán establecidos reglamentariamente por el Gobierno, **previo informe del Consejo de Universidades**. Dichos ámbitos serán suficientemente amplios para permitir y favorecer la movilidad del profesorado y facilitar su carrera profesional (art. 64 LOSU).

7. Profesorado de la Unión Europea.

   El profesorado de las universidades de los Estados miembros de la Unión Europea que haya alcanzado en aquellas una posición comparable a la de Catedrático/a de Universidad, Profesor/a Titular de Universidad o Profesor/a Permanente Laboral será considerado acreditado a los efectos previstos en esta ley orgánica, según el procedimiento y condiciones que se establezcan por orden de la persona titular del Ministerio de Universidades, **previo informe del Consejo de Universidades**. Con carácter general, estos reconocimientos de acreditación con otros Estados miembros estarán sujetos al principio de reconocimiento mutuo (artículo 88 LOSU).

8. Régimen de conciertos entre Universidades e Instituciones sanitarias.

   Corresponde al Gobierno, a propuesta de las personas titulares de los Ministerios de Universidades y de Sanidad, **previo informe del Consejo de Universidades**, establecer las bases generales del régimen de conciertos entre las universidades del sistema universitario español y las instituciones sanitarias y establecimientos sanitarios, en las que se deba impartir educación universitaria, a efectos de garantizar la docencia práctica de las titulaciones en Ciencias de la Salud que así lo requieran. En dichas bases generales, se preverá la participación de las comunidades autónomas en los conciertos que se suscriban entre universidades e instituciones sanitarias (Disposición final novena LOSU).

En los asuntos que afecten en exclusiva a las universidades públicas tendrán derecho a voto el Presidente o la Presidenta del Consejo, los Rectores y Rectoras de las universidades públicas y los cinco miembros del Consejo designados por el Presidente o la Presidenta (artículo 16.3 LOSU).

3.4. El Consejo de Estudiantes Universitario del Estado

3.4.1. Naturaleza

El artículo 17 de la LOSU define al Consejo de Estudiantes Universitario del Estado como el órgano de participación, deliberación y consulta de las y los estudiantes universitarios ante el Ministerio de Universidades.

El Consejo de Estudiantes Universitario del Estado se adscribe al Ministerio de Universidades.

3.4.2. Funciones

Corresponden al Consejo de Estudiantes Universitario del Estado las siguientes funciones:

a) Ser interlocutor ante el Ministerio de Universidades, en los asuntos que conciernen al estudiantado.

b) Informar los criterios de las propuestas del Gobierno en materia de estudiantes universitarios y en aquellas materias para las cuales le sea requerido informe.

c) Contribuir activamente a la defensa de los derechos estudiantiles, cooperando con las asociaciones de estudiantes y los órganos de representación estudiantil.

d) Velar por la adecuada actuación de los órganos de gobierno en las universidades en lo que se refiere a los derechos y deberes del estudiantado establecidos en los Estatutos de cada una de ellas.

e) Elevar propuestas al Gobierno en materias relacionadas con la competencia de este.

f) Pronunciarse sobre cualquier asunto para el que sea requerido por el Ministerio de Universidades.

g) Ostentar la representación del estudiantado universitario y participar en la fijación de criterios para la concesión de becas y otras ayudas, en el ámbito de las competencias del Estado.

h) Fomentar el asociacionismo estudiantil y la participación del estudiantado en la vida universitaria.

i) Desarrollar cualesquiera otras funciones que se le asignen legal o reglamentariamente.

3.4.3. Composición, organización y funcionamiento

La composición, así como la organización y el funcionamiento del Consejo de Estudiantes Universitario del Estado se determinarán reglamentariamente. En todo caso, estarán representadas todas las universidades y estará presidido por el Ministro o Ministra de Universidades.

El Secretario o Secretaria General de Universidades actuará como Vicepresidente o Vicepresidenta primera, correspondiendo la vicepresidencia segunda al estudiantado.

4. La Gobernanza de las universidades

4.1. Gobernanza de las universidades públicas

4.1.1. Normas generales de gobernanza, representación y participación en las universidades públicas

A) Órganos colegiados y unipersonales

El artículo 44 de la LOSU establece que los Estatutos de las universidades establecerán y regularán los siguientes órganos colegiados:

a) Claustro Universitario.

b) Consejo de Gobierno.

c) Consejo de Estudiantes.

d) Asimismo, establecerán el Consejo Social y podrán establecer y regular Consejos de Escuela y de Facultad, Consejos de Departamento u otros órganos específicos que se determinen.

Los Estatutos de las universidades establecerán y regularán, entre otros, los siguientes órganos unipersonales:

a) Rector o Rectora.

b) Vicerrectores o Vicerrectoras.

c) Secretario o Secretaria General.

d) Gerente.

e) Así como, en su caso, Decanos o Decanas de Facultades, Directores o Directoras de Escuelas, de Departamentos, o de otros órganos específicos para los centros o estructuras que determinen los Estatutos.

B) Mandato[2]

El mandato de los titulares de órganos unipersonales electos será, en todos los casos, de seis años improrrogables y no renovables. La dedicación a tiempo completo del profesorado universitario será requisito necesario para el desempeño de órganos unipersonales de gobierno. En ningún caso podrá ejercerse la titularidad de más de un cargo simultáneamente.

C) Elección

La elección de las y los representantes de los distintos sectores de la comunidad universitaria en el Claustro Universitario o, en caso de contar con facultades, escuelas o departamentos, en los Consejos o Juntas de Facultad o Escuela y en los Consejos de Departamento se realizará mediante sufragio universal, libre, igual, directo y secreto.

Los Estatutos establecerán las normas electorales aplicables, las cuales deberán garantizar en todos los órganos colegiados el principio de composición equilibrada, entre mujeres y hombres, tal como indica la disposición adicional primera de la Ley Orgánica 3/2007, de 22 de marzo, para la igualdad efectiva de mujeres y hombres.

Los Estatutos establecerán mecanismos incentivadores de la participación y representación de los diferentes sectores de la comunidad universitaria en los órganos de gobierno de la universidad, centros, departamentos e institutos, con especial atención a la participación del estudiantado, y con información actualizada en los portales de transparencia de los espacios de participación que se habiliten en cada momento. Con esta finalidad, podrán desarrollar procesos participativos, consultas y otros mecanismos de participación del conjunto de la comunidad universitaria.

4.1.2. El Claustro Universitario

A) Naturaleza y funciones

A tenor de lo dispuesto en el artículo 45 de la LOSU el Claustro Universitario es el máximo órgano de representación y participación de la comunidad universitaria.

Las funciones fundamentales del Claustro son:

a) Elaborar y aprobar los Estatutos de la universidad y, en su caso, modificarlos, sin perjuicio de su aprobación definitiva por la Comunidad Autónoma, así como el reglamento general de centros y estructuras, y otras normas.

---

2 La Disposición transitoria primera de la LOSU establece: "Los cargos unipersonales electos que, a la entrada en vigor de esta ley orgánica, estuvieran en su primer mandato de cuatro años, podrán finalizar el mismo y concurrir a la reelección por un periodo de seis años improrrogable y no renovable. En el caso de aquellos que estuvieran en su segundo mandato de cuatro años podrán finalizar el mismo y, conforme a la limitación de mandatos que ya les era de aplicación, no podrán optar a una nueva reelección".

b) Debatir y realizar propuestas de política universitaria para que sean elevadas al Equipo de Gobierno. Cuando estas propuestas puedan tener un carácter normativo se elevarán al Consejo de Gobierno.

c) Elaborar y modificar su reglamento de funcionamiento.

d) Elegir a los representantes del Claustro en otros órganos de gobierno de la universidad.

e) Convocar, con carácter extraordinario, elecciones a Rector o Rectora a iniciativa de un tercio de sus componentes, que incluya, al menos, un 30 % del personal de los cuerpos docentes universitarios funcionarios y Profesoras y Profesores Permanentes Laborales. La aprobación de la iniciativa por al menos dos tercios del Claustro conllevará su disolución y el cese del Rector o Rectora, que continuará en funciones hasta la toma de posesión del nuevo Rector o de la nueva Rectora. Si la iniciativa no fuese aprobada, ninguno de los solicitantes podrá participar en la presentación de otra iniciativa de este carácter hasta transcurrido un año desde su votación.

f) Ejercer cualquier otra función que establezcan los Estatutos de la universidad.

g) Analizar y debatir otras temáticas de especial trascendencia.

B) Mandato y composición

Los Estatutos establecerán la duración del mandato y el número de componentes del Claustro, siendo miembros natos de este órgano el Rector o Rectora, que lo presidirá, el Secretario o Secretaria General y el o la Gerente.

Los Estatutos de cada universidad establecerán los porcentajes de representación del personal docente e investigador no permanente, personal investigador no permanente, profesorado asociado, estudiantado y personal técnico, de gestión y de administración y servicios, asegurando un mínimo del 25 % de representación del estudiantado.

El personal de los cuerpos docentes universitarios funcionarios y Profesoras y Profesores Permanentes Laborales tendrá una representación del 51 % de los miembros del Claustro.

4.1.3. El Consejo de Gobierno

A) Naturaleza y funciones

De conformidad con el artículo 46 de la LOSU el Consejo de Gobierno es el máximo órgano de gobierno de la universidad.

Corresponden al Consejo de Gobierno las siguientes funciones:

a) Promover y aprobar los planes estratégicos de la universidad a propuesta del Equipo de Gobierno.

b) Fijar las directrices fundamentales y los procedimientos de aplicación de todas las políticas de la universidad.

c) Proponer al Consejo Social para su aprobación el Plan Plurianual de Financiación.

d) Aprobar la oferta y la programación docente de la universidad.

e) Aprobar las convocatorias de plazas y la relación de puestos de trabajo, y su modificación, del personal docente e investigador y del personal técnico, de gestión y de administración y servicios, que deberán ser finalmente aprobadas por las comunidades autónomas.

f) Proponer al Consejo Social para su aprobación los presupuestos de la universidad y de los entes dependientes, y las cuentas anuales de la universidad.

g) Aprobar los convenios de adscripción a la universidad de centros de educación superior públicos y privados.

h) Aprobar los convenios de colaboración y cooperación académica y de investigación suscritos entre la universidad y otras universidades nacionales o extranjeras, así como con otras instituciones, organismos, entidades o empresas con fines académicos o de investigación, salvo que dicha facultad sea atribuida a otros órganos estatutarios a través de mecanismos internos de distribución de competencias de la universidad.

i) Definir y aprobar planes de captación, estabilización y promoción del personal docente e investigador.

j) Definir e impulsar, en coordinación con la unidad de igualdad, un plan de igualdad de género del conjunto de la comunidad universitaria.

k) Informar de la aprobación del Plan de Igualdad negociado con la representación de la universidad y la representación legal de los y las trabajadoras, que contendrá al menos las materias recogidas en el artículo 46.2 de la Ley Orgánica 3/2007, de 22 de marzo.

l) Definir e impulsar, en coordinación con la unidad de diversidad, un plan de inclusión y no discriminación del conjunto del personal y sectores de la universidad por motivos de discapacidad, origen étnico y nacional, orientación sexual e identidad de género, y por cualquier otra condición social o personal, elaborar protocolos y desarrollar medidas de prevención y respuesta frente a la violencia, el acoso laboral o la discriminación.

m) Definir e impulsar una Estrategia de Mitigación del Cambio Climático que incluya planes de eficiencia energética y sustitución a energías renovables, de alimentación sostenible y de cercanía, y de movilidad.

n) Aprobar la normativa de funcionamiento de la inspección de servicios y los procedimientos de rendición de cuentas anuales de la misma.

o) Desarrollar cualquier otra función de gobierno de la universidad que establezcan sus Estatutos.

B) Composición y mandato

Los Estatutos establecerán el número de componentes del Consejo de Gobierno, siendo miembros natos de este órgano el Rector o Rectora, que lo presidirá, el Secretario o Secretaria General y el o la Gerente.

La composición deberá asegurar la representación de las estructuras que conforman la universidad y del personal docente e investigador, del estudiantado, del personal técnico, de gestión y de administración y servicios y del Consejo Social.

Los representantes del personal y del estudiantado serán elegidos por el Claustro.

En caso de que existan varios campus en distintas localidades se procurará la representación de estos en el Consejo de Gobierno.

Los Estatutos de cada universidad establecerán la duración y la forma en que se materializa la representación de todos los sectores mencionados, garantizando una mayoría de personal de los cuerpos docentes universitarios y Profesorado Permanente Laboral y asegurando la presencia de las demás figuras docentes no permanentes, del personal investigador no permanente y del profesorado asociado. Un mínimo del 10 % del Consejo de Gobierno deberán ser representantes del estudiantado y otro mínimo del 10 % deberán ser representantes del personal técnico, de gestión y de administración y servicios. En todo caso, un tercio de los miembros del Consejo de Gobierno será elegido por el Rector o Rectora, incluyendo en ese cupo los miembros natos.

4.1.4. El Consejo Social

A) Naturaleza y funciones

El artículo 47 de la LOSU establece que el Consejo Social es el órgano de participación y representación de la sociedad, un espacio de colaboración y rendición de cuentas en el que se interrelacionan con la universidad las instituciones, las organizaciones sociales y el tejido productivo. Su composición deberá reflejar adecuadamente la pluralidad del entorno social en la que está radicada.

Corresponden al Consejo Social las siguientes funciones esenciales:

a) Elaborar, aprobar y evaluar un plan trienal de actuaciones dirigido prioritariamente a fomentar las interrelaciones y cooperación entre la universidad, sus antiguos alumnos y su entorno cultural, profesional, científico, empresarial, social y territorial, así como su desarrollo institucional. Se realizará, con la periodicidad que determinen los Estatutos, una sesión conjunta del Consejo Social y del Consejo de Gobierno de cada universidad a fin de realizar el seguimiento del plan y, en su caso, establecer las modificaciones necesarias.

b) Informar, con carácter previo, la oferta de titulaciones oficiales y de formación permanente, así como la creación y supresión de centros propios y en el extranjero.

c) Promover acciones para facilitar la conexión de la universidad con la sociedad y para el fortalecimiento de las actividades de formación a lo largo de la vida que desarrollan las universidades.

d) Promover la captación de recursos económicos destinados a la financiación de la universidad, procedentes de los diversos ámbitos sociales, empresariales e institucionales locales, nacionales e internacionales.

e) Analizar y valorar el rendimiento de las actividades académicas y proponer acciones de mejora.

f) Informar sobre las normas que regulen el progreso y la permanencia del estudiantado en la universidad.

g) Contribuir a la incorporación de las previsiones del plan trienal de actuaciones en los presupuestos, y aprobarlos, así como supervisar las actividades de carácter económico de la universidad y aprobar las cuentas anuales de la institución universitaria y de las entidades que de ella dependan, sin perjuicio de la legislación mercantil u otra a la que dichas entidades puedan estar sometidas en función de su personalidad jurídica.

h) Crear, de mutuo acuerdo con el Consejo de Gobierno de cada universidad, comisiones conjuntas para promover, desplegar y evaluar iniciativas tendentes a reforzar el papel de la Universidad en el entorno social.

i) Aprobar, a propuesta del Consejo de Gobierno, el Plan Plurianual de Financiación de la universidad y realizar su seguimiento.

j) Aprobar las asignaciones de los complementos retributivos.

k) Participar, con voz y voto, en el Consejo de Gobierno de acuerdo con lo que se establezca en los Estatutos.

l) Velar por el cumplimiento de los principios éticos y de integridad académica, así como de las directrices antifraude, que deben guiar la función docente y la investigación, en colaboración con los organismos y planes de los que, para estos efectos, disponga cada universidad.

m) Ejercer aquellas otras funciones que la ley de la Comunidad Autónoma determine.

B) Composición, mandato y organización

Por ley de la Comunidad Autónoma se regulará la composición del Consejo Social procurando que su funcionamiento sea eficaz y eficiente. Dicha norma establecerá un estatuto de sus miembros.

La ley garantizará la presencia de personas propuestas por los diferentes sectores representativos de la vida económica, social y cultural del entorno, conocedoras de la actividad y dinámica universitarias, así como la ausencia de conflicto de intereses con la universidad.

La ley autonómica también regulará la duración de su mandato y el procedimiento de designación de sus miembros por parte de la Asamblea Legislativa, oída la universidad. Además, serán miembros del Consejo Social el Rector o Rectora, el o la Gerente, el Secretario o Secretaria General, así como un representante del personal docente e investigador, otro del personal técnico, de gestión y de administración y servicios, elegidos por el Consejo de Gobierno de entre sus miembros, y un tercero del Consejo de Estudiantes, elegido por el propio Consejo, todos ellos con voz y voto.

Para el adecuado cumplimiento de sus funciones, el Consejo Social dispondrá de una organización de apoyo con recursos suficientes.

La ley que establezca su composición y funcionamiento podrá contemplar la dotación de un presupuesto propio del Consejo Social, así como su gestión económico-presupuestaria con carácter autónomo.

4.1.5. El Consejo de Estudiantes

A) Naturaleza y composición

El artículo 48 de la LOSU establece que el Consejo de Estudiantes es el órgano colegiado superior de representación y coordinación del estudiantado en el ámbito de la universidad. Sus miembros serán elegidos entre estudiantes de los distintos centros, con la duración y en la forma en que lo determinen los Estatutos de la universidad.

El Consejo de Estudiantes gozará de plena autonomía para el cumplimiento de sus fines dentro de la normativa propia de la universidad, y esta le dotará de los medios y espacios necesarios para el desarrollo de sus funciones.

Los Estatutos contemplarán la posibilidad de establecer consejos de estudiantes en las diferentes estructuras organizativas de la universidad de las que forme parte el estudiantado.

B) Funciones

Corresponden al Consejo de Estudiantes las siguientes funciones:

a) Defender los intereses del estudiantado en los órganos de gobierno.

b) Velar por el cumplimiento y el respeto de sus derechos y deberes.

c) Realizar propuestas a los órganos de gobierno en materias relacionadas con sus competencias para su inclusión en el orden del día.

d) Fomentar el asociacionismo estudiantil y la participación del estudiantado en la vida universitaria.

e) Cualesquiera otras funciones que le asignen los Estatutos de la universidad.

4.1.6. Otros órganos colegiados

De conformidad con lo dispuesto en el artículo 49 de la LOSU en caso de contar con facultades, escuelas o departamentos, estas estructuras tendrán un Consejo como órgano de gobierno, que estará presidido por el Decano o Decana, en el primer caso, o Director o Directora, en los restantes.

Las universidades podrán crear otros órganos colegiados.

Los Estatutos determinarán las funciones de los órganos referidos en los apartados anteriores, su composición, la duración de su función y el procedimiento de elección de sus miembros, que deberán ser en su mayoría personal de los cuerpos docentes universitarios funcionarios y Profesoras y Profesores Permanentes Laborales de la universidad. Asimismo, establecerán las condiciones en las que sus miembros podrán compaginar sus tareas con el desarrollo de su formación, carrera docente e investigadora.

Deberá garantizarse en la regulación de cada órgano colegiado un funcionamiento efectivo del mismo y una representación del estudiantado que alcance como mínimo el 25 % de su composición.

4.1.7. El Rector o la Rectora y su Equipo de Gobierno

A) Naturaleza y funciones

El artículo 50 de la LOSU señala que el Rector o la Rectora ejercen las funciones de dirección, gobierno y gestión de la universidad y ostenta la representación de esta ante otras universidades, organismos, instituciones, Administraciones públicas o entidades sociales o empresariales locales, nacionales e internacionales. Además, ejerce las funciones propias de máximo órgano académico de la universidad. Le corresponden asimismo cuantas competencias no sean expresamente atribuidas a otros órganos de la universidad.

Serán funciones del Rector o Rectora las siguientes:

a) Ejercer la dirección global de la universidad.

b) Coordinar las actividades y políticas del Equipo de Gobierno de la universidad.

c) Impulsar los ejes principales de la política universitaria.

d) Definir las directrices fundamentales de la planificación estratégica de la universidad.

e) Desarrollar las líneas de actuación aprobadas por los órganos colegiados correspondientes y ejecutar sus acuerdos, especialmente en lo referente a la programación y desarrollo de la docencia, a la investigación, a la transferencia e intercambio del conocimiento e innovación, a la gestión de los recursos económicos y del personal, a la internacionalización, a la cultura y promoción universitarias y a las relaciones institucionales.

f) Nombrar y cesar a los miembros del Equipo de Gobierno.

En los Estatutos se deberá consignar el mecanismo de sustitución temporal del Rector o la Rectora.

El Rector o la Rectora podrá, igualmente, nombrar personal eventual para realizar las funciones previstas y con las condiciones establecidas en el artículo 12 del texto refundido de la Ley del Estatuto Básico del Empleado Público, aprobado por el Real Decreto Legislativo 5/2015, de 30 de octubre[3]. El número máximo de personal eventual se recogerá en los Estatutos de acuerdo con lo dispuesto en la normativa de la Comunidad Autónoma correspondiente. Este número y las condiciones retributivas serán públicos.

El Rector, o la Rectora, podrán nombrar aquellos representantes de la universidad en diversos órganos, entidades e instituciones en los cuales tenga representación la universidad.

Durante su mandato, el Rector o Rectora no podrá presentarse a ningún proceso de promoción académica ni formar parte de una comisión de promoción.

B) Elección y nombramiento[4]

A tenor de lo dispuesto en el artículo 51 de la LOSU los candidatos o candidatas deberán ser personal docente e investigador permanente doctor a tiempo completo y reunir

---

3 Dicho artículo establece lo siguiente: "1. Es personal eventual el que, en virtud de nombramiento y con carácter no permanente, solo realiza funciones expresamente calificadas como de confianza o asesoramiento especial, siendo retribuido con cargo a los créditos presupuestarios consignados para este fin. 2. Las leyes de Función Pública que se dicten en desarrollo de este Estatuto determinarán los órganos de gobierno de las Administraciones públicas que podrán disponer de este tipo de personal. El número máximo se establecerá por los respectivos órganos de gobierno. Este número y las condiciones retributivas serán públicas. 3. El nombramiento y cese serán libres. El cese tendrá lugar, en todo caso, cuando se produzca el de la autoridad a la que se preste la función de confianza o asesoramiento. 4. La condición de personal eventual no podrá constituir mérito para el acceso a la Función Pública o para la promoción interna. 5. Al personal eventual le será aplicable, en lo que sea adecuado a la naturaleza de su condición, el régimen general de los funcionarios de carrera.

4 Establece la Disposición transitoria primera de la LOSU que: "Hasta que se produzca la adaptación de los Estatutos a lo establecido en el artículo 51.1 y se determinen por la universidad los méritos de investigación, docencia y experiencia de gestión universitaria que deberán reunir los candidatos o candidatas a Rector o Rectora, se le exigirá como mínimo estar en posesión de tres sexenios de investigación, tres quinquenios docentes y cuatro años de experiencia de gestión universitaria en algún cargo unipersonal".

los méritos de investigación, docencia y experiencia de gestión universitaria que determinen los Estatutos. En todo caso, dichos méritos deberán garantizar una alta capacidad investigadora, una acreditada trayectoria docente así como una suficiente experiencia de gestión universitaria en algún cargo unipersonal.

El Rector, o la Rectora, será elegido o elegida mediante elección directa por sufragio universal ponderado por todos los miembros de la comunidad universitaria. De acuerdo con lo dispuesto en el artículo 44.3 de la LOSU, la duración de su mandato será de seis años improrrogables y no renovables.

Los Estatutos fijarán el procedimiento para su elección y establecerán los porcentajes y procedimiento de ponderación de cada sector velando por incentivar la participación de todos los estamentos y asegurando que, en todo caso, la representatividad del personal de los cuerpos docentes universitarios funcionarios y Profesoras y Profesores Permanentes Laborales de la universidad no sea inferior al 51 %.

Será proclamado Rector o Rectora, en primera vuelta, el candidato o candidata que logre el apoyo de más de la mitad de los votos válidamente emitidos, una vez aplicadas las ponderaciones contempladas en los Estatutos. Si se presentara más de un candidato o candidata a Rector o Rectora y ningún candidato o candidata lo alcanzara, se procederá a una segunda votación entre los dos candidatos o candidatas que hayan conseguido el mayor número de votos en primera vuelta, teniendo en cuenta las citadas ponderaciones. En la segunda vuelta será proclamado el candidato o la candidata que obtenga la mayoría simple de votos atendiendo a esas mismas ponderaciones.

El Rector o la Rectora será nombrado o nombrada por el órgano correspondiente de la Comunidad Autónoma.

C) El Equipo de Gobierno

Señala el artículo 50 de la LOSU que como unidad de apoyo al Rector o Rectora se constituirá un Equipo de Gobierno, que será presidido por él o ella, y que estará integrado por los Vicerrectores y Vicerrectoras, el o la Gerente y el Secretario o la Secretaria General, así como por cualquier otro miembro que establezcan los Estatutos de cada universidad.

Las personas titulares de las Vicerrectorías serán nombradas de entre las funcionarias y funcionarios que integran el personal de los cuerpos docentes universitarios y las Profesoras y Profesores Permanentes Laborales, para el desarrollo de las políticas universitarias.

La persona titular de la Secretaría General será nombrada de entre el personal docente e investigador funcionario doctor o el personal técnico, de gestión y de administración y servicios funcionario con titulación universitaria que preste servicios en la universidad, actuará como fedatario/a y presidirá la Comisión Electoral.

La persona titular de la Gerencia será nombrada, de acuerdo con el Consejo Social, atendiendo a criterios de competencia profesional y experiencia en la gestión, y tendrá como función la gestión de los servicios administrativos y económicos de la universidad y de recursos humanos. El o la Gerente no podrá, una vez asumido el cargo, ejercer funciones docentes ni investigadoras.

4.1.8. Otros órganos unipersonales

El artículo 52 de la LOSU establece que las universidades que cuenten con facultades, escuelas o departamentos tendrán los siguientes órganos unipersonales, que ostentarán la representación de sus centros y ejercerán las funciones de dirección y gestión ordinaria de estos: Decano o Decana de Facultad, Director o Directora de Escuela, y Director o Directora de Departamento.

Asimismo, estos órganos unipersonales nombrarán a los miembros del Equipo de Dirección de sus centros de acuerdo con lo dispuesto en los Estatutos de la universidad, y elegirán un Secretario o Secretaria del centro que ejercerá como fedatario de las decisiones tomadas por el Consejo de Facultad, de Escuela o de Departamento.

Los Decanos y Decanas de Facultad y los Directores y Directoras de Escuela se elegirán mediante elección directa por sufragio universal en la forma en que se recoja estatuariamente, de entre el personal de los cuerpos docentes universitarios funcionarios y Profesoras y Profesores Permanentes Laborales de la universidad.

Los Directores y Directoras de Departamento se elegirán mediante elección directa por sufragio universal por todos los miembros del Consejo de Departamento de entre el personal de los cuerpos docentes universitarios funcionarios y Profesoras y Profesores Permanentes Laborales de la universidad.

Los Estatutos fijarán los mecanismos de sustitución temporal del cargo y el procedimiento para convocar, con carácter extraordinario, elecciones a los mismos, así como sus efectos sobre los Consejos de Facultad o Escuela.

Las universidades deberán contar, además, con directores o directoras en todas las estructuras que definan en sus Estatutos y con un Secretario o Secretaria que ejercerá como fedatario o fedataria. Serán elegidos en la forma en que se recoja estatutariamente, prevaleciendo lo dispuesto en el convenio de adscripción para los Institutos universitarios de investigación adscritos a universidades públicas.

4.2. Gobernanza de las universidades privadas

El artículo 98 de la LOSU señala que las normas de organización y funcionamiento de las universidades privadas establecerán sus órganos de gobierno, participación y representación, así como los procedimientos para su designación y remoción, garantizando la presencia en ellos de representantes del personal docente e investigador, del personal técnico, de gestión y de administración y servicios, y del estudiantado, y garantizando el principio de composición equilibrada entre mujeres y hombres. En todo caso, las normas de organización y funcionamiento deberán garantizar que las decisiones de naturaleza estrictamente académica se adopten por órganos en los que el personal docente e investigador tenga una representación mayoritaria.

Los órganos unipersonales de gobierno de las universidades privadas podrán tener la misma denominación que la establecida para los de las universidades públicas.

Las normas de organización y funcionamiento de las universidades privadas deberán explicitar el mecanismo y el procedimiento de nombramiento y cese del Rector o de la Rectora o equivalente. Igualmente, deberán garantizar que el personal docente e investigador, el personal técnico, de gestión y de administración y servicios y el estudiantado sean consultados en el nombramiento de dicho cargo.

5. La Organización de las Enseñanzas y los Títulos en la Ley Orgánica del Sistema Universitario

5.1. La función docente

El artículo 6 de la LOSU establece que la docencia y la formación son funciones fundamentales de las universidades y deben entenderse como la transmisión ordenada del conocimiento científico, tecnológico, humanístico y artístico, y de las competencias y habilidades inherentes al mismo. La función docente la ejerce el profesorado universitario.

La docencia constituye, asimismo, un derecho y un deber del personal docente e investigador sin más límites que los establecidos en la Constitución y las leyes y los derivados de la organización de las enseñanzas en sus universidades. Dicha docencia se ejercerá garantizando la libertad de cátedra.

La docencia, preferentemente presencial, podrá impartirse también de manera virtual o híbrida.

Deberá garantizarse la plena y efectiva participación del estudiantado en la elaboración, seguimiento y actualización de los planes de estudio y sus efectos en las guías docentes.

La innovación en las formas de enseñar y aprender debe ser un principio fundamental en el desarrollo de las actividades docentes y formativas universitarias.

Las universidades desarrollarán la formación inicial y continua para el desempeño de las actividades docentes del profesorado y proporcionarán las herramientas y recursos necesarios para lograr una docencia de calidad.

Las universidades deberán evaluar permanentemente la calidad de la actividad docente. En dicha evaluación se garantizará al estudiantado de cada universidad una participación efectiva.

La docencia y la formación universitarias se estructuran, por una parte, en la docencia oficial con validez y eficacia en todo el Estado, configurada por los títulos de Grado, Máster Universitario y Doctorado, y, por otra parte, en la articulada en los títulos propios. En ambos casos, dichas titulaciones podrán organizarse como titulaciones conjuntas entre universidades españolas o entre universidades españolas y extranjeras.

Los títulos propios también podrán establecerse conjuntamente entre universidades y la Administración pública, con la finalidad de orientar su contenido a las características y necesidades específicas de determinados colectivos.

La docencia y la formación universitarias forman parte del conjunto del sistema educativo. Las Administraciones públicas, de acuerdo con sus competencias, garantizarán la interrelación entre todas las etapas que conforman dicho sistema especialmente desde la perspectiva de la formación a lo largo de la vida.

5.2. Los títulos universitarios

De conformidad con lo dispuesto en el artículo 7 de la LOSU las universidades impartirán enseñanzas conducentes a la obtención de títulos universitarios oficiales, con validez y eficacia en todo el Estado, y podrán impartir enseñanzas conducentes a la obtención de títulos propios, incluidos los de formación a lo largo de la vida, en los términos establecidos reglamentariamente.

Todos los títulos universitarios deberán reunir los estándares de calidad establecidos en el Espacio Europeo de Educación Superior.

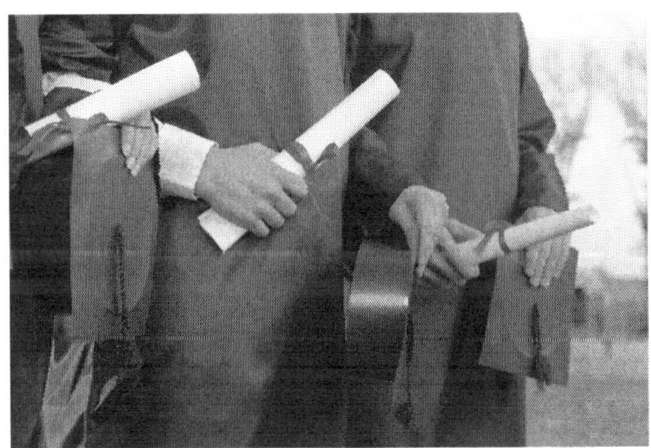

Los títulos universitarios de carácter oficial deberán inscribirse en el Registro de Universidades, Centros y Títulos. Esta inscripción tendrá efectos constitutivos respecto de la creación de títulos universitarios oficiales y llevará aparejada la consideración inicial de título acreditado a los efectos legal y reglamentariamente establecidos. Podrán, igualmente, inscribirse otros títulos no oficiales a efectos informativos.

El Gobierno regulará el procedimiento y las condiciones para la inscripción de los títulos universitarios.

Las universidades y otros centros de estudios superiores deberán evitar que la denominación o el formato de sus títulos propios puedan inducir a confusión con respecto a los títulos universitarios oficiales. Las universidades deberán informar al estudiantado del carácter oficial o propio de sus títulos.

La formación a lo largo de la vida podrá desarrollarse mediante distintas modalidades de enseñanza, incluidas microcredenciales, micromódulos u otros programas de corta duración.

5.3. Los títulos universitarios oficiales[5]

El artículo 8 de la LOSU señala que el Gobierno, mediante Real decreto, previo informe de la Conferencia General de Política Universitaria y del Consejo de Universidades, establecerá las directrices y condiciones para la obtención y expedición de los títulos universitarios oficiales. Estos serán expedidos, en nombre del Rey, por el Rector o Rectora de la universidad.

La iniciativa para impartir una enseñanza requiere el informe preceptivo y favorable sobre la necesidad y viabilidad académica y social de la implantación del título universitario oficial por la Comunidad Autónoma competente, el informe favorable a efectos de la verificación de la calidad de la memoria del plan de estudios por la agencia de calidad correspondiente, la verificación por el Consejo de Universidades del plan de estudios y la autorización de la implantación de este por la indicada Comunidad Autónoma.

Una vez completados los trámites anteriores, el Gobierno establecerá el carácter oficial del título y ordenará su inscripción en el Registro de Universidades, Centros y Títulos, tras lo cual el Rector/a ordenará publicar el plan de estudios en el «Boletín Oficial del Estado» y en el diario oficial de la Comunidad Autónoma competente.

Le corresponde al Gobierno, mediante Real decreto, establecer el plazo máximo de que dispondrá la universidad para implantar e iniciar la docencia desde la publicación oficial del plan de estudios del título, así como los efectos de su incumplimiento.

Finalmente, la Disposición adicional décima tercera de la LOSU establece que los títulos universitarios, tanto oficiales como propios, no podrán inducir a confusión ni coincidir en su denominación y contenidos con los de los títulos universitarios que habiliten para el ejercicio de una profesión sanitaria o con los títulos de especialista en Ciencias de la Salud regulados en la Ley 44/2003, de 21 de noviembre, de ordenación de las profesiones sanitarias.

5.4. Estructura de las enseñanzas oficiales

Tal y como establece el artículo 9 de la LOSU las enseñanzas universitarias oficiales se estructuran en tres ciclos: Grado, Máster Universitario y Doctorado. La superación de tales enseñanzas dará derecho a la obtención de los títulos oficiales correspondientes.

Los estudios de Grado tienen como finalidad la obtención por parte del estudiantado de una formación básica y generalista en una disciplina determinada.

Los estudios de Máster Universitario tienen como objetivo la formación avanzada, de carácter especializado temáticamente, o de carácter multidisciplinar o interdisciplinar, dirigida a la especialización académica o profesional, o bien encaminada a la iniciación en tareas de investigación.

---

5 La Disposición adicional décima de la LOSU establece lo siguiente: "Los títulos universitarios de Diplomado Universitario, Arquitecto Técnico, Ingeniero Técnico, Licenciado, Arquitecto e Ingeniero mantendrán su plena vigencia académica, administrativa y profesional en los mismos términos en que se establecieron".

Por Real Decreto 1393/2007, de 29 de octubre, se estableció la ordenación de las enseñanzas universitarios oficiales y fue derogado por el Real Decreto 822/2021, de 28 de septiembre, por el que se establece la organización de las enseñanzas y del procedimiento de aseguramiento de la calidad.

Los estudios de Doctorado tienen como finalidad la adquisición de las competencias y las habilidades concernientes a la investigación dentro de un ámbito del conocimiento científico, técnico, humanístico, artístico o cultural.

Actualmente la normativa más importante sobre estudios de tercer ciclo se contiene en el Real Decreto 822/2021, de 28 de septiembre, por el que se establece la organización de las enseñanzas y del procedimiento de aseguramiento de la calidad y fundamentalmente en el Real Decreto 99/2011, de 28 de enero, por el que se regulan las enseñanzas oficiales de doctorado.

Las prácticas académicas externas en los estudios de Grado y Máster Universitario constituyen una actividad de naturaleza plenamente formativa cuya finalidad es la de complementar la formación académica.

Las directrices generales para el diseño de los planes de estudio en las enseñanzas de Grado y Máster Universitario, incluyendo el número de créditos del Sistema Europeo de Transferencia de Créditos (ECTS, en sus siglas en inglés) que los conforman, serán establecidas reglamentariamente por el Gobierno.

Los estudios de Doctorado se organizarán en la forma que determinen los Estatutos o normas de organización y funcionamiento de las respectivas universidades, de acuerdo con los criterios que para la obtención del título de Doctor o Doctora apruebe el Gobierno, mediante real decreto, previo informe del Consejo de Universidades. Este real decreto regulará, entre otras, las menciones internacional e industrial en el título de Doctor/a.

El doctorado con mención industrial, que requerirá en todo caso de un convenio con la universidad, podrá desarrollarse mediante el contrato predoctoral previsto en el artículo 21 de la Ley 14/2011, de 1 de junio, de la Ciencia, la Tecnología y la Innovación, bien por entidades públicas, bien por empresas o entidades privadas cuando sean beneficiarias de ayudas o subvenciones públicas que tengan como objeto la contratación de personal predoctoral para esta modalidad de doctorado.

En relación con las estructuras curriculares en las enseñanzas universitarias oficiales, las universidades, en el ejercicio de su autonomía, podrán desarrollar estrategias de innovación docente específicas, como los títulos oficiales con itinerario abierto, mención dual[6], dobles titulaciones u otras modalidades, en la forma en que se desarrolle reglamentariamente.

---

6 Las universidades que a la entrada en vigor de la LOSU cuenten con títulos oficiales con mención dual, dispondrán de un periodo transitorio hasta el curso 2026-2027, para la adaptación de su actividad formativa en la entidad colaboradora al modelo de contratación laboral formativa en alternancia. Todo ello, sin perjuicio de la aplicación del artículo 11 del texto refundido de la Ley del Estatuto de los Trabajadores al sistema universitario (Disposición transitoria décima de la LOSU).

5.5. Convalidación o adaptación de estudios, homologación y declaración de equivalencia de títulos extranjeros, validación de experiencia y reconocimiento de créditos

A tenor del artículo 10 de la LOSU corresponde al Gobierno, previo informe del Consejo de Universidades, regular:

a) Los criterios generales a los que habrán de ajustarse las universidades en materia de convalidación y adaptación de estudios cursados en centros académicos españoles o extranjeros. Este procedimiento deberá estructurarse partiendo de los principios que sustenten el Espacio Europeo de Educación Superior, en cuanto al mutuo reconocimiento de títulos académicos de los países que lo han implementado, así como de acuerdo con el Convenio sobre reconocimiento de cualificaciones relativas a la educación superior en la Región Europea (número 165 del Consejo de Europa), hecho en Lisboa el 11 de abril de 1997.

b) Las condiciones de homologación de títulos oficiales extranjeros de educación superior con títulos universitarios oficiales españoles.

c) Las condiciones para la declaración de equivalencia de un título oficial extranjero de educación superior en relación con el nivel académico universitario oficial de Grado o de Máster Universitario. Los títulos de Grado expedidos por universidades en los Estados miembros de la Unión Europea serán equivalentes, a todos los efectos, a aquellos expedidos por universidades españolas.

d) Las condiciones para el reconocimiento académico de la experiencia laboral o profesional, así como la formación a lo largo de la vida.

e) El régimen de convalidaciones y de reconocimiento de créditos entre las enseñanzas oficiales universitarias y las otras enseñanzas que constituyen la educación superior.

6. El Personal Técnico, de Gestión y de Administración y Servicios de las Universidades Públicas

6.1. Personal técnico, de gestión y de administración y servicios: Clases y régimen jurídico

A tenor de lo dispuesto en el artículo 89 de la LOSU el personal técnico, de gestión y de administración y servicios de las universidades públicas estará formado por personal funcionario y laboral, suficiente para desarrollar adecuadamente los servicios y funciones de los centros.

Este personal estará especializado en uno o varios de los distintos ámbitos de la actividad universitaria. Las universidades determinarán las funciones y perfiles de tales actividades, así como la cualificación necesaria para asegurar un desempeño plenamente eficaz y eficiente, en el marco de la negociación colectiva que corresponda.

El personal técnico, de gestión y de administración y servicios funcionario se rige por lo establecido en esta ley orgánica y en el texto refundido de la Ley del Estatuto Básico del Empleado Público, así como por los Pactos y Acuerdos previstos en su artículo 38. En el caso de la Comunidad Foral de Navarra se aplicará la presente normativa en los términos establecidos en el artículo 149.1.18.ª y disposición adicional primera de la Constitución y en la Ley Orgánica 13/1982, de 10 de agosto, de reintegración y amejoramiento del Régimen Foral de Navarra.

El personal técnico, de gestión y de administración y servicios laboral se rige por lo establecido en esta ley orgánica, por el texto refundido de la Ley del Estatuto de los Trabajadores, así como por el texto refundido de la Ley del Estatuto Básico del Empleado Público, la demás legislación laboral y los convenios colectivos aplicables.

Asimismo, este personal funcionario y laboral se regirá por lo dispuesto en los Estatutos de las universidades.

En relación con este personal, corresponde a las comunidades autónomas la regulación de las materias expresamente remitidas por esta ley orgánica y aquellas otras que puedan corresponderle en el ámbito de sus competencias.

Las universidades podrán contratar otro personal con cargo a financiación externa o financiación procedente de convocatorias de ayudas públicas en concurrencia competitiva en su totalidad para la gestión científico-técnica rigiéndose por lo previsto en el texto refundido de la Ley del Estatuto de los Trabajadores y en el artículo 23 bis de la Ley 14/2011, de 1 de junio[7].

El personal técnico, de gestión y de administración y servicios, funcionario y laboral, tiene derecho a la participación libre y significativa en el diseño, implementación y evaluación de la política universitaria, y el derecho a su representación en los órganos de gobierno y representación de la universidad, de acuerdo con lo dispuesto por esta ley orgánica y los Estatutos de las universidades.

[7] Se trata del Contrato de actividades científico-técnicas.

Las universidades deberán asegurar el ejercicio efectivo de los derechos de conciliación de la vida personal, laboral y familiar de su personal técnico, de gestión y de administración y servicios, funcionario y laboral. A tal fin, adoptarán las medidas necesarias para, de conformidad con el principio de transparencia retributiva, asegurar la igualdad efectiva en la aplicación del régimen de dedicación, así como en la participación en los planes y programas de formación y movilidad.

6.2. Carrera profesional

El artículo 90 de la LOSU señala que las universidades establecerán escalas de personal técnico, de gestión y de administración y servicios, de acuerdo con los grupos de titulación exigidos por la legislación general de la función pública, y atendiendo al nivel de especialización en los distintos ámbitos de la actividad universitaria.

Este personal podrá desarrollar su carrera profesional, mediante la progresión de grado, categoría, escala o nivel, sin necesidad de cambiar de puesto de trabajo y con la remuneración correspondiente a cada uno de ellos, atendiendo a su trayectoria y actuación profesional, la calidad de los trabajos realizados, los conocimientos adquiridos, la formación acreditada y la evaluación de su desempeño.

Asimismo, podrá desarrollar su carrera profesional, mediante el ascenso en la estructura de puestos de trabajo, atendiendo a la valoración de sus méritos, su grado de especialización y las aptitudes por razón de la especificidad de la función que desempeña y la experiencia adquirida.

En todo caso, en la carrera profesional de este personal se observarán los principios de transparencia retributiva y de igualdad efectiva en los procesos de promoción profesional.

6.3. Acceso a plazas de personal técnico, de gestión y de administración y servicios de las universidades públicas

De conformidad con lo dispuesto en el artículo 91 de la LOSU la selección del personal técnico, de gestión y de administración y servicios, funcionario y laboral, se realizará mediante la superación de las pruebas selectivas de acceso, en los términos establecidos por la normativa aplicable y por los Estatutos de las universidades y, en todo caso, de acuerdo con los principios de igualdad, mérito, capacidad, transparencia, publicidad y concurrencia, así como la posibilidad de recurso ante la propia universidad.

Las convocatorias relativas a dichos procesos de selección deberán publicarse en el «Boletín Oficial del Estado» y en el diario oficial de la respectiva Comunidad Autónoma. Asimismo, las universidades garantizarán la transparencia y objetividad de los procesos, la imparcialidad e independencia de los órganos de selección, así como una composición equilibrada entre mujeres y hombres en los mismos, la adecuación de los contenidos de las pruebas selectivas a las funciones y tareas a desarrollar, y la disponibilidad de mecanismos de revisión de los resultados de acuerdo con lo dispuesto por la normativa aplicable y la negociación colectiva.

6.4. Provisión de puestos de trabajo

El artículo 92 de la LOSU establece que en la provisión de puestos de trabajo las universidades deberán atender a las necesidades del servicio y garantizarán los principios de publicidad, transparencia, igualdad, y mérito y capacidad.

La provisión de puestos de personal técnico, de gestión y de administración y servicios en las universidades se realizará mediante el sistema de concurso y podrá concurrir tanto su propio personal, como el personal de otras universidades, así como, en las condiciones que reglamentariamente se determinen, el personal perteneciente a cuerpos y escalas de las Administraciones públicas.

Solo podrán cubrirse por el sistema de libre designación aquellos puestos de personal funcionario que se determinen por las universidades atendiendo a la naturaleza de sus funciones, y de conformidad con la normativa general de la función pública.

Las universidades y las comunidades autónomas garantizarán que las ofertas de empleo en la universidad se ajustan a las previsiones establecidas en la normativa que, con carácter general, sea de aplicación al sector público en materia de reserva de cupo para personas con discapacidad.

6.5. Retribuciones

El artículo 93 el personal técnico, de gestión y de administración y servicios, funcionario y laboral, será retribuido con cargo a los presupuestos de sus respectivas universidades.

El régimen retributivo del personal funcionario y laboral se determinará dentro de los límites máximos que determine la Comunidad Autónoma, mediante negociación colectiva y en el marco de las bases que fije el Estado.

El Gobierno, las Comunidades Autónomas y las universidades podrán establecer programas de incentivos para este personal vinculados a sus méritos individuales y a su contribución en la mejora de la actividad que desempeña en relación con la docencia, la investigación, la transferencia e intercambio del conocimiento o la gestión y prestación de servicios especializados.

En todo caso, los incentivos económicos se asignarán mediante un procedimiento que garantice su publicidad, y de acuerdo con los principios de objetividad e imparcialidad del órgano evaluador, y de transparencia retributiva.

6.6. Formación y movilidad

A tenor del artículo 94 de la LOSU las universidades establecerán planes plurianuales de formación a lo largo de la vida que garanticen la mejora profesional de su personal técnico, de gestión y de administración y servicios, en los distintos ámbitos de especialización de la actividad universitaria.

Las universidades implantarán, asimismo, planes plurianuales destinados a la movilidad de su personal técnico, de gestión y de administración y servicios para el desempeño de sus funciones en otras universidades o Administraciones públicas y, a tal fin, formalizarán convenios que aseguren la reciprocidad.

Las universidades incluirán en estos planes la movilidad internacional, en coordinación con las Administraciones públicas, y mediante programas y convenios específicos incluidos aquellos que instituya la Unión Europea mediante estancias con fines formativos en instituciones de educación superior, entidades o empresas.

6.7. Proceso de estabilización de las plazas del personal técnico, de gestión y de administración y servicios de las universidades públicas

La Disposición transitoria novena de la LOSU establece que antes del 31 de diciembre de 2024 y conforme a lo establecido por la Ley 20/2021, de 28 de diciembre, las universidades públicas deberán articular procesos de estabilización de las plazas de su personal técnico, de gestión y de administración y servicios.

El sistema de selección en estos procesos será el de concurso o concurso-oposición garantizando los principios de igualdad, mérito, capacidad, publicidad y concurrencia. Estas plazas no computarán en la tasa de reposición de efectivos. De la resolución de estos procesos no podrá resultar, en ningún caso, incremento de efectivos.

7. El Régimen Económico y Financiero de las Universidades en la Ley Orgánica del Sistema Universitario

7.1. El régimen económico y financiera de las universidades públicas

7.1.1. Marco normativo

Como señala Antonio Arias Rodríguez, al igual que la Ley de Reforma Universitaria la nueva LOU establecía, en su artículo 2.2.h), que el contenido esencial de la autonomía universitaria afecta, entre otros aspectos, a la elaboración, aprobación y gestión de sus presupuestos. Sin embargo, la LOU optó por un diseño bastante diferente al de su predecesora, tanto por el nuevo sistema de fuentes que incorpora, como por atribuir al Consejo Social, nuevas competencias, sin esperar a su desarrollo normativo por las propias comunidades autónomas. Este sistema tiene su continuidad normativa en la nueva LOSU.

El artículo 53 de la LOSU establece que en el ejercicio de su actividad económico-financiera y presupuestaria, las universidades se regirán por lo previsto en esta ley orgánica y en la legislación aplicable al sector público en estas materias.

Las comunidades autónomas, en el marco de lo establecido en esta ley orgánica y en la legislación aplicable al sector público en estas materias, establecerán y desarrollarán las normas y procedimientos de elaboración, desarrollo y ejecución del presupuesto de las universidades de su competencia, así como para el control de los gastos e ingresos de aquellas, mediante las correspondientes técnicas de auditoría, con la colaboración y supervisión de los Consejos Sociales.

7.1.2. Autonomía económica y financiera

A tenor de lo dispuesto en el artículo 54 de la LOSU las universidades tendrán autonomía económica y financiera en los términos establecidos en esta ley orgánica y en las normas de las comunidades autónomas.

Corresponde a las universidades la elaboración, aprobación y gestión de sus presupuestos y la administración de sus bienes.

7.1.3. Suficiencia financiera

El artículo 55 de la LOSU establece que las Administraciones públicas dotarán a las universidades de los recursos económicos necesarios para garantizar la suficiencia financiera que les permita dar cumplimiento a lo establecido en esta ley orgánica y asegurar la consecución de los objetivos en ella previstos.

En el marco del plan de incremento del gasto público para 2030 previsto en el artículo 155.2 de la Ley Orgánica 2/2006, de 3 de mayo, el Estado, las comunidades autónomas y las universidades comparten el objetivo de destinar como mínimo el 1 % del Producto Interior Bruto al gasto público en educación universitaria pública en el conjunto del Estado, permitiendo así la equiparación progresiva a la inversión media de los Estados miembros de la Unión Europea y el cumplimiento de los objetivos establecidos en la LOSU. Para alcanzar ese objetivo de carácter plurianual, se establecerán en los Presupuestos de las comunidades autónomas, en los del conjunto de universidades y en los Presupuestos Generales del Estado, las correspondientes aportaciones, de acuerdo con las disponibilidades presupuestarias de cada ejercicio.

Señala la Disposición adicional décima cuarta de la LOSU que la Comisión que establecerá el plan de incremento del gasto público al que se refiere el párrafo anterior, se creará en el plazo de un año a partir de la entrada en vigor de la LOSU.

7.1.4. Programación y sistema de financiación

El artículo 56 de la LOSU la elaboración de los presupuestos de las universidades se encuadrará en un marco presupuestario a medio plazo, compatible con el principio de anualidad por el que se rigen la aprobación y ejecución de los presupuestos del sector público, de conformidad con la normativa europea y con la normativa estatal o autonómica en la materia.

De esa forma, y dentro del marco normativo que establezcan, las comunidades autónomas en cuyo territorio se ubiquen las universidades deberán elaborar programaciones plurianuales que puedan conducir, en coordinación con las universidades, a la aprobación de instrumentos de programación y financiación que incluyan los objetivos a conseguir, los recursos financieros para ello y los mecanismos de evaluación del grado de consecución de dichos objetivos.

Sin perjuicio de las competencias atribuidas a las comunidades autónomas, dicha programación plurianual deberá incluir los siguientes ejes de financiación, que se sustentarán en indicadores específicos de evaluación, acordados, medibles y contrastables:

a) Financiación estructural basal. Esta financiación deberá ser suficiente para la prestación de un servicio público y de calidad y para cubrir las necesidades plurianuales de gastos de personal, incluyendo los gastos de los planes plurianuales de estabilización de las plantillas, gastos corrientes en bienes y servicios y de inversiones reales, la investigación estructural y las inversiones para garantizar la sostenibilidad medioambiental de las universidades.

b) Financiación estructural por necesidades singulares. Esta financiación adicional se establecerá para determinadas universidades en función de necesidades singulares como la insularidad, la dispersión territorial y presencia en el medio rural de sus centros universitarios, el nivel de especialización de las titulaciones impartidas, la pluralidad lingüística de los programas, incluyendo la promoción de las lenguas oficiales propias de las comunidades autónomas, la existencia de infraestructuras singulares, de patrimonio cultural o artístico o el tamaño de las instituciones. Asimismo, de común acuerdo entre las universidades y las comunidades autónomas se podrán fijar otras funciones singulares que requieran una financiación específica.

c) Financiación por objetivos. Esta financiación adicional se establecerá en función del cumplimiento de objetivos estratégicos que se hayan fijado en la programación plurianual a que se refiere el segundo párrafo de este apartado. Dichos objetivos estarán vinculados, entre otros, a la mejora de la docencia, la investigación, incluyendo los programas de Ciencia Abierta y Ciencia Ciudadana, la transferencia e intercambio del conocimiento, la innovación, la formación a lo largo de la vida, la internacionalización, la cooperación interuniversitaria y la participación en proyectos y redes, la tasa de inserción laboral, la igualdad efectiva entre mujeres y hombres, el reconocimiento de la diversidad y la accesibilidad universal.

El grado de cumplimiento de dichos objetivos será evaluado por parte de la Comunidad Autónoma y servirá de base para la siguiente programación plurianual. La evaluación se realizará con criterios públicos, objetivos, transparentes y conformes al marco normativo establecido.

Asimismo, dicho cumplimiento podrá constituir un criterio para la planificación anual del empleo público de las universidades.

El modelo de financiación de la investigación universitaria, incluyendo los contratos predoctorales, conllevará una financiación estructural de las universidades por parte de las Administraciones públicas competentes y, asimismo, una financiación específica para proyectos acotados en el tiempo a través de las convocatorias que se lleven a cabo por parte de las instituciones correspondientes.

Adicionalmente, las Administraciones públicas fomentarán programas competitivos de financiación para el fortalecimiento de la capacidad investigadora y la innovación docente.

Asimismo, las universidades deberán dedicar recursos suficientes a los servicios de gestión y de apoyo a la investigación, transferencia e intercambio del conocimiento e innovación.

7.1.5. Presupuesto

A) Contenido

El artículo 57 de la LOSU señala que el presupuesto de las universidades será público, único, equilibrado, y comprenderá la totalidad de sus ingresos y gastos.

Las universidades deberán cumplir con las obligaciones establecidas en materia presupuestaria respecto de la aprobación de límites de gastos de carácter anual. Los presupuestos y sus liquidaciones harán una referencia expresa al cumplimiento del equilibrio y sostenibilidad financiera.

En el procedimiento de elaboración del presupuesto se incluirán informes de impacto por razón de género y de impacto medioambiental.

B) Ingresos

El presupuesto de las universidades contendrá en su estado de ingresos:

a) Las transferencias para gastos corrientes y de capital fijadas, anualmente, por las comunidades autónomas dentro de un marco presupuestario a medio plazo.

b) Los ingresos por los precios públicos por servicios académicos y demás derechos que legalmente se establezcan. En el caso de estudios conducentes a la obtención de títulos universitarios de carácter oficial, los precios públicos y derechos serán fijados por la Comunidad Autónoma o administración correspondiente, dentro de un marco general de contención o reducción progresiva de los precios públicos.

c) Asimismo, se consignarán las compensaciones correspondientes a los importes derivados de las exenciones y reducciones que legalmente se dispongan en materia de precios públicos y demás derechos.

d) Los ingresos por los precios de las enseñanzas propias, la formación a lo largo de la vida y los referentes a las demás actividades autorizadas a las universidades, que deberán ser aprobados junto con los presupuestos anuales en los que se deban aplicar.

e) Los ingresos procedentes de transferencias y subvenciones de organizaciones internacionales o supranacionales, de las distintas Administraciones públicas y de otras entidades del sector público.

f) Los ingresos procedentes de transferencias de entidades privadas, así como de herencias, legados o donaciones.

g) Los ingresos derivados de actividades de mecenazgo, previstas en la Ley 49/2002, de 23 de diciembre, de régimen fiscal de las entidades sin fines lucrativos y de los incentivos fiscales al mecenazgo, incluidos los derivados de convenios de colaboración empresarial en actividades de interés general que hayan suscrito, a los efectos previstos en la citada ley.

h) Los rendimientos procedentes de su patrimonio y de aquellas otras actividades económicas que desarrollen según lo previsto en esta ley orgánica y en sus propios Estatutos, incluyendo los ingresos procedentes de los contratos previstos en el artículo 60, así como los derivados de los contratos de patrocinio publicitario.

i) Los remanentes de tesorería y cualquier otro ingreso.

j) El producto de las operaciones de crédito que concierten, debiendo ser compensado para la consecución del necesario equilibrio presupuestario de la Comunidad Autónoma o Administración que corresponda, la cual, en todo caso, deberá autorizar cualquier operación de endeudamiento.

C) Régimen jurídico

La estructura del presupuesto de las universidades, su sistema contable y los documentos que comprenden sus cuentas anuales deberán adaptarse, en todo caso, a las normas que con carácter general se establezcan para el sector público. En este marco, a los efectos de la normalización contable, las comunidades autónomas podrán establecer un plan de contabilidad para las universidades de su competencia, así como determinar el marco temporal de la liquidación del presupuesto y de las cuentas anuales.

D) Costes de personal

Al estado de gastos corrientes se acompañará la relación de puestos de trabajo de todo el personal universitario, especificando la totalidad de los costes de aquella y los elementos recogidos en el artículo 74 del texto refundido de la Ley del Estatuto del Empleado Público, aprobado por el Real Decreto Legislativo 5/2015, de 30 de octubre, e incluyendo los puestos de nuevo ingreso que se proponen[8]. Las universidades podrán modificar la relación de puestos de trabajo de su personal por ampliación de las plazas existentes o por minoración o cambio de denominación de las plazas vacantes, en la forma que indiquen sus Estatutos, sin perjuicio de lo dispuesto en el artículo 71.

Los costes del personal docente e investigador, así como del personal técnico, de gestión y de administración y servicios, deberán ser autorizados por la Comunidad Autónoma, en el marco de la normativa básica sobre Oferta de Empleo Público, salvo en el caso de los contratos previstos en la Ley 14/2011, de 1 de junio, de la Ciencia, la Tecnología y la Innovación, que no precisan dicha autorización.

El nombramiento de personal funcionario interino y la contratación de personal laboral temporal por las universidades deberán respetar la normativa específica en la materia.

Las universidades dedicarán un porcentaje de su presupuesto no inferior al 5 % a programas propios de investigación.

E) Elaboración, aprobación, ejecución y liquidación

La elaboración, aprobación, ejecución y liquidación del presupuesto se regirán por las normas estatales y autonómicas aplicables a esta materia.

En caso de liquidación del presupuesto con remanente de tesorería negativo, el Consejo Social deberá proceder a la reducción de gastos del nuevo presupuesto por cuantía igual al déficit producido. La expresada reducción solo podrá revocarse por acuerdo de dicho órgano, a propuesta del Rector/a, previo informe del interventor/a y autorización del órgano correspondiente de la Comunidad Autónoma, cuando la disponibilidad presupuestaria y la situación de tesorería lo permitiesen. En todo caso, el Consejo de Gobierno deberá ser informado sobre los motivos de dicho déficit y las posibles alternativas para corregirlo.

Las transferencias, con cargo a los presupuestos de la Comunidad Autónoma a favor, directa o indirectamente, de las universidades requerirán la aprobación y puesta en marcha de la reducción de gastos.

Las universidades remitirán a la Comunidad Autónoma o Administración correspondiente la información económico-financiera que deban suministrar en aplicación de la normativa de estabilidad presupuestaria u otras disposiciones de carácter estatal o autonómico. La falta de remisión de la liquidación del presupuesto, o la falta de adopción de medidas en caso de liquidación con remanente negativo, facultará a la Comunidad Autónoma para adoptar, en el ámbito de sus competencias, las medidas necesarias para garantizar la estabilidad presupuestaria de la universidad.

---

8 Dicho artículo establece lo siguiente: "Las Administraciones Públicas estructurarán su organización a través de relaciones de puestos de trabajo u otros instrumentos organizativos similares que comprenderán, al menos, la denominación de los puestos, los grupos de clasificación profesional, los cuerpos o escalas, en su caso, a que estén adscritos, los sistemas de provisión y las retribuciones complementarias. Dichos instrumentos serán públicos".

7.1.6. Patrimonio

El artículo 58 de la LOSU establece que constituye el patrimonio de cada universidad el conjunto de sus bienes, derechos y obligaciones.

Las universidades asumen la titularidad de los bienes de dominio público afectos al cumplimiento de sus funciones, así como los que, en el futuro, se destinen a estos mismos fines por el Estado o por las comunidades autónomas. Se exceptúan, en todo caso, los bienes que integren el patrimonio histórico y cultural.

Cuando los bienes a los que se refiere el párrafo anterior dejen de ser necesarios para la prestación del servicio universitario o se empleen en funciones distintas de las propias de la universidad, la Administración de origen podrá reclamar su reversión o, si ello no fuere posible, el reembolso de su valor al momento en que procedía la reversión.

Las Administraciones públicas podrán adscribir bienes de su titularidad a las universidades públicas para su utilización en las funciones propias de las mismas.

La administración y disposición de los bienes de dominio público, así como de los patrimoniales se ajustará a las normas generales que rijan en esta materia.

Sin perjuicio de la aplicación de lo dispuesto en la legislación sobre patrimonio histórico y cultural, los actos de disposición de los bienes inmuebles y de los muebles de extraordinario valor serán acordados por la universidad, con la aprobación de su Consejo Social, de conformidad con las normas que, a este respecto, determine la Comunidad Autónoma.

Formarán parte del patrimonio de la universidad los derechos de propiedad industrial y propiedad intelectual de los que sea titular como consecuencia del desempeño por el personal de la universidad de las funciones que le son propias, así como los derivados de la ejecución de convenios de colaboración empresarial en actividades de interés general previstos en la Ley 49/2002, de 23 de diciembre. La administración y gestión de dichos bienes se regirá por lo previsto a tal efecto en la Ley 14/2011, de 1 de junio.

Los bienes afectos al cumplimiento de sus fines y los actos que se realicen para el desarrollo inmediato de tales fines, así como sus rendimientos, disfrutarán de exención tributaria. Dicha exención tributaria se aplicará siempre que los tributos y exenciones recaigan directamente sobre las universidades en concepto legal de contribuyentes, a no ser que sea posible legalmente la traslación de la carga tributaria.

Las universidades públicas tendrán derecho a los beneficios fiscales previstos en la Ley 49/2002, de 23 de diciembre, de régimen fiscal de las entidades sin fines lucrativos y de los incentivos fiscales al mecenazgo.

La investigación que realizan las universidades constituye una actividad económica que se desarrolla mediante la investigación básica y aplicada, con la finalidad de transferir a la sociedad la tecnología y el conocimiento adquirido.

7.1.7. Transparencia y rendición de cuentas en la gestión económico-financiera

El artículo 59 de la LOSU señala que el uso de los recursos económico-financieros de las universidades se someterá a los principios de transparencia y de rendición de cuentas.

Las universidades están obligadas a rendir cuentas de su actividad ante el órgano de control externo de la respectiva Comunidad Autónoma, sin perjuicio de las competencias del Tribunal de Cuentas.

Las universidades estarán sometidas al régimen de auditoría pública que determine la normativa autonómica o, en su caso, estatal.

Asimismo, las universidades desarrollarán un régimen de control interno, que contará, en todo caso, con un sistema de auditoría interna. El órgano responsable de este control tendrá autonomía funcional en su labor y no podrá depender de los órganos de gobierno unipersonales de la universidad.

Las universidades implantarán un sistema de contabilidad analítica o equivalente[9].

7.1.8. Colaboración con otras entidades o personas físicas[10]

Este texto tiene su precedente en el artículo 11 de la LRU, texto que permitía al profesorado la realización de trabajos científicos, técnicos o artísticos, así como cursos de especialización y tuvo su continuación en el artículo 83 de la LOU.

De conformidad con lo dispuesto en el artículo 60 de la LOSU los grupos de investigación reconocidos por la universidad, los departamentos y los institutos universitarios de investigación, así como su profesorado tanto a través de los anteriores como a través de los órganos, centros, fundaciones o estructuras organizativas similares de la universidad dedicados a la canalización de las iniciativas investigadoras del profesorado y a la transferencia de los resultados de la investigación, podrán celebrar contratos con personas físicas, universidades, o entidades públicas y privadas para la realización de trabajos de carácter científico, tecnológico, humanístico o artístico, así como para actividades específicas de formación.

Los órganos de gobierno de las universidades, en el marco de las normas básicas que dicte el Gobierno, regularán los procedimientos de autorización de los trabajos y de celebración de los contratos previstos en el párrafo anterior, así como los criterios para fijar el destino de los bienes y recursos que con ellos se obtengan[11].

---

9 A tenor de lo dispuesto en la Disposición transitoria segunda de la LOSU: "Las universidades públicas dispondrán de un plazo de dos años desde la entrada en vigor de esta ley orgánica, sin perjuicio de la regulación autonómica, para la implantación y puesta en marcha del sistema de contabilidad analítica o equivalente referido en el artículo 59.4".

10 La Disposición Adicional Sexta de la Ley 9/2017, de 8 de noviembre, de Contratos del Sector Público establece que «No será exigible la clasificación a las Universidades Públicas para ser adjudicatarias de contratos en los supuestos a que se refiere el apartado 1 del artículo 83 de la Ley Orgánica 6/2001, de 21 de diciembre, de Universidades».

11 Actualmente continúa en vigor, con aplicación a nivel estatal, y en todo aquello que no se oponga a la LOSU, el Real Decreto 1930/1984, de 10 de octubre, por el que se desarrolla el artículo 45. 1, de la Ley Orgánica 11/1983, de 25 de agosto, de Reforma Universitaria.

7.1.9. Entidades o empresas basadas en el conocimiento

El artículo 61 de la LOSU señala que las universidades podrán crear o participar en entidades o empresas basadas en el conocimiento desarrolladas a partir de patentes o de resultados generados por la investigación financiados total o parcialmente con fondos públicos y realizados en universidades.

Dichas entidades o empresas en cuyo capital tengan participación mayoritaria las universidades quedan sometidas a lo dispuesto en este capítulo en lo que les resulte de aplicación, en particular, a la obligación de transparencia y de rendición de cuentas en los mismos plazos y por el mismo procedimiento que las propias universidades.

Los instrumentos de creación de estas entidades o empresas determinarán el porcentaje de los derechos de propiedad industrial y propiedad intelectual cuya titularidad corresponderá a las universidades, así como la distribución de los rendimientos económicos que se obtengan, en su caso, por aquellas. La administración y gestión de dichos bienes se ajustará a lo previsto a tal efecto en la Ley 14/2011, de 1 de junio.

El profesorado funcionario de los cuerpos docentes universitarios, las Profesoras y Profesores Permanentes Laborales y el personal técnico, de gestión y de administración y servicios, funcionario o laboral con vinculación permanente, que fundamente su participación en las actividades de investigación a las que se refiere el presente apartado podrán solicitar la autorización para incorporarse a dicha empresa o entidad participada por la universidad, mediante una excedencia temporal.

El Gobierno, mediante real decreto y previo informe de la Conferencia General de Política Universitaria, regulará las condiciones y el procedimiento para la concesión de dicha excedencia que, en todo caso, solo podrá concederse por un tiempo máximo de cinco años. Durante este período, el personal en situación de excedencia tendrá derecho a la reserva del puesto de trabajo y a su cómputo a efectos de antigüedad. Si con anterioridad a la finalización del período por el que se hubiera concedido la excedencia la persona interesada no solicitase el reingreso al servicio activo, será declarada de oficio en situación de excedencia voluntaria por interés particular.

Las limitaciones establecidas en el artículo cuarto, en su caso, y en los artículos doce.1.b) y d) y dieciséis de la Ley 53/1984, de 26 de diciembre, de Incompatibilidades del personal al servicio de las Administraciones públicas[12], no serán de aplicación a los pro-

---

12 El artículo 4 de la Ley 53/1984, de 26 de diciembre establece que: "1. Podrá autorizarse la compatibilidad, cumplidas las restantes exigencias de esta ley, para el desempeño de un puesto de trabajo en la esfera docente como Profesor universitario asociado en régimen de dedicación no superior a la de tiempo parcial. 2. Al personal docente e investigador de la Universidad podrá autorizarse, cumplidas las restantes exigencias de esta ley, la compatibilidad para el desempeño de un segundo puesto de trabajo en el sector público sanitario o de carácter exclusivamente investigador en centros de investigación del sector público, incluyendo el ejercicio de funciones de dirección científica dentro de un centro o estructura de investigación, dentro del área de especialidad de su departamento universitario, y siempre que los dos puestos vengan reglamentariamente autorizados como de prestación a tiempo parcial".

fesores/as funcionarios/as de los cuerpos docentes universitarios, al profesorado laboral permanente y al personal técnico, de gestión y de administración y servicios funcionario y laboral cuando participen en las entidades o empresas basadas en el conocimiento previstas en este apartado, siempre que exista un acuerdo explícito del Consejo de Gobierno de la universidad y se autorice por la Administración pública competente.

7.1.10. Consideración de los proyectos de investigación, desarrollo e innovación como unidades funcionales

A tenor del artículo 62 de la LOSU siempre que sean autónomos en su objeto, los proyectos de investigación, desarrollo e innovación que hayan sido encomendados a las universidades públicas mediante contratos, resoluciones de concesión de subvenciones o cualquier otro instrumento jurídico tendrán la consideración de unidades funcionales separadas dentro de dichas universidades, a los efectos del cálculo del valor estimado que establece el artículo 101.6 de la Ley 9/2017, de 8 de noviembre, de Contratos del Sector Público[13].

7.1.11. Creación de fundaciones públicas y otras personas jurídicas públicas

Establece el artículo 63 de la LOSU que, sin perjuicio de lo establecido en el apartado 7.1.8 anterior (artículo 61.2 de la LOSU), las universidades, para la promoción y desarrollo de sus fines, podrán participar y crear, por sí solas o en colaboración con otras entidades públicas o privadas, y con la aprobación del Consejo Social, fundaciones del sector público u otras personas jurídicas de naturaleza pública, de acuerdo con lo dispuesto en la legislación sobre el sector público que sea aplicable, en la Ley 2/2011, de 4 de marzo, de Economía Sostenible, así como en la Ley 14/2011, de 1 de junio.

Los apartados b) y d) del artículo 12 de dicha norma establecen lo siguiente: "En todo caso, el personal comprendido en el ámbito de aplicación de esta ley no podrá ejercer las actividades siguientes: (...) b) La pertenencia a Consejos de Administración u órganos rectores de Empresas o Entidades privadas, siempre que la actividad de las mismas esté directamente relacionada con las que gestione el Departamento, Organismo o Entidad en que preste sus servicios el personal afectado. (...) d) La participación superior al 10 por 100 en el capital de las Empresas o Sociedades a que se refiere el párrafo anterior.

Y el artículo 16 de dicha ley señala que: "No podrá autorizarse o reconocerse compatibilidad al personal funcionario, al personal eventual y al personal laboral cuando las retribuciones complementarias que tengan derecho a percibir del apartado b) del artículo 24 del presente Estatuto incluyan el factor de incompatibilidad al retribuido por arancel y al personal directivo, incluido el sujeto a la relación laboral de carácter especial de alta dirección".

13 Dicha norma establece: "Cuando un órgano de contratación esté compuesto por unidades funcionales separadas, se tendrá en cuenta el valor total estimado para todas las unidades funcionales individuales. No obstante lo anterior, cuando una unidad funcional separada sea responsable de manera autónoma respecto de su contratación o de determinadas categorías de ella, los valores pueden estimarse al nivel de la unidad de que se trate. En todo caso, se entenderá que se da la circunstancia aludida en el párrafo anterior cuando dicha unidad funcional separada cuente con financiación específica y con competencias respecto a la adjudicación del contrato".

La dotación fundacional o la aportación al capital social y cualesquiera otras aportaciones a las entidades que prevé el párrafo anterior, que se realicen con cargo a los presupuestos de la universidad, quedarán sometidas a la normativa vigente en esta materia.

Las entidades en cuyo capital o fondo patrimonial equivalente tengan participación mayoritaria las universidades quedan sometidas a lo dispuesto en este capítulo y, en particular, a la obligación de transparencia y de rendición de cuentas en los mismos términos que las propias universidades.

Los instrumentos de creación o de participación en dichas entidades determinarán el porcentaje de los derechos de propiedad industrial y propiedad intelectual cuya titularidad corresponderá a las universidades, así como la distribución de los rendimientos económicos que se obtengan, en su caso, por aquellas. La administración y gestión de dichos bienes y la participación en los beneficios derivados se ajustarán a lo previsto a tal efecto en la Ley 14/2011, de 1 de junio.

7.2. El régimen económico-financiero de las universidades privadas

A tenor de lo dispuesto en el artículo 100 de la LOSU el régimen económico-financiero de las universidades privadas y los centros privados adscritos a universidades públicas se regirá, con carácter general, por lo establecido en la normativa aplicable en función de la respectiva naturaleza jurídica que ostenten, con las particularidades previstas en las normas de reconocimiento de dichas universidades.

Las universidades privadas y los servicios que presten se someterán al régimen fiscal que les sea aplicable en función de su personalidad jurídica y de dichos servicios.

Las universidades privadas dedicarán un porcentaje de su presupuesto no inferior al 5 % a programas propios de investigación.

Las universidades privadas parcialmente financiadas con fondos públicos y los centros privados adscritos a universidades públicas deberán implementar un sistema de contabilidad analítica o equivalente.

En el marco de la normativa estatal, las comunidades autónomas regularán los mecanismos de inspección necesarios de las universidades privadas y podrán requerir, a tal efecto, cualquier tipo de información económico-financiera de las mismas y de los centros privados adscritos a universidades públicas.

De igual modo, podrán regular las obligaciones de transparencia en la gestión de las universidades privadas.

8. Universidad, Sociedad y Cultura

Dedica el Título VI de la LOSU los artículos 18 a 22 a regular la "universidad, sociedad y cultura".

8.1. Cohesión social y territorial

El artículo 18 de la LOSU establece que las universidades fomentarán la participación de la comunidad universitaria en actividades y proyectos relacionados con la promoción de la democracia, la igualdad, la justicia social, la paz y la inclusión, así como con los Objetivos de Desarrollo Sostenible.

Las universidades velarán por que sus campus sean climáticamente sostenibles, mediante el desarrollo de una Estrategia de Mitigación y Adaptación al Cambio Climático, y compartirán su conocimiento con la sociedad para hacer frente a la emergencia climática y sus efectos.

Las universidades se implicarán de manera directa en el desarrollo de su entorno y, en particular, contribuirán a revertir las dinámicas de despoblación de algunos territorios.

Las universidades promoverán un desarrollo económico y social equitativo, inclusivo y sostenible que pueda favorecer la creación de empleo de calidad y mejorar los estándares de bienestar del territorio en el que se ubiquen. A tal efecto, reforzarán la colaboración con las Administraciones Locales y con los actores sociales de su entorno mediante los proyectos de Ciencia Ciudadana y de aprendizaje-servicio, entre otros mecanismos.

Las universidades impulsarán el voluntariado universitario de conformidad con la Ley 45/2015, de 14 de octubre, de Voluntariado, y la normativa de las comunidades autónomas sobre la materia.

8.2. La cultura en la Universidad

El artículo 19 de la LOSU señala que la creación y transmisión de la cultura universitaria en toda su diversidad constituye una misión fundamental de la Universidad. A tal fin, las universidades velarán por mantener y reforzar la dimensión cultural de todas sus actividades, impulsando, asimismo, su apertura, transmisión y difusión al entorno social con una perspectiva intercultural, de formación a lo largo de la vida y de democratización del conocimiento.

Las universidades fomentarán el protagonismo activo del estudiantado en la vida universitaria, favoreciendo un aprendizaje integral mediante actividades universitarias de carácter cultural, deportivo, de representación estudiantil, solidarias, de voluntariado y de cooperación al desarrollo.

Las universidades adoptarán las medidas oportunas para asegurar al estudiantado su acceso, participación y contribución en dichas actividades, así como la diversidad cultural y lingüística en su diseño e implementación.

8.3. Universidad y diversidad lingüística

De conformidad con lo dispuesto en el artículo 20 de la LOSU las universidades fomentarán y facilitarán el conocimiento y el uso como lengua de transmisión universitaria

de las lenguas oficiales propias de sus territorios, de conformidad con lo dispuesto en sus Estatutos y en la particular normativa autonómica, desarrollando planes específicos al respecto.

Las Administraciones públicas apoyarán y facilitarán el desarrollo de las políticas universitarias orientadas a la cooficialidad y a la diversidad lingüística.

En lo que respecta a las universidades públicas, la singularidad lingüística será objeto de financiación, en los términos de lo dispuesto por el artículo 56[14].

8.4. El patrimonio histórico, artístico y cultural universitario y las bibliotecas

El artículo 21 de la LOSU señala que las universidades conservarán y protegerán su patrimonio histórico, artístico, cultural y documental, en todas sus variantes, de acuerdo con la legislación aplicable en la materia. Para ello, deberán registrar y catalogar con criterios científicos los bienes, materiales e inmateriales, que lo conforman.

Las universidades darán a conocer este patrimonio y lo harán accesible a la ciudadanía. Con este fin, promoverán su exposición pública a través de colecciones, exposiciones y museos.

Las universidades procurarán colaborar entre ellas y con otras entidades responsables del patrimonio cultural, para alcanzar mejor sus objetivos.

Las universidades digitalizarán y harán accesibles de manera progresiva sus archivos y fondos bibliotecarios con el fin de democratizar el acceso al saber científico y cultural.

Los archivos, bibliotecas, museos y demás entidades culturales universitarias, en la forma que cada universidad determine, serán los agentes instrumentales que coadyuvarán en la consecución de estos objetivos en el ámbito de sus competencias y en el desarrollo de sus funciones.

8.5. El deporte y la actividad física en la Universidad

Tal y como establece el artículo 22 de la LOSU las universidades promoverán la práctica del deporte y la actividad física con carácter transversal en todo su ámbito de actuación y, en su caso, proporcionarán instrumentos para favorecer la compatibilidad efectiva de esa práctica con la formación académica del estudiantado. Asimismo, las actividades deportivas deben resultar accesibles para todas las personas, con especial atención a las desigualdades por razones socioeconómicas y de discapacidad.

---

14 Financiación estructural por programas relativos a pluralidad lingüística, incluyendo la promoción de las lenguas oficiales propias de las comunidades autónomas.

Corresponde a las universidades la ordenación y organización de actividades y competiciones deportivas en su ámbito respectivo y, en su caso, la articulación de fórmulas para compatibilizar los estudios de deportistas de alto nivel con sus actividades deportivas.

9. La internacionalización del sistema universitario

El Título VII de la LOSU lleva por rúbrica: "Internacionalización del sistema universitario".

9.1. Fomento de la internacionalización del sistema universitario

El artículo 23 de la LOSU establece que las universidades fomentarán la internacionalización de la docencia, la investigación, la transferencia e intercambio del conocimiento, de la formación y de sus planes de estudio, así como la acreditación internacional de los mismos especialmente en el Espacio Europeo de Educación Superior. Asimismo, promoverán la internacionalización de su personal y de todas sus actividades.

Las universidades fomentarán y facilitarán el conocimiento y el uso de lenguas extranjeras en el conjunto de su actividad. Igualmente, velarán por que el proceso de internacionalización no suponga una segregación en el estudiantado por razones económicas.

El Ministerio de Universidades, sin perjuicio de las competencias de las comunidades autónomas y de las propias universidades, articulará las medidas que resulten precisas para promover la internacionalización del sistema universitario en todos los ámbitos de su actividad y, en particular, su articulación en el Espacio Europeo de Educación Superior. Asimismo, impulsará el Espacio Iberoamericano de Educación Superior y del Conocimiento y otras áreas de cooperación regional.

El Ministerio de Universidades, el Ministerio de Ciencia e Innovación, las comunidades autónomas y las propias universidades potenciarán la participación de investigadores/as, grupos y centros de investigación en redes internacionales de investigación, así como la concurrencia competitiva de los mismos en proyectos del ámbito internacional.

De acuerdo con lo previsto en el artículo 26.2 de la Ley 2/2014, de 25 de marzo, de Acción y del Servicio Exterior del Estado, la Acción Exterior en materia educativa colaborará con las estrategias de internacionalización de las universidades españolas. Las universidades, para la consecución de estos fines, podrán apoyarse e implementar sus actuaciones a través del Servicio Exterior.

Asimismo, podrán colaborar con otras Administraciones públicas en su dimensión exterior.

9.2. Estrategia de Internacionalización del Sistema Universitario

El artículo 24 de la LOSU señala que el Gobierno, en colaboración con las comunidades autónomas y las universidades, aprobará la Estrategia de Internacionalización del

Sistema Universitario, prestando una especial atención a la plena incorporación al Espacio Europeo de Educación Superior y promoviendo, asimismo, su relación con el Espacio Iberoamericano de Educación Superior y del Conocimiento, la Eurorregión Pirineos Mediterráneo, y otros espacios de cooperación internacional en el ámbito de la Educación Superior.

En dicha estrategia se definirán los principios básicos y los objetivos generales y específicos, así como sus indicadores de seguimiento y evaluación de resultados, teniendo en cuenta la Estrategia de Acción Exterior vigente.

Las universidades elaborarán sus propias estrategias o planes de internacionalización, tomando en consideración los objetivos establecidos en la estrategia a que se refieren los dos párrafos anteriores y en las estrategias que, en su caso, hayan adoptado las comunidades autónomas en esta materia. La implantación de los planes o estrategias y su nivel de cumplimiento constituirán criterios para la financiación por objetivos, de acuerdo con el artículo 56 de la LOSU.

9.3. Alianzas interuniversitarias

A tenor de lo dispuesto en el artículo 25 de la LOSU las Administraciones públicas y las universidades, en el ámbito de sus respectivas competencias, fomentarán y facilitarán la creación y participación en alianzas interuniversitarias, así como la participación en proyectos internacionales, supranacionales o eurorregionales con instituciones de educación superior y organismos de investigación pertenecientes a otros países u organizaciones internacionales.

9.4. Títulos y programas conjuntos

El artículo 26 de la LOSU establece que las universidades impulsarán y facilitarán la internacionalización de su oferta académica, de títulos oficiales y propios, mediante, entre otras medidas, la creación de títulos y programas conjuntos. Asimismo, fomentarán la elaboración de títulos y programas conjuntos que incorporen como opción el uso de idiomas extranjeros.

Las universidades incentivarán los doctorados en cotutela internacional.

El Ministerio de Universidades y las comunidades autónomas, en el ámbito de sus respectivas competencias, impulsarán y facilitarán la creación y reconocimiento de dichos títulos y programas conjuntos.

9.5. Movilidad internacional de la comunidad universitaria

De conformidad con lo dispuesto en el artículo 27 de la LOSU el Gobierno, las comunidades autónomas y las propias universidades promoverán programas de movilidad e intercambio del estudiantado, del personal docente e investigador y del personal técnico, de gestión y de administración y servicios, asegurando la igualdad de oportunidades y la no discriminación. A tal fin, fomentarán programas de becas y ayudas al estudio y a la formación a lo largo de la vida que podrán ir dirigidos a áreas geográficas y ámbitos de conocimiento estratégicos específicos.

El Ministerio de Universidades, las comunidades autónomas y las propias universidades promoverán y difundirán los programas de movilidad financiados con fondos de la Unión Europea, con particular referencia al programa Erasmus+, así como otros programas de movilidad que cuenten con financiación pública, asegurando la igualdad de oportunidades, la no discriminación y la inclusión de las lenguas oficiales del Estado español.

El Ministerio de Universidades, las comunidades autónomas y las propias universidades promoverán la presencia de universidades, estudiantes y las distintas instancias del sistema universitario español en los órganos y foros de representación internacional universitaria.

9.6. Atracción de talento

El artículo 27 de la LOSU señala que el Gobierno, las comunidades autónomas y las propias universidades cooperarán para fomentar la atracción de talento internacional al sistema universitario.

A tal efecto, se promoverán programas de información, acogida, orientación, acompañamiento y formación, y cualesquiera otras medidas que faciliten la incorporación del estudiantado, del personal docente e investigador y del personal técnico, de gestión y de administración y servicios internacionales.

El Gobierno agilizará y simplificará los trámites de homologación y declaración de equivalencia de los títulos expedidos en el extranjero y los procedimientos de acceso a las universidades atendiendo al principio de reciprocidad. Asimismo, el Gobierno agilizará los procedimientos migratorios legalmente establecidos para el estudiantado, el personal docente e investigador y el personal técnico, de gestión y de administración y servicios internacionales.

9.7. Centros en el extranjero

El artículo 28 de la LOSU establece que las universidades podrán crear centros en el extranjero, que impartan enseñanzas conducentes a la obtención de títulos universitarios de carácter oficial y validez y eficacia en todo el Estado o títulos propios, por sí solos o mediante acuerdos con otras instituciones nacionales, supranacionales o extranjeras, que tendrán la estructura y el régimen establecido en la normativa aplicable.

Los centros en el extranjero podrán actuar como agentes de internacionalización de las universidades que los hayan creado, en colaboración con el Servicio Exterior del Estado, en ejercicio de las competencias de acción exterior en materia educativa previstas en su normativa específica.

La propuesta de creación y supresión de los centros anteriores corresponderá al Consejo de Gobierno de la universidad y se aprobará por la Comunidad Autónoma competente, previo informe favorable de los Ministerios de Universidades y de Asuntos Exteriores, Unión Europea y Cooperación.

9.8. Cooperación internacional universitaria para la solidaridad y el desarrollo

El artículo 29 de la LOSU señala que las universidades fomentarán la realización de actividades orientadas al cumplimiento de los Objetivos de Desarrollo Sostenible, de conformidad con la normativa sobre la materia.

TEMA 2

La creación y el reconocimiento de las Universidades. La calidad del sistema universitario. El régimen jurídico de las Universidades. Estructura de las Universidades

Una buena planificación es imprescindible. Organízate con nuestros **recursos** y **consejos** de tu Curso MAD360.

Índice

1. Creación y reconocimiento de las universidades. La calidad del sistema universitario

1.1. Creación y reconocimiento de Universidades públicas y privadas. Requisitos básicos

1.1.1. Cuestiones generales

A tenor del artículo 4 de la Ley Orgánica 2/2023, de 22 de marzo, del Sistema Universitario (LOSU), la creación de Universidades públicas y el reconocimiento de las Universidades privadas del sistema universitario español se llevará a cabo:

a) Por ley de la Asamblea Legislativa de la Comunidad Autónoma en cuyo ámbito territorial vaya a ubicarse, previo informe preceptivo de la Conferencia General de Política Universitaria.

b) Por ley de las Cortes Generales, a propuesta del Gobierno, de acuerdo con el Consejo de Gobierno de la Comunidad Autónoma en cuyo ámbito territorial hayan de establecerse, cuando se trate de universidades de especiales características, previo informe preceptivo de la Conferencia General de Política Universitaria.

En el caso de estas últimas universidades las referencias que en la LOSU se hacen a las Comunidades Autónomas y sus órganos se entenderán efectuadas al Ministerio de Universidades.

La regulación reglamentaria actualmente vigente en materia de universidades y centros universitarios es el Real Decreto 640/2021, de 27 de julio, de creación, reconocimiento y autorización de universidades y centros universitarios, y acreditación institucional de centros universitarios, que vino a sustituir a un real decreto del año 2015.

El artículo 3.2 del Real Decreto 640/2021 establece que el informe de la Conferencia General de Política Universitaria, que se pronunciará en términos favorables o desfavorables a la creación de una universidad pública o el reconocimiento de una universidad privada, deberá tener en cuenta las condiciones y los requisitos establecidos en el Real Decreto 640/2021 y, asimismo, la normativa que establezcan las Comunidades Autónomas en el ejercicio de sus competencias.

El artículo 4.2 de la LOSU dispone que para garantizar la calidad del sistema universitario y, en particular, de la docencia e investigación, el Gobierno, mediante real decreto, determinará las condiciones y requisitos básicos para la creación de universidades públicas y el reconocimiento de universidades privadas, así como para el desarrollo de sus actividades. Corresponde a los órganos competentes de la Comunidad Autónoma en la que radique la universidad otorgar la autorización para el inicio de sus actividades una vez comprobado el cumplimiento de las condiciones y requisitos establecidos, así como la supervisión y control periódico de su cumplimiento. El incumplimiento grave de las condiciones y requisitos de la autorización será causa de su revocación, en los términos que reglamentariamente se establezcan.

En todo caso, como requisito para su creación y reconocimiento, las universidades deberán contar con los planes que garanticen la igualdad de género en todas sus actividades, medidas para la corrección de la brecha salarial entre mujeres y hombres, condiciones de accesibilidad y ajustes razonables para las personas con discapacidad, y medidas de prevención y respuesta frente a la violencia, la discriminación o el acoso amparadas en la Ley 3/2022, de 24 de febrero, de convivencia universitaria.

1.1.2. Condiciones y requisitos para la creación y reconocimiento de una universidad o un centro universitario en el sistema universitario español[1]

Además de lo previsto en la LOSU, para la creación o reconocimiento, según proceda, de una universidad y de la normativa que, en su caso, establezcan las Comunidades Autónomas en ejercicio de sus competencias, deberán cumplirse las condiciones y los requisitos establecidos en el Real Decreto 640/2021, de 27 de julio, de creación, reconocimiento y autorización de universidades y centros universitarios, y acreditación institucional de centros universitarios en relación con su actividad docente, su actividad investigadora y de transferencia del conocimiento, su personal docente e investigador, y la disponibilidad y características de las instalaciones y equipamientos (arts. 5 a 9).

Para iniciar el proceso de creación o reconocimiento de una universidad, o en su caso de un centro universitario, y su posterior autorización para el inicio de las actividades académicas, deberá presentarse una memoria o documentación (en adelante Memoria)[2] jus-

1 Las universidades y centros universitarios que, en el momento de entrada en vigor del RD 640/2021 cuenten con su respectiva autorización, dispondrán de hasta cinco años desde dicha entrada en vigor para que puedan adaptarse a los nuevos requisitos establecidos. Las universidades y centros ya creados o reconocidos, pero aún no autorizados, dispondrán de hasta cinco años desde la concesión de la autorización para que puedan adaptarse a los nuevos requisitos establecidos.

2 Véase el contenido de la Memoria al final del presente tema.

tificativa del cumplimiento de las condiciones y requisitos exigidos y, de igual modo, por la normativa de la Comunidad Autónoma en la que se ubicaría la sede de la universidad o en su caso el centro. Dicha Memoria deberá presentarse ante el órgano competente de la Comunidad Autónoma correspondiente, salvo para la creación de una universidad de ámbito estatal en cuyo caso deberá hacerse ante el Ministerio de Universidades. En el supuesto de que el procedimiento se inicie ante una comunidad autónoma, esta solicitará el informe a la Conferencia General de Política Universitaria, y remitirá para ello una copia de la Memoria al Ministerio de Universidades que dará traslado de la misma a la Conferencia General de Política Universitaria.

1.1.3. Condiciones y requisitos para la creación y reconocimiento de una universidad en el ámbito de la actividad docente

Las universidades deberán disponer de una oferta académica conformada por títulos universitarios oficiales de grado, de máster y de doctorado. Concretamente, se establece como requisito en el sistema universitario español que una universidad cuente como mínimo con una oferta de enseñanzas conducentes a la obtención de diez títulos oficiales de grado, seis títulos oficiales de máster y dos programas oficiales de doctorado.

En el conjunto de esta oferta estarán representadas como mínimo tres de las cinco grandes ramas del conocimiento (Artes y Humanidades, Ciencias, Ciencias de la Salud, Ciencias Sociales y Jurídicas e Ingeniería y Arquitectura, que a su vez agrupan los diversos ámbitos del conocimiento), sin perjuicio de lo establecido en la normativa autonómica aplicable a esta materia.

Los títulos podrán impartirse en modalidades docentes presencial, virtual e híbrida. A estos efectos, la expresión modalidad docente virtual hace referencia a la modalidad docente no presencial, y la modalidad docente híbrida a la modalidad docente semipresencial, que combina las modalidades docentes presencial y virtual.

En la Memoria deberá incluirse un plan de desarrollo de la programación universitaria que incluya tanto las titulaciones que se ofertarán, al inicio de la actividad académica oficial, como aquellas otras que conformarán una planificación a los cinco años de la actividad docente. De igual modo, en este plan, se deberá indicar como mínimo: el calendario de implantación de la oferta académica, la puesta en funcionamiento de los centros en cuya oferta se incorporarán las diversas titulaciones, el número de plazas para cada título que se ofrecerán, y las instalaciones y equipamientos necesarios para el desarrollo adecuado y de calidad de la actividad formativa. Asimismo, se fijarán los procedimientos y órganos responsables de emitir los informes de seguimiento de la calidad anuales de cada una de las titulaciones oficiales.

En todo caso, después de cinco años del inicio de las actividades académicas oficiales de una universidad, el estudiantado de grado (y dobles grados) deberá suponer como mínimo el 50 % del total del estudiantado matriculado en enseñanzas oficiales de dicha institución de educación superior. Con objeto de potenciar la internacionalización de las universidades, en el caso de aquellas en las que el porcentaje de estudiantes extranjeros matriculados en el conjunto de títulos oficiales de Máster que oferta sea superior al 50 % del total del estudiantado matriculado en estas enseñanzas oficiales, se establece en un 35 % el límite mínimo de estudiantes matriculados en títulos oficiales de grado (y dobles grados) con relación al total del estudiantado matriculado en el conjunto de las enseñanzas oficiales en dicha universidad.

Las universidades cuya oferta docente vaya a ser mayoritariamente impartida en modalidad virtual deberán especificar para cada título oficial:

a) si se articulará docentemente de forma sincrónica o asincrónica, o conjugando las dos modalidades;

b) la plataforma tecnológica que se utilizará como campus virtual docente y sus principales características técnicas y funcionales;

c) el tipo de equipamientos e instalaciones tecnológicas de que se dispondrá para el funcionamiento de la actividad formativa;

d) los equipamientos informáticos de que deberá disponer el estudiantado para el desarrollo adecuado de su actividad;

e) los sistemas de evaluación generales del aprendizaje y progreso del estudiantado;

f) los sistemas de prácticas académicas externas con indicación de si serán virtuales o presenciales; y

g) la programación que se desplegará desde el inicio y en los años sucesivos de formación del profesorado en habilidades técnicas y competencias docentes no presenciales.

h) Asimismo, se deberá consignar detalladamente los requisitos y exigencias de calidad del conjunto de la oferta universitaria virtual o híbrida, y la forma en la que se articulará el seguimiento de las titulaciones y la coordinación académica de cada una de ellas.

Las universidades, en el ejercicio de sus competencias y desarrollo de sus funciones formativas a lo largo de la vida, podrán impulsar, de igual modo, enseñanzas propias, en especial programas docentes de formación permanente. En este sentido, el número de estudiantes matriculados en una universidad en títulos propios de formación permanente no podrán superar en dos veces el número de estudiantes matriculados en títulos oficiales. Esta regla se aplicará en el caso de las universidades de nueva creación a los cinco años desde el inicio de su actividad. Asimismo, los títulos propios de formación permanente con rango y denominación de «Máster» deberán contar, previamente a su aprobación y activación por parte de la universidad, con un informe favorable del sistema interno de garantía de la calidad de la correspondiente universidad o centro.

Las universidades deberán velar por la calidad de toda su oferta académica (oficial y propia, incluyéndose en esta la formación permanente) a través de los sistemas internos de garantía de la calidad, que deberán ser certificados por la Agencia Nacional de Evaluación de la Calidad y Acreditación (en adelante, ANECA) o por las agencias de calidad creadas por Ley de las Comunidades Autónomas, en cuyo territorio se haya establecido la

universidad. En concreto, en la Memoria de la propuesta de creación o reconocimiento de una universidad, se incorporará el compromiso de poner en marcha este sistema en un plazo máximo de cinco años y la temporalidad y funciones específicas del mismo.

Las universidades deberán incorporar a la Memoria una estrategia y programación para promover la internacionalización de sus actividades académicas y la movilidad del estudiantado y del profesorado.

1.1.4. Condiciones y requisitos para la creación y reconocimiento de una universidad en la actividad investigadora y de transferencia de conocimiento

Las universidades deberán desarrollar la actividad investigadora y de transferencia de conocimiento de su personal docente e investigador.

En la Memoria deberá incluirse una programación plurianual de la actividad investigadora, cuyas áreas científicas deberán ser coherentes con las titulaciones de grado y de máster y, especialmente, con los programas de doctorado que se desarrollen.

Dicha programación deberá incluir los grupos de investigación que inicialmente se constituirán, la dotación de equipamientos e infraestructuras científico-técnicas disponibles y aquellas que se prevén de tal modo que viabilicen y garanticen el desarrollo de la programación plurianual investigadora, la participación en proyectos de investigación competitivos (autonómicos, estatales e internacionales) y los mecanismos para incentivarla en el personal docente e investigador, los recursos presupuestarios propios destinados al fomento de la investigación, las medidas que se pretenden poner en marcha para la captación de talento, las estrategias de colaboración con los sectores productivos e institucionales mediante la transferencia del conocimiento y la innovación, y, por último, deberá detallar el sistema de indicadores que la universidad desarrollará para el seguimiento de las actividades investigadoras, que debe ser contrastable con los criterios utilizados por la ANECA, la Comisión Nacional Evaluadora de la Actividad Investigadora (CNEAI) o las agencias de las Comunidades Autónomas para la acreditación del profesorado universitario y la evaluación de su actividad investigadora.

En este sentido, las universidades deberán dedicar al menos un 5 % de su presupuesto a un programa o programas propio de incentivación de la investigación, en cuanto esta actividad constituye una de las finalidades esenciales de estas. En este porcentaje podrán incluirse los costes derivados de la contratación de recursos humanos dedicados esencialmente a tareas de investigación y transferencia de conocimiento y no a docencia, de las convocatorias propias de proyectos, de las inversiones en infraestructuras científico-técnicas, de la amortización de equipos de investigación y de la adquisición de recursos bibliográficos y documentales físicos o virtuales para investigación, así como el personal contratado con carácter temporal. No se podrán incluir los costes derivados de la remuneración de los salarios de la plantilla de personal docente e investigador ni del personal de administración y servicios En la Memoria deberán indicarse tanto los valores y porcentajes en el momento de inicio de la actividad, así como su proyección en los siguientes cinco años.

1.1.5. Condiciones y requisitos para la creación y reconocimiento de una universidad con relación al personal docente e investigador

Las referencias al personal docente e investigador se entenderá que se circunscriben a aquel personal que imparte docencia y desarrolle el resto de las actividades que son propias del profesorado universitario.

El personal docente e investigador con contrato laboral temporal no podrá exceder del 40 % de la plantilla docente de las universidades y centros universitarios.

El número total de miembros del personal docente e investigador en una universidad no será inferior al que resulte de aplicar la relación 1/25 respecto al número total de estudiantes matriculados en enseñanzas universitarias de carácter oficial. Esta ratio se entenderá referida a personal docente e investigador computado en régimen de dedicación a tiempo completo o su equivalente a tiempo parcial.

La ratio fijada podrá modularse cuando la universidad imparta enseñanzas en la modalidad virtual, pudiendo oscilar entre 1/25 y 1/50 en función del nivel de experimentalidad de las titulaciones y de la mayor o menor presencialidad –pudiéndose establecer excepciones justificadas, que en ningún caso podrán superar la ratio 1/100, que deberán contar con autorización expresa de la administración competente–. Este criterio se aplicará en la parte no presencial de las titulaciones impartidas en modalidad híbrida.

El personal docente e investigador que imparta docencia en las universidades estará compuesto, como mínimo, por:

a) Un 50 % de doctores y doctoras para el conjunto de enseñanzas correspondientes a la obtención de un título universitario oficial de grado y para el conjunto de enseñanzas correspondientes a la obtención de un título universitario oficial de máster.

b) La totalidad del profesorado de la universidad encargado de la impartición de las enseñanzas de doctorado deberá estar en posesión del título de doctor o de doctora.

c) Los doctores y doctoras a los que se hace referencia en los apartados anteriores han de pertenecer a ámbitos de conocimiento que sean coherentes con la programación docente e investigadora de la universidad.

A estos efectos el número total de miembros del profesorado se computará sobre el equivalente en dedicación a tiempo completo. Asimismo, en el ámbito de Ciencias de la Salud, el número de plazas del profesorado asociado que se determine en los conciertos entre las universidades y las instituciones sanitarias no será tomado en consideración a los efectos de los porcentajes señalados.

El profesorado que no tenga el título de doctor o doctora deberá estar en posesión, al menos, del título de licenciado o licenciada, arquitecto o arquitecta, ingeniero o ingeniera, graduado o graduada, o equivalente a los mismos, excepto cuando la actividad docente a realizar corresponda a áreas de conocimiento para las que el Consejo de Universidades haya determinado, con carácter general, la suficiencia del título de diplomado

o diplomada, arquitecto técnico o arquitecta técnica, o ingeniero técnico o ingeniera técnica. En este supuesto, y para la actividad docente en dichas áreas específicas y de forma coherente con la naturaleza académica de las asignaturas a impartir, será suficiente que el profesorado esté en posesión de alguno de estos últimos títulos.

El profesorado de las universidades privadas y de los centros privados de enseñanza universitaria adscritos a universidades, no podrá ser personal funcionario de un cuerpo docente universitario en situación de activo y destino en una universidad pública, así como tampoco personal docente e investigador laboral a tiempo completo en la misma situación.

Para acreditar los requisitos previstos, en la Memoria se deberá detallar la plantilla del personal docente e investigador con la que se contará al comienzo de la actividad académica oficial, así como la previsión y compromiso explícito de su incremento anual hasta la implantación total de las correspondientes enseñanzas, señalando las principales características del profesorado que conforme la plantilla inicial y la final una vez desplegadas las titulaciones oficiales que se ponen en funcionamiento con el inicio de la actividad de la universidad. En este caso, por plantilla se entiende la relación no nominal de puestos de trabajo de personal docente e investigador, su categoría, área de conocimiento o especialización y régimen de dedicación.

Con objeto de asegurar la experiencia en investigación del personal docente e investigador que se incorpore a la nueva universidad, al finalizar el quinto año desde el momento de la obtención de la autorización de inicio de actividades por parte del órgano competente de la Comunidad Autónoma en cuyo territorio se haya ubicado, esta tendrá la obligación de adjuntar a la Memoria presentada inicialmente en el proceso de creación o reconocimiento, la siguiente información sobre su plantilla que imparta docencia en los títulos oficiales de Grados, Másteres y Doctorados:

a) Relación del personal docente e investigador doctor o doctora que haya obtenido una evaluación positiva de su actividad investigadora por la CNEAI o por las agencias de las Comunidades Autónomas con competencias en dicha evaluación. Se considerará un valor mínimo el que el 60 % del conjunto del personal docente e investigador doctor o doctora haya alcanzado una evaluación positiva, en algún momento del periodo de desarrollo de su actividad como personal docente e investigador.

b) Relación de los principales indicadores de la producción investigadora desarrollada por el personal docente e investigador. A tal efecto se considerarán las publicaciones científicas referidas en las principales bases de datos mundiales de referencias bibliográficas y citas de publicaciones periódicas, así como las publicaciones reconocidas en los diferentes ámbitos de conocimiento, en atención a los criterios generales y específicos de evaluación por campos científicos considerados por la CNEAI (Comisión Nacional de la Evaluación de la Actividad Investigadora) o por las agencias de las Comunidades Autónomas con competencias en dicha evaluación. El número mínimo será de seis publicaciones acumuladas durante los últimos tres años por cada tres profesores computados a tiempo completo. Asimismo, se podrán incluir las patentes que resulten directamente de la investigación desarrollada por el personal docente e investigador, licenciadas por empresas, entidades, organizaciones o instituciones. Para acreditar este requisito, la universidad facilitará la relación de los principales indicadores de la producción investigadora desarrollada por el personal docente e investigador conforme a los criterios enunciados.

c) La participación demostrada por parte del personal docente e investigador de la universidad en la solicitud de proyectos de investigación competitivos de ámbito autonómico, estatal e internacional, o en actividades de investigación colaborativa con empresas, entidades, organizaciones o instituciones, que deberá ser coherente con las líneas de investigación fundamentales de los programas de doctorado con que cuente la universidad. Esta participación supondrá haber presentado anualmente como mínimo cinco propuestas de proyectos de investigación en programas nacionales e internacionales, al menos una de las cuáles deberá tener este último carácter. Asimismo, transcurridos cinco años desde el inicio de actividades, se deberá demostrar la concesión de al menos cinco proyectos de investigación de ámbito nacional o internacional. Para acreditar este requisito, la universidad facilitará la relación de propuestas de proyectos de investigación competitivos presentados y, en su caso, de los concedidos, así como de las actividades de investigación colaborativa con empresas, entidades, organizaciones o instituciones.

1.1.6. Condiciones y requisitos para la creación y reconocimiento de una universidad con relación a las instalaciones y equipamientos

Las universidades, públicas y privadas, deberán disponer de instalaciones y equipamientos docentes, de investigación y de transferencia, de servicios y de gestión adecuados para el desarrollo con calidad de las funciones que les son propias, especialmente para el desarrollo de las actividades docentes y de investigación. Esta información deberá explicitarse en la Memoria.

Los edificios e instalaciones y equipamientos deberán adecuarse a la naturaleza de la actividad académica y las condiciones funcionales de las titulaciones de grado, máster y doctorado que vayan a impartirse, así como al número de estudiantes matriculados o que previsiblemente se matricularán, garantizándose la calidad de aquellos. En todo caso, deberán contar con:

a) Espacios docentes y de investigación. Su número, superficie y equipamiento vendrá determinado, en el caso de las actividades docentes, por el número de estudiantes que se prevea que van a utilizarlos simultáneamente, una vez desplegada toda la oferta académica, y teniendo presente la naturaleza de los diversos títulos oficiales universitarios ofertados. En el caso de las actividades de investigación, por el número de los investigadores y las características y necesidades de sus investigaciones. El anexo II[3] recoge módulos mínimos para la valoración de la adecuación de las instalaciones.

---

3 Véase al final del presente tema.

b) Espacios académicos complementarios. Tendrán la consideración de espacios académicos complementarios aquellos que, destinados tanto a fines de docencia como a investigación, tienen un uso específico y complementario a tales fines, como pueden ser el Centro de Recursos para el Aprendizaje y la Investigación (CRAI), que incluye los servicios de biblioteca y documentación, los laboratorios y servicios científico-técnicos y los equipamientos deportivos. En el caso concreto del edificio o los edificios correspondientes a servicios destinados a biblioteca universitaria deberán ser coherentes y concordantes con el número total de alumnos matriculados en titulaciones oficiales. Por su parte, cuando se impartan titulaciones del ámbito de Ciencias de la Salud, se deberán explicitar las instalaciones y equipamientos de que dispone, o dispondrá, la universidad que la normativa vigente estipula para este tipo de formación universitaria, y cuyos principales elementos se incluyen en el anexo III[4].

c) Equipamiento informático y telemático. Aulas y servicios generales informáticos, telemáticos y audiovisuales que garanticen una conectividad adecuada a la red mediante la creación de espacio wifi de la institución, y la disponibilidad de un número adecuado de equipamiento informático en aulas de informática para que el estudiantado pueda realizar las actividades académicas y el desarrollo de prácticas y trabajos académicos, así como que aseguren el acceso, vía servicios web, a los requisitos docentes y científicos institucionales para la comunidad universitaria como son el campus virtual docente, intranet, entre otros, y cuyos principales elementos se recogen en el anexo IV[5].

d) En el caso de una universidad que básicamente articule su oferta en títulos universitarios oficiales no presenciales o en modalidad híbrida, en la Memoria deberá detallarse y explicitarse pormenorizadamente estos equipamientos consustanciales y específicos a las características de esta oferta formativa.

En todo caso, las instalaciones universitarias habrán de reunir las condiciones de prevención de riesgos laborales, y los requisitos acústicos y de habitabilidad que exija la legislación vigente en estas materias.

Asimismo, el conjunto de instalaciones y equipamientos universitarios deberán disponer de unas condiciones arquitectónicas y de accesibilidad que, de acuerdo con lo dispuesto en la normativa aplicable, posibiliten el acceso y movilidad de personas con discapacidad.

1.2. Requisitos específicos para la creación de Universidades privadas y Centros Universitarios privados

De conformidad con lo dispuesto en el artículo 96 de la LOSU las personas físicas o jurídicas podrán crear universidades privadas o centros universitarios privados, dentro

4 Véase al final del presente tema.

5 Véase al final del presente tema.

del respeto de los principios constitucionales y con sometimiento a lo dispuesto en esta ley orgánica y en las normas de desarrollo que, en su caso, dicten el Estado y las Comunidades Autónomas en el ámbito de sus respectivas competencias.

No podrán crear dichas universidades o centros universitarios quienes presten servicios en una Administración educativa, tengan antecedentes penales por delitos dolosos o hayan sido sancionados administrativamente con carácter firme por infracción muy grave o grave en materia educativa o profesional.

Se entenderán incursas en esta prohibición las personas jurídicas cuyos administradores, representantes o cargos rectores, vigente su representación o designación, o cuyos fundadores, promotores o titulares de un 20 % o más de su capital, por sí o por persona interpuesta, se encuentren en alguna de las circunstancias previstas en el párrafo precedente.

La realización de actos y negocios jurídicos que modifiquen la personalidad jurídica o la estructura de la universidad privada, o que impliquen la transmisión o cesión, inter vivos, total o parcial, a título oneroso o gratuito, de la titularidad directa o indirecta que las personas físicas o jurídicas ostenten sobre las universidades privadas o centros universitarios privados adscritos a universidades públicas, deberá ser comunicada previamente a la Comunidad Autónoma correspondiente. Para ser jurídicamente eficaces, dichos actos y negocios deberán contar con la conformidad de dicha Comunidad Autónoma.

En los supuestos de cambio de titularidad, el nuevo titular quedará subrogado en todos los derechos y obligaciones del titular anterior.

El incumplimiento de lo previsto en los apartados anteriores supondrá una modificación de las condiciones esenciales del reconocimiento o de la aprobación de la adscripción y será causa de su revocación por parte de la Comunidad Autónoma competente, en los términos que reglamentariamente se establezcan.

Los centros universitarios privados deberán estar integrados como centros propios de una universidad privada, o adscritos a una universidad pública o privada. En el supuesto de la adscripción de un centro privado a una universidad pública, se estará a lo dispuesto en la LOSU.

Dichos centros deberán adscribirse a una única universidad. No obstante, esta condición podrá ser dispensada, con arreglo a lo legal o reglamentariamente establecido, si se aprecian en un centro o en determinados tipos de centros características particulares que así lo justifican.

1.3. Puesta en funcionamiento de Universidades. Garantía del mantenimiento del servicio

1.3.1. Puesta en funcionamiento del servicio

El artículo 4.2 de la LOSU establece que corresponde a los órganos competentes de la Comunidad Autónoma en la que radique la universidad otorgar la autorización para

el inicio de sus actividades una vez comprobado el cumplimiento de las condiciones y requisitos establecidos, así como la supervisión y control periódico de su cumplimiento. El incumplimiento grave de las condiciones y requisitos de la autorización será causa de su revocación, en los términos que reglamentariamente se establezcan.

El artículo 11 del Real Decreto 640/2021 señala que la autorización del inicio de las actividades de las universidades corresponderá al órgano competente de la Comunidad Autónoma en la cual radican las instalaciones de la futura universidad, salvo para la autorización de una universidad de ámbito estatal, en cuyo caso corresponderá al Ministerio de Universidades. En ambos casos, la autorización se concederá, una vez comprobado el cumplimiento de las condiciones y los requisitos para su creación o reconocimiento establecidos por la normativa vigente, en su ley de creación o reconocimiento aprobada por la Asamblea de la Comunidad Autónoma o por las Cortes Generales. Se informará de esta autorización para el inicio de las actividades al Ministerio de Universidades y a la Conferencia General de Política Universitaria.

El procedimiento de autorización se iniciará a solicitud de la persona física o jurídica que promueve la universidad. La solicitud, que deberá ajustarse a lo previsto en la Ley 39/2015, de 1 de octubre, del Procedimiento Administrativo Común de las Administraciones Públicas, y, en su caso, a la normativa de desarrollo de la Comunidad Autónoma, junto con la documentación estipulada, se dirigirá al órgano competente de la Comunidad Autónoma. El plazo máximo para solicitar dicha autorización será de dos años a contar desde la entrada en vigor de la Ley de creación o de reconocimiento de la universidad, si dicha ley no hubiese determinado un plazo.

La resolución del procedimiento deberá ser motivada. El plazo para resolver y notificar dicha resolución será como máximo de seis meses. Transcurrido este, y en el caso de que no se haya dictado la correspondiente resolución de autorización o denegación del inicio de la actividad, el sentido del silencio administrativo será estimatorio. La resolución deberá expresar los recursos que contra la misma procedan, órgano administrativo y judicial ante el que hubieran de presentarse y plazo para interponerlos de acuerdo con lo dispuesto en la Ley 39/2015, de 1 de octubre, y, en su caso, en la normativa de desarrollo de la Comunidad Autónoma.

1.3.2. Supervisión y control

El artículo 12 del Real Decreto 640/2021 establece que corresponde a los órganos competentes de la Comunidad Autónoma así como a los órganos competentes de la Administración General del Estado en el caso de las universidades de ámbito estatal, la supervisión y control periódico del cumplimiento por las universidades de los requisitos exigidos para su creación, en el caso de las iniciativas públicas, o reconocimiento, en el caso de las iniciativas privadas. Para ello, las universidades presentarán anualmente al órgano competente de la Comunidad Autónoma o de la Administración General del Estado una memoria comprensiva de sus actividades docentes e investigadoras, realizadas en el marco de la programación plurianual.

En la supervisión se tendrán en cuenta fundamentalmente los requisitos previstos en el Real Decreto 640/2021, los que, en su caso, hayan establecido las Comunidades Autónomas en ejercicio de sus competencias, y los demás previstos en el ordenamiento jurídico.

Si con posterioridad al inicio de sus actividades se apreciase que una universidad incumple los citados requisitos y los compromisos adquiridos al solicitar su creación o reconocimiento, el órgano competente de la Comunidad Autónoma requerirá a la misma la regularización de la situación. Para ello, la universidad deberá presentar un plan de medidas correctoras en el plazo máximo de tres meses desde el día siguiente a aquel en el que se haya realizado el requerimiento, y dispondrá de un plazo de dos años como máximo para desarrollar dicho plan y, consecuentemente, subsanar los requisitos.

Transcurridos los plazos del párrafo anterior sin que la universidad hubiese presentado el plan de medidas requerido o sin que hubiese cumplido los requisitos, el órgano competente de la Comunidad Autónoma iniciará de oficio el procedimiento de revocación de la autorización de inicio de su actividad, previa audiencia de las personas interesadas. El alcance de la revocación se determinará por la resolución revocatoria y podrá afectar a toda la universidad o limitar sus efectos a alguno de sus centros (propios o adscritos) en el que se hubieren constatado el incumplimiento.

Será motivo de revocación de la autorización de inicio de actividades académicas, que estas no hayan dado comienzo a los dos años de haberla obtenido, debiendo iniciar de oficio el órgano competente de la Comunidad Autónoma el procedimiento de revocación, en el que dará audiencia a las personas interesadas. Si este fuere el caso, la persona física o jurídica que proponía su creación o reconocimiento no podrá volver a solicitar una autorización hasta transcurridos dos años desde la firmeza de la revocación.

En el caso de que una universidad tuviese un mínimo de un tercio de los títulos oficiales universitarios oficiales no acreditados, o retirados antes del proceso de acreditación debido a no poder cumplir las condiciones exigidas por problemas claramente estructurales, no se le permitirá la presentación de nuevos títulos hasta que estas deficiencias no se hayan subsanado.

Si en los procesos de renovación de la acreditación de los títulos de la universidad, según lo dispuesto en la normativa reguladora de las enseñanzas universitarias oficiales, el número de títulos que queden activos en la universidad fuese inferior al del contemplado en el Real Decreto 640/2021, la autoridad competente de la Comunidad Autónoma iniciará de oficio el procedimiento de revocación de la autorización de inicio de actividad de la universidad. La resolución será motivada y previa audiencia de las personas interesadas.

1.3.3. Garantía del mantenimiento del servicio

Las Universidades deberán mantener en funcionamiento sus centros y enseñanzas durante el plazo mínimo que resulte de la aplicación de las normas generales que se dicten en desarrollo del establecimiento de títulos universitarios.

El artículo 9 del Real Decreto 640/2021 establece que en el proceso de creación de una universidad pública y en el de reconocimiento de una universidad privada, las uni-

versidades deberán expresar explícitamente en la Memoria su compromiso de mantener sus actividades académicas fundamentales (docentes, de investigación, de gestión) durante el tiempo necesario para la consecución de los objetivos docentes e investigadores establecidos en su programación, y a estos efectos:

1. Las universidades públicas deberán aportar un acuerdo del Consejo de Gobierno de la Comunidad Autónoma donde se ubique, por el que este se comprometa al mantenimiento de sus actividades y a su sostenibilidad económica. En el caso de las universidades de ámbito estatal, deberá aportarse un acuerdo de Consejo de Ministros.
2. Las universidades privadas deberán aportar documentalmente las garantías que aseguren su sostenibilidad económica, que deberá tener presente especialmente su coherencia con el número de títulos oficiales ofertados y con el número de estudiantes matriculados o que previsiblemente se matricularán, así como un plan de viabilidad de carácter económico-financiero y un plan de cierre para el caso de que su actividad académica resulte inviable. Las Comunidades Autónomas regularán cómo debe desarrollarse, en su caso, el plan de finalización de la actividad de una universidad o centro, y fijarán un régimen de responsabilidades en caso de incumplimiento de dicho plan.
3. Las universidades deberán aportar el compromiso de mantener en funcionamiento sus escuelas y facultades, escuela de doctorado y los espacios académicos complementarios imprescindibles, durante un periodo mínimo que posibilite efectivamente finalizar sus estudios al estudiantado que, con un aprovechamiento académico suficiente, los hubieran iniciado en estos centros. Así mismo, deberán establecer los mecanismos que garanticen la finalización de los estudios del estudiantado en el caso de extinción de alguna de las titulaciones, oficiales o propias, impartidas, o programas de doctorado en su caso, como consecuencia de una decisión de la propia universidad, o por no renovación de la acreditación del título decidida por las Administraciones públicas, así como por la extinción de la propia universidad o centro.
4. Las universidades deberán contar con un plan de inversiones en recursos e infraestructuras, que se recoja en la Memoria, coherente con la planificación docente e investigadora propuesta y programada.

1.5. La calidad del Sistema Universitario

De conformidad con lo dispuesto en el artículo 5 de la LOSU el sistema universitario deberá garantizar niveles de buen gobierno y calidad contrastables con los estándares internacionalmente reconocidos, en particular, con los criterios y directrices establecidos para el aseguramiento de la calidad en el Espacio Europeo de Educación Superior[6].

[6] La creación de un Espacio Europeo de la Educación Superior (EEES) antes del año 2010 fue el objetivo fundamental de la Declaración de Bolonia firmada el 19 junio de 1999 por los ministros de Educación de 29 países europeos. Esta Declaración viene precedida por la firmada en la Sorbona en 1998, en la que se proponía la necesidad de potenciar una armonización europea en la Educación Superior en Europa.

La promoción y el aseguramiento de dicha calidad es responsabilidad compartida por las universidades, las agencias de evaluación y las Administraciones Públicas con competencias en esta materia.

El aseguramiento de la calidad se hará efectivo en las condiciones y mediante los procedimientos de evaluación, certificación y acreditación que establezca el Gobierno, mediante real decreto, previo informe de la Conferencia General de Política Universitaria.

Las universidades garantizarán la calidad académica de las actividades de sus centros, a través de los sistemas internos de garantía de calidad.

Las funciones de acreditación y evaluación del profesorado universitario, de acreditación institucional, de evaluación de titulaciones universitarias, de seguimiento de resultados e informe en el ámbito universitario, y de cualquier otra que les atribuyan las leyes estatales y autonómicas, corresponden a la Agencia Nacional de Evaluación de la Calidad y Acreditación (en adelante, ANECA) y a las agencias de evaluación de las Comunidades Autónomas inscritas en el Registro Europeo de Agencias de Calidad (EQAR), en el ámbito de sus respectivas competencias, todo ello sin perjuicio de los acuerdos internacionales de colaboración en el ámbito del aseguramiento de la calidad, así como del papel que agencias de calidad de otros Estados miembros inscritas en EQAR puedan desarrollar en el marco del Espacio Europeo de Educación Superior.

Las agencias de evaluación mencionadas deberán contar con medidas de igualdad relativas a sus procesos de evaluación y, en caso de contar con más de 50 personas trabajadoras, con un plan de igualdad relativo a su organización.

El Gobierno regulará el procedimiento y las condiciones para la acreditación institucional de los centros universitarios, basada en el reconocimiento de la capacidad de la universidad para garantizar la calidad académica de aquellos.

2. El régimen jurídico de las universidades

2.1. Universidades públicas

2.1.1. Régimen jurídico

A tenor de lo dispuesto en el artículo 38 de la LOSU las universidades públicas se regirán por esta ley orgánica, por la ley de su creación y por sus Estatutos, que serán elaborados por aquellas y aprobados, previo control de su legalidad, por la Comunidad Autónoma, así como por las normas que dicten el Estado y las Comunidades Autónomas en el ejercicio de sus respectivas competencias en lo que les sean de aplicación[7].

---

7 La Disposición transitoria primera de la LOSU señala: "Las universidades públicas tendrán un plazo máximo de dos años, a contar desde la entrada en vigor de esta ley orgánica, para aprobar los nuevos Estatutos y constituir el nuevo Claustro y Consejo de Gobierno, de acuerdo con los preceptos de esta ley orgánica".

La Comunidad Autónoma dispondrá de un plazo de cuatro meses para la elaboración del informe de legalidad.

Una vez aprobados por la Comunidad Autónoma que corresponda, los Estatutos se publicarán en el diario oficial de la Comunidad Autónoma. Asimismo, serán publicados en el «Boletín Oficial del Estado».

En especial, cuando los Estatutos solo deban ser aprobados por real decreto del Consejo de Ministros por tratarse de una universidad de especiales características (de las previstas en el artículo 4.1.b) de la LOSU), aquellos únicamente se publicarán en el «Boletín Oficial del Estado».

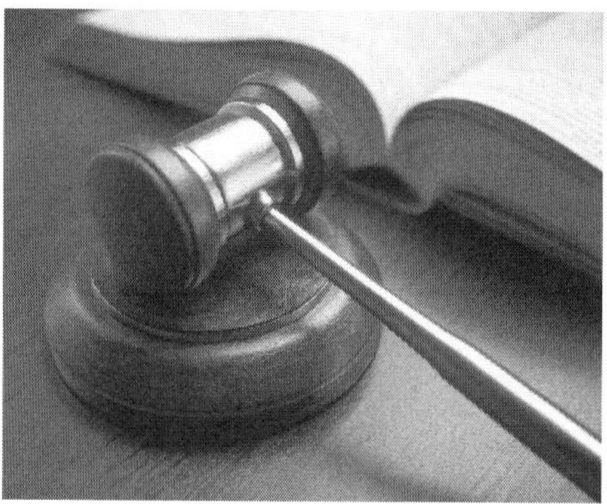

Las resoluciones del Rector o Rectora y los acuerdos del Consejo Social, del Consejo de Gobierno y del Claustro Universitario ponen fin a la vía administrativa. Los Estatutos podrán sustituir el previo recurso de reposición por cualquiera de los procedimientos recogidos en el artículo 112.2 de la Ley 39/2015, de 1 de octubre, del Procedimiento Administrativo Común de la Administraciones Públicas, respetando su carácter potestativo para el interesado, así como los principios, garantías y plazos que dicha ley reconoce a las personas y a los interesados en todo procedimiento administrativo, todo ello sin perjuicio de la posibilidad de impugnación directamente ante la Jurisdicción Contencioso-administrativa.

2.1.2. Rendición de cuentas, transparencia e integridad

El artículo 39 de la LOSU dispone que las universidades, en el ejercicio de su autonomía, deberán establecer mecanismos de rendición de cuentas y de transparencia en la gestión, conforme a la normativa de la Comunidad Autónoma correspondiente, o del Estado, en el caso de Universidades de especiales características (artículo 4.1.b de la LOSU).

En particular, las universidades deberán establecer en sus Estatutos los mecanismos de rendición de cuentas respecto a la gestión de los recursos económicos y de personal, la calidad y evaluación de la docencia y del rendimiento del estudiantado, las actividades de investigación y de transferencia e intercambio del conocimiento, la captación de recursos para su desarrollo, la política de internacionalización, y la calidad de la gestión y la disponibilidad de los servicios universitarios.

Las universidades deberán contar con un portal de transparencia y garantizar el derecho de acceso a la información que consideren institucionalmente relevante, de acuerdo con la normativa específica en la materia.

Las universidades velarán por el cumplimiento de los principios éticos y de integridad académica, así como de las directrices antifraude, que deben guiar la función docente y la investigación, en colaboración con los organismos y planes de los que, para estos efectos, disponga cada universidad.

2.2. Universidades privadas

De conformidad con lo dispuesto en el artículo 95 de la LOSU las universidades privadas tendrán personalidad jurídica propia en cualquiera de las formas legalmente existentes, pudiendo ser entidades con ánimo de lucro o de carácter social, incluidas las sociedades cooperativas. Su objeto social exclusivo será la educación superior y la investigación y, en su caso, la transferencia e intercambio del conocimiento. Deberán realizar todas las funciones a las que se refiere el artículo 2.2 de la LOSU.

Su régimen jurídico resulta de lo dispuesto en los preceptos de la LOSU que le son de aplicación y en las normas que los desarrollen. Además de lo dispuesto en el Título X, les será igualmente de aplicación lo establecido en los títulos preliminar, I, II, III, IV exceptuando el artículo 13, V, VI, VII y VIII, así como las disposiciones adicionales cuarta, séptima, octava y novena.

No obstante, siempre que sea posible, los programas de fomento de proyectos para la investigación, creación y transferencia e intercambio del conocimiento impulsados por las Administraciones Públicas facilitarán la participación de las universidades de carácter social y sin ánimo de lucro declaradas de interés público.

Asimismo, estas universidades, a las que también serán de aplicación las normas correspondientes a la clase de personalidad jurídica adoptada, se regirán por la ley de su reconocimiento, por las normas que dicten el Estado y las Comunidades Autónomas, en el ejercicio de sus respectivas competencias y por sus propias normas de organización y funcionamiento.

Las normas de organización y funcionamiento de las universidades privadas serán elaboradas por ellas mismas, con sujeción a los principios constitucionales y con garantía efectiva del principio de libertad de cátedra. Dichas normas deberán ser aprobadas por la Comunidad Autónoma a efectos de su control de legalidad.

Estas universidades se organizarán de forma que quede asegurada la participación y representación en sus órganos de los diferentes sectores de la comunidad universitaria.

2.3. Normas comunes

De conformidad con lo dispuesto en el artículo 9 del Real Decreto 640/2021 los Estatutos y las Normas de Organización y Funcionamiento deberán elaborarse partiendo de los principios constitucionales democráticos, y, por ello, garantizar, de forma efectiva, el pleno ejercicio del principio de libertad académica por parte de la comunidad universitaria que se manifiesta en las libertades de cátedra, de investigación y de estudio. De igual modo, deberán establecer los principios de convivencia en el seno de la comunidad universitaria.

Los Estatutos y las Normas de Organización y Funcionamiento deberán, asimismo, recoger las previsiones contenidas en la LOSU, y demás normativa en materia universitaria, y como mínimo deberán explicitar:

a) Naturaleza, funciones y competencias de la universidad.

b) Régimen jurídico, de personal y económico-financiero.

c) Estructura (centros, departamentos, institutos de investigación, escuela de doctorado).

d) Órganos de gobierno y de representación.

e) Procedimiento para la elección del rector o rectora de la universidad –o de designación en su caso–, duración de su mandato, funciones, y procedimiento de remoción.

f) Mecanismo de participación de la comunidad universitaria en los diferentes órganos de gobierno.

g) Derechos y deberes del profesorado, del estudiantado y del personal de administración y servicios.

h) Procedimiento para la elección o designación del Defensor Universitario o Defensora Universitaria, duración de su mandato y dedicación, así como su régimen de funcionamiento.

i) Normativa de convivencia del conjunto de la comunidad universitaria.

j) Normativa de igualdad. Se deberá disponer de un plan de igualdad de mujeres y hombres, un protocolo contra el acoso sexual y el acoso por razón de sexo en el trabajo, y un registro salarial.

A efectos de acreditar los requisitos previstos en el momento del comienzo del proceso de creación o de reconocimiento, así como en el posterior procedimiento de autorización de inicio de la actividad, las universidades deberán aportar:

a) La forma de gobierno, la estructura y las normas de organización y de funcionamiento que habrán de regir hasta la aprobación definitiva, en su caso, de sus Estatutos o de las Normas de Funcionamiento y Organización, según se trate de universidades públicas o privadas, respectivamente.

b) La localidad o las localidades de ubicación de la universidad y de sus centros (escuelas, facultades e institutos de investigación), y en todo caso la localidad donde se sitúe la sede corporativa.

c) La estructura de centros, su denominación, y los estudios oficiales iniciales que se impartirán en estos y la previsión de los que en el futuro se tiene previsto desarrollar, dentro de la programación y planificación docente, así como la denominación de los departamentos que puedan constituirse en dichos centros.

2.4. Régimen jurídico de otras Universidades, Centros Universitarios y Centros de Educación Superior no universitarios

2.4.1. Universidad Nacional de Educación a Distancia (Disposición adicional primera LOSU)

La Universidad Nacional de Educación a Distancia es una institución que forma parte del sistema universitario español, cuyo objeto fundamental es el desarrollo de actividades académicas no presenciales e híbridas, siendo su ámbito de actuación el conjunto del Estado y aquellos lugares del extranjero donde pueda desarrollar legalmente su actividad.

Las Cortes Generales y el Gobierno ejercerán las competencias que esta ley orgánica atribuye, respectivamente, a la Asamblea Legislativa y al Consejo de Gobierno de las Comunidades Autónomas en cuanto se refiere a la Universidad Nacional de Educación a Distancia.

El Gobierno regulará las particularidades de los regímenes del personal docente e investigador, del personal técnico, de gestión y de administración y servicios, así como de las y los tutores, y las condiciones de los centros asociados de la Universidad Nacional de Educación a Distancia promoviendo su relación con el entorno en el que se ubiquen.

Asimismo, sin perjuicio de lo establecido en el artículo 56.3 de la LOSU (programación plurianual), regulará su financiación teniendo en consideración las particularidades de la Universidad Nacional de Educación a Distancia, cuyos presupuestos se incluirán en los Presupuestos Generales del Estado. En todo caso, el recurso al endeudamiento por parte

de la Universidad Nacional de Educación a Distancia habrá de autorizarse por la Ley de Presupuestos Generales del Estado. No obstante, a lo largo del ejercicio presupuestario, para atender desfases temporales de tesorería, la Universidad Nacional de Educación a Distancia podrá recurrir a la contratación de pólizas de crédito o préstamos, en una cuantía que no superará el 5 % de su presupuesto, que habrán de quedar cancelados antes del 31 de diciembre de cada año.

En el resto de los ámbitos, la Universidad Nacional de Educación a Distancia tendrá los mismos derechos y obligaciones que el resto de las universidades públicas españolas, y se regirá por el principio de autonomía universitaria y por lo que estipulen sus Estatutos.

En el plazo de un año desde la aprobación de la LOSU, el Gobierno regulará reglamentariamente el régimen del profesorado tutor de los centros asociados a la Universidad Nacional de Educación a Distancia.

2.4.2. Universidad Internacional Menéndez Pelayo (Disposición adicional segunda LOSU)

La Universidad Internacional Menéndez Pelayo es una institución que forma parte del sistema universitario español, y que tiene como objeto fundamental la contribución a la generación, divulgación y difusión del conocimiento científico, tecnológico, humanístico y artístico a través de la organización de cursos avanzados y actividades culturales, así como del desarrollo de programas de posgrado y formación a lo largo de la vida.

De acuerdo con su objeto y dada su especificidad en el sistema universitario español, la Universidad Internacional Menéndez Pelayo tiene naturaleza de organismo autónomo adscrito al Ministerio de Universidades, con personalidad jurídica y patrimonio propios, con plena capacidad para organizar los medios humanos y materiales para realizar sus actividades, sin más limitaciones que las establecidas por las leyes y los criterios de calidad exigibles.

La Universidad Internacional Menéndez Pelayo se regirá por el principio de autonomía universitaria en relación con la planificación, organización y desarrollo de sus actividades académicas. La colaboración de profesorado de universidades públicas para el desarrollo de las funciones de la Universidad Internacional Menéndez Pelayo en los términos que se determinen en sus Estatutos, será compatible con la dedicación de dicho profesorado.

La actividad económica y financiera de la Universidad Internacional Menéndez Pelayo se acomodará a un presupuesto de carácter anual, que estará incluido en los Presupuestos Generales del Estado. La financiación de la universidad tendrá en consideración los objetivos académicos definidos y programados. El régimen económico-financiero será el establecido en la Ley 47/2003, de 26 de noviembre, General Presupuestaria, para los organismos autónomos. La Intervención Delegada de la Intervención General de la Administración del Estado realizará el control interno de la gestión económico-financiera de la Universidad Internacional Menéndez Pelayo.

Dada su especificidad, el Gobierno regulará el mecanismo de elección y de nombramiento del Rector o de la Rectora de la Universidad Internacional Menéndez Pelayo.

La Universidad Internacional Menéndez Pelayo podrá celebrar convenios de colaboración académica con universidades, instituciones de educación superior, instituciones de investigación, organismos y entidades tanto nacionales como extranjeras.

2.4.3. Otras universidades públicas con especificidades académicas (Disposición adicional tercera LOSU)

La creación de universidades públicas con especificidad académica deberá regularse por su ley de creación, dentro de los principios generales que establece la LOSU, y regirse por el principio de autonomía universitaria.

Serán las Comunidades Autónomas en cuyo territorio estén ubicadas las que, en ejercicio de sus competencias en materia universitaria, regularán los mecanismos de elección y nombramiento del Rector o la Rectora de estas universidades, así como los mecanismos de gobernanza y el régimen económico y patrimonial.

2.4.4. Universidades de la Iglesia Católica (Disposición adicional cuarta LOSU)[8]

En aplicación de la LOSU, las universidades de la Iglesia Católica establecidas en España con anterioridad al Acuerdo de 3 de enero de 1979, entre el Estado español y la Santa Sede, sobre Enseñanza y Asuntos Culturales, en virtud de lo establecido en el Convenio entre la Santa Sede y el Estado español, de 10 de mayo de 1962, y el mencionado Acuerdo, mantendrán sus procedimientos especiales en materia de reconocimiento de efectos civiles de planes de estudios y títulos, en tanto en cuanto no opten por transformarse en universidades privadas.

No obstante, estas universidades y sus centros adscritos deberán adaptarse a los demás requisitos y condiciones que la legislación establezca con carácter general.

Las universidades establecidas o que se establezcan en España por la Iglesia Católica con posterioridad al Acuerdo entre el Estado español y la Santa Sede de 3 de enero de 1979, y sus centros adscritos, deberán cumplir las condiciones y requisitos establecidos en la LOSU y en sus normas reglamentarias de desarrollo y ejecución, específicamente para las universidades privadas o con carácter general para todas las universidades.

---

8 El Gobierno, a propuesta de las personas titulares de los Ministerios de Universidades y de Presidencia, Relaciones con las Cortes y Memoria Democrática, en aplicación de lo establecido en los Acuerdos de Cooperación entre el Estado y la Federación de Entidades Religiosas Evangélicas de España, aprobado por la Ley 24/1992, de 10 de noviembre, la Federación de Comunidades Israelitas de España, aprobado por la Ley 25/1992, de 10 de noviembre, y la Comisión Islámica de España, aprobado por la Ley 26/1992, de 10 de noviembre, regulará las condiciones para el reconocimiento de efectos civiles de los títulos académicos relativos a enseñanzas de nivel universitario, de carácter teológico y de formación de ministros de culto, impartidas en centros docentes de nivel superior dependientes de las mencionadas entidades religiosas. Del mismo modo se podrán reconocer otros acuerdos siempre que en ellos se recoja esta posibilidad (Disposición final décima primera de la LOSU).

2.4.5. Centros Universitarios de la Defensa (Disposición adicional quinta LOSU)

Los Centros Universitarios de la Defensa, adscritos a una universidad pública, impartirán títulos de grado universitario del sistema educativo general, así como estudios conducentes a la obtención de títulos oficiales de posgrado, contribuyendo de tal forma a la formación de los futuros/as oficiales de las Fuerzas Armadas. Asimismo, estos Centros Universitarios de la Defensa desarrollarán líneas de investigación consideradas de interés en el ámbito de la defensa.

Los Centros Universitarios de la Defensa se regirán, además de por sus propias normas de organización y funcionamiento, por lo dispuesto en la LOSU, en la normativa básica estatal y en las demás normas que les sean de aplicación, así como por los acuerdos contenidos en cada convenio de adscripción.

Todas las referencias que en la LOSU se hacen a las Comunidades Autónomas y sus órganos se entenderán referidas, en el caso de los Centros Universitarios de la Defensa, al Ministerio de Universidades que regulará las particularidades de las enseñanzas a impartir, sin perjuicio de las competencias del Ministerio de Defensa en cuanto a los regímenes del personal docente e investigador y del personal técnico, de gestión y de administración y servicios de los Centros Universitarios de la Defensa. A tales efectos, las figuras del personal docente e investigador en los Centros Universitarios de la Defensa serán las contempladas en la LOSU, junto con las del personal militar que reúna los requisitos exigibles.

2.4.6. Centro Universitario de la Guardia Civil y Centro Universitario de Formación de la Policía Nacional (Disposición adicional sexta LOSU)

El Centro Universitario de la Guardia Civil, adscrito a una o varias universidades públicas, impartirá los títulos de grado universitario y posgrado del sistema educativo general, y promoverá las acciones de formación que faciliten a los guardias civiles la obtención de títulos de Grado. Asimismo, desarrollará líneas de investigación consideradas de interés para la seguridad pública.

El Centro Universitario de Formación de la Policía Nacional, adscrito a una o varias universidades públicas, impartirá los títulos de grado universitario y posgrado del sistema educativo general, y podrá promover las acciones de formación que faciliten a los miembros del Cuerpo Nacional de Policía la obtención de títulos de Grado. Asimismo, desarrollará líneas de investigación consideradas de interés para la seguridad pública.

El Centro Universitario de la Guardia Civil y el Centro Universitario de Formación de la Policía Nacional se regirán, además de por sus propias normas de organización y funcionamiento, por lo dispuesto en la LOSU, en la normativa básica estatal y en las demás normas que les sean de aplicación, así como por los acuerdos contenidos en cada convenio de adscripción. Asimismo, el Centro Universitario de la Guardia Civil se regirá por lo dispuesto en la Ley 29/2014, de 28 de noviembre, de Régimen del Personal de la Guardia Civil y el Centro Universitario de Formación de la Policía Nacional por lo dispuesto en la Ley Orgánica 9/2015, de 28 de julio, de Régimen de Personal de la Policía Nacional y en su ley de creación.

Todas las referencias que en la LOSU se hacen a las Comunidades Autónomas y sus órganos, se entenderán efectuadas en los casos del Centro Universitario de la Guardia Civil y el Centro Universitario de Formación de la Policía Nacional, al Ministerio de Universidades, que regulará las particularidades de las enseñanzas a impartir, sin perjuicio de las competencias del Ministerio del Interior en cuanto a los regímenes de su personal docente e investigador y personal técnico, de gestión y de administración y servicios. A tales efectos, las figuras del personal docente e investigador en los centros universitarios a que se refiere este artículo serán las contempladas en la LOSU, junto con las del personal militar que reúna los requisitos exigibles para el Centro Universitario de la Guardia Civil.

2.4.7. Centros docentes privados de educación superior no universitarios (Disposición adicional octava LOSU)

Las Comunidades Autónomas, en el ejercicio de sus competencias, aprobarán los criterios para la creación, supresión y funcionamiento de los centros docentes privados de educación superior en su ámbito territorial que impartan enseñanzas no oficiales de nivel similar al universitario y que no estén adscritos a ninguna universidad pública o privada.

No podrán utilizarse denominaciones de títulos de educación superior no universitarios que puedan inducir a confusión con las denominaciones de los títulos universitarios tanto oficiales como propios, especialmente los de formación a lo largo de la vida, sin perjuicio de las establecidas por la Ley Orgánica 2/2006, de 3 de mayo, de Educación, para las enseñanzas que en la misma se regulan, así como por el ordenamiento jurídico que resulte de aplicación en las enseñanzas Artísticas, Deportivas y de Formación Profesional.

3. La estructura de las Universidades

3.1. Estructura de las Universidades públicas

La estructura de las Universidades públicas aparece regulada en el Capítulo I del Título IX de la LOSU.

3.1.1. Centros y estructuras

A) Tipología

El artículo 40 de la LOSU señala que las universidades podrán estructurarse, según lo determinen sus Estatutos, en:

a) Campus,

b) Facultades,

c) Escuelas,

d) Departamentos,

e) Institutos universitarios de investigación,

f) Escuelas de doctorado o,

g) En otros centros o estructuras necesarios para el desarrollo de las funciones que le son propias.

Los Estatutos establecerán las funciones de los centros o estructuras que componen la universidad para proponer y organizar las enseñanzas universitarias oficiales y los procedimientos académicos, administrativos y de gestión conducentes a la obtención de los correspondientes títulos, para proponer y organizar las enseñanzas conducentes a la obtención de títulos propios y las estructuras encargadas de su gestión, así como, en su caso, las creadas específicamente para desarrollar, transferir, intercambiar y promover la investigación científica, tecnológica, humanística, social, cultural o la creación artística.

Dichos centros y estructuras deberán fomentar la cooperación, la multidisciplinariedad y la interdisciplinariedad, así como una gestión administrativa integrada, y contar con los medios necesarios para desarrollar adecuadamente y con eficacia las funciones que tengan asignadas.

B) Creación, modificación y supresión de centros y estructuras

En su artículo 41 la LOSU establece que la creación, modificación y supresión de facultades y escuelas serán acordadas por la Comunidad Autónoma, a iniciativa de la universidad mediante propuesta y aprobación de su Consejo de Gobierno.

La creación, modificación y supresión de departamentos, institutos, escuelas de doctorado y otros centros o estructuras corresponden a la universidad, conforme a lo estipulado en esta ley orgánica y en su normativa de desarrollo, así como en sus Estatutos.

La regulación reglamentaria actualmente vigente en materia de universidades y centros es el Real Decreto 640/2021, de 27 de julio, de creación, reconocimiento y autorización de universidades y centros universitarios, y acreditación institucional de centros universitarios, que ha venido a sustituir a un Real Decreto del año 2015.

C) Las Escuelas de Doctorado

Las Escuelas de Doctorado aparecen reguladas en el artículo 9 del Real Decreto 99/2011, de 28 de enero, por el que se regulan las enseñanzas oficiales de doctorado. Este artículo ha sido profundamente modificado por el Real Decreto 576/2023, de 4 de julio, y establece lo siguiente:

«*1. Las universidades podrán crear Escuelas de Doctorado conforme a lo establecido en el artículo 41.2 de la Ley Orgánica 2/2023, de 22 de marzo, de acuerdo con lo previsto en sus Estatutos, y en el presente real decreto, con la finalidad de organizar, dentro de su ámbito de gestión, las enseñanzas y actividades propias del doctorado. Su creación deberá ser notificada al Ministerio de Universidades a través de la Secretaría General de Universidades, a efectos de su inscripción en el Registro de Universidades, Centros y Títulos (RUCT), regulado mediante Real Decreto 1509/2008, de 12 de septiembre.*

2. Las Escuelas de Doctorado podrán ser creadas individualmente por una universidad, o conjuntamente con otras o en colaboración de una o varias universidades con otros organismos, centros, instituciones y entidades con actividades de I+D+i, públicas o privadas, nacionales o extranjeras.

3. Las Escuelas de Doctorado deberán garantizar que desarrollan su propia estrategia ligada a la estrategia de investigación de la universidad o universidades y, en su caso, de los Organismos Públicos de Investigación y demás entidades e instituciones implicadas. También deben acreditar una capacidad de gestión adecuada para sus fines asegurada por las Universidades e instituciones promotoras.

4. Las Escuelas planificarán la necesaria oferta de actividades inherentes a la formación y desarrollo de los doctorandos, llevadas a cabo bien por colaboradores de las universidades y entidades promotoras bien con el auxilio de profesionales externos, profesores o investigadores visitantes. En todo caso las Escuelas de Doctorado deberán garantizar un liderazgo en su ámbito y una masa crítica suficiente de doctores profesores de tercer ciclo y doctorandos en su ámbito de conocimiento.

5. Las Escuelas de Doctorado podrán organizarse centrando sus actividades en uno o más ámbitos especializados o interdisciplinares. Asimismo, de acuerdo con lo que establezcan los estatutos de la universidad y la normativa de la comunidad autónoma correspondiente, podrán incluir enseñanzas oficiales de Máster Universitario de contenido fundamentalmente científico, así como otras actividades abiertas de formación en investigación. Las Escuelas de Doctorado proporcionarán asesoramiento al estudiantado que se incorpore a los programas de doctorado sobre todos aquellos aspectos necesarios para su integración plena en dichos programas utilizando para ello tanto su página web como mediante la realización de seminarios específicos.

6. Las Escuelas de Doctorado contarán con un Comité de Dirección que realizará funciones de organización y gestión. Su composición vendrá determinada por los Estatutos de la universidad o por los acuerdos por los que la Escuela de Doctorado se haya formado con otras universidades o en colaboración de una o varias universidades con otros organismos, centros, instituciones y entidades con actividades de I+D+i, públicas o privadas, nacionales o extranjeras. En ella se asegurará la presencia equilibrada de mujeres y hombres. En todo caso, se asegurará la representación del estudiantado de doctorado en dicho Comité. La Directora o Director de la Escuela será nombrado por la Rectora o Rector o por consenso de las rectoras o rectores cuando se establezca por agregación de varias universidades. Debe ser una investigadora o investigador de reconocido prestigio perteneciente a una de las universidades o instituciones promotoras con los requisitos académicos mínimos que se establezcan estatutariamente. Esta condición debe estar avalada por la justificación de la posesión de al menos tres períodos de actividad investigadora reconocidos de acuerdo con las previsiones del Real Decreto 1086/1989, de 28 de agosto. En el caso de que dicha investigadora o investigador ocupe una posición en la que no resulte de aplicación el citado criterio de evaluación, deberá acreditar méritos equiparables a los señalados.

7. Las Escuelas de Doctorado contarán con un reglamento de régimen interno que establecerá, entre otros aspectos, los derechos y deberes de los doctorandos y las doctorandas, de conformidad con lo establecido en el Real Decreto 1791/2010, de 30 de diciembre, por el que se aprueba el Estatuto del Estudiante Universitario, así como por lo establecido en el resto de la normativa vigente, y de los tutores y de los directores de tesis, así como la composición y funciones de las comisiones académicas de sus programas.

8. Todas las personas integrantes de una Escuela de Doctorado deberán suscribir su compromiso con el cumplimiento del código de buenas prácticas adoptado por dicha Escuela.

9. Las Escuelas de Doctorado podrán acogerse al procedimiento de acreditación institucional de centros universitarios regulado mediante el Real Decreto 640/2021, de 27 de julio, de creación, reconocimiento y autorización de universidades y centros universitarios, y acreditación institucional de centros universitarios.»

D) Los Colegios Mayores y las Residencias Universitarias

La Disposición adicional séptima de la LOSU establece que los colegios mayores son centros que, integrados en la Universidad, proporcionan residencia al estudiantado universitario y promueven actividades culturales y científicas de divulgación que fortalecen la formación integral de sus colegiales. Estos colegios constituyen instituciones universitarias.

Los colegios mayores universitarios solo podrán ser gestionados y promovidos por entidades sin ánimo de lucro.

Las universidades, mediante sus Estatutos, establecerán las normas de creación, supresión y funcionamiento de los colegios mayores de fundación directa, y el procedimiento de adscripción de los colegios mayores adscritos, que gozarán de los beneficios o exenciones fiscales de la universidad en la que estén integrados.

Los colegios mayores privados que tengan un régimen no mixto o segregado no podrán adscribirse a una universidad pública. Aquellos convenios que se encuentren vigentes a la entrada en vigor de la LOSU podrán mantenerse hasta su vencimiento, pero no renovarse.

En lo que resulte aplicable, y no se oponga a la LOSU, los Colegios Mayores se rigen por el Decreto 2780/1973, de 19 de octubre, regulador de los Colegios Mayores, posteriormente modificado por el Real Decreto 1857/1981, de 20 de agosto.

3.1.2. Adscripción de Centros

A) Normas generales

De conformidad con lo previsto en el artículo 42 de la LOSU la adscripción de centros docentes universitarios requerirá la previa celebración de un convenio con la universidad, de acuerdo con lo previsto en los Estatutos de dicha universidad, y con lo establecido reglamentariamente por el Gobierno que, asimismo, establecerá los requisitos básicos que deben cumplir los centros adscritos.

La adscripción de centros docentes a universidades públicas requerirá la aprobación de la Comunidad Autónoma correspondiente al ámbito territorial en la que estuvieren ubicados los centros. La propuesta se elevará por el Consejo de Gobierno de la universidad, una vez informado el Consejo Social y conocida la necesidad que justifica su adscripción.

Los centros, que podrán tener naturaleza pública o privada, solo podrán adscribirse a una única universidad. De manera excepcional, esta condición podrá ser dispensada, legal o reglamentariamente, si se aprecian en un centro o en determinados tipos de centros características particulares que así lo justifican.

B) Condiciones y requisitos básicos

El artículo 13 del Real Decreto 640/2021, de 27 de julio, de creación, reconocimiento y autorización de universidades y centros universitarios señala que la adscripción de un centro a una universidad tendrá la finalidad de impartir docencia conducente a la obtención de títulos oficiales de grado y/o máster y/o doctorado, así como, en su caso, de desarrollar actividades de investigación y de transferencia de conocimiento.

Los centros podrán tener una naturaleza pública o privada cuando se adscriban a una universidad pública, y naturaleza privada cuando se adscriban a una universidad privada. A estos efectos, un centro adscrito solo puede serlo de una única universidad[9] –si bien los títulos oficiales que imparte pueden ser conjuntos o dobles titulaciones con centros de esta u otras universidades–.

Los convenios de adscripción serán suscritos por el Rector o la Rectora de la universidad y el o la representante legal de la entidad titular del centro que pretende ser adscrito. El convenio de adscripción deberá incluir, como mínimo lo siguiente:

a) La relación de enseñanzas universitarias de carácter oficial que se impartirán en el centro adscrito;

b) los criterios de admisión de las enseñanzas;

---

9 En el caso de que hubiere un centro adscrito a más de una universidad en el momento de la entrada en vigor del RD 640/2021, este tendrá un plazo máximo de un año para definitivamente adscribirse a una única universidad, lo que exigirá, en su caso, la modificación del convenio de adscripción entre ambas partes. La nueva adscripción, una vez aprobada por los diferentes órganos de gobierno de las instituciones universitarias implicadas, y autorizada por el órgano competente de la respectiva Comunidad Autónoma, será comunicada al Ministerio de Universidades para su inclusión en el RUCT. De forma excepcional, debidamente justificada y únicamente por motivos académicos relacionados con la naturaleza de los títulos que se imparten, un centro que ya esté adscrito a dos universidades en el momento de entrada en vigor del RD 640/2021 podrá seguir adscribiéndose a las dos universidades si cuenta con la aprobación explícita del Departamento responsable de universidades de la respectiva Comunidad Autónoma.

c) las previsiones relativas al régimen económico que ha de regir las relaciones entre el centro adscrito y la universidad;

d) las normas para el nombramiento del Director o de la Directora del centro adscrito y del equipo de dirección;

e) la determinación de los órganos de gobierno del centro;

f) el procedimiento para solicitar de la universidad la *venia docendi* de su profesorado;

g) la estructura, número y tipología del profesorado que conforma y/o conformará la plantilla del centro;

h) la programación para el desarrollo y puesta en funcionamiento de un sistema interno de garantía de la calidad y la consecución de su certificación por la ANECA o la correspondiente agencia de calidad;

i) la posibilidad de impartir títulos de formación permanente;

j) la planificación del desarrollo de la actividad de investigación de su personal docente e investigador;

k) las instalaciones y principal equipamiento de que dispone o dispondrá el centro para cumplir con sus funciones académicas adecuadamente y con calidad.

La distribución del número de estudiantes matriculados en un centro adscrito según si son estudiantes de enseñanzas conducentes a títulos oficiales o a títulos propios de formación permanente, a los cinco años de inicio de su adscripción a una universidad, deberá garantizar que los estudiantes matriculados en títulos propios de formación permanente no podrán superar en dos veces el número de estudiantes matriculados en títulos oficiales.

La adscripción de un centro a una universidad requerirá la aprobación de la Comunidad Autónoma correspondiente, salvo que se trate de la adscripción a una universidad de ámbito estatal, en cuyo caso corresponderá al Ministerio de Universidades. En el caso de las universidades públicas la propuesta se elevará por su Consejo de Gobierno, previo informe favorable del Consejo Social.

En el caso de las universidades privadas, se elevará la petición previa aprobación por su órgano de gobierno.

La aprobación de la propuesta de adscripción deberá ser objeto de inscripción en el en el Registro de Universidades, Centros y Títulos (RUCT), y comunicación a la Conferencia General de Política Universitaria por el Ministerio de Universidades. Si la propuesta es aprobada por la Comunidad Autónoma, esta deberá informar de la adscripción al citado Ministerio, a efectos de inscripción y comunicación.

Los títulos universitarios correspondientes a enseñanzas de carácter oficial impartidas en los centros adscritos a una universidad se someterán a los procedimientos de aseguramiento de la calidad según lo establecido en la universidad a la que se adscribe y serán expedidos por el Rector o la Rectora de esta.

El profesorado de los centros adscritos a universidades deberá cumplir los siguientes requisitos establecidos en el artículo 7, apartados 4, 5, 6, 7 y 8, del Real Decreto 640/2021, de 27 de julio, de creación, reconocimiento y autorización de universidades y centros universitarios:

1. El número total de miembros del personal docente e investigador en una universidad no será inferior al que resulte de aplicar la relación 1/25 respecto al número total de estudiantes matriculados en enseñanzas universitarias de carácter oficial. Esta ratio se entenderá referida a personal docente e investigador computado en régimen de dedicación a tiempo completo o su equivalente a tiempo parcial.

2. La ratio fijada podrá modularse cuando la universidad imparta enseñanzas en la modalidad virtual, pudiendo oscilar entre 1/25 y 1/50 en función del nivel de experimentalidad de las titulaciones y de la mayor o menor presencialidad –pudiéndose establecer excepciones justificadas, que en ningún caso podrán superar la ratio 1/100, que deberán contar con autorización expresa de la administración competente–. Este criterio se aplicará en la parte no presencial de las titulaciones impartidas en modalidad híbrida.

3. El personal docente e investigador que imparta docencia en las universidades estará compuesto, como mínimo, por:

   a) Un 50 % de doctores y doctoras para el conjunto de enseñanzas correspondientes a la obtención de un título universitario oficial de grado y para el conjunto de enseñanzas correspondientes a la obtención de un título universitario oficial de máster.

   b) La totalidad del profesorado de la universidad encargado de la impartición de las enseñanzas de doctorado deberá estar en posesión del título de doctor o de doctora.

   c) Los doctores y doctoras a los que se hace referencia en los apartados anteriores han de pertenecer a ámbitos de conocimiento que sean coherentes con la programación docente e investigadora de la universidad.

4. A estos efectos el número total de miembros del profesorado se computará sobre el equivalente en dedicación a tiempo completo. En el ámbito de Ciencias de la Salud, el número de plazas del profesorado asociado que se determine en los conciertos entre las universidades y las instituciones sanitarias no será tomado en consideración a los efectos de los porcentajes señalados.

5. El profesorado que no tenga el título de doctor o doctora deberá estar en posesión, al menos, del título de licenciado o licenciada, arquitecto o arquitecta, ingeniero o ingeniera, graduado o graduada, o equivalente a los mismos, excepto cuando la actividad docente a realizar corresponda a áreas de conocimiento para las que el Consejo de Universidades haya determinado, con carácter general, la suficiencia del título de diplomado o diplomada, arquitecto técnico o arquitecta técnica, o ingeniero técnico o ingeniera técnica. En este supuesto, y para la actividad docente en dichas áreas específicas y de forma coherente con la naturaleza académica de las asignaturas a impartir, será suficiente que el profesorado esté en posesión de alguno de estos últimos títulos.

3.1.3. Unidades básicas

A) Unidades de igualdad y de diversidad

El artículo 43 de la LOSU establece que las universidades contarán con unidades de igualdad y de diversidad, que se podrán constituir de forma conjunta o separada, de defensoría universitaria y de inspección de servicios, así como servicios de salud y acompañamiento psicológico y pedagógico y servicios de orientación profesional, dotados con recursos humanos y económicos suficientes.

Las unidades de igualdad serán las encargadas de asesorar, coordinar y evaluar la incorporación transversal de la igualdad entre mujeres y hombres en el desarrollo de las políticas universitarias, así como de incluir la perspectiva de género en el conjunto de actividades y funciones de la universidad. Corresponde a los Estatutos de la universidad establecer el régimen de funcionamiento de esta unidad.

Las unidades de diversidad serán las encargadas de coordinar e incluir de manera transversal el desarrollo de las políticas universitarias de inclusión y antidiscriminación en el conjunto de actividades y funciones de la universidad. Estas unidades deberán contar con un servicio de atención a la discapacidad.

Corresponde a los Estatutos de la universidad establecer el régimen de funcionamiento de esta unidad.

B) La Defensoría Universitaria

La defensoría universitaria se encargará de velar por el respeto de los derechos y las libertades del profesorado, estudiantado y personal técnico, de gestión y de administración y servicios, ante las actuaciones de los diferentes órganos y servicios universitarios, pudiendo asumir tareas de mediación, conciliación y buenos oficios. Sus actuaciones vendrán regidas por los principios de independencia, autonomía y confidencialidad.

Corresponde a los Estatutos de la universidad establecer el régimen de funcionamiento y estructura de la defensoría universitaria, cuyo máximo cargo podrá ser un órgano unipersonal o colegiado, así como el procedimiento para su elección por el Claustro Universitario.

C) Servicios de orientación psicopedagógica

Las universidades, en colaboración con las Comunidades Autónomas en las que se encuentren ubicadas, ofrecerán servicios gratuitos dirigidos a la orientación psicopedagógica, de prevención y fomento del bienestar emocional de su comunidad universitaria y, en especial, del estudiantado, así como servicios de orientación profesional.

D) La Inspección de Servicios

La inspección de servicios actuará regida por los principios de independencia y autonomía. Tendrá por función velar por el correcto funcionamiento de los servicios que presta la institución universitaria de acuerdo con las leyes y normas que los rigen. Asimismo, en el marco de la legislación aplicable en la materia, tendrá las funciones de incoación e instrucción de los expedientes disciplinarios que afecten a miembros de la comunidad universitaria.

La dirección de este servicio será atribuida a personal técnico, de gestión y de administración y servicios de la universidad con los requisitos de titulación necesarios para el desempeño de las funciones que dicha inspección tiene encomendados.

La inspección de servicios actuará *motu proprio*, a instancia de los distintos órganos de Gobierno de la universidad o tras denuncia escrita interpuesta por algún miembro de la comunidad universitaria.

3.2. Los centros en el extranjero

A) Centros en el extranjero

El artículo 29 de la LOSU establece que las universidades podrán crear centros en el extranjero, que impartan enseñanzas conducentes a la obtención de títulos universitarios de carácter oficial y validez y eficacia en todo el Estado o títulos propios, por sí solos o mediante acuerdos con otras instituciones nacionales, supranacionales o extranjeras, que tendrán la estructura y el régimen establecido en la normativa aplicable.

Los centros en el extranjero podrán actuar como agentes de internacionalización de las universidades que los hayan creado, en colaboración con el Servicio Exterior del Estado, en ejercicio de las competencias de acción exterior en materia educativa previstas en su normativa específica.

La propuesta de creación y supresión de estos centros corresponderá al Consejo de Gobierno de la universidad y se aprobará por la Comunidad Autónoma competente, previo informe favorable de los Ministerios de Universidades y de Asuntos Exteriores, Unión Europea y Cooperación.

B) Autorización de centros que impartan enseñanzas con arreglo a sistemas educativos extranjeros

Este marco general se encuentra recogido en el Capítulo IV del Real Decreto 640/2021, de 27 de julio, que en su artículo 15 establece que la impartición de enseñanzas universi-

tarias y de educación superior –diplomas o certificados– de ámbito similar al universitario en nuestro país desarrollada por centros conforme a sistemas educativos extranjeros, precisará la autorización del organismo competente de la Comunidad Autónoma correspondiente en la que se ubique la universidad o centro. En ningún caso las enseñanzas de educación superior de ámbito similar al universitario hacen referencia a titulaciones españolas correspondientes a enseñanzas superiores no universitarias.

La autorización del organismo correspondiente de la Comunidad Autónoma se requerirá en los siguientes supuestos:

a) Cuando los títulos sean impartidos por un centro docente propio o adscrito a una universidad creada o reconocida de conformidad con la legislación española.

b) Cuando los títulos sean impartidos por un centro perteneciente a una universidad o institución de educación superior extranjera, ubicada en territorio español, la cual deberá estar debidamente constituida con arreglo a la legislación del país de cuyo sistema educativo pretenda impartir dichos títulos o del país en el que tenga asentado su órgano directivo.

La Comunidad Autónoma, una vez otorgada la autorización, la comunicará al Ministerio de Universidades en el plazo máximo de un mes, que procederá a su inclusión en un registro específico dentro del RUCT, en el que constarán tanto los centros autorizados como los títulos de dichos centros, y asimismo informará a la Conferencia General de Política Universitaria. Esta información incorporará como mínimo: La denominación de la universidad y centro de impartición y si es extranjera el país de origen, la denominación de los títulos ofertados y su número de plazas, el modelo docente de cada titulación (presencial, virtual o híbrida), la duración temporal y la carga en créditos ECTS –Sistema Europeo de Transferencia y Acumulación de Créditos–; así como, si el título ha sido evaluado favorablemente por una agencia de aseguramiento de la calidad española o en su caso del país de origen del centro o universidad y la fecha de la renovación de la acreditación. En el caso de titulaciones cuyo informe de acreditación haya sido realizado por una agencia de calidad registrada en el EQAR y externa al Estado español, esta deberá haber incluido específicamente en su alcance, y por ello evaluado, el centro de impartición español.

El Ministerio de Asuntos Exteriores, Unión Europea y Cooperación deberá emitir informe sobre la conveniencia de esta autorización, sobre la base de la existencia de Tratados o convenios internacionales suscritos por España y, en su defecto, del principio de reciprocidad.

C) Requisitos para la autorización

La universidad o centros que imparta enseñanzas universitarias y de educación superior de ámbito similar al universitario con arreglo a sistemas educativos extranjeros deberá cumplir con lo previsto en los siguientes apartados para poder obtener la autorización administrativa, además de acreditar su personalidad jurídica (art. 16 del Real Decreto 640/2021):

a) Presentar un plan de desarrollo de su oferta docente, que detalle los títulos, la tipología y nivel, las plazas ofertadas, la duración, la carga en créditos, la previsión del año de inicio de la impartición de cada título, las principales características del profesorado que será responsable de su impartición y que deberá cumplir los requisitos establecidos en el artículo 7, apartados 4, 5, 6, 7 y 8 del Real Decreto 640/2021, así como el detalle del plan de estudios en el que impartirá la docencia.

b) Acreditar que las enseñanzas universitarias y de educación superior de ámbito similar al universitario efectivamente están implantadas y activas en la universidad o institución de educación superior extranjera que expida el título, el certificado o el diploma.

c) Acreditar que los planes de estudios de las diferentes titulaciones corresponden en estructura, duración y contenidos con los impartidos por la universidad o institución de educación superior matriz en su país de origen.

d) Acreditar que las enseñanzas impartidas conducen a la obtención de títulos que tengan idéntica validez académica oficial en el país de origen y la misma denominación que los que expida la universidad o institución de educación superior extranjera matriz por dichos estudios.

e) Someter los títulos ofertados de nivel universitario a procesos de evaluación, acreditación y/o inspección por los órganos competentes del correspondiente sistema universitario extranjero, de acuerdo con el certificado establecido. No podrán ser objeto de autorización aquellas enseñanzas que previamente no hayan pasado por un proceso de evaluación por el órgano o agencia de calidad del país de origen.

f) Aportar un compromiso por escrito de continuidad de los estudios ofertados en caso de cese de actividad de la universidad o centro, hasta la adecuada finalización de dichas enseñanzas por el estudiantado matriculado.

Los requisitos establecidos en el apartado anterior se acreditarán mediante certificación expedida al efecto por la representación acreditada en España del país conforme a cuyo sistema educativo se hayan de impartir las enseñanzas.

D) Efectos de la obtención de la autorización administrativa

Las universidades o instituciones de educación superior autorizadas a impartir títulos de acuerdo con sistemas de educación superior extranjeros, tendrán la denominación que corresponda de acuerdo con las enseñanzas que impartan, no pudiendo utilizarse denominaciones que, por su significado o por utilizar un idioma extranjero, puedan inducir a confusión sobre la naturaleza del centro, las enseñanzas que en él se impartan, o la naturaleza, validez y efectos de los títulos, certificados o diplomas académicos a las que aquellas conducen.

Las enseñanzas de carácter universitario autorizadas estarán sometidas a la evaluación por las agencias de calidad correspondientes. Estas se facilitarán mutuamente información relativa a dichas evaluaciones.

Las agencias de calidad se coordinarán para elaborar y publicar un protocolo específico para este tipo de enseñanzas universitarias o equivalentes, teniendo presente sus especificidades, a efectos de proceder a su evaluación.

Los títulos, certificados o diplomas a que conduzcan las enseñanzas autorizadas tendrán únicamente los efectos que les otorgue la legislación del Estado de origen. El reconocimiento de efectos en España se ajustará a lo establecido por la normativa específica reguladora del reconocimiento de estudios y títulos extranjeros de educación superior.

La universidad o centro a través del que se impartan estas enseñanzas estará obligada a informar debidamente a los estudiantes, en el momento de efectuar la matrícula, de lo estipulado en el apartado anterior.

Podrá constituir causa de revocación de la autorización el incumplimiento de los requisitos conforme a los cuales se otorgó la autorización por el órgano competente de la comunidad autónoma, la obtención de evaluaciones desfavorables de como mínimo la mitad de las enseñanzas de carácter universitario o equivalente, evaluadas, así como la incorrecta información sobre las enseñanzas que se imparten y sobre los títulos, certificados o diplomas a cuya obtención conducen. La revocación corresponderá al órgano competente de la Comunidad Autónoma y deberá ser motivada y previa audiencia de las personas representantes del centro (art. 17 RD 640/2021).

E) Adaptación

Las universidades o centros que impartan enseñanzas universitarias o títulos de educación superior de ámbito similar al universitario con arreglo a sistemas educativos extranjeros deberán adaptarse a las previsiones del RD 640/2021 en el plazo máximo de tres años a partir de su entrada en vigor.

Estas universidades, centros o instituciones deberán tener inscritos los títulos universitarios o equivalentes en un registro específico del RUCT, incorporando la información que se establece en el plazo máximo de un año desde el momento de la entrada en vigor de este Real decreto (Disposición Transitoria primera del RD 640/2021).

3.3. Estructura de las Universidades privadas

A tenor de lo dispuesto en el artículo 97 de la LOSU las universidades privadas se estructurarán en la forma en que lo determinen sus normas de organización y funcionamiento.

Las universidades privadas deberán contar con una defensoría universitaria, y con unidades de igualdad y de diversidad.

La creación, modificación y supresión de las estructuras de una Universidad privada, se efectuarán a propuesta de la universidad, en los términos previstos para las Universidades públicas.

3.4. La Acreditación institucional de centros de Universidades públicas y privadas[10]

A tenor del artículo 14 del RD 640/2021, de 27 de julio, la acreditación institucional como mecanismo para garantizar la calidad académica global de un centro universitario se instrumenta mediante el sistema interno de garantía de la calidad, que debe asegurar una formación con un nivel de competencia y la adecuación a los criterios estandarizados de calidad del servicio docente prestado, y que debe responder a las exigencias del estudiantado y de la sociedad. Este procedimiento debe ser transparente e incluir mecanismos de rendición de cuentas.

La acreditación institucional de un centro universitario comportará la renovación de la acreditación del conjunto de títulos universitarios oficiales impartidos en este, siempre que se reúnan los requisitos previstos.

Los requisitos que deberán cumplir los centros universitarios para la obtención de la acreditación institucional serán los siguientes:

a) Haber renovado la acreditación inicial de al menos la mitad de los títulos oficiales de grado, la mitad de los títulos oficiales de máster y la mitad de los títulos oficiales de doctorado que impartan. En el caso de las Escuelas de Doctorado o centros similares en cuanto a las funciones, deberán haber renovado la acreditación inicial de al menos la mitad de sus programas de doctorado.

b) Disponer de la certificación de la implantación de su sistema interno de garantía de calidad, y de conformidad con los criterios establecidos para el aseguramiento de la calidad en el Espacio Europeo de Educación Superior y los protocolos y guías orientativas desarrolladas por la ANECA o por las agencias de calidad correspondientes. Este certificado podrá ser expedido por las agencias de calidad españolas que estén inscritas en el Registro Europeo de Agencias de Calidad (*European Quality Assurance Register*, EQAR). El procedimiento de emisión del certificado deberá seguir el protocolo que, a propuesta del Ministerio de Universidades, se apruebe en la Conferencia General de Política Universitaria.

Podrán participar de este procedimiento los centros de universidades públicas y privadas, sean propios o adscritos.

La universidad solicitará la acreditación institucional de uno o de varios de sus centros al Consejo de Universidades que, a través de la Secretaría General de Universidades, la trasladará a la ANECA o a la correspondiente agencia de calidad de la Comunidad Autónoma, y que se

---

10 Por Resolución de 3 de marzo de 2022, de la Secretaría General de Universidades, se dictan Instrucciones sobre el procedimiento para la acreditación institucional de centros de universidades públicas y privadas, y se publica el Protocolo para la certificación de sistemas internos de garantía de calidad de los centros universitarios y el Protocolo para el procedimiento de evaluación de la renovación de la acreditación institucional de centros universitarios, aprobados por la Conferencia General de Política Universitaria.

encuentren inscritas en el Registro Europeo de Agencias de Calidad (*European Quality Assurance Register*, en adelante, EQAR), para la emisión del informe al que se refiere el párrafo siguiente.

El Consejo de Universidades dictará la resolución de acreditación, previo informe de evaluación vinculante de la ANECA o del órgano de evaluación que corresponda, que notificará a la universidad y a la agencia de evaluación correspondiente, y enviará a la Comunidad Autónoma y al Ministerio de Universidades, a los efectos, si es favorable, de la inscripción de los centros acreditados en el RUCT. El plazo para resolver y notificar dicha resolución será como máximo de seis meses. Transcurrido este plazo, y en el caso de que no se haya dictado la correspondiente resolución de acreditación, el sentido del silencio administrativo será estimatorio. En el supuesto de dictarse resolución desestimatoria, esta deberá ser motivada y expresará los recursos que contra la misma procedan, órgano administrativo o judicial ante el que hubieran de presentarse y plazo para interponerlos.

Deberá renovarse la acreditación institucional de los centros universitarios antes del transcurso de seis años contados a partir de la fecha de obtención de la última resolución de acreditación.

En el procedimiento de evaluación de la renovación de la acreditación institucional deberá emitirse informe por un panel de expertos externos e independientes de la institución que solicite la acreditación, nombrados por la ANECA o por la agencia de calidad correspondiente. El procedimiento que desarrollen las agencias para llevar a cabo la renovación de la acreditación institucional de centros seguirá el protocolo general que, a propuesta del Ministerio de Universidades, se establezca en el seno de la Conferencia General de Política Universitaria. Asimismo, se deberán tener presentes todos los informes de seguimiento de las diversas titulaciones oficiales ofertadas en el centro, así como los informes de la ANECA y de la correspondiente agencia de calidad emitidos en ese período de seis años con relación a los diferentes títulos oficiales ofertados. La ANECA y los órganos de evaluación externa de las Comunidades Autónomas se facilitarán mutuamente información relativa a dichas evaluaciones.

El Consejo de Universidades deberá resolver y notificar su resolución sobre la renovación en un máximo de seis meses desde la presentación de la correspondiente solicitud. Transcurrido este el sentido del silencio administrativo será estimatorio. En el caso de dictarse resolución desestimatoria, que deberá ser motivada, esta expresará los recursos que contra la misma procedan, órgano administrativo o judicial ante el que hubieran de presentarse y plazo para interponerlos.

En el caso de que el Consejo de Universidades dicte una resolución desestimatoria de la acreditación institucional o de su renovación, el centro universitario implicado deberá solicitar la renovación de la acreditación correspondiente de cada uno de los títulos oficiales que oferta, en el período establecido con relación al inicio de la actividad de estos o de la última renovación de la acreditación.

Las agencias de evaluación de forma consensuada, a través de sus protocolos de acreditación institucional de centros universitarios, establecerán el procedimiento concreto para el caso de títulos conjuntos que promueven dos o más centros, sean de la misma universidad o de universidades diferentes.

ANEXO I

Memoria justificativa para el expediente de creación de universidades públicas y de reconocimiento de universidades privadas y su posterior autorización

1. Memoria en la que consten los datos fundamentales del proyecto por el cual se solicita la creación de una universidad pública o el reconocimiento de una universidad privada: Denominación; instituciones, organismos, entidades o empresas y sociedades privadas que la impulsan; personalidad jurídica; ubicación geográfica de las instalaciones y localización de la sede social; financiación; los objetivos académicos fundamentales (formativos, de investigación, de transferencia y de innovación) que garanticen el cumplimiento de las funciones de la universidad establecidas en la Ley Orgánica 6/2001, de 21 de diciembre, y de acuerdo con lo regulado en el Real Decreto 640/2021, de 27 de julio.
2. En esta Memoria se deberá incluir el plan pormenorizado de desarrollo y programación de la docencia, tal y como se recoge en el artículo 5 del Real Decreto 640/2021, de 27 de julio, y una programación plurianual de la investigación de acuerdo con lo establecido en el artículo 6 de esta norma. En ambos casos, se deberá aportar el nivel de detalle que en esos artículos se fija. Específicamente, se incluirá obligatoriamente el número de plazas y la previsión de matrícula de los títulos oficiales de grado, máster y doctorado ofertados inicialmente y aquellos que progresivamente esté previsto implantar.
3. De igual forma, en la Memoria se incluirá la oferta inicial, y el previsible desarrollo, de la formación permanente, indicando, entre otros elementos, el número y tipología de títulos, las plazas ofertadas y la previsión de estudiantes matriculados.
4. Documentación justificativa de la garantía de continuidad y sostenibilidad de la actividad de la universidad o centro a la que se refiere el artículo 9 del Real Decreto 640/2021, de 27 de julio.
5. La documentación que acredite los requisitos de organización y funcionamiento previstos en el artículo 10 del Real Decreto 640/2021, de 27 de julio.
6. Justificación de la plantilla (entendida como la relación de puestos de trabajo en las instituciones públicas) del personal docente e investigador al comienzo de la actividad, y compromiso explícito y argumentado de desarrollo de la misma coherente con el despliegue de la oferta académica oficial y la implementación del programa plurianual de investigación, en los términos previstos en el artículo 6 de esta norma, y de acuerdo con los requisitos que sobre el profesorado establece la Ley Orgánica 6/2001, de 21 de diciembre, y el Real Decreto 640/2021, de 27 de julio. El detalle de la plantilla inicial y la que coherentemente se desarrollará con el despliegue comprometido en docencia e investigación será el estipulado en el artículo 5 del Real Decreto 640/2021, de 27 de julio.

7. Justificación de la plantilla (entendida como la relación de puestos de trabajo en las instituciones públicas) de personal de administración y servicios al comienzo de la actividad, así como la previsión de su incremento anual hasta la implantación total de las correspondientes enseñanzas, actividades de investigación y servicios de la universidad o centro.
8. Estructura de centros en los que se articula inicialmente, y se articulará una vez desplegada toda su actividad, la universidad, así como la oferta inicial y la prevista de títulos oficiales que en ellos se impartirán. Se indicará su denominación y ubicación geográfica, detallando las instalaciones y principales equipamientos académicos, investigadores y de servicios de que dispondrán.
9. Justificación del cumplimiento de las condiciones y requisitos relativos a las infraestructuras y medios materiales adecuados y suficientes para el desarrollo de sus funciones docentes e investigadoras, teniendo en cuenta lo establecido en el capítulo II y en los anexos II, III y IV del Real Decreto 640/2021, de 27 de julio. En este sentido, específicamente se añadirá un plan de inversión en infraestructuras y equipamientos coherente con la programación del desarrollo de la docencia y la investigación explicitado en la Memoria.
10. En el caso de contemplar titulaciones oficiales de grado y de máster que requieran obligatoriamente la realización de prácticas académicas externas, se deberán incluir convenios con instituciones, organismos, entidades o empresas que garanticen su desarrollo inicial.
11. Compromiso de poner en marcha el sistema interno de garantía de calidad.
12. La estrategia y programación para promover la internacionalización de las actividades académicas y la movilidad del estudiantado y profesorado.
13. Específicamente, las universidades privadas deberán acreditar que tienen personalidad jurídica propia, y desarrollan sus funciones en régimen de autonomía, de conformidad con lo dispuesto en la Ley Orgánica 6/2001, de 21 de diciembre.

ANEXO II

Módulos mínimos de los espacios docentes e investigadores

El número y superficie de los espacios docentes e investigadores vendrá determinado por el número de alumnos que se prevea van a utilizarlos simultáneamente, de acuerdo con los siguientes módulos:

a) Aulas: Hasta cuarenta alumnos: 1 metro cincuenta centímetros cuadrados por alumno. De cuarenta alumnos en adelante: 1 metro y veinticinco centímetros cuadrados por alumno.

b) Laboratorios docentes: Cinco metros cuadrados por alumno asignado a un grupo de docencia. Dicho módulo podrá ser objeto de adaptación en función de las necesidades de docencia práctica que correspondan a las enseñanzas oficiales que impartan. En este espacio deberá reservarse una zona o mobiliario de custodia del vestuario y de las prendas protectoras de laboratorio. Estos laboratorios deberán ser espacios independientes de las aulas y salas de tutorías.

c) Laboratorios de investigación: Entre 10 y 15 metros cuadrados por profesor o investigador. Estos laboratorios deberán estar separados del paso de alumnos y no deben compartirse para labores docentes.

Los espacios para la docencia e investigación deberán tener la necesaria flexibilidad espacial y de mobiliario para adecuarse a las diferentes modalidades de enseñanza-aprendizaje.

Los despachos del profesorado estarán dotados de equipos informáticos y de comunicaciones adecuados.

Todos los espacios académicos deben cumplir con la normativa vigente de accesibilidad.

ANEXO III

Exigencias especiales para las enseñanzas en el ámbito de las Ciencias de la Salud

1. En las enseñanzas de Medicina, Enfermería, y Fisioterapia, deberá garantizarse:

   a) Las universidades deberán contar al menos con un hospital general y tres centros de salud (de titularidad pública o privada), autorizados según lo regulado en el Real Decreto 1277/2003, de 10 de octubre, por el que se establecen las bases generales sobre autorización de centros, servicios y establecimientos sanitarios, con base en un concierto en el caso de las universidades públicas o en un convenio en el de las universidades privadas.

   b) Las instituciones sanitarias tendrán que reunir los requisitos (dotación de medios personales y materiales) que se establezcan mediante orden conjunta de sus personas titulares por los Ministerios con competencias en materia de sanidad y de universidades.

   c) El concierto o convenio señalarán los servicios de las instituciones sanitarias que se concierten y los departamentos o unidades universitarias que con ellos se relacionan.

   d) Se utilizará la denominación «Hospital Universitario» cuando el concierto se refiera al hospital en su conjunto o que abarque la mayoría de sus servicios y/o unidades asistenciales, en el caso de que solo se concierten algunos servicios, se hablará de «Hospital Asociado a la Universidad». Lo mismo se aplicará a los centros de salud.

2. Para el resto de las enseñanzas universitarias de las profesiones reguladas en los artículos 6 y 7 de la Ley 44/2003, de 21 de noviembre, de ordenación de las profesiones sanitarias, que requieran elementos asistenciales, deberá garantizarse la disponibilidad de los medios clínicos –centros, servicios o establecimiento sanitarios– necesarios tanto de la propia universidad, como aquellos que se dispongan mediante convenios con Administraciones públicas, organismos públicos y entidades de derecho público o con sujetos de derecho privado que tengan estos servicios asistenciales que, en todo caso, deberán estar autorizados por la Administración pública correspondiente.
3. Las universidades e instituciones sanitarias velarán porque los estudiantes y residentes de titulaciones del ámbito de las Ciencias de las Salud, cumplan con la normativa que recoja las pautas básicas destinadas a asegurar y proteger el derecho a la intimidad del o la paciente.

ANEXO IV

Requisitos mínimos de carácter tecnológico, informático y audiovisual

De acuerdo con el artículo 8.2 del Real Decreto 640/2021, de 27 de julio, las Universidades públicas y privadas, deberán disponer de:

1. Red y conexión de internet con capacidad y velocidad y latencia máximas que permita la tecnología en cada momento, acorde con el volumen de estudiantado, profesorado y personal de administración y servicios con que cuente la universidad o centro, y, en el caso de nueva creación, con la previsión de estos una vez finalice el despliegue de toda la oferta docente y planificación investigadora programada y expuesta en la Memoria.
2. Campus virtual docente, que vehicule las relaciones académicas y la actividad formativa de cada asignatura y titulación, y garantice al estudiantado y al profesorado un mecanismo de calidad para el desarrollo de su interrelación académica de acuerdo con la modalidad de enseñanza de cada uno de los títulos oficiales. En el caso de una universidad que fundamentalmente su modalidad docente sea no presencial, este campus virtual y la plataforma tecnológica que lo soporte, deberán contar con las especificidades técnicas y de capacidad imprescindibles para garantizar un desarrollo de calidad la docencia no presencial.
3. Intranet, utilidad que debe permitir virtualmente la gestión del conjunto de relaciones y servicios que configuran la gestión administrativa, técnica y económica de la universidad y centro, concretamente de su personal (PDI y PAS) y de las diferentes unidades que la componen.

4. Web institucional y de los diferentes centros, departamentos, institutos de investigación, servicios universitarios dirigidos al estudiantado y al resto de la comunidad universitaria, con la calidad tecnológica y de accesibilidad necesaria a la función de ser concebidos como espacios de información de la comunidad universitaria y de la sociedad en su conjunto.

5. Dotación de equipamiento audiovisual, informático y de red de internet en todo el aulario y en los laboratorios destinados al desarrollo de prácticas académicas, que garanticen que se atienden las necesidades tecnológicas que la implementación de la docencia pueda requerir. Este equipamiento deberá responder a las necesidades específicas de las diferentes modalidades de enseñanza (presencial, híbrida, no presencial) en que se implementen las diversas titulaciones oficiales que se oferten o vayan a ofertar.

6. Dotación de aulas de informática para que el estudiantado pueda recibir docencia, así como elaborar trabajos, documentos o buscar información relacionados con su actividad académica.

7. Servicio de biblioteca y documentación cuya dotación y capacidad como mínimo debe ser coherente temáticamente con las titulaciones de grado, máster y doctorado ofertadas y sus necesidades de información y bibliografía, así como con el número de estudiantes matriculados. Asimismo, deberán disponer de sistemas o entornos virtuales desarrollados para garantizar la gestión de las demandas y el préstamo, y la disponibilidad y acceso a la información y documentación en soporte virtual.

8. Dotación de laboratorios y de servicios científico-técnicos concordantes con la programación plurianual de investigación establecida en la Memoria. Concretamente, esta debe ser coherente con los ejes de investigación estratégicos fijados y los grupos de investigación que se declara se impulsarán o ya estén en pleno funcionamiento.

TEMA 3

El profesorado universitario

El profesorado universitario de las Universidades Públicas: clases y régimen jurídico. Acceso y carrera docente. Derechos económicos y profesionales. Obligaciones docentes e investigadoras. Evaluación del profesorado. Órganos de representación sindical. El profesorado de las Universidades Privadas

Sigue nuestras **Técnicas de Memoria 360** y sácale el máximo rendimiento a tus horas de estudio.

Índice

1. El profesorado universitario de las Universidades Públicas. Clases y Régimen Jurídico
2. Acceso y carrera docente del profesorado de las universidades públicas
3. Derechos económicos y profesionales
4. Obligaciones docentes e investigadoras
5. Evaluación del profesorado universitario
6. Órganos de representación sindical
7. El personal docente e investigador de las universidades privadas

1. El profesorado universitario de las Universidades Públicas. Clases y Régimen Jurídico

1.1. Clases. Régimen Jurídico

1.1.1. Tipología

La Ley Orgánica 2/2023, de 22 de marzo, del Sistema Universitario (en adelante LOSU) dedica el Capítulo IV de su Título IX a regular al Personal docente e investigador de las Universidades Públicas.

Es conveniente poner de relieve que las clases y el régimen jurídico del profesorado universitario han sufrido cambios relevantes respecto a la regulación contenida en la ya derogada Ley Orgánica 6/2001, de 21 de diciembre, de Universidades.

De conformidad con lo dispuesto en el artículo 64 de la LOSU el personal docente e investigador estará compuesto por:

1. El profesorado de los cuerpos docentes universitarios.
2. Y por el profesorado laboral.

1.1.2. Plantilla. Estructura

El personal funcionario de un cuerpo docente universitario en situación de servicio activo y destino en una universidad pública, igual que el personal docente e investigador contratado a tiempo completo, no podrá ser profesorado de las universidades privadas ni de los centros privados de enseñanza adscritos a universidades, sin menoscabo de lo establecido para los contratos de investigación en el artículo 60.1 de la LOSU.

El profesorado funcionario será mayoritario, computado en equivalencias a tiempo completo, sobre el total de personal docente e investigador de la universidad. No se computará como profesorado laboral a quienes no tengan responsabilidades docentes en las enseñanzas conducentes a la obtención de los títulos universitarios oficiales, ni al personal propio de los institutos de investigación adscritos a la universidad y de las escuelas de doctorado[1].

El profesorado con contrato laboral temporal no podrá superar el 8 por ciento en efectivos de la plantilla de personal docente e investigador. No se computará a tal efecto el profesorado asociado de Ciencias de la Salud y el profesorado ayudante doctor.

---

1 La mayoría de profesorado funcionario establecida en el artículo 64.3 deberá cumplirse dentro del periodo previsto en el artículo 155.2 de la Ley Orgánica 2/2006, de 3 de mayo, relativo al plan de incremento del gasto público en educación (Disposición transitoria sexta de la LOSU).

Todos los puestos de trabajo de profesorado funcionario y laboral deberán adscribirse a los ámbitos de conocimiento que serán establecidos reglamentariamente por el Gobierno, previo informe del Consejo de Universidades. Dichos ámbitos serán suficientemente amplios para permitir y favorecer la movilidad del profesorado y facilitar su carrera profesional.

La Disposición adicional novena de la LOSU establece que las universidades no presenciales disponen de profesorado propio y, en determinados casos en atención a sus especiales características, también de profesorado colaborador que desarrolla funciones de apoyo docente y efectúa actividades de orientación y acompañamiento en el aprendizaje del estudiantado, a tiempo parcial, externamente, con plena independencia y autonomía organizativa, y con aportación de los medios necesarios y de su experiencia técnica y profesional. Estos colaboradores deben acreditar ejercer su actividad principal fuera del ámbito académico universitario. Las universidades no presenciales, promovidas o participadas por el sector público y que operen con precios públicos, en atención a sus especiales características y necesidades, podrán acogerse a la modalidad de contratación.

1.1.3. Promoción de la equidad entre el personal docente e investigador

El artículo 65 de la LOSU señala que se podrán establecer medidas de acción positiva en los concursos de acceso a plazas de personal docente e investigador funcionario y laboral para favorecer el acceso de las mujeres. A tal efecto, se podrán establecer reservas y preferencias en las condiciones de contratación de modo que, en igualdad de condiciones de idoneidad, tengan preferencia para ser contratadas las personas del sexo menos representado en el cuerpo docente o categoria de que se trate.

Las universidades y las Comunidades Autónomas, en el ámbito de sus respectivas competencias, garantizarán que las ofertas de empleo en la Universidad se ajustan a las previsiones establecidas en materia de reserva de cupo para personas con discapacidad en el artículo 59 del texto refundido de la Ley del Estatuto del Empleado Público[2].

Todas las comisiones y órganos de concursos y acreditaciones a que hacen referencia los artículos 69 (Acreditación de los cuerpos docentes universitarios), 71 (Concursos para el acceso a plazas de los cuerpos docentes universitarios) y 86 (Concursos para el acceso a plazas de personal docente e investigador laboral) garantizarán el principio de composición equilibrada entre mujeres y hombres.

2 Dicho artículo dispone: "En las ofertas de empleo público se reservará un cupo no inferior al siete por ciento de las vacantes para ser cubiertas entre personas con discapacidad, considerando como tales las definidas en el apartado 2 del artículo 4 del texto refundido de la Ley General de derechos de las personas con discapacidad y de su inclusión social, aprobado por el Real Decreto Legislativo 1/2013, de 29 de noviembre, siempre que superen los procesos selectivos y acrediten su discapacidad y la compatibilidad con el desempeño de las tareas, de modo que progresivamente se alcance el dos por ciento de los efectivos totales en cada Administración Pública. La reserva del mínimo del siete por ciento se realizará de manera que, al menos, el dos por ciento de las plazas ofertadas lo sea para ser cubiertas por personas que acrediten discapacidad intelectual y el resto de las plazas ofertadas lo sea para personas que acrediten cualquier otro tipo de discapacidad".

Las universidades y las Administraciones Públicas, en el ámbito de sus respectivas competencias, deberán favorecer la corresponsabilidad en los cuidados y asegurar el ejercicio efectivo de los derechos de conciliación de la vida personal, laboral y familiar. Con este fin deberán aplicar criterios que aseguren la igualdad efectiva de todas las personas en la aplicación del régimen de dedicación y el acceso a los programas de movilidad que sean de su competencia, y analizar y corregir las desigualdades por razón de género, edad, discapacidad, origen nacional o etnicidad en los usos del tiempo académico.

Asimismo, los procedimientos de acreditación del profesorado funcionario y laboral deberán incorporar criterios que garanticen que la igualdad y la conciliación sean efectivas.

1.1.4. Hojas de servicio

A tenor del artículo 3 del Real Decreto 898/1985, sobre régimen del profesorado universitario, las Universidades mantendrán actualizados los datos relativos a su profesorado. A tal fin, en la hoja de servicios de los profesores se hará constar, al menos, los servicios prestados por el interesado, actos de nombramiento, comisiones, remuneración y demás incidencias de su relación de servicios, así como las licencias, méritos obtenidos y sanciones impuestas a cada Profesor. Los interesados podrán obtener en cualquier momento copia certificada de sus hojas de servicios.

Cuando un profesor obtenga por concurso plaza en otra Universidad, la Universidad de origen facilitará a la de destino copia de la hoja de servicios.

En el Consejo de Universidades deberán constar los datos más relevantes de los integrantes de los Cuerpos docentes de las Universidades y, en todo caso, su situación administrativa, Universidades donde prestan servicios, Departamentos y área de conocimiento correspondiente.

La Administración del Estado y, en su caso, de las Comunidades Autónomas, mantendrán una hoja de servicios actualizada de los funcionarios de los Cuerpos docentes de las Universidades, en la que deberá constar todas las incidencias de la carrera administrativa de los mismos, a cuyo efecto las Universidades deberán facilitar cuanta información les sea solicitada.

1.2. El personal docente e investigador contratado. Régimen jurídico

El artículo 77 de la LOSU establece que las universidades públicas podrán contratar personal docente e investigador en régimen laboral, a través de las modalidades de contratación específicas del ámbito universitario que se regulan en esta ley orgánica[3].

---

3 La LOSU ha suprimido la modalidad de Contratado/a Doctor/a. La acreditación vigente de Profesor/a Contratado/a Doctor/a o de la figura equivalente en la normativa autonómica, será válida para la figura de Profesor/a Permanente Laboral a la que se refiere el artículo 82 de la LOSU.

Asimismo, podrán contratar, con financiación interna de la universidad o con financiación externa, personal investigador en las modalidades de contrato predoctoral, contrato de acceso de personal investigador doctor, contrato de investigador/a distinguido/a y contrato de actividades científico-técnicas, en los términos previstos por la Ley 14/2011, de 1 de junio.

El régimen jurídico aplicable a estas modalidades de contratación laboral será el que se establece en la LOSU y en sus normas de desarrollo y, supletoriamente, en el texto refundido de la Ley del Estatuto de los Trabajadores, aprobado por el Real Decreto Legislativo 2/2015, de 23 de octubre, y en sus normas de desarrollo, así como el derivado de los convenios colectivos aplicables y, en su caso, en el texto refundido de la Ley del Estatuto Básico del Empleado Público.

En relación con este personal, corresponde a las Comunidades Autónomas la regulación de las materias expresamente remitidas por esta ley orgánica y aquellas otras que pueden corresponderle en el ámbito de sus competencias.

El régimen de dedicación del personal laboral se ajustará, en todo caso, a los principios previstos para los cuerpos docentes universitarios, salvo lo dispuesto en los apartados siguientes respecto de la dedicación de las Profesoras y Profesores Asociados.

El personal docente e investigador laboral tendrá derecho a negociar sus condiciones retributivas con la universidad, quedando fijadas en los convenios y acuerdos específicos que se alcancen. Igualmente, tendrá derecho a tomar parte en las convocatorias que las Comunidades Autónomas establezcan para fijar retribuciones adicionales ligadas a méritos individuales por el ejercicio de actividades docentes, investigadoras, de transferencia del conocimiento, innovación o gestión.

1.3. El profesorado de los cuerpos docentes universitarios

1.3.1. Clases

El artículo 68 de la LOSU establece que el profesorado universitario funcionario pertenecerá a los siguientes cuerpos docentes:

a) Catedráticas y Catedráticos de Universidad.

b) Profesoras y Profesores Titulares de Universidad.

El profesorado perteneciente a estos cuerpos tendrá plena capacidad docente e investigadora.

La LOMLOU en el año 2007 suprimió los Cuerpos de Catedráticos de Escuelas Universitarias y de Profesores Titulares de Escuelas Universitarias y la Disposición adicional décima primera de la LOSU contempla un procedimiento de integración y de acceso de estos cuerpos docentes en los siguientes términos:

a) Previa solicitud dirigida al Rector o Rectora de la universidad, los funcionarios y funcionarias Doctores/as del Cuerpo de Catedráticos/as de Escuela Universitaria podrán integrarse en el Cuerpo de Profesores/as Titulares de Universidad en las

mismas plazas que ocupen, manteniendo todos sus derechos, y computándose la fecha de ingreso en el Cuerpo de Profesores/as Titulares de Universidad la que tuvieran en el cuerpo de origen.

Quienes no soliciten dicha integración mantendrán su condición de profesorado de las universidades y conservarán su plena capacidad docente y, en su caso, investigadora, de transferencia e intercambio del conocimiento e innovación. Asimismo, podrán presentar la solicitud para obtener la acreditación para Catedrático de Universidad.

b) Los Profesores y Profesoras Titulares de Escuela Universitaria que, a la entrada en vigor de la LOSU, posean el título de doctor o doctora o lo obtengan posteriormente, y se acrediten específicamente en el marco de lo previsto por el artículo 69 de la LOSU, accederán directamente al Cuerpo de Profesores/as Titulares de Universidad, en sus propias plazas.

c) Para la acreditación a Titulares de Universidad de los Profesores/as Titulares de Escuela Universitaria se valorará particularmente la docencia, así como la investigación y, en su caso, la gestión.

d) Quienes no accedan a la condición de Profesor/a Titular de Universidad permanecerán en su situación actual, manteniendo todos sus derechos y conservando su plena capacidad docente y, en su caso, investigadora, de transferencia e intercambio del conocimiento e innovación.

e) El requisito de movilidad previsto en el artículo 69.1 de la LOSU, no será de aplicación al profesorado al que se refiere esta disposición adicional décima primera.

1.3.2. Régimen Jurídico

El profesorado funcionario se regirá por las bases establecidas en la LOSU y en su normativa de desarrollo, por las disposiciones que, en virtud de sus competencias, dicten las Comunidades Autónomas, por la legislación general de función pública que le sea de aplicación y por los Estatutos de su universidad.

1.3.3. Régimen jurídico singular del personal de los cuerpos de funcionarios docentes universitarios que ocupan plaza vinculada a los servicios asistenciales de instituciones sanitarias

El artículo 70 de la LOSU dispone que el personal de los cuerpos docentes universitarios que ocupe una plaza vinculada a los servicios asistenciales y de salud pública de instituciones sanitarias, en áreas de conocimiento de carácter clínico asistencial y de salud pública, de acuerdo con lo establecido en el artículo ciento cinco de la Ley 14/1986, de 25 de abril, General de Sanidad[4], se regirá por lo establecido en este artículo y los demás de esta ley orgánica que le sean de aplicación. Dicha plaza se considerará, a todos los efectos, como un solo puesto de trabajo.

En atención a las peculiaridades de estas plazas se regirán también en lo que les sea de aplicación, por la Ley 14/1986, de 25 de abril, y demás legislación sanitaria, así como por las normas que el Gobierno, mediante real decreto, a propuesta conjunta de las personas titulares de los Ministerios de Sanidad y de Universidades y, en su caso, de Defensa, establezca en relación con este personal funcionario. En particular, en estas normas se determinará el ejercicio de las competencias sobre situaciones administrativas y se concretará el régimen disciplinario de este personal. Independientemente de lo anterior y, a iniciativa conjunta de las Ministras o Ministros indicados previamente y a propuesta del Ministro o Ministra de Hacienda y Función Pública, se establecerá el sistema de retribuciones aplicable al mencionado personal.

1.4. El Profesorado de la Unión Europea

El artículo 88 de la LOSU señala que el profesorado de las universidades de los Estados miembros de la Unión Europea que haya alcanzado en aquéllas una posición comparable

4 Dicho artículo dispone lo siguiente: "En el caso del profesorado de los cuerpos docentes universitarios, las plazas vinculadas se proveerán por concurso entre quienes hayan sido seleccionados en los concursos de acceso a los correspondientes cuerpos docentes universitarios, conforme a las normas que les son propias. Quienes participen en los procesos de acreditación nacional, previos a los mencionados concursos, además de reunir los requisitos exigidos en las indicadas normas, acreditarán estar en posesión del título que habilite para el ejercicio de la profesión sanitaria que proceda y, en su caso, de Especialista en Ciencias de la Salud, además de cumplir las exigencias en cuanto a su cualificación determinada reglamentariamente. El título de especialista en Ciencias de la Salud será imprescindible en el caso de las personas con la titulación universitaria en Medicina. Asimismo, las comisiones deberán valorar los méritos e historial académico e investigador y los propios de la labor asistencial de los candidatos y candidatas, en la forma que reglamentariamente se establezca. En las comisiones que resuelvan los mencionados concursos de acceso, dos de sus miembros serán elegidos por sorteo público por la institución sanitaria correspondiente. Estas comisiones deberán valorar la actividad asistencial de los candidatos y candidatas de la forma que reglamentariamente se determine".

a la de Catedrático/a de Universidad, Profesor/a Titular de Universidad o Profesor/a Permanente Laboral será considerado acreditado a los efectos previstos en esta ley orgánica, según el procedimiento y condiciones que se establezcan por orden de la persona titular del Ministerio de Universidades, previo informe del Consejo de Universidades. Con carácter general, estos reconocimientos de acreditación con otros Estados miembros estarán sujetos al principio de reconocimiento mutuo.

A los efectos de la concurrencia a los procedimientos de acreditación, a los concursos de acceso a los cuerpos docentes universitarios y a las convocatorias de contratos de profesorado que prevé esta ley orgánica, los nacionales de los Estados miembros de la Unión Europea gozarán de idéntico tratamiento, y con los mismos efectos, que los nacionales españoles. Igual criterio se seguirá respecto a los nacionales españoles que hayan cursado sus estudios en la Unión Europea.

Igualmente, lo dispuesto en el párrafo anterior se aplicará a los nacionales de aquellos Estados a los que, en virtud de tratados internacionales celebrados por la Unión Europea y ratificados por España, sea de aplicación la libre circulación de trabajadores y trabajadoras en los términos en que ésta se encuentra definida en el Tratado de Funcionamiento de la Unión Europea.

Lo establecido en el primer párrafo de este apartado asimismo será aplicable a las personas extranjeras que se hallen regularmente en territorio español, así como a las personas nacionales de terceros países miembros de la familia de personas españolas o de nacionales de otros Estados miembros de la Unión Europea en los términos establecidos por la normativa específica en esta materia.

Las Administraciones Públicas y las universidades fomentarán la movilidad del profesorado en el Espacio Europeo de Educación Superior a través de programas y convenios específicos y de los programas de la Unión Europea.

Igualmente, impulsarán la realización de programas dirigidos a la renovación metodológica de la educación universitaria para el cumplimiento de los objetivos de calidad del Espacio Europeo de Educación Superior.

2. Acceso y carrera docente del profesorado de las universidades públicas[5]

2.1. Acceso y carrera docente del profesorado contratado

2.1.1. Figuras Contractuales

El artículo 77 de la LOSU establece que las universidades públicas podrán contratar personal docente e investigador en régimen laboral, a través de las modalidades de contratación específicas del ámbito universitario que se regulan en esta ley orgánica.

A) Profesoras y Profesores Ayudantes Doctoras/es

A tenor de lo dispuesto en el artículo 78 de la LOSU la contratación de Profesoras y Profesores Ayudantes Doctores se ajustará a las siguientes reglas:

a) Las universidades podrán contratar bajo esta modalidad a las personas que ostenten el título de Doctora o Doctor sin necesidad de acreditación[6]. Ninguna persona podrá ser contratada mediante esta modalidad, en la misma o distinta universidad, por un tiempo superior a seis años.

b) La finalidad del contrato será desarrollar las capacidades docentes y de investigación y, en su caso, de transferencia e intercambio del conocimiento, y de desempeño de funciones de gobierno de la universidad. Para el desarrollo de su capacidad docente, las Profesoras y Profesores Ayudantes Doctores deberán realizar, en el primer año de contrato, un curso de formación docente inicial cuyas características serán establecidas por las universidades, de acuerdo con sus unidades responsables de la formación e innovación docente del profesorado.

c) Las Profesoras y Profesores Ayudantes Doctores desarrollarán tareas docentes hasta un máximo de 180 horas lectivas por curso académico, de forma que la actividad docente resulte compatible con el desarrollo de tareas de investigación para atender a los requerimientos para su futura acreditación.

d) El contrato será de carácter temporal y conllevará una dedicación a tiempo completo.

---

5 La Disposición transitoria décima primera de la LOSU establece que las convocatorias para la cobertura de plazas de personal docente e investigador oficialmente publicadas antes del 31 de diciembre de 2023, podrán regirse por la normativa vigente antes de la entrada en vigor de esta ley orgánica.

6 La acreditación vigente de Profesor/a Ayudante Doctor/a o de la figura equivalente en la normativa autonómica, se considerará como un mérito preferente, durante los cuatro años posteriores a la aprobación de esta ley orgánica, a efectos del acceso a la figura de Profesor/a Ayudante Doctor/a (Disposición transitoria tercera de la LOSU).

e) La duración del contrato será de seis años. Transcurridos los tres primeros años del contrato, la universidad realizará una evaluación orientativa del desempeño de las Profesoras y los Profesores Ayudantes Doctores, que podrá encargarse a las agencias de calidad competentes. Esta evaluación tendrá como objetivo valorar el progreso y la calidad de la actividad docente e investigadora y, en su caso, de transferencia e intercambio del conocimiento del profesorado, que deberán conducirle a alcanzar los méritos requeridos para obtener la acreditación necesaria para concursar a una plaza de profesorado permanente una vez finalizado el contrato.

El cómputo del plazo límite de duración del contrato y de su evaluación se interrumpirá en las situaciones de incapacidad temporal y en los periodos de tiempo dedicados al disfrute de permisos, licencias, flexibilidades horarias y excedencias por gestación, embarazo, nacimiento, adopción, guarda con fines de adopción, acogimiento, lactancia, riesgo durante la gestación, embarazo o lactancia, violencia de género y otras formas de violencia contra la mujer, así como por razones de conciliación o cuidado de familiares o personas dependientes.

Cuando el contrato se concierte con una persona con discapacidad, podrá alcanzar una duración máxima de ocho años teniendo en cuenta su finalidad y el grado de las limitaciones en la actividad.

Asimismo, cuando dichas situaciones dieran lugar a la reducción de la jornada, el contrato se prorrogará por el tiempo equivalente a la jornada que se hubiera reducido.

B) Profesoras y Profesores Asociadas/os

El artículo 79 de la LOSU señala que la contratación de Profesoras y Profesores Asociados se ajustará a las siguientes reglas:

a) Las universidades podrán contratar bajo esta modalidad a especialistas y profesionales de reconocida competencia que acrediten ejercer su actividad principal fuera del ámbito académico universitario cuando existan necesidades docentes específicas relacionadas con su ámbito profesional.

b) La finalidad del contrato será desarrollar tareas docentes a través de las que aporten sus conocimientos y experiencia profesionales a la universidad, en aquellas materias en las que esta experiencia resulte relevante. Dichas tareas docentes no podrán incluir el desempeño de funciones estructurales de gestión y coordinación. El profesorado asociado podrá desarrollar tareas docentes hasta un máximo de 120 horas lectivas por curso académico.

c) El contrato será de carácter indefinido y conllevará una dedicación a tiempo parcial, sin que su convocatoria esté sujeta a la tasa de reposición de efectivos. La contratación de este profesorado no formará parte de la Oferta de Empleo Público ni de los instrumentos similares de gestión de las necesidades de personal a que se refiere el artículo 70 del texto refundido de la Ley del Estatuto Básico del Empleado Público.

d) Será causa objetiva de extinción del contrato la pérdida sobrevenida de cualquiera de los requisitos establecidos en el párrafo a). En el supuesto de cese de la actividad principal, la finalización del contrato se producirá una vez concluya el curso académico en el que el que se desarrolla la actividad docente.

e) La dedicación establecida en el párrafo b) no será de aplicación respecto del profesorado asociado cuya plaza y nombramiento traigan causa del artículo 105.2 de la Ley 14/1986, de 25 de abril. Las peculiaridades de duración de sus contratos se regularán por las autoridades competentes[7].

C) Proceso de estabilización de plazas de Profesoras y Profesores Asociadas/os de las universidades públicas

La Disposición transitoria séptima de la LOSU establece que antes del 31 de diciembre de 2024 y conforme a lo establecido por la Ley 20/2021, de 28 de diciembre, las universidades públicas deberán articular procesos de estabilización de las plazas de Profesoras y Profesores Asociadas/os, de acuerdo con las condiciones profesionales y de dedicación docente previstas en el artículo 79.b). El sistema de selección en estos procesos será el de concurso garantizando los principios de igualdad, mérito, capacidad, publicidad y concurrencia, con las particularidades del artículo 86.2. Estas plazas no computarán en la tasa de reposición de efectivos.

De la resolución de estos procesos no podrá resultar, en ningún caso, incremento de efectivos.

Los contratos de Profesoras y Profesores Asociadas/os vigentes a la entrada en vigor de la LOSU, podrán renovarse en las mismas condiciones y con la misma dedicación docente hasta que las plazas estén incluidas en un proceso de estabilización de los previstos en la Ley 20/2021, de 28 de diciembre, y en cualquier caso antes del 31 de diciembre de 2024.

En el plazo establecido en el párrafo anterior, y para el supuesto de plazas de Profesorado Asociado con una dedicación docente superior a la prevista en el citado artículo 79.b) (120 horas lectivas por curso académico), las universidades públicas podrán articular procesos de estabilización de estas plazas a través de actuaciones específicas que favorezcan el paso de Profesorado Asociado con título de Doctor/a a la figura de Profesorado Ayudante Doctor/a.

---

7 El artículo 105 de la Ley 14/1986, de 25 de abril, General de Sanidad establece que: "El profesorado asociado se regirá por las normas propias de los Profesores/a Asociados/as de la universidad, a excepción de la dedicación horaria, con las peculiaridades que reglamentariamente se establezcan en cuanto al régimen temporal de sus contratos. Además de reunir los requisitos exigidos en las indicadas normas, cumplirán las exigencias en cuanto a su cualificación determinada reglamentariamente. Asimismo, en el caso de las personas que posean la titulación que habilite para el ejercicio de la profesión médica, acreditarán estar en posesión del título de Especialista en Ciencias de la Salud".

D) Profesoras y Profesores Sustitutas/os

Esta figura constituye una novedad respecto a la legislación anterior.

El artículo 80 de la LOSU establece que la contratación de profesorado para sustituir al personal docente e investigador con derecho a reserva de puesto de trabajo que suspenda temporalmente la prestación de sus servicios por aplicación del régimen de permisos, licencias o situaciones administrativas, incluidas las bajas médicas de larga duración, distintas a la de servicio activo o que impliquen una reducción de su actividad docente, se regirá por la normativa general aplicable a estos supuestos, con las siguientes peculiaridades:

a) La selección del profesorado sustituto se producirá mediante los procedimientos de concurso público aplicables, pudiendo las universidades establecer instrumentos específicos para su gestión y cobertura, incluidas las bolsas de empleo.

b) El contrato comprenderá la actividad docente lectiva y no lectiva prevista en el artículo 75 (régimen de dedicación), y no podrá superar la asignada a la profesora o profesor sustituido, ni podrá extenderse a actividades universitarias de otra naturaleza en la universidad de contratación, como las de investigación o el desempeño de funciones estructurales de gestión y coordinación, salvo que tengan directa relación con la actividad docente.

c) La duración del contrato, incluidas sus renovaciones o prórrogas, se corresponderá con la de la causa objetiva que lo justificó.

La contratación de profesorado para cubrir temporalmente un puesto de trabajo hasta que finalice el proceso de selección para su cobertura definitiva se realizará de acuerdo con los principios constitucionales de igualdad, mérito y capacidad y en los términos establecidos en la Ley 20/2021, de 28 de diciembre, de medidas urgentes para la reducción de la temporalidad en el empleo público.

E) Profesoras y Profesores Eméritas/os

A tenor de lo dispuesto en el artículo 81 de la LOSU el nombramiento de Profesoras y Profesores Eméritos se ajustará a las siguientes reglas:

a) Las universidades, de acuerdo con sus Estatutos, podrán nombrar a Profesoras y Profesores Eméritos entre el personal docente e investigador funcionario o laboral jubilado que haya prestado servicios destacados en el ámbito docente, de investigación o de transferencia e intercambio del conocimiento e innovación en la misma universidad.

b) La finalidad de este nombramiento será contribuir desde su experiencia a mejorar la docencia e impulsar la investigación y la transferencia e intercambio del conocimiento e innovación.

c) Los requisitos de desempeño y acceso a esta modalidad, así como las funciones que podrá desempeñar serán definidos por cada universidad.

F) Profesoras y Profesores Permanentes Laborales

Esta figura constituye una novedad respecto a la legislación anterior.

Tal y como señala el artículo 82 de la LOSU la contratación de Profesoras y Profesores Permanentes Laborales se ajustará a las siguientes reglas:

a) Las universidades podrán contratar bajo esta modalidad a las personas que ostenten el título de Doctora o Doctor y que cuenten con la acreditación correspondiente, emitida por parte de la ANECA o de las agencias de calidad de las Comunidades Autónomas, de acuerdo con sus competencias.

b) La finalidad del contrato será desarrollar tareas docentes, de investigación, de transferencia e intercambio del conocimiento y, en su caso, de desempeño de funciones de gobierno de la universidad.

c) El contrato será de carácter fijo e indefinido, con derechos y deberes de carácter académico y categorías comparables a los del personal docente e investigador funcionario, y conllevará una dedicación a tiempo completo, aunque podrá ser a tiempo parcial a petición del interesado o interesada con los requisitos, condiciones y efectos establecidos reglamentariamente. La dedicación será, en todo caso, compatible con la realización de trabajos científicos, tecnológicos, humanísticos o artísticos en los términos del artículo 60 de la LOSU.

G) Profesoras y Profesores Visitantes

Señala el artículo 83 de la LOSU que la contratación de Profesoras y Profesores Visitantes se ajustará a las siguientes reglas:

a) Las universidades podrán contratar bajo esta modalidad a docentes e investigadoras o investigadores de otras universidades y centros de investigación, tanto españoles como extranjeros, que puedan contribuir significativamente al desempeño de los centros universitarios.

b) La finalidad del contrato será desarrollar tareas docentes y/o investigadoras, así como, en su caso, de transferencia e intercambio del conocimiento e innovación, en la especialidad en la que la persona contratada haya destacado.

c) El contrato tendrá una duración máxima de dos años, improrrogable y no renovable, y conllevará una dedicación a tiempo parcial o completo, según lo acuerden las partes.

H) Profesoras y Profesores Distinguidas/os

El artículo 84 de la LOSU establece que la contratación de Profesoras y Profesores Distinguidos se ajustará a las siguientes reglas:

a) Las universidades, de acuerdo con sus Estatutos y los procedimientos de selección que establezcan, podrán contratar bajo esta modalidad a docentes e investigadoras o investigadores, tanto españoles como extranjeros, que estén desarrollando su carrera

académica o investigadora en el extranjero, y cuya excelencia y contribución científica, tecnológica, humanística o artística, sean significativas y reconocidas internacionalmente, determinándose la duración y condiciones de acuerdo con lo dispuesto por la Ley 14/2011, de 1 de junio, para la modalidad de investigador distinguido.

b) La finalidad del contrato será desarrollar tareas docentes, investigadoras, de transferencia e intercambio del conocimiento, de innovación o de dirección de grupos, centros de investigación y programas científicos y tecnológicos singulares. Las Profesoras y Profesores Distinguidos podrán desarrollar tareas docentes por una extensión máxima de 180 horas lectivas por curso académico.

2.1.2. Acreditación[8]

El artículo 85 de la LOSU establece que el acceso del personal docente e investigador laboral a las plazas de Profesora y Profesor Permanente Laboral y, en su caso, la promoción dentro de dicha modalidad contractual exigirá la obtención previa de una acreditación, de acuerdo con la normativa de la Comunidad Autónoma.

Las Comunidades Autónomas deberán regular el procedimiento de acreditación. Tal acreditación se realizará por parte de las agencias de calidad autonómicas o, en su caso, de la ANECA.

Las agencias de calidad, en el marco de las competencias que éstas tienen atribuidas por la normativa estatal y por las respectivas Comunidades Autónomas, trabajarán en criterios mínimos comunes en materia de acreditación de la figura de Profesorado Permanente Laboral. Asimismo, desde su independencia institucional y técnica, dichas agencias de calidad establecerán acuerdos entre ellas para el pleno reconocimiento de las acreditaciones, para evitar cargas administrativas.

La ANECA, en aplicación de dichos criterios mínimos comunes, reconocerá la evaluación positiva de los méritos realizada por las agencias de calidad autonómicas, a los efectos de la acreditación para el acceso a los cuerpos docentes universitarios.

En todo caso, respecto a la acreditación del Profesorado Permanente Laboral será de aplicación lo dispuesto para los cuerpos docentes universitarios por el artículo 69.1. Asimismo, el procedimiento de acreditación se ajustará a lo dispuesto en los párrafos a) a e) del artículo 69.2[9].

En estos procedimientos de acreditación el sentido del silencio administrativo será desestimatorio.

---

8 El procedimiento de acreditación para la figura de Profesor/a Contratado/a Doctor/a continuará siendo aplicable hasta que se haga efectivo lo dispuesto en el artículo 85, así como lo dispuesto en la disposición transitoria cuarta (Disposición transitoria tercera de la LOSU).

La ANECA y las agencias de calidad autonómicas dispondrán de un periodo de un año desde la entrada en vigor de esta ley orgánica para adaptar los criterios de la acreditación a Profesor/a Titular de Universidad y a la figura de Profesor/a Permanente Laboral, a la duración de la etapa inicial de la carrera académica que establece esta ley orgánica (Disposición transitoria cuarta de la LOSU).

9 Véase el apartado 2.2.1.a).

2.1.3. Concursos para el acceso a plazas de personal docente e investigador laboral

De conformidad con lo dispuesto en el artículo 86 de la LOSU la selección de personal docente e investigador laboral, excepto las modalidades de Profesoras/es Visitantes, Profesoras/es Distinguidos y Profesoras/es Eméritos, así como de las modalidades previstas en la Ley 14/2011, de 1 de junio, se hará mediante concurso público, al que se dará la necesaria publicidad y cuya convocatoria será comunicada con la suficiente antelación al registro público de concursos de personal docente e investigador del Ministerio de Universidades.

Los procedimientos de selección de este personal laboral se realizarán en todo caso a través de convocatorias públicas en las que se garanticen los principios de igualdad, mérito, capacidad, publicidad y concurrencia, así como la posibilidad de recurso ante la propia universidad. Asimismo, la composición de las comisiones de selección garantizará los principios de objetividad, imparcialidad, neutralidad, transparencia y cualificación.

Las convocatorias deberán ajustarse a lo establecido en el artículo 65 de la LOSU (Promoción de la equidad entre el personal docente e investigador) y el artículo 71.1 de la LOSU[10], quedando excluida de esta disposición la selección de Profesoras/es Asociadas/os, que se realizará mediante la evaluación de los méritos de las personas candidatas por una comisión compuesta por miembros de la universidad.

También quedará excluida de esta disposición la selección de personal docente e investigador proveniente de los programas de excelencia que las Comunidades Autónomas reconozcan como tales. En este caso, la comisión estará integrada mayoritariamente por miembros externos a la universidad elegidos a partir de una lista cualificada de profesorado y personal investigador, justificando debidamente su selección y garantizando, en todo caso, la publicidad de los criterios de selección de sus miembros y de los criterios de evaluación de las personas candidatas.

2.1.4. Las Modalidades contractuales previstas en la Ley 14/2011, de 1 de junio, de la Ciencia, la Tecnología y la Innovación

A) Modalidades contractuales

El artículo 20 de la Ley 14/2011, de 1 de junio, establece que las modalidades de contrato de trabajo específicas del personal investigador son las siguientes:

a) Contrato predoctoral.

b) Contrato de acceso de personal investigador doctor.

c) Contrato de investigador/a distinguido/a.

d) Contrato de actividades científico-técnicas.

---

[10] Véase el apartado 2.2.2.

El régimen jurídico aplicable a estas modalidades de contrato de trabajo será el que se establece en la LCTI y en sus normas de desarrollo, en el texto refundido de la Ley del Estatuto de los Trabajadores y en sus normas de desarrollo, así como en los convenios colectivos aplicables, y en su caso en el texto refundido de la Ley del Estatuto Básico del Empleado Público.

Podrán contratar personal investigador a través de las modalidades de contrato de trabajo específicas que se establecen en esta sección las siguientes entidades:

a) Los Organismos Públicos de Investigación de la Administración General del Estado y los organismos de investigación de otras Administraciones Públicas, incluidos los centros del Sistema Nacional de Salud o vinculados o concertados con este, las fundaciones del sector público y los consorcios públicos de investigación.

b) Las universidades públicas.

Además, las entidades citadas podrán contratar personal investigador a través de las modalidades de contrato de trabajo establecidas por el texto refundido de la Ley del Estatuto de los Trabajadores.

Lo dispuesto en este apartado se entenderá sin perjuicio de que corresponde a las Comunidades Autónomas que hayan asumido estatutariamente la competencia exclusiva para la regulación de sus propios centros y estructuras de investigación la gestión y organización del personal investigador de sus propios centros y estructuras de investigación, en el marco de la legislación laboral vigente.

En los Organismos Públicos de Investigación, los contratos laborales de duración determinada, en cualquiera de sus modalidades, estarán supeditados a las previsiones que las leyes anuales presupuestarias correspondientes determinen en relación con las autorizaciones para realizar este tipo de contratos. Los contratos fijos estarán supeditados a las previsiones de la Oferta de Empleo Público.

La consecución de la titulación de doctorado pondrá fin a la etapa de formación del personal investigador, y a partir de ese momento dará comienzo la etapa postdoctoral. La fase inicial de esta etapa está orientada al perfeccionamiento y especialización profesional del personal investigador, y se podrá desarrollar, entre otros mecanismos, mediante procesos de movilidad y mediante contratación laboral.

Los programas de ayudas de las Administraciones Públicas que tengan por objeto la realización de tareas de investigación en régimen de prestación de servicios por personal investigador que no sea laboral fijo o funcionario de carrera, deberán requerir la contratación laboral del personal por parte de las entidades beneficiarias de las ayudas para las que vaya a prestar servicios.

B) Contrato predoctoral

A tenor de lo dispuesto en el artículo 21 de la LCTI los contratos de trabajo bajo la modalidad de contrato predoctoral se celebrarán de acuerdo con los siguientes requisitos:

a) El contrato tendrá por objeto la realización de tareas de investigación, en el ámbito de un proyecto específico y novedoso, por quienes estén en posesión del título de Licenciado, Ingeniero, Arquitecto, Graduado Universitario con Grado de al menos 300 créditos ECTS (European Credit Transfer System) o Máster Universitario, o equivalente, y hayan sido admitidos a un programa de doctorado. Este personal tendrá la consideración de personal investigador predoctoral en formación.

Asimismo, el contrato tendrá por objeto la orientación postdoctoral por un período máximo de doce meses. En cualquier caso, la duración del contrato no podrá exceder del máximo indicado en el párrafo c).

b) El contrato se celebrará por escrito entre el personal investigador predoctoral en formación, en su condición de trabajador, y la universidad pública u organismo de investigación titular de la unidad investigadora, en su condición de empleador, y deberá acompañarse de escrito de admisión al programa de doctorado expedido por la unidad responsable de dicho programa, o por la escuela de doctorado o posgrado en su caso. Cuando el contrato esté vinculado en su totalidad a financiación externa o financiación procedente de convocatorias de ayudas públicas en concurrencia competitiva en su totalidad, no requerirá del trámite de autorización previa.

c) El contrato será de duración determinada, con dedicación a tiempo completo.

La duración del contrato no podrá ser inferior a un año, ni exceder de cuatro años. Cuando el contrato se hubiese concertado por una duración inferior a cuatro años podrá prorrogarse sucesivamente sin que, en ningún caso, las prórrogas puedan tener una duración inferior a un año. Ningún trabajador podrá ser contratado mediante esta modalidad, en la misma o distinta entidad, por un tiempo superior a cuatro años, incluidas las posibles prórrogas. No obstante, cuando el contrato se concierte con una persona con discapacidad, el contrato podrá alcanzar una duración máxima de seis años, prórrogas incluidas, teniendo en cuenta las características de la actividad investigadora y el grado de las limitaciones en la actividad. Sin perjuicio de lo anteriormente establecido en el presente apartado, en el supuesto de que, por haber estado ya contratado el trabajador bajo esta modalidad, el tiempo que reste hasta el máximo de cuatro años, o de seis en el caso de personas con discapacidad, sea inferior a un año, podrá concertarse el contrato, o su prórroga, por el tiempo que reste hasta el máximo establecido en cada caso.

La actividad desarrollada por el personal investigador predoctoral en formación será evaluada anualmente por la comisión académica del programa de doctorado, o en su caso de la escuela de doctorado, durante el tiempo que dure su permanencia en el programa, pudiendo ser resuelto el contrato en el supuesto de no superarse favorablemente dicha evaluación.

Las situaciones de incapacidad temporal y los periodos de tiempo dedicados al disfrute de permisos a tiempo completo por gestación, embarazo, riesgo durante la gestación, el embarazo y la lactancia, nacimiento, maternidad, paternidad, adopción por guarda con fines de adopción o acogimiento familiar, o lactancia acumulada a jornadas completas, o por situaciones análogas relacionadas con las anteriores así como el disfrute de permisos a tiempo completo por razones de

conciliación o cuidado de menores, familiares o personas dependientes, y el tiempo dedicado al disfrute de excedencias por cuidado de hijo/a, de familiar o por violencia de género durante el período de duración del contrato interrumpirán el cómputo de la duración del contrato.

Los periodos de tiempo dedicados al disfrute de permiso a tiempo parcial por nacimiento, maternidad, paternidad, adopción por guarda con fines de adopción o acogimiento familiar, y la reducción de jornada laboral por razones de lactancia, nacimiento de hijo/a prematuro u hospitalizado tras el parto, guarda legal, cuidado de menores afectados por cáncer o enfermedad grave, de familiares afectados por accidente o enfermedad grave o de personas dependientes, o por violencia de género, o reducciones de jornada por situaciones análogas relacionadas con las anteriores así como por razones de conciliación o cuidado de menores, familiares o personas dependientes, durante el período de duración del contrato darán lugar a la prórroga del contrato por el tiempo equivalente a la jornada que se ha reducido.

d) La retribución de este contrato no podrá ser inferior al 56 por 100 del salario fijado para las categorías equivalentes en los convenios colectivos de su ámbito de aplicación durante los dos primeros años, al 60 por 100 durante el tercer año, y al 75 por 100 durante el cuarto año. Tampoco podrá ser inferior al salario mínimo interprofesional que se establezca cada año, según el artículo 27 del Texto Refundido de la Ley del Estatuto de los Trabajadores.

e) A la finalización del contrato por expiración del tiempo convenido, la persona trabajadora tendrá derecho a recibir una indemnización de cuantía equivalente a la prevista para los contratos de duración determinada en el artículo 49 del texto refundido de la Ley del Estatuto de los Trabajadores[11].

C) Contrato de acceso de personal investigador doctor

El artículo 22 de la LCTI establece que los contratos de acceso de personal investigador doctor se celebrarán en el marco de un itinerario de acceso estable al Sistema Español de Ciencia, Tecnología e Innovación, de acuerdo con los siguientes requisitos:

a) El contrato se celebrará con personal con título de Doctor o Doctora.

b) La finalidad del contrato será la de realizar primordialmente tareas de investigación, desarrollo, transferencia de conocimiento e innovación, orientadas a la obtención por el personal investigador de un elevado nivel de perfeccionamiento y especialización profesional, que conduzcan a la consolidación de su experiencia profesional.

c) El contrato será de duración determinada y con dedicación a tiempo completo.

11 Dicha norma establece lo siguiente: "la persona trabajadora tendrá derecho a recibir una indemnización de cuantía equivalente a la parte proporcional de la cantidad que resultaría de abonar doce días de salario por cada año de servicio, o la establecida, en su caso, en la normativa específica que sea de aplicación".

d) La duración del contrato será al menos de tres años, y podrá prorrogarse hasta el límite máximo de seis años. Las prórrogas no podrán tener una duración inferior a un año.

No obstante, cuando el contrato se concierte con una persona con discapacidad, el contrato podrá alcanzar una duración máxima de ocho años, prórrogas incluidas, teniendo en cuenta las características de la actividad investigadora y el grado de las limitaciones en la actividad.

Ningún trabajador podrá ser contratado mediante esta modalidad, en la misma o distinta entidad, por un tiempo superior a seis años, incluidas las posibles prórrogas, salvo en el caso de las personas con discapacidad indicadas en el párrafo anterior para las que el tiempo no podrá ser superior a ocho años. El tiempo de contrato transcurrido bajo la extinta modalidad de Contrato de acceso al Sistema Español de Ciencia, Tecnología e Innovación se contabilizará para el cálculo de estos periodos máximos.

Las situaciones de incapacidad temporal y los periodos de tiempo dedicados al disfrute de permisos a tiempo completo por gestación, embarazo, riesgo durante la gestación, el embarazo y la lactancia, nacimiento, maternidad, paternidad, adopción por guarda con fines de adopción o acogimiento familiar, o lactancia acumulada a jornadas completas, o por situaciones análogas relacionadas con las anteriores así como el disfrute de permisos a tiempo completo por razones de conciliación o cuidado de menores, familiares o personas dependientes, y el tiempo dedicado al disfrute de excedencias por cuidado de hijo/a, de familiar o por violencia de género durante el período de duración del contrato interrumpirán el cómputo del plazo límite de duración del contrato.

Los periodos de tiempo dedicados al disfrute de permiso a tiempo parcial por nacimiento, maternidad, paternidad, adopción por guarda con fines de adopción o acogimiento familiar, y la reducción de jornada laboral por razones de lactancia, nacimiento de hijo/a prematuro u hospitalizado tras el parto, guarda legal, cuidado de menores afectados por cáncer o enfermedad grave, de familiares afectados por accidente o enfermedad grave o de personas dependientes, o por violencia de género, o reducciones de jornada por situaciones análogas relacionadas con las anteriores así como por razones de conciliación o cuidado de menores, familiares o personas dependientes, durante el período de duración del contrato darán lugar a la prórroga del contrato por el tiempo equivalente a la jornada que se ha reducido.

Sin perjuicio de lo establecido en los párrafos anteriores, en el supuesto de que, por haber estado ya contratado el trabajador bajo esta modalidad, el tiempo que reste hasta el máximo de seis años, o de ocho en el caso de personas con discapacidad, sea inferior a un año, podrá concertarse el contrato, o su prórroga, por el tiempo que reste hasta el máximo establecido en cada caso.

e) La retribución de este contrato no podrá ser inferior a la que corresponda al personal investigador que realice actividades análogas, y será fijada, en su caso, dentro de los límites establecidos por las leyes de presupuestos, por el órgano compe-

tente en materia de retribuciones. Cuando el contrato esté vinculado en su totalidad a financiación externa o financiación procedente de convocatorias de ayudas públicas en concurrencia competitiva en su totalidad, no requerirá del trámite de autorización previa.

f) El personal investigador que sea contratado al amparo de lo dispuesto en este apartado podrá realizar actividad docente hasta un máximo de cien horas anuales, previo acuerdo en su caso con el departamento implicado, con la aprobación de la entidad para la que presta servicios, y con sometimiento a la normativa vigente de incompatibilidades del personal al servicio de las Administraciones Públicas.

g) A la finalización del contrato por expiración del tiempo convenido, la persona trabajadora tendrá derecho a recibir una indemnización de cuantía equivalente a la prevista para los contratos de duración determinada en el artículo 49 del texto refundido de la Ley del Estatuto de los Trabajadores.

En lo no previsto en este apartado, serán de aplicación el texto refundido de la Ley del Estatuto Básico del Empleado Público y el texto refundido de la Ley del Estatuto de los Trabajadores.

El personal investigador contratado bajo esta modalidad por universidades públicas, Organismos Públicos de Investigación de la Administración General del Estado u organismos de investigación de otras Administraciones Públicas, incluidos los centros del Sistema Nacional de Salud y aquellos vinculados o concertados con este y las fundaciones del sector público y consorcios públicos de investigación, podrá optar a partir de la finalización del segundo año de contrato a una evaluación de la actividad investigadora desarrollada que, de ser positiva de acuerdo a requisitos previamente establecidos, le podrá ser reconocida con los efectos previstos en el itinerario de acceso estable al Sistema Español de Ciencia, Tecnología e Innovación en el que se enmarca el contrato. Esta evaluación se utilizará únicamente a efectos de promoción y reconocimiento a lo largo del itinerario postdoctoral.

Si el contrato se realiza en el marco de programas de incorporación postdoctoral financiados por los organismos financiadores del Sistema Español de Ciencia, Tecnología e Innovación, la evaluación será realizada por el organismo financiador correspondiente. En caso contrario, la evaluación podrá realizarse por otro organismo según corresponda:

a) En el caso del personal contratado por los Organismos Públicos de Investigación de la Administración General del Estado, y otros organismos, fundaciones y consorcios de investigación que integran el sector público estatal, la evaluación podrá ser realizada por la Agencia Estatal de Investigación.

b) En el caso del personal contratado por los organismos de investigación de otras Administraciones Públicas, la evaluación podrá ser realizada por un único órgano designado a tal fin en cada Comunidad Autónoma, o en su defecto la propia Agencia Estatal de Investigación.

c) Sin perjuicio de lo anterior, en el caso de personal contratado por centros del Sistema Nacional de Salud o vinculados o concertados con este, o por institutos de investigación sanitaria, la evaluación podrá ser realizada por el Instituto de Salud Carlos III.

d) En el caso del personal contratado por las universidades públicas, la evaluación podrá ser realizada por la Agencia Nacional de Evaluación de la Calidad y Acreditación (ANECA) o las agencias de evaluación del profesorado de ámbito autonómico, de acuerdo con sus competencias en cada caso.

Los organismos financiadores del Sistema Español de Ciencia, Tecnología e Innovación también podrán incluir en sus convocatorias, bajo los principios de publicidad y concurrencia competitiva, la posibilidad de evaluar la actividad investigadora desarrollada por personas que, sin haber sido contratadas a través de la modalidad contractual prevista en este apartado, cuenten con experiencia postdoctoral mayor de tres años, incluyendo los programas postdoctorales realizados en el extranjero. A estos efectos, la valoración curricular favorable realizada en el proceso de concesión de ayudas y subvenciones, se considerará evaluación suficiente para acceder a la etapa correspondiente del itinerario de acceso estable al Sistema Español de Ciencia, Tecnología e Innovación, siempre que así lo contemple la convocatoria.

Tras haber superado la evaluación prevista con anterioridad, el personal investigador podrá obtener una certificación como investigador/a establecido/a (en adelante certificado R3).

En todos los casos, el órgano competente para la evaluación de los requisitos de calidad de la producción y actividad científico-tecnológica establecidos para el certificado R3 como investigador/a establecido/a será la Agencia Estatal de Investigación. Podrá ser considerado requisito suficiente para obtener esta certificación haber superado la evaluación recogida con anterioridad, siempre que, de acuerdo con el criterio técnico de la Agencia Estatal de Investigación, quede garantizada la calidad y la homogeneidad de criterios de dichas evaluaciones.

El vencimiento del plazo máximo para resolver la concesión del certificado R3 sin haberse notificado resolución expresa tendrá carácter desestimatorio.

La labor de investigación que pueda llevar a cabo el personal investigador postdoctoral estará en todo caso sometida a la normativa vigente.

El personal laboral postdoctoral contratado según lo dispuesto por las universidades públicas tendrá la consideración de personal docente e investigador a los efectos del desarrollo de la función investigadora.

D) Reconocimiento del certificado R3 como investigador/a establecido/a y participación en procesos selectivos

A tenor de lo dispuesto en el artículo 22 bis de la LCTI, el certificado R3 como investigador/a establecido/a será reconocido en los procesos selectivos de personal de nuevo ingreso estable que sean convocados por las universidades, por los Organismos Públicos de Investigación y otros organismos de investigación de la Administración General del Estado, por los organismos de investigación de otras Administraciones Públicas, incluidos los centros del Sistema Nacional de Salud o vinculados o concertados con este

y las fundaciones y consorcios de investigación biomédica, así como los consorcios públicos y fundaciones del sector público. Con independencia de la Administración pública que los convoque, el contrato de acceso de personal investigador doctor finalizará a partir del momento en que se haga efectivo el ingreso estable.

Las plazas de nuevo ingreso estable a cuyos procesos selectivos podrá acceder el personal investigador con certificado R3 serán:

a) En el caso del personal contratado por los Organismos Públicos de Investigación de la Administración General del Estado, las de la escala de personal científico titular y las de personal laboral fijo;

b) En el caso del personal contratado por las universidades públicas, las de profesorado titular y profesorado contratado doctor;

c) En el caso del personal contratado por los organismos de investigación de otras Administraciones Públicas, las escalas de personal funcionario o estatutario equivalentes y las de personal laboral fijo.

El certificado R3 se tendrá en cuenta a los efectos de su valoración como méritos investigadores en dichos procesos selectivos, y se proyectará sobre las pruebas o fases de valoración del currículo del personal investigador que forme parte de estos procesos, de forma que tendrá efectos de exención o compensación de parte de las pruebas o fases de evaluación curricular o equivalentes, para todas las Administraciones Públicas.

En el ámbito universitario, dicha compensación o exención de la evaluación de méritos investigadores para las personas que estén en posesión del certificado R3 se llevará a cabo en el proceso de acreditación a las figuras de profesorado contratado doctor o de profesorado titular de universidad.

En la Oferta de Empleo Público, dentro del límite de la tasa de reposición correspondiente a las plazas para ingreso de las escalas de personal investigador de los Organismos Públicos de Investigación, se establecerá una reserva de un mínimo de un 25 % de plazas para la incorporación de personal investigador doctor que haya participado en programas o subprogramas de ayudas postdoctorales y que haya obtenido el certificado R3 o haya superado una evaluación equivalente a la del Programa de Incentivación de la Incorporación e Intensificación de la Actividad Investigadora (I3).

En el supuesto de que no se cubran todas las plazas previstas en las reservas del párrafo anterior, las plazas que queden desiertas se acumularán al resto de plazas ofertadas para la misma escala dentro de la tasa de reposición correspondiente a las plazas para ingreso de las escalas de personal investigador de los Organismos Públicos de Investigación.

En la Oferta de Empleo Público, dentro del límite de la tasa de reposición correspondiente a los cuerpos docentes universitarios y a los contratados doctores o las figuras laborales equivalentes o las que las puedan sustituir, se establecerá una reserva de un mínimo de un 15 % de plazas para la incorporación de personal investigador doctor que haya obtenido el certificado R3 o haya superado una evaluación equivalente a la del Programa de Incentivación de la Incorporación e Intensificación de la Actividad Investigadora (I3).

En el supuesto de que no se cubran todas las plazas previstas en las reservas del párrafo anterior, las que queden desiertas se acumularán al resto de plazas ofertadas dentro de la tasa de reposición correspondiente a los cuerpos docentes universitarios y a los contratados doctores o las figuras laborales equivalentes.

E) Contrato de investigador distinguido

El artículo 23 de la LCTI establece que los contratos de trabajo bajo la modalidad de investigador/a distinguido/a se podrán celebrar con investigadores/as españoles/as o extranjeros/as de reconocido prestigio que se encuentren en posesión del título de Doctor o Doctora y que gocen de una reputación internacional consolidada basada en la excelencia de sus contribuciones en el ámbito científico o técnico. Asimismo, se podrán celebrar también con tecnólogos/as que gocen de una reputación internacional consolidada basada en la excelencia de sus contribuciones, tanto en el avance de técnicas concretas de investigación, como en valorización y transferencia del conocimiento e innovación que han generado. En ambos casos serán contratados con arreglo a los siguientes requisitos:

a) El objeto del contrato será la dirección de equipos humanos como investigador/a principal, dirección de centros de investigación o transferencia de conocimiento e innovación, o de instalaciones y programas científicos y tecnológicos singulares de gran relevancia en el ámbito de conocimiento de que se trate, en el marco de las funciones y objetivos del empleador.

b) El contrato tendrá la duración que las partes acuerden.

c) La duración de la jornada laboral, los horarios, fiestas, permisos y vacaciones serán los fijados en las cláusulas del contrato.

d) El personal investigador contratado no podrá celebrar contratos de trabajo con otras entidades, salvo autorización expresa del empleador o pacto escrito en contrario, respetando en todo caso la Ley 53/1984, de 26 de diciembre, de Incompatibilidades del personal al servicio de las Administraciones Públicas.

e) El contrato estará sometido al sistema de seguimiento objetivo que el empleador establezca.

f) El contrato podrá extinguirse por desistimiento del empleador, comunicado por escrito con un preaviso de tres meses, sin perjuicio de las posibilidades de rescisión del contrato por parte del empleador por causas procedentes. En el supuesto de incumplimiento total o parcial del preaviso, el personal investigador contratado tendrá derecho a una indemnización equivalente a los salarios correspondientes a la duración del período incumplido.

   En caso de desistimiento del empleador, el personal investigador contratado tendrá derecho a percibir la indemnización prevista para el despido improcedente en el texto refundido de la Ley del Estatuto de los Trabajadores, sin perjuicio de la que pudiera corresponderle por incumplimiento total o parcial del preaviso.

g) El personal investigador que sea contratado al amparo de lo dispuesto en este apartado podrá realizar actividad docente hasta un máximo de cien horas anuales, previo acuerdo en su caso con el departamento u organismo implicado, con la aprobación de la entidad para la que presta servicios, y con sometimiento a la normativa vigente de incompatibilidades del personal al servicio de las Administraciones Públicas.

F) Contrato de actividades científico-técnicas

El artículo 23 bis de la LCTI señala que el objeto de los contratos de actividades científico-técnicas será la realización de actividades vinculadas a líneas de investigación o de servicios científico-técnicos, incluyendo la gestión científico-técnica de estas líneas que se definen como un conjunto de conocimientos, inquietudes, productos y proyectos, construidos de manera sistemática alrededor de un eje temático en el que confluyan actividades realizadas por uno o más grupos de investigación y requerirá su desarrollo siguiendo las pautas metodológicas adecuadas en forma de proyectos o contratos de I+D+I.

Los contratos de actividades científico-técnicas, de duración indefinida, no formarán parte de la Oferta de Empleo Público ni de los instrumentos similares de gestión de las necesidades de personal a que se refiere el artículo 70 del texto refundido de la Ley del Estatuto Básico del Empleado Público, ni su convocatoria estará limitada por la masa salarial del personal laboral.

Para su celebración se exigirán los siguientes requisitos:

a) El contrato se podrá celebrar con personal con título de Licenciatura, Ingeniería, Arquitectura, Diplomatura, Arquitectura Técnica, Ingeniería Técnica, Grado, Máster Universitario, Técnico/a Superior o Técnico/a, o con personal investigador con título de Doctor o Doctora. Asimismo, se podrá celebrar con personal cuya formación, experiencia y competencias sean acordes con los requisitos y tareas a desempeñar en la posición que se vaya a cubrir.

b) Los procedimientos de selección del personal laboral previsto en este artículo se regirán en todo caso a través de convocatorias públicas en las que se garanticen los principios de igualdad, mérito, capacidad, publicidad y concurrencia.

En todo caso, cuando los contratos estén vinculados a financiación externa o financiación procedente de convocatorias de ayudas públicas en concurrencia competitiva en su totalidad, no requerirán del trámite de autorización previa.

En lo no previsto en este apartado, con especial referencia a sus derechos y obligaciones, serán de aplicación el texto refundido de la Ley del Estatuto Básico del Empleado Público y el texto refundido de la Ley del Estatuto de los Trabajadores, correspondiendo al personal contratado la indemnización que resulte procedente tras la finalización de la relación laboral.

G) Adaptación de determinadas figuras vigentes de personal docente e investigador laboral

La Disposición transitoria quinta de la LOSU establece que el personal docente e investigador con contrato de carácter temporal a la entrada en vigor de esta ley orgánica permanecerá en su misma situación hasta la extinción del contrato y continuará siéndole de aplicación las normas específicas que correspondan a cada una de las modalidades contractuales vigentes en el momento en que se concertó su contrato de trabajo. Respecto del profesorado visitante, la duración del contrato no podrá superar los dos años desde la entrada en vigor de esta ley orgánica.

A los profesores y profesoras que, a la entrada en vigor de esta ley orgánica, estén contratados como Ayudantes Doctores/as y que, al finalizar su contrato, no hayan obtenido la acreditación para la figura de Profesor o Profesora Permanente Laboral, se les prorrogará su contrato un año adicional.

Quienes a la entrada en vigor de la LOSU dispongan de una acreditación para Profesor/a Titular de Universidad o hubieran iniciado el trámite para su obtención o estén contratados como Profesor/a Ayudante Doctor/a, Profesores/as Colaboradores/as con carácter indefinido o Profesor/a Contratado/a Doctor/a, no tendrán que acreditar el requisito de estancias de movilidad en universidades y/o centros de investigación al que se refieren los artículos 69 y 85. Esta misma disposición será de aplicación a los Profesores/as Contratados/as Doctores/as interinos/as, así como a otros contratados temporales con acreditación para estas figuras.

Los profesores y profesoras que, a la entrada en vigor de esta ley orgánica, dispongan de un contrato de Profesor/a Contratado/a Doctor/a mantendrán los derechos y deberes recogidos en el contrato mencionado. Previa solicitud, los Profesores/as Contratados/as Doctores/as podrán integrarse en la modalidad de Profesores/as Permanentes Laborales, en las mismas plazas que ocupen, y computándose como fecha de ingreso la que tuvieran en la modalidad de origen. Asimismo, las universidades promoverán procesos de estabilización a la figura de Profesor/a Permanente Laboral para todas aquellas plazas de Profesor/a Contratado/a Doctor/a interino/a en los términos de la Ley 20/2021, de 28 de diciembre.

Las universidades públicas promoverán concursos a plazas de Profesores/as Titulares de Universidad para el acceso de los Profesores/as Contratado/as Doctor/as que hayan conseguido la correspondiente acreditación a Profesor/a Titular de Universidad. Esta misma disposición será aplicable a los Profesores/as Contratados/as Doctores/as interinos/as.

Quienes a la entrada en vigor de la LOSU estén contratados como Profesoras y Profesores Colaboradores con arreglo a la Ley Orgánica 6/2001, de 21 de diciembre, podrán continuar en el desempeño de sus funciones docentes e investigadoras de acuerdo con lo previsto en su contrato.

Asimismo, quienes estén contratados/as como Colaboradores/as con carácter indefinido, posean el título de Doctor/a o lo obtengan tras la entrada en vigor de esta ley orgánica y reciban la evaluación positiva a que se refiere el artículo 82.a), accederán directamente a la figura de Profesora o Profesor Permanente Laboral, en sus propias plazas.

H) Mecanismos de adaptación para determinadas figuras de personal docente e investigador de las universidades públicas

La Disposición transitoria octava de la LOSU señala que en función de la implementación del plan de incremento del gasto público en educación para el periodo previsto en el artículo 155.2 de la Ley Orgánica 2/2006, de 3 de mayo, las universidades que tengan más de un 20 por ciento de su plantilla docente, computada en efectivos, con contratos laborales de Profesores y Profesoras Sustitutos/as, de Profesores y Profesoras Visitantes, Profesores y Profesoras Distinguidos/as y de Profesores y Profesoras Asociados/as, excluyendo al profesorado asociado de Ciencias de la Salud, implantarán los siguientes mecanismos de adaptación:

a) Establecerán como mérito preferente, en los concursos de acceso a las plazas de Ayudante Doctor o figuras equivalentes de la normativa autonómica, haber desempeñado en la fecha de la publicación de la convocatoria actividades docentes en universidades públicas españolas durante al menos cinco cursos académicos de los últimos siete años a través de los contratos de profesorado asociado u otros contratos de duración igual o inferior a un año previstos en la Ley Orgánica 6/2001, de 21 de diciembre. Estas universidades determinarán el número de plazas sometidas a este régimen y las vincularán a los departamentos y centros que superen dicho porcentaje.

b) Utilizarán la modalidad de contrato predoctoral para docentes no doctores que hayan estado vinculados a la universidad al menos cinco cursos académicos de los últimos siete años a través de los contratos de profesorado asociado u otros contratos de duración igual o inferior a un año previstos en la Ley Orgánica 6/2001, de 21 de diciembre.

c) Establecerán un programa de promoción interna a Profesorado Permanente Laboral o figuras equivalentes de la normativa autonómica para quienes, estando contratados con carácter indefinido y cuenten con la acreditación, hayan desempeñado en la fecha de la publicación de la convocatoria actividades docentes en universidades públicas españolas durante al menos cinco cursos académicos de los últimos siete años a través de los contratos de profesorado asociado u otros contratos de duración igual o inferior a un año previstos en la Ley Orgánica 6/2001, de 21 de diciembre. Estas plazas de promoción no computarán a efectos de tasa de reposición.

2.2. El acceso a cuerpos de funcionarios docentes universitarios. La acreditación nacional y los concursos de acceso a plazas de los cuerpos docentes universitarios

2.2.1. El Sistema de Acreditación nacional[12]. El Real Decreto 678/2023, de 18 de julio

Dicho sistema se rige por el articulado de la LOSU (artículos 69 a 73) y en su desarrollo por el Real Decreto 678/2023, de 18 de julio, por el que se regula la acreditación estatal para el acceso a los cuerpos docentes universitarios y el régimen de los concursos de acceso a plazas de dichos cuerpos.

El Real Decreto 678/2023, de 18 de julio entró en vigor el 7 de septiembre de 2023 (al día siguiente de su publicación en el BOE) y ha venido a derogar al Real Decreto 1312/2007, de 5 de octubre, por el que se establece la acreditación nacional para el acceso a los cuerpos docentes universitarios, salvo su anexo I, que mantendrá su vigencia hasta la entrada en vigor del listado de especialidades de conocimiento al que hace referencia la disposición transitoria segunda y al Real Decreto 1313/2007, de 5 de octubre, por el que se regula el régimen de los concursos de acceso a cuerpos docentes universitarios.

A) Disposiciones Generales. Finalidad de la Acreditación

Tal y como señala el artículo 69 de la LOSU el acceso a los cuerpos docentes universitarios exigirá, además del título de Doctor/a, la previa obtención de una acreditación por parte de la ANECA que, valorando los méritos y competencias de las personas aspirantes, garantice la calidad en la selección del profesorado funcionario en el conjunto del país. La ANECA acordará, mediante convenio, el desarrollo de la evaluación de dichos méritos y competencias por parte de las agencias de calidad de las Comunidades Autónomas[13].

En todo caso, será requisito para obtener la acreditación, la realización de actividades de investigación o docencia en universidades y/o centros de investigación distintos de aquella institución en la que se presentó la tesis doctoral, de acuerdo con los criterios establecidos reglamentariamente.

El procedimiento de acreditación garantizará:

a) Los principios de igualdad, mérito y capacidad, así como los de publicidad, transparencia e imparcialidad de los miembros de los órganos de acreditación.

[12] La ANECA y las agencias de calidad autonómicas dispondrán de un periodo de un año desde la entrada en vigor de esta ley orgánica para adaptar los criterios de la acreditación a Profesor/a Titular de Universidad y a la figura de Profesor/a Permanente Laboral, a la duración de la etapa inicial de la carrera académica que establece esta ley orgánica (Disposición transitoria cuarta de la LOSU).

[13] En el plazo de un año desde la entrada en vigor de esta ley orgánica, la ANECA acordará con las agencias de calidad de las Comunidades Autónomas los convenios a que se refiere este artículo (Disposición transitoria cuarta de la LOSU).

b) La agilidad y la petición de documentación accesible, en modo abierto, abreviada y significativa, utilizando los repositorios institucionales.

c) Una evaluación tanto cualitativa como cuantitativa de los méritos docentes y de investigación, y en su caso de transferencia del conocimiento, con una amplia gama de indicadores de relevancia científica e impacto social.

d) Una evaluación basada en la especificidad del área o ámbito de conocimiento, teniendo en cuenta, entre otros criterios, la experiencia profesional, en especial, cuando se trate, entre otras, de profesiones reguladas del ámbito sanitario, la relevancia local, el pluralismo lingüístico y el acceso abierto a datos y publicaciones científicas.

e) La adecuación de los méritos requeridos a la duración de la etapa inicial de la carrera académica que establece la LOSU.

f) La composición de los órganos de acreditación por profesorado de los cuerpos docentes universitarios y expertos/as, tanto nacionales como extranjeros, de reconocido prestigio.

g) La justificación de forma detallada, objetiva y transparente del resultado del proceso.

Por real decreto del Consejo de Ministros, previo informe del Consejo de Universidades, se regulará el procedimiento de acreditación. En estos procedimientos el sentido del silencio administrativo será desestimatorio.

B) Régimen jurídico. Necesidad y eficacia de la acreditación estatal. Principios

La obtención de la acreditación estatal constituye un requisito imprescindible para concurrir a los concursos de acceso. Dicha acreditación se basa en la valoración cuantitativa y cualitativa de los méritos y competencias de las personas aspirantes y garantiza la calidad en la selección del profesorado funcionario en el conjunto del Sistema Universitario.

La acreditación, que se formalizará mediante el pertinente certificado, surtirá efectos en todo el territorio del Estado para acceder al cuerpo docente universitario correspondiente y concurrir a los concursos de acceso.

La Agencia Nacional de Evaluación de la Calidad y Acreditación (en adelante, ANECA) acordará, mediante un convenio, el desarrollo de la evaluación de méritos y competencias en los procedimientos objeto de este real decreto por parte de las agencias de calidad de las comunidades autónomas que lo soliciten.

Los correspondientes convenios garantizarán que la evaluación de méritos y competencias que desarrollen las agencias de calidad con las que se hayan celebrado se rija por los mismos principios de evaluación y reglas de organización, evaluación y procedimiento previstas en el Real Decreto 687/2023, así como por los mismos criterios de valoración y requisitos mínimos para una evaluación favorable.

El procedimiento para la obtención de la acreditación estatal se regirá por lo dispuesto en la Ley Orgánica 2/2023, de 22 de marzo, así como en el Real Decreto 687/2023 y en las demás normas de carácter general que resulten de aplicación.

Los procedimientos de acreditación estatal del profesorado funcionario deberán garantizar lo dispuesto en el artículo 65.4 de la Ley Orgánica 2/2023, de 22 de marzo, que establece que las universidades y las Administraciones Públicas, en el ámbito de sus respectivas competencias, deberán favorecer la corresponsabilidad en los cuidados y asegurar el ejercicio efectivo de los derechos de conciliación de la vida personal, laboral y familiar. Con este fin deberán aplicar criterios que aseguren la igualdad efectiva de todas las personas en la aplicación del régimen de dedicación y el acceso a los programas de movilidad que sean de su competencia, y analizar y corregir las desigualdades por razón de género, edad, discapacidad, origen nacional o etnicidad en los usos del tiempo académico. Asimismo, los procedimientos de acreditación del profesorado funcionario y laboral deberán incorporar criterios que garanticen que la igualdad y la conciliación sean efectivas.

Asimismo, en aplicación de lo dispuesto por el artículo 69.2 de la Ley Orgánica 2/2023, de 22 de marzo, el procedimiento de acreditación garantizará los principios en él establecidos (véanse en el apartado A) anterior).

La valoración de los méritos y competencias de los aspirantes se llevará a cabo de acuerdo con los estándares internacionales para la evaluación de la calidad docente e investigadora, en particular, con los criterios y directrices establecidos para el aseguramiento de la calidad en el Espacio Europeo de Educación Superior.

La evaluación de los méritos y competencias deberá valorar de forma específica el carácter interdisciplinar y multidisciplinar de la actividad investigadora, de transferencia e intercambio del conocimiento y docente.

C) Requisitos generales para optar a la acreditación para el acceso al cuerpo de Profesores y Profesoras Titulares de Universidad

Para optar a la acreditación para Profesor o Profesora Titular de Universidad es requisito estar en posesión del título de Doctor o Doctora.

Se podrán admitir títulos extranjeros de Doctora o Doctor respecto de los que se haya obtenido una declaración de equivalencia.

Será requisito para obtener la acreditación la realización de actividades de investigación o docencia, y en su caso de transferencia e intercambio del conocimiento, por un periodo acumulado de, como mínimo, nueve meses, en universidades o centros de investigación distintos de aquella institución en la que se presentó la tesis doctoral, quedando expresamente excluida la mera participación en proyectos de investigación conjuntos. Se deberán acreditar la realización y la duración de las actividades llevadas a cabo.

ANECA podrá dispensar de este requisito a aquellas personas que acrediten situaciones prolongadas en el tiempo que hayan impedido el complimiento de las actividades, por razón de discapacidad, enfermedad, conciliación o cuidado de menores, familiares o personas dependientes, y excedencias por cuidado de hijo o hija, de familiar o por violencia de género, mediante resolución motivada.

D) Requisitos generales para optar a la acreditación para el acceso al cuerpo de Catedráticas y Catedráticos de Universidad

Podrán optar a la acreditación para Catedrático o Catedrática de Universidad:

a) Los Profesores y Profesoras Titulares de Universidad.

b) Los Profesores y Profesoras Permanentes Laborales.

c) Las personas que acrediten tener la condición de doctor o doctora con, al menos, ocho años de antigüedad y que, además, se encuentren en una de las siguientes situaciones:

1.º Haber justificado una trayectoria excelente en la actividad investigadora, incluyendo la de transferencia e intercambio del conocimiento, en la acreditación con informe positivo para Profesor o Profesora Titular de Universidad o Profesor o Profesora Permanente Laboral.

2.º Ser personal funcionario perteneciente a cuerpos o escalas de personal investigador para cuyo ingreso se exija estar en posesión del título de Doctor o Doctora.

También podrá optar a dicha acreditación el profesorado de las universidades de otros Estados miembros de la Unión Europea, que haya alcanzado una posición comparable, al menos, a la de Profesor o Profesora Titular de Universidad.

El personal docente e investigador de universidades o centros de investigación podrá solicitar que se le realice una evaluación para acreditarse a Profesor o Profesora Titular y a Catedrático o Catedrática de Universidad simultáneamente, pudiendo obtener esta última sin necesidad de pertenecer al cuerpo de Profesoras y Profesores Titulares de Universidad, siempre que acredite tener la condición de doctor o doctora con, al menos, ocho años de antigüedad. La comisión podrá conceder la acreditación sólo a Profesora o Profesor Titular de Universidad, o a Profesora o Profesor Titular y a Catedrática o Catedrático de Universidad conjuntamente.

E) Las Comisiones de Acreditación Estatal[14]

La valoración de los méritos y competencias a que se refiere el Real Decreto 678/2003 será realizada por comisiones de acreditación (en adelante, comisión o comisiones).

---

14 Las comisiones de acreditación deberán estar constituidas el 1 de enero de 2024. La resolución en la que se constituyan estas comisiones y extingan las anteriores podrá establecer criterios para garantizar la continuidad en la tramitación de los procedimientos pendientes. Hasta el momento de constitución de las nuevas comisiones continuarán desarrollando sus funciones las comisiones de acreditación constituidas antes de la entrada en vigor del Real Decreto 678/2023. ANECA podrá proponer el nombramiento como miembros de las nuevas comisiones a los miembros vocales y presidentes o presidentas de las comisiones de acreditación existentes antes de la entrada en vigor del Real Decreto 678/2023. Transcurridos dos años desde la designación de los miembros de cada comisión, se renovará necesariamente a la mitad de sus miembros titulares y suplentes. En esta primera renovación sólo podrán ser propuestos para un segundo periodo, hasta un máximo de la mitad de los miembros titulares y suplentes de las comisiones.

La persona titular de la dirección de ANECA podrá proponer anualmente a la persona titular del Ministerio de Universidades la aprobación de un máximo de treinta comisiones, ajustándose a las previsiones y requisitos presupuestarios aplicables.

La creación y supresión de las comisiones se realizarán por la persona titular de la dirección de ANECA, que asimismo indicará qué especialidades de conocimiento se asignan a cada comisión. Igualmente, si fuese necesario para un más adecuado funcionamiento de las comisiones, la persona titular de la dirección de ANECA podrá realizar cuantos cambios sean necesarios en su composición y en la asignación de las especialidades a cada una de ellas.

Las correspondientes resoluciones de creación, modificación o supresión se publicarán en el «Boletín Oficial del Estado».

Las comisiones dependerán administrativamente de la división de ANECA competente en la evaluación del profesorado. ANECA establecerá mecanismos de funcionamiento interno y coordinación de las comisiones para garantizar la coherencia en su funcionamiento y en los resultados de sus evaluaciones.

ANECA informará al Consejo de Universidades del funcionamiento de las comisiones y los resultados de sus actuaciones con la periodicidad que establezca dicho Consejo. Asimismo, informará al Ministerio de Universidades de las actuaciones de las comisiones siempre que éste lo solicite.

1. Composición de las comisiones

Las comisiones que valoren las solicitudes de acreditación deberán estar constituidas mayoritariamente por profesorado de los cuerpos docentes universitarios. Asimismo, podrán formar parte de dichas comisiones el profesorado de universidades extranjeras, así como otro personal docente e investigador permanente y personas expertas de reconocido prestigio, con méritos equiparables a los requeridos para los miembros procedentes de los cuerpos docentes universitarios.

Para pertenecer a las comisiones, los Catedráticos y Catedráticas de Universidad, el personal docente e investigador permanente con categoría equivalente y el personal investigador con categoría equivalente perteneciente a Organismos Públicos de Investigación (en adelante, OPIS) deberán haber obtenido el reconocimiento de al menos tres periodos de actividad investigadora o de transferencia del conocimiento. Los Profesores y Profesoras Titulares de Universidad, el personal docente e investigador permanente con categoría equivalente, y el personal investigador de los OPIS con categoría equivalente deberán estar en posesión de al menos dos de dichos periodos. El último periodo de actividad investigadora deberá haber sido reconocido en los últimos seis años.

El periodo de referencia de seis años se prorrogará un año por cada permiso de maternidad o paternidad, situación de excedencia para atender el cuidado de hijas, hijos, o de otros familiares a su cargo o excedencia por razón de violencia de género, en los términos previstos en el artículo 89 del texto refundido de la Ley del Estatuto Básico del Empleado Público, aprobado por Real Decreto Legislativo 5/2015, de 30 de octubre.

En el caso de personal docente o investigador extranjero y otro personal docente e investigador permanente al que no sea de aplicación el reconocimiento de los periodos de actividad investigadora, se le exigirá tener méritos de investigación equiparables.

Tanto el personal funcionario de los cuerpos docentes universitarios como el personal investigador perteneciente a los OPIS deberá tener una antigüedad en sus respectivos cuerpos de al menos dos años en el momento de ser seleccionado.

Los requisitos específicos que puedan exigirse al profesorado de universidades extranjeras, y a las personas expertas de reconocido prestigio, para ser miembros de las comisiones serán equiparables a los requeridos para los miembros procedentes de los cuerpos docentes universitarios y se determinarán por orden de la persona titular del Ministerio de Universidades. El modo de acreditar el cumplimiento de dichos méritos se establecerá por resolución de la persona titular de la dirección de ANECA, que se publicará en el «Boletín Oficial del Estado».

El número de miembros titulares de las comisiones variará en función de la diversidad de especialidades de conocimiento asignadas a cada comisión y del número previsible de solicitudes, pero no será inferior a 7 ni superior a 21. Cada comisión estará integrada también por un número de miembros suplentes equivalente a la mitad de los miembros titulares.

La mayoría de los miembros titulares y suplentes de cada comisión serán Catedráticos o Catedráticas de Universidad y otro personal docente e investigador permanente con categoría equivalente o personas expertas de reconocido prestigio y con méritos y competencias acreditados equiparables a los requeridos para los miembros procedentes del cuerpo de Catedráticas y Catedráticos de Universidad.

Los miembros a que se hace referencia en el párrafo anterior integrarán una subcomisión, que tendrá la competencia exclusiva en la evaluación y resolución de las solicitudes de acreditación para el cuerpo de Catedráticas y Catedráticos de Universidad.

2. Procedimiento para la designación de los miembros de las comisiones

El 50 por ciento de los miembros de las comisiones será propuesto al Consejo de Universidades a partir de un sorteo público que ANECA realizará entre el personal en activo de los cuerpos docentes universitarios que reúnan los requisitos establecidos. El resultado del sorteo será inmediatamente comunicado a los interesados o las interesadas.

La participación como miembro de una comisión será obligatoria, salvo cuando concurra alguna de las causas justificadas de renuncia.

ANECA seleccionará el otro 50 por ciento de los miembros de las comisiones, que igualmente deberán cumplir los requisitos establecidos.

Para realizar esta selección, ANECA llevará a cabo una consulta previa no vinculante a actores relevantes para recabar sus sugerencias.

La selección de profesorado de universidades extranjeras, de otro personal docente e investigador permanente y de personas expertas de reconocido prestigio, se incluirá, en su caso, en este porcentaje.

Cuando el número de miembros de las comisiones sea impar, ANECA propondrá al Consejo de Universidades la distribución más aproximada al 50 por ciento, con mayoría en todo caso de miembros propuestos por ANECA.

ANECA procurará que las comisiones se integren por miembros provenientes de las distintas especialidades del conocimiento asignadas a cada comisión. Del mismo modo garantizará una presencia equilibrada de instituciones y comunidades autónomas, así como una composición paritaria entre mujeres y hombres.

Al menos uno de los miembros propuestos deberá contar con contribuciones científicas, docentes o de transferencia e intercambio del conocimiento de carácter marcadamente interdisciplinar o multidisciplinar, de acuerdo con los criterios que ANECA determine. Asimismo, uno de los miembros de cada comisión deberá contar con experiencia en la integración del análisis de género en la evaluación, de acuerdo con los criterios que ANECA determine.

La Comisión de Asesoramiento para la Evaluación del Profesorado, de acuerdo con el Estatuto del Organismo Autónomo Agencia Nacional de Evaluación de la Calidad y Acreditación, aprobado por Real Decreto 1112/2015, de 11 de diciembre, asesorará a la dirección de ANECA sobre el procedimiento y criterios de selección de los miembros de las comisiones.

Cuando en la propuesta figure personal investigador de los OPIS, se informará de ello a la Secretaría General de Investigación del Ministerio de Ciencia e Innovación.

La persona titular de la dirección de ANECA elevará al Consejo de Universidades la propuesta de miembros para formar parte de las comisiones, distinguiendo entre los provenientes del sorteo público y los directamente seleccionados por ANECA.

El Consejo de Universidades podrá aprobar o motivadamente rechazar la propuesta remitida por la persona titular de la dirección de ANECA, pero en ningún caso podrá proponer otros candidatos o candidatas. El Consejo de Universidades podrá basar el rechazo parcial de la propuesta en que algún miembro no cumpla con los criterios establecidos. El rechazo total de la propuesta sólo podrá fundamentarse en que el conjunto de ésta no cumpla con los criterios de este apartado.

3. Designación, aceptación y duración

Corresponde a la persona titular de la dirección de ANECA realizar la designación de los miembros de las comisiones, previa aprobación de su propuesta por el Consejo de Universidades.

La designación como miembro de una comisión de acreditación implicará el deber de cumplir, en el desempeño de sus funciones, el Código Ético. ANECA podrá requerir a los miembros de las comisiones de acreditación su participación en procesos de formación para la evaluación.

La designación se realizará por un período de dos años y, previo acuerdo, podrá ser prorrogada una sola vez por un período de la misma duración.

La persona titular de la dirección de ANECA podrá proponer al Consejo de Universidades la separación de los miembros de una comisión en el caso de incumplimiento del Código Ético.

El expediente de separación será incoado de oficio por la dirección de ANECA, y tendrá naturaleza disciplinaria. Su tramitación se realizará de acuerdo con lo dispuesto en el título IV de la Ley 39/2015, de 1 de octubre, del Procedimiento Administrativo Común de las Administraciones Públicas. La dirección de ANECA elevará al Consejo de Universidades una propuesta motivada y no vinculante de resolución, que será evaluada y resuelta de forma también motivada por éste.

4. Código Ético

El Código Ético, que será aprobado por el Consejo Rector de ANECA, incorporará, al menos, los siguientes contenidos: derechos y deberes de los miembros de las comisiones, derechos de las personas solicitantes en su relación con ANECA, y medios para garantizar el cumplimiento de lo dispuesto en la Ley 19/2013, de 9 de diciembre, de transparencia, acceso a la información pública y buen gobierno.

En todo caso, se incluirán entre los deberes de los miembros de las comisiones al menos los siguientes: actuar con objetividad, independencia y rigor profesional; respetar la confidencialidad de los datos personales de las personas solicitantes de la acreditación de los que hubieran tenido conocimiento por razón de su participación en la comisión; guardar secreto de las deliberaciones de la comisión; comunicar y abstenerse de intervenir en caso de conflicto de intereses; cumplir con la dedicación necesaria el desempeño adecuado de las tareas que les son propias; y aplicar los criterios de evaluación establecidos en el Real Decreto 678/2023 y en sus normas de desarrollo o medidas de aplicación.

El Código Ético deberá ser coherente con lo dispuesto en el Capítulo VI del Título III del referido texto refundido de la Ley del Estatuto Básico del Empleado Público.

5. Renuncia, abstención y recusación

Una vez designados, los miembros de la comisión podrán renunciar de forma motivada por las siguientes causas: encontrarse en la situación administrativa de servicios especiales, excedencia o permisos de larga duración, así como ocupar un cargo en el consejo de gobierno de una universidad o de dirección en un OPI o de un organismo de investigación de otras administraciones públicas, dirigir una agencia de calidad autonómica o presidir alguna de sus comisiones de evaluación.

La solicitud de renuncia deberá ser presentada a ANECA, dentro de los 10 días siguientes a la fecha de recepción de la comunicación del resultado del sorteo o de la selección por ANECA, respectivamente. La apreciación de que concurre la causa alegada corresponderá a ANECA, que deberá resolver en el plazo de 10 días a contar desde la recepción de dicha solicitud.

Los miembros de la comisión que opten a la acreditación para Catedrático o Catedrática de Universidad y soliciten ser evaluados por la misma comisión de la que son miembros, deberán presentar su renuncia en el momento de registrar su solicitud.

En el caso de que concurran los motivos de abstención a que se refiere el artículo 23.2 de la Ley 40/2015, de 1 de octubre, de Régimen Jurídico del Sector Público, las personas afectadas deberán abstenerse de actuar en el expediente de acreditación que dé lugar a la abstención y manifestar el motivo concurrente. En todo caso, los miembros de la comisión deberán abstenerse de actuar en los procedimientos de acreditación de solicitantes que tengan un vínculo funcionarial o contractual con la misma institución en la que desarrollen su actividad principal. La actuación de los miembros de la comisión en los que concurran motivos de abstención no implicará, necesariamente, la invalidez de los actos en que hayan intervenido, si bien dará lugar a la responsabilidad que proceda.

Cuando se produzca la recusación a que se refiere el artículo 24 de la Ley 40/2015, de 1 de octubre, que podrá tener lugar en cualquier momento del procedimiento, la persona recusada manifestará, en el día siguiente a aquel en el que haya tenido conocimiento de su recusación, si se da o no en ella la causa alegada. En el primer caso, quien ostente la presidencia de la comisión apartará de ésta al o la vocal recusada para la actuación sobre el correspondiente expediente de acreditación, procediendo, en caso necesario, a su sustitución por un o una suplente. Si niega la causa de recusación, la persona que ostente la presidencia resolverá en el plazo de 3 días, previos los informes y comprobaciones que considere oportunos. Contra las resoluciones adoptadas en esta materia no se podrá presentar reclamación alguna, sin perjuicio de que se alegue al interponer posteriores recursos.

Si la persona recusada fuera la que ostenta la presidencia de la comisión, la persona titular de la dirección de ANECA nombrará a un presidente o presidenta sustituto para resolver la recusación. En tanto no se produzca ese nombramiento, se aplicará lo previsto en el artículo 14.2[15].

En los casos de abstención o recusación que impidan la actuación de la comisión, las personas titulares serán sustituidas por sus suplentes. En el caso de que en la persona suplente concurriese alguno de los supuestos de abstención o recusación anteriormente citados, su sustitución se hará por otro suplente, de acuerdo con el orden que establezca la propia comisión, que tendrá en cuenta criterios de afinidad dentro de las especialidades de conocimiento que tenga asignadas. Si tampoco fueran posibles estas sustituciones, se procederá a designar nuevos miembros titulares y suplentes ad hoc por el mismo procedimiento que aquéllos. Se procederá de igual modo en los casos de renuncia sobrevenida de los miembros de la comisión.

6. Publicidad

La composición de las comisiones será objeto de publicación en el «Boletín Oficial del Estado», incluidos los casos en que se produzca su modificación.

Para garantizar la transparencia y objetividad en la designación de los miembros de las comisiones, ANECA publicará el contenido de los currículos de sus miembros. El currículo

---

15 Dicho artículo señala que «Los demás miembros de cada Comisión tendrán la condición de vocales. Uno de ellos actuará como Secretario o Secretaria de la Comisión».

breve, cuyo modelo será facilitado por ANECA, comprenderá el nombre y los apellidos, la institución en la que desarrolla su actividad principal, el puesto que desempeña y la información relativa a los apartados del anexo sobre méritos y competencias evaluables[16].

F) Funcionamiento de las comisiones de acreditación

1. Constitución y funcionamiento de las comisiones

Las comisiones, que tendrán carácter permanente, se reunirán cuantas veces sea necesario, previa convocatoria de la presidencia o previa convocatoria de la secretaría por orden de la presidencia. La constitución de cada comisión se realizará en su primera reunión y tras cada renovación.

Las sesiones podrán realizarse a través de medios electrónicos, considerándose también tales los telefónicos, y audiovisuales, de acuerdo con el artículo 17.1 de la Ley 40/2015, de 1 de octubre, siempre y cuando se garantice la identidad de las personas asistentes, el contenido de sus manifestaciones, el momento en que éstas se producen, así como la comunicación entre ellos en tiempo real. Entre otros, se considerarán incluidos entre los medios electrónicos válidos, el correo electrónico, las audioconferencias y las videoconferencias.

Para que la comisión pueda actuar válidamente será necesaria la asistencia de las personas que desempeñen la presidencia y la secretaría, así como de la mitad de sus miembros.

Los miembros de las comisiones de acreditación percibirán los emolumentos, asistencias e indemnizaciones que les correspondan, según las reglas y procedimientos de la ANECA, que los abonará con cargo a sus presupuestos.

Los miembros y especialistas de estas comisiones no podrán devengar indemnizaciones por razón del servicio por alojamiento, transporte, manutención o cualesquiera otros gastos de desplazamiento.

16 Dicho Anexo se reproduce al final del presente tema.

En lo no particularmente previsto las comisiones ajustarán su funcionamiento a las normas contenidas en el Capítulo II del Título Preliminar de la Ley 40/2015, de 1 de octubre.

2. La Presidencia, las vocalías y la secretaría de las comisiones

La persona titular de la dirección de ANECA designará y nombrará, de entre los miembros de las comisiones, a quien ejerza la presidencia de cada comisión, atendiendo a criterios objetivos tales como la antigüedad, la experiencia en gestión o evaluación, o los méritos científicos y técnicos. ANECA garantizará que en el conjunto de las comisiones exista paridad entre presidencias ocupadas por hombres y mujeres.

En caso de ausencia, vacante o enfermedad, actuará como presidente o presidenta el Catedrático o Catedrática de Universidad de mayor antigüedad entre quienes integren la comisión.

Los demás miembros de cada comisión tendrán la condición de vocales. Uno de ellos actuará como secretario o secretaria de la comisión.

Además, un miembro del personal de ANECA participará en las sesiones de la comisión prestando el apoyo técnico y administrativo necesario para su desarrollo.

G) Procedimiento para la obtención de la acreditación estatal

1. Inicio del procedimiento

El procedimiento de acreditación se iniciará a instancia de la persona interesada mediante la presentación de una solicitud. Una vez presentada y registrada la solicitud, las personas interesadas podrán conocer en todo momento el estado de su tramitación a través de la sede electrónica de ANECA.

2. Obligatoriedad de relacionarse electrónicamente en los procedimientos de acreditación

Conforme a lo dispuesto en el artículo 14.3 de la Ley 39/2015, de 1 de octubre, así como en el Reglamento de actuación y funcionamiento del sector público por medios electrónicos, aprobado por Real Decreto 203/2021, de 30 de marzo, las personas solicitantes de los procedimientos de acreditación deberán realizar todos los trámites relacionados con los procedimientos de acreditación, incluida la interposición de reclamaciones y recursos administrativos contra las resoluciones con que dichos procedimientos finalicen, por medios electrónicos a través de la sede electrónica de ANECA.

Las solicitudes, comunicaciones y la documentación requerida deberán presentarse en el registro electrónico, accesible a través de la sede electrónica de ANECA. Los medios electrónicos empleados en la tramitación de las solicitudes y en las comunicaciones con las personas solicitantes serán los sistemas determinados en la citada sede electrónica.

En el caso de que el órgano instructor requiera documentos originales o sus copias auténticas y sólo puedan presentarse en formato papel, serán digitalizados, según lo dispuesto en el artículo 16.5 de la Ley 39/2015, de 1 de octubre, devolviéndose los originales a la persona interesada.

Las personas interesadas serán notificadas, en todo caso, en la sede electrónica de ANECA, así como en la Dirección Electrónica Habilitada Única.

3. Requisitos de la solicitud. Tasas

En la solicitud deberá constar el cuerpo docente para el que se pretende obtener la acreditación y la comisión cuya evaluación se solicita. En el caso de que la comisión seleccionada considere que el perfil de la persona solicitante resulta más afín a otra especialidad, remitirá el expediente a la persona titular de la dirección de ANECA para su reasignación; antes de resolver, se dará audiencia a la persona interesada.

Las personas solicitantes deberán presentar la correspondiente solicitud, así como con el modelo de formulario que ANECA establezca, acompañada de la justificación, abreviada y significativa, de las competencias y los méritos de investigación, incluyendo los de transferencia e intercambio del conocimiento e innovación, de docencia, de liderazgo y relacionados con la actividad profesional, que aduzcan.

ANECA deberá garantizar que la plataforma, documentación, formularios e información sobre el proceso de acreditación estén disponibles en lengua inglesa y aceptará la documentación aportada en inglés.

ANECA requerirá el uso de los repositorios institucionales y temáticos, así como de agregadores reconocidos internacionalmente, en acceso abierto con arreglo a los artículos 12 y 69.2.b) de la Ley 2/2023, de 22 de marzo, como forma de acceso preferente a las publicaciones científicas y otros resultados de investigación.

La participación en el procedimiento de acreditación devengará el abono de las tasas de ANECA que anualmente se determinen en los Presupuestos Generales del Estado.

4. Instrucción

Recibidas las solicitudes por parte de ANECA, la unidad competente para la evaluación comprobará que se acompañan de la documentación que se requiere, así como de una declaración responsable de su veracidad. Una vez efectuada la comprobación, la documentación quedará a disposición de las comisiones.

Si se dejase de aportar algún documento preceptivo o los aportados no reunieran los requisitos necesarios, se requerirá al interesado para que, en el plazo de 10 días, subsane la falta o acompañe los documentos preceptivos, con indicación de que, si así no lo hiciera, se le tendrá por desistido de su petición, previa resolución.

Las comisiones examinarán la documentación presentada con el fin de emitir su resolución. En caso necesario, podrán recabar de las personas interesadas aclaraciones o justificaciones adicionales, que se deberán aportar en un plazo de 10 días. En el caso de que no se presente la justificación o aclaración solicitada en dicho plazo, no se valorarán los méritos y competencias cuya necesidad de justificación o aclaración dio lugar al requerimiento.

Se presumirá la veracidad de los méritos y competencias aducidos mediante la documentación presentada por las personas interesadas, si bien se podrán realizar todas aquellas comprobaciones que se estimen convenientes de la documentación requerida para la evaluación de su currículum y en general del contenido de los expedientes, de forma aleatoria o a criterio de las comisiones.

La inexactitud o falsedad, de cualquier dato o información esencial, determinarán el sentido negativo de la resolución y la imposibilidad de presentar una nueva solicitud hasta transcurridos doce meses desde la presentación de la solicitud, sin perjuicio de las responsabilidades penales, civiles o administrativas a que hubiera lugar.

En todo caso, ANECA podrá hacer uso de la potestad de verificación que a las administraciones públicas reconoce la disposición adicional octava de la Ley Orgánica 3/2018, de 5 de diciembre, de Protección de Datos Personales y garantía de los derechos digitales.

5. Procedimiento de evaluación

Las comisiones evaluarán las solicitudes de acuerdo con lo establecido en el Real Decreto 678/2003 y en su anexo.

Cada solicitud será informada por, al menos, dos miembros de la comisión, que actuarán como ponentes. La comisión adoptará la decisión de forma colegiada a la vista de la documentación presentada y de los informes de la ponencia.

En caso de discrepancia entre los ponentes, las comisiones podrán solicitar el informe no vinculante de una persona experta externa perteneciente a la especialidad de conocimiento de la persona solicitante. Las personas expertas externas deberán cumplir los requisitos exigidos.

Las solicitudes de acreditación para el cuerpo de Catedráticas y Catedráticos de Universidad serán examinadas y resueltas por las subcomisiones a que se refiere el artículo 7.6 del Real Decreto 678/2003.

6. Méritos y competencias evaluables y criterios de evaluación

Las personas solicitantes deberán resumir su trayectoria docente e investigadora, incluyendo las de transferencia e intercambio del conocimiento e innovación, liderazgo o actividad profesional en un currículo breve, que incluirá una exposición y justificación de un número reducido de contribuciones relevantes con una explicación narrativa sobre su calidad y relevancia. El currículo incluirá los siguientes méritos y competencias, de acuerdo con las directrices de este real decreto, y en la forma que establezca ANECA:

a) Méritos y competencias de investigación, incluyendo las de transferencia e intercambio del conocimiento e innovación:

   Las personas solicitantes deberán destacar la calidad, impacto o relevancia científica, social o local de sus contribuciones, sustentada por los indicadores que ellas

mismas quieran aportar. Igualmente, podrán incluir el o los identificadores persistentes y enlaces que estimen convenientes a las bases de datos utilizadas comúnmente en los ámbitos de conocimiento correspondientes, así como a los repositorios institucionales y temáticos y agregadores reconocidos internacionalmente.

b) Méritos y competencias de docencia:

1.º Las personas solicitantes deberán acreditar una experiencia docente universitaria relevante, que variará en función del cuerpo docente para el que se solicite la acreditación, así como una valoración positiva de la calidad.

2.º Aquellas personas solicitantes que acrediten resultados de investigación excepcionales y que hayan desarrollado su carrera principalmente en una institución no universitaria dedicada a la investigación, o en una universidad extranjera en la que el cómputo y los instrumentos de medición de la actividad docente resulten difíciles de trasladar al sistema español, podrán obtener la acreditación sin necesidad de cumplir con el conjunto de los méritos de actividad docente que se establezcan.

c) Méritos y competencias de liderazgo:

Para obtener la acreditación para el cuerpo de Catedráticas y Catedráticos de Universidad se requerirá que las personas solicitantes aporten evidencias significativas de una trayectoria de liderazgo en actividades académicas. Dicha trayectoria quedará avalada por las actuaciones que demuestren la capacidad de dirección de equipos y proyectos de investigación, la formación y promoción de jóvenes docentes e investigadores, la dirección y gestión universitaria, los reconocimientos y las responsabilidades ejercidas en organizaciones científicas y comités científicos y técnicos u otras actividades de liderazgo equivalentes.

d) Méritos y competencias relacionados con la actividad profesional:

Sin perjuicio de lo dispuesto en los párrafos a), b) y c), ANECA establecerá, escuchadas las comisiones correspondientes, los méritos y competencias a considerar en la valoración de la experiencia profesional de las personas solicitantes, en especial, cuando se trate de profesiones reguladas y enseñanzas artísticas.

ANECA hará públicos los criterios de evaluación de estos méritos y competencias y los requisitos mínimos de referencia para una resolución positiva, de acuerdo con la especificidad de cada especialidad o agrupación de especialidades de conocimiento que tenga asignadas cada comisión. Dichos criterios se someterán a un trámite de participación no vinculante con los actores interesados del conjunto de la comunidad universitaria y científica.

Igualmente, ANECA trabajará con las agencias de calidad de las comunidades autónomas para el establecimiento de unos criterios mínimos comunes con el fin de facilitar los acuerdos de reconocimiento de una evaluación positiva de los méritos realizada por las agencias de calidad de las comunidades autónomas a los efectos de la acreditación para el acceso a los cuerpos docentes universitarios.

En el caso de la acreditación a Profesor o Profesora Titular de Universidad, los méritos y competencias requeridos para una evaluación positiva deberán adecuarse a la duración prevista para la etapa inicial de la carrera académica en la Ley Orgánica 2/2023, de 22 de marzo.

Los criterios de evaluación de la actividad docente e investigadora y de la transferencia e intercambio del conocimiento deberán incorporar la interdisciplinariedad o multidisciplinariedad, la ciencia ciudadana, las aportaciones de relevancia local, el pluralismo lingüístico y el pluralismo científico, así como el acceso abierto a los resultados.

Las personas solicitantes que hayan superado la evaluación del Programa de Incentivación de la Incorporación e Intensificación de la Actividad Investigadora (I3), o que hayan obtenido el certificado como investigador/a establecido/a (R3), tendrán reconocidos de forma automática los méritos de investigación y transferencia e intercambio del conocimiento necesarios para la acreditación a Profesor o Profesora Titular de Universidad.

ANECA deberá garantizar que los criterios y los mínimos de referencia estén respaldados por estándares internacionales, especialmente del Espacio Europeo de Educación Superior. Asimismo, ANECA deberá garantizar la coherencia de los méritos, competencias y criterios utilizados en sus diversos procedimientos de evaluación.

ANECA deberá incluir disposiciones específicas para garantizar la igualdad entre mujeres y hombres y la no discriminación por cualquier razón social, así como el derecho a la conciliación de la vida familiar en los procedimientos y criterios de evaluación.

ANECA deberá revisar los criterios de las comisiones con una periodicidad mínima de tres años.

Finalmente la Disposición adicional segunda del Real Decreto 678/2023 establece que la persona titular de la dirección de ANECA, a propuesta de las comisiones de acreditación y mediante la pertinente resolución, concretará los criterios de evaluación de los méritos y competencias requeridos para obtener la acreditación a Catedrático o Catedrática de Universidad o a Profesor o Profesora Titular de Universidad, y, en particular, establecerá los niveles de referencia exigibles para obtener una evaluación favorable, velando por la adecuada coherencia entre los distintos ámbitos científicos. Las revisiones posteriores de tales criterios y competencias y de sus niveles de referencia deberán ser efectuadas con una periodicidad mínima de tres años.

A efectos del procedimiento regulado la ANECA aprobará los documentos de orientación para las personas solicitantes, que contendrán información precisa acerca de los señalados niveles de referencia en las diferentes dimensiones. Estos documentos, que deberán facilitar la autoevaluación a las posibles solicitantes, tendrán efectos exclusivamente informativos y se publicarán en la sede electrónica de ANECA.

ANECA deberá poner a disposición de las personas candidatas a la acreditación el procedimiento para su solicitud, así como para la exposición y justificación de los méritos evaluables, como máximo el 1 de enero de 2024.

7. Audiencia y propuesta de resolución

Instruido el procedimiento, se podrá prescindir del trámite de audiencia cuando no figuren en el procedimiento ni sean tenidos en cuenta en la resolución otros hechos ni otras alegaciones y pruebas que las aducidas por la persona solicitante.

No obstante, en el caso de que la propuesta de resolución sea negativa, la comisión de acreditación correspondiente remitirá a la persona solicitante dicha propuesta de resolución con el fin de que, en el plazo de 10 días, pueda presentar a la comisión las alegaciones y documentos probatorios que estime pertinentes. Asimismo, se dará vista del expediente a dicha persona o, en su caso, a su representante, para lo que se tendrán en cuenta las limitaciones previstas en su caso en la Ley 19/2013, de 9 de diciembre.

Si la persona solicitante, a la vista de la propuesta de resolución definitiva que ponga fin al procedimiento, desiste de su solicitud o renuncia a la evaluación, la comisión dará por finalizado el procedimiento, dictando la correspondiente resolución.

Si, antes del vencimiento del plazo, la persona solicitante manifiesta su voluntad de no efectuar alegaciones ni aportar nuevos documentos o justificaciones, se tendrá por realizado el trámite.

8. Resolución

Cumplimentados los trámites anteriores, la comisión resolverá sobre la solicitud de acreditación teniendo en cuenta las alegaciones y documentos presentados en el trámite de audiencia. La resolución deberá ser suficientemente motivada, y podrá ser positiva o negativa. Se notificará a la persona interesada a través de la sede electrónica asociada de ANECA dentro de los 10 días siguientes a la fecha en que se dicte. Cuando la resolución sea positiva, ANECA emitirá el correspondiente certificado de acreditación. Asimismo, ANECA publicará en su página web las acreditaciones concedidas.

El plazo para notificar la resolución será de seis meses desde la fecha de registro de la solicitud. El transcurso del plazo máximo de seis meses sin dictar y notificar la resolución tendrá efecto desestimatorio por silencio administrativo, según se establece en el artículo 69.3 de la Ley Orgánica 2/2023, de 22 de marzo. No obstante, si el procedimiento se paraliza por causa imputable a la persona solicitante, se le advertirá de que, transcurridos tres meses desde la correspondiente notificación, se producirá la caducidad de aquél y se acordará el archivo de lo actuado.

En el caso de resolución negativa, la persona solicitante no podrá iniciar un nuevo procedimiento de acreditación hasta que no hayan transcurrido doce meses desde la presentación de la solicitud evaluada de forma desfavorable.

9. Internacionalización

A efectos de la concurrencia a los procedimientos de acreditación gozarán de idéntico tratamiento y con los mismos efectos que las personas nacionales españolas, que hayan cursado sus estudios en España o en cualquier otro país de la Unión Europea, las nacionales de los Estados miembros de la Unión Europea, las nacionales de Estados a las que, en virtud de los tratados internacionales celebrados por la Unión Europea y ratificados por España, les sea aplicable la libre circulación de trabajadores y trabajadoras en los términos en que se encuentra definida en el Tratado de Funcionamiento de la Unión Europea (Lisboa, 2009), los familiares de todas las personas indicadas con anterioridad, cualquiera que sea su nacionalidad, incluidos en la normativa española vigente en materia de entrada, libre circulación y residencia en España de ciudadanos de la Unión Europea, así como las personas extranjeras de terceros países que se encuentren regularmente en territorio español.

Previa regulación por orden ministerial del procedimiento específico de acreditación previsto en el artículo 88 de la Ley Orgánica 2/2023, de 22 de marzo, ANECA dispondrá de un procedimiento simplificado para reconocer como acreditado al profesorado de las universidades de Estados miembros de la Unión Europea que haya alcanzado en aquéllas una posición comparable a la de Catedrático o Catedrática de Universidad, Profesor o Profesora Titular de Universidad o Profesor o Profesora Permanente Laboral. Con carácter general, estos reconocimientos de acreditación estarán sujetos al principio de reconocimiento mutuo.

ANECA también dispondrá de un procedimiento específico para evaluar y acreditar al profesorado de universidades de terceros países que haya alcanzado en aquéllas una posición comparable a la de Catedrática o Catedrático de Universidad, Profesora o Profesor Titular de Universidad o Profesora o Profesor Permanente Laboral.

ANECA y las agencias de calidad de las comunidades autónomas que evalúen procesos de acreditación de profesorado acordarán criterios mínimos comunes para el desarrollo de los procedimientos referidos.

10. Reclamaciones

Contra las resoluciones a las que se refiere el apartado 7 anterior, las personas solicitantes podrán presentar, en el plazo de un mes a partir de su recepción y a través de la sede electrónica del Ministerio de Universidades, una reclamación ante el Consejo de Universidades que será valorada y, en su caso, admitida a trámite y resuelta por la Comisión de Reclamaciones prevista en el artículo 11 del Reglamento del Consejo de Universidades, aprobado por Real Decreto 1677/2009, de 13 de noviembre. Los componentes de esta comisión deberán reunir los mismos requisitos que los miembros de las comisiones de acreditación.

La Comisión de Reclamaciones velará por el cumplimiento de los requisitos formales y materiales previstos en este real decreto en relación con los procedimientos de acreditación. Para ello deberá tener en cuenta la reclamación, así como toda la documentación contenida en el expediente de acreditación. La Comisión deberá resolver la reclamación en el plazo desde seis meses desde su interposición. El transcurso del plazo máximo establecido sin dictar y notificar la resolución tendrá efecto desestimatorio.

Una vez admitida a trámite, la Comisión de Reclamaciones del Consejo de Universidades determinará si cuenta con elementos de juicio suficientes para resolver la reclamación o si, por el contrario, estima procedente remitir de nuevo el expediente a ANECA para que sea revisado por las comisiones correspondientes. En este caso, deberá indicar de forma concreta los aspectos de la evaluación que deben ser revisados por dichas comisiones, así como el plazo para hacerlo.

ANECA constituirá 5 comisiones de revisión para examinar las reclamaciones remitidas por la Comisión de Reclamaciones del Consejo de Universidades. Los miembros de las comisiones de revisión deben reunir los requisitos establecidos y tener experiencia de evaluación en las comisiones de acreditación. Todos ellos serán designados por la persona titular de la dirección de ANECA, por un período de dos años prorrogable por otros dos, entre Catedráticas o Catedráticos de Universidad, personal investigador perteneciente a centros públicos de investigación de categoría equivalente a la de Catedrático o Catedrática de Universidad, así como personas expertas, nacionales o extranjeras, de reconocido prestigio. Las comisiones de revisión estarán integradas por un mínimo de 7 y un máximo de 11 titulares y 3 suplentes.

Las comisiones de revisión analizarán los aspectos de la reclamación señalados por la Comisión de Reclamaciones del Consejo de Universidades dentro del plazo otorgado. Podrán recabar el informe no vinculante de una persona experta perteneciente a la especialidad de conocimiento de la persona solicitante cuando lo consideren necesario. En todo caso, elevarán un informe vinculante a la Comisión de Reclamaciones del Consejo de Universidades para que éste resuelva la reclamación.

La resolución de la Comisión de Reclamaciones del Consejo de Universidades pondrá fin a la vía administrativa y frente a ella podrá interponerse recurso potestativo de reposición o bien ser recurrida directamente ante la Jurisdicción Contencioso-administrativa.

La elaboración y aprobación de las actas de la Comisión de Reclamaciones del Consejo de Universidades y, en su caso, su remisión y autorización, podrán realizarse de las distintas formas previstas en la Ley 40/2015, de 1 de octubre.

H) Evaluación y seguimiento del sistema de acreditación

1. Comisión de evaluación y seguimiento

ANECA creará una comisión de evaluación y seguimiento del sistema de acreditación formada por personas investigadoras y expertas en administración pública, análisis de políticas públicas, análisis y evaluación de la investigación, política científica y de educación superior o bibliometría, entre otros ámbitos relevantes, así como ex miembros de las comisiones de acreditación y ex directores y directoras de ANECA y de las agencias de evaluación de la calidad de las comunidades autónomas.

Con arreglo a la Ley 27/2022, de 20 de diciembre, de institucionalización de la evaluación de políticas públicas en la Administración General del Estado, esta comisión evaluará los beneficios y costes de los procedimientos, propondrá vías de simplificación y aportará propuestas de mejora del procedimiento de acreditación a la dirección de ANECA.

2. Evaluación, participación y rendición de cuentas

Al menos una vez cada cuatro años, ANECA promoverá un ejercicio de evaluación interna y externa del sistema de acreditación, rendición de cuentas ante la comunidad universitaria y la ciudadanía, así como de participación y deliberación de la comunidad universitaria, incluyendo personal docente e investigador de todas las etapas de la carrera académica, para promover la mejora continua del sistema de acreditación y una mayor apropiación por parte de la comunidad universitaria de los procedimientos y criterios de evaluación.

Igualmente, ANECA publicará en su página web información que permita el seguimiento y rendición de cuentas continuos ante la comunidad universitaria, incluyendo información sobre los tiempos de resolución de cada comisión.

l) Otras disposiciones sobre la acreditación nacional contempladas en el Real Decreto 678/2023

1. Acreditación de Profesoras y Profesores Titulares de Escuela Universitaria

En el procedimiento de acreditación para Profesoras o Profesores Titulares de Universidad del profesorado que pertenezca al cuerpo de Titulares de Escuela Universitaria que posean el título de Doctor o Doctora, se valorará la investigación, la gestión y, particularmente, la docencia.

Obtendrán la evaluación positiva las personas solicitantes que justifiquen una trayectoria excelente en su actividad docente, aunque no alcancen la suficiencia en la actividad investigadora.

En cualquier caso, obtendrán la acreditación a la que se refiere el presente apartado las personas solicitantes que cumplan alguna de las siguientes condiciones, que serán verificadas únicamente por la correspondiente comisión:

a) Dos periodos de docencia y un periodo de actividad investigadora reconocidos de acuerdo con las previsiones del Real Decreto 1086/1989, de 28 de agosto, sobre retribuciones del profesorado universitario.

b) Dos periodos de docencia reconocidos de acuerdo con las previsiones del Real Decreto 1086/1989, de 28 de agosto, y seis años en el desempeño de los órganos académicos unipersonales recogidos en Estatutos de las universidades o que hayan sido asimilados a éstos.

c) Dos periodos de actividad investigadora reconocidos de acuerdo con las previsiones del Real Decreto 1086/1989, de 28 de agosto.

La valoración de las solicitudes y, en su caso, la correspondiente revisión, se llevará a cabo por las comisiones previstas con carácter general.

Respecto de los Profesores y Profesoras Titulares de Escuela Universitaria no será exigible el requisito establecido en el artículo 4.3 del Real Decreto 678/2023[17].

---

[17] La realización de actividades de investigación o docencia, y en su caso de transferencia e intercambio del conocimiento, por un periodo acumulado de, como mínimo, nueve meses, en universidades o centros de investigación distintos de aquella institución en la que se presentó la tesis doctoral, quedando expresamente excluida la mera participación en proyectos de investigación conjuntos. Se deberán acreditar la realización y la duración de las actividades llevadas a cabo.

2. De las Catedráticas y Catedráticos de Escuela Universitaria doctores o doctoras

Los Catedráticos o Catedráticas de Escuela Universitaria doctores o doctoras podrán formar parte de las subcomisiones de evaluación.

Igualmente, podrán solicitar la acreditación para el cuerpo de Catedráticas o Catedráticos de Universidad, en las mismas condiciones que los Profesores o Profesoras Titulares de Universidad.

3. De la acreditación de las Profesoras y los Profesores estables o permanentes de los centros de titularidad pública de enseñanza superior (INEF)

El procedimiento de acreditación para profesores o profesoras estables o permanentes de los centros de titularidad pública de enseñanza superior (INEF), creados con anterioridad a la incorporación a la Universidad de los estudios conducentes al título oficial en Ciencias de la Actividad Física y del Deporte que posean el título de Doctor o Doctora, valorará la investigación, la gestión y, particularmente, la docencia.

La valoración de las solicitudes y, en su caso, la correspondiente revisión, se llevará a cabo por las comisiones previstas.

2.2.2. Concursos para el acceso a plazas de los cuerpos docentes universitarios

A) La regulación en la LOSU

Se encuentran regulados en la LOSU y, en desarrollo de esta, en el Real Decreto 678/2023, de 18 de julio, por el que se regula la acreditación estatal para el acceso a los cuerpos docentes universitarios y el régimen de los concursos de acceso a plazas de dichos cuerpos.

De conformidad con lo dispuesto en el artículo 71 de la LOSU, las universidades, de acuerdo con lo que establezca su normativa interna, convocarán concursos para el acceso a plazas de los cuerpos docentes universitarios que estén dotadas en el estado de gastos de su presupuesto, según se desarrolle reglamentariamente.

En todo caso, dichos concursos contemplarán las siguientes condiciones:

a) La experiencia docente y la experiencia investigadora, incluyendo la de transferencia e intercambio del conocimiento, tendrán una consideración análoga en el conjunto de los criterios de valoración de los méritos a considerar por las universidades. Las universidades podrán establecer en la convocatoria otros méritos a valorar.

b) Las comisiones de selección estarán integradas por una mayoría de miembros externos a la universidad convocante elegidos por sorteo público entre el conjunto del profesorado y personal investigador de igual o superior categoría a la plaza convocada. Dicho sorteo se realizará a partir de una lista cualificada de profesorado y personal investigador elaborada por la universidad, en los términos en los que se desarrolle en la normativa interna.

c) Se aplicará una reserva en el cómputo anual, de un mínimo del 15 por ciento del total de plazas que oferten las universidades para los cuerpos docentes de Universidad y el personal permanente laboral, para la incorporación de personal investigador doctor que haya superado la evaluación del Programa de Incentivación de la Incorporación e Intensificación de la Actividad Investigadora (I3), o que haya obtenido el certificado como investigador/a establecido/a (R3). Las plazas objeto de reserva que queden vacantes se podrán acumular a la convocatoria ordinaria de turno libre de ese mismo año.

Las universidades establecerán programas de promoción interna, que estén dotados en el estado de gastos de su presupuesto, para el acceso desde la categoría de Profesora y Profesor Titular de Universidad y de Profesora y Profesor Permanente Laboral a otra de superior categoría. Las plazas de estos programas no podrán superar el número máximo de plazas que sean objeto de la Oferta de Empleo Público de turno libre, en ese mismo año, para el acceso a los Cuerpos docentes de funcionarios y de Profesorado Permanente Laboral.

Sólo podrán acceder a dichas plazas profesoras y profesores que hayan prestado, como mínimo, dos años de servicios efectivos en el puesto de origen y que estén acreditados para la categoría a la que promocionan.

La universidad regulará, en su normativa interna, el procedimiento a seguir en los programas de promoción interna. En todo caso, el procedimiento de acceso será el de concurso de méritos.

B) Regulación de los concursos de acceso en el Real Decreto 678/2023, de 18 de julio, por el que se regula la acreditación estatal para el acceso a los cuerpos docentes universitarios y el régimen de los concursos de acceso a plazas de dichos cuerpos

1. Régimen jurídico

Los concursos de acceso a los que se refiere el artículo 71 de la Ley Orgánica 2/2023, de 22 de marzo, se regirán por las bases de sus respectivas convocatorias, de acuerdo con

lo establecido en dicha Ley Orgánica, así como en el Real Decreto 678/2023, en la normativa interna de la universidad convocante y en las demás normas de carácter general que resulten de aplicación.

2. Convocatoria de los concursos de acceso

Las universidades, de acuerdo con lo que establezca su normativa interna, convocarán concursos de acceso a plazas que estén dotadas en el estado de gastos de su presupuesto. La convocatoria deberá ser publicada en el «Boletín Oficial del Estado» y en el diario oficial de la correspondiente comunidad autónoma y comunicada al registro público de concursos de personal docente e investigador del Ministerio de Universidades. Los plazos para la presentación a los concursos contarán desde el día siguiente al de su publicación en el «Boletín Oficial del Estado».

Las plazas convocadas a concurso para el acceso a los cuerpos docentes universitarios deberán indicar una o más especialidades de conocimiento a las que se adscriben y no podrán perfilarse más allá de esta adscripción. En caso de especificar más de una especialidad se podrá considerar como mérito la actividad docente o investigadora y, en su caso, de transferencia e intercambio del conocimiento en más de una especialidad. La Secretaría General de Universidades, mediante las oportunas resoluciones, que se publicarán en el «Boletín Oficial del Estado», podrá actualizar estas especialidades, previo informe del Consejo de Universidades y de la Conferencia General de Política Universitaria.

Las convocatorias de los concursos serán comunicadas, con al menos un mes de antelación respecto de la celebración del concurso, al registro de la plataforma Euraxess Jobs gestionada por la Fundación Española de Ciencia y Tecnología (FECYT).

3. Requisitos de las personas candidatas

Podrán presentarse a los concursos de acceso quienes hayan sido acreditados o acreditadas.

4. Comisiones de selección. Composición

Los concursos de acceso a plazas de los cuerpos docentes universitarios serán juzgados por comisiones de selección.

Las comisiones de selección estarán integradas por una mayoría de miembros externos a la universidad convocante elegidos por sorteo público entre el conjunto del profesorado y personal investigador de igual o superior categoría a la plaza convocada. Dicho sorteo se realizará a partir de una lista cualificada de profesorado y personal investigador elaborada por la universidad en los términos en los que se desarrolle en su normativa interna.

El profesorado de las universidades de los Estados miembros de la Unión Europea que haya alcanzado en aquéllas una posición comparable a las de Catedrático o Catedrática o Profesor o Profesora Titular de Universidad podrá formar parte de estas comisiones siempre que las universidades hayan incluido esta posibilidad en su normativa interna.

La composición de las comisiones de selección deberá ajustarse a los principios de imparcialidad y profesionalidad de sus miembros, procurando una composición equilibrada entre mujeres y hombres, salvo que no sea posible por razones fundadas y objetivas debidamente motivadas.

Los miembros seleccionados deberán declarar sus posibles conflictos de interés y renunciar a formar parte de la comisión. El conflicto de interés motivará la renuncia cuando concurra alguna de las siguientes circunstancias respecto de alguna de las personas candidatas:

a) Haber sido coautor o coautora de publicaciones o patentes en los últimos seis años.

b) Haber tenido relación contractual o ser miembro de los equipos de investigación que participan en proyectos o contratos de investigación junto con la persona candidata.

c) Ser o haber sido director/a de la tesis doctoral, defendida en los últimos seis años.

En todo caso los miembros seleccionados deberán abstenerse cuando concurra alguna de las causas de abstención reconocidas en el artículo 23 de la Ley 40/2015, de 1 de octubre.

En los concursos de acceso para ocupar plazas asistenciales de medicina, de instituciones sanitarias vinculadas a plazas docentes de los cuerpos de Catedráticas y Catedráticos o Profesoras y Profesores Titulares de Universidad, dos de los miembros de las comisiones, que deberán ser doctores o doctoras y estar en posesión del título de especialista que se exija como requisito para concursar a la plaza, serán elegidos por sorteo público por la institución sanitaria correspondiente, entre el censo público que anualmente comunicará al Consejo de Universidades. Estas comisiones deberán valorar la actividad asistencial de los candidatos y las candidatas.

5. Procedimiento de los concursos de acceso

La normativa interna de cada universidad regulará el procedimiento que ha de regir en los concursos de acceso, que deberá valorar, en todo caso, la experiencia docente y la experiencia investigadora, incluyendo la de transferencia e intercambio del conocimiento, que deberán tener una consideración análoga en el conjunto de los criterios de valoración de los méritos del candidato o candidata, su proyecto docente e investigador, así como contrastar sus capacidades para la exposición y debate ante la comisión de selección, en sesión pública, en la correspondiente materia o especialidad. Las universidades podrán establecer en la convocatoria otros méritos a valorar.

El proceso podrá concluir con la propuesta de la mencionada comisión de no proveer la plaza convocada. Contra esta decisión cabrá presentar la oportuna reclamación.

Las universidades podrán establecer medidas de acción positiva en los concursos de acceso a plazas de personal docente e investigador funcionario para favorecer el acceso equilibrado de las mujeres. A tal efecto, se podrán establecer reservas y preferencias en las condiciones de contratación y criterios de desempate de modo que, en igualdad de condiciones de idoneidad, tengan preferencia para ser contratadas las personas del sexo menos representado en el cuerpo docente o categoría de que se trate.

6. Garantías de las pruebas

En los concursos de acceso quedarán garantizados, en todo momento, la igualdad de oportunidades de las personas aspirantes, el respeto a los principios de mérito y capacidad y el principio de igualdad de trato y de oportunidades entre mujeres y hombres, y la no discriminación por cualquier razón social.

Las universidades garantizarán la igualdad de oportunidades de las personas con discapacidad y adoptarán, en el procedimiento que haya de regir en los concursos de acceso, las oportunas medidas de adaptación a sus necesidades.

Las universidades garantizarán que las ofertas de empleo en la universidad se ajustan a las previsiones establecidas en materia de reserva de cupo para personas con discapacidad en el artículo 59 del texto refundido de la Ley del Estatuto del Empleado Público.

En los concursos de acceso, las universidades harán públicos la composición de las comisiones y los currículos de sus miembros, así como los criterios para la adjudicación de las plazas. Asimismo, una vez celebrados los concursos, harán públicos los resultados de la evaluación de cada candidato o candidata, con una explicación motivada y desglosada por cada uno de los aspectos evaluados.

7. Propuesta de provisión de plazas y nombramientos

Las comisiones de selección que juzguen los concursos de acceso propondrán al Rector o Rectora, motivadamente y con carácter vinculante, una relación de todas las personas candidatas por orden de puntuación obtenida para su nombramiento y sin que se pueda exceder en la propuesta el número de plazas convocadas a concurso.

El Rector o Rectora procederá a los nombramientos conforme a la propuesta realizada, ordenará su inscripción en el correspondiente registro de personal y su publicación en el «Boletín Oficial del Estado» y en el diario oficial de la comunidad autónoma, así como su comunicación al Consejo de Universidades.

En el plazo máximo de 20 días, a contar desde el día siguiente de la publicación del nombramiento en el «Boletín Oficial del Estado», el candidato o candidata propuesta deberá tomar posesión de su plaza, momento en que adquirirá la condición de funcionario o funcionaria del cuerpo docente universitario de que se trate, con los derechos y deberes que le son propios.

La plaza obtenida tras el concurso de acceso deberá desempeñarse durante dos años, al menos, antes de poder participar en un nuevo concurso para obtener una plaza en otra universidad.

8. Comisiones de reclamaciones

Contra las propuestas de las comisiones de selección de los concursos de acceso, los y las concursantes podrán presentar reclamación ante el Rector o Rectora, en el plazo de 10 días. Admitida a trámite la reclamación, se suspenderán los nombramientos hasta su resolución. La reclamación será valorada por una comisión compuesta por miembros elegidos de entre los colectivos de Catedráticos o Catedráticas de Universidad pertenecientes a diversos ámbitos del conocimiento, designados en la forma que establezcan los Estatutos, con amplia experiencia docente e investigadora.

La comisión de reclamaciones oirá a los miembros de la comisión contra cuya propuesta se hubiera presentado la reclamación y a los candidatos y las candidatas que hubieran participado en las mismas, y examinará el expediente relativo al concurso para velar por el cumplimiento de las garantías establecidas.

Dicha comisión ratificará o no la propuesta reclamada en el plazo máximo de tres meses, tras lo que el Rector o Rectora dictará la resolución de acuerdo con la propuesta de la comisión. Transcurrido dicho plazo sin notificar la resolución se entenderá desestimada la reclamación presentada.

Las resoluciones del Rector o Rectora ponen fin a la vía administrativa y frente a ellas podrá interponerse recurso potestativo de reposición o bien ser recurridas directamente ante la Jurisdicción Contencioso-administrativa, de acuerdo con lo establecido en la Ley 29/1998, de 13 de julio, reguladora de dicha jurisdicción.

9. Reingreso de excedentes al servicio activo

El reingreso al servicio activo del funcionariado de cuerpos docentes universitarios en situación de excedencia voluntaria se efectuará mediante la obtención de una plaza en los concursos de acceso a los cuerpos docentes universitarios que cualquier universidad convoque, de acuerdo con lo establecido en el texto refundido de la Ley del Estatuto Básico del Empleado Público.

El reingreso podrá efectuarse, asimismo, en la universidad a la que perteneciera el centro universitario de procedencia con anterioridad a la excedencia, solicitando del Rector o Rectora la adscripción provisional a una plaza en aquélla, con la obligación de participar en cuantos concursos de acceso se convoquen por dicha universidad para cubrir plazas en su cuerpo y especialidad de conocimiento, perdiendo la adscripción provisional en caso de no hacerlo.

La adscripción provisional se hará en la forma y con los efectos que, respetando los principios reconocidos por la legislación general de funcionarios en el caso del reingreso al servicio activo, determinen los Estatutos. No obstante, el reingreso será automático y definitivo, a solicitud del interesado o interesada dirigida a la universidad de origen, siempre que hubieren transcurrido, al menos, dos años en situación de excedencia, y que no excedieren de cinco, y si existe plaza vacante del mismo cuerpo y especialidad de conocimiento.

10. Régimen transitorio de las áreas de conocimiento

Hasta la entrada en vigor del listado de especialidades de conocimiento a las que hace referencia el Real Decreto 678/2023, las referencias en este real decreto a las especialidades de conocimiento se entenderán realizadas a las áreas de conocimiento relacionadas en el anexo I del Real Decreto 1312/2007, de 5 de octubre.

Asimismo, hasta la entrada en vigor del listado de especialidades de conocimiento, las universidades podrán perfilar la descripción de la plaza en los concursos de acceso a los cuerpos docentes universitarios, así como en los concursos para el acceso a las plazas de profesorado laboral a los que hace referencia el artículo 86 de la Ley Orgánica 2/2023, de 22 de marzo, de acuerdo con la normativa vigente en la fecha de entrada en vigor del Real Decreto 678/2023.

2.2.3. Comisiones de reclamaciones

A tenor de lo dispuesto en el artículo 73 de la LOSU podrá presentarse una reclamación ante el Consejo de Universidades contra las resoluciones de las comisiones de acreditación. Una comisión, cuya composición se determinará reglamentariamente, valorará la reclamación.

Contra las propuestas de las comisiones de los concursos de selección podrá presentarse una reclamación ante el Rector o Rectora. Una comisión, cuya composición se determinará estatutariamente, valorará la reclamación, siendo vinculante su informe. El Gobierno establecerá los requisitos que deban reunir sus miembros. Admitida a trámite la reclamación, se suspenderán los nombramientos hasta su resolución.

Las resoluciones del Consejo de Universidades y del Rector o Rectora a que se refieren los apartados anteriores ponen fin a la vía administrativa y serán impugnables directamente ante la Jurisdicción Contencioso-administrativa, de acuerdo con lo establecido en la Ley 29/1998, de 13 de julio, reguladora de la Jurisdicción Contencioso-administrativa.

2.3. Otras normas relativas a la carrera administrativa de los cuerpos docentes universitarios

2.3.1. La movilidad del profesorado

A) Movilidad temporal

El artículo 66 de la LOSU establece que la movilidad constituye un derecho, sin perjuicio de lo establecido en el artículo 69.

Será de aplicación al personal docente e investigador de las universidades públicas la regulación de movilidad del personal de investigación prevista en el artículo 17 y concordantes de la Ley 14/2011, de 1 de junio. En lo no previsto por dicha norma legal se aplicará la reglamentación propia de cada universidad, los convenios que se establezcan entre universidades o instituciones de educación superior (nacionales e internacionales), y entre éstas y otros organismos públicos o privados de investigación, institutos de investigación o entidades o empresas basadas en el conocimiento, y los acuerdos que se establezcan entre las Comunidades Autónomas.

La vinculación del personal docente e investigador a otra universidad pública, centro adscrito de titularidad pública, organismo público de investigación, instituto de investigación, centros de I+D+i dependientes de las Administraciones Públicas o entidades o empresas basadas en el conocimiento podrá ser a tiempo completo o a tiempo parcial y, en ambos casos, el personal docente e investigador mantendrá, a todos los efectos, su adscripción a la universidad a la que pertenece.

Asimismo, los períodos de adscripción a otra universidad pública, organismos públicos de investigación o centros de I+D+i dependientes de las Administraciones Públicas computarán a efectos de antigüedad y no impedirán el progreso en la carrera profesional.

Las universidades y las Administraciones Públicas dotarán de la adecuada financiación presupuestaria a los planes de movilidad para el refuerzo de los conocimientos científicos, tecnológicos, humanísticos, artísticos, culturales, lingüísticos, la creatividad y el desarrollo profesional del personal docente e investigador. Sus correspondientes programas de gasto tendrán en cuenta la singularidad de las universidades de los territorios insulares y la distancia al territorio peninsular.

B) Concursos de movilidad del profesorado

El artículo 72 de la LOSU señala que las universidades podrán convocar concursos de movilidad para la provisión de plazas docentes vacantes dotadas en el estado de gastos de sus presupuestos.

Estas convocatorias se publicarán en el «Boletín Oficial del Estado» y en el diario oficial de la Comunidad Autónoma correspondiente, y deberán contener, como mínimo, criterios de valoración de carácter curricular para la adjudicación de las plazas vacantes.

Podrán participar en los concursos de provisión de vacantes quienes hayan desempeñado durante al menos dos años el puesto de origen y sean funcionarios/as Profesores/as Titulares de Universidad para los puestos de Profesor/a Titular de Universidad y funcionarios/as Catedráticos/as para los puestos de Catedrático/a, así como el personal investigador de los Organismos Públicos de Investigación (OPIS) de las categorías que se determinen en las convocatorias, siempre que cuenten con la acreditación correspondiente.

La plaza obtenida tras el concurso de provisión de puestos deberá desempeñarse durante al menos dos años, antes de poder participar en un nuevo concurso para obtener una plaza distinta en esa u otra universidad.

Las plazas vacantes cubiertas en estos concursos, en tanto no suponen ingreso de nuevo personal, no computarán a los efectos de la Oferta de Empleo Público.

2.3.2. Situaciones administrativas

De conformidad con lo dispuesto en el artículo 5 del Real Decreto 898/1985, sobre Régimen del Profesorado Universitario, los funcionarios de los Cuerpos docentes universitarios estarán en servicio activo cuando, en virtud de nombramiento, ocupen una plaza de las plantillas de la Universidad.

Las restantes situaciones administrativas previstas en la legislación general de funcionarios serán también de igual aplicación a los docentes universitarios.

2.3.3. Comisiones de servicio

De conformidad con el artículo 6 del Real Decreto 898/1985, a petición de una Universidad u Organismo público, los Rectores podrán conceder comisiones de servicio al profesorado por un curso académico, renovable, conforme a lo dispuesto en las normas estatutarias de la respectiva Universidad. La retribución de los Profesores en situación de comisión de servicios correrá siempre a cargo de la Universidad u Organismo público receptor.

El artículo 5.5 de la misma norma las Universidades que tengan establecidos convenios de colaboración con otras instituciones docentes o investigadoras, podrán autorizar a su personal a desarrollar su actividad en estas instituciones por periodos definidos de tiempo, previa aprobación por los órganos de Gobierno correspondientes y en los términos que establezca el convenio. Igualmente, las Universidades podrán acoger a los investigadores/profesores de las otras instituciones en los mismos términos y condiciones.

2.3.4. Reingreso de excedentes al servicio activo y desde servicios especiales

A) Reingreso de excedentes al servicio activo

El reingreso al servicio activo del funcionariado de cuerpos docentes universitarios en situación de excedencia voluntaria se hará conforme a lo establecido en el texto refundido de la Ley del Estatuto Básico del Empleado Público (artículo 74 de la LOSU).

B) Reingreso desde la situación de servicios especiales

A tenor del artículo 5.3 del Real Decreto 898/1985, el reingreso al servicio activo en su Universidad y plaza del profesorado en situación de servicios especiales, tendrá que producirse en el plazo máximo de un mes a contar desde la fecha en que cese la circunstancia que justificó dicha situación y, de no producirse la reincorporación, pasará a la situación de excedencia voluntaria.

3. Derechos económicos y profesionales

3.1. Las retribuciones del personal docente e investigador funcionario

El artículo 76 de la LOSU señala que el Gobierno determinará el régimen retributivo del personal docente e investigador universitario perteneciente a los cuerpos de funcionarios. Dicho régimen será el establecido por la legislación general de funcionarios, adecuado específicamente a las características de dicho personal[18].

A estos efectos, la norma que determine su régimen retributivo establecerá los intervalos de niveles o categorías dentro de cada nivel correspondientes a cada cuerpo docente, los requisitos de promoción de uno a otro, así como sus consecuencias retributivas.

Reglamentariamente se podrán establecer retribuciones adicionales a las anteriores ligadas a méritos individuales por el ejercicio de cada una de las siguientes funciones: actividad docente, actividad investigadora y actividad de transferencia e intercambio del conocimiento e innovación. A tales efectos, el personal docente e investigador podrá someter a evaluación la actividad realizada en España o en el extranjero, en universidades o en centros u organismos públicos de investigación.

Dichos complementos retributivos derivados del desarrollo de dichas funciones se asignarán previa valoración por la ANECA (Agencia Nacional de Evaluación de la Calidad y Acreditación).

La ANECA podrá acordar con las agencias de calidad autonómicas, mediante convenio, el desarrollo de la evaluación de dichos méritos individuales.

Asimismo, el conjunto de las agencias de calidad acordará criterios mínimos comunes, en aplicación de los cuales la ANECA reconocerá las valoraciones realizadas por las agencias de calidad autonómicas para determinar los complementos retributivos del profesorado laboral que acceda a los cuerpos docentes universitarios.

Las Comunidades Autónomas podrán establecer retribuciones adicionales ligadas a méritos individuales por el ejercicio de las mismas funciones (actividad docente, actividad investigadora y actividad de transferencia e intercambio del conocimiento e innovación). Los complementos retributivos a que se refiere este apartado se asignarán por el Consejo Social, a propuesta del Consejo de Gobierno, dentro de los límites que para este fin fijen las Comunidades Autónomas y mediante un procedimiento transparente.

Las universidades podrán establecer retribuciones adicionales ligadas a méritos individuales, mediante procedimientos negociados con la parte social y transparentes.

---

18 Sigue vigente el Real Decreto 1086/1989, de 28 de agosto, sobre retribuciones del profesorado universitario, modificado por el Real Decreto 1949/1995, de 1 de diciembre, por el Real Decreto 74/2000, de 21 de enero y por el Real Decreto 1325/2002, de 13 de diciembre, que estructura las citadas retribuciones en el marco general retributivo de los funcionarios, adecuándolas a las peculiaridades del personal docente universitario, estableciendo al mismo tiempo, un mecanismo incentivador de la labor docente e investigadora individualizada.

Hasta que no se dicten las normas a las que se hacen referencia en los apartados anteriores, sigue vigente el Real Decreto 1086/1989, de 28 de agosto, sobre retribuciones del profesorado universitario. Las retribuciones de los funcionarios de carrera de los cuerpos docentes universitarios son:

1. Retribuciones básicas: Sueldo base y trienios.
2. Pagas extraordinarias. Son dos por año. Cada una por el importe de una mensualidad de retribuciones básicas y de la totalidad de las retribuciones complementarias (salvo aquéllas vinculadas al grado de interés, iniciativa o esfuerzo con que el funcionario desempeña su trabajo y el rendimiento o resultados obtenidos y la relativa a los servicios extraordinarios prestados fuera de la jornada normal de trabajo).
3. Las retribuciones complementarias son las que retribuyen las características de los puestos de trabajo, la carrera profesional o el desempeño, rendimiento o resultados alcanzados por el funcionario.

3.1.1. Retribuciones básicas

1. El sueldo base, será el que se fije para el grupo A que es el que corresponde a los cuerpos de funcionarios docentes universitarios.
2. Trienios, se define en función de los años trabajados y del cuerpo.

Dentro de las retribuciones básicas están comprendidos los componentes de sueldo y trienios de las pagas extraordinarias.

3.1.2. Retribuciones complementarias

A) Complemento de destino

Las leyes de presupuestos de cada año nos indicarán la cuantía, referida a doce mensualidades, que corresponda a los cuerpos docentes de acuerdo con el nivel que se les ha asignado.

Grupo de Clasificación	Nivel de Complemento de Destino
Catedrático de universidad	29
Profesor titular de universidad	27
Catedrático de escuela universitaria	27
Profesor titular de escuela universitaria	26

B) Complemento específico docente

Resultará de la suma total de los importes de los siguientes componentes:

a) Componente general, que se fija en cuantías anuales.

b) Componente singular: Se percibe por el desempeño de los cargos académicos que a continuación se detallan: Rector; Vicerrector; Secretario General; Decano y

Director de Facultad y Escuela; Vicedecano, Subdirector y Secretario de Facultad y Escuela; Director de Departamento; Secretario de Departamento; Director de Instituto Universitario y Coordinador del Curso de Orientación Universitaria.

c) Componente por méritos docentes (quinquenios). El profesorado universitario podrá someter la actividad docente realizada cada cinco años en régimen de dedicación a tiempo completo o período equivalente si ha prestado servicio en régimen de dedicación a tiempo parcial, a una evaluación ante la Universidad en la que preste sus servicios, la cual valorará los méritos que concurran en el mismo por el desarrollo de la actividad docente encomendada a su puesto de trabajo, de acuerdo con los criterios generales de evaluación que se establezcan por acuerdo del Consejo de Universidades.

C) Complemento de productividad (Sexenios)

El profesorado universitario podrá someter la actividad investigadora realizada cada seis años a una evaluación, en la que se juzgará el rendimiento de la labor investigadora desarrollada durante dicho período.

3.1.3. Retribuciones adicionales de las Comunidades Autónomas y las Universidades

Las Comunidades Autónomas podrán establecer retribuciones adicionales ligadas a méritos individuales por el ejercicio de las mismas funciones (actividad docente, actividad investigadora y actividad de transferencia e intercambio del conocimiento e innovación). Los complementos retributivos a que se refiere este apartado se asignarán por el Consejo Social, a propuesta del Consejo de Gobierno, dentro de los límites que para este fin fijen las Comunidades Autónomas y mediante un procedimiento transparente.

Las universidades podrán establecer retribuciones adicionales ligadas a méritos individuales, mediante procedimientos negociados con la parte social y transparentes.

3.1.4. Retribuciones de los funcionarios de empleo interinos en régimen de dedicación a tiempo completo

Las retribuciones del personal que presta servicios en las Universidades en régimen de dedicación a tiempo completo como funcionario de empleo interino se fijan en el 85 por 100 de todas y cada una de las retribuciones siguientes:

a) Sueldo base y pagas extraordinarias.

b) Complemento de destino.

c) Componente general del complemento específico.

Asimismo, percibirán el 100 por 100 del componente singular del complemento específico, en el caso de que desempeñen los cargos académicos correspondientes.

Este personal no percibirá el componente del complemento específico por méritos docentes ni el complemento de productividad, sin perjuicio del cómputo de los servicios que presten como funcionarios de empleo interinos.

3.1.5. Retribuciones del personal funcionario en régimen de dedicación a tiempo parcial

La cuantía de la retribución total anual de los funcionarios que presten servicio en régimen de dedicación a tiempo parcial será la que resulte de multiplicar 0.0361 por el número total de horas semanales lectivas y de tutoría y asistencia al alumnado que comprenda la obligación docente inherente al régimen de dedicación a tiempo completo por los conceptos de retribuciones básicas, incluido trienios, complemento de destino y componente general del complemento específico.

Este personal no percibirá el componente del complemento específico por méritos docentes ni el complemento de productividad.

La retribución total anual que corresponda se distribuirá entre retribuciones básicas, cuyo importe será el resultado de multiplicar las que correspondan en régimen de dedicación a tiempo completo por 0.0361 y por el mencionado número total de horas semanales, y el resto se abonará en concepto de complemento de destino, sin que ello implique variación del nivel de complemento de destino fijado.

3.2. Retribuciones del personal docente e investigador contratado

3.2.1. Retribuciones

El artículo 87 de la LOSU establece que el régimen retributivo del personal docente e investigador laboral en las universidades públicas se determinará conforme a la normativa a la que se hace referencia en el artículo 77.2 de la LOSU[19] y, en todo caso, en el marco de la legislación autonómica que le sea de aplicación y mediante negociación colectiva.

Las Comunidades Autónomas podrán establecer retribuciones adicionales ligadas a méritos individuales por el ejercicio de cada una de las siguientes funciones: actividad docente, actividad investigadora, actividad de transferencia e intercambio del conocimiento e innovación y actividad de gestión.

---

19 El que se establece en la LOSU y en sus normas de desarrollo y, supletoriamente, en el texto refundido de la Ley del Estatuto de los Trabajadores, aprobado por el Real Decreto Legislativo 2/2015, de 23 de octubre, y en sus normas de desarrollo, así como el derivado de los convenios colectivos aplicables y, en su caso, en el texto refundido de la Ley del Estatuto Básico del Empleado Público.

Los complementos retributivos a que se refiere este apartado se asignarán singular y personalmente, por el Consejo Social, a propuesta del Consejo de Gobierno, mediante un procedimiento transparente.

Sin perjuicio de lo anterior, el Gobierno podrá establecer programas de incentivos para el personal docente e investigador laboral para el ejercicio de las mismas funciones a que se hace referencia en el párrafo segundo.

Los incentivos a que se hace referencia en este apartado se asignarán, singular y personalmente, mediante un procedimiento transparente.

Las universidades podrán establecer retribuciones adicionales ligadas a méritos individuales, mediante procedimientos negociados con la parte social y transparentes.

3.2.2. Régimen de Seguridad Social de Profesores y Profesoras Asociados/as, Eméritos/as, Visitantes y Distinguidos/as

La Disposición adicional décima segunda de la LOSU establece que en la aplicación del régimen de Seguridad Social a los Profesores y Profesoras Asociados/as, a los Profesores y Profesoras Visitantes y a los Profesores y Profesoras Distinguidos/as se procederá como sigue:

a) Quienes sean funcionarios públicos sujetos al régimen de clases pasivas del Estado continuarán con su respectivo régimen, sin que proceda su alta en el régimen general de la Seguridad Social, por su condición de profesor/a.

b) Quienes estén sujetos al Régimen general de la Seguridad Social o a algún Régimen especial distinto al señalado en el apartado a) serán alta en el Régimen general de la Seguridad Social.

c) Quienes no se hallen sujetos a ningún régimen de previsión obligatoria serán alta en el Régimen general de la Seguridad Social.

Los Profesores y Profesoras Eméritos/as no serán dados de alta en el Régimen general de la Seguridad Social.

3.3. Licencias a efectos de docencia e investigación

3.3.1. Normativa general

De conformidad con lo dispuesto en el artículo 8 del Real Decreto 898/1985, las Universidades podrán conceder licencias por estudios a sus Profesores para realizar actividades docentes o investigadoras vinculadas a una Universidad, Institución o Centro, nacional o extranjero, de acuerdo con los requisitos y con la duración establecidos en sus Estatutos, en el marco de las disponibilidades presupuestarias.

Los Profesores que al menos durante dieciocho meses hayan permanecido ausentes de la docencia o la investigación por causa de enfermedad, accidente, comisión de ser-

vicios para Entidad no académica o en situación de servicios especiales, tendrán derecho a disfrutar de **una licencia** para dedicarse a tareas de perfeccionamiento docentes e investigadoras por un tiempo no superior a tres meses, durante los cuales recibirán la totalidad de las retribuciones que percibirían estando en régimen de dedicación a tiempo completo.

Las Universidades fijarán las retribuciones a percibir por los Profesores que disfruten de una **licencia por estudio**, pudiendo llegar aquéllas, en atención al interés científico y académico del trabajo a realizar, hasta la totalidad de las que venia percibiendo el Profesor cuando la duración de la licencia por estudios sea inferior a tres meses. Cuando dichas licencias sean de una duración inferior a un año, las Universidades podrán reconocer al Profesor autorizado hasta el 80 por 100 de las retribuciones que venía percibiendo, en atención, asimismo, al interés científico y académico del trabajo a realizar.

Las licencias para períodos superiores a un año o las sucesivas que, sumadas a las ya obtenidas durante los cinco últimos años, superen dicho período, no darán lugar al reconocimiento de retribución alguna. Para este último cómputo no se tendrán en cuenta las licencias que no excedan de dos meses.

En la concesión de licencias por estudios se fijará con precisión el tiempo de duración del trabajo a realizar, retribuciones a percibir por cualquier concepto e institución y demás condiciones de disfrute.

3.3.2. Los permisos y licencias regulados en la Ley 14/2011, de 1 de junio, de la Ciencia, la Tecnología y la Innovación para el personal investigador que preste servicios en las Universidades

Los artículos 17 y 18 de la Ley 14/2011, de 1 de junio, de la Ciencia, la Tecnología y la Innovación regulan una serie de permisos específicos para el personal docente e investigador de las universidades que pasamos a examinar.

A) Movilidad del personal de investigación

Los agentes públicos del Sistema Español de Ciencia, Tecnología e Innovación promoverán la movilidad geográfica, intersectorial e interdisciplinaria, así como la movilidad entre los sectores público y privado en los términos previstos en este apartado, y reconocerán su valor como un medio para reforzar los conocimientos científicos, el desarrollo experimental, la transferencia de conocimiento, la innovación y el desarrollo profesional del personal de investigación. Este reconocimiento se llevará a cabo mediante la valoración de la movilidad en los procesos de selección y evaluación profesional en que participe dicho personal.

A tales efectos, se potenciarán la movilidad, el intercambio y el retorno del personal de investigación entre distintos agentes del Sistema Español de Ciencia, Tecnología e Innovación, públicos y privados, en el ámbito español, en el de la Unión Europea y en el de los acuerdos de cooperación recíproca internacional y de los acuerdos de colaboración público-privada, que se desarrollarán en el marco de la Estrategia Española de Ciencia, Tecnología e Innovación, de acuerdo con los términos previstos en la LCTI y en el resto de normativa aplicable.

Los agentes públicos del Sistema Español de Ciencia, Tecnología e Innovación **podrán autorizar la adscripción**, a tiempo completo o parcial, de personal de investigación que preste servicios en los mismos a otros agentes públicos y a otros agentes privados, tanto nacionales como internacionales, independientemente de su régimen de dedicación. Asimismo, podrán autorizar la adscripción a tiempo completo o parcial de personal de investigación procedente de otros agentes públicos. En ambos casos se mantendrá la vinculación laboral o estatutaria con el agente público de origen, y el objeto de la adscripción será la realización de labores de investigación científica y técnica, desarrollo experimental, transferencia o difusión de conocimiento, o dirección de centros de investigación, instalaciones científicas o programas y proyectos científicos, durante el tiempo necesario para la ejecución del proyecto de investigación, y previo informe favorable del organismo de origen y de acuerdo con lo que los estatutos, en su caso, establezcan respecto al procedimiento y efectos de la adscripción.

En el caso de la adscripción parcial, el personal de investigación perteneciente a un agente público del Sistema Español de Ciencia, Tecnología e Innovación, ostentará doble afiliación, la del centro al que esté vinculado de origen y la del centro al que esté adscrito parcialmente. Dicha doble afiliación deberá hacerse explícita en cualquier producción que se derive de la actividad desarrollada durante el periodo de adscripción parcial.

El personal de investigación funcionario de carrera o laboral fijo que preste servicios en agentes públicos del Sistema Español de Ciencia, Tecnología e Innovación con una antigüedad mínima de cinco años **podrá ser declarado en situación de excedencia temporal** para su incorporación a otros agentes públicos de ejecución del Sistema Español de Ciencia, Tecnología e Innovación, siempre que no proceda la situación administrativa de servicio activo.

La concesión de esta excedencia temporal se subordinará a las necesidades del servicio y al interés que la universidad pública, organismo o entidad para el que preste servicios tenga en la realización de los trabajos que se vayan a desarrollar en la entidad de destino, y se concederá, en régimen de contratación laboral, para la dirección de centros de investigación e instalaciones científicas, o programas y proyectos científicos, para el desarrollo de tareas de investigación científica y técnica, desarrollo experimental, transferencia o difusión del conocimiento e innovación relacionadas con la actividad que el personal de investigación viniera realizando en la universidad pública, organismo o entidad de origen. A tales efectos, la unidad de la universidad pública, organismo o entidad de origen en la que preste servicios deberá emitir un informe favorable en el que se contemplen los anteriores extremos.

La duración de la excedencia temporal no podrá ser superior a cinco años, sin que sea posible, agotado dicho plazo, la concesión de una nueva excedencia temporal por la misma causa hasta que hayan transcurrido al menos dos años desde el reingreso al servicio activo o la incorporación al puesto de trabajo desde la anterior excedencia.

Durante ese período, el personal de investigación en situación de excedencia para la incorporación a otros agentes públicos de ejecución del Sistema Español de Ciencia, Tecnología e Innovación no percibirá retribuciones por su puesto de procedencia, y tendrá derecho a la reserva del puesto de trabajo, a su cómputo a efectos de antigüedad, a la consolidación de grado personal en los casos que corresponda según la normativa aplicable, y a la evaluación de la actividad investigadora y de los méritos investigadores y técnicos, en su caso.

Si antes de finalizar el período por el que se hubiera concedido la excedencia para la incorporación a otros agentes públicos de ejecución del Sistema Español de Ciencia, Tecnología e Innovación, la persona excedente no solicitara el reingreso al servicio activo o, en su caso, la reincorporación a su puesto de trabajo, será declarado de oficio en situación de excedencia voluntaria por interés particular o situación análoga para el personal laboral que no conlleve la reserva del puesto de trabajo, permitiendo, al menos, la posibilidad de solicitar la incorporación de nuevo a la universidad pública, organismo o entidad de origen.

El vencimiento del plazo máximo para resolver la concesión de la excedencia o sus prórrogas sin haberse notificado resolución expresa tendrá carácter desestimatorio.

El personal de investigación funcionario de carrera o laboral fijo que preste servicios en agentes públicos del Sistema Español de Ciencia, Tecnología e Innovación con una antigüedad mínima de cinco años **podrá ser declarado en situación de excedencia por un plazo máximo de cinco años**, para incorporarse a agentes privados de ejecución del Sistema Español de Ciencia, Tecnología e Innovación, o a agentes internacionales o extranjeros, o realizar una actividad profesional por cuenta propia.

La concesión de esta excedencia se subordinará a las necesidades del servicio y al interés que la universidad pública, organismo o entidad para la que preste servicios tenga en la realización de los trabajos que se vayan a desarrollar en la entidad de destino o de forma autónoma, y se concederá, en régimen de contratación laboral si se trata de una actividad por cuenta ajena, o de una actividad profesional por cuenta propia, para la dirección de centros de investigación e instalaciones científicas, o programas y proyectos científicos, o para el desarrollo de tareas de investigación científica y técnica, desarrollo experimental, transferencia o difusión del conocimiento e innovación relacionadas con la actividad que el personal de investigación viniera realizando en la universidad pública, organismo o entidad de origen.

En el caso de incorporación a agentes privados por cuenta ajena, la universidad pública, organismo o entidad de origen deberá mantener una vinculación jurídica con el agente de destino a través de cualquier instrumento válido en derecho que permita dejar constancia de la vinculación existente, relacionada con los trabajos que el personal de investigación vaya a desarrollar, pudiendo consistir dicha vinculación en la existencia de cualquier transmisión de los derechos de la propiedad industrial e intelectual titularidad de la universidad pública, organismo o entidad de origen realizada en favor del agente privado, internacional o extranjero. A tales efectos, la unidad de la universidad pública, organismo o entidad de origen para el que preste servicios deberá emitir un informe favorable en el que se contemplen los anteriores extremos.

La duración de la excedencia temporal no podrá ser superior a cinco años, sin que sea posible, agotado dicho plazo, la concesión de una nueva excedencia temporal por la misma causa hasta que hayan transcurrido al menos dos años desde el reingreso al servicio activo o la incorporación al puesto de trabajo desde la anterior excedencia.

Durante ese periodo, el personal de investigación en situación de excedencia temporal no percibirá retribuciones por su puesto de origen, y tendrá derecho a la reserva del puesto de trabajo y a la evaluación de la actividad investigadora y de los méritos investigadores y técnicos, en su caso.

El personal de investigación en situación de excedencia deberá proteger el conocimiento de los equipos de investigación conforme a la normativa de propiedad intelectual e industrial, a las normas aplicables a la universidad pública, organismo o entidad de origen, y a los acuerdos y convenios que éstos hayan suscrito.

Se asegurará, a través de los mecanismos oportunos, la protección del conocimiento y la propiedad intelectual en el ámbito del sector público, resultando de aplicación a todo el personal adscrito a una entidad, pública o privada, distinta de la de origen.

La suscripción de cualquier acuerdo entre la universidad pública, organismo o entidad de origen y el agente privado de ejecución del Sistema Español de Ciencia, Tecnología e Innovación o el agente internacional o extranjero en el que preste servicios el personal de investigación en su caso, deberá realizarse con estricto cumplimiento de las normas y principios aplicables, y en su preparación deberán adoptarse las medidas necesarias para prevenir potenciales situaciones de conflicto de intereses.

Si antes de finalizar el periodo por el que se hubiera concedido la excedencia el empleado público no solicitara el reingreso al servicio activo o, en su caso, la reincorporación a su puesto de trabajo, será declarado de oficio en situación de excedencia voluntaria por interés particular o situación análoga para el personal laboral que no conlleve la reserva del puesto de trabajo permitiendo, al menos, la posibilidad de solicitar la incorporación de nuevo a la universidad pública, organismo o entidad de origen.

El vencimiento del plazo máximo para resolver la concesión de la excedencia o sus prórrogas sin haberse notificado resolución expresa tendrá carácter desestimatorio.

Excepcionalmente **podrá autorizarse al personal que forme parte del Sistema Español de Ciencia, Tecnología e Innovación, la compatibilidad** para el ejercicio de actividades de investigación, desarrollo experimental, transferencia de conocimiento e innovación de carácter no permanente, o de asesoramiento científico o técnico en supuestos concretos, que no correspondan a sus funciones, así como para el desarrollo de enseñanzas de especialización o actividades específicas de formación en entidades públicas y privadas dedicadas a la investigación o la docencia.

Dicha excepción se acreditará por la asignación del encargo en concurso público, o por requerir especiales calificaciones que sólo ostenten personas afectadas por el ámbito de aplicación de esta ley, y se adecuará a lo previsto en la Ley 53/1984, de 26 de diciembre, de Incompatibilidades del Personal al Servicio de las Administraciones Públicas.

El personal de investigación que preste servicios en universidades públicas, en Organismos Públicos de Investigación de la Administración General del Estado, en organismos de investigación de otras Administraciones Públicas o en centros del Sistema Nacional de Salud o vinculados o concertados con este, **podrá ser autorizado por estos para la realización de estancias formativas** en centros de reconocido prestigio, tanto en territorio nacional como en el extranjero.

La concesión de la autorización se subordinará a las necesidades del servicio y al interés que la universidad pública, organismo o entidad para el que el personal de investigación preste servicios tenga en la realización de los estudios que vaya a realizar el interesado. A tal efecto, la unidad de la universidad pública, organismo o entidad de origen en la que preste servicios deberá emitir un informe favorable que contemple los anteriores extremos.

La autorización de la estancia formativa se concederá para la ampliación de la formación en materias directamente relacionadas con la actividad de investigación científica y técnica, desarrollo tecnológico, transferencia o difusión del conocimiento que el personal de investigación viniera realizando en la universidad pública, organismo o entidad de origen, o en aquellas otras consideradas de interés estratégico para la universidad pública, organismo o entidad. El personal de investigación conservará su régimen retributivo.

La duración acumulada de las autorizaciones concedidas a cada persona cada cinco años no podrá ser superior a dos años.

Las condiciones de concesión de las excedencias previstas en el ámbito de los centros y estructuras de investigación de las Comunidades Autónomas serán establecidas por la Comunidad Autónoma correspondiente, en el ámbito de sus competencias. En su defecto, se aplicarán de forma supletoria las condiciones establecidas en los párrafos anteriores.

El personal de investigación destinado en universidades públicas se regirá, además de por lo dispuesto en este apartado, por la Ley Orgánica 2/2023, de 22 de marzo, del Sistema Universitario, y su normativa de desarrollo.

El personal de investigación destinado en la Administración General del Estado o en cualquiera de sus organismos y entidades vinculadas, incluido en el ámbito de aplicación del Real Decreto 598/1985, de 30 de abril, sobre incompatibilidades del personal al servicio de la Administración del Estado, de la Seguridad Social y de los Entes, Organismos y Empresas dependientes, podrá solicitar ante los órganos y unidades de personal con competencias en materia de personal de los departamentos, organismos y entidades en los que estén destinados la reducción del importe del complemento específico o concepto equiparable correspondiente al puesto que desempeñan al objeto de adecuarlo al porcentaje al que se refiere el artículo dieciséis.4 de la Ley 53/1984, de 26 de diciembre, de Incompatibilidades del Personal al Servicio de las Administraciones Públicas, incluido el personal que desempeñe puestos que tengan asignado complemento de destino de nivel 30 y 29.

B) Participación del personal de investigación de los agentes de ejecución del sector público en sociedades mercantiles

El artículo 18 de la LCTI establece que la prestación de servicios por parte del personal de investigación en sociedades mercantiles creadas o participadas por la entidad para que dicho personal preste servicios, será considerada como una actividad de interés general. Como tal, esta ley ampara, protege y promueve estas actividades. Las universidades públicas, el Ministerio de Hacienda y Función Pública en el caso de los Organismos Públicos de Investigación de la Administración General del Estado, o las autoridades competentes en el caso de los centros del Sistema Nacional de Salud o vinculados o concertados con este, incluidas las fundaciones de investigación biomédica, o de organismos de investigación de otras Administraciones Públicas, podrán autorizar al personal de investigación la prestación de servicios mediante un contrato laboral a tiempo parcial en sociedades mercantiles y otras entidades con personalidad jurídica creadas o participadas por la entidad para la que dicho personal preste servicios.

Esta autorización requerirá la justificación previa, debidamente motivada, de la participación del personal de investigación en una actuación relacionada con las prioridades científico-técnicas establecidas en la Estrategia Española de Ciencia, Tecnología e Innovación, en actividades de transferencia de conocimiento o en el desarrollo y la explotación de resultados de la actividad científico-técnica que se hubieran generado en actividades de investigación, desarrollo e innovación de la entidad para la que preste servicios.

Los reconocimientos de compatibilidad no podrán modificar la jornada ni el horario del puesto de trabajo inicial del interesado, y quedarán automáticamente sin efecto en caso de cambio de puesto en el sector público.

Las limitaciones establecidas en los artículos doce.1.b) y d) y dieciséis de la Ley 53/1984, de 26 de diciembre, de incompatibilidades del personal al servicio de las Administraciones Públicas, no serán de aplicación al personal de investigación que preste sus servicios en las sociedades y otras entidades con personalidad jurídica que creen o en las que participen las entidades a que hace referencia este apartado, siempre que dicha excepción haya sido autorizada por las universidades públicas, el Ministerio de Hacienda y Función Pública o las autoridades competentes de las Administraciones Públicas según corresponda.

En esta misma línea, y como medida de fomento de la colaboración público-privada, se tendrá en consideración que la entidad privada, por iniciativa propia, pueda colaborar con personal experto en I+D+I del sector público en trabajos y proyectos de agentes tanto privados como públicos dirigidos a la investigación, desarrollo experimental, transferencia de conocimiento o innovación.

C) Personas colaboradoras y expertas o especialistas científicas y tecnológicas y de innovación

El artículo 19 de la LCTI señala que los agentes públicos de financiación y sus órganos, organismos y entidades podrán adscribir temporalmente, a tiempo completo o parcial,

personal investigador o técnico funcionario de carrera, o en régimen laboral, expertos en desarrollo tecnológico o especialistas relacionados con el ámbito de la investigación, desarrollo experimental o innovación para que colaboren en tareas de elaboración, gestión, seguimiento y evaluación de programas de investigación científica y técnica y de innovación, previa autorización de los órganos competentes y de la entidad en la que el personal investigador preste sus servicios.

En el caso de colaboraciones eventuales para la realización de informes de evaluación científico-técnica y de innovación para la concesión o el seguimiento de subvenciones no será exigible, con carácter general, la autorización de la entidad en la que el personal investigador o técnico preste sus servicios.

3.4. Régimen Disciplinario

3.4.1. Disposiciones generales

A tenor del artículo 15 del Real Decreto 898/1985, las sanciones serán siempre impuestas por el Rector, a excepción de la de separación del servicio, que será acordada por el órgano competente según la legislación de funcionarios (Consejo de Ministros o Consejo de Gobierno de la Comunidad Autónoma respectiva. En este caso, las propuestas de sanción serán remitidas por el Consejo de Universidades al órgano competente para su ulterior tramitación).

Para la aplicación de las sanciones se seguirá el procedimiento establecido en la legislación general de funcionarios con las peculiaridades previstas en el Real Decreto 898/1985, de 30 de abril, del Régimen del Profesorado Universitario.

3.4.2. Servicio de Inspección

Se constituirá en cada Universidad un Servicio de Inspección para inspeccionar el funcionamiento de los servicios y colaborar en las tareas de instrucción de todos los expedientes disciplinarios y el seguimiento y control general de la disciplina académica.

Los integrantes del Servicio de Inspección serán nombrados por el Rector conforme establezcan las normas estatutarias de la Universidad, pudiendo formar parte de él uno o más representantes de la parte social del Consejo Social, sin que ello suponga la adquisición de una relación de empleo.

El Instructor y el Secretario de los expedientes disciplinarios serán nombrados por el Rector de entre los miembros del Servicio de Inspección que tengan la condición de funcionario público.

El Servicio de Inspección podrá recabar cuantos informes considere necesarios.

3.4.3. Sanciones por falta de rendimiento

Para la imposición al profesorado de una sanción por falta de rendimiento que comporte inhibición en el cumplimiento de sus tareas docentes o investigadoras, se observarán las siguientes normas:

a) Incoado el expediente, el Instructor, a través del Servicio de Inspección, solicitará a tres Profesores o especialistas, preferentemente universitarios, del área de conocimiento o especialización del expedientado, sendos informes acerca de las investigaciones realizadas por el mismo y sobre el contenido y valor docente de las enseñanzas impartidas.

b) El Profesor expedientado, en ejercicio de su defensa y antes de que el Instructor formule la propuesta de resolución, podrá aportar, entre otros, cuantos informes considere oportunos de técnicos o especialistas, relativos a sus actividades docentes o investigadoras correspondientes al período a que se refiere la falta que se le impute.

Las sanciones que se impongan en cada caso serán las previstas en la legislación de funcionarios.

3.4.4. Otras faltas y sanciones

Cuando las faltas por incumplimiento de las obligaciones relativas a la dedicación supongan una pérdida de horas lectivas y de tiempo de tutorías, la sanción que se imponga irá acompañada de la deducción proporcional de todas las retribuciones.

Las infracciones en materia de incompatibilidades serán consideradas como faltas muy graves.

3.4.5. Inspección

El Rector o el Consejo Social podrán solicitar de las Administraciones Públicas la realización de informes e inspecciones para controlar y evaluar el rendimiento de los servicios docentes.

Si se apreciaran infracciones, las Administraciones estatal y autonómicas propondrán a los órganos competentes de las Universidades la incoación de los correspondientes expedientes disciplinarios.

Las Autoridades académicas, sea cual fuere su rango o cargo, que toleren o encubran la realización de autos o conductas constitutivas de falta disciplinaria, incurrirán en responsabilidad y se procederá a las actuaciones previstas en el ordenamiento jurídico para su corrección.

3.5. Incompatibilidades del profesorado

A los Cuerpos docentes universitarios les es de aplicación la legislación general sobre incompatibilidades, es decir, la Ley 53/1984, de 26 de diciembre, de Incompatibilidades del personal al servicio de las Administraciones Públicas, desarrollada por el Real Decreto 898/1985, de 30 de abril, sobre incompatibilidades del personal al servicio de la Administración del Estado, de la Seguridad Social y de los Entes, Organismos y Empresas dependientes.

3.6. Jubilación

A tenor de la Disposición Adicional Decimoquinta de la Ley 30/1984[20], que los funcionarios docentes podrán optar por obtener su jubilación a la terminación del curso académico en el que cumplieran los sesenta y cinco años. No obstante lo anterior, los funcionarios de los Cuerpos docentes universitarios se jubilarán forzosamente cuando cumplan los setenta años. En atención a las peculiaridades de la función docente, dichos funcionarios podrán optar por jubilarse a la finalización del curso académico en el que hubieren cumplido los setenta años.

Los funcionarios de los Cuerpos docentes universitarios también podrán jubilarse una vez que hayan cumplido los sesenta y cinco años, siempre que así lo hubieren solicitado en la forma y plazos que se establezcan reglamentariamente. En estos supuestos, la efectividad de la jubilación estará referida, en cada caso, a la finalización del curso académico correspondiente. Lo indicado se entiende sin perjuicio de los demás supuestos de jubilación voluntaria legalmente previstos.

Además de a la jubilación voluntaria prevista para todos los funcionarios del Régimen de Clases Pasivas (60 años de edad y 30 años de servicios al Estado que tiene efectos

20 Derogada por el EBEP, debe entenderse aún en vigor esta Disposición hasta tanto no se promulgue la Ley de Función Pública de la Administración General del Estado (AGE). Según lo dispuesto en el último párrafo del apartado 3 del artículo 67 del EBEP, la disposición adicional decimoquinta de la Ley 30/1984, en su redacción dada por la Ley 27/1994, de 29 de septiembre, en tanto que contiene normas estatales específicas de jubilación de los funcionarios de los cuerpos docentes, incluidos los de niveles de enseñanza universitaria, continúa en vigor.

desde la fecha indicada por el interesado), los funcionarios de los Cuerpos Docentes Universitarios y los Magistrados, Jueces, Fiscales y Secretarios Judiciales, que tienen fijada la edad de jubilación forzosa en 70 años de edad, pueden acceder a la jubilación desde que cumplan los 65 años de edad y acrediten 15 años de servicios efectivos al Estado (con efectos de fecha 30 de agosto, fin curso académico). Deberán dirigir la oportuna solicitud al Rector de la Universidad tres meses antes de la fecha en que se cumplan los sesenta y cinco o siguientes años hasta los sesenta y nueve inclusive.

3.7. Formación

A tenor de lo dispuesto en el artículo 67 de la LOSU las universidades garantizarán la formación docente inicial y continuada de su profesorado. Asimismo, establecerán planes de formación inicial y de formación a lo largo de la vida que garanticen la mejora profesional de su personal docente e investigador, en los distintos ámbitos de especialización de la actividad universitaria, en el marco de la planificación estratégica y de las prioridades de las propias universidades en materia de formación.

4. Obligaciones docentes e investigadoras

4.1. Áreas de conocimiento. Docencia

El artículo 64.4 de la LOSU establece que todos los puestos de trabajo de profesorado funcionario y laboral deberán adscribirse a los ámbitos de conocimiento que serán establecidos reglamentariamente por el Gobierno, previo informe del Consejo de Universidades. Dichos ámbitos serán suficientemente amplios para permitir y favorecer la movilidad del profesorado y facilitar su carrera profesional.

A tenor del artículo 11 del Real Decreto 898/1985, los Catedráticos y Profesores titulares de Universidad y los Catedráticos y Profesores titulares de Escuelas Universitarias tendrán la obligación de impartir enseñanzas teóricas y prácticas en cualquier Centro de su Universidad y, en su caso, en Centros sanitarios concertados, en materias de su área de conocimiento que figuren en planes de estudio conducentes a la obtención de títulos académicos.

Los Profesores titulares de Escuelas Universitarias tienen la obligación de impartir enseñanzas teóricas y prácticas en cualquier Centro de su Universidad, en materia de su área de conocimiento que se impartan en los tres primeros cursos de la enseñanza universitaria.

Todo Profesor universitario tendrá prohibido matricularse como alumno en cualquiera de los Centros donde imparta docencia. Ello no obstante, los Profesores titulares de Escuelas Universitarias, previa autorización expresa del Rector, podrán matricularse en los cursos de licenciatura cuando posean únicamente el título de diplomado, o en los programas de doctorado aquellos que sean licenciados.

4.2. El Régimen de dedicación. Obligaciones docentes. Normas generales

4.2.1. Régimen de dedicación regulado en la LOSU[21]

A tenor de lo dispuesto en el artículo 75 de la LOSU el profesorado de las universidades ejercerá sus funciones preferentemente en régimen de dedicación a tiempo completo, aunque podrá ser a tiempo parcial a petición del interesado o interesada con los requisitos, condiciones y efectos que se establezcan reglamentariamente. La dedicación será, en todo caso, compatible con la realización de trabajos científicos, tecnológicos, humanísticos o artísticos en los términos del artículo 60 de la LOSU.

El profesorado funcionario en régimen de dedicación a tiempo completo tendrá asignada a la actividad docente un máximo de 240 y un mínimo de 120 horas lectivas por curso académico dentro de su jornada laboral anual. La universidad podrá modificar esta horquilla para:

a) Corregir las desigualdades entre mujeres y hombres derivadas de las responsabilidades de cuidado de personas dependientes.

b) Hacerla compatible con el ejercicio de cargos unipersonales de gobierno y con las tareas de responsabilidad en proyectos de interés para la universidad en la forma en que lo determinen los Estatutos.

c) Permitir las tareas del profesorado que represente los intereses de los empleados públicos.

Los planes de dedicación individual anuales reflejarán las actividades académicas encomendadas y respetarán el desarrollo profesional y la igualdad de oportunidades y de resultados del profesorado funcionario.

Las bases del régimen general de dedicación del personal docente e investigador funcionario se regularán en el Estatuto del personal docente e investigador universitario[22].

4.2.2. Las obligaciones docentes establecidas en el Real Decreto 898/1985, de 30 de abril

El artículo 9.3 del Real Decreto 898/1985, de 30 de abril, sobre régimen del profesorado universitario señala que la duración de la jornada laboral de los Profesores con dedica-

---

[21] Las universidades deberán adaptar el régimen de dedicación de su personal docente e investigador permanente a lo previsto por esta ley orgánica para su aplicación a partir del inicio del curso académico 2024-2025. Respecto del profesorado asociado será de aplicación lo dispuesto por la disposición transitoria séptima (Disposición transitoria décima segunda).

[22] En el plazo de seis meses desde la entrada en vigor de esta ley orgánica el Gobierno presentará al Congreso de los Diputados un proyecto de Ley del estatuto del personal docente e investigador universitario (Disposición final décima de la LOSU).

ción a tiempo completo será la que se fije con carácter general para los funcionarios de la Administración Pública del Estado, y se repartirá entre actividades docentes e investigadoras, así como de atención a las necesidades de gestión y administración de su Departamento, Centro o Universidad. Para los profesores con dedicación a tiempo parcial será la que se derive de sus obligaciones tanto lectivas como tutorías y asistencia al alumnado.

Las obligaciones docentes del profesorado serán, semanalmente, las que a continuación se expresan:

a) Para los Profesores con régimen de dedicación a tiempo completo, de ocho horas lectivas y seis horas de tutorías o asistencia al alumnado, que en el caso del personal sanitario podrán realizarse en hospitales concertados, salvo para los Profesores titulares de Escuela Universitaria que será de doce horas lectivas y seis de tutorías o asistencia al alumnado.

b) Para los Profesores con régimen de dedicación a tiempo parcial, entre un máximo de seis y un mínimo de tres horas lectivas y un número igual de horas de tutoría y asistencia al alumnado, todo ello en función de las necesidades docentes e investigadoras de la Universidad.

Conforme a lo establecido en los Estatutos las horas lectivas se distribuirán de acuerdo con las necesidades docentes de los Departamentos, con excepción, en todo caso, de las actividades derivadas de los contratos artículo 60 LOSU.

Los Profesores vendrán, asimismo, obligados a participar en la evaluación de las pruebas de acceso a la Universidad, de acuerdo con lo que en este sentido establezca cada una de ellas.

Los Departamentos, en atención a las necesidades de investigación y de acuerdo con las normas que establezca la Universidad, podrán eximir parcial o totalmente de las obligaciones docentes a algunos de sus Profesores por un tiempo máximo de un año. En estos supuestos, los Departamentos deberán arbitrar las sustituciones pertinentes sin que en ningún caso ello pueda justificar incremento de profesorado. Para hacer efectivas dichas sustituciones, los Departamentos, previo acuerdo de su Consejo, podrán incrementar las obligaciones docentes de algunos de sus Profesores con dedicación a tiempo completo, sin que en ningún caso dicho incremento pueda exceder de tres horas lectivas semanales.

El cómputo de tiempo de dedicación a la docencia podrá hacerse, cualesquiera que sean los compromisos contraídos por los Profesores, por períodos anuales, siempre que lo permitan las necesidades del servicio.

Sin perjuicio del necesario cumplimiento de las obligaciones mínimas de docencia y tutoría o asistencia al alumnado, las Universidades podrán señalar en sus Estatutos otras actividades a desarrollar por el profesorado durante su jornada, con el límite de que al menos un tercio de la misma quedará reservada a tareas de investigación.

Los Profesores solicitarán el régimen de dedicación a que quieran acogerse y la Universidad lo concederá, siempre que las necesidades del servicio y las disponibilidades presupuestarias lo permitan.

Salvo casos de fuerza mayor, no podrán autorizarse cambios en el régimen de dedicación hasta la finalización de cada curso académico y, asimismo, ningún Profesor podrá ser obligado a cambiar el régimen de dedicación a que se haya acogido.

Finalmente, el artículo 13 del Real Decreto 898/1985 señala que los Estatutos de las Universidades establecerán el régimen de las obligaciones docentes y de tutoría de los Profesores que ocupen cargos académicos.

Y finalmente y a tenor del artículo 10 del Real Decreto 898/1985, al comienzo de cada curso académico se dará la debida publicidad al calendario académico de cada centro, especificando el horario semanal de clases teóricas y prácticas, seminarios y tutorías o asistencia al alumnado que, a propuesta del Consejo de Gobierno de cada Universidad, se someterá a la aprobación del correspondiente Consejo Social.

En cualquier caso, todas las actividades correspondientes al régimen de dedicación del profesorado deberán constar en el tablón de anuncios de la Universidad y centro respectivo con arreglo al calendario académico.

5. Evaluación del profesorado universitario

5.1. Evaluación para el acceso y la carrera docente

El procedimiento para la obtención de la evaluación de la ANECA, y de su certificación, a los efectos de contratación del personal docente e investigador universitario ha sido regulado por el Real Decreto 1052/2002, de 11 de octubre.

Esta norma tiene por objeto la regulación del procedimiento para la obtención de la evaluación o informe que, corresponda emitir a la Agencia Nacional de Evaluación de la Calidad y Acreditación, a los efectos de poder ser contratado por una universidad pública, en alguna de las figuras de personal docente o investigador contratado para las que la mencionada Ley Orgánica exige la evaluación o el informe de dicha Agencia, o bien a los efectos de poder ser contratado como profesor por una universidad privada.

Los criterios de evaluación fueron aprobados por Resolución de 17 de octubre de 2002, por Resolución de 24 de junio de 2003 y por Resolución de 18 de febrero de 2005, del Director general de Universidades.

La certificación deberá indicar, además del carácter positivo o negativo de la evaluación, y favorable o desfavorable del informe, el contenido del mismo, así como la figura o figuras contractuales para las que se realiza.

La Resolución de certificación podrá ser recurrida en alzada ante el Secretario de Estado de Educación y Universidades en el plazo máximo de un mes desde la recepción de la notificación.

El interesado que haya obtenido una evaluación o informe negativo no podrá solicitar una nueva evaluación o informe en el plazo de seis meses a contar desde la notificación de la certificación.

Los efectos de la evaluación positiva o informe favorable de la Agencia Nacional de Evaluación de la Calidad y Acreditación, certificada por la Dirección General de Universidades o, en su caso, por el Secretario de Estado de Educación y Universidades no están sujetos a plazo de caducidad alguno.

La evaluación positiva o el informe favorable tendrá efectos en todas las universidades españolas.

5.2. La evaluación de la actividad docente. El componente por méritos docentes (quinquenios)

A tenor del artículo 2 del Real Decreto 1086/1989, de 28 de agosto, sobre retribuciones del profesorado universitario, el profesorado universitario podrá someter la actividad docente realizada cada cinco años, en régimen de dedicación a tiempo completo o período equivalente si ha prestado servicio en régimen de dedicación a tiempo parcial, a una evaluación ante la Universidad en la que preste sus servicios, la cual valorará los méritos que concurran en el mismo por el desarrollo de la actividad docente encomendada a su puesto de trabajo, de acuerdo con los criterios generales de evaluación que se establezcan por el Consejo de Universidades.

La evaluación sólo podrá ser objeto de dos calificaciones, favorable o desfavorable.

Superada favorablemente la evaluación, el Profesor adquirirá y consolidará cada una de ellas un componente por méritos docentes (quinquenios).

El Profesor que cambie de Cuerpo o pase a ocupar otra plaza del mismo Cuerpo conservará en el nuevo Cuerpo o plaza el componente por méritos docentes que tuviese adquirido en el anterior Cuerpo o plaza, al que se le acumulará el que pueda obtener en sucesivas evaluaciones.

La Secretaría de Estado de Educación y Universidades e Investigación, previo informe favorable del Ministerio de Economía y Hacienda, fijará la cuantía del componente por méritos docentes correspondientes a los servicios prestados en el desempeño de cargos académicos. El Consejo de Universidades apreciará situaciones administrativas que deban ser objeto de tratamiento análogo.

5.3. La Evaluación de la actividad investigadora. El Complemento de productividad por méritos investigadores (sexenios)

5.3.1. El complemento de productividad por méritos investigadores

A tenor del artículo 2 del Real Decreto 1086/1989, de 28 de agosto, sobre retribuciones del profesorado universitario, el profesorado universitario podrá someter la actividad investigadora realizada cada seis años a una evaluación, en la que se juzgará el rendimiento de la labor investigadora desarrollada durante dicho período.

Por cada período siguiente de seis años de evaluación positiva en la actividad investigadora efectuada por la Comisión Nacional se incrementará el complemento de productividad del interesado en igual importe al fijado según niveles de complemento de destino para los primeros seis años, hasta la consecución, en su caso, de la quinta evaluación positiva, momento en el cual todos los incrementos se considerarán consolidados.

El Profesor que cambie de Cuerpo o pase a ocupar otra plaza del mismo Cuerpo conservará en el nuevo Cuerpo o plaza el complemento de productividad que tuviese asignado en el anterior Cuerpo o plaza hasta que transcurran seis años desde la obtención de dicho complemento.

La evaluación positiva por la Comisión Nacional comportará al Profesor la asignación de un complemento de productividad por un período de seis años.

5.3.2. Procedimiento para la evaluación

A) Órgano evaluador

El procedimiento para la evaluación de la actividad investigadora aparece regulado en la Orden de 2 de diciembre de 1994.

Debemos tener en cuenta que la ANECA asumió las funciones de evaluación de la actividad investigadora previstas en el Real Decreto 1086/1989, de 28 de agosto, sobre retribuciones del profesorado universitario, en los términos que se establezcan reglamentariamente. Se concentran así en un único organismo todas las funciones de evaluación y acreditación del profesorado universitario, que hasta ahora venían desarrollando la fundación ANECA y la Comisión Nacional de Evaluadora de la Actividad Investigadora (CNEAI).

Los Estatutos de la ANECA fueron aprobados por Real Decreto 1112/2015, de 11 de diciembre. En ellos se establece que la CNEAI es el órgano de la ANECA responsable de la evaluación de la actividad investigadora a efectos del reconocimiento de los correspondientes complementos retributivos, de conformidad con la normativa aplicable.

Corresponde a la CNEAI:

a) Realizar la evaluación de la actividad investigadora de los profesores universitarios a que se refiere el artículo 2.4 del Real Decreto 1086/1989, de 28 de agosto, así como la evaluación de la actividad investigadora del personal investigador funcionario de carrera al servicio de los Organismos Públicos de Investigación de la Administración General del Estado, a que se refiere el artículo 25 de Ley 14/2011, de 1 de junio.

b) Aprobar los criterios de valoración y el análisis del proceso evaluador para su mejora.

c) Resolver sobre la concesión o denegación de los tramos de investigación sometidos a evaluación. A estos efectos podrá asumir el resultado de las evaluaciones contenidas en los informes de los Comités Asesores. En el caso de que dichos informes no sean asumidos por la CNEAI, deberá incorporarse a la resolución correspondiente los motivos que la han llevado a apartarse de los referidos informes.

d) Orientar los criterios de la evaluación científica.

e) Aprobar la memoria anual.

f) Determinar el número de campos científicos, su denominación y las áreas adscritas a los mismos.

g) Aprobar o rechazar la propuesta de nombramientos de los Presidentes y Vocales especialistas miembros de los Comités Asesores, así como, en su caso, de expertos.

La CNEAI estará presidida por el Director de la ANECA. El Vicepresidente será la persona titular de la Dirección General de Política Universitaria del Ministerio de Educación, Cultura y Deporte. La CNEAI estará formada por un representante designado por cada una de las Comunidades Autónomas con competencia en materia de universidades y/o investigación, y rango de al menos de Director General. Así mismo, formarán parte de la CNEAI doce académicos e investigadores, que serán designados por la persona titular de la Secretaría de Estado de Educación, Formación Profesional y Universidades. Actuará como secretario de la CNEAI el Director de la División de Evaluación del Profesorado de la ANECA, quien será también miembro de pleno derecho.

La CNEAI recabará el asesoramiento de los miembros de la comunidad científica a través de comités asesores, por campos científicos.

La propuesta de miembros de los Comités Asesores será realizada por el Director de la ANECA, oído el Consejo de Universidades, entre investigadores de prestigio que, en caso de ser españoles, tengan reconocidos, al menos, tres tramos de investigación.

La CNEAI podrá constituir hasta 15 comités asesores. Cada Comité Asesor se compondrá de 1 presidente y entre 2 y 9 vocales.

Los doce académicos e investigadores miembros de la CNEAI informarán los recursos de alzada en relación con las solicitudes de evaluación de la actividad investigadora. Asimismo, con carácter bienal, y tras recabar el asesoramiento de los comités de los diferentes campos científicos, presentarán a la CNEAI una propuesta de criterios específicos para la evaluación de la actividad investigadora. La CNEAI, a través de su Presidente, elevará la propuesta a la Secretaría de Estado competente en materia de Universidades, para su posterior publicación en el «Boletín Oficial del Estado».

Los actos de la CNEAI se formalizan mediante acuerdos, que se adoptarán por mayoría de los asistentes. En caso de empate dirimirá el voto del Presidente.

Los recursos de alzada deberán ser resueltos por el Director de la ANECA.

B) Procedimiento

A los efectos de la evaluación de la actividad investigadora se enumeran los 12 campos científicos que permitirán organizar aquélla.

Los 12 campos son los siguientes:

0. Transferencia del conocimiento e innovación
1. Matemáticas y Física
2. Química
3. Biología Celular y Molecular
4. Ciencias Biomédicas
5. Ciencias de la Naturaleza
6. Ingenierías y Arquitectura
7. Ciencias Sociales, Políticas, del Comportamiento y de la Educación
8. Ciencias Económicas y Empresariales
9. Derecho y jurisprudencia
10. Historia y Expresión Artística
11. Filosofía, Filología y Lingüística

Las aportaciones que el solicitante presente en cada período se clasificarán como ordinarias y extraordinarias.

1. Se considerarán como ordinarias las aportaciones de:
   a) Libros, capítulos de libros, prólogos, introducciones y anotaciones a textos de reconocido valor científico en su área de conocimiento.
   b) Artículos de valía científica en revistas de reconocido prestigio en su ámbito.
   c) Patentes, o modelos de utilidad, de importancia económica demostrable.
2. Se considerarán como extraordinarias las aportaciones de:
   a) Informes, estudios y dictámenes.
   b) Trabajos técnicos o artísticos.
   c) Participación relevante en exposiciones de prestigio, excavaciones arqueológicas o catalogaciones.
   d) Dirección de tesis doctorales de méritos excepcionales.
   e) Comunicaciones a congresos, como excepción.

La evaluación se realizará atendiendo, fundamentalmente, a las aportaciones clasificables como ordinarias. Las aportaciones extraordinarias tendrán carácter complementario, salvo en circunstancias especiales apreciadas por el órgano evaluador.

El juicio técnico se expresará en términos numéricos de 0 a 10, siendo preciso un mínimo de seis puntos para obtener una evaluación positiva en un tramo de 6 años.

Para la determinación de cada tramo evaluable se procederá como sigue:

a) Cada tramo debe abarcar 6 años de investigación.

b) Por años se entienden años naturales completos (del 1 de enero al 31 de diciembre), únicamente las fracciones anuales iguales o superiores a 8 meses se computarán como año natural.

c) Los años constitutivos de un tramo podrán, o no, ser consecutivos.

Corresponde a cada solicitante determinar, en la primera solicitud de evaluación que formule, el año a partir del cual solicita la evaluación de la actividad investigadora. Determinada dicha fecha por el interesado, la actividad realizada con anterioridad no podrá ser alegada ni tenida en cuenta, cualquiera que sea su dimensión temporal, a efectos de evaluaciones futuras.

En la solicitud de evaluación única los interesados podrán incluir hasta siete tramos o períodos completos de actividad investigadora, si bien únicamente podrán ser reconocidos, a los efectos económicos seis tramos. No obstante lo anterior, a quienes en virtud de la evaluación única o tras las evaluaciones futuras se les hubiese reconocido seis tramos, podrán renunciar expresamente a alguno de los tramos iniciales reconocidos y, ulteriormente, solicitar la evaluación de la actividad investigadora realizada con posterioridad al último período evaluado y reconocido; la evaluación negativa de la actividad correspondiente a dicha solicitud en ningún caso habilitará al interesado para pedir la recuperación del tramo o tramos a los que renunció.

Los períodos valorados negativamente no podrán ser objeto posteriormente de una nueva solicitud de evaluación. Sin embargo, los investigadores a quienes se haya evaluado negativamente el último período de investigación presentado podrán construir un nuevo período, de seis años, con alguno de los ya evaluados negativamente en la última solicitud formulada y, al menos, tres posteriores a aquellos.

5.4. Reglas comunes para la determinación de la cuantía del complemento específico por méritos docentes y del complemento de productividad

El período de actividad desarrollada en situación distinta a la de funcionario de carrera se asimilará a efectos económicos como prestada en el Cuerpo en el que hubiera ingresado como funcionario de carrera.

Cuando se cambie de Cuerpo o plaza antes de completar el tiempo preciso para una evaluación, la fracción de tiempo transcurrido se considerará como tiempo de servicios prestados en el nuevo Cuerpo o plaza.

Las evaluaciones por cada Universidad se realizarán una sola vez al año, a cuyo efecto los interesados formularán sus solicitudes antes del día 31 de diciembre del año en el que se cumpla el pertinente período a evaluar. En su caso, los correspondientes efectos económicos se iniciarán el 1 de enero del año siguiente aun cuando la evaluación se efectúe con posterioridad a dicha fecha.

Las evaluaciones por la Comisión Nacional se realizarán una sola vez al año. La fecha de presentación de solicitudes de evaluación se incluirá en la convocatoria anual que dicte la Secretaría de Estado de Educación, Formación Profesional y Universidades. Los efectos económicos que correspondan se iniciarán el 1 de enero del año siguiente a aquel en que se haya realizado la convocatoria, aun cuando la evaluación se efectúe con posterioridad a dicha fecha.

Los períodos valorados negativamente no podrán ser objeto posteriormente de una nueva solicitud de evaluación. Sin embargo, los investigadores a quienes se haya evaluado negativamente el último período de investigación presentado podrán construir un nuevo período, de seis años, con algunos de los ya evaluados negativamente en la última solicitud formulada y, el menos, tres posteriores a aquéllos. Este régimen no será aplicable en el supuesto de evaluación única previsto en la Disposición Transitoria Tercera (evaluación única que procede para el tiempo de servicios prestados hasta el 31 de diciembre de 1998).

En ningún caso la cuantía anual del componente del complemento específico por méritos docentes ni la del complemento de productividad podrá exceder del resultado de superar favorablemente **seis evaluaciones**.

6. Órganos de representación sindical

6.1. Órganos de representación sindical del PDI funcionario: Juntas de Personal y Delegados de Personal

6.1.1. Composición y organización

A tenor del artículo 39 del Real Decreto Legislativo 5/2015, de 30 de octubre, por el que se aprueba el texto refundido de la Ley del Estatuto Básico del Empleado Público (en adelante EBEP) los órganos específicos de representación de los funcionarios son los Delegados de Personal y las Juntas de Personal.

En las unidades electorales donde el número de funcionarios sea igual o superior a 6 e inferior a 50, su representación corresponderá a los Delegados de Personal. Hasta 30 funcionarios se elegirá un Delegado, y de 31 a 49 se elegirán tres, que ejercerán su representación conjunta y mancomunadamente.

Las Juntas de Personal se constituirán en unidades electorales que cuenten con un censo mínimo de 50 funcionarios.

El establecimiento de las unidades electorales se regulará por el Estado y por cada Comunidad Autónoma dentro del ámbito de sus competencias legislativas. Previo acuerdo con las Organizaciones Sindicales legitimadas en los artículos 6 y 7 de la Ley Orgánica 11/1985, de 2 de agosto, de Libertad Sindical, los órganos de gobierno de las Administraciones Públicas podrán modificar o establecer unidades electorales en razón del número y peculiaridades de sus colectivos, adecuando la configuración de las mismas a las estructuras administrativas o a los ámbitos de negociación constituidos o que se constituyan.

Cada Junta de Personal se compone de un número de representantes, en función del número de funcionarios de la Unidad electoral correspondiente, de acuerdo con la siguiente escala, en coherencia con lo establecido en el Estatuto de los Trabajadores:

- De 50 a 100 funcionarios: 5.
- De 101 a 250 funcionarios: 9.
- De 251 a 500 funcionarios: 13.
- De 501 a 750 funcionarios: 17.
- De 751 a 1.000 funcionarios: 21.
- De 1.001 en adelante, dos por cada 1.000 o fracción, con el máximo de 75.

Las Juntas de Personal elegirán de entre sus miembros un Presidente y un Secretario y elaborarán su propio reglamento de procedimiento, que no podrá contravenir lo dispuesto en el EBEP y legislación de desarrollo, remitiendo copia del mismo y de sus modificaciones al órgano u órganos competentes en materia de personal que cada Administración determine. El reglamento y sus modificaciones deberán ser aprobados por los votos favorables de, al menos, dos tercios de sus miembros.

6.1.2. Funciones y legitimación de los órganos de representación.

Tal y como señala el artículo 40 del EBEP las Juntas de Personal y los Delegados de Personal, en su caso, tendrán las siguientes funciones, en sus respectivos ámbitos:

a) Recibir información, sobre la política de personal, así como sobre los datos referentes a la evolución de las retribuciones, evolución probable del empleo en el ámbito correspondiente y programas de mejora del rendimiento.

b) Emitir informe, a solicitud de la Administración Pública correspondiente, sobre el traslado total o parcial de las instalaciones e implantación o revisión de sus sistemas de organización y métodos de trabajo.

c) Ser informados de todas las sanciones impuestas por faltas muy graves.

d) Tener conocimiento y ser oídos en el establecimiento de la jornada laboral y horario de trabajo, así como en el régimen de vacaciones y permisos.

e) Vigilar el cumplimiento de las normas vigentes en materia de condiciones de trabajo, prevención de riesgos laborales, Seguridad Social y empleo y ejercer, en su caso, las acciones legales oportunas ante los organismos competentes.

f) Colaborar con la Administración correspondiente para conseguir el establecimiento de cuantas medidas procuren el mantenimiento e incremento de la productividad.

Las Juntas de Personal, colegiadamente, por decisión mayoritaria de sus miembros y, en su caso, los Delegados de Personal, mancomunadamente, estarán legitimados para iniciar, como interesados, los correspondientes procedimientos administrativos y ejercitar las acciones en vía administrativa o judicial en todo lo relativo al ámbito de sus funciones.

6.1.3. Garantías de la función representativa del personal

El artículo 41 del EBEP establece que los miembros de las Juntas de Personal y los Delegados de Personal, en su caso, como representantes legales de los funcionarios, dispondrán en el ejercicio de su función representativa de las siguientes garantías y derechos:

a) El acceso y libre circulación por las dependencias de su unidad electoral, sin que se entorpezca el normal funcionamiento de las correspondientes unidades administrativas, dentro de los horarios habituales de trabajo y con excepción de las zonas que se reserven de conformidad con lo dispuesto en la legislación vigente.

b) La distribución libre de las publicaciones que se refieran a cuestiones profesionales y sindicales.

c) La audiencia en los expedientes disciplinarios a que pudieran ser sometidos sus miembros durante el tiempo de su mandato y durante el año inmediatamente posterior, sin perjuicio de la audiencia al interesado regulada en el procedimiento sancionador.

d) Un crédito de horas mensuales dentro de la jornada de trabajo y retribuidas como de trabajo efectivo, de acuerdo con la siguiente escala:

   - Hasta 100 funcionarios: 15.
   - De 101 a 250 funcionarios: 20.
   - De 251 a 500 funcionarios: 30.
   - De 501 a 750 funcionarios: 35.
   - De 751 en adelante: 40.

Los miembros de la Junta de Personal y Delegados de Personal de la misma candidatura que así lo manifiesten podrán proceder, previa comunicación al órgano que ostente la Jefatura de Personal ante la que aquélla ejerza su representación, a la acumulación de los créditos horarios.

e) No ser trasladados ni sancionados por causas relacionadas con el ejercicio de su mandato representativo, ni durante la vigencia del mismo, ni en el año siguiente a su extinción, exceptuando la extinción que tenga lugar por revocación o dimisión.

Los miembros de las Juntas de Personal y los Delegados de Personal no podrán ser discriminados en su formación ni en su promoción económica o profesional por razón del desempeño de su representación.

Cada uno de los miembros de la Junta de Personal y ésta como órgano colegiado, así como los Delegados de Personal, en su caso, observarán sigilo profesional en todo lo referente a los asuntos en que la Administración señale expresamente el carácter reservado, aún después de expirar su mandato. En todo caso, ningún documento reservado entregado por la Administración podrá ser utilizado fuera del estricto ámbito de la Administración para fines distintos de los que motivaron su entrega.

6.1.4. Duración de la representación

A tenor del artículo 42 del EBEP el mandato de los miembros de las Juntas de Personal y de los Delegados de Personal, en su caso, será de cuatro años, pudiendo ser reelegidos. El mandato se entenderá prorrogado si, a su término, no se hubiesen promovido nuevas elecciones, sin que los representantes con mandato prorrogado se contabilicen a efectos de determinar la capacidad representativa de los Sindicatos.

6.1.5. Promoción de elecciones a Delegados y Juntas de Personal

Tal y como señala el artículo 43 del EBEP podrán promover la celebración de elecciones a Delegados y Juntas de Personal, conforme a lo previsto en el Estatuto y en los artículos 6 y 7 de la Ley Orgánica 11/1985, de 2 de agosto, de Libertad Sindical:

a) Los Sindicatos más representativos a nivel estatal.

b) Los Sindicatos más representativos a nivel de Comunidad Autónoma, cuando la unidad electoral afectada esté ubicada en su ámbito geográfico.

c) Los Sindicatos que, sin ser más representativos, hayan conseguido al menos el 10 por 100 de los representantes a los que se refiere el Estatuto en el conjunto de las Administraciones Públicas.

d) Los Sindicatos que hayan obtenido al menos un porcentaje del 10 por 100 en la unidad electoral en la que se pretende promover las elecciones.

e) Los funcionarios de la unidad electoral, por acuerdo mayoritario.

Los legitimados para promover elecciones tendrán, a este efecto, derecho a que la Administración Pública correspondiente les suministre el censo de personal de las unidades electorales afectadas, distribuido por Organismos o centros de trabajo.

6.1.6. Procedimiento electoral

A tenor del artículo 44 del EBEP el procedimiento para la elección de las Juntas de Personal y para la elección de Delegados de Personal se determinará reglamentariamente teniendo en cuenta los siguientes criterios generales:

a) La elección se realizará mediante sufragio personal, directo, libre y secreto que podrá emitirse por correo o por otros medios telemáticos.

b) Serán electores y elegibles los funcionarios que se encuentren en la situación de servicio activo. No tendrán la consideración de electores ni elegibles los funcionarios que ocupen puestos cuyo nombramiento se efectúe a través de Real Decreto o por Decreto de los Consejos de Gobierno de las Comunidades Autónomas y de las Ciudades de Ceuta y Melilla.

c) Podrán presentar candidaturas las Organizaciones Sindicales legalmente constituidas o las coaliciones de éstas, y los grupos de electores de una misma unidad electoral, siempre que el número de ellos sea equivalente, al menos, al triple de los miembros a elegir.

d) Las Juntas de Personal se elegirán mediante listas cerradas a través de un sistema proporcional corregido, y los Delegados de Personal mediante listas abiertas y sistema mayoritario.

e) Los órganos electorales serán las Mesas Electorales que se constituyan para la dirección y desarrollo del procedimiento electoral y las oficinas públicas permanentes para el cómputo y certificación de resultados reguladas en la normativa laboral.

f) Las impugnaciones se tramitarán conforme a un procedimiento arbitral, excepto las reclamaciones contra las denegaciones de inscripción de actas electorales que podrán plantearse directamente ante la jurisdicción social.

6.2. Órganos de representación del PDI laboral

Se encuentran fundamentalmente regulados en los artículos 61 a 76 del Real Decreto Legislativo 2/2015, de 23 de octubre, por el que se aprueba el texto refundido de la Ley del Estatuto de los Trabajadores (en adelante ET).

De conformidad con lo dispuesto en el artículo 4 del ET y sin perjuicio de otras formas de participación, los trabajadores tienen derecho a participar en la empresa a través de los órganos de representación regulados en los apartados siguientes.

6.2.1. Delegados de personal

El artículo 62 del ET establece que la representación de los trabajadores en la empresa o centro de trabajo que tengan menos de 50 y más de 10 trabajadores corresponde a los delegados de personal. Igualmente podrá haber un delegado de personal en aquellas empresas o centros que cuenten entre seis y diez trabajadores, si así lo decidieran estos por mayoría.

Los trabajadores elegirán, mediante sufragio libre, personal, secreto y directo a los delegados de personal en la cuantía siguiente: hasta 30 trabajadores, uno; de 31 a 49, tres.

Los delegados de personal ejercerán mancomunadamente ante el empresario la representación para la que fueron elegidos, y tendrán las mismas competencias establecidas para los comités de empresa.

Los delegados de personal observarán las normas que sobre sigilo profesional están establecidas para los miembros de comités de empresa.

6.2.2. Comités de empresa

A tenor del artículo 63 del ET el comité de empresa es el órgano representativo y colegiado del conjunto de los trabajadores en la empresa o centro de trabajo para la defensa de sus intereses, constituyéndose en cada centro de trabajo cuyo censo sea de 50 o más trabajadores.

En la empresa que tenga en la misma provincia, o en municipios limítrofes, dos o más centros de trabajo cuyos censos no alcancen los 50 trabajadores, pero que en su conjunto lo sumen, se constituirá un comité de empresa conjunto.

Cuando unos centros tengan 50 trabajadores y otros de la misma provincia no, en los primeros se constituirán comités de empresa propios y con todos los segundos se constituirá otro.

Sólo por convenio colectivo podrá pactarse la constitución y funcionamiento de un comité intercentros con un máximo de 13 miembros, que serán designados de entre los componentes de los distintos comités de centro.

En la constitución del comité intercentros se guardará la proporcionalidad de los sindicatos según los resultados electorales considerados globalmente.

Tales comités intercentros no podrán arrogarse otras funciones que las que expresamente se les conceda en el convenio colectivo en que se acuerde su creación.

6.2.3. Derechos de información y consulta y competencias

A tenor del artículo 64 del ET el comité de empresa tendrá derecho a ser informado y consultado por el empresario sobre aquellas cuestiones que puedan afectar a los trabajadores, así como sobre la situación de la empresa y la evolución del empleo en la misma, en los términos previstos en este apartado.

Se entiende por información la transmisión de datos por el empresario al comité de empresa, a fin de que éste tenga conocimiento de una cuestión determinada y pueda proceder a su examen. Por consulta se entiende el intercambio de opiniones y la apertura de un diálogo entre el empresario y el comité de empresa sobre una cuestión determinada, incluyendo, en su caso, la emisión de informe previo por parte del mismo.

En la definición o aplicación de los procedimientos de información y consulta, el empresario y el comité de empresa actuarán con espíritu de cooperación, en cumplimiento de sus derechos y obligaciones recíprocas, teniendo en cuenta tanto los intereses de la empresa como los de los trabajadores.

El comité de empresa tendrá derecho a ser informado trimestralmente:

a) Sobre la evolución general del sector económico a que pertenece la empresa.

b) Sobre la situación económica de la empresa y la evolución reciente y probable de sus actividades, incluidas las actuaciones medioambientales que tengan repercusión directa en el empleo, así como sobre la producción y ventas, incluido el programa de producción.

c) Sobre las previsiones del empresario de celebración de nuevos contratos, con indicación del número de éstos y de las modalidades y tipos que serán utilizados, incluidos los contratos a tiempo parcial, la realización de horas complementarias por los trabajadores contratados a tiempo parcial y de los supuestos de subcontratación.

d) De las estadísticas sobre el índice de absentismo y las causas, los accidentes de trabajo y enfermedades profesionales y sus consecuencias, los índices de siniestralidad, los estudios periódicos o especiales del medio ambiente laboral y los mecanismos de prevención que se utilicen.

También tendrá derecho a recibir información, al menos anualmente, relativa a la aplicación en la empresa del derecho de igualdad de trato y de oportunidades entre mujeres y hombres, en la que deberá incluirse el registro previsto en el artículo 28.2[23] y los datos sobre la proporción de mujeres y hombres en los diferentes niveles profesionales, así como, en su caso, sobre las medidas que se hubieran adoptado para fomentar la igualdad entre mujeres y hombres en la empresa y, de haberse establecido un plan de igualdad, sobre la aplicación del mismo.

El artículo 64.4 del ET señala que el comité de empresa, con la periodicidad que proceda en cada caso, tendrá derecho a:

a) Conocer el balance, la cuenta de resultados, la memoria y, en el caso de que la empresa, prevista la forma de sociedad por acciones o participaciones, los demás documentos que se den a conocer a los socios, y en las mismas condiciones que a éstos.

23 Dicho artículo establece que el empresario está obligado a llevar un registro con los valores medios de los salarios, los complementos salariales y las percepciones extrasalariales de su plantilla, desagregados por sexo y distribuidos por grupos profesionales, categorías profesionales o puestos de trabajo iguales o de igual valor. Las personas trabajadoras tienen derecho a acceder, a través de la representación legal de los trabajadores en la empresa, al registro salarial de su empresa.

b) Conocer los modelos de contrato de trabajo escrito que se utilicen en la empresa así como los documentos relativos a la terminación de la relación laboral.

c) Ser informado de todas las sanciones impuestas por faltas muy graves.

d) Ser informado por la empresa de los parámetros, reglas e instrucciones en los que se basan los algoritmos o sistemas de inteligencia artificial que afectan a la toma de decisiones que pueden incidir en las condiciones de trabajo, el acceso y mantenimiento del empleo, incluida la elaboración de perfiles.

Asimismo, el comité de empresa tendrá derecho a recibir la copia básica de los contratos, así como la notificación de las prórrogas y de las denuncias correspondientes a los mismos en el plazo de diez días siguientes a que tuvieran lugar.

El apartado quinto del artículo 64 del ET establece que el comité de empresa tendrá derecho a ser informado y consultado sobre la situación y estructura del empleo en la empresa o en el centro de trabajo, así como a ser informado trimestralmente sobre la evolución probable del mismo, incluyendo la consulta cuando se prevean cambios al respecto.

Asimismo, tendrá derecho a ser informado y consultado sobre todas las decisiones de la empresa que pudieran provocar cambios relevantes en cuanto a la organización del trabajo y a los contratos de trabajo en la empresa. Igualmente tendrá derecho a ser informado y consultado sobre la adopción de eventuales medidas preventivas, especialmente en caso de riesgo para el empleo.

El comité de empresa tendrá derecho a emitir informe, con carácter previo a la ejecución por parte del empresario de las decisiones adoptadas por éste, sobre las siguientes cuestiones:

a) Las reestructuraciones de plantilla y ceses totales o parciales, definitivos o temporales, de aquélla.

b) Las reducciones de jornada.

c) El traslado total o parcial de las instalaciones.

d) Los procesos de fusión, absorción o modificación del estatus jurídico de la empresa que impliquen cualquier incidencia que pueda afectar al volumen de empleo.

e) Los planes de formación profesional en la empresa.

f) La implantación y revisión de sistemas de organización y control del trabajo, estudios de tiempos, establecimiento de sistemas de primas e incentivos y valoración de puestos de trabajo.

La información se deberá facilitar por el empresario al comité de empresa, sin perjuicio de lo establecido específicamente en cada caso, en un momento, de una manera y con un contenido apropiados, que permitan a los representantes de los trabajadores proceder a su examen adecuado y preparar, en su caso, la consulta y el informe.

La consulta deberá realizarse, salvo que expresamente esté establecida otra cosa, en un momento y con un contenido apropiados, en el nivel de dirección y representación

correspondiente de la empresa, y de tal manera que permita a los representantes de los trabajadores, sobre la base de la información recibida, reunirse con el empresario, obtener una respuesta justificada a su eventual informe y poder contrastar sus puntos de vista u opiniones con objeto, en su caso, de poder llegar a un acuerdo sobre las cuestiones indicadas en el artículo 64.4 del ET, y ello sin perjuicio de las facultades que se reconocen al empresario al respecto en relación con cada una de dichas cuestiones. En todo caso, la consulta deberá permitir que el criterio del comité pueda ser conocido por el empresario a la hora de adoptar o de ejecutar las decisiones.

Los informes que deba emitir el comité de empresa deberán elaborarse en el plazo máximo de quince días desde que hayan sido solicitados y remitidas las informaciones correspondientes.

El comité de empresa tendrá también las siguientes competencias:

a) Ejercer una labor:

   - De vigilancia en el cumplimiento de las normas vigentes en materia laboral, de seguridad social y de empleo, así como del resto de los pactos, condiciones y usos de empresa en vigor, formulando, en su caso, las acciones legales oportunas ante el empresario y los organismos o tribunales competentes.

   - De vigilancia y control de las condiciones de seguridad y salud en el desarrollo del trabajo en la empresa.

   - De vigilancia del respeto y aplicación del principio de igualdad de trato y de oportunidades entre mujeres y hombres, especialmente en materia salarial.

b) Participar, como se determine por convenio colectivo, en la gestión de obras sociales establecidas en la empresa en beneficio de los trabajadores o de sus familiares.

c) Colaborar con la dirección de la empresa para conseguir el establecimiento de cuantas medidas procuren el mantenimiento y el incremento de la productividad, así como la sostenibilidad ambiental de la empresa, si así está pactado en los convenios colectivos

d) Colaborar con la dirección de la empresa en el establecimiento y puesta en marcha de medidas de conciliación.

e) Informar a sus representados en todos los temas y cuestiones señalados en este apartado en cuanto directa o indirectamente tengan o puedan tener repercusión en las relaciones laborales.

Lo dispuesto en el presente apartado se entenderá sin perjuicio de las disposiciones específicas previstas en otros artículos del ET o en otras normas legales o reglamentarias.

Respetando lo establecido legal o reglamentariamente, en los convenios colectivos se podrán establecer disposiciones específicas relativas al contenido y a las modalidades de ejercicio de los derechos de información y consulta previstos en este apartado, así como al nivel de representación más adecuado para ejercerlos.

6.2.4. Capacidad y sigilo profesional

Tal y como señala el artículo 65 del ET se reconoce al comité de empresa capacidad, como órgano colegiado, para ejercer acciones administrativas o judiciales en todo lo relativo al ámbito de sus competencias, por decisión mayoritaria de sus miembros.

Los miembros del comité de empresa y éste en su conjunto, así como, en su caso, los expertos que les asistan, deberán observar el deber de sigilo con respecto a aquella información que, en legítimo y objetivo interés de la empresa o del centro de trabajo, les haya sido expresamente comunicada con carácter reservado.

En todo caso, ningún tipo de documento entregado por la empresa al comité podrá ser utilizado fuera del estricto ámbito de aquélla ni para fines distintos de los que motivaron su entrega.

El deber de sigilo subsistirá incluso tras la expiración de su mandato e independientemente del lugar en que se encuentren.

Excepcionalmente, la empresa no estará obligada a comunicar aquellas informaciones específicas relacionadas con secretos industriales, financieros o comerciales cuya divulgación pudiera, según criterios objetivos, obstaculizar el funcionamiento de la empresa o del centro de trabajo u ocasionar graves perjuicios en su estabilidad económica. Esta excepción no abarca aquellos datos que tengan relación con el volumen de empleo en la empresa.

La impugnación de las decisiones de la empresa de atribuir carácter reservado o de no comunicar determinadas informaciones a los representantes de los trabajadores se tramitará conforme al proceso de conflictos colectivos regulado en la Ley de Jurisdicción Social.

Asimismo, se tramitarán conforme a este proceso los litigios relativos al cumplimiento por los representantes de los trabajadores y por los expertos que les asistan de su obligación de sigilo.

Lo dispuesto en este apartado se entiende sin perjuicio de lo previsto en el Texto Refundido de la Ley de Infracciones y Sanciones en el Orden Social, aprobado por Real Decreto Legislativo 5/2000, de 4 de agosto, para los casos de negativa injustificada de la información a que tienen derecho los representantes de los trabajadores.

6.2.5. Composición

A tenor del artículo 66 del ET el número de miembros del comité de empresa se determinará de acuerdo con la siguiente escala:

1. De cincuenta a cien trabajadores, cinco.
2. De ciento uno a doscientos cincuenta trabajadores, nueve.
3. De doscientos cincuenta y uno a quinientos trabajadores, trece.
4. De quinientos uno a setecientos cincuenta trabajadores, diecisiete.

5. De setecientos cincuenta y uno a mil trabajadores, veintiuno.
6. De mil en adelante, dos por cada mil o fracción, con el máximo de setenta y cinco.

Los comités de empresa o centro de trabajo elegirán de entre sus miembros un presidente y un secretario del comité, y elaborarán su propio reglamento de procedimiento, que no podrá contravenir lo dispuesto en la ley, remitiendo copia del mismo a la autoridad laboral, a efectos de registro, y a la empresa.

Los comités deberán reunirse cada dos meses o siempre que lo solicite un tercio de sus miembros o un tercio de los trabajadores representados.

6.2.6. Garantías

El artículo 68 del ET señala que los miembros del comité de empresa y los delegados de personal, como representantes legales de los trabajadores, tendrán, a salvo de lo que se disponga en los convenios colectivos, las siguientes garantías:

a) Apertura de expediente contradictorio en el supuesto de sanciones por faltas graves o muy graves, en el que serán oídos, aparte del interesado, el comité de empresa o restantes delegados de personal.

b) Prioridad de permanencia en la empresa o centro de trabajo respecto de los demás trabajadores, en los supuestos de suspensión o extinción por causas tecnológicas o económicas.

c) No ser despedido ni sancionado durante el ejercicio de sus funciones ni dentro del año siguiente a la expiración de su mandato, salvo en caso de que ésta se produzca por revocación o dimisión, siempre que el despido o sanción se base en la acción del trabajador en el ejercicio de su representación. Asimismo, no podrá ser discriminado en su promoción económica o profesional en razón, precisamente, del desempeño de su representación.

d) Expresar, colegiadamente si se trata del comité, con libertad sus opiniones en las materias concernientes a la esfera de su representación, pudiendo publicar y distribuir, sin perturbar el normal desenvolvimiento del trabajo, las publicaciones de interés laboral o social, comunicándolo a la empresa.

e) Disponer de un crédito de horas mensuales retribuidas cada uno de los miembros del comité o delegado de personal en cada centro de trabajo, para el ejercicio de sus funciones de representación, de acuerdo con la siguiente escala: delegados de personal o miembros del comité de empresa:

    1. Hasta cien trabajadores, quince horas.
    2. De ciento uno a doscientos cincuenta trabajadores, veinte horas.
    3. De doscientos cincuenta y uno a quinientos trabajadores, treinta horas.
    4. De quinientos uno a setecientos cincuenta trabajadores, treinta y cinco horas.
    5. De setecientos cincuenta y uno en adelante, cuarenta horas.

Podrá pactarse en convenio colectivo la acumulación de horas de los distintos miembros del comité de empresa y, en su caso, de los delegados de personal, en uno o varios de sus componentes, sin rebasar el máximo total, pudiendo quedar relevado o relevados del trabajo, sin perjuicio de su remuneración.

7. El personal docente e investigador de las universidades privadas

A tenor del artículo 99 de la LOSU establece que el personal docente e investigador de las universidades privadas y de los centros privados adscritos a las universidades públicas y privadas se regirá por el texto refundido de la Ley del Estatuto de los Trabajadores y sus normas de desarrollo, así como por los convenios colectivos aplicables.

Dicho personal deberá estar en posesión de la titulación académica adecuada para la impartición de los diferentes títulos universitarios oficiales.

Con independencia de las condiciones generales que se establezcan de conformidad con el artículo 4.3 LOSU[24] y de la normativa que el Gobierno pueda establecer al respecto, en las universidades privadas y en los centros privados adscritos a universidades públicas y privadas deberá estar en posesión del título de Doctora o Doctor el mismo porcentaje que el exigido a las universidades públicas y, al menos, el 60 por ciento del total de su profesorado doctor deberá haber obtenido la evaluación positiva de la ANECA o del órgano de evaluación externa que la ley de la Comunidad Autónoma determine. A estos efectos, el número total de profesorado se computará sobre el equivalente en dedicación a tiempo completo del profesorado que imparta el conjunto de enseñanzas correspondientes a la obtención de un título universitario oficial de Grado o Máster Universitario.

El personal docente e investigador, cuya actividad investigadora esté financiada mayoritariamente con fondos públicos, hará pública una versión digital con los contenidos finales que hayan sido aceptados para su publicación en revistas y otras publicaciones científicas, en el plazo previsto en el artículo 37 de la Ley 14/2011, de 1 de junio[25].

---

24 Dicha norma dispone: "En todo caso, como requisito para su creación y reconocimiento, las universidades deberán contar con los planes que garanticen la igualdad de género en todas sus actividades, medidas para la corrección de la brecha salarial entre mujeres y hombres, condiciones de accesibilidad y ajustes razonables para las personas con discapacidad, y medidas de prevención y respuesta frente a la violencia, la discriminación o el acoso amparadas en la Ley 3/2022, de 24 de febrero, de convivencia universitaria".

25 Dicha norma establece que: "El personal de investigación del sector público o cuya actividad investigadora esté financiada mayoritariamente con fondos públicos y que opte por diseminar sus resultados de investigación en publicaciones científicas, deberá depositar una copia de la versión final aceptada para publicación y los datos asociados a las mismas en repositorios institucionales o temáticos de acceso abierto, de forma simultánea a la fecha de publicación".

ANEXO

Evaluación de méritos y competencias en el procedimiento de acreditación nacional

La evaluación de méritos y competencias se realizará, de acuerdo con lo dispuesto en el artículo 21 del Real Decreto 678/2023, a través de un currículo breve en el que se reflejarán las aportaciones más relevantes de la trayectoria académica, científica y profesional.

En el currículo breve se destacará un número reducido de contribuciones con una explicación breve sobre su calidad e impacto científico y social, sustentada por los indicadores que el candidato o candidata desee aportar.

En todos los casos, la valoración de méritos y competencias se ajustará en función del cuerpo docente para el que se solicite la acreditación.

El resultado de la evaluación será Favorable o Desfavorable.

Para obtener una evaluación Favorable en la acreditación para el cuerpo de Profesoras y Profesores Titulares de Universidad será necesario alcanzar la suficiencia investigadora, incluyendo la actividad de transferencia e intercambio del conocimiento, la suficiencia docente y, en su caso, la suficiencia en la actividad profesional.

Para obtener una evaluación Favorable en la acreditación para el cuerpo de Catedráticas y Catedráticos de Universidad será necesario alcanzar la suficiencia investigadora, incluyendo la actividad de transferencia e intercambio del conocimiento, la suficiencia docente, la suficiencia en liderazgo y, en su caso, la suficiencia en la actividad profesional.

Cada una de estas dimensiones será evaluada de acuerdo con los méritos y competencias que se detallan en el apartado B de este anexo. Los criterios específicos de evaluación de estos méritos y competencias, y los requisitos mínimos de referencia para alcanzar la suficiencia en cada una de esas dimensiones se harán públicos y se someterán a la participación de todas las partes interesadas por parte de ANECA.

Para ambos cuerpos, las personas solicitantes que acrediten resultados de investigación excepcionales y que hayan desarrollado su carrera principalmente en una institución no universitaria dedicada a la investigación, o en una universidad extranjera en la que el cómputo y los instrumentos de medición de la calidad de la actividad docente resulten difíciles de trasladar al sistema español, podrán obtener la acreditación sin necesidad de cumplir con los méritos y competencias de actividad docente.

Serán méritos y competencias evaluables:

1. Actividad investigadora, incluyendo la de transferencia e intercambio del conocimiento:

   1.1. Proyectos y contratos de investigación y de transferencia e intercambio del conocimiento:

   Se valorarán los proyectos y contratos en los que se haya participado como Investigador/a Principal o como miembro del equipo y, en particular, el organismo o entidad financiadora y, en su caso, la convocatoria competitiva a la que pertenece, la colaboración con instituciones distintas a la propia, la calidad de las actividades desarrolladas y el avance del conocimiento logrado en la especialidad.

1.2. Resultados y difusión de la actividad investigadora y de transferencia e intercambio del conocimiento:

Se valorará una amplia gama de resultados, en función de su calidad, grado de difusión e impacto científico y social. Entre ellos, se considerarán publicaciones científicas, datos, códigos, "software", creaciones artísticas, patentes y registros de propiedad intelectual, aportaciones a congresos, divulgación científica, transferencia al sector productivo, transferencia social (incluyendo microcredenciales de transferencia) e intercambio del conocimiento. Se considerarán las evaluaciones positivas de tramos de investigación y de transferencia. Se valorará la disponibilidad en acceso abierto a todos los resultados de la actividad desarrollada y el uso de repositorios institucionales y temáticos, e infraestructuras y plataformas abiertos.

1.3. Estancias en universidades y centros de investigación:

Se valorará la movilidad internacional y nacional y, en particular, su número y extensión, la calidad de las actividades desarrolladas, los resultados constatables y el avance en el establecimiento de redes de trabajo estables, así como el prestigio de la universidad o centro de investigación de acogida en el ámbito de su especialidad.

2. Actividad docente:

2.1. Experiencia docente:

Se valorará la dedicación docente en función de su diversidad y tipos de docencia, siempre en relación con los encargos docentes realizados por los departamentos y la extensión de la carrera académica. Se valorará la participación en actividades de formación a lo largo de la vida, así como la docencia multidisciplinar e interdisciplinar, incluidos los casos en los que esta docencia trascienda las especialidades de conocimiento asignados a la comisión de acreditación que realice la evaluación. Se valorará la creación de recursos educativos abiertos.

2.2. Calidad de la actividad docente:

Se valorará la calidad de la docencia en función de los resultados obtenidos en programas de evaluación acreditados que tengan como fin evaluar el desempeño docente o de otras evaluaciones en el mismo sentido realizadas por las universidades en las que se hayan desempeñado funciones docentes.

Se considerarán las evaluaciones positivas de quinquenios docentes.

2.3. Proyectos y actividades de innovación docente:

Se valorará la implantación de proyectos y actividades de innovación docente y que hayan tenido resultados positivos, en especial los orientados al cumplimiento

del criterio 1.3 referido a la enseñanza, aprendizaje y evaluación centrados en el estudiantado que se recoge en los criterios y directrices establecidos para el aseguramiento de la calidad en el Espacio Europeo de Educación Superior. Asimismo, se valorará la participación como Investigador/a Principal o como miembro del equipo en proyectos de innovación educativa. Se valorará la calidad de las actividades desarrolladas y los avances logrados en el ámbito de su especialidad.

2.4. Tutorización docente:

Se valorará la actividad de tutorización docente desempeñada en función de su diversidad y tipos de tutorización (alumnos internos, en formación dual o en alternancia, figuras de planes propios de la universidad, becarios de iniciación a la investigación, becarios de colaboración, estudiantes en prácticas, etc.), siempre en relación con los encargos docentes realizados por los departamentos y la extensión de la carrera académica.

3. Méritos y competencias de liderazgo:

3.1. Dirección de equipos de investigación:

Se valorará la capacidad de conformar y liderar equipos o grupos de investigación, así como la actividad y logros de estos. En particular, se valorará la capacidad de desarrollar líneas de investigación innovadoras, así como de atraer fondos de investigación en convocatorias competitivas o a través de contratos de investigación, diversidad de perfiles y talento predoctoral y postdoctoral, entre otros.

3.2. Dirección de tesis doctorales:

Se valorarán las tesis doctorales dirigidas o codirigidas en función de su calidad, diversidad (doctorados industriales) y resultados contrastables en el ámbito de su especialidad. En el caso de las codirecciones o cotutelas se valorarán la diversidad disciplinar, el grado de internacionalización y el desarrollo de enfoques y metodologías multidisciplinares e interdisciplinares.

Se valorará la situación académica o profesional alcanzada por los doctores egresados.

3.3. Liderazgo en el ámbito de la dirección y gestión universitaria:

Se valorarán las actividades de dirección y gestión desarrolladas a través de cargos unipersonales en el ámbito universitario y científico, en función de su grado de innovación, de resultados contrastables y de su impacto para la institución, así como el desempeño en el ámbito de la dirección y gestión pública, de acuerdo con los resultados de las actividades e iniciativas desarrolladas y de su impacto social.

3.4. Reconocimientos y responsabilidad en organizaciones científicas y comités científicos y técnicos:

Se valorarán los reconocimientos o premios recibidos por distintas instituciones por actividades académicas, de investigación, de transferencia y de intercambio con la sociedad, así como la responsabilidad ejercida en órganos de dirección de organizaciones científicas y comités científicos y técnicos nacionales e internacionales.

4. Méritos y competencias relacionados con la actividad profesional:

   4.1. Experiencia profesional:

   Se valorará la experiencia profesional desarrollada, en especial, cuando se trate, entre otras, de profesiones reguladas, de acuerdo con su extensión, diversidad, resultados e impacto en el ámbito de su especialidad.

TEMA 4

Los estudiantes universitarios: derechos y deberes. El Estatuto del Estudiante Universitario. El acceso, la admisión y permanencia en estudios universitarios

¿Conoces tu **curva del recuerdo**? Con Técnicas de Memoria 360 te explicamos cómo organizar los repasos.

Índice

1. Los estudiantes universitarios: derechos y deberes. El Estatuto del Estudiante Universitario

1.1. Los derechos y deberes de los estudiantes universitarios en la Ley Orgánica 2/2023, de 22 de marzo, del Sistema Universitario (LOSU)

1.1.1. La regulación de los derechos y deberes del estudiantado en la LOSU. Los derechos del estudiantado

El Título VIII de la Ley Orgánica 2/2023, de 22 de marzo, lleva por rúbrica "El estudiantado en el Sistema Universitario". Los artículos 33 a 37 regulan con carácter general los derechos y deberes de los estudiantes universitarios.

A) Derechos relativos a la formación académica

A tenor de lo dispuesto en el artículo 33 de la LOSU, en relación con su formación académica, el estudiantado tendrá los siguientes derechos, sin perjuicio de aquellos reconocidos por el Estatuto del Estudiante Universitario aprobado por el Gobierno[1]:

a) A una educación inclusiva en la universidad de su elección, en los términos y condiciones establecidos por el ordenamiento jurídico.

b) A una formación académica inclusiva de calidad, que fomente la adquisición de los conocimientos y las competencias académicas y profesionales programadas en cada ciclo de enseñanzas, para los estudios de que se trate.

c) A conocer los planes docentes de las asignaturas en las que prevea matricularse y ser informado de la lengua de impartición.

d) A ser informado previamente al periodo de matriculación de las modalidades, presencial, virtual o híbrida, de la docencia y la evaluación.

e) A las tutorías y al asesoramiento, a la orientación psicopedagógica y al cuidado de la salud mental y emocional, en los términos dispuestos por la normativa universitaria.

f) A una evaluación objetiva y a la publicidad de las normas que regulen los procedimientos de evaluación y verificación de los conocimientos, incluido el procedimiento de revisión de calificaciones y los mecanismos de reclamación disponibles.

g) A la publicidad de las normas que regulen el progreso y la permanencia del estudiantado en la universidad, de acuerdo con las características de los respectivos estudios.

---

1 Se dispuso que en el plazo de un año desde la entrada en vigor de la Ley Orgánica 4/2007, de 12 de abril, por la que se modificaba la Ley Orgánica 6/2001, de 21 de diciembre, de Universidades (LOMLOU) el Gobierno aprobaría el Estatuto del Estudiante Universitario y fue aprobado por Real Decreto 1791/2010, de 30 de diciembre.

h) A la orientación e información sobre las actividades que le afecten y, en especial, a un servicio de orientación que facilite su itinerario formativo y su inserción social y laboral.

i) Al acceso prioritario a los cursos de actualización de estudios y formación a lo largo de la vida que su universidad de origen realice.

j) A acceder y participar en los programas de movilidad, nacionales e internacionales, en condiciones que garanticen la igualdad de oportunidades, atendiendo en especial a las desigualdades por razón socioeconómica y por discapacidad.

k) Al reconocimiento académico y a favorecer la compatibilidad de su participación en actividades universitarias de mentoría, aprendizaje-servicio, Ciencia Ciudadana, culturales, deportivas, de representación estudiantil, asociacionismo universitario, solidarias, de cooperación y de creación de nuevas iniciativas sociales y empresariales.

l) Al acceso a formación para el desarrollo de las capacidades digitales, así como a recursos e infraestructuras digitales.

m) A la seguridad de los medios digitales y a la garantía de los derechos fundamentales en Internet.

n) A un diseño de las actividades académicas que facilite la conciliación de los estudios con la vida laboral y familiar.

o) Al acceso y, en su caso, gestión de los distintos servicios universitarios dirigidos al estudiantado.

p) A la protección de la Seguridad Social, en los términos y condiciones que establezca la legislación vigente.

q) Al paro académico, respetando el derecho a la educación del estudiantado. Las universidades desarrollarán las condiciones para el ejercicio de dicho derecho y el procedimiento de declaración del paro académico, que será efectuada por el órgano de representación del estudiantado. El paro académico podrá ser total o parcial.

r) A la accesibilidad universal de los edificios y sus entornos físicos y virtuales, así como los servicios, procedimientos, suministros y comunicación de información, los materiales educativos y los procesos de enseñanza-aprendizaje y evaluación.

B) Derechos de participación y representación

El artículo 34 de la LOSU establece que las universidades garantizarán al estudiantado una participación activa, libre y significativa en el diseño, implementación y evaluación de la política universitaria, así como el ejercicio efectivo de las libertades de expresión y los derechos de reunión, manifestación y asociación, en los términos establecidos en la Constitución y en el resto del ordenamiento jurídico.

Las universidades promoverán y facilitarán la participación del estudiantado en actividades de representación y asociacionismo estudiantil, así como su implicación activa en la vida y actividad universitarias. Asimismo, garantizarán su participación en:

a) La creación del conocimiento y su concreción en los planes de estudios.

b) La evaluación de los títulos universitarios y de la docencia.

c) La gestión de los servicios vinculados a la vida universitaria.

d) La promoción activa de la innovación docente.

e) La vinculación con la sociedad y el entorno local e internacional.

f) Y la convivencia universitaria y la mediación y resolución alternativa de conflictos.

El estudiantado tendrá derecho a una representación activa, significativa y participativa en los órganos de gobierno y representación de la universidad, así como en los procesos para su elección, en particular, en los consejos de estudiantes de su universidad y en el Consejo de Estudiantes Universitario del Estado, así como, de existir estos, en los consejos autonómicos de estudiantes.

Las universidades garantizarán al estudiantado un acceso real a la información y a mecanismos adecuados para el ejercicio efectivo de los derechos de participación y representación, incluidos aquellos mecanismos destinados al seguimiento y la evaluación.

Asimismo, adoptarán medidas para que estos derechos resulten compatibles con su actividad académica, como el reconocimiento de créditos por su implicación en las políticas, las actividades y la gestión universitarias, incluidas las actividades de asociacionismo y representación estudiantil, culturales, solidarias, de cooperación y de colaboración con el entorno.

C) Eficacia y garantía de los derechos

Las universidades garantizarán al estudiantado el ejercicio de sus derechos en el ámbito universitario, tanto en su dimensión individual, como colectiva. A tal fin, asegurarán la disponibilidad de procedimientos adecuados para su implementación y cumplimiento efectivos.

Las universidades informarán al estudiantado de sus derechos en el ámbito universitario.

Las universidades deberán garantizar la participación de la representación estudiantil en la elaboración de las diferentes normas que afectan al estudiantado (art. 35 LOSU).

1.1.2. Deberes del estudiantado

A tenor de lo dispuesto por el artículo 36 de la LOSU el estudiantado universitario queda sujeto a los siguientes deberes:

a) Participar de forma activa y responsable en las actividades docentes y en las demás actividades universitarias.

b) Respetar la normativa universitaria, incluida la reguladora de la convivencia en el ámbito universitario, en los términos recogidos en la normativa específica.

c) Observar las directrices del profesorado y de las autoridades universitarias.

d) Respetar a los miembros de la comunidad universitaria, así como al personal de las entidades colaboradoras o que presten servicios en la universidad.

e) Ejercer, en su caso, las responsabilidades propias de los cargos de representación.

1.1.3. Equidad y no discriminación

El artículo 37 de la LOSU establece que las universidades garantizarán al estudiantado que en el ejercicio de sus derechos y el cumplimiento de sus deberes no será discriminado por razón de nacimiento, origen racial o étnico, sexo, orientación sexual, identidad de género, religión, convicción u opinión, edad, discapacidad, nacionalidad, enfermedad, condición socioeconómica, lingüística, afinidad política y sindical, por razón de su apariencia, o por cualquier otra condición o circunstancia personal o social.

Las universidades favorecerán que las estructuras curriculares de las enseñanzas universitarias resulten inclusivas y accesibles. En particular, adoptarán medidas de acción positiva para que el estudiantado con discapacidad pueda disfrutar de una educación universitaria inclusiva, accesible y adaptable, en igualdad con el resto del estudiantado, realizando ajustes razonables, tanto curriculares como metodológicos, a los materiales didácticos, a los métodos de enseñanza y al sistema de evaluación.

Las universidades facilitarán a las personas usuarias de las lenguas de signos su utilización cuando se precise.

Las universidades promoverán el acceso a estudios universitarios de las personas con discapacidad intelectual y por otras razones de discapacidad mediante el fomento de estudios propios adaptados a sus capacidades.

1.2. El Estatuto del Estudiante Universitario

1.2.1. Aprobación, estructura y ámbito de aplicación

El Real Decreto 1791/2010, de 30 de diciembre, aprobó el Estatuto del Estudiante Universitario (en adelante EEU). Fue publicado en el Boletín Oficial del Estado número 318, de 31 de diciembre de 2010, entrando en vigor el 1 de enero de 2011.

En su Exposición de Motivos se establece que la Constitución Española de 1978 reconoce en su artículo 27.7 el derecho del alumnado, con carácter general, a intervenir en el control y gestión de las instituciones del sistema educativo financiadas con fondos públicos. A su vez, el artículo 27.5 de la misma establece, como elemento de la realización del derecho a la educación, la participación efectiva de todos los sectores afectados en la programación general de la enseñanza. Ambos artículos configuran un sistema educativo basado en un principio de participación que se ejerce en diferentes niveles, desde las instituciones a la política del sistema. En el ámbito universitario, este mandato es recogido por la Ley Orgánica 4/2007, de 12 de abril, por la que se modifica la Ley Orgánica 6/2001, de 21 de diciembre, de Universidades (LOMLOU), la cual establece como uno de los principios de la política universitaria el desarrollo de la participación de los estudiantes a través del Estatuto del Estudiante y la constitución de un Consejo del Estudiante Universitario.

Por otra parte, el escenario que dibuja el Espacio Europeo de Educación Superior reclama una nueva figura del estudiante como sujeto activo de su proceso de formación, con una valoración del trabajo dentro y fuera del aula, y el apoyo de la actividad docente y sistemas tutoriales. Desde los inicios de este proceso con la firma el 18 de septiembre de 1988 en Bolonia de la *Magna Charta Universitatum*, la participación de los estudiantes, la necesidad del conocimiento de los principios generales de autonomía universitaria, de libertad de cátedra y de la responsabilidad social en la rendición de cuentas de las universidades, ha sido subrayada continuamente en las Declaraciones que han ido dándole forma, a este Espacio Europeo de Educación Superior y en la Conferencia Ministerial de Berlín, de 2003, el papel de los estudiantes en la gestión pública de la educación superior fue reconocido expresamente.

El Estatuto del Estudiante Universitario viene a dar cumplimiento a dichas previsiones legales. Conscientes de la necesidad de completar el régimen jurídico del estudiante universitario, se ha procedido al desarrollo de los derechos que están recogidos en la Ley Orgánica 6/2001, de 21 de diciembre, incluyendo, además, las peculiaridades que se derivan de cada una de las etapas formativas dentro del ámbito universitario. En este sentido, se han recalcado las peculiaridades de los modos de aprendizaje que tienen más transcendencia en el nuevo marco legal, que ha de ser interpretado de conformidad con lo dispuesto en la reglamentación de las enseñanzas universitarias. Asimismo, se complementan, dentro de las posibilidades de una norma de carácter reglamentaria, la articulación del binomio protección de derechos-ejercicio de la responsabilidad por parte de los estudiantes universitarios. Por otra parte, establece mecanismos para aumentar la implicación de los estudiantes en la vida universitaria, reconoce sus derechos, valora las actividades culturales, deportivas y solidarias y establece compromisos para modificar el marco legal que rige la convivencia en la universidad, hasta la fecha regulada por una norma preconstitucional, y redefinir el régimen del seguro escolar.

Dentro de su contenido, conviene resaltar el hecho de que en este texto se dé forma al Consejo del Estudiante Universitario. En efecto, el artículo 46.5 modificado de la Ley Orgánica 6/2001, de 21 de diciembre, indica que el Gobierno aprobará un Estatuto del Estudiante Universitario, que deberá prever la constitución, las funciones, la organización y el funcionamiento de un Consejo del Estudiante Universitario como órgano colegiado de representación estudiantil, adscrito al Ministerio al que tenga atribuidas las competencias en materia de universidades. El Consejo, como Consejo de Estudiantes Universitario del Estado, contará con la presencia de estudiantes de todas las universidades públicas y privadas.

La creación y puesta en marcha del Consejo de Estudiantes Universitario del Estado establece un canal directo de representación para todos los estudiantes, semejante al que tienen los rectores y las Comunidades Autónomas a través del Consejo de Universidades y de la Conferencia General de Política Universitaria, y fortalece el papel central de los estudiantes dentro del sistema universitario español. Este órgano de representación da visibilidad institucional a la participación de los estudiantes y ofrece un marco clave para debatir las políticas de modernización del sistema universitario español.

Los 67 artículos del Estatuto del Estudiante Universitario presentan una estructura dividida en 16 Capítulos.

El objeto del Estatuto del Estudiante Universitario es el desarrollo de los derechos y deberes de los estudiantes universitarios y la creación del Consejo de Estudiantes Universitario del Estado en cumplimiento de lo dispuesto en el artículo 46 de la Ley Orgánica 6/2001, de 21 de diciembre, de Universidades[2].

El Estatuto del Estudiante Universitario será de aplicación a todos los estudiantes de las universidades públicas y privadas españolas, tanto de los centros propios como de los centros adscritos y de los centros de formación continua dependientes de aquellas.

Se entiende como estudiante toda persona que curse enseñanzas oficiales en alguno de los tres ciclos universitarios, enseñanzas de formación continua u otros estudios ofrecidos por las universidades.

1.2.2. Los derechos y deberes de los estudiantes en el EEU

A) Igualdad de derechos y deberes

Todos los estudiantes universitarios tendrán garantizada la igualdad de derechos y deberes, independientemente del centro universitario, de las enseñanzas que se encuentren cursando y de la etapa de la formación a lo largo de la vida en la que se hallen matriculados.

Dicha igualdad se ejercerá siempre bajo el principio general de la corresponsabilidad universitaria, que se define como la reciprocidad en el ejercicio de los derechos y libertades y el respeto de las personas y de la institución universitaria como bien común de todos cuantos la integran.

2 En la actualidad Ley Orgánica 2/2023, de 22 de marzo (Título VIII).

B) Marco normativo para el ejercicio de derechos y deberes

Los derechos y deberes de los estudiantes universitarios se ejercerán de acuerdo con la normativa estatal y de las respectivas Comunidades Autónomas, Estatutos de las Universidades y el Estatuto del Estudiante Universitario.

C) No discriminación

Todos los estudiantes universitarios, independientemente de su procedencia, tienen el derecho a que no se les discrimine por razón de nacimiento, origen racial o étnico, sexo, religión, convicción u opinión, edad, discapacidad, nacionalidad, enfermedad, orientación sexual e identidad de género, condición socioeconómica, idiomática o lingüística, o afinidad política y sindical, o por razón de apariencia, sobrepeso u obesidad, o por cualquier otra condición o circunstancia personal o social, con el único requerimiento de la aceptación de las normas democráticas y de respeto a los ciudadanos, base constitucional de la sociedad española.

D) Cualificaciones académicas y profesionales

Las Universidades desarrollarán las actuaciones necesarias para garantizar que los estudiantes puedan alcanzar los conocimientos y las competencias académicas y profesionales programadas en cada ciclo de enseñanzas. Asimismo, las universidades incorporarán a sus objetivos formativos la formación personal y en valores.

E) Reconocimiento de los conocimientos y capacidades

Dentro de los términos previstos por la ley y por las normas que desarrollen las universidades, y como garantía de su derecho a la movilidad, en los términos establecidos en la normativa vigente, los estudiantes tendrán derecho, en cualquier etapa de su formación universitaria, a que se reconozcan los conocimientos y las competencias o la experiencia profesional adquiridas con carácter previo. Dicho reconocimiento será incluido, en su caso, en el Suplemento Europeo al Título.

Las universidades establecerán las medidas necesarias para que las enseñanzas no conducentes a la obtención de titulaciones oficiales que cursen o hayan sido cursadas por los estudiantes, les sean reconocidas total o parcialmente, siempre que el título correspondiente haya sido extinguido y sustituido por un título oficial de grado.

Las universidades arbitrarán también los procedimientos pertinentes a fin de que las enseñanzas cursadas y aprendizajes adquiridos por los estudiantes sean reconocidas de acuerdo con el Marco Español de Cualificaciones para la Educación Superior.

En todo caso, el reconocimiento de los conocimientos y capacidades se realizará en los términos establecidos en la normativa vigente.

F) Derechos comunes de los estudiantes universitarios

Los estudiantes universitarios tienen los siguientes derechos comunes, individuales o colectivos:

a) Al estudio en la universidad de su elección, en los términos establecidos por el ordenamiento jurídico. Asimismo, a que las universidades promuevan programas de información y orientación a sus futuros estudiantes, que favorezcan la transición activa a la universidad, enfocados a una mejor integración en sus estructuras, niveles y ámbitos de formación a lo largo de la vida, actividad investigadora, cultural y de responsabilidad social. Los estudiantes universitarios tienen el derecho a participar en el diseño, seguimiento y evaluación de la política universitaria.

b) A la igualdad de oportunidades, sin discriminación alguna, en el acceso a la universidad, ingreso en los centros, permanencia en la universidad y ejercicio de sus derechos académicos.

c) A una formación académica de calidad, que fomente la adquisición de las competencias que correspondan a los estudios elegidos e incluya conocimientos, habilidades, actitudes y valores; en particular los valores propios de una cultura democrática y del respeto a los demás y al entorno.

d) A una atención y diseño de las actividades académicas que faciliten la conciliación de los estudios con la vida laboral y familiar, así como el ejercicio de sus derechos por las mujeres víctimas de la violencia de género, en la medida de las disponibilidades organizativas y presupuestarias de la universidad.

e) Al asesoramiento y asistencia por parte de profesores, tutores y servicios de atención al estudiante, de conformidad con lo dispuesto en el Estatuto del Estudiante Universitario.

f) A la información y orientación vocacional, académica y profesional, así como al asesoramiento por las universidades sobre las actividades de las mismas que les afecten y, en especial, sobre actividades de extensión universitaria, alojamiento universitario, deportivas y otros ámbitos de vida saludable, y su transición al mundo laboral.

g) A ser informado de las normas de la universidad sobre la evaluación y el procedimiento de revisión de calificaciones.

h) A una evaluación objetiva y siempre que sea posible continua, basada en una metodología activa de docencia y aprendizaje.

i) A obtener reconocimiento académico por su participación en actividades universitarias culturales, deportivas, de representación estudiantil, solidarias y de cooperación en los términos establecidos en la normativa vigente.

j) A la validación, a efectos académicos, de la experiencia laboral o profesional de acuerdo con las condiciones que, en el marco de la normativa vigente, fije la universidad.

k) A participar en los programas de movilidad, nacional o internacional, en el marco de la legislación vigente.

l) A conocer y participar en los programas y observatorios de incorporación laboral que desarrollen las universidades y otras instituciones.

m) Al uso de instalaciones académicas adecuadas y accesibles a cada ámbito de su formación.

n) A recibir formación sobre prevención de riesgos y a disponer de los medios que garanticen su salud y seguridad en el desarrollo de sus actividades de aprendizaje.

o) A la portabilidad de las becas y ayudas al estudio de las convocatorias nacionales, entendiendo por esta el derecho a su disfrute en todo el territorio nacional, con independencia del lugar de residencia, así como a la portabilidad de las becas propias de las universidades, en los términos que se establezcan en sus respectivas convocatorias.

p) Al acceso a la formación universitaria a lo largo de la vida, para lo cual las universidades establecerán y difundirán los mecanismos específicos de admisión que correspondan.

q) A su incorporación en las actividades de voluntariado y participación social, cooperación al desarrollo, y otras de responsabilidad social que organicen las universidades.

r) A la libertad de expresión, de reunión y de asociación en el ámbito universitario, exenta de toda discriminación directa e indirecta, como expresión de la corresponsabilidad en la gestión educativa y del respeto proactivo a las personas y a la institución universitaria.

s) A tener una representación activa y participativa, en el marco de la responsabilidad colectiva, en los órganos de gobierno y representación de la Universidad, en los términos establecidos en el Estatuto del Estudiante Universitario y en los respectivos Estatutos o normas de organización y funcionamiento universitarios.

t) A participar en la elección de los órganos de gobierno de la universidad donde desarrollen su actividad académica en los términos previstos en su respectivo Estatuto.

u) A ser informados y a participar de forma corresponsable en el establecimiento y funcionamiento de las normas de permanencia de la universidad aprobadas por el Consejo Social de la misma.

v) A que sus datos personales no sean utilizados con otros fines que los regulados por la Ley de Protección de Datos de carácter personal.

w) A recibir un trato no sexista y a la igualdad de oportunidades entre mujeres y hombres conforme a los principios establecidos en la Ley Orgánica 3/2007, de 22 de marzo, para la igualdad efectiva de mujeres y hombres.

x) Al reconocimiento de la autoría de los trabajos elaborados durante sus estudios y a la protección de la propiedad intelectual de los mismos.

y) Y todos aquellos derechos reconocidos en la legislación general, en la normativa propia de las Comunidades Autónomas, así como en los Estatutos y normas propias de las universidades.

En el marco del compromiso con la dimensión social de la educación superior y el aprendizaje a lo largo de toda la vida, las administraciones públicas con competencias en materia universitaria y las universidades establecerán, dentro de sus disponibilidades presupuestarias, las medidas que sean necesarias para hacer posible el ejercicio de estos derechos a los estudiantes a tiempo parcial y, en especial, la obtención de cualificaciones a través de trayectorias de aprendizaje flexibles. A estos efectos, los estudiantes que lo deseen solicitarán el reconocimiento de estudiante a tiempo parcial a su universidad, que procederá a identificar esta condición.

G) Derechos específicos de los estudiantes de Grado

Los estudiantes de grado tienen los siguientes derechos específicos:

a) A recibir información y a participar en la elaboración de las Memorias de verificación de títulos de Grado.

b) A obtener el reconocimiento de su formación previa o, en su caso, de las actividades laborales o profesionales desarrolladas con anterioridad, si procede.

c) A elegir grupo de docencia, en su caso, en los términos que disponga la universidad, de forma que se pueda conciliar la formación con otras actividades profesionales, extra-académicas o familiares, y específicamente para el ejercicio de los derechos de las mujeres víctimas de la violencia de género.

d) A recibir una formación teórico práctica de calidad y acorde con las competencias adquiridas según lo establecido en las enseñanzas previas.

e) A recibir orientación y tutoría personalizadas en el primer año y durante los estudios, para facilitar la adaptación al entorno universitario y el rendimiento académico, así como en la fase final con la finalidad de facilitar la incorporación laboral, el desarrollo profesional y la continuidad de su formación universitaria.

f) A disponer de la posibilidad de realización de prácticas, curriculares o extra-curriculares, que podrán realizarse en entidades externas y en los centros, estructuras o servicios de la Universidad, según la modalidad prevista y garantizando que sirvan a la finalidad formativa de las mismas.

g) A contar con tutela efectiva, académica y profesional, en el trabajo fin de grado y, en su caso, en las prácticas externas que se prevean en el plan de estudios.

h) A contar con el reconocimiento y protección de la propiedad intelectual del trabajo fin de grado y de los trabajos previos de investigación en los términos que se establecen en la legislación vigente sobre la materia.

i) A participar en programas y convocatorias de ayudas de movilidad nacional o internacional, en especial durante la segunda mitad de sus estudios.

j) A participar en los procesos de evaluación institucional y en las Agencias de Aseguramiento de la Calidad Universitaria.

H) Derechos específicos de los estudiantes de Máster

Los estudiantes de máster tienen los siguientes derechos específicos:

a) A recibir información y a participar en la elaboración de las Memorias de verificación de títulos de máster.

b) A obtener el reconocimiento de su formación previa o, en su caso, de las actividades laborales o profesionales desarrolladas con anterioridad a sus estudios de máster siempre que dicho reconocimiento sea pertinente.

c) A elegir grupo de docencia, en su caso, en los términos que disponga la universidad, de forma que se pueda conciliar la formación con otras actividades profesionales, extra-académicas o familiares.

d) A recibir una formación teórico-práctica de calidad, ajustada a los objetivos profesionales o de iniciación a la investigación, previstos en el título.

e) A recibir orientación y tutoría personalizadas, para facilitar el rendimiento académico, la preparación para la actividad profesional o la iniciación a la investigación.

f) A disponer de la posibilidad de realización de prácticas, curriculares o extra-curriculares, que podrán realizarse en entidades externas y en los centros, estructuras o servicios de la universidad, según la modalidad prevista y garantizando sirvan a la finalidad formativa de las prácticas.

g) A contar con tutela efectiva, académica y profesional, en el trabajo fin de máster y, en su caso, en las prácticas académicas externas que se prevean en el plan de estudios.

h) A contar con el reconocimiento y protección de la propiedad intelectual del trabajo fin de máster y de los trabajos previos de investigación en los términos que se establecen en la legislación vigente sobre la materia.

i) A participar en programas y convocatorias de ayudas de movilidad nacional o internacional.

j) A participar en los procesos de evaluación institucional y en las Agencias de Aseguramiento de la Calidad Universitaria.

I) Derechos específicos de los estudiantes de Doctorado

Los estudiantes de doctorado tienen los siguientes derechos específicos:

a) A recibir una formación investigadora de calidad, que promueva la excelencia científica y atienda a la equidad y la responsabilidad social.

b) A contar con un tutor que oriente su proceso formativo y un director y, en su caso codirector, con experiencia investigadora acreditada, que supervise la realización de la tesis doctoral.

c) A que las universidades y las Escuelas de Doctorado promuevan en sus programas de tercer ciclo la integración de los doctorandos en grupos y redes de investigación.

d) A conocer la carrera profesional de la investigación y a que las universidades promuevan en sus programas oportunidades de desarrollo de la carrera investigadora.

e) A participar en programas y convocatorias de ayudas para la formación investigadora y para la movilidad nacional e internacional.

f) A contar con el reconocimiento y protección de la propiedad intelectual a partir de los resultados de la Tesis Doctoral y de los trabajos de investigación previos en los términos que se establecen en la legislación vigente sobre la materia.

g) A ser considerados, en cuanto a derechos de representación en los órganos de gobierno de las universidades, como personal investigador en formación, de conformidad con lo que se establezca en la legislación en materia de ciencia e investigación.

h) A participar en el seguimiento de los programas de doctorado y en los procesos de evaluación institucional, en los términos previstos por la normativa vigente.

J) Derechos específicos de los estudiantes de formación continua y otros estudios ofrecidos por las universidades

Estos estudiantes tienen los siguientes derechos específicos:

a) A que las universidades desarrollen sus programas de formación continua con criterios de calidad, y sistemas de admisión flexibles que incluyan el reconocimiento de la formación y de la actividad laboral o profesional previas.

b) A conciliar, en lo posible, la formación con la vida familiar y laboral y, en su caso, para garantizar el ejercicio de los derechos de las mujeres víctimas de la violencia de género, para lo cual las universidades, dentro de sus disponibilidades, organizarán con flexibilidad los horarios.

c) A contar con una carta de servicios que las universidades desarrollen y difundan cada curso académico con su oferta formativa detallada en este ámbito. Dicha carta de servicios deberá recoger, al menos, el tipo y duración de las actividades que se ofrecen, los límites de validez académica, en su caso, y los medios disponibles para su ejecución.

K) Efectividad de los derechos

Para la plena efectividad de los derechos recogidos las universidades:

a) Informarán a los estudiantes sobre los mismos y les facilitarán su ejercicio.

b) Establecerán los recursos y adaptaciones necesarias para que los estudiantes con discapacidad puedan ejercerlos en igualdad de condiciones que el resto de estudiantes, sin que ello suponga disminución del nivel académico exigido.

c) Garantizarán su ejercicio mediante procedimientos adecuados y, en su caso, a través de la actuación del Defensor universitario.

L) Cobertura de seguro

El Gobierno procederá al estudio de las contingencias actuales del seguro escolar, las prestaciones que se deriven de dicho seguro, la compatibilidad con otras modalidades generales de aseguramiento por contingencias actualmente en vigor y las necesidades derivadas de la enseñanza universitaria actual, con la finalidad de presentar, en su caso, un proyecto de ley que redefina el régimen del seguro escolar. El alcance del actual seguro escolar seguirá estando en vigor hasta dicho momento.

M) Regulación de los procedimientos administrativos sancionadores en el ámbito universitario

El Gobierno presentará a las Cortes Generales, en el plazo de un año a partir de la entrada en vigor del Estatuto del Estudiante Universitario, un proyecto de ley reguladora de la potestad disciplinaria, en donde se contendrá la tipificación de infracciones, sanciones y medidas complementarias del régimen sancionador para los estudiantes universitarios de acuerdo con el principio de proporcionalidad. De igual modo, en dicho proyecto de ley, se procederá a la adaptación de los principios del procedimiento administrativo sancionador a las especificidades del ámbito universitario, de manera que garantice los derechos de defensa del estudiante y la eficacia en el desarrollo del procedimiento.

N) Deberes de los estudiantes universitarios

Los estudiantes universitarios deben asumir el compromiso de tener una presencia activa y corresponsable en la universidad, deben conocer su universidad, respetar sus Estatutos y demás normas de funcionamiento aprobadas por los procedimientos reglamentarios.

Entendidos como expresión de ese compromiso, los deberes de los estudiantes universitarios serán los siguientes:

a) El estudio y la participación activa en las actividades académicas que ayuden a completar su formación.

b) Respetar a los miembros de la comunidad universitaria, al personal de las entidades colaboradoras o que presten servicios en la universidad.

c) Cuidar y usar debidamente los bienes, equipos, instalaciones o recinto de la universidad o de aquellas entidades colaboradoras con la misma.

d) Abstenerse de la utilización o cooperación en procedimientos fraudulentos en las pruebas de evaluación, en los trabajos que se realicen o en documentos oficiales de la universidad.

e) Participar de forma responsable en las actividades universitarias y cooperar al normal desarrollo de las mismas.

f) Conocer y cumplir los Estatutos y demás normas reglamentarias de la universidad.

g) Conocer y cumplir las normas internas sobre seguridad y salud, especialmente las que se refieren al uso de laboratorios de prácticas y entornos de investigación.

h) Respetar el nombre, los símbolos y emblemas de la universidad o de sus órganos, así como su debido uso.

i) Respetar los actos académicos de la universidad, así como a los participantes en los mismos, sin menoscabo de su libre ejercicio de expresión y manifestación.

j) Ejercer y promover activamente la no discriminación por razón de nacimiento, origen racial o étnico, sexo, religión, convicción u opinión, edad, discapacidad, nacionalidad, enfermedad, orientación sexual e identidad de género, condición socioeconómica, idiomática o lingüística, o afinidad política y sindical, o por razón de apariencia, sobrepeso u obesidad, o por cualquier otra condición o circunstancia personal o social, de los miembros de la comunidad universitaria, del personal de las entidades colaboradoras o que presten servicios en la universidad.

k) Ejercer, en su caso, las responsabilidades propias del cargo de representación para el que hayan sido elegidos.

l) Informar a sus representados de las actividades y resoluciones de los órganos colegiados en los que participa, así como de sus propias actuaciones, con la reserva y discreción que se establezcan en dichos órganos.

m) Participar de forma activa y responsable en las reuniones de los órganos colegiados para los que haya sido elegido.

n) Contribuir a la mejora de los fines y funcionamiento de la universidad.

o) Cualquier otro deber que le sea asignado en los Estatutos de la universidad en la que está matriculado.

1.2.3. El acceso y la admisión en la universidad

A) Acceso y admisión a las enseñanzas universitarias

Los estudiantes que cumplan los requisitos exigidos por la legislación, tienen derecho a acceder y a solicitar la admisión en las enseñanzas oficiales de cualquier universidad española, conforme a los procedimientos previstos en la normativa vigente.

Para facilitar los trámites de matrícula, las universidades establecerán mecanismos de gestión y asesoramiento que ayuden al diseño curricular por parte del estudiante, de acuerdo con la normativa vigente.

B) Acceso y admisión de estudiantes con discapacidad

Los procedimientos de acceso y admisión, dentro de las normas establecidas por el Gobierno, las Comunidades Autónomas y las universidades, se adaptarán a las necesidades específicas de las personas con discapacidad, con el fin de garantizar la igualdad de oportunidades y la plena integración en la universidad.

Del mismo modo, las universidades harán accesibles sus espacios y edificios, incluidos los espacios virtuales, y pondrán a disposición del estudiante con discapacidad medios materiales, humanos y técnicos para asegurar la igualdad de oportunidades y la plena integración en la comunidad universitaria.

1.2.4. La movilidad estudiantil

A) Programas de movilidad

Las universidades podrán ofertar a los estudiantes programas de movilidad, nacional o internacional, mediante la firma de los correspondientes convenios de cooperación interuniversitaria.

Dichos programas podrán atender a la formación académica propia de la titulación y a otros ámbitos de formación integral del estudiante tales como la formación transversal en valores, la formación orientada al empleo y cualesquiera otros que promueva la universidad en sus principios y fines.

Asimismo, las universidades podrán promover programas específicos de movilidad, nacional e internacional, para la realización de los trabajos de fin de grado y fin de máster, así como para la realización de prácticas externas, sin perjuicio de las previsiones establecidas en la normativa española vigente de extranjería e inmigración.

Con carácter general, los programas de movilidad se desarrollarán en cualquiera de los tres ciclos de las enseñanzas universitarias: grado, máster y doctorado.

a) Los estudiantes de enseñanzas de grado podrán participar en los programas de movilidad, preferentemente, en la segunda mitad de sus estudios.

b) Los estudiantes de enseñanzas de máster podrán participar en programas de movilidad cuya duración será, como máximo, de un semestre para títulos de máster de 60 a 90 créditos, y de un curso completo para títulos de máster de 90 a 120 créditos.

c) Los estudiantes de enseñanzas de doctorado internacional, podrán participar en programas de movilidad durante el periodo de investigación de su programa de doctorado. La duración de estas estancias será la establecida en su normativa reguladora.

Para facilitar la participación de los estudiantes, las administraciones con competencias en materia universitaria y las universidades promoverán sistemas de financiación de los gastos ocasionados por las estancias de formación, o de realización de trabajos fin de titulación, o de prácticas externas.

Los estudiantes podrán obtener ayudas y becas que contribuyan a sufragar los gastos de alojamiento y manutención de su estancia en el centro de destino en las condiciones que establezca la normativa de ayudas a la movilidad que corresponda en cada caso. Para la concesión de dichas ayudas la Administración General del Estado y las Comunidades Autónomas podrán promover contratos-programas u otras fórmulas de financiación con las universidades que aplicarán los principios de progresividad y de adaptación a los costes reales del país donde se realice la estancia.

B) Reconocimiento académico y movilidad

Las universidades arbitrarán, de acuerdo con su normativa propia, los procedimientos adecuados para que los estudiantes que participen en los programas de movilidad conozcan, con anterioridad a su incorporación a la universidad de destino, mediante contrato o acuerdo de estudios (según la denominación prevista en la citada normativa propia), las asignaturas que van a ser reconocidas académicamente en el plan de estudios de la titulación que cursa en la universidad de origen.

Los estudiantes tendrán asignado un tutor docente, con el que habrán de elaborar el contrato o acuerdo de estudios que corresponda al programa de movilidad, nacional o internacional. En dicho documento quedarán reflejadas, con carácter vinculante, las actividades académicas que se desarrollarán en la universidad de destino y su correspondencia con las de la universidad de origen; la valoración, en su caso, en créditos europeos y las consecuencias del incumplimiento de sus términos.

Para el reconocimiento de conocimientos y competencias, las universidades atenderán al valor formativo conjunto de las actividades académicas desarrolladas, y no a la identidad entre asignaturas y programas ni a la plena equivalencia de créditos.

Las actividades académicas realizadas en la universidad de destino serán reconocidas e incorporadas al expediente del estudiante en la universidad de origen una vez terminada su estancia o, en todo caso, al final del curso académico correspondiente, con las calificaciones obtenidas en cada caso. A tal efecto, las universidades establecerán tablas de correspondencia de las calificaciones en cada convenio bilateral de movilidad.

Los programas de movilidad en que haya participado un estudiante y sus resultados académicos, así como las actividades que no formen parte del contrato o acuerdo de estudios y sean acreditadas por la universidad de destino, serán recogidos en el Suplemento Europeo al Título.

C) Movilidad nacional e internacional de estudiantes con discapacidad

Las Administraciones y las universidades promoverán la participación en programas de movilidad, nacionales e internacionales, de estudiantes con discapacidad, estableciendo los cupos pertinentes, garantizando la financiación suficiente en cada caso, así como los sistemas de información y cooperación entre las unidades de atención a estos estudiantes.

1.2.5. Las tutorías

A) Principios generales

Los estudiantes recibirán orientación y seguimiento de carácter transversal sobre su titulación. Dicha información atenderá, entre otros, a los siguientes aspectos:

a) Objetivos de la titulación;

b) Medios personales y materiales disponibles;

c) Estructura y programación progresiva de las enseñanzas;

d) Metodologías docentes aplicadas;

e) Procedimientos y cronogramas de evaluación;

f) Indicadores de calidad, tales como tasas de rendimiento académico esperado y real de los estudios; tasas de incorporación laboral de egresados.

Para desarrollar sus programas de orientación y de acuerdo con lo establecido en la normativa autonómica y de las propias universidades, los centros podrán nombrar coordinadores y tutores de titulación, cuya misión será llevar a cabo una orientación de calidad, dirigida a reforzar y complementar la docencia como formación integral y crítica de los estudiantes y como preparación para el ejercicio de actividades profesionales. En el caso de las universidades a distancia, la figura de los tutores y sus actividades se ajustarán a su metodología docente y de evaluación.

Las universidades impulsarán, de acuerdo con lo establecido en la normativa autonómica y de las propias universidades, sistemas tutoriales que integren de manera coordinada las acciones de información, orientación y apoyo formativo a los estudiantes, desarrollados por el profesorado y el personal especializado.

Las universidades establecerán los procedimientos oportunos para dar publicidad a los planes, programas y actividades tutoriales.

B) Tutorías de titulación

Los coordinadores y tutores de titulación asistirán y orientarán a los estudiantes en sus procesos de aprendizaje, en su transición hacia el mundo laboral y en su desarrollo profesional.

La tutoría de titulación facilitará:

a) El proceso de transición y adaptación del estudiante al entorno universitario.

b) La información, orientación y recursos para el aprendizaje.

c) La configuración del itinerario curricular atendiendo también a las especificidades del alumnado con necesidades educativas especiales.

d) La transición al mundo laboral, el desarrollo inicial de la carrera profesional y el acceso a la formación continua.

C) Tutorías de materia o asignatura

Los estudiantes serán asistidos y orientados, individualmente, en el proceso de aprendizaje de cada materia o asignatura de su plan de estudios mediante tutorías desarrolladas a lo largo del curso académico.

Corresponde a los departamentos velar por el cumplimiento de las tutorías del profesorado adscrito a los mismos de acuerdo con los planes de estudio y la programación docente de las enseñanzas en las que imparte docencia.

Las universidades, a través de sus centros y departamentos, garantizarán que los estudiantes puedan acceder a las tutorías, estableciendo los criterios y horarios correspondientes.

D) Tutorías para estudiantes con discapacidad

Los programas de tutoría y las actividades de tutoría deberán adaptarse a las necesidades de los estudiantes con discapacidad, procediendo los departamentos o centros, bajo la coordinación y supervisión de la unidad competente en cada Universidad, a las adaptaciones metodológicas precisas y, en su caso, al establecimiento de tutorías específicas en función de sus necesidades. Las tutorías se realizarán en lugares accesibles para personas con discapacidad.

Se promoverá el establecimiento de programas de tutoría permanente para que el estudiante con discapacidad pueda disponer de un profesor tutor a lo largo de sus estudios.

1.2.6. La programación docente y evaluación del estudiante de enseñanzas que conducen a la obtención de un título oficial

A) Programación docente de las enseñanzas universitarias que conducen a la obtención de un título oficial

La universidad, con el apoyo de las administraciones que tienen competencia en materia universitaria, velará para que la docencia y la gestión de las enseñanzas correspondientes a sus distintas titulaciones oficiales cumplan las mismas condiciones de calidad.

Los estudiantes tienen derecho a conocer los planes docentes de las materias o asignaturas en las que prevean matricularse, con antelación suficiente y, en todo caso, antes de la apertura del plazo de matrícula en cada curso académico. Los planes docentes especificarán los objetivos docentes, los resultados de aprendizaje esperados, los contenidos, la metodología y el sistema y las características de la evaluación.

Los departamentos o los centros, según a quienes corresponde la responsabilidad de aprobar los planes docentes de las materias y asignaturas cuya docencia tienen adscritas, garantizarán su cumplimiento en todos los grupos docentes en que se impartan.

Los centros responsables de cada titulación, con anterioridad a la apertura del plazo de matrícula, informarán de la planificación de la titulación para el curso académico, que incluirá la dedicación del estudiante al estudio y aprendizaje en términos ECTS, el profesorado previsto y la distribución horaria global de cada materia o asignatura, a partir de una coordinación interdepartamental que tendrá en cuenta las exigencias del trabajo, fuera del horario lectivo, que los estudiantes deberán realizar.

Las universidades, en el marco de la libertad académica que tienen reconocida, podrán establecer mecanismos de compensación por materia y formar tribunales que permitan enjuiciar, en conjunto, la trayectoria académica y la labor realizada por el estudiante y decidir si está en posesión de los suficientes conocimientos y competencias que le permitan obtener el título académico al que opta.

B) Prácticas académicas externas

Las prácticas externas son una actividad de naturaleza formativa realizadas por los estudiantes y supervisada por las universidades, cuyo objetivo es permitir a los estudiantes aplicar y complementar los conocimientos adquiridos en su formación académica, favoreciendo la adquisición de competencias que le preparen para el ejercicio de actividades profesionales y faciliten su empleabilidad.

El objeto de las prácticas externas es alcanzar un equilibrio entre la formación teórica y práctica del estudiante, la adquisición de metodologías para el desarrollo profesional, y facilitar su empleabilidad futura. Podrán realizarse en empresas, instituciones y entidades públicas y privadas, incluida la propia universidad, según la modalidad prevista.

Se establecerán dos modalidades de prácticas externas: curriculares y extracurriculares. Las prácticas curriculares son actividades académicas regladas y tuteladas, que forman parte del Plan de Estudios.

Las prácticas extracurriculares son aquellas que los estudiantes realizan con carácter voluntario, durante su periodo de formación, y que, aún teniendo los mismos fines, no están incluidas en los planes de estudio sin perjuicio de su mención posterior en el Suplemento Europeo al Título.

Para la realización de las prácticas externas, las universidades impulsarán el establecimiento de convenios con empresas e instituciones fomentando que estas sean accesibles para la realización de prácticas de estudiantes con discapacidad.

Los programas de prácticas contarán con una planificación en la que se hará constar: las competencias que debe adquirir el estudiante, la dedicación en créditos ECTS, las actividades formativas que debe desarrollar el estudiante, el calendario y horario, así como el sistema de evaluación.

Para la realización de las prácticas externas curriculares los estudiantes contarán con un tutor académico de la universidad y un tutor de la entidad colaboradora, quienes acordarán el plan formativo del estudiante y realizarán su seguimiento. En el caso de las prácticas externas extracurriculares, la universidad y la entidad colaboradora ejercerán la tutela en los términos establecidos por el convenio.

La universidad contará con procedimientos para garantizar la calidad de las prácticas externas, que incluyan mecanismos, instrumentos y órganos o unidades implicados en la recogida y análisis de información sobre el desarrollo de las prácticas y la revisión de su planificación.

En los convenios de colaboración se podrá establecer financiación por parte de las entidades correspondientes, en concepto de ayudas al estudio.

Las prácticas externas de carácter formativo estarán ajustadas a la formación y competencias de los estudiantes y su contenido no podrá dar lugar, en ningún caso, a la sustitución de la prestación laboral propia de puestos de trabajo.

Las prácticas relacionadas con las enseñanzas del ámbito de la salud se regirán por lo previsto en las directivas europeas y de acuerdo con sus normativas específicas.

C) Evaluación de los aprendizajes del estudiante

La evaluación del rendimiento académico de los estudiantes responderá a criterios públicos y objetivos y tenderá hacia la evaluación continua, entendida como herramienta de corresponsabilidad educativa y como un elemento del proceso de enseñanza-aprendizaje que informa al estudiante sobre su proceso de aprendizaje.

La evaluación se ajustará a lo establecido en los planes docentes de las materias y asignaturas aprobados por los departamentos.

Los calendarios de fechas, horas y lugares de realización de las pruebas, incluidas las orales, serán acordados por el órgano que proceda, garantizando la participación de los estudiantes, y atendiendo a la condición de que estos lo sean a tiempo completo o a tiempo parcial.

La programación de pruebas de evaluación no podrá alterarse, salvo en aquellas situaciones en las que, por imposibilidad sobrevenida, resulte irrealizable según lo establecido. Ante estas situaciones excepcionales, los responsables de las titulaciones realizarán las consultas oportunas, con el profesorado y los estudiantes afectados para proceder a proponer una nueva programación de acuerdo con lo previsto en la normativa autonómica y de las propias universidades.

Los estudiantes que, por motivos de asistencia a reuniones de los órganos colegiados de representación universitaria, o por otros motivos previstos en sus respectivas normativas, no puedan concurrir a las pruebas de evaluación programadas, tendrán derecho a que les fije un día y hora diferentes para su realización. Las Universidades velarán, conforme a su normativa y a la autonómica, por no hacer coincidir las reuniones con los periodos de exámenes ni con los días de estudio previos.

En la programación de los sistemas de evaluación se evitará, de conformidad con lo establecido en la normativa autonómica y de la propia universidad, que un estudiante sea convocado a pruebas de carácter global de distintas asignaturas del mismo curso en un plazo inferior a veinticuatro horas. En todo caso y de acuerdo con la anterior normativa, tendrá derecho a que la realización de las pruebas de carácter global correspondientes no le coincidan en fecha y hora. En el caso de las universidades a distancia, esta programación se ajustará a su metodología docente y de evaluación.

En cualquier momento de las pruebas de evaluación, el profesor podrá requerir la identificación de los estudiantes asistentes, que deberán acreditarla mediante la exhibición de su carné de estudiante, documento nacional de identidad, pasaporte o, en su defecto, acreditación suficiente a juicio del evaluador.

Los estudiantes tendrán derecho a que se les entregue a la finalización de las pruebas de evaluación un justificante documental de haberlas realizado.

D) Estudiantes con discapacidad

Las pruebas de evaluación deberán adaptarse a las necesidades de los estudiantes con discapacidad, procediendo los centros y los departamentos a las adaptaciones metodológicas, temporales y espaciales precisas.

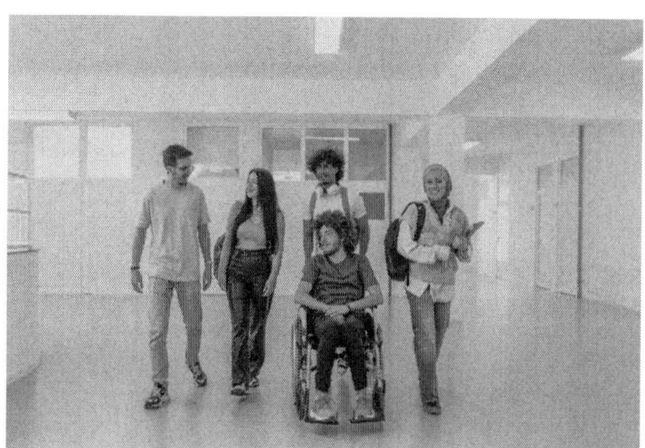

E) Trabajos y memorias de evaluación

Los trabajos y memorias de prácticas con soporte material único serán conservadas por el profesor hasta la finalización del curso siguiente en los términos previstos en la normativa autonómica y de la propia universidad. Acabado este plazo y, de acuerdo con la citada normativa, serán devueltas a los estudiantes firmantes a petición propia, salvo que esté pendiente la resolución de un recurso.

La publicación o reproducción total o parcial de los trabajos a que se refiere el párrafo anterior o la utilización para cualquier otra finalidad distinta de la estrictamente académica, requerirá la autorización expresa del autor o autores, de acuerdo con la legislación de propiedad intelectual.

Los proyectos de fin de carrera, trabajos de fin de grado y máster, así como las tesis doctorales, se regirán por su normativa específica.

Las publicaciones resultantes de los trabajos, especialmente en el caso del doctorado, se regirán por la normativa de propiedad intelectual.

F) Tribunales de evaluación

Los estudiantes podrán solicitar evaluación ante tribunal de acuerdo con las condiciones y regulación que a tal fin dispongan las universidades.

Las universidades establecerán el procedimiento para que, cuando un profesor se encuentre en los casos de abstención y recusación previstos en la ley, el Consejo de Departamento nombre un profesor sustituto de entre los profesores permanentes del área o de áreas afines.

G) Comunicación de las calificaciones

Dentro de los plazos y procedimiento establecidos por la universidad, los profesores responsables de la evaluación publicarán las calificaciones de las pruebas efectuadas, con la antelación suficiente para que los estudiantes puedan llevar a cabo la revisión con anterioridad a la finalización del plazo de entrega de actas.

Junto a las calificaciones, se hará público el horario, lugar y fecha en que se celebrará la revisión de las mismas. En el caso de las universidades a distancia, la revisión podrá realizarse conforme a su metodología y canales de comunicación. Dicha información, así como los lugares de revisión, deberán ser accesibles para los estudiantes con discapacidad.

Los profesores deberán conservar el material escrito, en soporte de papel o electrónico, de las pruebas de evaluación o, en su caso, la documentación correspondiente de las pruebas orales, hasta la finalización del curso académico siguiente en los términos previstos en la normativa autonómica y de la propia universidad. En los supuestos de petición de revisión o de recurso contra la calificación y, de acuerdo con la citada normativa, deberán conservarse hasta que exista resolución firme.

En la comunicación de las calificaciones se promoverá la incorporación de las tecnologías de la información.

H) Revisión ante el profesor o ante el tribunal

Los estudiantes tendrán acceso a sus propios ejercicios en los días siguientes a la publicación de las calificaciones de las pruebas de evaluación realizadas, en los términos previstos en la normativa autonómica y de la propia universidad, recibiendo de los profesores que los calificaron o del coordinador de la asignatura las oportunas explicaciones orales sobre la calificación recibida. Asimismo, en los términos previstos en la normativa autonómica y de la propia universidad, los estudiantes evaluados por tribunal tendrán derecho a la revisión de sus ejercicios ante el mismo. En el caso de las universidades a distancia, los canales de comunicación podrán ajustarse a su metodología y tecnologías de comunicación.

La revisión, en ambos casos, se llevará a cabo en los plazos y procedimientos que se regulen en la normativa autonómica y de las propias universidades. En cualquier caso, la revisión será personal e individualizada. La revisión deberá adaptarse a las necesidades específicas de los estudiantes con discapacidad, procediendo los departamentos, bajo la coordinación y supervisión de la unidad competente en cada universidad, a las adaptaciones metodológicas precisas y, en su caso, al establecimiento de revisiones específicas en función de sus necesidades.

El período de revisión finalizará en un plazo anterior al establecido por la universidad para la publicación y cierre de actas.

I) Reclamación ante el órgano competente

Contra la decisión del profesor o del tribunal cabrá reclamación motivada dirigida al órgano competente. A propuesta de dicho órgano, se nombrará una Comisión de reclamaciones, de la que no podrán formar parte los profesores que hayan intervenido en el proceso de evaluación anterior, que resolverá en los plazos y procedimientos que regulen las universidades.

J) Reconocimiento y transferencia de actividades universitarias culturales, deportivas, de representación estudiantil, solidarias y de cooperación

Las universidades regularán el procedimiento para hacer efectivo el derecho de los estudiantes al reconocimiento académico por su participación en actividades universitarias culturales, deportivas, de representación estudiantil, solidarias y de cooperación de acuerdo con los dispuesto en la legislación que sea de aplicación. En su caso, dichas actividades se transferirán al expediente del estudiante y al Suplemento Europeo al Título.

1.2.7. La programación docente y evaluación del estudiante de enseñanzas no conducentes a la obtención de un título oficial

Las universidades establecerán los criterios que regulen la programación docente y la evaluación de los estudiantes que cursan los diferentes tipos de enseñanzas no conducentes a un título oficial.

En todo caso, se garantizará el derecho de estos estudiantes a una formación de calidad, así como a conocer la programación docente y los criterios de evaluación con anterioridad a la matrícula y el procedimiento para la revisión y la reclamación de las calificaciones.

1.2.8. Becas y ayudas al estudiante

A) Principios básicos de los programas de becas y ayudas

El derecho de los estudiantes a participar en programas de becas y ayudas, así como a recibir cobertura en determinadas situaciones deberá ser garantizado por la Administración General del Estado, por las Comunidades Autónomas y por las universidades, mediante el desarrollo de programas y convocatorias generales o propias, respetando, en todo caso, el principio general de que ningún estudiante haya de renunciar a sus estudios universitarios por razones económicas.

Los programas de becas y ayudas, en los que proceda, aplicarán el principio de la progresividad, de forma que las cantidades asignadas a cada estudiante se ajusten, en cada caso, a su situación socio-económica y a sus necesidades reales.

Los programas de becas y ayudas atenderán a los principios de suficiencia y equidad y promoverán el aprovechamiento académico de los estudiantes.

B) Participación de los estudiantes

Los estudiantes participarán, a través del Consejo de Estudiantes Universitario del Estado, en el diseño de los programas estatales de becas y ayudas al estudio, y a través de los correspondientes órganos colegiados de representación estudiantil, en el de las Comunidades Autónomas y las universidades, en los términos que se establezcan para cada caso.

Asimismo, los estudiantes formarán parte de los órganos colegiados de selección de becarios de cada universidad a través de los órganos de representación estudiantil que prevean las universidades en sus normativas correspondientes.

C) Programas de becas y ayudas

La Administración General del Estado, las Comunidades Autónomas y las universidades en el ámbito de sus respectivas competencias regularán y desarrollarán programas, generales y propios, de becas y ayudas al estudio.

En los términos previstos por la ley, tendrán derecho a beca todos los estudiantes que cursen estudios reglados y reúnan los requisitos que se establezcan en las correspondientes convocatorias.

Las becas y ayudas extenderán su duración mientras el estudiante mantenga su vinculación como tal con la universidad, dentro de los límites que se determinen, y siempre que no se modifiquen las circunstancias que justificaron la concesión.

Asimismo, los requisitos que se establezcan para las convocatorias de becas tendrán en cuenta la ponderación de los créditos superados por el estudiante, distinguiendo el ciclo de los estudios de que se trate, y las tasas de rendimiento y eficiencia de la rama de conocimiento correspondiente.

D) Garantías

La gestión de la política de becas estará inspirada en los principios de equidad y eficacia.

La administración General del Estado y las Comunidades Autónomas y las universidades resolverán, en cada caso y de acuerdo con la normativa que resulte de aplicación, los expedientes para la concesión de becas y ayudas, a la mayor brevedad y con la máxima agilidad posible.

El Ministerio de Educación, a través del Observatorio de Becas, Ayudas y Rendimiento Académico, velará por la equidad y la eficacia del sistema de becas y ayudas al estudio, garantizando la participación de los estudiantes en el mismo.

1.2.9. El fomento de la convivencia activa y corresponsabilidad universitaria

A) Fomento de la convivencia

Corresponde al Rector de cada universidad adoptar las decisiones relativas al fomento de la convivencia y el respeto a derechos y deberes de los miembros de la comunidad universitaria.

B) Corresponsabilidad universitaria

Cada Universidad podrá crear en sus centros comisiones de corresponsabilidad, constituidas por profesorado, estudiantes y personal de administración y servicios.

Estas comisiones tendrán como objeto el análisis, debate, crítica y formulación de propuestas sobre todas aquellas cuestiones que por sus implicaciones éticas, culturales y sociales permitan a la comunidad universitaria realizar aportaciones al discurso público sobre las mismas y también sobre las que afecten a la propia universidad como espacio de aprendizaje y convivencia y a su relación con la comunidad. En ningún caso estas comisiones tendrán carácter sancionador.

C) El Defensor universitario

Para velar por el respeto a los derechos y las libertades de los profesores, estudiantes y personal de administración y servicios, ante las actuaciones de los diferentes órganos y servicios universitarios, las universidades establecerán en su estructura organizativa la figura del Defensor Universitario. Sus actuaciones, siempre dirigidas hacia la mejora de la calidad universitaria en todos sus ámbitos, no estarán sometidas a mandato imperativo de ninguna instancia universitaria y vendrán regidas por los principios de independencia y autonomía.

Los Defensores Universitarios podrán asumir tareas de mediación, conciliación y buenos oficios, conforme a lo establecido en los Estatutos de las Universidades y en sus disposiciones de desarrollo, promoviendo especialmente la convivencia, la cultura de la ética, la corresponsabilidad y las buenas prácticas.

Los Defensores Universitarios asesorarán a los estudiantes sobre los procedimientos administrativos existentes para la formulación de sus reclamaciones, sin perjuicio de las competencias de otros órganos administrativos.

Los estudiantes podrán acudir al Defensor Universitario cuando sientan lesionados sus derechos y libertades en los términos establecidos por los Estatutos de las universidades y sus disposiciones de desarrollo.

Los estudiantes colaborarán con el Defensor Universitario, individualmente o, en su caso, a través de sus representantes, en los términos y conforme a los cauces que establezcan las Universidades.

1.2.10. La participación y la representación estudiantil

A) Principios generales

La universidad, como proyecto colectivo, debe promover la participación de todos los grupos que la integran.

Los estudiantes, protagonistas de la actividad universitaria, deben asumir el compromiso de corresponsabilidad en la toma de decisiones, participando en los distintos Órganos de Gobierno a través de sus representantes democráticamente elegidos, promoviendo y siguiendo los principios de paridad entre sexos y del equilibrio entre los principales sectores de la comunidad universitaria.

B) Elección de representantes

Todos los estudiantes universitarios están comprometidos en la participación, activa y democrática, en los órganos de gobierno de su universidad, centro y departamento, y en sus propios colectivos, mediante la elección de sus representantes.

Son electores y elegibles todos los estudiantes que se encuentren matriculados en la universidad y que realicen estudios conducentes a la obtención de un título oficial en los términos establecidos en los estatutos de su universidad y reglamentos que los desarrollen.

Las universidades impulsarán la participación activa de las y los estudiantes en los procesos de elección, proporcionando la información y los medios materiales necesarios y fomentando el debate, así como facilitando y promoviendo la implicación del alumnado en el diseño de los mecanismos para el estimulo de la participación de los estudiantes.

Son representantes de los estudiantes que cursan estudios conducentes a la obtención de un título oficial:

a) Los estudiantes que, elegidos por sus compañeros, formen parte de los órganos colegiados de gobierno y representación de la universidad.
b) Los estudiantes que, elegidos por sus compañeros, ejercen otras funciones representativas, de acuerdo con la normativa de cada universidad.

Se promoverá que la representación estudiantil respete el principio de paridad, con participación proporcional de hombre y mujeres. Asimismo, se promoverá la participación de las personas con discapacidad en dicha representación estudiantil.

La normativa de cada universidad regulará la representación de los estudiantes que cursen estudios no conducentes a la obtención de un título oficial.

C) Derechos de los representantes

Los representantes de los estudiantes tienen derecho a:

a) El libre ejercicio de su representación o delegación.
b) Expresarse libremente, sin más limitaciones que las derivadas de las normas legales, y el respeto a las personas y a la Institución.
c) Recibir información exacta y concreta sobre los asuntos que afecten a los estudiantes.
d) Participar corresponsablemente en el proceso de toma de decisiones y políticas estratégicas.
e) A que sus labores académicas se compatibilicen, sin menoscabo de su formación, con sus actividades representativas. Las universidades arbitrarán procedimientos para que la labor académica de representantes y delegados de los estudiantes no resulte afectada por dichas actividades.
f) Disponer espacios físicos y medios electrónicos para difundir la información de interés para los estudiantes. Además, se garantizarán espacios propios y exclusivos, no solo para difusión, sino para su actuación como representantes en general. Será fundamental que dicha información tenga un formato accesible y que tales espacios estén adaptados para facilitar el acceso y la participación de los estudiantes con discapacidad.
g) Los recursos técnicos y económicos para el normal desarrollo de sus funciones como representantes estudiantiles.

D) Responsabilidades de los representantes

Los representantes de estudiantes adquieren las siguientes responsabilidades con respecto a sus representados y a la institución universitaria:

a) Asistir a las reuniones y canalizar las propuestas, iniciativas y críticas del colectivo al que representan ante los órganos de la Universidad, sin perjuicio del derecho de cualquier estudiante a elevarlas directamente con arreglo al procedimiento de cada universidad.

b) Hacer buen uso de la información recibida por razón de su cargo, respetando la confidencialidad de la que le fuera revelada con este carácter.

c) Proteger, fomentar y defender los bienes y derechos de la universidad.

d) Informar a sus representados de las actividades y resoluciones de los órganos colegiados, así como de sus propias actuaciones en dichos órganos.

E) Participación estudiantil y promoción de asociaciones, federaciones y confederaciones de estudiantes

En los términos establecidos por el Estatuto del Estudiante y por las normativas propias de las universidades, se impulsará la participación estudiantil en asociaciones y movimientos sociales, como expresión de la formación en valores de convivencia y ciudadanía.

Dentro de los fines propios de la universidad, se promoverá la constitución de asociaciones, colectivos, federaciones y confederaciones de estudiantes, que tendrán por objeto desarrollar actividades de su interés, en el régimen que dispongan sus estatutos.

Los estudiantes, individualmente y organizados en dichos colectivos, deben contribuir con proactividad y corresponsabilidad a:

a) El equilibrio, la paridad y la igualdad de oportunidades en la representación estudiantil y en los órganos de representación de las asociaciones.

b) La igualdad de oportunidades de mujeres y hombres en la formulación de sus proyectos.

c) La promoción de la participación de los estudiantes con discapacidad.

d) El compromiso de las universidades con la sostenibilidad y las actividades saludables.

e) El diseño y las políticas estratégicas de los campus en los que desarrollan su actividad, y en especial la mejora de los mismos como campus sostenibles, saludables y solidarios.

Las universidades, en la medida de sus posibilidades, habilitarán locales y medios para el desarrollo de las actividades y el funcionamiento de las asociaciones.

Las administraciones con competencia en materia universitaria y las universidades, destinarán en sus presupuestos las partidas correspondientes, que permitan subvencionar la gestión de estas asociaciones y la participación en ellas de los estudiantes respetando el principio de igualdad y no discriminación por razón de edad, sexo, raza, religión, nacionalidad, discapacidad, orientación sexual o identidad de género, o cualquier otra circunstancia personal o social.

Las universidades, en su ámbito de actuación, podrán disponer de un registro de asociaciones estudiantiles propias y para las que se establecerán los requisitos y normas de funcionamiento.

F) Participación en Organizaciones nacionales e internacionales

Las asociaciones estudiantiles de las universidades, registradas como tales, tendrán derecho a integrarse en redes o confederaciones de carácter nacional o internacional.

Para hacer efectiva dicha integración, las administraciones competentes en materia universitaria, así como las universidades, promoverán ayudas, procurando, asimismo, que se disponga de medios materiales que faciliten dicha integración.

1.2.11. El Consejo de Estudiantes Universitario del Estado

A) Naturaleza y adscripción

El Consejo de Estudiantes Universitario del Estado es el órgano de deliberación, consulta y participación de las y los estudiantes universitarios, ante el Ministerio de Educación.

El Consejo de Estudiantes Universitario del Estado se adscribe al Ministerio de Educación a través de la Secretaría General de Universidades.

B) Composición

El Consejo de Estudiantes Universitario del Estado estará formado por:

a) Un estudiante representante de cada una de las universidades españolas, públicas y privadas. En las universidades en las que exista Consejo de Estudiantes, u órgano equivalente de representación estudiantil, la representación recaerá en su Presidente, o figura equivalente. En las universidades en las que no exista Consejo de Estudiantes, el representante será nombrado por el Consejo de Gobierno a propuesta de los estudiantes electos del mismo.

b) Un representante, estudiante universitario, de cada una de las confederaciones y federaciones de asociaciones de estudiantes con presencia en el Consejo Escolar del Estado, dadas las competencias de este en relación con el sistema educativo y, en concreto, con la educación secundaria y formación profesional.

c) Un representante, estudiante universitario, de cada uno de los Consejos Autonómicos de Estudiantes que estén constituidos o que se constituyan en el futuro.

d) Tres representantes, estudiantes universitarios, pertenecientes a confederaciones, federaciones y asociaciones de estudiantes que persigan intereses generales y no estén representadas por la vía del punto b) anterior, a razón de un representante por entidad. Dichas confederaciones, federaciones o asociaciones deberán acreditar tener, entre sus afiliados, representantes en los Consejos de Estudiantes o Consejos de Gobierno de un mínimo de seis universidades pertenecientes, al menos, a tres Comunidades Autónomas. Las entidades que formen parte de organizaciones federativas más amplias estarán representadas por el miembro correspondiente a esta última. El Reglamento del Consejo de Estudiantes Universitario del Estado concretará el sistema de designación de estos representantes.

e) Cinco miembros designados por su Presidente, entre personalidades de reconocido prestigio en el campo de la educación superior que sean, o hayan sido, miembros de los Consejos de Gobierno de las universidades o asociaciones u organizaciones de ámbito estudiantil. Al menos uno de ellos, será una persona experta y de reconocido prestigio en el ámbito de colectivos especialmente desfavorecidos y/o vulnerables.

f) Además, serán miembros natos del Consejo de Estudiantes Universitario del Estado:

- El Ministro de Educación, que actuará de Presidente.
- El Secretario General de Universidades, que actuará de Vicepresidente primero.
- El titular de la Dirección General de Formación y Orientación Universitaria, que actuará de Secretario.

De los representantes estudiantiles y, elegido por el Pleno, uno será Vicepresidente segundo.

Se atenderá al principio de presencia equilibrada de mujeres y hombres en la composición del Consejo de Estudiantes Universitario del Estado en los términos previstos en el artículo 54 de la Ley Orgánica 3/2007, de 22 de marzo, para la igualdad efectiva de mujeres y hombres.

C) Constitución y renovación

El Presidente del Consejo procederá a la convocatoria de la sesión constitutiva del Consejo en el plazo máximo de 4 meses naturales desde la entrada en vigor del Estatuto del Estudiante Universitario.

Para dar cumplimiento a lo anterior, las universidades remitirán al Ministerio la designación de los representantes de sus estudiantes en un plazo máximo de tres meses desde la entrada en vigor del Estatuto del Estudiante Universitario.

D) Mandato de los miembros del Consejo de Estudiantes Universitario del Estado

Excepto en el caso de los miembros natos del Consejo, la duración del mandato de los demás miembros del Consejo será:

a) Los representantes estudiantiles de las respectivas universidades tendrán un mandato de dos años desde su elección, excepto que se haya extinguido por otras causas previstas en el Estatuto del Estudiante Universitario. No obstante, permanecerán en el ejercicio de sus funciones hasta que se designe a sus sustitutos.

b) Los miembros designados por el Presidente del Consejo hasta que concurra alguna de las causas de su cese previstas en el Estatuto del Estudiante Universitario. Asimismo, permanecerán en el ejercicio de sus funciones hasta que se designe a sus sustitutos.

E) Funciones

Son funciones del Consejo de Estudiantes Universitario del Estado:

a) Informar los criterios de las propuestas políticas del Gobierno en materia de estudiantes universitarios y en aquellas materias para las cuales sean requerido informe del Consejo de Estudiantes Universitario del Estado.

b) Ser interlocutor ante el Ministerio de Educación, en los asuntos que conciernen a los estudiantes.

c) Contribuir activamente a la defensa de los derechos de los estudiantes, cooperando con las Asociaciones de Estudiantes, y los órganos de representación estudiantil.

d) Velar por la adecuada actuación de los órganos de gobierno de las universidades en lo que se refiere a los derechos y deberes de los estudiantes establecidos en los Estatutos de cada una de ellas.

e) Recibir y, en su caso, dar cauce a las quejas que le presenten los estudiantes universitarios.

f) Colaborar con los Defensores Universitarios, en garantía de los derechos de los estudiantes de las universidades españolas.

g) Establecer relaciones con otras instituciones y entidades para la promoción y desarrollo de sus fines institucionales.

h) Elevar propuestas al Gobierno en materias relacionadas con su competencia.

i) Pronunciarse, cuando se considere oportuno, sobre cualquier asunto para el que sea requerido por el Ministro de Educación, el Secretario General de Universidades o por cualquier otra instancia que lo solicite.

j) Conocer los informes relativos al mapa de titulaciones.

k) Estar representado y participar en la fijación de criterios para la concesión de becas y otras ayudas destinadas a los estudiantes, en el ámbito de la competencia del Estado.

l) Fomentar el asociacionismo estudiantil, y la participación de los estudiantes en la vida universitaria.

m) Realizar pronunciamientos por iniciativa propia y actuar como interlocutor de los estudiantes ante la Administración, los medios de comunicación y la sociedad, en el ámbito de la competencia del Estado.

n) Velar y fomentar la igualdad entre mujeres y hombres en el ámbito universitario.

o) Velar por el cumplimiento del Estatuto del Estudiante Universitario.

p) Cualesquiera otras funciones que les asignen el Estatuto del Estudiante Universitario, sus normas de desarrollo y la legislación vigente.

F) Funcionamiento

El Consejo de Estudiantes Universitario del Estado actuará constituido en Pleno y a través de una Comisión Permanente. El Reglamento de organización y funcionamiento interno podrá prever la creación de otras Comisiones, con la composición y competencias que se determinen.

Asimismo, se fomentará la creación de Comisiones mixtas de coordinación entre el Consejo de Estudiantes Universitario del Estado, el Consejo de Universidades y la Conferencia General de Política Universitaria.

En la composición de los órganos del Consejo se atenderá a la paridad de género.

G) El Pleno

El Pleno será convocado, como mínimo, tres veces al año, y siempre que sea necesario a juicio del Presidente y también a petición de un tercio de sus miembros.

Corresponde al Pleno:

a) Elaborar y aprobar la propuesta de Reglamento de organización y funcionamiento interno del Consejo y su elevación, para su aprobación definitiva, al Ministro de Educación.

b) A propuesta de cualquiera de los miembros del Consejo, aprobar, mediante acuerdo favorable de los dos tercios del Pleno, la reforma, total o parcial, del Reglamento de organización y funcionamiento y su elevación, para su aprobación definitiva, al Ministro de Educación.

c) Elaborar y aprobar otras normas de funcionamiento.

d) Aprobar el plan de gestión elaborado por el Presidente y la Comisión Permanente.

e) Elegir el Vicepresidente segundo.

f) Elegir a los representantes de los estudiantes en la Comisión Permanente.

g) Realizar bianualmente un informe de actividades y de diagnóstico del sistema universitario español en el ámbito de sus atribuciones.

h) Cualesquiera otras funciones correspondientes al Consejo y no atribuidas expresamente a otros órganos del mismo.

H) Composición de la Comisión Permanente

La Comisión Permanente está formada por:

a) El Presidente del Consejo que la presidirá, el Vicepresidente Primero, el Vicepresidente Segundo y el Secretario del Consejo que ostentarán análoga posición en la misma.

b) Cinco representantes de los miembros estudiantes elegidos por el Pleno de entre los estudiantes del Consejo. Uno de ellos será designado por el Pleno como Vicesecretario de la Comisión Permanente.

El mandato de los miembros estudiantes de la Comisión Permanente será de dos años, excepto que antes se haya extinguido su mandato en el Consejo por otras causas previstas en el Estatuto del Estudiante Universitario. No obstante, permanecerán en el ejercicio de sus funciones hasta que se designe a sus sustitutos.

Son funciones de la Comisión Permanente:

a) La elaboración y ejecución del plan de gestión.

b) Resolver, en los casos en los que el Pleno no pueda reunirse, los asuntos declarados urgentes por su Presidente, sometiéndolos posteriormente a ratificación por el primer Pleno que se produzca.

c) Resolver aquellos asuntos que le hayan sido expresamente encomendados por el Pleno, el reglamento de organización y funcionamiento del Consejo y la legislación aplicable, dando posterior cuenta al Pleno.

d) Cualesquiera otras previstas en el Estatuto del Estudiante Universitario.

l) El Presidente y los Vicepresidentes

El Presidente del Consejo de Estudiantes Universitario del Estado ostenta la máxima representación del Consejo.

En ausencia del Presidente, el Consejo será presidido por el Vicepresidente Primero y, en su defecto, por el Vicepresidente Segundo.

Son funciones del Presidente:

a) Convocar y presidir el Pleno del Consejo de Estudiantes Universitario del Estado, así como Presidir y convocar las reuniones de la Comisión Permanente.

b) Moderar y conducir las sesiones del Pleno de acuerdo con lo dispuesto en su reglamento de organización y funcionamiento interno.

c) Representar al Consejo de Estudiantes Universitario del Estado ante cualquier persona física o jurídica.

d) Informar cumplidamente a los miembros del Consejo de Estudiantes Universitario del Estado de los asuntos de su competencia.

e) Cumplir y hacer cumplir los acuerdos del Pleno o de la Comisión Permanente.

f) Cualesquiera otras atribuidas por el Pleno, el presente Estatuto, las normas de funcionamiento interno y la legislación vigente.

Corresponde a los Vicepresidentes Primero y Segundo:

a) Asistir al Presidente en el ejercicio de sus competencias.

b) El Vicepresidente Primero sustituirá al Presidente en su ausencia.

c) El Vicepresidente Segundo sustituirá al Presidente en ausencia del Presidente y del Vicepresidente Primero.

d) Cualesquiera otras encomendadas por el Pleno, el reglamento de organización y funcionamiento interno o la legislación vigente.

J) Funciones del Secretario

Corresponde al Secretario:

a) Levantar acta de las sesiones del Pleno y de la Comisión Permanente.

b) Expedir certificaciones de los acuerdos adoptados.

c) Custodiar las actas y la restante documentación que obre en poder del Consejo.

d) Cualesquiera otras encomendadas por el Pleno, por el reglamento de organización y funcionamiento interno o la legislación vigente.

En caso de ausencia, será sustituido por el Vicesecretario de la Comisión Permanente.

K) Funciones de la Comisión Permanente

Son funciones de la Comisión Permanente:

a) La elaboración y ejecución del plan de gestión.

b) Resolver, en los casos en los que el Pleno no pueda reunirse, los asuntos declarados urgentes por su Presidente, sometiéndolos posteriormente a ratificación por el primer Pleno que se produzca.

c) Resolver aquellos asuntos que le hayan sido expresamente encomendados por el Pleno, el reglamento de organización y funcionamiento del Consejo y la legislación aplicable, dando posterior cuenta al Pleno.

d) Cualesquiera otras previstas en este Estatuto.

L) Cese de los miembros del Consejo

Los representantes estudiantiles del Consejo cesarán:

a) A petición propia.

b) Por expiración de su mandato como representante estudiantil en el Consejo.

c) Por pérdida de la condición de estudiante de la universidad que representa.

d) Por expiración de la condición por la que fue designado representante estudiantil de su universidad.

e) Por la pérdida de la condición de miembro de la confederación o asociación de estudiantes que representa.

Los miembros designados por el Presidente:

a) A petición propia.

b) A instancia de quien los designó.

Producido el cese de representantes estudiantiles en el Consejo, su Secretario instará a la universidad correspondiente para que proceda a la elección del o los representantes que sean necesarios. La universidad deberá remitir la propuesta en el plazo máximo de dos meses desde la notificación.

Vacante el cargo de vocales designados por el Presidente, este procederá en el plazo máximo de un mes a la designación de quienes hayan de sustituirlos.

1.2.12. La actividad deportiva de los estudiantes

A) Principios generales

La actividad física y deportiva es un componente de la formación integral del estudiante. A tal efecto, las Comunidades Autónomas y las universidades desarrollarán estructuras y programas y destinarán medios materiales y espacios suficientes para acoger la práctica deportiva de los estudiantes en las condiciones más apropiadas según los usos.

Los estudiantes tienen el derecho y el deber de uso y cuidado de las instalaciones y equipamientos que la universidad ponga a su disposición, además de aquellos otros que desarrollen sus normativas propias.

B) Actividad física y deportiva de los estudiantes

Las actividades deportivas de los estudiantes universitarios podrán orientarse hacia la práctica de deportes y actividades deportivas no competitivas o hacia aquellas organizadas en competiciones internas, autonómicas, nacionales o internacionales.

Las universidades promoverán la compatibilidad de la actividad académica y deportiva de los estudiantes.

Las universidades promoverán la actividad física y deportiva, los hábitos de vida saludable y el desarrollo de valores como el espíritu de sana competición y juego limpio, de respeto por el adversario, de integración y compromiso con el trabajo de grupo y de solidaridad, así como de respeto del reglamento o normas de juego y de quienes las apliquen.

En los términos previstos por la ordenación vigente, las universidades facilitarán el acceso a la universidad, los sistemas de orientación y seguimiento y la compatibilidad de los estudios con la práctica deportiva a los estudiantes reconocidos como deportistas de alto nivel por el Consejo Superior de Deportes o como deportistas de nivel cualificado o similar por las Comunidades Autónomas.

Asimismo, las universidades promoverán programas de actividad física y deportiva para estudiantes con discapacidad, facilitando los medios y adaptando las instalaciones que corresponda en cada caso.

1.2.13. La formación en valores. Principios generales

La universidad debe ser un espacio de formación integral de las personas que en ella conviven, estudian y trabajan. Para ello la universidad debe reunir las condiciones adecuadas que garanticen en su práctica docente e investigadora la presencia de los valores que pretende promover en los estudiantes: la libertad, la equidad y la solidaridad, así como el respeto y reconocimiento del valor de la diversidad asumiendo críticamente su historia. Asimismo, promoverá los valores medioambientales y de sostenibilidad en sus diferentes dimensiones y reflejará en ella misma los patrones éticos cuya satisfacción demanda al personal universitario y que aspira a proyectar en la sociedad. En consecuencia, deberán presidir su actuación la honradez, la veracidad, el rigor, la justicia, la eficiencia, el respeto y la responsabilidad.

La actividad universitaria debe promover las condiciones para que los estudiantes:

a) Sean autónomos, aptos para tomar sus decisiones y actuar en consecuencia;

b) Sean responsables, dispuestos a asumir sus actos y sus consecuencias;

c) Sean razonables, capaces de procurar su propio bien y armonizar esta búsqueda con la de los otros;

d) Tengan sentido de la justicia, conocedores de la legalidad y prestos a dirimir racionalmente, con objetividad e imparcialidad, las diferencias con los otros implicados;

e) Tengan capacidad para incluir en su ámbito de responsabilidad a todos los otros afectados por sus elecciones y sus actuaciones, en especial la de aquellos que tienen menos capacidad para hacer valer sus intereses o mostrar su valor.

Las universidades promoverán actuaciones encaminadas al fomento de estos valores en la formación de los estudiantes.

1.2.14. De las actividades de participación social y cooperación al desarrollo de los estudiantes. Principios generales

La labor de la universidad en el campo de la participación social y la cooperación al desarrollo se encuentra estrechamente vinculada a su ámbito propio de actuación: la docencia, la investigación y la transferencia de conocimiento, cuestiones que son esenciales tanto para la formación integral de los estudiantes, como para una mejor comprensión de los problemas que amenazan la consecución de un desarrollo humano y sostenible a escala local y universal.

Además, el asesoramiento científico y profesional, así como la sensibilización de la comunidad universitaria y su entorno, constituyen los compromisos básicos de la universidad en estos campos.

Entendidos como expresión de estos compromisos, los derechos y deberes de los estudiantes en relación a la participación social y la cooperación al desarrollo son:

a) Derecho a solicitar la incorporación a las actividades de participación social y cooperación al desarrollo, planificadas por la universidad y publicitadas con los correspondientes criterios de selección.

b) Derecho a recibir formación gratuita para el desarrollo de actividades de participación social y cooperación en el marco de los convenios de colaboración suscritos por la universidad.

c) Deber de participar en las actividades formativas diseñadas para un correcto desarrollo de las actividades de participación social y cooperación al desarrollo, en las que solicite colaborar.

d) Derecho a disponer de una acreditación como voluntario/a y/o cooperante que le habilite e identifique para el desarrollo de su actividad.

e) Derecho a que la universidad les expida un certificado que acredite los servicios prestados en participación social y voluntariado incluyendo: fecha, duración y naturaleza de la prestación efectuada por el estudiante en su condición de voluntario o cooperante.

Las universidades deberán favorecer la posibilidad de realizar el *practicum* (obligatorio en algunas titulaciones y voluntario en otras) en proyectos de cooperación al desarrollo y participación social en los que puedan poner en juego las capacidades adquiridas durante sus estudios lo que implica el derecho al reconocimiento de la formación adquirida en estos campos.

De igual forma favorecerán prácticas de responsabilidad social y ciudadana que combinen aprendizajes académicos en las diferentes titulaciones con prestación de servicio en la comunidad orientado a la mejora de la calidad de vida y la inclusión social.

Se fomentará la participación de los estudiantes con discapacidad en proyectos de cooperación al desarrollo y participación social.

1.2.15. La atención al universitario

A) Servicios de atención al estudiante

Como herramienta complementaria en la formación integral del estudiante, las universidades podrán disponer de unidades de atención al estudiante, con cargo a sus propios presupuestos o mediante convenios con instituciones o entidades externas.

Dichas unidades, independientemente de las estructuras orgánicas en que se traduzcan en cada universidad, deberán desarrollar sus funciones estrechamente conectadas y coordinadas con los sistemas de acción tutorial, las acciones de formación de tutores y el conjunto de programas y servicios de la universidad.

A tal efecto, estas unidades podrán ofrecer información y orientación en los siguientes ámbitos:

a) Elección de estudios y reformulación o cambio de los mismos para facilitar el acceso y la adaptación al entorno universitario.

b) Metodologías de trabajo en la universidad y formación en estrategias de aprendizaje, para proporcionar ayuda a los estudiantes en los momentos de transición entre las diferentes etapas del sistema educativo, así como a lo largo de los estudios universitarios, para facilitar el rendimiento académico y el desarrollo personal y social.

c) Itinerarios formativos y salidas profesionales, formación en competencias transversales y el diseño del proyecto profesional para facilitar la empleabilidad y la incorporación laboral.

d) Estudios universitarios y actividades de formación a lo largo de la vida.

e) Becas y ayudas al estudio.

f) Asesoramiento sobre derechos y responsabilidades internas y externas a la universidad.

g) Asesoramiento psicológico y en materia de salud.

h) Asociacionismo y participación estudiantil.

i) Iniciativas y actividades culturales, de proyección social, de cooperación y de compromiso social.

j) Información sobre servicios de alojamiento y servicios deportivos, así como otros servicios que procuren la integración de los estudiantes al entorno universitario.

k) Igualdad de trato entre mujeres y hombres.

Las universidades promoverán la participación estudiantil y de las asociaciones estudiantiles en las unidades de atención al estudiante, en los términos que establezcan las normativas correspondientes.

Las universidades potenciarán y propondrán la creación y mantenimiento de servicios de transporte adaptado para los estudiantes con discapacidad motórica y/o dificultades de movilidad.

Desde cada universidad se fomentará la creación de Servicios de Atención a la comunidad universitaria con discapacidad, mediante el establecimiento de una estructura que haga factible la prestación de los servicios requeridos por este colectivo.

Las universidades españolas deberán velar por la accesibilidad de herramientas y formatos con el objeto de que los estudiantes con discapacidad cuenten con las mismas condiciones y oportunidades a la hora de formarse y acceder a la información.

Las páginas web y medios electrónicos de las enseñanzas y/o universidades a distancia, en cumplimiento de la Ley de Servicios de la Sociedad de la Información y de Comercio Electrónico, serán accesibles para las personas con discapacidad y facilitarán la descarga de la información que contienen.

B) Servicios de alojamiento del estudiante

Las universidades facilitarán, en la medida de sus posibilidades, el alojamiento en condiciones de dignidad y suficiencia de sus estudiantes, en los términos que establezcan en sus estatutos. A tal efecto, podrán disponer de colegios mayores propios o adscritos mediante convenio con entidades públicas o privadas, y de otras residencias para estudiantes universitarios.

La normativa reguladora del acceso y la gestión de los servicios de alojamiento garantizará, en todo caso, la igualdad de derechos de los estudiantes.

Asimismo, en el acceso a los colegios mayores y residencias de fundación propia, se establecerán procedimientos públicos, objetivos y transparentes, que puedan ser conocidos con la suficiente antelación y que permitan el alojamiento a estudiantes procedentes de diferentes enseñanzas y ramas de conocimiento.

Las instalaciones de los colegios y residencias universitarias deberán ser accesibles a las personas con discapacidad.

Para el gobierno de colegios mayores y residencias universitarias de fundación propia, los estatutos de cada universidad determinarán los procedimientos de designación de los equipos directivos, en los cuales habrá participación de los estudiantes residentes. Asimismo, dispondrán la elaboración de las normativas de régimen interno que correspondan en cada caso.

Los colegios mayores y las residencias de fundación propia que así lo establezcan, podrán desarrollar, además de su actividad propia de alojamiento, actividades formativas, sociales y culturales que favorezcan el desarrollo personal, la integración, la convivencia y la solidaridad entre sus residentes.

1.2.16. Las asociaciones de antiguos alumnos. Organización

Los antiguos estudiantes de las universidades podrán agruparse en asociaciones, que deberán registrarse en las universidades según los requisitos y procedimientos que estas establezcan.

Las asociaciones de antiguos alumnos promocionarán la imagen de sus universidades y colaborarán activamente en la incorporación laboral de sus egresados, en la captación de nuevos estudiantes y en la realización de actividades culturales o de interés social. Las asociaciones de antiguos alumnos impulsarán aquellas actividades de mecenazgo que tengan como destino la universidad y cualesquiera otras que sirvan para estrechar lazos entre la universidad y la sociedad.

Las universidades impulsarán la actividad de las asociaciones de antiguos alumnos, facilitando medios y promoviendo acciones informativas y de difusión entre sus egresados.

Las universidades contribuirán a la proyección internacional de las asociaciones de antiguos alumnos, el desarrollo de redes y la realización de actividades interuniversitarias.

2. El acceso y la admisión de los estudiantes universitarios

2.1. El acceso y la admisión a la Universidad. Régimen Jurídico. Calendario de implantación

2.1.1. El acceso a la Universidad en la Ley Orgánica 2/2006, de 3 de mayo, de Educación (LOE)

A) Criterio general

El artículo 38 de la LOE establece que para acceder a los estudios universitarios será necesaria la superación de una prueba que, junto con las calificaciones obtenidas en bachillerato, valorará, con carácter objetivo, la madurez académica y los conocimientos adquiridos en él, así como la capacidad para seguir con éxito los estudios universitarios.

Podrán presentarse a la prueba de acceso a la universidad quienes estén en posesión del título de Bachiller, con independencia de la modalidad y de la vía cursadas. La prueba tendrá validez para el acceso a las distintas titulaciones de las universidades españolas.

El Gobierno, previa consulta a las Comunidades Autónomas, establecerá las características básicas de la prueba de acceso a la universidad, previa consulta a la Conferencia General de Política Universitaria y con informe previo del Consejo de Universidades y del Consejo Escolar del Estado.

Las Administraciones educativas y las universidades organizarán la prueba de acceso y garantizarán la adecuación de la misma a las competencias vinculadas al currículo del bachillerato, así como la coordinación entre las universidades y los centros que imparten bachillerato para su organización y realización.

La prueba de acceso a la universidad se realizará adoptando las medidas necesarias para asegurar la igualdad de oportunidades, la no discriminación del alumnado con necesidad específica de apoyo educativo y la accesibilidad universal de las personas con discapacidad que se presenten.

El Gobierno establecerá la normativa básica que permita a las universidades fijar los procedimientos de admisión de quienes hayan superado la prueba de acceso. Podrá participar en estos procedimientos, en igualdad de condiciones, todo el alumnado que cumpla las condiciones para el acceso, con independencia de donde haya realizado sus estudios previos, de la matriculación e incorporación de los mismos a la universidad de su elección, así como de si presentan necesidad específica de apoyo educativo o discapacidad.

B) Excepciones

La Disposición adicional 33.ª de la LOE establece que podrán acceder a la universidad sin necesidad de realizar la prueba de acceso regulada en el artículo 38 de esta Ley:

a) Los alumnos y alumnas que hayan obtenido un título de Técnico Superior de Formación Profesional, de Técnico Superior de Artes Plásticas y Diseño y Técnico Deportivo Superior.

b) Los alumnos y alumnas procedentes de sistemas educativos de Estados miembros de la Unión Europea o los de otros Estados con los que se hayan suscrito acuerdos internacionales aplicables en materia de acceso a la universidad, en régimen de reciprocidad, siempre que dicho alumnado cumpla los requisitos académicos exigidos en sus sistemas educativos para acceder a sus universidades.

c) En virtud de las disposiciones contenidas en el Convenio por el que se establece el Estatuto de las Escuelas Europeas, hecho en Luxemburgo el 21 de junio de 1994, los estudiantes que se encuentren en posesión del título de Bachillerato Europeo.

d) Quienes hubieran obtenido el Diploma del Bachillerato Internacional, expedido por la Organización del Bachillerato Internacional, con sede en Ginebra (Suiza).

C) Acceso y admisión de alumnos y alumnas a la universidad en posesión de un título, diploma o estudio de sistemas educativos extranjeros homologados o declarados equivalentes al título de Bachiller

La Disposición adicional 36.ª de la LOE señala que el Gobierno establecerá la normativa básica que regule el acceso y admisión a la universidad del alumnado en posesión de un título, diploma o estudio equivalente al título de Bachiller, obtenido o realizado en sistemas educativos de países extranjeros no incluidos en las letras b), c) y d) del apartado B) anterior. Los alumnos que pueden acogerse a esta disposición adicional trigésima sexta son:

a) Estudiantes que estén en posesión de títulos, diplomas o estudios, obtenidos o realizados en sistemas educativos de Estados que no sean miembros de la Unión Europea con los que no se hayan suscrito acuerdos internacionales aplicables en materia de acceso a la universidad en régimen de reciprocidad, homologados o declarados equivalentes al título de Bachiller del Sistema Educativo Español.

b) Estudiantes en posesión de títulos, diplomas o estudios equivalentes al título de Bachiller del Sistema Educativo Español, procedentes de sistemas educativos de Estados miembros de la Unión Europea o los de otros Estados con los que se hayan suscrito acuerdos internacionales aplicables en materia de acceso a la universidad, en régimen de reciprocidad, cuando dichos estudiantes no cumplan los requisitos académicos exigidos en sus sistemas educativos para acceder a sus universidades.

c) Estudiantes en posesión de títulos, diplomas o estudios homologados o declarados equivalentes a los títulos oficiales de Técnico Superior de Formación Profesional, de Técnico Superior de Artes Plásticas y Diseño, o de Técnico Deportivo Superior del Sistema Educativo Español, obtenidos o realizados en sistemas educativos de Estados que no sean miembros de la Unión Europea con los que no se hayan suscrito acuerdos internacionales para el reconocimiento del título de Bachiller en régimen de reciprocidad.

Para su acceso a la universidad, el alumnado recogido en esta disposición adicional trigésima sexta, deberá cumplir los requisitos establecidos para la homologación del título, diploma o estudio obtenido o realizado en el extranjero.

Estos estudiantes deberán superar una prueba de acceso cuya estructura y calificación será establecida por el Gobierno teniendo en cuenta las características de este alumnado. Asimismo, el Gobierno regulará el procedimiento de cálculo de la calificación para el acceso a la universidad para los alumnos mencionados en esta disposición.

El Gobierno establecerá la normativa básica que permita a las universidades fijar los procedimientos de admisión de quienes hayan superado la prueba de acceso.

2.1.2. El acceso a la Universidad en la Ley Orgánica del Sistema Universitario

A) El acceso a la Universidad en la LOSU. Derecho de acceso

El artículo 31 de la LOSU establece que el derecho de acceso a los estudios universitarios, de acuerdo con el artículo 27 de la Constitución, se ejerce en los términos esta-

blecidos por el ordenamiento jurídico. Las Administraciones públicas deberán garantizar la igualdad de oportunidades y condiciones en el ejercicio de este derecho a todas las personas, sin discriminación de acuerdo con lo dispuesto en el artículo 37 de la LOSU.

Corresponde al Gobierno, previo informe de la Conferencia General de Política Universitaria y del Consejo de Estudiantes Universitario, mediante real decreto, establecer las normas básicas para el acceso del estudiantado a las enseñanzas universitarias oficiales, siempre con respeto de los principios de igualdad, mérito y capacidad y, en todo caso, de acuerdo con el artículo 38 de la Ley Orgánica 2/2006, de 3 de mayo, de Educación, así como con el resto de normas de carácter básico que le sean de aplicación.

Con el fin de facilitar la actualización de la formación y la readaptación profesionales, el Gobierno, previo informe del Consejo de Universidades, establecerá reglamentariamente las condiciones y regulará los procedimientos para el acceso a la Universidad de quienes, acreditando una determinada experiencia laboral o profesional, no dispongan de la titulación académica legalmente requerida al efecto con carácter general.

En relación con el acceso a la Universidad de las personas mayores de 25 años y las tituladas en enseñanzas deportivas, de artes plásticas y diseño y de Formación Profesional, se estará a lo dispuesto por la Ley Orgánica 2/2006, de 3 de mayo, y por el resto de las normas de carácter básico que le sean de aplicación.

Las Comunidades Autónomas efectuarán la programación de la oferta de enseñanzas de las universidades de su competencia y sus distintos centros, de acuerdo con ellas y conforme a los procedimientos que establezcan. Dicha oferta se comunicará a la Conferencia General de Política Universitaria para su estudio y aprobación, y el Ministerio de Universidades le dará publicidad. En dicha oferta las universidades reservarán, al menos, un 5 % de las plazas ofertadas en los títulos universitarios oficiales de Grado, Máster Universitario y Doctorado para estudiantes con discapacidad, en la forma en la que se establezca reglamentariamente.

Con arreglo al Convenio Marco Europeo sobre cooperación transfronteriza entre comunidades y autoridades territoriales (Madrid, 21 de mayo de 1980), y en el ámbito geográfico comprendido en los respectivos convenios de cooperación transfronteriza suscritos, se reconoce el derecho del estudiantado a disponer de mecanismos transparentes que faciliten el reconocimiento automático de estudios, de conformidad con los principios de igualdad, reciprocidad y no discriminación.

Las Comunidades Autónomas partícipes en las eurorregiones conformadas por los señalados acuerdos establecerán los referidos mecanismos que serán remitidos a la Conferencia General de Política Universitaria para su conocimiento, ratificación y difusión.

El Gobierno, previo acuerdo de la Conferencia General de Política Universitaria, podrá establecer límites máximos de admisión de estudiantes en los estudios de que se trate para cumplir las exigencias derivadas de la Unión Europea o del Derecho Internacional, o bien por motivos de interés general igualmente acordados en dicha Conferencia. Dichos límites afectarán al conjunto de las universidades públicas y privadas.

Finalmente, la Disposición adicional décima séptima de la LOSU establece que las personas que no posean ninguna titulación universitaria habilitante para acceder a las titulaciones de formación permanente y que puedan acreditar experiencia laboral o profesional con nivel competencial equivalente a la formación académica universitaria, podrán acceder a las enseñanzas universitarias de formación permanente mediante un procedimiento de reconocimiento de la experiencia profesional.

2.1.3. El desarrollo normativo y el calendario de implantación

A) El Real Decreto 412/2014, de 6 de junio por el que se establece la normativa básica de los procedimientos de admisión a las enseñanzas universitarias oficiales de grado

En virtud de lo dispuesto en la Ley Orgánica 6/2001, de 21 de diciembre, de Universidades (LOU), el Gobierno aprobó el Real Decreto 1892/2008, de 14 de noviembre, por el que se regulan las condiciones para el acceso a las enseñanzas universitarias oficiales de grado y los procedimientos de admisión a las universidades públicas españolas.

Esta norma fue derogada por el Real Decreto 412/2014, de 6 de junio, por el que se establece la normativa básica de los procedimientos de admisión a las enseñanzas universitarias oficiales de grado.

La disposición adicional cuarta de este Real Decreto determina su calendario de implantación previendo que los procedimientos de admisión a las enseñanzas universitarias oficiales de grado **en él regulados se apliquen, a partir del curso académico 2017-2018**, a los estudiantes que hayan obtenido el título de Bachiller del Sistema Educativo Español y, a partir del curso académico 2014/2015, al resto de estudiantes.

Para el acceso de las personas mayores de 25 años y mayores de 45 que superen la prueba de acceso el apartado cuarto de la disposición transitoria única determina que la regulación de esta prueba de acceso comenzará a aplicarse en el acceso al curso académico **2015-2016**.

B) Definiciones

A efectos del Real Decreto 412/2014, de 6 de junio, se entenderá por:

a) Requisitos de acceso: conjunto de requisitos necesarios para cursar enseñanzas universitarias oficiales de Grado en Universidades españolas. Su cumplimiento es previo a la admisión a la universidad.

b) Admisión: adjudicación de las plazas ofrecidas por las Universidades españolas para cursar enseñanzas universitarias de Grado entre quienes, cumpliendo los requisitos de acceso, las han solicitado. La admisión puede hacerse de forma directa previa solicitud de plaza, o a través de un procedimiento de admisión.

c) Procedimiento de admisión: conjunto de actuaciones que tienen como objetivo la adjudicación de las plazas ofrecidas por las Universidades españolas para cursar

enseñanzas universitarias oficiales de Grado entre quienes, cumpliendo los requisitos de acceso, las han solicitado. Las actuaciones pueden consistir en pruebas o evaluaciones, pero también en la valoración de la documentación que acredite la formación previa, entrevistas, y otros formatos que las Universidades puedan utilizar para valorar los méritos de los candidatos a las plazas ofrecidas.

2.2. Acceso a los estudios universitarios de Grado

2.2.1. Acceso a los estudios universitarios oficiales de Grado

Podrán acceder a los estudios universitarios oficiales de Grado en las Universidades españolas, en las condiciones que para cada caso se determinen, quienes reúnan alguno de los siguientes requisitos:

a) Estudiantes en posesión del título de Bachiller del Sistema Educativo Español o de otro declarado equivalente.

b) Estudiantes en posesión del título de Bachillerato Europeo o del diploma de Bachillerato internacional.

c) Estudiantes en posesión de títulos, diplomas o estudios de Bachillerato o Bachiller procedentes de sistemas educativos de Estados miembros de la Unión Europea o de otros Estados con los que se hayan suscrito acuerdos internacionales aplicables a este respecto, en régimen de reciprocidad.

d) Estudiantes en posesión de títulos, diplomas o estudios homologados al título de Bachiller del Sistema Educativo Español, obtenidos o realizados en sistemas educativos de Estados que no sean miembros de la Unión Europea con los que no se hayan suscrito acuerdos internacionales para el reconocimiento del título de Bachiller en régimen de reciprocidad, sin perjuicio de lo dispuesto en el apartado 2.2.2 siguiente.

e) Estudiantes en posesión de los títulos oficiales de Técnico Superior de Formación Profesional, de Técnico Superior de Artes Plásticas y Diseño o de Técnico Deportivo Superior perteneciente al Sistema Educativo Español, o de títulos, diplomas o estudios declarados equivalentes u homologados a dichos títulos, sin perjuicio de lo dispuesto en el apartado 2.2.2 siguiente.

f) Estudiantes en posesión de títulos, diplomas o estudios, diferentes de los equivalentes a los títulos de Bachiller, Técnico Superior de Formación Profesional, Técnico Superior de Artes Plásticas y Diseño, o de Técnico Deportivo Superior del Sistema Educativo Español, obtenidos o realizados en un Estado miembro de la Unión Europea o en otros Estados con los que se hayan suscrito acuerdos internacionales aplicables a este respecto, en régimen de reciprocidad, cuando dichos estudiantes cumplan los requisitos académicos exigidos en dicho Estado miembro para acceder a sus Universidades.

g) Personas mayores de veinticinco años que superen la prueba de acceso establecida.

h) Personas mayores de cuarenta años con experiencia laboral o profesional en relación con una enseñanza.

i) Personas mayores de cuarenta y cinco años que superen la prueba de acceso establecida.

j) Estudiantes en posesión de un título universitario oficial de Grado, Máster o título equivalente.

k) Estudiantes en posesión de un título universitario oficial de Diplomado universitario, Arquitecto Técnico, Ingeniero Técnico, Licenciado, Arquitecto, Ingeniero, correspondientes a la anterior ordenación de las enseñanzas universitarias o título equivalente.

l) Estudiantes que hayan cursado estudios universitarios parciales extranjeros o españoles, o que habiendo finalizado los estudios universitarios extranjeros no hayan obtenido su homologación en España y deseen continuar estudios en una universidad española. En este supuesto, será requisito indispensable que la universidad correspondiente les haya reconocido al menos 30 créditos ECTS.

m) Estudiantes que estuvieran en condiciones de acceder a la universidad según ordenaciones del Sistema Educativo Español anteriores a la Ley Orgánica 8/2013, de 9 de diciembre, para la mejora de la calidad educativa.

En el ámbito de sus competencias, las Administraciones educativas podrán coordinar los procedimientos de acceso a las Universidades de su territorio.

2.2.2. Solicitudes de homologación del título, diploma o estudio obtenido o realizado en sistemas educativos extranjeros en tramitación

En todos aquellos supuestos en los que se exija la homologación de cualquier título, diploma o estudio obtenido o realizado en sistemas educativos extranjeros para el acceso a la universidad, las Universidades podrán admitir con carácter condicional a los estudiantes que acrediten haber presentado la correspondiente solicitud de la homologación mientras se resuelve el procedimiento para dicha homologación.

2.3. Admisión a las enseñanzas universitarias oficiales de Grado

2.3.1. Principios generales de admisión a las enseñanzas universitarias oficiales de Grado

La admisión a las enseñanzas universitarias oficiales de Grado se realizará con respeto a los principios de igualdad, no discriminación, mérito y capacidad.

Todos los procedimientos de admisión a la universidad deberán realizarse en condiciones de accesibilidad para los estudiantes con discapacidad y en general con necesidades educativas especiales. Las Administraciones educativas determinarán las medidas

necesarias que garanticen el acceso y admisión de estos estudiantes a las enseñanzas universitarias oficiales de Grado en condiciones de igualdad. Estas medidas podrán consistir en la adaptación de los tiempos, la elaboración de modelos especiales de examen y la puesta a disposición del estudiante de los medios materiales y humanos, de las asistencias y apoyos y de las ayudas técnicas que precise para la realización de las evaluaciones y pruebas que establezcan las Universidades, así como en la garantía de accesibilidad de la información y la comunicación de los procedimientos y la del recinto o espacio físico donde estos se desarrollen. La determinación de dichas medidas se realizará en su caso en base a las adaptaciones curriculares que se aplicaron al estudiante en la etapa educativa anterior, para cuyo conocimiento las Administraciones educativas y los centros docentes deberán prestar colaboración.

En el caso de estudiantes en posesión de un título, diploma o estudio obtenido o realizado en sistemas educativos extranjeros, las Universidades podrán realizar las evaluaciones que establezcan en los procedimientos de admisión en inglés, o en otras lenguas extranjeras.

En la valoración de la formación previa de los procedimientos de admisión se tendrán en cuenta las diferentes materias del currículo de los sistemas educativos extranjeros.

Los estudiantes que reúnan los requisitos regulados en la normativa vigente para el acceso a las enseñanzas universitarias de Grado podrán solicitar plaza en las Universidades españolas de su elección.

Los estudiantes que, habiendo comenzado sus estudios universitarios en un determinado centro, tengan superados, al menos, seis créditos ECTS y los hayan abandonado temporalmente, podrán continuarlos en el mismo centro sin necesidad de volver a participar en proceso de admisión alguno, sin perjuicio de las normas de permanencia que la universidad pueda tener establecidas.

2.3.2. Límites máximos de plazas

El Gobierno, previo acuerdo de la Conferencia General de Política Universitaria podrá, para poder cumplir las exigencias derivadas de Directivas comunitarias o de convenios internacionales, o bien por motivos de interés general igualmente acordados en la Conferencia General de Política Universitaria, establecer límites máximos de admisión de estudiantes en los estudios de que se trate. Estos límites máximos de plazas afectarán al conjunto de las Universidades públicas y privadas.

2.3.3. Establecimiento de procedimientos de admisión, de los plazos de preinscripción y períodos de matriculación, y de las reglas para establecer el orden de prelación en la adjudicación de plazas en Universidades públicas

Las Universidades públicas establecerán los criterios de valoración, las reglas que vayan a aplicar para establecer el orden de prelación en la adjudicación de plazas y, en su caso, los procedimientos de admisión.

La Conferencia General de Política Universitaria velará por garantizar el derecho de los estudiantes a concurrir a distintas Universidades. A tal fin, antes del 30 de abril de cada año, la Conferencia General de Política Universitaria hará público el número máximo de plazas que para cada titulación y centro ofrecen cada una de las Universidades públicas para el siguiente curso académico. Dichas plazas serán propuestas por las Universidades y deberán contar con la aprobación previa de la Administración educativa que corresponda.

Se excluye de esta norma a los centros universitarios de la defensa cuya oferta de plazas vendrá determinada, cada año, por la publicación del real decreto por el que se aprueba la provisión de plazas de las Fuerzas Armadas y de la Escala Superior de Oficiales de la Guardia Civil.

La Conferencia General de Política Universitaria, en función de las fechas fijadas para la realización de la evaluación final de Bachillerato, fijará los plazos mínimos de preinscripción y matriculación en las Universidades públicas para permitir a los estudiantes concurrir a la oferta de todas las Universidades. La decisión adoptada por la Conferencia General de Política Universitaria será publicada en el «Boletín Oficial del Estado».

Ninguna Universidad pública podrá dejar vacantes plazas previamente ofertadas, mientras existan solicitudes para ellas que cumplan los requisitos y hayan sido formalizadas dentro los plazos establecidos por cada Universidad.

Las Administraciones educativas adoptarán las decisiones que correspondan en el ámbito de sus competencias para la aplicación de estas medidas.

Las Universidades públicas harán públicos los procedimientos que vayan a aplicar para la admisión a las distintas enseñanzas universitarias oficiales de Grado, su contenido, reglas de funcionamiento y las fechas de realización de los mismos, así como los criterios de valoración y su ponderación y baremos, y las reglas para establecer el orden de prelación en la adjudicación de plazas que vayan a aplicar, con al menos un curso académico de antelación.

2.3.4. Mecanismos de coordinación entre Universidades

Corresponde a las Universidades adoptar cuantas decisiones sean necesarias para la aplicación de los procedimientos de admisión regulados, así como establecer mecanismos de coordinación entre ellas.

Asimismo, podrán acordar la realización conjunta de todo o parte de los procedimientos de admisión, así como el reconocimiento mutuo de los resultados de las valoraciones realizadas en los procedimientos de admisión, con el alcance que estimen oportuno. Las decisiones adoptadas serán comunicadas en la Conferencia General de Política Universitaria y en el Consejo de Universidades.

2.3.5. Formas de admisión a las enseñanzas universitarias oficiales de Grado (art. 9 del Real Decreto 412/2014, de 6 de junio)

1. En cualquiera de los supuestos que se indican a continuación, las Universidades **podrán bien** determinar la admisión a las enseñanzas universitarias oficiales de Grado utilizando exclusivamente el criterio de la calificación final obtenida en el Bachillerato, **o bien fijar** procedimientos de admisión:

   a) Estudiantes en posesión del título de Bachiller del Sistema Educativo Español o declarado equivalente.

   b) Estudiantes que se encuentren en posesión del título de Bachillerato Europeo en virtud de las disposiciones contenidas en el Convenio por el que se establece el Estatuto de las Escuelas Europeas, hecho en Luxemburgo el 21 de junio de 1994; estudiantes que hubieran obtenido el Diploma del Bachillerato Internacional, expedido por la Organización del Bachillerato Internacional, con sede en Ginebra (Suiza), y estudiantes en posesión de títulos, diplomas o estudios de Bachillerato o Bachiller procedentes de sistemas educativos de Estados miembros de la Unión Europea o de otros Estados con los que se hayan suscrito acuerdos internacionales aplicables a este respecto, en régimen de reciprocidad, siempre que dichos estudiantes cumplan los requisitos académicos exigidos en sus sistemas educativos para acceder a sus Universidades.

2. En los supuestos que se indican a continuación, las Universidades **fijarán en todo caso procedimientos de admisión** a las enseñanzas universitarias oficiales de Grado:

   a) Estudiantes en posesión de los títulos oficiales de Técnico Superior de Formación Profesional, de Técnico Superior de Artes Plásticas y Diseño, o de Técnico Deportivo Superior del Sistema Educativo Español, o en posesión de títulos, diplomas o estudios homologados o declarados equivalentes a dichos títulos, sin perjuicio de lo dispuesto en el apartado 2.2.2.

   b) Estudiantes en posesión de títulos, diplomas o estudios equivalentes al título de Bachiller del Sistema Educativo Español, procedentes de sistemas educativos de Estados miembros de la Unión Europea o los de otros Estados con los que se hayan suscrito acuerdos internacionales aplicables a este respecto, en régimen de reciprocidad, cuando dichos estudiantes no cumplan los requisitos académicos exigidos en sus sistemas educativos para acceder a sus Universidades.

c) Estudiantes en posesión de títulos, diplomas o estudios, obtenidos o realizados en sistemas educativos de Estados que no sean miembros de la Unión Europea con los que no se hayan suscrito acuerdos internacionales para el reconocimiento del título de Bachiller en régimen de reciprocidad, homologados o declarados equivalentes al título de Bachiller del Sistema Educativo Español, sin perjuicio de lo dispuesto en el apartado 2.2.2.

3. En los supuestos que se indican a continuación, las Universidades **podrán fijar procedimientos de admisión** a las enseñanzas universitarias oficiales de Grado:

a) Estudiantes en posesión de un título universitario oficial de Grado, Máster o título equivalente.

b) Estudiantes en posesión de un título universitario oficial de Diplomado universitario, Arquitecto Técnico, Ingeniero Técnico, Licenciado, Arquitecto, Ingeniero, correspondientes a la anterior ordenación de las enseñanzas universitarias o título equivalente.

c) Estudiantes que hayan cursado estudios universitarios parciales extranjeros o españoles, o que habiendo finalizado los estudios universitarios extranjeros no hayan obtenido su homologación o equivalencia en España y deseen continuar estudios en una universidad española. En este supuesto, será requisito indispensable que la Universidad correspondiente les haya reconocido al menos 30 créditos ECTS.

d) Estudiantes que estuvieran en condiciones de acceder a la universidad según ordenaciones del Sistema Educativo Español anteriores a la Ley Orgánica 8/2013, de 9 de diciembre.

e) Estudiantes en posesión de títulos, diplomas o estudios diferentes de los equivalentes a los títulos de Bachiller, Técnico Superior de Formación Profesional, Técnico Superior de Artes Plásticas y Diseño, o de Técnico Deportivo Superior del Sistema Educativo Español, obtenidos o realizados en un Estado miembro de la Unión Europea o en otros Estados con los que se hayan suscrito acuerdos internacionales aplicables a este respecto, en régimen de reciprocidad, cuando dichos estudiantes cumplan los requisitos académicos exigidos en dicho Estado miembro para acceder a sus Universidades.

4. En los supuestos que se indican a continuación, los estudiantes **deberán cumplir los requisitos** que se indican en el Real Decreto 412/2014, de 6 de junio:

a) Personas mayores de veinticinco años que superen la prueba de acceso establecida.

b) Personas mayores de cuarenta años que acrediten experiencia laboral o profesional en relación con una enseñanza.

c) Personas mayores de cuarenta y cinco años que superen la prueba de acceso establecida.

2.3.6. Procedimientos generales de admisión (art. 10 del Real Decreto 412/2014, de 6 de junio)

Para los supuestos mencionados en el punto 1 del apartado anterior, los procedimientos de admisión a las enseñanzas universitarias oficiales de Grado que pudieran establecer las Universidades utilizarán alguno o algunos de los siguientes criterios de valoración:

a) Modalidad y materias cursadas en los estudios previos equivalentes al Título de Bachiller, en relación con la titulación elegida.

b) Calificaciones obtenidas en materias concretas cursadas en los cursos equivalentes al Bachillerato español, o de la evaluación final de los cursos equivalentes al de Bachillerato español.

c) Formación académica o profesional complementaria.

d) Estudios superiores cursados con anterioridad.

Además, de forma excepcional, podrán establecer evaluaciones específicas de conocimientos y/o de competencias.

La ponderación de la calificación final obtenida en el Bachillerato o estudios equivalentes deberá tener un valor, como mínimo, del 60 por 100 del resultado final del procedimiento de admisión.

Para los supuestos mencionados en los puntos 2 y 3 del apartado anterior, los procedimientos de admisión a las enseñanzas universitarias oficiales de Grado que establezcan las Universidades utilizarán alguno o algunos de los siguientes criterios de valoración:

a) Calificación final obtenida en las enseñanzas cursadas, y/o en módulos o materias concretas.

b) Relación entre los currículos de las titulaciones anteriores y los títulos universitarios solicitados. Además, en los títulos oficiales de Técnico Superior en Formación Profesional, de Técnico Superior en Artes Plásticas y Diseño y de Técnico Deportivo Superior se tendrá en cuenta su adscripción a las ramas del conocimiento establecidas en el Real Decreto 1618/2011, de 14 de noviembre, sobre reconocimiento de estudios en el ámbito de la Educación Superior, así como las relaciones directas que se establezcan entre los estudios anteriormente citados y los Grados universitarios.

c) Formación académica o profesional complementaria.

d) Estudios superiores cursados con anterioridad.

Además, de forma excepcional podrán establecer evaluaciones específicas de conocimientos y/o de competencias.

Tras la publicación del resultado de los procedimientos, y de conformidad con los plazos y procedimientos que determine cada Universidad, los estudiantes podrán presentar reclamación mediante escrito razonado dirigido a la Universidad correspondiente.

Para los supuestos mencionados en el punto 4 del apartado anterior, el criterio de admisión se basará en las valoraciones obtenidas en las pruebas de acceso y criterios de acreditación y ámbito de la experiencia laboral o profesional en relación con cada una de las enseñanzas.

Finalmente es necesario citar lo dispuesto en la Disposición Adicional Tercera del Real Decreto 310/2016, de 29 de julio, por el que se regulan las evaluaciones finales de Educación Secundaria Obligatoria y de Bachillerato que señala que las universidades podrán adoptar como procedimiento de admisión a las enseñanzas universitarias oficiales de Grado cualquiera de los previstos en el artículo 10 del Real Decreto 412/2014, de 6 de junio, y entre ellos, la evaluación de conocimientos de determinas materias relacionadas con las enseñanzas universitarias que pretendan cursarse.

Con objeto de garantizar la objetividad de las pruebas y la utilización eficiente de recursos, las universidades podrán utilizar para esta evaluación la calificación obtenida en las materias correspondientes en la evaluación final de Bachillerato. A estos efectos, los estudiantes en posesión de los títulos establecidos en los artículos 9.1 y 9.2[3] del Real Decreto 412/2014, de 6 de junio, por el que se establece la normativa básica de los procedimientos de admisión a las enseñanzas universitarias oficiales de Grado, podrán participar en las pruebas de dichas materias en la evaluación final de Bachillerato y obtendrán una certificación oficial de la calificación obtenida.

2.4. Procedimientos específicos de acceso y admisión

2.4.1. Personas mayores de 25 años

A) Acceso a las enseñanzas universitarias oficiales de Grado para mayores de 25 años

Las personas mayores de 25 años de edad que no posean ninguna titulación académica que de acceso a la universidad por otras vías, podrán acceder a las enseñanzas universitarias oficiales de Grado mediante la superación de una prueba de acceso. Solo podrán concurrir a dicha prueba de acceso quienes cumplan o hayan cumplido los 25 años de edad en el año natural en que se celebre dicha prueba.

B) Prueba de acceso a la universidad para mayores de 25 años

La prueba de acceso a la universidad se estructurará en dos fases, una general y otra específica.

La fase general de la prueba tendrá como objetivo apreciar la madurez e idoneidad de los candidatos para seguir con éxito estudios universitarios, así como su capacidad de razonamiento y de expresión escrita.

---

[3] Véase apartado 2.3.5 anterior.

Comprenderá tres ejercicios referidos a los siguientes ámbitos:

a) Comentario de texto o desarrollo de un tema general de actualidad.

b) Lengua castellana.

c) Lengua extranjera, a elegir entre alemán, francés, inglés, italiano y portugués.

En el caso de que la prueba se celebre en Universidades del ámbito de gestión de Comunidades Autónomas con otra lengua cooficial, podrá establecerse por la Comunidad Autónoma competente la obligatoriedad de un cuarto ejercicio referido a la lengua cooficial.

La fase específica de la prueba tiene por finalidad valorar las habilidades, capacidades y aptitudes de los candidatos para cursar con éxito las diferentes enseñanzas universitarias vinculadas a cada una de las ramas de conocimiento en torno a las cuales se organizan los títulos universitarios oficiales de Grado. Para ello la fase específica de la prueba se estructurará en cinco opciones vinculadas con las cinco ramas de conocimiento: opción A (artes y humanidades); opción B (ciencias); opción C (ciencias de la salud); opción D (ciencias sociales y jurídicas) y opción E (ingeniería y arquitectura).

El establecimiento de las líneas generales de la metodología, el desarrollo y los contenidos de los ejercicios que integran tanto la fase general como la fase específica, así como el establecimiento de los criterios y fórmulas de valoración de estas, se realizará por cada Administración educativa, previo informe de las Universidades de su ámbito de gestión.

La organización de las pruebas de acceso corresponderá a las Universidades, en el marco establecido por las Administraciones educativas.

El candidato podrá realizar la prueba de acceso en tantas Universidades como estime oportuno.

El candidato podrá realizar la fase específica en la opción u opciones de su elección, y tendrá preferencia en la admisión en la Universidad o Universidades en las que haya realizado la prueba de acceso y en la rama o ramas de conocimiento vinculadas a las opciones escogidas en la fase específica.

Para la realización de los ejercicios, los candidatos podrán utilizar, a su elección, cualquiera de las lenguas oficiales de la Comunidad Autónoma en la que se examinan. No obstante, los ejercicios correspondientes a lengua castellana, lengua cooficial de la Comunidad Autónoma y lengua extranjera deberán desarrollarse en las respectivas lenguas.

En el momento de efectuar la inscripción para la realización de la prueba de acceso, los candidatos deberán manifestar la lengua extranjera elegida para el correspondiente ejercicio de la fase general, así como la opción u opciones elegidas en la fase específica.

Tras la publicación de las calificaciones, y de conformidad con los plazos y procedimientos que determine cada Comunidad Autónoma, los candidatos podrán presentar reclamación mediante escrito razonado dirigido a la Universidad correspondiente.

C) Convocatoria de la prueba de acceso para mayores de 25 años

Las Universidades realizarán anualmente una convocatoria de prueba de acceso para mayores de 25 años, para cada una de las ramas en las que oferten enseñanzas.

Una vez superada la prueba de acceso, los candidatos podrán presentarse de nuevo en sucesivas convocatorias, con la finalidad de mejorar su calificación. Se tomará en consideración la calificación obtenida en la nueva convocatoria, siempre que esta sea superior a la anterior.

D) Calificación de la prueba de acceso para mayores de 25 años

La calificación de la prueba de acceso, y de cada uno de sus ejercicios, se realizará por la Universidad, de conformidad con los criterios y fórmulas de valoración establecidos por la Administración educativa. La calificación final vendrá determinada por la media aritmética de las calificaciones obtenidas en la fase general y la fase específica, calificada de 0 a 10 y expresada con dos cifras decimales, redondeada a la centésima más próxima y en caso de equidistancia a la superior.

Se entenderá que el candidato ha superado la prueba de acceso cuando obtenga un mínimo de cinco puntos en la calificación final, no pudiéndose, en ningún caso, promediar cuando no se obtenga una puntuación mínima de cuatro puntos tanto en la fase general como en la fase específica.

E) Comisión organizadora de la prueba de acceso para mayores de 25 años

Las Administraciones educativas, junto con las Universidades públicas de su ámbito de gestión, podrán constituir una comisión organizadora de la prueba de acceso a la universidad para mayores de 25 años, a la que, entre otras, se atribuirán las siguientes tareas:

a) Coordinación de la prueba de acceso.

b) Adopción de medidas para garantizar el secreto del procedimiento de elaboración y selección de los exámenes, así como el anonimato de los ejercicios realizados por los aspirantes.

c) Adopción de las medidas necesarias para garantizar lo establecido en el artículo 12.7 del presente real decreto (utilización de lenguas cooficiales).

d) Designación y constitución de tribunales atendiendo al principio de presencia equilibrada entre mujeres y hombres.

e) Resolución de reclamaciones.

En el supuesto de que una Administración educativa decida no hacer uso de la posibilidad prevista, la prueba de acceso deberá realizarse en todo caso en una Universidad pública.

2.4.2. Acreditación de experiencia laboral o profesional

Podrán acceder a la universidad por esta vía los candidatos con experiencia laboral o profesional en relación con una enseñanza, que no posean ninguna titulación académica habilitante para acceder a la universidad por otras vías y cumplan o hayan cumplido los 40 años de edad en el año natural de comienzo del curso académico.

El acceso se realizará respecto a unas enseñanzas concretas, ofertadas por una Universidad, a cuyo efecto el interesado dirigirá la correspondiente solicitud a la Universidad de su elección.

Las Universidades incluirán en la memoria del plan de estudios verificado los criterios de acreditación y ámbito de la experiencia laboral o profesional en relación con cada una de las enseñanzas, de forma que permitan ordenar a los solicitantes. Entre dichos criterios se incluirá, en todo caso, la realización de una entrevista personal con el candidato, que podrá repetir en ocasiones sucesivas.

2.4.3. Personas mayores de 45 años

A) Acceso para mayores de 45 años

Las personas mayores de 45 años de edad que no posean ninguna titulación académica habilitante para acceder a la universidad por otras vías, podrán acceder a las enseñanzas universitarias oficiales de Grado mediante la superación de una prueba de acceso adaptada, si cumplen o han cumplido la citada edad en el año natural en que se celebre dicha prueba.

La prueba tendrá como objetivo apreciar la madurez e idoneidad de los candidatos para seguir con éxito estudios universitarios, así como su capacidad de razonamiento y de expresión escrita. Comprenderá dos ejercicios referidos a los siguientes ámbitos:

a) Comentario de texto o desarrollo de un tema general de actualidad.

b) Lengua castellana.

En el caso de que la prueba se celebre en Universidades del ámbito de gestión de Comunidades Autónomas con otra lengua cooficial, podrá establecerse por la Comunidad Autónoma competente la obligatoriedad de un tercer ejercicio referido a la lengua cooficial.

La organización de las pruebas de acceso para personas mayores de 45 años corresponderá a las Universidades que oferten las enseñanzas solicitadas por el interesado, en el marco establecido por las Administraciones educativas.

Los candidatos deberán realizar una entrevista personal. Del resultado de la entrevista deberá elevarse una resolución de apto como condición necesaria para la posterior resolución favorable de acceso del interesado.

El establecimiento de las líneas generales de la metodología, desarrollo y contenidos de los ejercicios que integran la prueba, así como el establecimiento de los criterios y fórmulas de valoración de estas, se realizará por cada Administración educativa, previo informe de las Universidades del ámbito territorial de dicha Administración educativa.

Para la realización de los ejercicios, los candidatos podrán utilizar, a su elección, cualquiera de las lenguas oficiales de la Comunidad Autónoma en la que se halle el centro en que se examinan. No obstante, los ejercicios correspondientes a lengua castellana y lengua cooficial de la Comunidad Autónoma deberán desarrollarse en las respectivas lenguas.

Tras la publicación de las calificaciones, y de conformidad con los plazos y procedimientos que determine cada Comunidad Autónoma, los candidatos podrán presentar reclamación mediante escrito razonado dirigido a la Universidad correspondiente.

B) Convocatoria de la prueba de acceso para mayores de 45 años

Las Universidades realizarán anualmente una convocatoria de prueba de acceso para mayores de 45 años.

Los candidatos podrán realizar la prueba de acceso para mayores de 45 años en cada convocatoria en las Universidades de su elección, siempre que existan en estas los estudios que deseen cursar; la superación de la prueba de acceso les permitirá ser admitidos únicamente a las Universidades en las que hayan realizado la prueba.

Una vez superada la prueba de acceso, los candidatos podrán presentarse de nuevo en sucesivas convocatorias en la misma Universidad, con la finalidad de mejorar su calificación. Se tomará en consideración la calificación obtenida en la nueva convocatoria, siempre que esta sea superior a la anterior.

C) Calificación de la prueba de acceso para mayores de 45 años

La calificación de la prueba de acceso para personas mayores de 45 años, y de cada uno de sus ejercicios, se realizará por cada Universidad, de conformidad con los criterios y fórmulas de valoración establecidos por la Administración educativa. La calificación final

vendrá determinada por la media aritmética de las calificaciones obtenidas en los ejercicios, calificada de 0 a 10 y expresada con dos cifras decimales, redondeada a la centésima más próxima y en caso de equidistancia a la superior.

Se entenderá que el candidato ha superado la prueba de acceso cuando obtenga una calificación de apto en la entrevista personal, y un mínimo de cinco puntos en la calificación final, no pudiéndose en ningún caso promediar cuando no se obtenga una puntuación mínima de cuatro puntos en cada ejercicio.

D) Comisión organizadora de la prueba de acceso para mayores de 45 años

Las Administraciones educativas, junto con las Universidades públicas de su ámbito de gestión, podrán constituir una comisión organizadora de la prueba de acceso a la universidad para mayores de 45 años, a la que, entre otras, se atribuirán las siguientes tareas:

a) Coordinación de la prueba de acceso.

b) Adopción de medidas para garantizar el secreto del procedimiento de elaboración y selección de los exámenes, así como el anonimato de los ejercicios realizados por los aspirantes.

c) Adopción de las medidas necesarias para garantizar lo establecido en el artículo 17.6 del presente real decreto (utilización de lenguas cooficiales).

d) Designación y constitución de tribunales atendiendo al principio de presencia equilibrada entre mujeres y hombres.

f) Resolución de reclamaciones.

En el supuesto de que una Administración educativa decida no hacer uso de la posibilidad prevista, la prueba de acceso deberá realizarse en todo caso en una Universidad pública.

2.4.4. Personas con discapacidad

Las comisiones organizadoras de las pruebas de acceso determinarán las medidas oportunas que garanticen que los estudiantes que presenten algún tipo de discapacidad puedan realizar la prueba en las debidas condiciones de igualdad. En la convocatoria se indicará expresamente esta posibilidad.

Estas medidas podrán consistir en la adaptación de los tiempos, la elaboración de modelos especiales de examen y la puesta a disposición del estudiante de los medios materiales y humanos, de las asistencias y apoyos y de las ayudas técnicas que precise para la realización de la prueba de acceso, así como en la garantía de accesibilidad de la información y la comunicación de los procesos y la del recinto o espacio físico donde esta se desarrolle.

Los tribunales calificadores podrán requerir informes y colaboración de los órganos técnicos competentes de las Administraciones educativas, así como de los centros donde hayan cursado estudios los estudiantes con discapacidad, que deberán informar de las adaptaciones curriculares realizadas.

2.5. Criterios específicos para la adjudicación de plazas por las Universidades públicas

2.5.1. Establecimiento por las Universidades públicas del orden de prelación

Las Universidades establecerán el orden de prelación en la adjudicación de plazas que vayan a aplicar, que en cualquier caso deberán respetar los porcentajes de reserva de plazas recogidos en los apartados siguientes.

Asimismo, podrán establecer cupos de reserva de plazas y diferentes reglas de prelación en función de las diferentes formas de acceso y admisión a las enseñanzas universitarias oficiales de Grado.

2.5.2. Porcentajes de reserva de plazas

Del total de plazas que para cada título y centro oferten las Universidades públicas deberán, como mínimo, reservarse los porcentajes a que se refieren los apartados siguientes.

Las plazas objeto de reserva que queden sin cubrir serán destinadas al cupo general y ofertadas por las Universidades de acuerdo con lo indicado en cada una de las convocatorias de admisión, excepto lo dispuesto para los deportistas de alto nivel en el Real Decreto 971/2007, de 13 de julio, sobre deportistas de alto nivel y alto rendimiento.

Los estudiantes que reúnan los requisitos para solicitar la admisión por más de un porcentaje de reserva de plazas podrán hacer uso de dicha posibilidad.

La ordenación y adjudicación de las plazas dentro de cada cupo se realizará atendiendo a los criterios de valoración establecidos a tal efecto.

2.5.3. Plazas reservadas para mayores de 25 años

Para los estudiantes que hayan superado la prueba de acceso a la universidad para mayores de 25 años de edad, se reservará un número de plazas no inferior al 2 por 100.

2.5.4. Plazas reservadas para mayores de 45 años y para mayores de 40 años que acrediten experiencia laboral o profesional

Para las personas que accedan a las enseñanzas universitarias oficiales de Grado tras la superación de la prueba de acceso a la universidad para mayores de 45 años o la acreditación de una experiencia laboral o profesional, las Universidades reservarán en su conjunto un número de plazas no inferior al 1 por 100 ni superior al 3 por 100.

2.5.5. Plazas reservadas a estudiantes con discapacidad

Se reservará al menos un 5 por 100 de las plazas ofertadas para estudiantes que tengan reconocido un grado de discapacidad igual o superior al 33 por 100, así como para

aquellos estudiantes con necesidades educativas especiales permanentes asociadas a circunstancias personales de discapacidad, que durante su escolarización anterior hayan precisado de recursos y apoyos para su plena normalización educativa.

A tal efecto, los estudiantes con discapacidad deberán presentar certificado de calificación y reconocimiento del grado de discapacidad expedido por el órgano competente de cada Comunidad Autónoma.

2.5.6. Plazas reservadas a deportistas de alto nivel y de alto rendimiento

La reserva de plazas para deportistas de alto nivel y de alto rendimiento se regirá por lo dispuesto en el artículo 9.1 del Real Decreto 971/2007, de 13 de julio, sobre deportistas de alto nivel y alto rendimiento.

Se reservará un porcentaje mínimo del 3 por 100 de las plazas ofertadas por las Universidades para quienes acrediten su condición de deportista de alto nivel o de alto rendimiento y reúnan los requisitos académicos correspondientes.

Los centros que impartan los estudios y enseñanzas a los que hace referencia el párrafo cuarto del apartado 1 del artículo 9 del Real Decreto 971/2007, de 13 de julio, sobre deportistas de alto nivel y alto rendimiento, reservarán un cupo adicional equivalente como mínimo al 5 por 100 de las plazas ofertadas para estos deportistas, pudiendo incrementarse dicho cupo. Los cupos de reserva de plazas habrán de mantenerse en las diferentes convocatorias que se realicen a lo largo del año.

2.5.7. Plazas reservadas a estudiantes con titulación universitaria o equivalente

Para los estudiantes que ya estén en posesión de una titulación universitaria oficial o equivalente, se reservará un número de plazas no inferior al 1 por 100 ni superior al 3 por 100.

2.5.8. Cambio de universidad y/o estudios universitarios oficiales españoles

Las solicitudes de plazas de estudiantes con estudios universitarios oficiales españoles parciales que deseen ser admitidos en otra Universidad y/o estudios universitarios oficiales españoles y se les reconozca un mínimo de 30 créditos ECTS, serán resueltas por el Rector de la Universidad, de acuerdo con los criterios, que a estos efectos, determine el Consejo de Gobierno de cada universidad.

Las solicitudes de plazas de estudiantes con estudios universitarios oficiales españoles parciales que deseen ser admitidos en otra Universidad y/o estudios universitarios oficiales españoles y no se les reconozca un mínimo de 30 créditos ECTS deberán incorporarse al proceso general de admisión.

La adjudicación de plaza en otra Universidad dará lugar al traslado del expediente académico correspondiente, el cual deberá ser tramitado por la universidad de procedencia, una vez que el interesado acredite haber sido admitido en otra universidad.

Para los deportistas de alto nivel y alto rendimiento que se vean obligados a cambiar de residencia por motivos deportivos, se tomarán las medidas necesarias para que puedan continuar su formación en su nuevo lugar de residencia, de acuerdo con lo dispuesto en el apartado 10 del artículo 9 del Real Decreto 971/2007, de 13 de julio, sobre deportistas de alto nivel y alto rendimiento.

2.5.9. Admisión de estudiantes con estudios universitarios extranjeros

Las solicitudes de plaza de estudiantes con estudios universitarios extranjeros parciales o totales que no hayan obtenido la homologación o equivalencia de sus títulos, diplomas o estudios en España se resolverán por el Rector de la Universidad, de acuerdo con las siguientes reglas:

a) Las solicitudes de plaza de estudiantes con estudios universitarios extranjeros a los que se reconozca un mínimo de 30 créditos ECTS serán resueltas por el Rector de la Universidad, que actuará de acuerdo con los criterios que establezca el Consejo de Gobierno que, en todo caso, tendrán en cuenta el expediente universitario.

b) Las asignaturas reconocidas tendrán la equivalencia en puntos correspondiente a la calificación obtenida en el centro de procedencia, de conformidad con las equivalencias que se establezcan por el Ministro de Educación, Cultura y Deporte entre las calificaciones de dichos sistemas extranjeros y las propias del Sistema Educativo Español; el reconocimiento de créditos ECTS en que no exista calificación no se tendrá en cuenta a los efectos de ponderación.

Los estudiantes que no obtengan reconocimiento de al menos 30 créditos ECTS podrán acceder a la universidad española según lo establecido en el Real Decreto 412/2014, de 6 de junio.

Las solicitudes de plazas de estudiantes con estudios universitarios extranjeros totales que hayan obtenido la homologación o equivalencia de sus títulos, diplomas o estudios en España se resolverán en las mismas condiciones que las establecidas para quienes cumplen el siguiente requisito:

1. Estudiantes en posesión de un título universitario oficial de Grado, Máster o título equivalente.

2. Estudiantes en posesión de un título universitario oficial de Diplomado universitario, Arquitecto Técnico, Ingeniero Técnico, Licenciado, Arquitecto, Ingeniero, correspondientes a la anterior ordenación de las enseñanzas universitarias o título equivalente.

La nota media del expediente académico de los interesados se obtendrá de acuerdo con las equivalencias que se establezcan por el Ministro de Educación, Cultura y Deporte entre las calificaciones de dichos sistemas extranjeros y las propias del Sistema Educativo Español.

2.6. Otras normas de acceso

2.6.1. Admisión a las enseñanzas universitarias oficiales de Grado que se impartan en el sistema de centros universitarios de la defensa

La admisión a las enseñanzas universitarias oficiales de Grado que se impartan en el sistema de centros universitarios de la defensa, previstos por la Ley 39/2007, de 19 de noviembre, de la carrera militar, exigirá, además de los requisitos generales previstos por dicha Ley para el ingreso en el correspondiente centro docente militar de formación, el cumplimiento de los requisitos de acceso y admisión establecidos en el Real Decreto 412/2014, de 6 de junio, por el que se establece la normativa básica de los procedimientos de admisión a las enseñanzas universitarias oficiales de Grado, con las siguientes particularidades:

a) Los resultados de las evaluaciones específicas que se realicen en el seno de los procedimientos de admisión a los centros docentes militares de formación para el acceso a las escalas de oficiales de los Cuerpos Generales de los Ejércitos y al Cuerpo de Infantería de Marina y a la escala superior de oficiales de la Guardia Civil tendrán validez para la admisión en cualquiera de los tres Centros Universitarios de la Defensa.

b) No se aplicará al total de plazas ofertadas para los centros universitarios de la defensa los cupos de reserva.

2.6.2. Estudiantes en posesión de títulos, estudios y diplomas obtenidos con anterioridad a la entrada en vigor de la Ley Orgánica 8/2013, de 9 de diciembre, para la Mejora de la Calidad Educativa

Aquellos estudiantes que hubieran superado la prueba de acceso a la universidad establecida en el artículo 38 de la Ley Orgánica 2/2006, de 3 de mayo, con anterioridad a su modificación por la Ley Orgánica 8/2013, de 9 de diciembre, mantendrán la calificación obtenida en la misma en los siguientes términos:

a) La calificación obtenida en la fase general de la prueba de acceso a la universidad tendrá validez indefinida como requisito de acceso y admisión a las enseñanzas universitarias oficiales de Grado.

b) La calificación de las materias de la fase específica tendrá validez como requisito de acceso y admisión a las enseñanzas universitarias oficiales de Grado durante los dos cursos académicos siguientes a la superación de las mismas.

Asimismo, y con la finalidad de mejorar la calificación obtenida en esta prueba de acceso, estos estudiantes podrán presentarse a los procedimientos de admisión fijados por las Universidades, de acuerdo con las disposiciones del Real Decreto 412/2014, de 6 de junio, por el que se establece la normativa básica de los procedimientos de admisión a las enseñanzas universitarias oficiales de Grado.

Aquellos estudiantes que hubieran superado pruebas de acceso a la universidad española previas a la establecida en el artículo 38 de la Ley Orgánica 2/2006, de 3 de mayo, con anterioridad a su modificación por la Ley Orgánica 8/2013, de 9 de diciembre, mantendrán la calificación obtenida con carácter indefinido, si bien podrán presentarse a los procedimientos de admisión fijados por las Universidades, de acuerdo con las disposiciones del Real Decreto 412/2014, de 6 de junio, por el que se establece la normativa básica de los procedimientos de admisión a las enseñanzas universitarias oficiales de Grado, con la finalidad de mejorar la calificación obtenida en esta prueba de acceso.

Quienes no hubieran superado ninguna prueba de acceso a la universidad y hubieran obtenido el título de Bachiller con anterioridad a la implantación de la evaluación final de Bachillerato establecida en el artículo 37 de la Ley Orgánica 2/2006, de 3 de mayo, en la redacción dada por la Ley Orgánica 8/2013, de 9 de diciembre, podrán acceder directamente a las enseñanzas universitarias oficiales de Grado, si bien deberán superar los procedimientos de admisión que fijen las Universidades.

Los estudiantes procedentes de sistemas educativos extranjeros que hayan superado la prueba de acceso a la universidad establecida en la Orden EDU/473/2010, de 26 de febrero, por la que se establece el procedimiento de acceso a las enseñanzas universitarias oficiales de Grado para los estudiantes procedentes de sistemas educativos extranjeros con estudios homologables al título de Bachiller español[4], mantendrán la calificación obtenida en la misma en los siguientes términos:

a) La calificación obtenida en la fase general tendrá validez indefinida como requisito de acceso y admisión a las enseñanzas universitarias oficiales de Grado.

b) La calificación de las materias de la fase específica tendrá validez como requisito de acceso y admisión a las enseñanzas universitarias oficiales de Grado durante los dos cursos académicos siguientes a la superación de las mismas.

Los estudiantes podrán presentarse a los procedimientos de admisión fijados por las Universidades para mejorar su calificación.

2.7. El acceso a la universidad para el curso 2022/2023

2.7.1. El acceso a la Universidad para el curso 2022/2023

Por Orden PCM/63/2023, de 25 de enero, se determinan las características, el diseño y el contenido de la evaluación de Bachillerato para el acceso a la universidad, y las fechas máximas de realización y de resolución de los procedimientos de revisión de las calificaciones obtenidas, en el curso 2022-2023.

4 Dicha Orden en la actualidad se encuentra derogada.

2.7.2. La Orden PCM/58/2022, de 2 de febrero

A) Objeto y ámbito de aplicación

La Orden PCM/63/2023, de 25 de enero tiene por objeto determinar:

a) Las características, el diseño y el contenido de la prueba de la evaluación de Bachillerato para el acceso a la Universidad.

b) Las fechas máximas de realización y de resolución de los procedimientos de revisión de las calificaciones obtenidas.

c) Los cuestionarios de contexto, aplicables en el ámbito competencial de los Ministerios de Educación y Formación Profesional y de Universidades, e indicadores comunes del centro.

B) Materias objeto de evaluación

Las pruebas versarán sobre las materias generales del bloque de asignaturas troncales de segundo curso de Bachillerato de la modalidad elegida para la prueba y, en su caso, de la materia Lengua Cooficial y Literatura.

El alumnado que quiera mejorar su nota de admisión podrá examinarse de, al menos, dos materias de opción del bloque de asignaturas troncales de segundo curso de Bachillerato. Sin perjuicio de lo anterior, las universidades podrán tener en cuenta en sus procedimientos de admisión, además de la calificación obtenida en cada una de las materias de opción del bloque de asignaturas troncales elegidas por el alumno o alumna, la de alguna o algunas de las materias generales pertenecientes al bloque de asignaturas troncales según modalidad e itinerario.

Asimismo el alumnado podrá examinarse de una segunda lengua extranjera distinta de la que hubiera cursado como materia del bloque de asignaturas troncales. La calificación obtenida en dicha prueba podrá ser tenida en cuenta por las universidades en sus procedimientos de admisión.

C) Características y diseño de las pruebas. Matrices de especificaciones

Las características y el diseño de las pruebas comprenderán la matriz de especificaciones, la longitud (número mínimo y máximo de preguntas), tiempo de aplicación y la tipología de preguntas (preguntas abiertas, semiabiertas y de opción múltiple), de acuerdo con lo establecido en el artículo 2.3 del Real Decreto 310/2016, de 29 de julio, por el que se regulan las evaluaciones finales de Educación Secundaria Obligatoria y de Bachillerato.

Conforme al artículo 8.2 del Real Decreto 310/2016, de 29 de julio, se velará por la adopción de las medidas necesarias para asegurar la igualdad de oportunidades, no discriminación y accesibilidad universal del alumnado con necesidades específicas de apoyo educativo.

La evaluación de este alumnado tomará como referencia las adaptaciones curriculares realizadas para el mismo a lo largo de la etapa. Particularmente, se contemplarán medidas de flexibilización y metodológicas en la evaluación de lengua extranjera para el alumnado con discapacidad, en especial para los casos de alumnado con discapacidad auditiva, alumnado con dificultades en su expresión oral y/o con trastornos del habla. Estas adaptaciones en ningún caso se tendrán en cuenta para minorar las calificaciones obtenidas.

Las matrices de especificaciones establecen la concreción de los estándares de aprendizaje evaluables asociados a cada uno de los bloques de contenidos, que darán cuerpo al proceso de evaluación. Asimismo, indican el peso o porcentaje orientativo que corresponde a cada uno de los bloques de contenidos establecidos para las materias objeto de evaluación, de entre los incluidos en el Real Decreto 1105/2014, de 26 de diciembre, por el que se establece el currículo básico de la Educación Secundaria Obligatoria y del Bachillerato.

Las matrices de especificaciones establecidas para cada una de las materias incluidas en la evaluación de Bachillerato para el acceso a la universidad son las recogidas en el anexo de la Orden PCM/63/2023, de 25 de enero.

D) Longitud de las pruebas

Se realizará una prueba por cada una de las materias objeto de evaluación. En cada prueba, el alumnado dispondrá de una única propuesta de examen con varias preguntas.

En la elaboración de la prueba se tendrá en cuenta que el número de preguntas que deba desarrollar el alumno o la alumna se adapte al tiempo máximo de realización de la prueba, incluyendo el tiempo de lectura de esta.

El alumno o la alumna tendrá que responder, a su elección, a un número de preguntas determinado previamente por el órgano competente. El citado número de preguntas se habrá fijado de forma que permita a todo el alumnado alcanzar la máxima puntuación en la prueba, con independencia de las circunstancias en las que este pudiera haber tenido acceso a la enseñanza y el aprendizaje en caso de que se hubiera producido una suspensión de la actividad lectiva presencial. Para realizar el número máximo de preguntas fijado todas las preguntas deberán ser susceptibles de ser elegidas.

Cada una de las pruebas de la evaluación de Bachillerato para el acceso a la universidad tendrá una duración de 90 minutos. Se establecerá un descanso entre pruebas consecutivas de, como mínimo, 30 minutos. No se computará como periodo de descanso el utilizado para ampliar el tiempo de realización de las pruebas del alumnado con necesidades específicas de apoyo educativo a los que se les haya prescrito dicha medida.

La evaluación de Bachillerato para el acceso a la universidad tendrá, preferentemente, una duración de un máximo de cuatro días. En aquellas comunidades autónomas con lengua cooficial, tendrá, preferentemente, una duración de un máximo de cinco días.

E) Pruebas y tipología de preguntas

Preferentemente, las pruebas se contextualizarán en entornos próximos a la vida del alumnado: situaciones personales, familiares, escolares y sociales, además de entornos científicos y humanísticos.

Cada una de las pruebas contendrá preguntas abiertas y semiabiertas que requerirán del alumnado capacidad de pensamiento crítico, reflexión y madurez. Además de estos tipos de preguntas, se podrán utilizar también preguntas de opción múltiple, siempre que en cada una de las pruebas la puntuación asignada al total de preguntas abiertas y semiabiertas alcance como mínimo el 50 %.

Las categorías de preguntas se definen de la siguiente manera:

a) De opción múltiple: preguntas con una sola respuesta correcta inequívoca y que no exigen construcción por parte del alumnado, ya que este se limitará a elegir una de entre las opciones propuestas.

b) Semiabiertas: preguntas con respuesta correcta inequívoca y que exigen construcción por parte del alumnado. Esta construcción será breve, por ejemplo, un número que da respuesta a un problema matemático, o una palabra que complete una frase o dé respuesta a una cuestión, siempre que no se facilite un listado de posibles respuestas.

c) Abiertas: preguntas que exigen construcción por parte del alumnado y que no tienen una sola respuesta correcta inequívoca. Se engloban en este tipo las producciones escritas y las composiciones plásticas.

F) Contenido de las pruebas

En cada una de las pruebas se procurará considerar al menos un elemento curricular de cada uno de los bloques de contenido, o agrupaciones de estos, que figuran en la matriz de especificaciones de la materia correspondiente. Al menos el 70 por ciento de la calificación de cada prueba deberá obtenerse a través de la evaluación de estándares de aprendizaje seleccionados entre los definidos en la matriz de especificaciones de la materia correspondiente, que figura en el anexo I de la Orden PCM/63/2023, de 25 de enero y que incluye los estándares considerados esenciales. Las Administraciones educativas podrán completar el 30 % restante de la calificación a través de la evaluación de los estándares establecidos en el anexo I del Real Decreto 1105/2014, de 26 de diciembre.

Los porcentajes de ponderación asignados a cada bloque de contenido en la prueba completa de cada materia, constituida por el total de preguntas que se le ofrecen para elegir al alumnado, harán referencia a la puntuación relativa que se asignará a las preguntas asociadas a los estándares de aprendizaje de los incluidos en dicho bloque. Estas ponderaciones son orientativas.

G) Fechas límite para la realización de las pruebas

Las pruebas deberán finalizar antes del día 16 de junio de 2023. Los resultados provisionales de las pruebas serán publicados antes del 30 de junio de 2023.

Las pruebas correspondientes a la convocatoria extraordinaria deberán finalizar:

a) Antes del día 14 de julio de 2023 en el caso de que la Administración educativa competente determine celebrar la convocatoria extraordinaria en el mes de julio. En este caso, los resultados provisionales de las pruebas deberán ser publicados antes del 21 de julio de 2023.

b) Antes del día 15 de septiembre de 2023 en el caso de que la Administración educativa competente determine celebrar la convocatoria extraordinaria en el mes de septiembre. En este caso, los resultados provisionales deberán ser publicados antes del 21 de septiembre de 2023.

H) Calificación y validez de las pruebas

La calificación de la evaluación de Bachillerato para el acceso a la universidad será la media aritmética de las calificaciones numéricas obtenidas en cada una de las pruebas realizadas de las materias generales del bloque de asignaturas troncales y, en su caso, de la materia Lengua Cooficial y Literatura, expresada en una escala de 0 a 10 con tres cifras decimales y redondeada a la milésima. Esta calificación deberá ser igual o superior a 4 puntos para que pueda ser tenida en cuenta en el acceso a las enseñanzas universitarias oficiales de Grado.

La calificación para el acceso a la universidad se calculará ponderando un 40 por ciento la calificación señalada en el párrafo anterior y un 60 por ciento la calificación final de la etapa. Se entenderá que se reúnen los requisitos de acceso cuando el resultado de esta ponderación sea igual o superior a cinco puntos.

La superación de la evaluación de Bachillerato para el acceso a la universidad tendrá validez indefinida. Las calificaciones obtenidas en las pruebas para mejorar la nota de admisión tendrán validez durante los dos cursos académicos siguientes a la superación de las mismas.

El alumnado podrá presentarse en sucesivas convocatorias para mejorar la calificación obtenida en cualquiera de las pruebas. Se tomará en consideración la calificación obtenida en la nueva convocatoria, siempre que esta sea superior a la anterior.

I) Revisión de las calificaciones obtenidas

La revisión de las calificaciones obtenidas y las fechas máximas para su resolución serán las que, con carácter general, se establecen en el artículo 10 del Real Decreto 310/2016, de 29 de julio.

J) Organización de las pruebas

Las Administraciones educativas, en colaboración con las universidades, organizarán la realización material de las pruebas que configuran la evaluación de Bachillerato para el acceso a la universidad. En este sentido, velarán por que se arbitren los procedimientos necesarios para garantizar su normal celebración en las fechas previstas.

En lo que no se oponga a lo dispuesto en el Real Decreto 310/2016, de 29 de julio, en el Real Decreto 1105/2014, de 26 de diciembre, y en esta orden ministerial, las universidades asumirán las mismas funciones y responsabilidades que tenían en relación con la Prueba de Acceso a la universidad que se ha venido realizando hasta el curso 2016-2017. No obstante, cada Administración educativa podrá delimitar el alcance de la colaboración de sus universidades en la realización de las pruebas.

K) Cuestionarios de contexto

Las Administraciones educativas, en el ejercicio de sus competencias, podrán establecer cuestionarios de contexto, de los tipos indicados en el artículo 5 del Real Decreto 310/2016, de 29 de julio, y que permitirán elaborar los indicadores comunes de centro que se recogen en el anexo III de la Orden PCM/63/2023, de 25 de enero.

Los cuestionarios de contexto serán, en todo caso, anónimos. Se garantizará la confidencialidad de los datos durante todas las fases de la evaluación y se establecerán todos los mecanismos y procedimientos necesarios que aseguren dicho anonimato.

El anexo II recoge una propuesta de cuestionario del alumnado.

L) Adaptación de las normas relativas a la evaluación de Bachillerato para el acceso a la Universidad a las necesidades y situación de los centros situados en el exterior del territorio nacional, los programas educativos en el exterior, los programas internacionales, los alumnos procedentes de sistemas educativos extranjeros, de las personas adultas y de las enseñanzas a distancia

Se faculta a las personas titulares de la Secretaría de Estado de Educación y de la Secretaría General de Universidades para adaptar la aplicación de esta orden a las necesidades y situación del alumnado de los centros situados en el exterior del territorio nacional, del procedente de programas educativos en el exterior, programas internacionales o sistemas educativos extranjeros, de las personas adultas y de la educación a distancia, asegurando en todo caso la igualdad de oportunidades, la no discriminación y la accesibilidad universal del alumnado con necesidades específicas de apoyo educativo, de conformidad con lo dispuesto en la disposición adicional primera del Real Decreto 310/2016, de 29 de julio.

3. Normas de progreso y permanencia en la universidad. Simultaneidad de estudios

3.1. Progreso y permanencia en la Universidad

El artículo 3.2 de la LOSU señala que en los términos de la presente Ley, la autonomía de las Universidades comprende: (...) l) La admisión del estudiantado, régimen de permanencia, verificación de conocimientos, competencias y habilidades, y la gestión de sus expedientes académicos.

El artículo 46 de la LOSU establece que corresponde al Consejo Social: "Informar sobre las normas que regulen el progreso y la permanencia del estudiantado en la universidad".

El artículo 7 del EEU señala que los estudiantes universitarios tienen los siguientes derechos comunes, individuales o colectivos: (...) b) A la igualdad de oportunidades, sin discriminación alguna, en el acceso a la universidad, ingreso en los centros, permanencia en la universidad y ejercicio de sus derechos académicos y (...) u) A ser informados y a participar de forma corresponsable en el establecimiento y funcionamiento de las normas de permanencia de la universidad aprobadas por el Consejo Social de la misma.

Si el Consejo Social de la Universidad no se pronuncia al respecto será de aplicación el Decreto-Ley 9/1975, de 10 de julio, para el funcionamiento institucional de la Universidad, modificado por el Real Decreto Legislativo 8/1976, de 16 de junio.

En dicha norma se señala que la limitación de permanencia que se establece no podrá ser inferior a dos cursos más de los previstos en los respectivos planes de estudios de cada carrera.

La evaluación del rendimiento académico de los alumnos universitarios, oficiales y libres, así como el número de convocatorias a las que pueden presentarse, se regulará en los Estatutos de cada Universidad dentro de los límites que a continuación se señalan. A tal fin, los Estatutos precisarán los extremos siguientes:

a) Procedimiento para establecer el número de convocatorias por asignatura a que tienen derecho los alumnos de cada Centro, dentro de un límite mínimo de cuatro y máximo de seis.

b) Forma en que las Juntas de Gobierno de cada Universidad (hoy Consejos de Gobierno) han de aplicar lo dispuesto en el apartado anterior según los distintos Centros Universitarios y, dentro de estos, según los diferentes ciclos o cursos.

c) Tipo de enseñanza y sistema de realización de los exámenes correspondientes a las dos últimas convocatorias que puedan establecerse, que tendrán lugar ante Tribunales constituidos por tres profesores numerarios, designados por la Junta de Facultad o Escuela.

Las convocatorias a las que se refieren los párrafos anteriores se computarán sucesivamente, entendiéndose agotadas en cada caso aunque el alumno no se presente a examen, siempre que se hubiere matriculado. No obstante, la aplicación de esta norma podrá ser objeto de dispensa en los supuestos de enfermedad, cumplimiento del Servicio Militar obligatorio u otra causa acreditada que merezca análoga consideración a juicio de la Junta de Facultad o Escuela.

Los alumnos del primer curso que en las convocatorias de junio y septiembre de un año académico no hayan aprobado ninguna asignatura, sin que haya causa que justifique su incomparecencia a examen, no podrán proseguir los estudios en la Facultad o

Escuela en que hubiesen estado matriculados. No obstante, podrán iniciar por una sola vez estudios en otro Centro Universitario. Solo en el supuesto de que en este último no aprobasen ninguna asignatura del citado primer curso en las convocatorias de junio y septiembre, no podrán cursar en lo sucesivo estudios universitarios. Los Estatutos de las Universidades podrán prever la aplicación de lo anteriormente señalado para los alumnos de primer curso a los de los cursos segundo y tercero de cada carrera.

Si el alumno obtuviese el traslado del expediente académico a otra Universidad, se le computarán las convocatorias que hubiese agotado en la Universidad de procedencia.

3.2. Simultaneidad de estudios

Con este término nos estamos refiriendo a los alumnos universitarios que desean iniciar estudios simultaneándolos con aquellos que vienen realizando en el Centro en que figura su expediente académico.

En tales casos, si bien no puede hablarse propiamente de traslado de expediente académico, es evidente que debe procederse por la vía establecida a tal efecto, a fin de que el alumno puede acreditar ante el Centro en que desea iniciar nuevos estudios que reúne los requisitos académicos exigidos para ello, lo cual consta oficialmente en el Centro en que obra su expediente y, al mismo tiempo, para que los distintos Centros pueden exponer su criterio sobre la procedencia de acceder o no a la simultaneidad de estudios.

La Orden de 28 de septiembre de 1984, sobre régimen de simultaneidad de estudios universitarios en distintos Centros contiene las siguientes normas al respecto:

Primero.- Los alumnos universitarios que deseen iniciar otros estudios de este mismo nivel educativo en la misma o distinta Universidad, simultaneándolos con los que realizan en el Centro en que figure su expediente académico, deberán proceder conforme se dispone en las siguientes normas.

Segundo.- En el supuesto de simultaneidad de estudios en Centros de la misma Universidad, los alumnos efectuarán su petición ante el Rector, quien podrá delegar su resolución en el Decano o Director del Centro al que pretendan incorporarse.

En el supuesto de simultaneidad de estudios en Centros de distinta Universidad, en el plazo y forma establecidos para solicitar los traslados de expediente académico, los alumnos deberán formular solicitud de traslado, exponiendo como motivo de la misma el de simultanear los estudios que viene realizando con los propios del Centro para el que formula su solicitud, de forma que la aceptación del traslado de expediente implicará la autorización de simultanear estudios.

Tercero.- Será condición indispensable para que los Rectorados respectivos puedan informar y consiguientemente resolver favorablemente estas peticiones que el alumno tenga completamente superado el primer curso de los que ya tenga iniciado en el momento de solicitar el traslado.

Cuarto.- En caso de resolución favorable, el Centro en el que figure el expediente remitirá al elegido por el alumno para simultanear estudios, copia certificada de su expediente académico personal en la que necesariamente habrán de constar los extremos relativos a su ingreso en la Universidad, acreditando en el mismo, en todo caso, a efectos de constancia de cuantas incidencias sobrevengan que pudieran surtir efectos académicos, diligencia en la que conste la apertura de nuevo expediente en el Centro elegido. Asimismo, este último comunicará al Centro de origen cuantas circunstancias puedan afectar a su expediente en aquel.

TEMA 5

Los estudiantes universitarios: becas y ayudas al estudio. Las prácticas académicas de los estudiantes universitarios

¿Sabes cómo retener más información en tu **memoria**? Con las Técnicas de Memoria 360 te explicamos todos los detalles.

Índice

1. Los estudiantes universitarios: las becas y ayudas al estudio

1.1. Las becas y ayudas al estudio en la Ley Orgánica del Sistema Universitario y en el Estatuto del Estudiante Universitario

El artículo 27.5 de la Constitución española establece que los poderes públicos garantizan el derecho de todos a la educación, mediante una programación general de la enseñanza, con participación efectiva de todos los sectores afectados y la creación de centros docentes.

El artículo 32 de la Ley Orgánica 2/2023, de 22 de marzo, del Sistema Universitario (LOSU) señala que se garantizará la igualdad de oportunidades en el acceso a la Universidad y en la continuidad en las enseñanzas universitarias del estudiantado, con independencia de la capacidad económica de las personas o familias y de su lugar de residencia. A tal fin, se reconoce el derecho subjetivo del estudiantado universitario a acceder a becas y ayudas al estudio, siempre que cumpla con los requisitos recogidos en las normas reguladoras de las mismas, y de conformidad con los principios fundamentales de igualdad y no discriminación.

El Título IX del Real Decreto 1791/2010, de 30 de diciembre, por el que se aprueba el Estatuto del Estudiante Universitario (en adelante EEU) se dedica también a regular la materia y lleva por rúbrica "De las becas y ayudas al estudiante".

1.2. Normativa de desarrollo: régimen jurídico de las becas y ayudas al estudio

1.2.1. El Real Decreto 1721/2007, de 21 de diciembre, por el que se establece el régimen de las becas y ayudas al estudio personalizadas

Con carácter general y a nivel estatal esta materia se encuentra regulada en el Real Decreto 1721/2007, de 21 de diciembre, por el que se establece el régimen de las becas y ayudas al estudio personalizadas (BOE de 17 de enero y entrada en vigor el 18 de enero).

El artículo 27 de la Constitución Española establece en sus apartados 1 y 5 que «todos tienen el derecho a la educación» y que «los poderes públicos garantizan el derecho de todos a la educación mediante una programación general de la enseñanza, con participación efectiva de todos los sectores afectados y la creación de centros docentes».

Para hacer efectivo este derecho las leyes orgánicas dictadas en desarrollo del artículo 27 de la Constitución contienen regulaciones concretas sobre el sistema de becas o ayudas al estudio. Así, tanto el artículo 83 de la Ley Orgánica 2/2006, de 3 de mayo, de Educación como el artículo 45 de la Ley Orgánica 6/2001, de 21 de diciembre, de Universidades en la redacción dada por la Ley Orgánica 4/2007, de 12 de abril, encomiendan al Estado el establecimiento, con cargo a sus Presupuestos Generales, de un sistema general de becas y ayudas al estudio, con el fin de que todas las personas, con independencia de su lugar de residencia, disfruten de las mismas condiciones en el ejercicio del derecho a la educación.

Dado el carácter técnico y la naturaleza coyuntural de los aspectos básicos de esta materia, las citadas leyes orgánicas establecen que el Gobierno regulará, con carácter básico, los parámetros precisos para asegurar la igualdad en el acceso a las citadas becas y ayudas, sin detrimento de las competencias normativas y de ejecución de las comunidades autónomas. En consecuencia, el Real Decreto 1721/2007, de 21 de diciembre viene a dar cumplimiento al mencionado mandato del legislador orgánico, procediendo a modificar el vigente régimen centralizado de gestión de las becas y ayudas al estudio, una vez que todas las comunidades autónomas han asumido competencias en materia de educación y tras la reforma de algunos Estatutos de Autonomía que establecen la competencia compartida entre el Estado y las comunidades autónomas respecto al régimen de fomento del estudio y de las becas y ayudas estatales.

A través del el Real Decreto 1721/2007, de 21 de diciembre se persigue un doble objetivo. Se trata, por una parte, de lograr un sistema de becas y ayudas el estudio que garantice la igualdad en el acceso a las becas en todo el territorio, y, por otro, de dar cumplimiento a la jurisprudencia del Tribunal Constitucional en esta materia y concretamente a la recogida en las Sentencias 188/2001, de 20 de septiembre y Sentencia 212/2005, de 21 de julio, todo ello manteniendo la eficacia y eficiencia del sistema.

Fuera del ámbito puramente educativo, tienen una importante incidencia en esta materia, la Ley 38/2003, de 17 de noviembre General de Subvenciones y la Ley 24/2005, de 18 de noviembre, de reformas para el impulso de la productividad, cuya disposición adicional novena excluye a las becas del régimen de concesión en concurrencia competitiva al establecer que «las becas y ayudas al estudio para seguir estudios reglados y para las que no se fije un número determinado de beneficiarios, se concederán de forma directa». Esta misma disposición prevé que se aprobará anualmente un real decreto que fijará los umbrales económicos y los demás requisitos necesarios para obtener beca o ayuda al estudio.

1.2.2. Cuestiones generales del Real Decreto 1721/2007, de 21 de diciembre

A) Definiciones

a) Becas. Se entiende por beca la cantidad o beneficio económico que se conceda para iniciar o proseguir enseñanzas conducentes a la obtención de un título o certificado de carácter oficial con validez en todo el territorio nacional, **atendiendo a las circunstancias socioeconómicas y al aprovechamiento académico** del solicitante.

b) Ayudas al estudio. Tendrá la consideración de ayuda al estudio toda cantidad o beneficio económico que se conceda para iniciar o proseguir enseñanzas con validez en todo el territorio nacional, atendiendo **únicamente a las circunstancias socioeconómicas** del beneficiario.

c) Becas y ayudas al estudio **territorializadas**. Son territorializadas las becas y ayudas al estudio que se financian con cargo a créditos del Programa de becas y ayudas a estudiantes de los presupuestos generales del Estado y respecto de las que el Estado establece la regulación básica.

d) Becas y ayudas al estudio **no territorializadas**. Son no territorializadas **las destinadas a cursar estudios en comunidad autónoma distinta a la del domicilio familiar del estudiante** (inciso en negrilla declarado inconstitucional por Sentencia del Tribunal Constitucional 25/2015) las destinadas a los alumnos de la Universidad Nacional de Educación a Distancia, del Centro de Investigación y Desarrollo de la Educación a Distancia, de Ceuta, de Melilla y de los centros españoles en el exterior, que se financian con cargo a créditos del Programa de becas y ayudas a estudiantes de los presupuestos generales del Estado y respecto de las que el Estado también lleva a cabo la gestión y concesión.

B) Condiciones de los beneficiarios

Para ser beneficiario de las becas y ayudas será preciso:

a) No estar en posesión o no reunir los requisitos legales para la obtención de un título del mismo o superior nivel al correspondiente al de los estudios para los que se solicita la beca o ayuda.

   Para la aplicación de este requisito se tendrán en cuenta los siguientes criterios:

   1. Quienes estén en posesión de un título oficial de Diplomado, Arquitecto Técnico, Ingeniero Técnico o Maestro que haya obtenido la correspondencia con el nivel 2 (Grado) del Marco Español de Cualificaciones para la Educación Superior (MECES) podrán ser beneficiarios de beca para cursar créditos complementarios o complementos de formación necesarios para la obtención del título oficial de Grado.

2. Quienes estén en posesión de un título oficial de Grado que haya sido adscrito al nivel 3 (Máster) del Marco Español de Cualificaciones para la Educación Superior (MECES), o en posesión de un título oficial de Arquitecto, Ingeniero, Licenciado, Arquitecto Técnico, Ingeniero Técnico o Diplomado que haya obtenido la correspondencia con el nivel 3 (Máster) del MECES, podrán ser beneficiarios de becas y ayudas al estudio para cursar enseñanzas conducentes a un título oficial de Máster universitario.

3. En ningún caso podrán obtener beca para cursar estudios no universitarios quienes estén en posesión de un título universitario.

b) Cumplir los requisitos básicos establecidos, así como los que fijen las Administraciones educativas en las convocatorias propias de la beca o ayuda de que se trate.

c) Estar matriculado en alguna de las enseñanzas del sistema educativo español que se enumeran en el artículo 3 de la Ley Orgánica 2/2006, de 3 de mayo de Educación.

d) **Ser español**. En el caso de ciudadanos de la Unión o de sus familiares, beneficiarios de los derechos de libre circulación y residencia, se requerirá que tengan la condición de **residentes permanentes o que acrediten ser trabajadores por cuenta propia o ajena**. Estos requisitos **no serán exigibles** para la obtención de la beca de matrícula.

En el supuesto de extranjeros no comunitarios, se aplicará lo dispuesto en la normativa sobre derechos y libertades de los extranjeros en España y su integración social.

Para la obtención de las becas o ayudas que se convoquen con una limitación del número de beneficiarios será preciso que el solicitante, además de cumplir los requisitos establecidos, alcance un coeficiente de prelación que le sitúe dentro del número de becas o ayudas convocadas o del crédito destinado a esa finalidad.

Tendrán la consideración legal de beneficiarios de las becas y ayudas al estudio los estudiantes a quienes se les concedan en cualquiera de los siguientes supuestos:

a) Que perciban directamente su importe.

b) Que perciban el importe a través de un tercero.

c) Que lo obtengan mediante la exención del pago de un determinado precio por un servicio escolar o académico.

d) Que se beneficien de una prestación en especie en el marco de una actividad educativa.

Podrá obtenerse la condición de beneficiario de beca y ayuda al estudio aunque no se cumplan los requisitos establecidos en el artículo 13.2 de la Ley 38/2003, de 17 de noviembre, General de Subvenciones.

C) Modalidades de las becas en las enseñanzas postobligatorias

En las enseñanzas postobligatorias se podrán conceder becas que incluirán alguna o algunas de las siguientes cuantías:

1. Cuantías fijas:

   a) Beca de matrícula: todos los solicitantes que cursen estudios universitarios y que cumplan los requisitos establecidos en la correspondiente convocatoria tendrán derecho a percibir la beca de matrícula.

   b) Cuantía fija ligada a la renta del solicitante.

   c) Cuantía fija ligada a la residencia del estudiante durante el curso escolar, cuya cuantía no será, en ningún caso, superior al coste real de la prestación.

   d) Cuantía fija ligada a la excelencia en el rendimiento académico del solicitante.

   e) Beca básica.

   Para cada curso académico se fijarán los importes a que se refieren los apartados b), c) y d) y e) anteriores.

2. Cuantía variable: la beca podrá incluir, asimismo, una cuantía variable y distinta para los diferentes solicitantes que resultará de la ponderación de la nota media del expediente del estudiante y de su renta familiar. Para cada curso académico podrán fijarse importes mínimos y/o máximos para la cuantía variable.

Los recursos asignados por el Ministerio de Educación y Formación Profesional para cada convocatoria, a excepción de aquellos que se destinen a compensar las becas de matrícula, se asignarán en primer lugar a la cobertura de las cuantías indicadas en las letras b), c), d) y e) del apartado anterior y a las que indiquen los reales decretos anuales que fijen los umbrales económicos y los demás requisitos necesarios para obtener beca o ayuda al estudio, para todos los estudiantes que resulten beneficiarios de las mismas según establezca la convocatoria. El importe que, en su caso, reste tras realizar las operaciones anteriormente indicadas, dependiendo de las disponibilidades presupuestarias se asignará a la cobertura de la cuantía variable, que se distribuirá entre los solicitantes de cada convocatoria en función de su renta familiar y de su rendimiento académico, mediante la aplicación de la siguiente fórmula:

$$C_j = C_{\min} + \left[\left(C_{total} - S * C_{\min} \right) * \frac{\left(N_j / N_{\max} \right) * \left(1 - \left(\frac{R_j}{R_{\max}} \right) \right)}{\sum_{i=1}^{S} \left(N_j / N_{\max} \right) * \left(1 - \left(\frac{R_i}{R_{\max}} \right) \right)} \right]$$

- Cj= Cuantía variable a percibir por el becario.
- Cmin = Cuantía variable mínima, que se establecerá en los reales decretos anuales que fijen los umbrales económicos y los demás requisitos necesarios para obtener beca o ayuda al estudio.

- Ctotal = Importe total a distribuir de forma variable: en cada convocatoria se podrán fijar una o más masas de recursos a distribuir, en función del tipo de enseñanzas.
- S= número de perceptores de cuantía variable.
- Nj= Nota media del becario. Para el cálculo de esta nota media se computarán también las calificaciones correspondientes a asignaturas o créditos no superados, si los hubiere.
- Ni = Nota media de cada uno de los becarios a que se refiere S.
- Nmax: Nota media obtenida por el mejor decil de becarios en el caso de estudiantes no universitarios, o nota media obtenida por el mejor decil de becarios de la misma área de conocimiento del becario en el caso de estudiantes universitarios. Para el cálculo de Nmax no se computarán las notas de aquellos becarios a los que les corresponda percibir la cuantía variable mínima.
- Rj= Renta per cápita del becario (igual a cero si Rj es negativo).
- Ri = Renta per cápita de cada uno de los becarios a que se refiere S.
- Rmax = Renta per cápita máxima para ser beneficiario de la cuantía variable.

Para el cálculo de la nota media del estudiante (N) se aplicarán las siguientes reglas:

1.º A las calificaciones de los becarios de primer curso de Grado procedentes de las pruebas de acceso a la Universidad se les aplicará un coeficiente corrector igual al cociente entre la calificación media obtenida en los estudios universitarios por los becarios del área de conocimiento que corresponda y la calificación media obtenida en las pruebas de acceso a la Universidad, excluyendo la nota de la fase específica por todos los beneficiarios que van cursar primer curso en dicha área de conocimiento.

2.º A las calificaciones de los becarios de primer curso de Grado procedentes de Ciclos Formativos de Grado Superior se les aplicará un coeficiente corrector igual al cociente entre la calificación media obtenida en los estudios universitarios por los becarios del área de conocimiento que corresponda y la media de las calificaciones obtenidas por todos los becarios de primer curso procedentes de Ciclos Formativos de Grado Superior.

3.º A las calificaciones de los becarios de primer curso de máster se les aplicará un coeficiente corrector de 1,17 cuando sus calificaciones procedan de titulaciones del área de Arquitectura e Ingeniería.

En todo caso, corresponderá al Ministerio de Educación, Cultura y Deporte el cálculo de los parámetros de la fórmula, que se comunicarán a las comunidades autónomas, a las que corresponderá su aplicación para la asignación de la cuantía variable a los becarios.

1.2.3. Requisitos económicos

A) Requisitos de renta y patrimonio

No podrán concederse las becas y ayudas al estudio a los solicitantes cuya renta y, en su caso, patrimonio familiar supere los umbrales que se establezcan anualmente.

B) Miembros computables

Para el cálculo de la renta y el patrimonio familiar a efectos de beca o ayuda al estudio, serán **miembros computables** los padres y, en su caso, el tutor o persona encargada de la guarda y protección del menor, quienes tendrán la consideración de sustentadores principales de la familia. También serán miembros computables el solicitante, los hermanos solteros menores de veinticinco años y que convivan en el domicilio familiar a 31 de diciembre del año inmediato anterior a aquel en el que comienza el curso escolar para el que se solicita, o los de mayor edad, cuando se trate de personas con discapacidad física, psíquica o sensorial, así como los ascendientes de los padres que justifiquen su residencia en el mismo domicilio que los anteriores con el certificado municipal correspondiente.

En el caso de divorcio o separación legal o de hecho de los padres no se considerará miembro computable aquel de ellos que no conviva con el solicitante de la beca.

No obstante, en su caso, tendrá la consideración de miembro computable y sustentador principal, el nuevo cónyuge, pareja, registrada o no, o persona unida por análoga relación cuyas rentas y patrimonio se incluirán dentro del cómputo de la renta y patrimonio familiares. Asimismo tendrá la consideración de miembro computable la persona con ingresos propios que, a la referida fecha, conviva en el domicilio con el solicitante cuando no medie relación de parentesco y no se pueda justificar un alquiler de piso compartido.

En los supuestos en los que el solicitante de la beca o ayuda sea un menor en situación de acogimiento, será de aplicación a la familia de acogida lo dispuesto en los párrafos anteriores. Cuando se trate de un mayor de edad tendrá la consideración de no integrado en la unidad familiar a estos efectos, siempre y cuando de hecho no subsistan las circunstancias de integración con la familia de acogida y así se acredite debidamente.

En el caso de solicitantes que constituyan unidades familiares independientes, se considerarán miembros computables y sustentadores principales el solicitante y su cónyuge, su pareja registrada o no, que se halle unida por análoga relación. También serán miembros computables los hijos, si los hubiere, y que convivan en el mismo domicilio.

En los casos en que el solicitante alegue su independencia familiar y económica, cualquiera que sea su estado civil, deberá acreditar documentalmente esta circunstancia, los medios económicos con que cuenta y la titularidad o el alquiler de su domicilio que, a todos los efectos, será el que el alumno habite durante el curso escolar.

C) Renta familiar

La renta familiar a efectos de beca o ayuda se obtendrá por agregación de las rentas de cada uno de los miembros computables de la familia que obtengan ingresos de cualquier naturaleza, calculadas según se indica en los párrafos siguientes y de conformidad con la normativa reguladora del Impuesto sobre la Renta de las Personas Físicas. En ningún caso incluirá los saldos negativos de ganancias y pérdidas patrimoniales correspondientes a ejercicios anteriores al que se computa.

Para la determinación de la renta de los miembros computables que hayan presentado declaración o solicitud de devolución por el Impuesto sobre la Renta de las Personas Físicas, se procederá del modo siguiente:

a) Se sumará la renta general y la renta del ahorro del período impositivo.

b) De este resultado se restará la cuota líquida total.

Para la determinación de la renta de los miembros computables que obtengan ingresos propios y no hayan presentado declaración o solicitud de devolución por el Impuesto sobre la Renta de las Personas Físicas, se seguirá el procedimiento descrito en el punto a) anterior y del resultado obtenido, se restarán los pagos a cuenta efectuados.

La presentación de la solicitud de beca implicará la autorización a las Administraciones educativas y a las Universidades para obtener los datos necesarios para determinar la renta a efectos de beca a través de las Agencias Tributarias, así como aquellas otras informaciones acreditativas de las situaciones personales alegadas y que estén en poder de alguna Administración pública.

D) Deducciones de la renta familiar

Hallada la renta familiar a efectos de beca o ayuda **se podrán efectuar deducciones** por los conceptos siguientes:

a) Aportación de ingresos por miembros computables distintos de los sustentadores principales.

b) Pertenencia del solicitante a familia numerosa de categoría general o de categoría especial.

c) Existencia de algún miembro computable de la familia, incluido el propio solicitante, afectado por una minusvalía, legalmente calificada.

d) Residencia de dos o más hijos fuera del domicilio familiar del solicitante por razón de estudios.

e) Orfandad absoluta del solicitante.

f) Pertenencia a familia monoparental.

E) Patrimonio familiar

Los umbrales indicativos del patrimonio familiar se referirán a los siguientes parámetros:

a) Valores catastrales de las fincas urbanas y rústicas pertenecientes a los miembros computables de la unidad familiar del solicitante, quedando excluida de este cómputo la vivienda habitual.

b) Suma de los rendimientos netos reducidos del capital mobiliario más el saldo neto positivo de ganancias y pérdidas patrimoniales pertenecientes a los miembros computables de la unidad familiar, excluyendo las subvenciones recibidas para adquisición o rehabilitación de la vivienda habitual.

Estos elementos indicativos del patrimonio se computarán por su valor a 31 de diciembre del año de referencia.

Cuando sean varios los elementos indicativos del patrimonio descritos en los apartados anteriores de que dispongan los miembros computables de la unidad familiar, se calculará el porcentaje de valor de cada uno respecto del umbral correspondiente. Se denegará la beca cuando la suma de los referidos porcentajes supere cien.

También se denegará la beca cuando el volumen de facturación de las actividades económicas de que sean titulares los miembros computables de la unidad familiar del solicitante de la beca o ayuda supere el umbral que se establezca.

De la valoración de los elementos a que se refieren los párrafos anteriores, se deducirá un porcentaje, que se determinará anualmente, de aquellos que pertenezcan a cualquier miembro computable de la unidad familiar distinto de los sustentadores principales.

1.2.4. Requisitos académicos en enseñanzas universitarias conducentes al título de Grado

A) Matriculación

Para obtener beca los solicitantes deberán matricularse, en el curso para el que solicitan la beca, de un mínimo de 60 créditos. En el supuesto de matricularse de un número superior de créditos, todos ellos serán tenidos en cuenta para la valoración del rendimiento académico del solicitante.

No obstante, podrán obtener también becas y ayudas los alumnos que se matriculen de entre 30 y 59 créditos en un curso académico. En este caso serán de aplicación las siguientes reglas:

a) Quienes opten por la matrícula parcial y no se matriculen de todos aquellos créditos de los que les fuera posible podrán obtener únicamente la cuantía variable mínima y la beca de matrícula. Para obtener la beca o ayuda en el siguiente curso deberán aprobar la totalidad de los créditos en que hubieran estado matriculados.

b) En aquellos casos en los que, en virtud de la normativa propia de la Universidad, resulte limitado el número de créditos en que pueda quedar matriculado el alumno, este podrá obtener todas las cuantías que le correspondan si se matricula en todos aquellos créditos en los que le sea posible. Si dichos créditos se cursan en un cuatrimestre/semestre, la cuantía de la beca o ayuda que le corresponderá será la beca de matrícula, la cuantía variable mínima y el 50 % de las demás cuantías que le hubiesen correspondido. En el supuesto de que el alumno se matricule también en el segundo cuatrimestre/semestre correspondiente al curso académico, se completará la cuantía de la beca hasta el total que le hubiese correspondido.

B) Carga lectiva superada

Para obtener las cuantías fijas y variables de las becas (excepto la beca básica), quienes se matriculen por primera vez de estudios oficiales de Grado y, estando en posesión del título de bachiller o equivalente, accedan a través de la Evaluación de Bachillerato para el Acceso a la Universidad, deberán acreditar una nota de acceso a la Universidad de 5,00 puntos, con exclusión de la calificación obtenida en las pruebas de las materias de opción del bloque de las asignaturas troncales. En cualquier otro caso, deberán acreditar una nota de 5,00 puntos en la prueba o en la enseñanza que les permita el acceso a la Universidad.

Para obtener las cuantías fijas y variables (excepto la beca básica), los solicitantes de segundos y posteriores cursos de enseñanzas universitarias de Grado deberán haber superado en los últimos estudios cursados los siguientes porcentajes de los créditos matriculados:

Rama de conocimiento	Porcentaje de créditos a superar
Artes y Humanidades	90
Ciencias	65
Ciencias Sociales y Jurídicas	90
Ciencias de la Salud	80
Enseñanzas técnicas	65

En todo caso, el número mínimo de créditos en que debió estar matriculado el solicitante en el curso anterior a aquel para el que solicita la beca, será el que, para cada caso, se indica en el apartado A) anterior.

En el caso de haberse matriculado en un número de créditos superior al mínimo, todos ellos, incluso los de libre elección, serán tenidos en cuenta para la valoración de los requisitos académicos establecidos.

C) Número de años con condición de becario

Se podrá disfrutar de beca durante un año más de los establecidos en el plan de estudios. No obstante este plazo será de dos años para quienes cursen estudios de enseñanzas técnicas.

Los mayores de veinticinco años y quienes cursen la totalidad de sus estudios de grado en universidades no presenciales podrán disfrutar de la condición de becario durante un año más de lo establecido en el párrafo anterior.

En el caso de alumnos que realicen el curso de preparación para el acceso a la universidad de mayores de veinticinco años, en universidades que impartan enseñanzas no presenciales, la ayuda se concederá para un único curso académico.

Cuando se produzca un cambio de estudios universitarios cursados total o parcialmente con condición de becario, no podrá obtenerse ninguna beca en los nuevos estudios hasta que el solicitante haya quedado matriculado de, al menos, treinta créditos más de los que hubiera cursado con beca en los estudios abandonados.

Cuando los referidos créditos adicionales estuvieran comprendidos entre treinta y cincuenta y nueve, se considerará matrícula parcial. Cuando dichos créditos adicionales fueran, al menos, sesenta, se considerará matrícula completa.

A estos exclusivos efectos se tendrán en cuenta los créditos convalidados, reconocidos, adaptados y transferidos.

En el supuesto de cambio de estudios cursados totalmente sin condición de becario, se considerará a estos efectos como rendimiento académico que debe cumplir el solicitante para obtener beca en los nuevos estudios, el requisito académico que hubiera debido obtener en el último curso de los estudios abandonados, con excepción de los alumnos que concurran a mejorar la nota de la prueba de acceso a la universidad que podrán hacer uso de esta última calificación.

No se considerarán cambios de estudios las adaptaciones a nuevos planes de las mismas enseñanzas, debiendo, en todo caso, el alumno cumplir los requisitos académicos establecidos con carácter general.

D) Supuestos de aprovechamiento académico excepcional

Se entenderá que cumplen los requisitos académicos los alumnos que tengan un excepcional aprovechamiento académico.

Para determinar si existe excepcional aprovechamiento del alumno se calculará el incremento porcentual de créditos matriculados sobre el número mínimo de los mismos a cuya matriculación obliga el apartado A).

El porcentaje de créditos a superar establecido en el apartado B) para obtener beca se determinará en estos casos mediante la siguiente ecuación matemática en la que Y es el incremento porcentual de créditos matriculados sobre el número mínimo de los mismos a cuya matriculación se obliga:

- Para enseñanzas técnicas y enseñanzas universitarias adscritas a las ramas de conocimiento de Ciencias: 65-(Y/10).
- Para enseñanzas universitarias adscritas a las ramas de conocimiento de Ciencias de la Salud: 80-(Y/10).
- Para las enseñanzas universitarias adscritas a las ramas de conocimiento de Artes y Humanidades y de Ciencias Sociales y Jurídicas: 90-(Y/10).

1.2.5. Requisitos académicos en enseñanzas universitarias conducentes al título oficial de máster universitario

A) Matriculación

Para obtener beca en los estudios conducentes a la obtención de un título oficial de Máster universitario será preciso que el solicitante sea admitido y se matricule, en el curso para el que solicita la beca o ayuda, de un mínimo de 60 créditos.

No obstante, podrán obtener también beca o ayuda los alumnos que se matriculen de entre 30 y 59 créditos en el curso académico, que deberán aprobar en su totalidad para obtenerla en el siguiente curso. En este caso serán de aplicación las siguientes reglas:

a) Quienes opten por la matrícula parcial y no se matriculen de todos aquellos créditos de los que les fuera posible podrán obtener únicamente la cuantía variable mínima y la beca de matrícula.

b) En aquellos casos en los que, en virtud de la normativa propia de la Universidad, resulte limitado el número de créditos en que pueda quedar matriculado el alumno, este podrá obtener todas las cuantías que le correspondan si se matricula en todos aquellos créditos en los que le sea posible. Si dichos créditos se cursan en un cuatrimestre/semestre, la cuantía de la beca que les corresponderá será la beca de matrícula, la cuantía variable mínima y el 50 % de las demás cuantías que le hubiesen correspondido. En el supuesto de que el alumno se matricule también en el segundo cuatrimestre/semestre correspondiente al curso académico, se completará la cuantía de la beca hasta el total que le hubiese correspondido.

c) El número mínimo de créditos fijado en los párrafos anteriores en que el alumno debe quedar matriculado en el curso para el que solicita la beca o ayuda no será exigible, por una sola vez, en el caso de los alumnos a los que, para finalizar sus estudios, les reste un número de créditos inferior a dicho número mínimo, siempre que no haya disfrutado de la condición de becario durante más años de los previstos.

d) Las asignaturas o créditos reconocidos, convalidados, adaptados y transferidos no se tendrán en cuenta a efectos del cumplimiento de los requisitos académicos establecidos.

No obstante lo anterior, las mencionadas asignaturas o créditos computarán, de acuerdo con lo establecido en la convocatoria correspondiente, a los solos efectos del cálculo de la nota media obtenida en la titulación que da acceso al primer curso de Máster.

En el caso de matricularse en un número de créditos superior al mínimo exigido todos ellos serán tenidos en cuenta para la valoración del rendimiento académico del solicitante.

En el caso de matricularse en un número de créditos superior al mínimo exigido todos ellos serán tenidos en cuenta para la valoración del rendimiento académico del solicitante.

B) Nota media

El estudiantado de primer curso de Másteres Universitarios deberá acreditar una nota media de 5,00 puntos en los estudios previos que dan acceso al Máster. Los estudiantes que se matriculen en el primer curso de un Máster Universitario sin haber obtenido la titulación de Grado, según lo establecido en el artículo 18.4 del Real Decreto 822/2021, de 28 de septiembre, por el que se establece la organización de las enseñanzas universitarias y del procedimiento de aseguramiento de su calidad, podrán obtener beca, siempre que acrediten estar en posesión de la referida titulación de Grado antes del 31 de diciembre del año inicial del curso para el que solicitan la beca. A estos efectos, las notas medias procedentes de estudios de enseñanzas técnicas se multiplicarán por el coeficiente 1,17.

Para el cómputo de la nota media, la puntuación obtenida en cada una de las asignaturas se ponderará en función del número de créditos que la integren, de acuerdo con la siguiente fórmula:

$$V = \frac{P \times NCa}{NCt}$$

- V= valor resultante de la ponderación de la nota media obtenida en cada asignatura.
- P= puntuación de cada asignatura.
- NCa = número de créditos que integran la asignatura.
- NCt = número de créditos matriculados y/o cursados en el/los curso/s académico que se barema/n y que tengan la consideración de computables.

En el caso de que no existan calificaciones numéricas, las calificaciones obtenidas en las distintas materias se computarán según el siguiente baremo:

a) Mención de Matrícula de Honor: 10 puntos.

b) Sobresaliente: 9 puntos.

c) Notable: 7,5 puntos.

d) Aprobado o apto: 5,5 puntos.

C) Carga lectiva superada

En los casos en que el número de créditos a superar para la obtención del título oficial de Máster Universitario sea superior a 60, la continuación de la condición de becario en un segundo año exigirá haber superado todos los créditos de que se hubiera matriculado en el primer año y quedar matriculado en todos los créditos que resten para obtener la titulación.

D) Número de años con condición de becario

Podrán disfrutarse las becas y ayudas al estudio para los estudios conducentes al título oficial de Máster universitario durante los años de que conste el plan de estudios.

En los supuestos de matrícula parcial, podrán disfrutarse las becas y ayudas al estudio durante un año más de lo indicado en el párrafo anterior.

1.2.6. Principios, condiciones de revocación y reintegro e incompatibilidades

A) Principios y criterios de prioridad

La gestión de las becas y ayudas al estudio se realizará conforme a los principios de publicidad, eficacia y eficiencia.

Para garantizar la eficacia en el cumplimiento de los objetivos a que se dirigen las becas y ayudas al estudio de carácter general, la beca de matrícula, la beca básica, las cuantías ligadas a la residencia y a la renta, la cuantía variable mínima y las cuantías adicionales se concederán a medida que se formulen las correspondientes propuestas parciales de concesión. La cuantía variable se concederá como se indica con carácter general.

Tendrán preferencia para la adjudicación de las ayudas para la adquisición de libros de texto y material didáctico complementario en los niveles gratuitos de la enseñanza los solicitantes que la hubieran disfrutado el año anterior. Las restantes ayudas se adjudicarán por orden inverso de magnitud de la renta per cápita de la familia del solicitante.

B) Pagos anticipados y abonos a cuenta

Las becas y ayudas al estudio podrán ser objeto de pago anticipado, entregándose los fondos con carácter previo a la realización de la actividad subvencionada.

Asimismo, podrán realizarse abonos a cuenta atendiendo al ritmo de ejecución de las actuaciones subvencionadas.

La concesión de becas y ayudas al estudio no requerirá la constitución de medidas de garantía a favor del órgano concedente.

Los pagos de las becas y ayudas al estudio podrán efectuarse directamente al beneficiario o a través de entidades colaboradoras.

C) Obligaciones de los beneficiarios

Son obligaciones de los beneficiarios de becas o ayudas al estudio, además de las que establezca la respectiva convocatoria, las siguientes:

a) Destinar la beca o ayuda a la finalidad para la que se concede, entendiéndose por tal la matriculación, asistencia a clase, presentación a exámenes, abono, en su caso, de los gastos para los que se hubiere concedido, así como la prestación del servicio o realización de la práctica que hayan motivado su concesión. Los beneficiarios de dichas becas, deberán, además, superar como mínimo el 50 % de los créditos

o asignaturas en que se hubieren matriculado, con excepción de los becarios de enseñanzas universitarias de las ramas de Ciencias y de Enseñanzas Técnicas que deberán aprobar, como mínimo, el 40 % de los mismos. El incumplimiento de esta última obligación comportará el reintegro de todos los componentes de la beca con excepción de la beca de matrícula.

b) Acreditar ante la entidad concedente el cumplimiento de los requisitos básicos establecidos, así como los que fijen las Administraciones educativas en las convocatorias propias de la beca o ayuda de que se trate.

c) Someterse a las actuaciones de comprobación necesarias, aportando cuanta información les sea requerida en el ejercicio de las citadas actuaciones.

d) Declarar, específicamente en los supuestos de cambio de estudios o de centro docente, el hecho de haber sido becario en años anteriores.

e) Poner en conocimiento de la entidad concedente la anulación de la matrícula, así como cualquier otra alteración de las condiciones tenidas en cuenta para la concesión.

f) Proceder al reintegro de los fondos en los casos previstos.

El incumplimiento de cualquiera de estas obligaciones será causa de reintegro de la beca o ayuda al estudio.

D) Reintegro

Las adjudicaciones de todo tipo de becas y ayudas al estudio podrán ser revisadas administrativamente cuando concurra en su concesión alguna causa de reintegro o se hubiese producido algún error material, aritmético o de hecho.

Cuando el reintegro derive de un incumplimiento de los requisitos exigibles, el interés de demora se devengará desde el momento del pago de la beca o ayuda hasta la fecha en que se acuerde la procedencia del reintegro. Cuando el reintegro derive de algún error material, aritmético o de hecho de la Administración concedente, el interés de demora se devengará desde el momento en que se notifique la procedencia del mismo.

Atendiendo a la naturaleza de la subvención concedida y a la graduación del incumplimiento de las condiciones impuestas con motivo de su concesión, se ponderará tanto el importe como los componentes de la beca o ayuda al estudio a reintegrar.

Las renuncias por parte de los beneficiarios a las becas o ayudas concedidas darán lugar a su reintegro inmediato.

En el caso de que, como consecuencia de actuaciones seguidas conforme a los apartados anteriores, deban reintegrarse becas o ayudas convocadas con un número predeterminado de beneficiarios, el reintegro se efectuará a favor de la Administración educativa que hubiera concedido la beca. En los restantes casos, el reintegro se efectuará a favor del Tesoro Público del Estado.

E) Verificación

En cumplimiento de lo dispuesto en el artículo 86.2 de la Ley 47/2003, de 26 de noviembre, General Presupuestaria, las Administraciones educativas llevarán a cabo las actuaciones que aseguren la correcta inversión de los recursos presupuestarios destinados a becas y ayudas al estudio estableciendo los procedimientos de verificación y comprobación que consideren adecuados.

F) Incompatibilidades

Las becas y ayudas serán incompatibles con cualesquiera otros beneficios de la misma naturaleza y finalidad, salvo que el Ministerio de Educación declare la compatibilidad en casos suficientemente motivados.

1.2.7. Disposición transitoria. Enseñanzas universitarias conducentes al título de Licenciado, Ingeniero, Arquitecto, Diplomado, Maestro, Ingeniero Técnico y Arquitecto Técnico

En tanto se sigan impartiendo los estudios conducentes al título de Licenciado, Ingeniero, Arquitecto, Diplomado, Maestro, Ingeniero Técnico y Arquitecto Técnico, podrán concederse becas a los estudiantes que estén cursando dichos estudios conforme a los siguientes apartados:

1. Se requerirá que el solicitante quede matriculado en el curso para el que solicita la beca, como mínimo, del número de créditos que resulte de dividir el total de los que integran el plan de estudios, excepción hecha de los de libre elección, entre el número de años que lo compongan. En todo caso, dicho número de años deberá ajustarse a lo establecido en el Real Decreto 1497/1987, de 27 de noviembre y modificaciones posteriores, por el que se establecen directrices generales comunes de los planes de estudio de los títulos universitarios de carácter oficial y validez en todo el territorio nacional.
2. No obstante, podrán obtener también beca o ayuda los alumnos que se matriculen al menos del 50 % de los créditos establecidos en el apartado anterior. En este caso serán de aplicación las siguientes reglas:
    a) Quienes opten por la matrícula parcial y no se matriculen de todos aquellos créditos de los que les fuera posible podrán obtener únicamente la cuantía variable mínima y la beca de matrícula. Para obtener la beca o ayuda en el siguiente curso deberán aprobar la totalidad de los créditos en que hubieran estado matriculados.
    b) En aquellos casos en los que, en virtud de la normativa propia de la Universidad, resulte limitado el número de créditos en que pueda quedar matriculado el alumno, este podrá obtener todas las cuantías que le correspondan

si se matricula en todos aquellos en los que le sea posible. Si dichos créditos se cursan en un cuatrimestre/semestre, la cuantía de la beca que les corresponderá será la beca de matrícula, la cuantía variable mínima y el 50 % de las cantidades que le hubiesen correspondido. En el supuesto de que el alumno se matricule también en el segundo cuatrimestre/semestre correspondiente al curso académico, se completará la cuantía de la beca hasta el total que le hubiese correspondido.

c) El número mínimo de créditos fijado en los párrafos anteriores en que el alumno debe quedar matriculado en el curso para el que solicita la beca o ayuda no será exigible, por una sola vez, en el caso de los alumnos a los que, para finalizar sus estudios, les reste un número de créditos inferior a dicho número mínimo, siempre que no haya disfrutado de la condición de becario durante más años de los previstos con carácter general.

3. Los créditos convalidados y adaptados no se tendrán en cuenta a efectos del cumplimiento de los requisitos académicos.

4. En ningún caso entrarán a formar parte de los mínimos a que se refieren los apartados anteriores, créditos correspondientes a distintas especialidades que superen los necesarios para la obtención del título correspondiente.

5. Para obtener, en las condiciones previstas con carácter general, las cuantías de beca de matrícula, la cuantía fija ligada a la renta del solicitante, la cuantía fija ligada a la residencia del estudiante y la cuantía variable de la beca, se requerirá que el solicitante haya superado en el curso anterior a aquel para el que solicita la beca o ayuda el 100 % de los créditos matriculados si se trata de estudios de las Áreas de Artes y Humanidades, de Ciencias Sociales y Jurídicas, Ciencias y Ciencias de la Salud, y el 85 % en el caso de enseñanzas de Ingeniería y Arquitectura.

   Alternativamente, los solicitantes de segundos y posteriores cursos que no superen el porcentaje de créditos establecido en el párrafo anterior podrán también obtener las cuantías mencionadas en el párrafo anterior si acreditan haber superado en los últimos estudios cursados los siguientes porcentajes de créditos y haber alcanzado las siguientes notas medias de las asignaturas superadas:

Rama de conocimiento	Porcentaje de créditos a superar	Nota media en las asignaturas superadas
Artes y Humanidades	90	6,50 puntos.
Ciencias	80	6,00 puntos.
Ciencias Sociales y Jurídicas	90	6,50 puntos.
Ciencias de la Salud	80	6,50 puntos.
Ingeniería y Arquitectura	65	6,00 puntos.

Para obtener, en las condiciones previstas, la beca de matrícula como único componente, los solicitantes de segundos y posteriores cursos deberán acreditar haber superado en los últimos estudios cursados los siguientes porcentajes de los créditos matriculados:

Rama de conocimiento	Porcentaje de créditos a superar
Artes y Humanidades	90
Ciencias	65
Ciencias Sociales y Jurídicas	90
Ciencias de la Salud	80
Ingeniería y Arquitectura	65

6. En todo caso, el número mínimo de créditos en que debió estar matriculado el solicitante en el curso anterior a aquel para el que solicita la beca, será el que, para cada caso, se indica en los apartados anteriores.
7. En todos los casos en que existan cursos con el carácter de selectivos podrá obtenerse beca durante el segundo año que, en su caso, necesite el alumno para superar la totalidad del curso, siempre que se haya superado la carga lectiva establecida. Superados en dicho segundo curso, todos los créditos, se entenderá que el alumno cumple el requisito académico necesario para obtener beca en el siguiente curso.
8. Para obtener beca para la realización del proyecto de fin de carrera será preciso haber superado todos los créditos del plan de estudios, habiendo disfrutado en el curso inmediato anterior de la condición de becario de la convocatoria general o de movilidad del Ministerio de Educación. Además se requerirá que este no constituya una asignatura ordinaria del plan de estudios o se realice simultáneamente con alguno de los cursos de la carrera.
9. Se entenderá que cumplen los requisitos académicos los alumnos que obtengan un excepcional aprovechamiento académico. Para determinar si existe excepcional aprovechamiento del alumno se calculará el incremento porcentual de créditos matriculados sobre el número mínimo de los mismos a cuya matriculación obliga el apartado 1 anterior. El porcentaje de créditos a superar en estos casos para obtener beca se determinará mediante las siguientes fórmulas matemáticas:
   - 85 – (Y/10) o bien 65 – (Y/10): Para enseñanzas técnicas, dependiendo de que el solicitante se acoja a la primera o a la segunda de las opciones señaladas en el apartado 5 anterior.
   - 100 – (Y/10) o bien 80 – (Y/10): para las enseñanzas universitarias adscritas a las ramas de conocimiento de Ciencias y de Ciencias de la Salud dependiendo de que el solicitante se acoja a la primera o a la segunda de las opciones señaladas en el apartado 5 anterior.

- 100 – (Y/10) o bien 90 – (Y/10): Para las enseñanzas universitarias adscritas a las ramas de conocimiento de Artes y Humanidades y de Ciencias Sociales y Jurídicas, dependiendo de que el solicitante se acoja a la primera o a la segunda de las opciones señaladas en el apartado 5 anterior.

Y es el incremento porcentual de créditos matriculados sobre el número mínimo de los mismos a cuya matriculación obliga el apartado 1 anterior.

9.

a) Solo se podrá disfrutar de la condición de becario durante los años de que conste el plan de estudios. Como excepción, se podrá disfrutar de la condición de becario durante un mayor número de años a los determinados en el correspondiente plan de estudios en los siguientes supuestos:

   - Enseñanzas técnicas de primero y segundo ciclo: dos años más de los establecidos en el plan de estudios.
   - Enseñanzas técnicas de una titulación de solo primer ciclo o enseñanzas técnicas de solo segundo ciclo: un año más de los establecidos en el plan de estudios.
   - Resto de licenciaturas universitarias: un año más de los establecidos en el plan de estudios.

b) Los alumnos que cursen la totalidad de sus estudios universitarios en centros de educación a distancia podrán disfrutar de la condición de becario durante un año más de los previstos en los apartados anteriores.

1.3. Otras becas y ayudas al estudio

Dentro de las becas y ayudas al estudio que convoca el Ministerio de Educación y de Universidades con carácter anual podemos citar las siguientes:

a) Becas de carácter general y de movilidad para estudios universitarios.

b) Becas de colaboración en Departamentos. Con el objeto de promover la iniciación en tareas de investigación de los estudiantes universitarios que vayan a finalizar los estudios de segundo ciclo o de Grado o que estén cursando primer curso de Másteres universitarios oficiales, mediante la asignación de una beca que les permita iniciarse en tareas de investigación vinculadas con los estudios que están cursando y facilitar su futura orientación profesional o investigadora. Con carácter general los alumnos deben prestar su colaboración a razón de tres horas diarias durante ocho meses a contar desde la fecha de incorporación al destino correspondiente.

Además de las anteriores también suelen convocar becas y ayudas al estudio para el universitario:

a) Las Comunidades Autónomas.

b) Cada Universidad.

c) Diversos organismos y entidades públicas (Ayuntamientos, Diputaciones, Organismos públicos de investigación, etc.).

d) Otras entidades privadas (Bancos, Cajas, Fundaciones).

2. Las prácticas académicas de los estudiantes universitarios

2.1. Antecedentes y regulación actual

En nuestro ordenamiento, la primera regulación de las prácticas de los estudiantes universitarios se abordó en el Real Decreto 1497/1981, de 19 de junio, sobre Programas de Cooperación Educativa. En líneas generales, el objetivo fundamental de esta norma era conseguir una formación integral del alumno universitario a través de programas de cooperación educativa con las empresas para la formación de los alumnos de los dos últimos cursos de una Facultad, Escuela Técnica Superior o Escuela Universitaria concreta o para un grupo de estos centros con características comunes. El programa no establecía relación contractual alguna sobre el estudiante y la empresa, toda vez que, por su naturaleza, dicha relación era estrictamente académica y no laboral.

Con posterioridad, el Real Decreto 1497/1987, de 27 de noviembre, por el que se establecieron directrices generales comunes de los planes de estudio de los títulos universitarios de carácter oficial y validez en todo el territorio nacional, vertebró las enseñanzas universitarias en una estructura cíclica, incorporando al sistema el cómputo del haber académico por créditos. Con la finalidad de adecuar el periodo durante el cual los alumnos podían realizar prácticas en empresas al sistema de créditos introducido por el Real Decreto 1497/1987, de 17 de noviembre, se aprobó el Real Decreto 1845/1994, de 9 de septiembre, que modificó el Real Decreto 1497/1981, de 19 de junio, disponiendo que los programas de cooperación educativa se podrían establecer con las empresas para la formación de los alumnos que hubieran superado el 50 % de los créditos necesarios para obtener el título universitario cuyas enseñanzas estuviese cursando.

En la nueva ordenación de las enseñanzas universitarias oficiales, introducida (por exigencias del proceso de construcción del Espacio Europeo de Educación Superior) con la Ley Orgánica 4/2007, de 12 de abril, por la que se modifica la Ley Orgánica 6/2001, de 21 de diciembre, de Universidades, y desarrollada por el Real Decreto 1393/2007, de 29 de octubre, por el que se establece la ordenación de las enseñanzas universitarias oficiales, se ha puesto un especial énfasis en la realización de prácticas externas por los estudiantes universitarios, previendo que los planes de estudios de Grado contendrán «toda la formación teórica y práctica que el estudiante deba adquirir», entre la que se mencionan «las prácticas externas» (artículo 12.2), y que «si se programan prácticas externas, estas tendrán una extensión máxima del **25 % del total de los créditos del título** y deberán ofrecerse preferentemente en la segunda mitad del plan de estudios» (artículo 12.6).

En este mismo sentido, el Estatuto del Estudiante Universitario, aprobado por Real Decreto 1791/2010, de 30 de diciembre, reconoce en su artículo 8 el derecho de los estudiantes de Grado a «disponer de la posibilidad de realización de prácticas, curriculares o extracurriculares, que podrán realizarse en entidades externas y en los centros, estructuras o servicios de la Universidad, según la modalidad prevista y garantizando que sirvan a la finalidad formativa de las mismas» (apartado f) y a «contar con tutela efectiva, académica y profesional () en las prácticas externas que se prevean en el plan de estudios» (apartado g). Con mayor detalle, el artículo 24 de este Estatuto regula las prácticas académicas externas, sus clases y sus características generales, así como la extensión de su realización a todos los estudiantes matriculados en cualquier enseñanza impartida por las universidades o centros adscritos a las mismas.

Con posterioridad, el RD 1707/2011, de 18 de noviembre, reguló esta materia hasta que el Tribunal Supremo (Sala de lo Contencioso-Administrativo), en fecha de 21 de mayo de 2013, dictó una sentencia en la que declaraba nulo el referido reglamento, dado que su disposición adicional primera, que excluía del Sistema de la Seguridad Social a los estudiantes universitarios que realizasen prácticas académicas externas, no fue sometida a informe del Consejo de Estado por haber sido incorporada al texto con posterioridad al Dictamen de dicho órgano consultivo. Ahora bien, al hilo de esto último el Real Decreto Ley 8/2014, de 4 de julio, de aprobación de medidas urgentes para el crecimiento, la competitividad y la eficiencia, ha procedido a regular expresamente dicha circunstancia previendo al efecto en su disposición adicional vigésimo quinta que a partir del próximo día 1 de agosto, las prácticas curriculares externas realizadas por los estudiantes universitarios y de formación profesional, que tienen el carácter exclusivamente de asimilados a trabajadores por cuenta ajena a efectos de su integración en el Régimen General de la Seguridad Social (conforme a la disposición adicional 3.ª de la Ley de reforma de las pensiones y RD 1493/2011), tendrían una bonificación del 100 % en la cotización a la Seguridad Social.

Con fecha 30 de julio de 2014, se publicó en el BOE el Real Decreto 592/2014, de 11 de julio, por el que se regulan las prácticas académicas externas de los estudiantes universitarios. En dicha norma se reiteran, con alguna salvedad, las mismas previsiones del Real Decreto anulado del año 2011 y que procedemos a resumir brevemente a continuación junto a lo dispuesto en el artículo 24 del EEU.

2.2. Definición, naturaleza y caracteres

El artículo 9 de la LOSU dispone que las prácticas académicas externas en los estudios de Grado y Máster Universitario constituyen una actividad de naturaleza plenamente formativa cuya finalidad es la de complementar la formación académica.

El artículo 24 del EEU establece que las prácticas externas son una actividad de naturaleza formativa realizadas por los estudiantes y supervisada por las universidades, cuyo objetivo es permitir a los estudiantes aplicar y complementar los conocimientos adquiridos en su formación académica, favoreciendo la adquisición de competencias que le preparen para el ejercicio de actividades profesionales y faciliten su empleabilidad.

Podrán realizarse en la propia universidad o en entidades colaboradoras, tales como, empresas, instituciones y entidades públicas y privadas en el ámbito nacional e internacional.

El **carácter formativo** de las prácticas académicas externas implica que:

a) De su realización no se derivarán, en ningún caso, obligaciones propias de una relación laboral, ni su contenido podrá dar lugar a la sustitución de la prestación laboral propia de puestos de trabajo.

b) En el caso de que al término de los estudios el estudiante se incorporase a la plantilla de la entidad colaboradora, el tiempo de las prácticas no se computará a efectos de antigüedad ni eximirá del periodo de prueba salvo que en el oportuno convenio colectivo aplicable estuviera expresamente estipulado algo distinto.

c) En el ámbito de las Administraciones públicas, Entidades de Derecho público y demás Organismos públicos, la realización en los mismos de las prácticas académicas externas no podrá tener la consideración de mérito para el acceso a la función pública ni será computada a efectos de antigüedad o reconocimiento de servicios previos.

d) Las prácticas externas de carácter formativo estarán ajustadas a la formación y competencias de los estudiantes y su contenido no podrá dar lugar, en ningún caso, a la sustitución de la prestación laboral propia de puestos de trabajo.

El **objeto** de las prácticas externas es alcanzar un equilibrio entre la formación teórica y práctica del estudiante, la adquisición de metodologías para el desarrollo profesional, y facilitar su empleabilidad futura. Podrán realizarse en empresas, instituciones y entidades públicas y privadas, incluida la propia universidad, según la modalidad prevista.

2.3. Modalidades

Se establecerán dos modalidades de prácticas externas: curriculares y extracurriculares:

a) Las **prácticas curriculares** son actividades académicas regladas y tuteladas, que forman parte del Plan de Estudios. Podrán tener la consideración de obligatorias u optativas.

b) Las prácticas **extracurriculares** son aquellas que los estudiantes realizan con carácter voluntario, durante su periodo de formación, y que aun teniendo los mismos fines, no están incluidas en los planes de estudio sin perjuicio de su mención posterior en el Suplemento Europeo al Título.

2.4. Duración y horarios

La duración de las prácticas será la siguiente:

a) Las prácticas externas curriculares tendrán la duración que establezca el plan de estudios correspondiente.

b) Las prácticas externas extracurriculares tendrán una duración preferentemente **no superior al 50 % del curso académico**, sin perjuicio de lo que fijen las universidades, procurando el aseguramiento del correcto desarrollo y seguimiento de las actividades académicas del estudiante.

En todo caso, se procurará que los horarios sean compatibles con la actividad académica, formativa y de representación y participación desarrollada por el estudiante en la universidad.

2.5. Convenios de cooperación educativa

Para la realización de las prácticas externas, las universidades impulsarán el establecimiento de convenios con empresas e instituciones fomentando que estas sean accesibles para la realización de prácticas de estudiantes con discapacidad. En los convenios de colaboración se podrá establecer financiación por parte de las entidades correspondientes, en concepto de ayudas al estudio.

2.6. Destinatarios de las prácticas y requisitos para su realización. Adjudicación

Podrán realizar prácticas académicas externas:

a) Los estudiantes matriculados en cualquier enseñanza impartida por la Universidad o por los Centros adscritos a la misma.

b) Los estudiantes de otras universidades españolas o extranjeras que, en virtud de programas de movilidad académica o de convenios establecidos entre las mismas, se encuentren cursando estudios en la Universidad o en los Centros adscritos a la misma.

Para la realización de las prácticas externas los estudiantes deberán cumplir, en su caso, los siguientes requisitos:

a) Estar matriculado en la enseñanza universitaria a la que se vinculan las competencias básicas, genéricas y/o específicas a adquirir por el estudiante en la realización de la práctica.

b) En el caso de prácticas externas curriculares, estar matriculado en la asignatura vinculada, según el Plan de Estudios de que se trate.

c) No mantener ninguna relación contractual con la empresa, institución o entidad pública o privada o la propia universidad en la que se van a realizar las prácticas, salvo autorización con arreglo a la normativa interna de cada Universidad.

Las universidades establecerán procedimientos de configuración de la oferta, difusión, solicitud y adjudicación de las prácticas externas de conformidad con criterios objetivos previamente fijados y garantizando, en todo caso, los principios de transparencia, publicidad, accesibilidad universal e igualdad de oportunidades.

Las universidades otorgarán prioridad a los estudiantes que realizan prácticas curriculares frente a los que solicitan prácticas extracurriculares. Asimismo se otorgará prioridad en la elección y en la adjudicación de prácticas a los estudiantes con discapacidad, con objeto de que puedan optar a empresas en las que estén aseguradas todas las medidas de accesibilidad universal, incluidas las referidas al transporte para su traslado y acceso a las mismas.

2.7. Tutoría y requisitos para ejercerlas

Para la realización de las prácticas externas curriculares los estudiantes contarán con un tutor académico de la universidad y un tutor de la entidad colaboradora, quienes acordarán el plan formativo del estudiante y realizarán su seguimiento. En el caso de las prácticas externas extracurriculares, la universidad y la entidad colaboradora ejercerán la tutela en los términos establecidos por el convenio.

El **tutor designado por la entidad colaboradora** deberá ser una persona vinculada a la misma, con experiencia profesional y con los conocimientos necesarios para realizar una tutela efectiva. No podrá coincidir con la persona que desempeña las funciones de tutor académico de la universidad

La designación de **tutor académico de la universidad** se hará de acuerdo con los procedimientos establecidos por la misma:

a) Para las prácticas curriculares el tutor deberá ser un profesor de la universidad, con preferencia de la propia facultad, escuela o centro universitario en el que se encuentre matriculado el estudiante y, en todo caso, afín a la enseñanza a la que se vincula la práctica.

b) En el caso de las prácticas extracurriculares, el tutor académico será preferentemente un profesor de la universidad que imparta docencia en la misma rama de conocimiento de la enseñanza cursada.

2.8. Seguimiento, evaluación y reconocimiento de las prácticas

El tutor de la entidad colaboradora realizará y remitirá al tutor académico de la universidad un informe final, a la conclusión de las prácticas, que recogerá el número de horas realizadas por el estudiante.

El estudiante elaborará y hará entrega al tutor académico de la universidad una memoria final, a la conclusión de las prácticas.

El tutor académico de la universidad evaluará las prácticas desarrolladas de conformidad con los procedimientos que establezca la universidad, cumplimentando el correspondiente informe de valoración.

El reconocimiento académico de las prácticas externas se realizará de acuerdo con las normas y procedimientos establecidos por la universidad.

Finalizadas las prácticas externas, la universidad emitirá, a solicitud del estudiante, un documento acreditativo de las mismas. El Suplemento Europeo al Título recogerá las prácticas externas realizadas.

2.9. Garantía de la calidad de las prácticas externas

Los programas de prácticas contarán con una planificación en la que se hará constar: las competencias que debe adquirir el estudiante, la dedicación en créditos ECTS, las actividades formativas que debe desarrollar el estudiante, el calendario y horario, así como el sistema de evaluación.

La universidad contará con procedimientos para garantizar la calidad de las prácticas externas, que incluyan mecanismos, instrumentos y órganos o unidades implicados en la recogida y análisis de información sobre el desarrollo de las prácticas y la revisión de su planificación.

2.10. Obligación de cotización a la Seguridad Social en la formación y las prácticas no laborales y académicas de alumnos universitarios

El Real Decreto-ley 2/2023, de 16 de marzo, de medidas urgentes para la ampliación de derechos de los pensionistas, la reducción de la brecha de género y el establecimiento de un nuevo marco de sostenibilidad del sistema público de pensiones ha modificado la Disposición adicional quincuagésima segunda de Ley General de la Seguridad Social, aprobada por el Real Decreto Legislativo 8/2015, de 30 de octubre, que lleva por rúbrica: "Inclusión en el sistema de Seguridad Social de alumnos que realicen prácticas formativas o prácticas académicas externas incluidas en programas de formación". Esta previsión entrará en vigor a partir del 1 de octubre de 2023.

La realización de prácticas formativas en empresas, instituciones o entidades incluidas en programas de formación y la realización de prácticas académicas externas al amparo de la respectiva regulación legal y reglamentaria, determinará la inclusión en el sistema de la Seguridad Social de las personas que las realicen en los términos que se exponen a continuación.

2.10.1. Ámbito de aplicación

Las prácticas a que se refiere el párrafo anterior comprenden:

a) Las realizadas por alumnos universitarios, tanto las dirigidas a la obtención de titulaciones oficiales de grado y máster, doctorado, como las dirigidas a la obtención de un título propio de la universidad, ya sea un máster de formación permanente, un diploma de especialización o un diploma de experto.

b) Las realizadas por alumnos de formación profesional, siempre que las mismas no se presten en el régimen de formación profesional intensiva.

Las personas que realicen las prácticas quedarán comprendidas como asimiladas a trabajadores por cuenta ajena en el Régimen General de la Seguridad Social, excluidos los sistemas especiales del mismo, salvo que la práctica o formación se realice a bordo de embarcaciones, en cuyo caso la inclusión se producirá en el Régimen Especial de la Seguridad Social de los Trabajadores del Mar.

La acción protectora será la correspondiente al régimen de Seguridad Social aplicable, **con la exclusión** de la protección por desempleo, de la cobertura del Fondo de Garantía Salarial y por Formación Profesional. En el supuesto de las prácticas no remuneradas se excluirá también la protección por la prestación de incapacidad temporal derivada de contingencias comunes.

Las prestaciones económicas por nacimiento y cuidado de menor, riesgo durante el embarazo y riesgo durante la lactancia natural, se abonarán por la entidad gestora o, en su caso, por la mutua colaboradora, mediante pago directo de la misma.

Las prestaciones que correspondan por la situación de incapacidad temporal derivada de contingencias comunes o profesionales se abonarán en todo caso mediante pago delegado.

2.10.2. Cumplimiento de obligaciones a la Seguridad Social

El cumplimiento de las obligaciones a la Seguridad Social se ajustará a las siguientes reglas:

a) En el caso de las prácticas formativas **remuneradas**, el cumplimiento de las obligaciones de Seguridad Social corresponderá a la entidad u organismo que financie el programa de formación, que asumirá a estos efectos la condición de empresario. En el supuesto de que el programa esté cofinanciado por dos o más entidades u organismos, tendrá la condición de empresario aquel al que corresponda hacer efectiva la respectiva contraprestación económica.

   Las altas y las bajas en la Seguridad Social se practicarán de acuerdo con la normativa general de aplicación.

b) En el caso de las prácticas formativas **no remuneradas**, el cumplimiento de las obligaciones de Seguridad Social corresponderá a la empresa, institución o entidad en la que se desarrollen aquellos, salvo que en el convenio o acuerdo de cooperación que, en su caso, se suscriba para su realización se disponga que tales obligaciones corresponderán al centro de formación responsable de la oferta formativa. Quien asuma la condición de empresario deberá comunicar los días efectivos de prácticas a partir de la información que facilite el centro donde se realice la práctica formativa.

Por la entidad que resulte responsable conforme a lo indicado en el párrafo anterior se solicitará de la Tesorería General de la Seguridad Social la asignación de un código de cuenta de cotización específico para este colectivo de personas.

Las altas y las bajas en la Seguridad Social se practicarán de acuerdo con la normativa general de aplicación salvo las excepciones previstas, efectuándose el alta al inicio de las

prácticas formativas y la baja a la finalización de estas, sin perjuicio de que para la cotización a la Seguridad social y su acción protectora se tengan en cuenta exclusivamente los días en que se realicen dichas prácticas. A estos efectos, el plazo para comunicar a la Tesorería General de la Seguridad Social dicha alta y baja será de diez días naturales desde el inicio o finalización de las prácticas.

2.10.3. Cotización a la Seguridad Social

La cotización a la Seguridad Social, tanto en el caso de las prácticas formativas remuneradas como en el de las no remuneradas, se ajustará a las siguientes previsiones:

a) En ambos casos, están expresamente excluida la cotización finalista del Mecanismo de Equidad Intergeneracional.

b) A las cuotas por contingencias comunes les resultará de aplicación una reducción del 95 % sin que les sea de aplicación otros beneficios en la cotización distintos a esta reducción. A estas reducciones de cuotas les resultará de aplicación lo establecido en el artículo 20 de Real Decreto Legislativo 8/2015, de 30 de octubre, por el que se aprueba el texto refundido de la Ley General de la Seguridad Social, a excepción de lo establecido en su apartado 1[1].

c) La entidad que asuma la condición de empresa a efecto de las obligaciones con la Seguridad adquiere la condición de sujeto obligado y responsable del ingreso de la totalidad de las cuotas.

La cotización en el supuesto de prácticas formativas **remuneradas** se ajustará a las siguientes previsiones:

a) Se efectuará aplicando las reglas de cotización correspondientes a los contratos formativos en alternancia, establecidas en la respectiva Ley de Presupuestos Generales del Estado y en sus normas de aplicación y desarrollo, a excepción de lo establecido en el ordinal 2.º del apartado 1 de la disposición adicional cuadragésima tercera[2].

b) La base de cotización mensual aplicable a efectos de prestaciones será la base mínima de cotización vigente en cada momento respecto del grupo de cotización 7, salvo en aquellos meses en los que el alta no se extienda a la totalidad de los mismos, en los que la base de cotización a efectos de prestaciones será la parte proporcional de dicha base mínima.

---

1 El artículo 20 de dicha norma lleva por rúbrica: "Adquisición, mantenimiento, pérdida y reintegro de beneficios en la cotización".

2 Dicho ordinal dispone lo siguiente: "Cuando la base de cotización mensual por contingencias comunes, determinada conforme a las reglas establecidas en el Régimen de la Seguridad Social que corresponda, supere la base mínima mensual de cotización de dicho Régimen, la cuota a ingresar estará constituida por el resultado de sumar las cuotas únicas a las que se refiere el ordinal anterior y las cuotas resultantes de aplicar los tipos de cotización que correspondan al importe que exceda la base de cotización anteriormente indicada de la base mínima".

La cotización en el supuesto de prácticas formativas **no remuneradas** se ajustará a las siguientes previsiones:

a) Consistirá en una cuota empresarial por cada día de prácticas formativas por contingencias comunes y por contingencias profesionales, que tendrá en cuenta la exclusión de la cobertura de la incapacidad temporal derivada de contingencias comunes, que serán establecidas para cada ejercicio en la correspondiente Ley de Presupuestos Generales del Estado, sin que pueda superarse la cuota máxima por contingencias comunes y profesionales que se determine, igualmente, en dicha ley.

b) La base de cotización mensual aplicable a efectos de prestaciones será el resultado de multiplicar la base mínima de cotización vigente en cada momento respecto del grupo de cotización 8, por el número de días de prácticas formativas realizadas en el mes natural con el límite, en todo caso, del importe de la base mínima de cotización mensual correspondiente al grupo de cotización 7.

c) El plazo reglamentario de ingreso de las cuotas correspondiente a los meses de enero, febrero y marzo será el mes de abril; el de las cuotas correspondientes a los meses de abril, mayo y junio, será el mes de julio; el de las cuotas correspondientes a los meses de julio, agosto y septiembre, será el mes de octubre; y el de las cuotas correspondientes a los meses de octubre, noviembre y diciembre, será el mes de enero.

   Hasta el penúltimo día natural de cada uno de los meses que, conforme a lo indicado en el párrafo anterior, se constituyen como plazo reglamentario de ingreso de cuotas, las entidades que asumen la condición de empresa deberán comunicar a la Tesorería General de la Seguridad Social el número de días en que se haya realizado cualquier de prácticas y programas formativos no remunerados, realizados por las personas asimiladas a trabajadores por cuenta ajena a que se refiere este apartado, durante los tres meses inmediatamente anteriores.

d) En el caso de las personas que no hayan realizado día alguno de prácticas o programas formativos no remunerados en un determinado mes, se deberá informar expresamente de tal circunstancia. En cualquier caso, la empresa deberá solicitar de la Tesorería General de la Seguridad Social la liquidación de cuotas correspondiente a los tres meses inmediatamente anteriores, hasta el penúltimo día natural del respectivo plazo de ingreso.

   Cuando la persona que realice las prácticas se encuentre en una situación de incapacidad temporal derivada de contingencias profesionales, nacimiento y cuidado de menor, riesgo durante el embarazo o durante la lactancia natural, la empresa deberá indicar a la Tesorería General de la Seguridad Social, los días previstos de realización de la práctica formativa.

   En el supuesto de que la empresa no comunique los datos necesarios para la determinación de la cuota a ingresar conforme a lo establecido en el último párrafo de la letra c) anterior, o en los dos párrafos anteriores, en el plazo establecido, el

importe de la deuda del periodo mensual al que se refiera la misma será el importe resultante de multiplicar la suma de las cuotas a las que se refiere el primer párrafo de la letra a) anterior por el número de días de alta en el mes de que se trate, con el límite mensual al que se refiere el citado primer párrafo. En estos supuestos el número de días de alta a efectos de prestaciones serán dichos días.

e) A efectos de prestaciones, cada día de prácticas formativas no remuneradas será considerado como 1,61 días cotizados, sin que pueda sobrepasarse, en ningún caso, el número de días del mes correspondiente. Las fracciones de día que pudieran resultar del coeficiente anterior se computaran como un día completo.

Las personas a las que hace referencia la presente disposición que, con anterioridad a su fecha de entrada en vigor, se hubieran encontrado en la situación indicada en el misma, podrán suscribir un convenio especial, por una única vez, en el plazo, términos y condiciones que determine el Ministerio de Inclusión, Seguridad Social y Migraciones, que les posibilite el cómputo de la cotización por los periodos de formación o realización de prácticas no laborales y académicas realizados antes de la fecha de entrada en vigor, hasta un máximo de dos años.

Las Administraciones públicas competentes llevarán a cabo planes específicos para la erradicación del fraude a la Seguridad Social asociado a las prácticas formativas que encubren puestos de trabajo.

En un plazo de tres meses a computar desde el 1 de abril de 2023 y con el objetivo de mejorar la eficacia de las medidas reguladas en esta disposición, mediante orden ministerial se creará un observatorio para el análisis y seguimiento de su aplicación y efectividad de las medidas adoptadas, que estará integrado por representantes del Ministerio de Educación y Formación profesional, del Ministerio de Universidades, de la Secretaría de Estado de Seguridad Social y Pensiones y de las organizaciones empresariales y sindicales más representativas. A tales efectos, de forma periódica, propondrá aquellas medidas tendentes a la adaptación de la regulación y cobertura de los alumnos que realicen prácticas formativas o prácticas académicas externas incluidas en los programas de formación.

TEMA 6

El Real Decreto 822/2021, de 28 de septiembre. El Real Decreto 1125/2003, de 5 de septiembre

El Real Decreto 822/2021, de 28 de septiembre, por el que se establece la organización de las enseñanzas universitarias y del procedimiento de aseguramiento de su calidad. El Espacio Europeo de Enseñanza Superior. El Real Decreto 1125/2003, de 5 de septiembre, por el que se establece el sistema europeo de créditos y el sistema de calificaciones en las titulaciones universitarias de carácter oficial y validez en todo el territorio nacional. El Registro de Universidades, Centros y Títulos

Convierte tu **memoria** en súper memoria con nuestros consejos, recursos y Técnicas de Memoria 360.

Índice

1. El Real Decreto 822/2021, de 28 de septiembre, por el que se establece la organización de las enseñanzas universitarias y del procedimiento de aseguramiento de su calidad

1.1. La ordenación de las enseñanzas universitarias. Normativa

1.1.1. Regulación jurídica

El artículo 149.1.30.ª de la Constitución atribuye la regulación de las condiciones de obtención, expedición y homologación de títulos académicos y profesionales a la competencia exclusiva del Estado.

El artículo tercero de la Ley Orgánica 2/2023, de 22 de marzo, del Sistema Universitario (LOSU) establece que, en los términos de esta ley orgánica, la autonomía de las Universidades comprende y requiere: (...) f) La propuesta y determinación de la estructura y organización de la oferta de enseñanzas universitarias oficiales, así como de enseñanzas propias universitarias, incluida la formación a lo largo de la vida; g) La elaboración y aprobación de planes de estudio conducentes a la obtención de títulos universitarios oficiales de Grado o de Máster Universitario, o que conduzcan a la obtención de títulos propios, así como la oferta de programas de Doctorado y, h) La expedición de los títulos correspondientes a las enseñanzas universitarias de carácter oficial, así como de títulos propios, incluida la formación a lo largo de la vida.

1.1.2. El Real Decreto 822/2021, de 28 de septiembre, por el que se establece la organización de las enseñanzas universitarias

A) Preámbulo

El Preámbulo del Real Decreto 822/2021, de 28 de septiembre, establece que el sistema universitario español, hace ya más de una década, emprendió una reforma de su oferta formativa, y de la organización de la misma, al adoptar los principios que constituían la esencia del Espacio Europeo de Educación Superior (EEES).

Así, la adaptación de una estructura cíclica configurada por el Grado, el Máster y el Doctorado, que consecutivamente iba incorporando una formación más especializada en términos de empleabilidad o de investigación, se ha completado en todas las universidades que conforman el sistema universitario español.

De igual modo, los principios en los que se fundamenta el EEES implicaban construir el andamiaje de una formación universitaria focalizada en el estudiantado y en sus competencias, entendidas estas como el conjunto de conocimientos, capacidades y habilidades académicamente relevantes, que le confiere el título universitario alcanzado. Estas competencias permiten al estudiantado su inserción en el mundo laboral y, lógicamente, formar parte activa de la sociedad. De esta forma, progresivamente en gran parte de Europa, la oferta académica universitaria ha ido convergiendo en torno a esa estructura organizativa cíclica.

Junto con una nueva estructuración de los estudios y la incorporación de un enfoque formativo centrado en las competencias del estudiantado, cabe reseñar dos principios más que sustentan el gran acuerdo que es el EEES. El primero estriba en asumir la necesidad de impulsar una docencia más activa, basada en una metodología de enseñanza–aprendizaje, en la cual la clase magistral debe compartir protagonismo con otras estrategias y formas de enseñar y aprender, que buscan reforzar la capacidad de trabajo autónomo del estudiantado, y que tiene en el uso de las nuevas tecnologías de la información y la comunicación uno de sus principales pilares. El segundo radica en promover y facilitar la movilidad internacional de nuestro estudiantado hacia su estancia en otras universidades en el extranjero, especialmente en otros países europeos. Para conseguir este objetivo se adoptó el modelo común de cómputo del tiempo de dedicación académica en créditos del Sistema Europeo de Transferencia y Acumulación de Créditos (ECTS, en su acrónimo en inglés).

Estos planteamientos se desarrollaron con el objetivo final de que las personas egresadas, como profesionales de los diversos campos del conocimiento, pudieran ingresar con garantías en los mercados laborales locales y globales. Al mismo tiempo, se refuerza la formación de los y las universitarias para ejercer como ciudadanos y ciudadanas libres, críticos y comprometidos en nuestras sociedades democráticas.

Estos cambios en la actividad docente de las universidades se han producido en medio de importantes transformaciones de las estructuras económicas, sociales, políticas y culturales que han afectado, de una u otra forma, a la globalidad de las sociedades, y que, entre otros, han tenido como gran vehículo la revolución tecnológica que ha traído la innovación de los sistemas de información y comunicación a través de su digitalización. Estos procesos complejos han acabado afectando directa e indirectamente al mundo educativo y, especialmente, al universitario –abriendo oportunidades, como también generando nuevas problemáticas o agudizando algunas preexistentes–. Así, una sociedad en permanente mutación demanda a la Universidad una respuesta cada vez más rápida y flexible de las necesidades de formación de profesionales acorde con esas mudanzas. Al mismo tiempo, demanda que esos y esas profesionales surgidos de las universidades sean capaces de liderar dichas transformaciones para construir colectivamente una sociedad abierta al cambio, económica y medioambientalmente sostenible, tecnológicamente avanzada, socialmente equitativa, sin ningún tipo de discriminación por cuestiones de género, origen nacional o étnico, edad, ideología, religión o creencias, enfermedad, clase social, o cualquier otra condición o circunstancia personal o social, y claramente alineada con los Objetivos de Desarrollo Sostenible (ODS). A la par, unas sociedades en mutación requieren de nuevos conocimientos científicos, tecnológicos, humanísticos y artísticos que se transfieran al estudiantado durante el proceso de enseñanza y aprendizaje, permitiendo obtener una formación integral.

De ahí la necesidad de redefinir la organización y las estructuras de las enseñanzas universitarias oficiales, recogidas en este real decreto, atendiendo a la experiencia acu-

mulada en el transcurso de esta década de implementación del EEES en las instituciones de educación superior del país, y teniendo muy presentes las demandas de unas sociedades locales y globales crecientemente interconectadas y caracterizadas por unos mercados laborales en reestructuración.

En este sentido, el despliegue del EEES en España, que se anunció ya en el artículo 37 de la Ley Orgánica 6/2001, de 21 de diciembre, de Universidades, y fue posteriormente ratificado en la Ley Orgánica 4/2007, de 12 de abril, por la que se modifica la Ley Orgánica 6/2001, de 21 de diciembre, de Universidades, se concretó en el Real Decreto 1393/2007, de 29 de octubre, por el que se estableció la ordenación de las enseñanzas universitarias oficiales, que hasta este momento ha sido objeto de hasta nueve modificaciones de diversa entidad siendo la más reciente la llevada a cabo mediante el Real Decreto 103/2019, de 1 de marzo, por el que se aprueba el Estatuto del Personal Investigador Predoctoral en Formación.

Este cúmulo de modificaciones en la ordenación de las enseñanzas universitarias oficiales en España hace necesaria y proporcional una nueva norma que, garantizando el principio de seguridad jurídica en el funcionamiento del sistema universitario español, avance en una organización adaptada a las demandas de la sociedad y a los cambios disruptivos que se desarrollan en la economía y en la tecnología, así como más flexible en sus componentes y estructura, y que, al mismo tiempo, favorezca la necesaria innovación efectiva en la docencia.

Esta organización debe facilitar el ejercicio efectivo de la autonomía universitaria en la planificación y definición de las características de su oferta académica. Y, de igual forma, debe posibilitar la ordenación de la oferta de títulos universitarios oficiales por parte de las Comunidades Autónomas en el ejercicio de sus competencias, en tanto que interrelaciona las demandas cambiantes de la sociedad y las iniciativas académicas universitarias.

A estos objetivos se suman otros dos que se deben contemplar como importantes. En primer lugar, la nueva regulación busca fortalecer la confianza de la comunidad universitaria y de la sociedad en su conjunto en los procedimientos establecidos para garantizar la calidad de la oferta académica de todo el sistema universitario, tanto el de naturaleza pública como el privado. Dicho de otra manera, la sociedad debe estar segura de que todos los títulos universitarios oficiales de Grado, Máster y Doctorado en España son de calidad contrastable. En segundo lugar, se pretende robustecer las capacidades de empleabilidad que confiere la formación recibida en diferentes títulos, a partir de las competencias y conocimientos asumidos, así como mediante un amplio abanico de opciones académicas, con la voluntad de facilitar a los egresados universitarios una inserción laboral digna y de calidad. Esta voluntad de cambio siempre debe ir acompañada del rigor y solidez académica de la oferta universitaria.

Las novedades más significativas de este Real Decreto son las siguientes:

- Este real decreto mantiene la estructura básica de la oferta académica, actualmente vigente, configurada en tres etapas: Grado, Máster y Doctorado. En este sentido, consolida el que los Grados sean de 240 créditos –con la única excepción de aquellos que por directrices europeas deben tener 300 o 360 créditos–. Esta es, pues, la estructura esencial del modelo universitario español: Grados de 240 créditos, Másteres de 60, 90 y 120 créditos y el Doctorado al que se accede habiendo superado los 300 créditos en las dos etapas formativas anteriores.

- Esta norma introduce una modificación significativa al cambiar la adscripción de los títulos de Grado y Máster de las cinco ramas del conocimiento a los denominados ámbitos del conocimiento. Esta modificación tiene un doble objetivo. En primer lugar, estos ámbitos de conocimiento son los que aportan las asignaturas que conforman sustancialmente la formación básica que se desarrolla en los Grados, garantizando así una formación transversal y reforzando el carácter generalista de este ciclo. En segundo lugar, al no ser los ámbitos del conocimiento espacios tan extraordinariamente genéricos y amplios como lo eran las cinco ramas, permiten que, garantizando la transversalidad, la oferta de asignaturas tenga mayor coherencia formativa, lo que finalmente beneficia nítidamente al estudiantado. Los ámbitos del conocimiento se han propuesto teniendo en cuenta en buena medida la estructura de comisiones de la Comisión Nacional Evaluadora de la Actividad Investigadora (CNEAI), aunque adaptados al hecho de que se trata de actividad docente y que deben abarcar más de ocho mil títulos que actualmente componen la oferta universitaria oficial en España, así como, y sobre todo, agrupando temáticamente los códigos del *International Standard Classification of Education* (ISCED, 2013) de UNESCO, que igualmente se utilizan en el Registro de Universidades, Centros y Títulos (RUCT) y en el Sistema Integrado de Información Universitaria (SIIU) al adscribir todos los títulos de Grado y de Máster a dicha codificación. En todo caso, serán las universidades las que propondrán el ámbito donde se adscriben sus títulos, asumiendo así su autonomía y experiencia y liderazgo educativo. Para facilitar esta operación se establece un periodo transitorio para adaptar la adscripción de las ramas actuales a los ámbitos del conocimiento, y se dispone de un mecanismo eficiente para agilizar el procedimiento administrativo correspondiente.
- De igual forma, este real decreto introduce la posibilidad de adoptar formas específicas de articulación del plan de estudios en las enseñanzas oficiales y, por tanto, de singularizar su proyecto académico. Junto con estas novedades, se aporta por primera vez una regulación básica de la formación permanente desarrollada por las universidades que ordena este importante espacio educativo en el que las universidades demuestran su compromiso social, dejando un amplio margen a la flexibilidad, pero homogeneizando mínimamente la estructura de dicha formación e introduciendo la cultura de la evaluación de la calidad en estos títulos.
- Por otra parte, y de forma complementaria, se promueve la innovación docente de forma que esta se convierta en una estrategia fundamental de las universidades, de los centros y de las coordinaciones de las titulaciones, partiendo de la consideración de que el objeto esencial del proceso educativo es enseñar y aprender y este proceso debe adaptarse a los cambios sociales, económicos, tecnológicos y culturales que se desarrollan en cada momento histórico. Es evidente el reto fundamental que tienen ante sí las universidades de transformar sus formas de aprendizaje y de enseñanza a las demandas de unas sociedades en permanente mutación. En este sentido, este real decreto abre la puerta, para promoverla y visibilizarla, a que

los centros emitan documentos acreditativos que acompañen al título universitario oficial y que verifiquen el que toda la organización docente de una titulación determinada se ha configurado a partir de una estrategia o planteamiento de innovación docente plasmado en todas las asignaturas del plan de estudios.

– Por último, uno de los aspectos que reformula este real decreto es todo el proceso de verificación, seguimiento y acreditación de los títulos universitarios oficiales. La experiencia acumulada por las universidades durante los últimos años, y el sólido y riguroso trabajo desempeñado por las agencias de calidad, ha guiado un replanteamiento procedimental con el objetivo de, asegurando la calidad de la oferta académica, simplificar los procesos administrativos y la documentación necesaria, para focalizarse estos en aquellos temas que efectivamente constituyen el núcleo del proyecto académico formativo que es un título universitario oficial de Grado, Máster o Doctorado. En este sentido, la evaluación institucional de los centros se configura como una pieza esencial en el engranaje del aseguramiento de la calidad de la oferta formativa universitaria al empoderar a los sistemas internos de garantía de la calidad con la orientación y guía de las agencias, siguiendo los planteamientos que se desarrollan en la mayoría de los países del EEES, y al promover una desburocratización de los procedimientos implicados en el mismo.

B) Estructura y ámbito de aplicación. Aprobación

El Real Decreto 822/2021, de 28 de septiembre, fue publicado en el Boletín Oficial del Estado el 29 de septiembre y entró en vigor a los 20 días de su publicación en el BOE.

Esta norma consta de un total de 37 artículos y presenta la siguiente estructura:

- Capítulo I: Disposiciones generales (arts. 1 y 2).
- Capítulo II: Ordenación de las enseñanzas universitarias (arts. 3 a 12).
- Capítulo III: Organización básica de las enseñanzas universitarias oficiales de Grado (arts. 13 a 15).
- Capítulo IV: Organización básica de las enseñanzas universitarias oficiales de Máster (arts. 16 a 18).
- Capítulo V: Organización básica de las enseñanzas universitarias oficiales de Doctorado (arts. 19 y 20).
- Capítulo VI: Estructuras curriculares específicas y de innovación docente en las enseñanzas universitarias oficiales (arts. 21 a 24).
- Capítulo VII: Procedimientos de aseguramiento de la calidad de las enseñanzas universitarias oficiales (arts. 25 a 35).
- Capítulo VIII: Las enseñanzas propias de las universidades (arts. 36 y 37).

El Real Decreto 822/2021, de 28 de septiembre, fue modificado por la Disposición final 2 del Real Decreto 889/2022, de 18 de octubre, por el que se establecen las condiciones y los procedimientos de homologación, de declaración de equivalencia y de convalidación de enseñanzas universitarias de sistemas educativos extranjeros y por el que se regula el procedimiento para establecer la correspondencia al nivel del Marco Español de Cualificaciones para la Educación Superior de los títulos universitarios oficiales pertenecientes a ordenaciones académicas anteriores.

El Real Decreto 822/2021, de 28 de septiembre, tiene por objeto el establecimiento de la organización y la estructura de las enseñanzas universitarias, a partir de los principios generales que definen el Espacio Europeo de Educación Superior (EEES). Al mismo tiempo, ordena la oferta académica oficial y la oferta de otros títulos, específicamente la referida a la formación permanente, y regula las estructuras curriculares específicas y las prácticas académicas externas que las universidades podrán incorporar a sus planes de estudios.

Este real decreto, de igual modo, fija las directrices, condiciones y los procedimientos de aseguramiento de la calidad de los planes de estudios cuya superación permite la obtención de títulos universitarios oficiales con validez en todo el territorio nacional. Dichos procedimientos se concretan en la verificación del plan de estudios como requisito para la acreditación inicial del título y su inscripción en el Registro de Universidades, Centros y Títulos (RUCT); así como en el seguimiento, la modificación y la renovación de la acreditación ya otorgada.

Este real decreto tiene como ámbito de aplicación las enseñanzas universitarias oficiales de Grado, Máster Universitario y Doctorado, así como otras enseñanzas universitarias, específicamente la formación permanente, impartidas por las universidades del sistema universitario español y que se definirán como títulos propios.

1.2. Las enseñanzas universitarias y los títulos universitarios en la Ley Orgánica 2/2023, de 22 de marzo, del Sistema Universitario

1.2.1. La organización de las enseñanzas universitarias oficiales

Tal y como establece el artículo 9 de la LOSU las enseñanzas universitarias oficiales se estructuran en tres ciclos: Grado, Máster Universitario y Doctorado. La superación de tales enseñanzas dará derecho a la obtención de los títulos oficiales correspondientes.

Los estudios de Grado tienen como finalidad la obtención por parte del estudiantado de una formación básica y generalista en una disciplina determinada.

Los estudios de Máster Universitario tienen como objetivo la formación avanzada, de carácter especializado temáticamente, o de carácter multidisciplinar o interdisciplinar, dirigida a la especialización académica o profesional, o bien encaminada a la iniciación en tareas de investigación.

Los estudios de Doctorado tienen como finalidad la adquisición de las competencias y las habilidades concernientes a la investigación dentro de un ámbito del conocimiento científico, técnico, humanístico, artístico o cultural[1].

Las prácticas académicas externas en los estudios de Grado y Máster Universitario constituyen una actividad de naturaleza plenamente formativa cuya finalidad es la de complementar la formación académica.

Las directrices generales para el diseño de los planes de estudio en las enseñanzas de Grado y Máster Universitario, incluyendo el número de créditos del Sistema Europeo de Transferencia de Créditos (ECTS, en sus siglas en inglés) que los conforman, serán establecidas reglamentariamente por el Gobierno.

Los estudios de Doctorado se organizarán en la forma que determinen los Estatutos o normas de organización y funcionamiento de las respectivas universidades, de acuerdo con los criterios que para la obtención del título de Doctor o Doctora apruebe el Gobierno, mediante real decreto, previo informe del Consejo de Universidades. Este real decreto regulará, entre otras, las menciones internacional e industrial en el título de Doctor/a.

El doctorado con mención industrial, que requerirá en todo caso de un convenio con la universidad, podrá desarrollarse mediante el contrato predoctoral previsto en el artículo 21 de la Ley 14/2011, de 1 de junio, de la Ciencia, la Tecnología y la Innovación, bien por entidades públicas, bien por empresas o entidades privadas cuando sean beneficiarias de ayudas o subvenciones públicas que tengan como objeto la contratación de personal predoctoral para esta modalidad de doctorado.

En relación con las estructuras curriculares en las enseñanzas universitarias oficiales, las universidades, en el ejercicio de su autonomía, podrán desarrollar estrategias de innovación docente específicas, como los títulos oficiales con itinerario abierto, mención dual[2], dobles titulaciones u otras modalidades, en la forma en que se desarrolle reglamentariamente.

---

1 Actualmente la normativa más importante sobre estudios de tercer ciclo se contiene en el Real Decreto 822/2021, de 28 de septiembre, por el que se establece la organización de las enseñanzas y del procedimiento de aseguramiento de la calidad y fundamentalmente en el Real Decreto 99/2011, de 28 de enero, por el que se regulan las enseñanzas oficiales de doctorado.

2 Las universidades que a la entrada en vigor de la LOSU cuenten con títulos oficiales con mención dual, dispondrán de un periodo transitorio hasta el curso 2026-2027, para la adaptación de su actividad formativa en la entidad colaboradora al modelo de contratación laboral formativa en alternancia. Todo ello, sin perjuicio de la aplicación del artículo 11 del texto refundido de la Ley del Estatuto de los Trabajadores al sistema universitario (Disposición transitoria décima de la LOSU).

1.2.2. Los títulos universitarios

A) Los títulos universitarios

De conformidad con lo dispuesto en el artículo 7 de la LOSU las universidades impartirán enseñanzas conducentes a la obtención de títulos universitarios oficiales, con validez y eficacia en todo el Estado, y podrán impartir enseñanzas conducentes a la obtención de títulos propios, incluidos los de formación a lo largo de la vida, en los términos establecidos reglamentariamente.

Todos los títulos universitarios deberán reunir los estándares de calidad establecidos en el Espacio Europeo de Educación Superior.

Los títulos universitarios de carácter oficial deberán inscribirse en el Registro de Universidades, Centros y Títulos. Esta inscripción tendrá efectos constitutivos respecto de la creación de títulos universitarios oficiales y llevará aparejada la consideración inicial de título acreditado a los efectos legal y reglamentariamente establecidos. Podrán, igualmente, inscribirse otros títulos no oficiales a efectos informativos.

El Gobierno regulará el procedimiento y las condiciones para la inscripción de los títulos universitarios.

Las universidades y otros centros de estudios superiores deberán evitar que la denominación o el formato de sus títulos propios puedan inducir a confusión con respecto a los títulos universitarios oficiales. Las universidades deberán informar al estudiantado del carácter oficial o propio de sus títulos.

La formación a lo largo de la vida podrá desarrollarse mediante distintas modalidades de enseñanza, incluidas microcredenciales, micromódulos u otros programas de corta duración.

B) Los títulos universitarios oficiales[3]

El artículo 8 de la LOSU señala que el Gobierno, mediante Real Decreto, previo informe de la Conferencia General de Política Universitaria y del Consejo de Universidades, establecerá las directrices y condiciones para la obtención y expedición de los títulos universitarios oficiales. Estos serán expedidos, en nombre del Rey, por el Rector o Rectora de la universidad.

La iniciativa para impartir una enseñanza requiere el informe preceptivo y favorable sobre la necesidad y viabilidad académica y social de la implantación del título universitario oficial por la Comunidad Autónoma competente, el informe favorable a efectos de

---

3 La Disposición adicional décima de la LOSU establece lo siguiente: "Los títulos universitarios de Diplomado Universitario, Arquitecto Técnico, Ingeniero Técnico, Licenciado, Arquitecto e Ingeniero mantendrán su plena vigencia académica, administrativa y profesional en los mismos términos en que se establecieron".

la verificación de la calidad de la memoria del plan de estudios por la agencia de calidad correspondiente, la verificación por el Consejo de Universidades del plan de estudios y la autorización de la implantación de este por la indicada Comunidad Autónoma.

Una vez completados los trámites anteriores, el Gobierno establecerá el carácter oficial del título y ordenará su inscripción en el Registro de Universidades, Centros y Títulos, tras lo cual el Rector/a ordenará publicar el plan de estudios en el «Boletín Oficial del Estado» y en el diario oficial de la Comunidad Autónoma competente.

Le corresponde al Gobierno, mediante Real Decreto, establecer el plazo máximo de que dispondrá la universidad para implantar e iniciar la docencia desde la publicación oficial del plan de estudios del título, así como los efectos de su incumplimiento.

Finalmente, la Disposición adicional décima tercera de la LOSU establece que los títulos universitarios, tanto oficiales como propios, no podrán inducir a confusión ni coincidir en su denominación y contenidos con los de los títulos universitarios que habiliten para el ejercicio de una profesión sanitaria o con los títulos de especialista en Ciencias de la Salud regulados en la Ley 44/2003, de 21 de noviembre, de ordenación de las profesiones sanitarias.

1.3. La organización de las enseñanzas universitarias en el Real Decreto 822/2021, de 28 de septiembre

1.3.1. Títulos universitarios oficiales

Los estudios universitarios que conducen a la obtención de títulos oficiales impartidos por las universidades se estructuran en tres ciclos, denominados respectivamente Grado, Máster y Doctorado.

Su superación conforme al correspondiente plan de estudios, en el caso de Grado y Máster, o programa, en el caso de Doctorado, dará lugar a la obtención de los títulos universitarios oficiales de Grado, Máster Universitario y Doctorado, respectivamente.

Los títulos universitarios oficiales deberán inscribirse en el RUCT del Ministerio de Universidades, de acuerdo con lo dispuesto en el Real Decreto 1509/2008, de 12 de septiembre, por el que se regula el Registro de Universidades, Centros y Títulos.

Todos los títulos universitarios oficiales de Grado y de Máster Universitario deberán adscribirse a uno de los ámbitos del conocimiento relacionados en el anexo I[4], en el momento de inscripción en el RUCT. Asimismo, este ámbito de conocimiento deberá incluirse en la memoria del plan de estudios durante el proceso de verificación.

Los títulos universitarios oficiales de Grado, Máster Universitario y Doctorado acreditan la cualificación en los niveles en los que se estructura el Marco Español de Cualificaciones para la Educación Superior (MECES) regulados por el Real Decreto 1027/2011, de 15 de julio, por el que se establece el Marco Español de Cualificaciones para la Educación Superior.

1.3.2. Principios rectores en el diseño de los planes de estudios de los títulos universitarios oficiales

Los principios generales que deberán inspirar el diseño de los planes de estudios de los títulos universitarios oficiales son los siguientes:

a) el rigor académico del proyecto formativo que implica una enseñanza universitaria;

b) la concordancia con el cariz generalista o especializado de los ciclos en los que se inscribe la enseñanza;

c) la coherencia entre los objetivos formativos del plan de estudios, las competencias fundamentales que se persiguen y los sistemas de evaluación del aprendizaje del estudiantado establecidos;

d) su comprensibilidad social.

Asimismo, dichos planes de estudios deberán tener como referente los principios y valores democráticos y los Objetivos de Desarrollo Sostenible y, en particular:

a) el respeto a los derechos humanos y derechos fundamentales; los valores democráticos –la libertad de pensamiento y de cátedra, la tolerancia y el reconocimiento y respeto a la diversidad, la equidad de todas las ciudadanas y de todos los ciudadanos, la eliminación de todo contenido o práctica discriminatoria, la cultura de la paz y de la participación, entre otros–;

b) el respeto a la igualdad de género atendiendo a lo establecido en la Ley Orgánica 3/2007, de 22 de marzo, para la igualdad efectiva de mujeres y de hombres, y al principio de igualdad de trato y no discriminación por razón de nacimiento, origen nacional o étnico, religión, convicción u opinión, edad, discapacidad, orientación sexual, identidad o expresión de género, características sexuales, enfermedad, situación socioeconómica o cualquier otra condición o circunstancia personal o social;

4 Véase al final del presente tema.

c) el respeto a los principios de accesibilidad universal y diseño para todas las personas, de conformidad con lo dispuesto en la disposición final segunda del Texto Refundido de la Ley General de derechos de las personas con discapacidad y de su inclusión social, aprobado por Real Decreto Legislativo 1/2013, de 29 de noviembre;

d) el tratamiento de la sostenibilidad y del cambio climático, de conformidad con lo dispuesto en el artículo 35.2 de la Ley 7/2021, de 20 de mayo, de Cambio Climático y Transición Energética.

Estos valores y objetivos deberán incorporarse como contenidos o competencias de carácter transversal, en el formato que el centro o la universidad decida, en las diferentes enseñanzas oficiales que se oferten, según proceda y siempre atendiendo a su naturaleza académica específica y a los objetivos formativos de cada título.

1.3.3. Planes de estudio de los títulos universitarios oficiales

Los planes de estudios estructuran los objetivos formativos de un título universitario oficial, los conocimientos y contenidos que se pretenden transmitir, las competencias y habilidades que lo caracterizan y se persigue dominar, las prácticas académicas externas que refuerzan su proyecto formativo y el sistema de evaluación del aprendizaje del estudiantado matriculado en dicho título.

El plan de estudios en las enseñanzas de Grado y de Máster Universitario se estructura en cursos de 60 créditos académicos del Sistema Europeo de Transferencia de Créditos (ECTS, en sus siglas en inglés), secuenciándose desde el primer hasta el último curso, hasta cumplir la totalidad de créditos que definen el título. Se exceptúa de esta regla a aquellos Másteres que tengan un plan de estudios con una carga total de 90 créditos, permitiéndose en tal caso que uno de los cursos sea de 30 créditos.

Los planes de estudios de las enseñanzas universitarias oficiales serán elaborados por las universidades, de acuerdo con la normativa vigente y aprobados por sus órganos de gobierno, y formarán parte de la memoria que las universidades presenten para su verificación.

La memoria para la solicitud de verificación del plan de estudios de un título universitario ha de tener la estructura, contenido y extensión que se indica en el anexo II[5] del Real Decreto 822/2021. En el caso de los programas de Doctorado, la memoria será la establecida por el Real Decreto 99/2011, de 28 de enero, por el que se regulan las enseñanzas oficiales de Doctorado. Para producir plenos efectos, y contar con el carácter de título universitario oficial, la memoria del plan de estudios deberá ser verificada por el Consejo de Universidades. Verificado el plan de estudios por el Consejo de Universidades, se seguirá la tramitación con arreglo a lo establecido en Real Decreto 822/2021.

Las universidades españolas, o con otra u otras extranjeras, podrán proponer un plan de estudios conjunto conducente a un título universitario oficial de Grado, Máster Uni-

5 Véase al final del presente tema.

versitario o Doctorado, mediante la celebración de un convenio que será incorporado a la memoria que haya de ser verificada. En este convenio se acordará qué universidad ejercerá de coordinadora y, por tanto, será responsable de la presentación de la memoria en los diversos procedimientos de aseguramiento de la calidad establecidos en el Real Decreto 822/2021, así como la participación de cada universidad en la docencia a través de su respectivo profesorado, las normativas académicas y de evaluación que se seguirán, la responsabilidad en la emisión del título y la gestión de los expedientes de los estudiantes matriculados.

En el caso de planes de estudios conjuntos de títulos universitarios oficiales en los que participen universidades españolas y extranjeras, si la institución coordinadora es una universidad extranjera, la universidad española participante deberá disponer de una copia de los expedientes del estudiantado que curse dicho título.

Las universidades asegurarán la participación del estudiantado en las comisiones creadas específicamente para la elaboración de la memoria del título de Grado o de Máster Universitario, que incluye el plan de estudios, o en su caso en las comisiones de estudio si es este el órgano que realiza esa función.

1.3.4. Programas de Doctorado

Los programas de Doctorado se regirán por lo dispuesto en el Real Decreto 99/2011, de 28 de enero.

1.3.5. Implantación de los planes de estudio de nuevas enseñanzas

Las universidades podrán implantar de forma progresiva –curso a curso– o simultánea –para todos los cursos o para varios, según los casos– los planes de estudios de las titulaciones universitarias oficiales, de acuerdo con la temporalidad prevista en la memoria presentada en el proceso de verificación.

1.3.6. Efectos académicos y la expedición de títulos universitarios oficiales

Los títulos universitarios de Grado, de Máster Universitario y de Doctorado tienen carácter oficial y son válidos en España, cuentan con efectos académicos y administrativos, y en el caso de que así resulte de la normativa aplicable, habilitan para el ejercicio de determinadas profesiones reguladas.

La expedición de los títulos de Graduada o Graduado, de Máster Universitario y de Doctora o Doctor a que conducen la superación de los créditos de los respectivos planes de estudios y la superación del programa de Doctorado, se efectuará en nombre del Rey por la Rectora o el Rector de la universidad en que se hubieren finalizado los estudios, de acuerdo con las directrices y requerimientos establecidos por el Real Decreto 1002/2010, de 5 de agosto, sobre expedición de títulos universitarios oficiales.

1.3.7. Contabilización y calificación del trabajo académico del estudiantado

El conjunto de actividades académicas que desarrolla el o la estudiante en las enseñanzas de Grado y Máster se medirá en créditos que siguen el formato del Sistema ECTS. Estas actividades podrán tener lugar en los espacios lectivos presenciales como aulas, laboratorios, aulas de informática y de audiovisuales, aulas de simulación, espacios especializados, o en espacios lectivos virtuales, ya sean sincrónicas y asincrónicas. También podrán ser actividades que se realicen de forma autónoma. En cualquier caso, todas ellas formarán parte de la planificación docente de una materia o asignatura, y su finalidad será la transmisión ordenada de conocimientos y la consecución de competencias y habilidades.

Las actividades académicas de cada materia o asignatura deberán ser calificadas a tenor del nivel de aprendizaje de los conocimientos, competencias y habilidades que la o el estudiante haya alcanzado, y deberá ser expresada de forma numérica de acuerdo a lo establecido en el Real Decreto 1125/2003, de 5 de septiembre, por el que se establece el sistema europeo de créditos y el sistema de calificaciones en las titulaciones universitarias de carácter oficial y validez en todo el territorio nacional. En el caso de los programas de Doctorado, se seguirá lo fijado en el Real Decreto 99/2011, de 28 de enero.

La guía docente de cada materia o asignatura que forma parte del plan de estudios de un título universitario oficial de Grado o de Máster Universitario, de acuerdo con la normativa de cada universidad, recogerá las actividades académicas teóricas y prácticas y el sistema de evaluación del aprendizaje programado. Estas guías docentes deberán ser accesibles para el estudiantado previamente al periodo oficial de matrícula, en la forma en la que se establezca en las normativas académicas del centro o de la universidad.

1.3.8. Procedimientos de reconocimiento y transferencias de créditos académicos en los títulos universitarios oficiales

Los procedimientos de reconocimiento y de transferencia de créditos académicos en los títulos universitarios oficiales tiene por objeto facilitar la movilidad del estudiantado entre títulos universitarios oficiales españoles, así como entre estos y los títulos universitarios extranjeros. Las universidades aprobarán normativas específicas para regular estos procedimientos conforme a lo dispuesto en el Real Decreto 822/2021.

Las universidades deberán reflejar en los planes de estudios de cada título el volumen de créditos susceptibles de ser utilizados en estos procedimientos, y las condiciones y características genéricas de los mismos. Estos créditos reconocidos o transferidos serán recogidos en el expediente del o la estudiante y en el Suplemento Europeo del Título.

El **reconocimiento de créditos** académicos hace referencia al procedimiento de aceptación por parte de una universidad de créditos obtenidos en otros estudios oficiales, en la misma u otra universidad, para que formen parte del expediente del o de la estudiante a efecto de obtener un título universitario oficial diferente del que proceden. En este procedimiento no podrán ser reconocidos los créditos que corresponden a trabajos de fin de Grado o de Máster, a excepción de aquellos que se desarrollen específicamente en un programa de movilidad.

La acreditación de la experiencia profesional y laboral podrá ser reconocida como créditos académicos utilizados para obtener un título de carácter oficial. Esta opción podrá darse cuando esa experiencia se muestre estrechamente relacionada con los conocimientos, competencias y habilidades propias del título universitario oficial. De igual modo, podrán ser reconocidos los créditos superados y cursados en estudios universitarios propios de las universidades o de otros estudios superiores oficiales.

El volumen de créditos reconocibles a partir de la experiencia profesional o laboral o aquellos procedentes de estudios universitarios no oficiales (propios o de formación permanente) no podrá superar, globalmente, el 15 % del total de créditos que configuran el plan de estudios del título que se pretende obtener. Estos créditos reconocidos no contarán con calificación numérica y, por lo tanto, no podrán utilizarse en el momento de baremar el expediente del o de la estudiante.

Como excepción a lo establecido en el párrafo precedente, podrá superarse este porcentaje hasta llegar incluso a reconocerse la totalidad de los créditos que provienen de estudios universitarios no oficiales, a condición de que el correspondiente título no oficial deje de impartirse y sea extinguido y reemplazado por el nuevo título universitario oficial en el cual se reconozcan los créditos académicos. En este caso, los sistemas internos de garantía de la calidad velarán por la idoneidad académica de este procedimiento.

En el caso de la suscripción de un convenio entre un centro de formación profesional de grado superior y un centro universitario, aprobado por el órgano de gobierno de la universidad y el Departamento competente en materia de formación profesional de la Comunidad Autónoma, la proporción de créditos reconocibles en un título universitario oficial de Grado podrá ser de hasta el 25 % de la carga crediticia total de dicho título.

La transferencia de créditos académicos hace referencia a la inclusión, en el expediente académico y en el Suplemento Europeo al Título, de la totalidad de los créditos obtenidos en enseñanzas oficiales cursadas previamente, indistintamente de la universidad, que no hayan conducido a la obtención de un título universitario oficial.

En todo caso, específicamente para los títulos de Grado se deberá tener presente que:

a) Serán objeto de estos procedimientos hasta la totalidad de los créditos de formación básica entre títulos del mismo ámbito de conocimiento.

b) Serán objeto de estos procedimientos los créditos del resto de materias y asignaturas entre títulos del mismo ámbito de conocimiento o de ámbitos diferentes, siempre atendiendo a la coherencia académica y formativa de los conocimientos, las competencias y las habilidades que definen las materias o asignaturas a reconocer con las existentes en el plan de estudios del título al que se quiere acceder.

c) Serán objeto de estos procedimientos los créditos con relación a la participación del estudiantado en actividades universitarias de cooperación, solidarias, culturales, deportivas y de representación estudiantil, que conjuntamente equivaldrán a como mínimo seis créditos. De igual forma, podrán ser objeto de estos procedimientos otras actividades académicas que con carácter docente organice la universidad. En ningún caso podrán suponer la totalidad los créditos objeto del reconocimiento establecido en esta letra c), más del 10 % del total de créditos del plan de estudios.

1.3.9. Las prácticas académicas externas

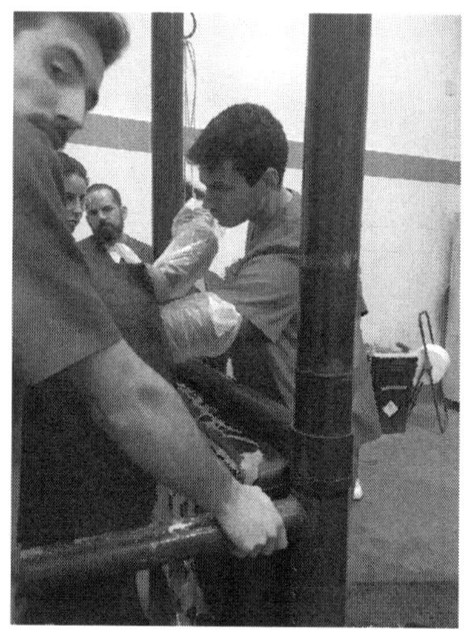

Las prácticas académicas externas constituyen una actividad de naturaleza formativa realizada por los estudiantes universitarios y supervisada por las universidades, cuyo objetivo es permitir a los mismos aplicar y complementar los conocimientos adquiridos en su formación académica, favoreciendo la adquisición de competencias que los preparen para el ejercicio de actividades profesionales, faciliten su empleabilidad y fomenten su capacidad de emprendimiento. El Suplemento Europeo al Título recogerá las prácticas realizadas por el o la estudiante.

De conformidad con el Real Decreto 592/2014, de 11 de julio, por el que se regulan las prácticas académicas externas de los estudiantes universitarios, se podrán realizar en su modalidad curricular (y por tanto forman parte del plan de estudios y del proyecto formativo del título, pudiéndose concretar en materias o asignaturas obligatorias u optativas) y en su modalidad extracurricular.

La universidad garantizará el carácter plenamente formativo de las prácticas académicas externas y que las condiciones de realización por parte del estudiantado sean las adecuadas y sujetas a su interés formativo primordial. Dado su carácter formativo, de su realización no se derivarán, en ningún caso, obligaciones propias de una relación laboral, ni su contenido podrá dar lugar a la sustitución de la prestación laboral propia de puestos de trabajo.

La realización de las prácticas académicas externas exigirá la suscripción de un Convenio de Cooperación Educativa entre la universidad, o sus centros propios y adscritos, y las entidades, empresas, organizaciones sociales y sindicales o la administración, tal y como se prevé en el artículo 7 del Real Decreto 592/2014, que recogerá el proyecto formativo que desarrollan dichas prácticas y las condiciones en las que se implementará.

La universidad deberá disponer de una normativa específica de desarrollo de las prácticas académicas externas, que deberá haber sido aprobada por sus órganos de gobierno. Dicha normativa deberá especificar, como mínimo, los requisitos de los y las estudiantes y entidades colaboradoras, el contenido de los Convenios de Cooperación Educativa, los mecanismos de seguimiento y evaluación de las prácticas, el reconocimiento académico de las prácticas del estudiante, la labor de coordinación y tutorización académica, y la duración y horarios de realización de las prácticas, incluyendo las adaptaciones necesarias para el estudiantado con discapacidades y necesidades específicas de apoyo educativo.

1.3.10. Precios públicos de las enseñanzas universitarias oficiales en las universidades públicas

Las Comunidades Autónomas fijarán los precios públicos de los títulos universitarios oficiales que ofertan las universidades públicas, dentro de los límites máximos establecidos por la Conferencia General de Política Universitaria y que estarán relacionados con los costes de prestación del servicio académico.

1.4. Organización básica de las enseñanzas universitarias oficiales de Grado

1.4.1. Objetivos y organización de las enseñanzas universitarias oficiales de Grado

A) Objetivo y estructura

Las enseñanzas oficiales de Grado, como ciclo inicial de las enseñanzas universitarias, tienen como objetivo fundamental la formación básica y generalista del y la estudiante en las diversas disciplinas del saber científico, tecnológico, humanístico y artístico, a través de la transmisión ordenada de conocimientos, competencias y habilidades que son propias de la disciplina respectiva –o de las disciplinas implicadas–, y que los prepara para el desarrollo de actividades de carácter profesional y garantiza su formación integral como ciudadanos y ciudadanas.

Las agencias de aseguramiento de la calidad y las Administraciones públicas, en el ejercicio de sus respectivas competencias, deberán garantizar la coherencia académica entre la denominación del título universitario oficial de Grado y los objetivos formativos, así como la estructura y contenidos fundamentales del plan de estudios. Asimismo, deberán velar por que dicha denominación no induzca a confusión con relación al ciclo universitario en el que se encuentra ni a los objetivos formativos que lo definen, sus efectos académicos ni, en su caso, profesionales.

Las enseñanzas oficiales de Grado pueden complementarse con la incorporación de menciones. En este sentido, la mención o las menciones que puede o pueden incluir los títulos de Grado suponen una intensificación curricular o itinerario específico en torno a un aspecto formativo determinado del conjunto de conocimientos, competencias y habilidades que conforman el plan de estudios de dicho título, y que complementan el proyecto formativo general del Grado. Una mención tendrá como mínimo el equivalente al 20 % de la carga de créditos total de un título de Grado. En todo caso, será condición esencial para su desarrollo el que la mención o las menciones hayan sido incluidas en la memoria del plan de estudios.

El título universitario oficial obtenido tras la consecución y superación de los créditos que configuran el plan de estudios será el de Graduada o Graduado en el Título con la denominación específica que se recoja en el RUCT, por la universidad que realiza la expedición. El título incorporará la mención respectiva si la hubiera. En el caso de los títulos universitarios conjuntos deberá, asimismo, aparecer la denominación de la otra u otras universidades que participen.

B) Nivel MECES (Marco Español de Cualificaciones para la Educación Superior)

Los títulos universitarios oficiales de Grado tienen un nivel equivalente al MECES 2. Además, aquellos Grados que dispongan de directrices europeas específicas que tengan al menos 300 créditos ECTS y de ellos 60 sean concordantes con los requisitos formativos correspondientes a un Máster, obtendrán un nivel equivalente al MECES 3, para lo cual la universidad o las universidades que promueven dicho título lo deberán solicitar al Consejo de Universidades, a través de la Secretaría General de Universidades, de acuerdo con el procedimiento establecido en la disposición adicional décima del Real Decreto 822/2021.

Esta disposición adicional establece que las universidades que pretendan la citada adscripción de sus títulos deberán presentar la correspondiente solicitud al Consejo de Universidades a través de la unidad tramitadora competente de la Secretaría General de Universidades. La solicitud podrá realizarse de manera simultánea a la solicitud de verificación del plan de estudios, o a partir de la declaración del carácter oficial del título con su inscripción en el RUCT.

El Consejo de Universidades adoptará en el plazo de seis meses la oportuna resolución tras la comprobación del cumplimiento de las condiciones requeridas para alcanzar la referida adscripción, previo informe favorable del órgano de evaluación externa competente. En caso de falta de resolución y notificación en plazo se entenderá desestimada la solicitud presentada.

De las resoluciones del Consejo de Universidades se dará traslado RUCT, a los efectos de su constancia en el mismo.

Una vez obtenida la adscripción al Nivel 3 (Máster) del MECES, esta tendrá efectos para todos los graduados y graduadas de la titulación con el plan de estudios evaluado, con independencia de la fecha de terminación de sus estudios, salvo que para su obtención se hayan tenido que realizar modificaciones en el plan de estudios, en cuyo caso solo será aplicable a los graduados y graduadas con posterioridad a tal modificación.

Cuando las modificaciones introducidas en un título de Grado adscrito al Nivel 3 del MECES comporten la pérdida de alguna de las condiciones necesarias para la adscripción a este nivel, el órgano de evaluación competente para su tramitación hará constar esta circunstancia en su informe de evaluación a fin de que el Consejo de Universidades decida sobre la revocación de dicho reconocimiento y, en su caso, dé el correspondiente traslado al RUCT.

Contra las resoluciones del Consejo de Universidades en esta materia podrá interponerse reclamación ante el Presidente del Consejo de Universidades en el plazo de diez días hábiles desde la recepción de la notificación que, si es admitida a trámite, será valorada por la Comisión de Reclamaciones de Verificación y Acreditación de Planes de Estudio del Consejo de Universidades. La resolución de la reclamación pone fin a la vía administrativa de acuerdo con lo establecido en el artículo 114.1.b) de la Ley 39/2015, de 1 de octubre.

1.4.2. Directrices generales para el diseño de los planes de estudios de las enseñanzas de Grado

A) Contenido y créditos ECTS

Los planes de estudios conducentes a la obtención de un título de Graduada o Graduado tendrán 240 créditos ECTS, salvo aquellos que estén sujetos a legislación específica o por las normas del Derecho de la Unión Europea a tener 300 o 360 créditos. Su estructura secuencial queda fijada en 60 créditos por curso y Grado. Se exceptuarán de esta consideración las titulaciones conjuntas internacionales surgidas en el marco de las convocatorias del Programa de Universidades Europeas de la Comisión Europea y las titulaciones internacionales conjuntas a que se refiere la disposición adicional sexta del Real Decreto 822/2021.

El diseño del plan de estudios deberá explicitar toda la formación teórica y práctica que el estudiantado deba adquirir en su proceso formativo, estructuradas mediante materias o asignaturas básicas, materias o asignaturas obligatorias u optativas, y el trabajo de fin de Grado (TFG), y podrán incorporar prácticas académicas externas, así como seminarios, trabajos dirigidos u otras actividades formativas.

La memoria de verificación del plan de estudios de un título universitario oficial de Grado y el Suplemento Europeo al Título deberán explícitamente recoger el ámbito de conocimiento en el que se inscribe el título.

Los planes de estudios de 240 créditos incluirán un mínimo de 60 créditos de formación básica. De ellos, al menos la mitad estarán vinculados al mismo ámbito de conocimiento en el que se inscribe el título, y el resto estarán relacionados con otros ámbitos del conocimiento diferentes al que se ha adscrito el título y deberán concretarse en materias o asignaturas con un mínimo de 6 créditos cada una, que asimismo deberán ser ofertadas en la primera mitad del plan de estudios. Los créditos restantes, deberán estar configurados por otras materias o asignaturas que refuercen la amplitud y solidez de competencias y conocimientos del proyecto formativo que es el Grado. En los títulos de Grado de 300 y 360 créditos la formación básica incluirá un mínimo de 75 y 90 créditos, respectivamente.

En el caso de que el plan de estudios incorpore la realización de prácticas académicas externas curriculares, estas tendrán una extensión máxima equivalente al 25 % del total de los créditos del título, con excepción de aquellos Grados que por las normas del Derecho de la Unión Europea deban tener otro porcentaje, y deberán ofrecerse preferentemente en la segunda mitad del plan de estudios. De esta norma quedan, asimismo, exceptuados los Grados que incluyan la Mención Dual, cuya extensión estará entre el 20 y el 40 % de los créditos en títulos de Grado.

Finalmente señalar lo establecido en la Disposición transitoria primera del Real Decreto 822/2021 que establece que las enseñanzas universitarias oficiales de Grado de 180 créditos ECTS que, a la entrada en vigor de este real decreto, tengan carácter oficial deberán solicitar una modificación de su plan de estudios para pasar este a disponer de 240 créditos, en un plazo de dos años. Los planes de estudios verificados a la entrada en vigor de este real decreto y que no hayan obtenido su carácter oficial deberán solicitar, asimismo, una modificación de su plan de estudios para adaptarse a esta circunstancia. Para desarrollar este

procedimiento contarán con la colaboración y orientación tanto de los sistemas internos de garantía de calidad del centro como de la agencia de calidad correspondiente. De forma excepcional, los estudiantes matriculados en estos Grados en la entrada en vigor de este real decreto podrán finalizar sus estudios con la duración iniciada en su plan de estudios.

B) Trabajo fin de Grado

El trabajo de fin de Grado, de carácter obligatorio y cuya superación es imprescindible para la obtención del título oficial, tiene como objetivo esencial la demostración por parte del o la estudiante del dominio y aplicación de los conocimientos, competencias y habilidades definitorios del título universitario oficial de Grado. Este trabajo de fin de Grado dispondrá de un mínimo de 6 créditos para todos los títulos, y un máximo de 24 créditos para los títulos de 240 créditos, de 30 créditos en los títulos de 300 créditos y de 36 créditos en los títulos de 360 créditos. Deberá desarrollarse en la fase final del plan de estudios, siguiendo los criterios que cada universidad o centro establezca. Asimismo, los trabajos de fin de Grado deberán ser defendidos en un acto público, siguiendo la normativa que a tal efecto establezca el centro o en su caso la universidad.

C) Modalidad de impartición

Los estudios oficiales de Grado podrán impartirse en modalidad docente presencial, en la híbrida (o semipresencial) y en la virtual (o no presencial). Los planes de estudios deberán incorporar la modalidad docente elegida, dado que condiciona el desarrollo formativo del título.

Se entiende por modalidad docente presencial en un Grado aquella en que el conjunto de la actividad lectiva que enmarca el plan de estudios se desarrolla de forma presencial (interactuando el profesorado y el estudiantado en el mismo espacio físico, sea este el aula, laboratorios o espacios académicos especializados).

Se entiende por modalidad docente híbrida en un Grado aquella en que la actividad lectiva que enmarca el plan de estudios engloba asignaturas o materias en modalidad presencial y virtual (no presencial), siempre manteniendo la unidad del proyecto formativo y la coherencia en todos aquellos aspectos académicos más relevantes –aunque la conjugación de la doble modalidad docente implique adaptaciones de los elementos académicos a las mismas–. La proporción de créditos no presenciales para que un título tenga la consideración de híbrido será la situada en un intervalo entre el 40 y el 60 % de la carga crediticia total del título de Grado.

Se entiende por modalidad docente virtual en un Grado aquella en que el conjunto de la actividad lectiva que se enmarca en el plan de estudios se articula a través de la interacción académica entre el profesorado y el estudiantado que no requiere la presencia física de ambos en el mismo espacio docente de la universidad. Esta modalidad de enseñanza universitaria se caracteriza fundamentalmente por basarse en el uso intensivo de tecnologías digitales de la información y la comunicación. En términos de carga crediticia, un Grado podrá definirse como impartido en modalidad virtual cuando al menos un 80 % de créditos (ECTS) que lo configuran se imparten en dicha modalidad de enseñanza.

D) Habilitación profesional

Si un plan de estudios conduce a la obtención de un Grado que habilita para el desarrollo de actividades profesionales reguladas, estos deberán estructurarse y organizarse atendiendo a lo dispuesto a tal efecto por el Gobierno o en su caso siguiendo la normativa europea respectiva. Asimismo, en el caso de que, aunque el título de Grado no tenga el carácter habilitante, este sea requisito imprescindible para acceder a un título de Máster Universitario habilitante, el Gobierno establecerá las condiciones y exigencias formativas del título de Grado que deberán reflejarse en el plan de estudios.

1.4.3. Acceso y admisión a las enseñanzas universitarias oficiales de Grado

El procedimiento de acceso a las enseñanzas universitarias oficiales de Grado será el establecido en el artículo 38 de la Ley Orgánica 2/2006, de 3 de mayo, de Educación, y en el artículo 31 de la Ley Orgánica 2/2023, de 22 de marzo, del Sistema Universitario, y en sus normas de desarrollo. Asimismo, se estará a lo dispuesto en el Real Decreto 412/2014, de 6 de junio, por el que se establece la normativa básica de los procedimientos de admisión a las enseñanzas universitarias oficiales de Grado.

Las universidades garantizarán una información transparente y accesible sobre los procedimientos de admisión, y deberán disponer de sistemas de orientación al estudiantado. Asimismo, asegurarán que dicha información y los procedimientos de admisión tengan en cuenta al estudiantado con discapacidad o con necesidades específicas, y dispondrán de servicios de apoyo y asesoramiento adecuados.

Las universidades reservarán, al menos, un 5 % de las plazas ofertadas en los títulos universitarios oficiales de Grado para estudiantes que tengan reconocido un grado de discapacidad igual o superior al 33 %, así como para estudiantes con necesidades de apoyo educativo permanentes asociadas a circunstancias personales de discapacidad, que en sus estudios anteriores hayan precisado de recursos y apoyos para su plena inclusión educativa. Asimismo, las universidades garantizarán la disponibilidad de plazas para estos estudiantes que concurran a las convocatorias extraordinarias de acceso a la universidad, hasta alcanzar el 5 % del cupo de reserva sobre el total de plazas ofertada en dicho título.

1.4.4. Competencias del nivel de Grado reguladas en el Real Decreto 1027/2011, de 15 de julio, por el que se establece el Marco Español de Cualificaciones para la Educación Superior (MECES)

A) Norma general

Conviene recordar que tras la promulgación del Real Decreto 1027/2011, de 15 de julio, por el que se establece el Marco Español de Cualificaciones para la Educación Superior (MECES), se han establecido cuatro niveles en dicha enseñanza: Técnico Superior, Grado, Máster y Doctor, siendo los tres últimos niveles los que conforman la educación superior universitaria.

Los cuatros niveles del Marco Español de Cualificaciones para la Educación Superior se corresponden con los siguientes niveles del Marco Europeo de Cualificaciones: 1. El nivel 1 (Técnico Superior) del Marco Español de Cualificaciones para la Educación Superior se corresponde con el nivel 5 del Marco Europeo de Cualificaciones. 2. El nivel 2 (Grado) del Marco Español de Cualificaciones para la Educación Superior se corresponde con el nivel 6 del Marco Europeo de Cualificaciones. 3. El nivel 3 (Máster) del Marco Español de Cualificaciones para la Educación Superior se corresponde con el nivel 7 del Marco Europeo de Cualificaciones. 4. El nivel 4 (Doctor) del Marco Español de Cualificaciones para la Educación Superior se corresponde con el nivel 8 del Marco Europeo de Cualificaciones.

El nivel de Grado se constituye en el nivel 2 del MECES, en el que se incluyen aquellas cualificaciones que tienen como finalidad la obtención por parte del estudiante de una formación general, en una o varias disciplinas, orientada a la preparación para el ejercicio de actividades de carácter profesional.

Las características de las cualificaciones ubicadas en este nivel vienen definidas por los siguientes descriptores presentados en términos de resultados del aprendizaje:

a) haber adquirido conocimientos avanzados y demostrado una comprensión de los aspectos teóricos y prácticos y de la metodología de trabajo en su campo de estudio con una profundidad que llegue hasta la vanguardia del conocimiento;

b) poder, mediante argumentos o procedimientos elaborados y sustentados por ellos mismos, aplicar sus conocimientos, la comprensión de estos y sus capacidades de resolución de problemas en ámbitos laborales complejos o profesionales y especializados que requieren el uso de ideas creativas e innovadoras;

c) tener la capacidad de recopilar e interpretar datos e informaciones sobre las que fundamentar sus conclusiones incluyendo, cuando sea preciso y pertinente, la reflexión sobre asuntos de índole social, científica o ética en el ámbito de su campo de estudio;

d) ser capaces de desenvolverse en situaciones complejas o que requieran el desarrollo de nuevas soluciones tanto en el ámbito académico como laboral o profesional dentro de su campo de estudio;

e) saber comunicar a todo tipo de audiencias (especializadas o no) de manera clara y precisa, conocimientos, metodologías, ideas, problemas y soluciones en el ámbito de su campo de estudio;

f) ser capaces de identificar sus propias necesidades formativas en su campo de estudio y entorno laboral o profesional y de organizar su propio aprendizaje con un alto grado de autonomía en todo tipo de contextos (estructurados o no).

B) Adscripción al Nivel 3 (Máster) del MECES de determinados títulos de Grado

Los títulos de Grado de al menos 300 créditos ECTS que comprendan un mínimo de 60 créditos ECTS de nivel de Máster podrán obtener la adscripción al Nivel 3 (Máster) del MECES mediante resolución del Consejo de Universidades.

Las universidades que pretendan la citada adscripción de sus títulos deberán presentar la correspondiente solicitud al Consejo de Universidades a través de la Secretaría de dicho Órgano para su tramitación.

El Consejo de Universidades adoptará en el plazo de 6 meses la oportuna resolución tras la comprobación del cumplimiento de las condiciones requeridas para alcanzar la referida adscripción, previo informe favorable de la ANECA o de las Agencias autonómicas con competencia para la verificación de títulos oficiales. En caso de falta de resolución y notificación en plazo se entenderá desestimada la solicitud presentada.

De las resoluciones del Consejo de Universidades se dará traslado al Registro de Universidades, Centros y Títulos (RUCT) a los efectos de su constancia en el mismo.

Una vez obtenida la adscripción al Nivel 3 (Máster) del MECES, esta tendrá efectos para todos los graduados de la titulación con el plan de estudios evaluado, con independencia de la fecha de terminación de sus estudios, salvo que para su obtención se hayan tenido que realizar modificaciones en el plan de estudios, en cuyo caso solo será aplicable a los graduados con posterioridad a tal obtención.

Cuando las modificaciones introducidas en un título de Grado adscrito al Nivel 3 del MECES comporten la pérdida de alguna de las condiciones necesarias para la adscripción a este nivel, la ANECA o la agencia competente para su tramitación harán constar esta circunstancia en su informe de evaluación a fin de que el Consejo de Universidades decida sobre la revocación de dicho reconocimiento y, en su caso, dé el correspondiente traslado al RUCT.

Contra las resoluciones del Consejo de Universidades en esta materia podrá interponerse una reclamación ante la Presidencia del Consejo de Universidades, en el plazo de un mes desde su notificación.

1.5. Organización básica de las enseñanzas universitarias oficiales de Máster

1.5.1. Objetivos y organización de las enseñanzas universitarias oficiales de Máster Universitario

Las enseñanzas oficiales de Máster Universitario tienen como objetivo la formación avanzada, de carácter especializado temáticamente o multidisciplinar en los saberes científico, tecnológico, humanístico y artístico, dirigida a la especialización académica y a la profesional, o en su caso, encaminada al aprendizaje en las actividades investigadoras.

Las agencias de aseguramiento de la calidad y las administraciones, en el ejercicio de sus respectivas competencias, velarán por el carácter no generalista del Máster Universitario, atendiendo al hecho de comprender el segundo ciclo universitario. De igual modo, garantizarán la coherencia entre la denominación del título de Máster Universitario y su proyecto formativo concretado en su plan de estudios, y en los conocimientos, competencias y habilidades que lo vertebran.

La consecución y superación de los créditos que configuran el plan de estudios del título universitario oficial de Máster Universitario, da derecho a obtener el título de Máster Universitario con la denominación respectiva, tal y como se recoge en el RUCT, por la Universidad que realiza su expedición. El título incorporará la Especialidad respectiva, si la hubiera. En el caso de los títulos conjuntos deberá, asimismo, aparecer la denominación de la otra u otras universidades que en él participen.

Un Máster Universitario podrá incluir una o varias Especialidades que deben constar en la memoria verificada del plan de estudios del título. Estas incorporan una formación complementaria y específica en un ámbito temático o profesional acorde con el proyecto formativo global del título de Máster. El número de créditos ECTS que conformen una especialidad no podrá superar el 50 % o del número total de créditos que componen el plan de estudios de Máster.

Los títulos universitarios oficiales de Máster Universitario tienen un nivel equivalente al MECES 3.

1.5.2. Directrices generales para el diseño de los planes de estudio de las enseñanzas de Máster Universitario

Los planes de estudios conducentes a la obtención de un título de Máster Universitario contarán con 60, 90 o 120 créditos ECTS, que se distribuirán en materias y asignaturas obligatorias y optativas, el trabajo de fin de Máster, las prácticas académicas externas si las hubiera, y otras actividades académicas.

La memoria de verificación del plan de estudios del título universitario oficial de Máster Universitario y el Suplemento Europeo al Título deberán explícitamente recoger el ámbito de conocimiento en el que se inscribe el título.

Los planes de estudios de un título de Máster Universitario podrán incorporar prácticas académicas externas, con el objetivo de reforzar la formación recibida por el estudiantado mediante el desarrollo formativo tutorizado por la universidad en instituciones, administraciones, empresas, organizaciones sociales y sindicales, y en otras entidades, para poner en práctica las competencias y habilidades adquiridas, o mejorar en su caso la capacidad investigadora. Estas prácticas no podrán superar un tercio de la carga crediticia total que conforma el plan de estudios.

Todos los planes de estudios de Máster Universitario incluirán un trabajo de fin de Máster, que podrá contar con un mínimo de 6 créditos ECTS y un máximo de 30, cuya finalidad es la de comprobar el nivel de dominio de los conocimientos, competencias y habilidades que ha alcanzado el o la estudiante, y cuya superación es requisito imprescindible para obtener el título oficial. Los trabajos de fin de Máster deberán ser defendidos en un acto público, siguiendo la normativa que a tal efecto establezca el centro o en su caso la universidad.

Los planes de estudios recogerán la modalidad docente en la que se desarrollarán. En este sentido, estas serán: la modalidad presencial, la híbrida y la virtual. La definición básica de estas modalidades es la recogida para los estudios de Grado.

En el caso de títulos universitarios oficiales de Máster Universitario de carácter habilitante para el ejercicio de una actividad profesional regulada, el Gobierno establecerá la titulación o titulaciones de acceso, así como, determinados contenidos, competencias o el desarrollo de prácticas académicas que deberán incorporarse en los respectivos planes de estudios.

La Disposición transitoria sexta del Real Decreto 822/2021 señala finalmente que los Másteres Universitarios oficiales que a la entrada en vigor de esta norma se estructuren en un número de créditos ECTS diferente lo establecido en la misma, dispondrán de como máximo tres años para adaptarse. Para ello deberán solicitar una modificación sustancial de su plan de estudios para pasar este a disponer de 60, 90 o 120 créditos, de forma previa a la renovación de su acreditación.

1.5.3. Acceso y admisión a las enseñanzas oficiales de Máster universitario

La posesión de un título universitario oficial de Graduada o Graduado español o equivalente es condición para acceder a un Máster Universitario, o en su caso disponer de otro título de Máster Universitario, o títulos del mismo nivel que el título español de Grado o Máster expedidos por universidades e instituciones de educación superior de un país del EEES que en dicho país permita el acceso a los estudios de Máster.

De igual modo, podrán acceder a un Máster Universitario del sistema universitario español personas en posesión de títulos procedentes de sistemas educativos que no formen parte del EEES, que equivalgan al título de Grado, sin necesidad de homologación del título, pero sí de comprobación por parte de la universidad del nivel de formación que implican, siempre y cuando en el país donde se haya expedido dicho título permita acceder a estudios de nivel de postgrado universitario. En ningún caso el acceso por esta vía implicará la homologación del título previo del que disponía la persona interesada ni su reconocimiento a otros efectos que el de realizar los estudios de Máster.

Las universidades garantizarán una información transparente y accesible sobre los procedimientos de admisión, y deberán disponer de sistemas de orientación al estudiantado. Asimismo, asegurarán que dicha información y los procedimientos de admisión tengan en cuenta al estudiantado con discapacidad o con necesidades específicas, y dispondrán de servicios de apoyo y asesoramiento adecuados.

Las universidades podrán excepcionalmente establecer, a partir de normativas específicas aprobadas por sus órganos de Gobierno, procedimientos de matrícula condicionada para el acceso a un Máster Universitario. Esta consistirá en permitir que un o una estudiante de Grado al que le reste por superar el TFG y como máximo hasta 9 créditos ECTS, podrá acceder y matricularse en un Máster Universitario, si bien en ningún caso podrá obtener el título de Máster si previamente no ha obtenido el título de Grado. Las universidades garantizarán la prioridad en la matrícula de los y las estudiantes que dispongan del título universitario oficial de Graduada o Graduado. En este procedimiento podrán ser tenidos en cuenta los créditos pendientes de reconocimiento o transferencia en el título de Grado, o la exigencia de superación de un determinado nivel de conocimiento de un idioma extranjero para la obtención del título.

Las universidades o los centros regularán la admisión en las enseñanzas de Máster Universitario, estableciendo requisitos específicos y, en caso de ser necesarios, complementos formativos, cuya carga en créditos no podrá superar el equivalente al 20 % de la carga crediticia del título. Los créditos de complementos formativos tendrán la misma consideración que el resto de los créditos del plan de estudios del título de Máster Universitario.

Las universidades reservarán, al menos, un 5 % de las plazas ofertadas en los títulos universitarios oficiales de Máster Universitario para estudiantes que tengan reconocido un grado de discapacidad igual o superior al 33 %, así como para estudiantes con necesidades de apoyo educativo permanentes asociadas a circunstancias personales de discapacidad, que en sus estudios anteriores hayan precisado de recursos y apoyos para su plena inclusión educativa.

1.5.4. Competencias del nivel de Máster reguladas en el Real Decreto 1027/2011, de 15 de julio, por el que se establece el Marco Español de Cualificaciones para la Educación Superior (MECES)

El nivel de Máster se constituye en el nivel 3 del MECES, en el que se incluyen aquellas cualificaciones que tienen como finalidad la adquisición por el estudiante de una formación avanzada, de carácter especializado o multidisciplinar, orientada a la especialización académica o profesional, o bien a promover la iniciación en tareas investigadoras.

Las características de las cualificaciones ubicadas en este nivel vienen definidas por los siguientes descriptores presentados en términos de resultados del aprendizaje:

a) haber adquirido conocimientos avanzados y demostrado, en un contexto de investigación científica y tecnológica o altamente especializado, una comprensión detallada y fundamentada de los aspectos teóricos y prácticos y de la metodología de trabajo en uno o más campos de estudio;

b) saber aplicar e integrar sus conocimientos, la comprensión de estos, su fundamentación científica y sus capacidades de resolución de problemas en entornos nuevos y definidos de forma imprecisa, incluyendo contextos de carácter multidisciplinar tanto investigadores como profesionales altamente especializados;

c) saber evaluar y seleccionar la teoría científica adecuada y la metodología precisa de sus campos de estudio para formular juicios a partir de información incompleta o limitada incluyendo, cuando sea preciso y pertinente, una reflexión sobre la responsabilidad social o ética ligada a la solución que se proponga en cada caso;

d) ser capaces de predecir y controlar la evolución de situaciones complejas mediante el desarrollo de nuevas e innovadoras metodologías de trabajo adaptadas al ámbito científico/investigador, tecnológico o profesional concreto, en general multidisciplinar, en el que se desarrolle su actividad;

e) saber transmitir de un modo claro y sin ambigüedades a un público especializado o no, resultados procedentes de la investigación científica y tecnológica o del ámbito de la innovación más avanzada, así como los fundamentos más relevantes sobre los que se sustentan;

f) haber desarrollado la autonomía suficiente para participar en proyectos de investigación y colaboraciones científicas o tecnológicas dentro su ámbito temático, en contextos interdisciplinares y, en su caso, con una alta componente de transferencia del conocimiento;

g) ser capaces de asumir la responsabilidad de su propio desarrollo profesional y de su especialización en uno o más campos de estudio.

Los títulos de Grado que por exigencias de normativa de la Unión Europea sean de al menos 300 créditos ECTS, siempre que comprendan un mínimo de 60 créditos ECTS que participen de las características propias de los descriptores anteriores, podrán obtener la adscripción al Nivel 3 (Máster). La normativa sobre ordenación de las enseñanzas universitarias oficiales establecerá el procedimiento a seguir para obtener esa adscripción.

1.6. Organización básica de las enseñanzas universitarias oficiales de Doctorado

1.6.1. Objetivos y organización de las enseñanzas universitarias oficiales de Doctorado

Las enseñanzas de Doctorado conforman el tercer ciclo de los estudios universitarios oficiales en España, cuya finalidad es la adquisición de las competencias y las habilidades concernientes con la investigación universitaria de calidad y su desarrollo.

Las enseñanzas de Doctorado se organizan en programas de Doctorado de los diversos campos del conocimiento científico, tecnológico, humanístico y artístico, así como desde un enfoque interdisciplinar del conocimiento.

La superación de las enseñanzas del programa de Doctorado y la presentación y aprobación de la tesis doctoral, dará derecho a la obtención del título universitario oficial de Doctora o Doctor, cuyo nivel equivale al MECES 4, y con el nombre que aparece del mismo en el RUCT.

La estructura y organización de los programas de Doctorado será la recogida en los artículos 3 y 4 del Real Decreto 99/2011, de 28 de enero.

1.6.2. Acceso y admisión a las enseñanzas universitarias oficiales de Doctorado

Los requisitos de acceso y criterios de admisión a las enseñanzas universitarias oficiales de Doctorado serán los establecidos en el Real Decreto 99/2011, de 28 de enero.

Las universidades deberán aplicar idéntico criterio en el acceso a los programas de Doctorado que el establecido en el artículo 18 apartado 6 del Real Decreto 822/2021, que es el siguiente: "Las universidades reservarán, al menos, un 5 % de las plazas ofertadas en los títulos universitarios oficiales de Máster Universitario para estudiantes que tengan reconocido un grado de discapacidad igual o superior al 33 %, así como para estudiantes con necesidades de apoyo educativo permanentes asociadas a circunstancias personales de discapacidad, que en sus estudios anteriores hayan precisado de recursos y apoyos para su plena inclusión educativa".

1.7. Estructuras curriculares y de innovación docente en las enseñanzas universitarias oficiales

1.7.1. Estructuras curriculares específicas y de innovación docente

Las universidades en el ejercicio de su autonomía podrán incorporar estructuras curriculares específicas en sus planes de estudios, si se hubieren recogido en la correspondiente memoria del plan de estudios del título. La referencia a estas estructuras se reflejará en el Suplemento Europeo al Título.

Asimismo, las universidades, en el ejercicio de su autonomía de planificación y gestión de la docencia y con el objetivo de la mejora permanente de la calidad de la enseñanza y del aprendizaje, podrán desarrollar unas estrategias metodológicas de innovación docente específicas y diferenciadas que vehiculen a la globalidad de un título universitario oficial –y, por tanto, afecten al conjunto de materias y asignaturas que configuran el plan de estudios–. Estas podrán reflejarse en el Suplemento Europeo al Título, y deberán haber sido reflejadas en la memoria del plan de estudios del título.

Estas propuestas de innovación docente globales podrán ser reconocidas al estudiantado por la universidad mediante la emisión de un certificado u otro documento acreditativo específico, con el objeto de valorizarlas. Dichas propuestas podrán ser la docencia a través del aula invertida, el aprendizaje basado en el trabajo por proyectos o casos prácticos, el desarrollo del trabajo colaborativo y cooperativo, el aprendizaje basado en la capacidad de resolución de problemas, competencias multilingües, la docencia articulada en el uso intensivo de las tecnologías digitales de la información y la comunicación, y otras iniciativas que impulse la universidad o el centro.

1.7.2. Mención Dual en las enseñanzas universitarias oficiales

Los títulos universitarios oficiales de Grado y de Máster podrán incluir la Mención Dual, que comporta un proyecto formativo común que se desarrolla complementariamente en el centro universitario y en una entidad colaboradora, que podrá ser una empresa, una organización social o sindical, una institución o una administración, bajo la supervisión y el liderazgo formativo del centro universitario, y cuyo objetivo es la adecuada capacitación del estudiantado para mejorar su formación integral y mejorar su empleabilidad.

Para la obtención de la Mención Dual en una titulación oficial será necesario que concurran las siguientes circunstancias:

a) El porcentaje de créditos, contemplados en el plan de estudios, que se desarrollen en la entidad colaboradora (empresa, organización, institución o administración), será de:

   1.º Entre el 20 y el 40 % de los créditos, en títulos de Grado.

   2.º Entre el 25 y el 50 % de los créditos en títulos de Máster Universitario.

   Dentro de tales porcentajes deberá incluirse el trabajo fin de Grado o de Máster.

b) La actividad formativa desarrollada de forma dual en la universidad y la entidad colaboradora se alternará con una actividad laboral retribuida, a través de un contrato para la formación dual universitaria, en los términos establecidos en el artículo 11.3 del texto refundido de la Ley del Estatuto de los Trabajadores, aprobado por el Real Decreto Legislativo 2/2015, de 23 de octubre, y en su normativa de desarrollo, así como en el resto de la normativa laboral que le resulte de aplicación.

c) Dentro de la actividad formativa dual se definirán las competencias y conocimientos básicos que se pretenden alcanzar, de forma coordinada y complementaria con las competencias que se trabajen en el tiempo académico que el o la estudiante realiza en el centro universitario, siempre teniendo presente la unicidad del plan de estudios y del proyecto formativo que es el Grado o el Máster de que se trate. Además, se deberá asegurar en todo momento la posibilidad de compaginar la actividad formativa en el centro universitario y en la entidad colaboradora (empresa, organización, institución y administración).

La universidad y la entidad colaboradora en la que el o la estudiante desarrolle parte de su formación mediante un contrato laboral, tendrán que haber suscrito previamente un Convenio Marco de Colaboración Educativa, que recoge el convenio específico a firmar entre las partes de acuerdo con lo establecido por la Ley 40/2015, de 1 de octubre, de Régimen Jurídico del Sector Público. En este convenio se concretará el proyecto formativo, y se indicarán las obligaciones de las partes que lo suscriben, los mecanismos de tutoría y supervisión, los sistemas de evaluación, y el resto de las condiciones que se consideren necesarias para la correcta realización del proyecto formativo común. En este sentido, el o la estudiante tendrá un/a tutor/a designado/a por la universidad y un tutor/a designado/a por la entidad, empresa, organización, institución o administración, que deberán supervisar conjuntamente el desarrollo del proyecto formativo, bajo el liderazgo del tutor o de la tutora universitario. Las universidades garantizarán la adecuación de las condiciones de realización de las actividades enmarcadas en el contrato y que vehiculan el desarrollo formativo en la entidad conveniada.

Las universidades podrán elaborar o adaptar los planes de estudios conducentes a la obtención del título universitario oficial de Graduada o Graduado y de Máster a lo dispuesto en este apartado, mediante los procedimientos de verificación o modificación regulados en el Real Decreto 822/2021. Asimismo, el correspondiente informe del órgano de evaluación externa competente constatará que se puede otorgar la Mención Dual a aquellos títulos en los que concurran las circunstancias establecidas en este apartado. En

ningún caso, esta modificación de los planes de estudios podrá suponer un incremento del número de plazas inicialmente verificadas por la Administración competente, para lo cual se precisaría la pertinente modificación sustancial de la memoria del título ante el Consejo de Universidades y la ulterior determinación de la oferta de enseñanzas y de las plazas por la Conferencia General de Política Universitaria.

El o la estudiante que haya elegido cursar la Mención Dual dentro de una enseñanza de Grado o de Máster Universitario, podrá si lo considera oportuno abandonarla y volver al itinerario general siempre que no haya superado la mitad de los créditos definidos para la obtención de la Mención Dual en el respectivo plan de estudios.

1.7.3. Programas de enseñanzas de Grado con itinerario académico abierto

Las universidades en el ejercicio de su autonomía podrán ofrecer, con el objeto de flexibilizar la formación inicial del estudiantado, programas de enseñanzas de Grado con itinerario académico abierto, con el fin de cursar asignaturas de dos o más títulos universitarios oficiales de Grado que pertenezcan al mismo ámbito de conocimiento o a ámbitos del conocimiento afines, siempre que se cumplan las siguientes condiciones:

a) Deberán realizarse asignaturas de, al menos, dos títulos universitarios oficiales de Grado diferentes.

b) El itinerario académico abierto deberá tener una carga crediticia de entre 60 y 120 créditos para los títulos de Grado de 240 créditos. Dichos créditos corresponderán a materias o asignaturas de formación básica de las enseñanzas universitarias que conforman el programa, y de aquellas otras obligatorias de los respectivos planes de estudios. Los créditos del itinerario académico abierto se deberán cursar por el estudiantado en los dos primeros años del Grado.

c) La universidad aprobará por sus órganos de gobierno una normativa específica que regule este tipo de menciones.

d) Estos deberán contar con el informe favorable del Sistema Interno de la Garantía de la Calidad, previo a su aprobación por los órganos de gobierno de la universidad.

A la finalización del itinerario académico abierto, el o la estudiante podrá continuar sus estudios en uno de los títulos universitarios oficiales de Grado incluidos en el programa. Al acabar sus estudios en ese título universitario oficial de Grado, el o la estudiante podrá solicitar la Mención «título universitario oficial de Grado incluido en un programa con itinerario académico abierto». La universidad deberá asegurar que el o la estudiante ha alcanzado los conocimientos, competencias y habilidades fundamentales del título universitario oficial de Grado que finalmente obtenga.

Las universidades establecerán un cupo de admisión dentro de cada Grado para el estudiantado que desee seguir estos itinerarios abiertos. Estos cupos no podrán superar en ningún caso el 10 % del límite de plazas de nuevo ingreso más bajo que tuvieran los títulos de Grado incluidos en el itinerario abierto correspondiente. En todo caso, la universidad incluirá expresamente este tipo de admisión en su normativa de matrícula, para fijar su regulación.

Para que un título universitario oficial de Grado pueda ser objeto de inclusión en un programa con itinerario académico abierto, no será necesaria la verificación o modificación del plan de estudios del título o títulos, sino que bastará con su comunicación a la agencia de evaluación correspondiente, al Consejo de Universidades y a la Comunidad Autónoma, previa aprobación por los órganos de gobierno de la universidad.

1.7.4. Programas académicos de simultaneidad de dobles titulaciones con itinerario específico

Las universidades, en el ámbito de su autonomía, podrán organizar y ofertar programas académicos de simultaneidad de dobles titulaciones de Grado o de Máster Universitario con un itinerario específico, que dará lugar a la obtención, si son superadas todas las asignaturas que lo configuran, de cada uno de los títulos universitarios oficiales que lo conforman. En todo caso, no podrán implementarse programas académicos de simultaneidad de tres o más titulaciones.

Dichos programas deben basarse en la construcción de un proyecto formativo común de dos titulaciones diferenciadas que tenga coherencia académica y refuerce la formación integral del estudiantado. Este programa de simultaneidad tiene como finalidad, por tanto, la suma de sinergias formativas de títulos que se complementan desde el punto de vista educativo y profesional.

Estos programas de doble titulación se articularán mediante el establecimiento de un itinerario formativo específico a partir de las asignaturas que se consideren esenciales de los respectivos planes de estudios de cada uno de los títulos implicados. Se deberá incorporar toda aquella información significativa para el desarrollo de la doble titulación. En todo caso, la universidad deberá garantizar que con este itinerario formativo específico el estudiantado pueda asumir los conocimientos y competencias fundamentales que se definen en las memorias de los respectivos títulos.

Los órganos de gobierno de la universidad o universidades implicadas, previo informe preceptivo y favorable de sus propios sistemas internos de calidad –o del centro o centros implicados–, aprobarán un documento que explicite el proyecto formativo de estos programas de doble titulaciones, el plan de estudios resultante del itinerario específico, los conocimientos y las competencias esenciales a alcanzar, las prácticas y el modelo de reconocimiento de asignaturas entre los títulos implicados.

1.8. Procedimientos de aseguramiento de la calidad de las enseñanzas universitarias oficiales

1.8.1. Aseguramiento de la calidad de las enseñanzas universitarias oficiales

Con objeto de asegurar la calidad de los estudios universitarios en tanto que un servicio educativo para toda la sociedad española, los títulos universitarios oficiales debe-

rán someterse a procedimientos de evaluación externa de acuerdo con los Criterios y Directrices de Aseguramiento de Calidad en el Espacio Europeo de Educación Superior (*European Standards and Guidelines for Quality Assurance of Higher Education*, ESG). Las universidades deberán corresponsabilizarse del aseguramiento de la calidad, mediante el desarrollo de sus sistemas internos de la garantía y de la promoción de la cultura de la calidad entre la comunidad universitaria.

Los órganos de evaluación externa responsables de tramitar los procedimientos de aseguramiento de la calidad del sistema universitario español son la Agencia Nacional de Evaluación de la Calidad y Acreditación (ANECA) y, para su correspondiente ámbito territorial, las agencias de calidad de las Comunidades Autónomas inscritas en el Registro Europeo de Agencias de Aseguramiento de la Calidad en la Educación Superior (*The European Quality Assurance Register for Higher Education*, EQAR), tras haber superado con éxito una evaluación externa de acuerdo con los ESG.

Los procedimientos de aseguramiento de la calidad que implican a la totalidad de los planes de estudios de los títulos universitarios oficiales son los de verificación, seguimiento y modificación, así como la renovación de la acreditación de los títulos. Para ello, las agencias de calidad establecerán de forma conjunta los protocolos de evaluación de la calidad que los vehiculan.

El Ministerio de Universidades mantendrá un Sistema Integrado de Información Universitaria (SIIU) para dar cobertura a las necesidades de información del conjunto del sistema universitario español y de las administraciones, y facilitará a los órganos de evaluación externa competentes la información necesaria para llevar a cabo los procedimientos de aseguramiento de la calidad. Asimismo, el SIIU desarrollará actividades, a partir de las estadísticas e informaciones recopiladas, de observación, análisis y prospectiva, en colaboración con las universidades y las agencias de calidad.

1.8.2. Verificación de los planes de estudios y establecimiento del carácter oficial de los títulos

A) Procedimiento de verificación de planes de estudios de las enseñanzas oficiales

El Consejo de Universidades deberá verificar que los planes de estudios cuya superación da derecho a la obtención de un título universitario oficial, se ajustan a las directrices y condiciones establecidas por el Real Decreto 822/2021 y el resto de normativas que sean de aplicación.

El procedimiento de verificación de los planes de estudios, que culminará con la notificación a la universidad solicitante de la resolución del Consejo de Universidades sobre la verificación del plan de estudios, no podrá tener una duración superior a los seis meses (sin tener en cuenta el procedimiento de posible reclamación). En el caso de los títulos propuestos en centros con acreditación institucional, este plazo no excederá de cuatro meses. Todas las Administraciones públicas asegurarán el cumplimiento de dichos plazos máximos, transcurrido el cual la solicitud se entenderá estimada y el plan de estudios verificado.

Las Comunidades Autónomas en el ejercicio de sus competencias sobre la programación universitaria y la ordenación del mapa de titulaciones oficiales de su ámbito territorial, realizarán un informe preceptivo sobre la necesidad y viabilidad académica y social de la implantación del título universitario oficial previo al inicio del procedimiento de verificación. En caso de informe favorable, la universidad podrá iniciar el procedimiento de verificación del título.

Este procedimiento dará inicio con la remisión por parte de la universidad solicitante del informe al que se refiere el párrafo anterior y de la memoria del plan de estudios, conforme a la estructura, contenido y extensión que se indica en el anexo II del Real Decreto 822/2021, al Consejo de Universidades a través de la unidad de la Secretaría General de Universidades responsable de la tramitación de este procedimiento, que comprobará si la documentación se ajusta a los requisitos establecidos. La Secretaría General de Universidades comunicará la recepción de la memoria del plan de estudios al órgano de la Comunidad Autónoma o Comunidades Autónomas competentes en materia de universidades.

A continuación, la unidad de la Secretaría General de Universidades encargada de la tramitación, si fuere el caso, al detectar insuficiencias en la documentación, advertirá a la universidad de la necesidad de su subsanación, para lo que esta dispondrá de 10 días hábiles. Si transcurrido este plazo no la hubiese realizado, se le tendrá por desistida la petición. Una vez subsanada, la unidad de la Secretaría General de Universidades tendrá como máximo 3 días hábiles para enviar la memoria del plan de estudios a la correspondiente agencia de la calidad.

En el caso de los centros con acreditación institucional, la memoria del plan de estudios se remitirá simultáneamente a la unidad tramitadora de la Secretaría General de Universidades y a la agencia encargada de la evaluación.

Las agencias de calidad realizarán un informe de verificación de la calidad de la memoria del plan de estudios del título universitario oficial, de acuerdo con los protocolos específicos que dichas agencias hayan establecido de forma común para todo el sistema universitario, y teniendo presente lo dispuesto en el Real Decreto 822/2021. Este informe será preceptivo y será realizado por comisiones de expertos académicos y profesionales, con titulación universitaria, que tendrán que ser independientes y de reconocido pres-

tigio académico del ámbito de conocimiento en el que se inscribe el título o de ámbitos afines, que serán elegidos por las agencias. De igual modo, en dichas comisiones, deberán participar estudiantes universitarios y podrán participar representantes de la sociedad elegidos por su relación con el ámbito temático del título evaluado.

La agencia de calidad correspondiente propondrá un informe provisional de verificación de la calidad de la memoria del plan de estudios. El informe provisional, que deberá ser motivado, podrá ser favorable, favorable con condiciones o desfavorable. En el caso de ser favorable con condiciones, la agencia indicará aquellas cuestiones que deberán ser modificadas con el objetivo de alcanzar una propuesta definitiva de informe favorable. El informe provisional será remitido a la universidad solicitante del título para que, en el plazo de 15 días hábiles desde su recepción, pueda realizar las subsanaciones y modificar aquellas cuestiones que se hayan puesto de manifiesto en el informe, o presentar las alegaciones que considere pertinentes.

Finalizado el plazo de presentación de subsanaciones y alegaciones, si fuere el caso, la agencia de calidad correspondiente emitirá un informe definitivo de verificación de la calidad que será favorable o desfavorable, que remitirá a la universidad solicitante, al Consejo de Universidades, al órgano de la Comunidad Autónoma competente y al Ministerio de Universidades. En el caso que resulte un informe definitivo favorable, este podrá incorporar algún aspecto relevante sobre el que las administraciones, las universidades y las agencias deberán desarrollar un seguimiento.

De acuerdo con el artículo 12 del Reglamento del Consejo de Universidades, aprobado por el Real Decreto 1677/2009, de 13 de noviembre, la Comisión de Verificación y Acreditación de Planes de Estudios del Consejo de Universidades, recibido el informe definitivo favorable emitido por la agencia de calidad, acreditará que la denominación propuesta del título es coherente con el plan de estudios y se adecua a lo establecido por la normativa vigente, dictando si es así la resolución de verificación positiva del título. En el supuesto de que el informe fuese desfavorable, la Comisión de Verificación y Acreditación del Consejo de Universidades dictará una resolución de verificación negativa.

Una vez dictada la resolución, el Consejo de Universidades la notificará en un plazo máximo de 3 días hábiles a la universidad solicitante, comunicándola asimismo a la Comunidad Autónoma o Comunidades Autónomas donde se sitúan estas universidades, a la agencia de calidad correspondiente y al Ministerio de Universidades.

La universidad solicitante, recibida la notificación del Consejo de Universidades, podrán reclamar ante la Presidencia de dicho órgano, la revisión de la resolución de verificación, para lo cual dispondrá de 10 días hábiles desde el momento de la recepción de la notificación. Si se admite a trámite la reclamación, esta deberá ser valorada por la Comisión de Reclamaciones de Verificación y Acreditación de Planes de Estudios del Consejo de Universidades. La comisión estará formada por expertos académicos y profesionales que no hayan participado en el procedimiento evaluativo hasta el momento.

Esta comisión valorará el informe de verificación, teniendo presente únicamente la memoria del plan de estudios que presentó la universidad. En el caso de disponer de elementos de juicio para ello, la comisión elaborará una propuesta de resolución a la

Comisión Permanente del Consejo de Universidades. En este supuesto, la duración del procedimiento de revisión no podrá exceder de un mes desde la presentación de la reclamación.

La comisión, si lo considera necesario, podrá remitir el expediente a la agencia de calidad que emitió el informe para su revisión a tenor de los aspectos detectados que merezcan una nueva valoración. Una vez recibido el informe de la agencia de calidad, la comisión elaborará una propuesta de resolución que enviará a la Comisión Permanente del Consejo de Universidades, para su resolución definitiva. En este supuesto, la duración de todo el procedimiento de revisión no podrá exceder de tres meses desde la recepción de la reclamación de la universidad ante la Presidencia del Consejo de Universidades.

En todo caso, la resolución pone fin a la vía administrativa de acuerdo con lo establecido en el artículo 114.1b) de la Ley 39/2015, de 1 de octubre. Transcurridos los plazos previstos sin que se haya dictado la correspondiente resolución a la reclamación, esta se podrá entender desestimada.

El Consejo de Universidades notificará la resolución definitiva a la universidad solicitante, comunicándola asimismo a la Comunidad Autónoma y a la agencia de calidad implicada, y al Ministerio de Universidades.

B) Carácter oficial e inscripción de los títulos universitarios oficiales en el Registro de Universidades, Centros y Títulos

Verificado el plan de estudios por el Consejo de Universidades y después de emitirse la autorización de la Comunidad Autónoma, se establecerá el carácter oficial del título por acuerdo del Consejo de Ministros a propuesta del titular del Ministerio de Universidades, y será publicado en el «Boletín Oficial del Estado», con lo que el título universitario adquiere plenamente su validez en todo el territorio nacional.

Una vez declarado el carácter oficial del título y posteriormente publicado en el «Boletín Oficial del Estado», se inscribirá en el RUCT, con la denominación del título cuya memoria del plan de estudios ha sido verificada. Esta información será pública y el Ministerio de Universidades, como responsable del RUCT garantizará su accesibilidad al conjunto de la ciudadanía. La inscripción en el RUCT tendrá además efectos constitutivos respecto de la creación de títulos universitarios oficiales y llevará aparejada la consideración inicial de título acreditado a los efectos legal y reglamentariamente establecidos.

El inicio de la impartición de la docencia del título universitario oficial no podrá tener lugar hasta haberse realizado lo establecido en los párrafos 1 y 2 anteriores.

Establecida la oficialidad y validez del título universitario, el Rector o la Rectora de la universidad correspondiente –o de aquella que coordinará el título– ordenará publicar en el «Boletín Oficial del Estado» y en el diario oficial de la Comunidad Autónoma donde se ubica la universidad el plan de estudios, que deberá concretarse en la publicación de la estructura académica de dicho título.

Desde el momento en el que se produzca su publicación oficial, la universidad o las universidades que han impulsado el título dispondrán de un máximo de dos cursos académicos para implantar e iniciar la docencia de este.

Si no se produjese dicho inicio, el título perderá su acreditación inicial. El órgano competente de la Comunidad Autónoma donde se ubica la universidad deberá acreditar si se ha producido la implantación e inicio de la docencia. En caso negativo, deberá tramitar la extinción del título e informar al Ministerio de Universidades a efectos de su oportuna anotación en el RUCT, dándose publicación de ello en el diario oficial de la Comunidad Autónoma.

1.8.3. Seguimiento de los títulos

A) Procedimiento de seguimiento de los títulos que se imparten en centros universitarios no acreditados institucionalmente

Serán objeto de seguimiento del cumplimiento del proyecto académico contenido en el plan de estudios todos los títulos universitarios oficiales que se impartan en centros no acreditados institucionalmente, los títulos nuevos verificados y los que hayan obtenido la renovación de la acreditación. Este procedimiento lo desarrollarán los centros a través de los órganos establecidos en la normativa de la universidad. Para ello, de acuerdo con las directrices de la agencia de calidad correspondiente y con lo reflejado en los informes de evaluación externa, elaborarán al menos un informe de seguimiento, preceptivo transcurridos tres años después de la implantación efectiva o renovación de la acreditación.

Estos informes tienen por objeto el seguimiento del desarrollo del plan de estudios del título universitario oficial con el objetivo de valorar el cumplimiento con los criterios y planteamientos académicos fundamentales recogidos en la memoria del plan de estudios. Estos informes de seguimiento, asimismo, acreditarán la transparencia de la información e indicadores que muestren los resultados académicos del título, detectarán posibles deficiencias en la implantación e identificarán las buenas prácticas en el seguimiento y mejora permanente de los estudios universitarios. Los citados informes serán remitidos a la agencia de calidad correspondiente, para su valoración, según establezca el protocolo de cada agencia.

En el caso de que, con ocasión del informe de seguimiento se detecten incumplimientos graves de los compromisos adquiridos en la memoria del plan de estudios, la agencia de calidad elevará la notificación de estos hechos a los órganos de gobierno del centro y de la universidad y lo pondrá en conocimiento de la Comunidad Autónoma, para que se actúe adoptándose las medidas que se consideren oportunas a efectos de salvaguardar los intereses formativos del estudiantado, pudiendo, en su caso, comportar la extinción del título.

Las agencias de evaluación establecerán de forma conjunta un protocolo con los criterios básicos que sirvan de orientación para la elaboración de los informes de seguimiento.

B) Procedimiento de seguimiento de los títulos que se imparten en centros universitarios acreditados institucionalmente

El seguimiento de los títulos que se imparten en centros universitarios acreditados institucionalmente se realizará en el ámbito del seguimiento de dichos centros, conforme a lo dispuesto en el artículo 14 y concordantes del Real Decreto 640/2021, de 27 de julio, de creación, reconocimiento y autorización de universidades y centros universitarios, y acreditación institucional de centros universitarios.

1.8.4. Modificación de los planes de estudios

A) Procedimiento para la modificación no sustancial de los planes de estudios impartidos en centros universitarios no acreditados institucionalmente

En el supuesto de que las modificaciones no supongan un cambio en la naturaleza, objetivos y características fundamentales del título inscrito, y sean, por tanto, modificaciones no sustanciales, estas, una vez aprobadas por los órganos de gobierno de la universidad previo informe favorable de los sistemas internos de garantía de la calidad, serán remitidas a la agencia de calidad competente para su aceptación.

La agencia de calidad competente deberá notificar su resolución en el plazo de dos meses desde la fecha de recepción de la solicitud de modificación. Transcurrido dicho plazo sin pronunciamiento expreso, la universidad podrá considerar aceptada su propuesta.

La universidad incorporará las modificaciones a la memoria del plan de estudios del título respectivo a través de la aplicación del Ministerio de Universidades y comunicará la memoria modificada a la agencia competente y a la Comunidad Autónoma o Comunidades Autónomas correspondientes.

Las agencias de calidad establecerán de forma común los criterios generales para delimitar qué tipos de cambios de la memoria del plan de estudios de un título son susceptibles de considerarse como no sustanciales.

B) Procedimiento para la modificación no sustancial de los planes de estudios impartidos en centros universitarios acreditados institucionalmente

Las modificaciones que no supongan un cambio en la naturaleza, objetivos y características fundamentales del título inscrito, y sean, por tanto, modificaciones no sustanciales, serán aprobadas por los órganos de gobierno de la universidad, previo informe favorable preceptivo y vinculante de los sistemas internos de garantía de la calidad.

La universidad incorporará las modificaciones a la memoria del plan de estudios del título respectivo, a través de la aplicación correspondiente del Ministerio de Universidades, y comunicará la memoria modificada a la agencia competente y a la Comunidad Autónoma o Comunidades Autónomas correspondientes.

Las agencias de calidad establecerán de forma común los criterios generales para delimitar qué tipos de cambios de la memoria del plan de estudios de un título son susceptibles de considerarse como no sustanciales.

C) Procedimiento para la modificación sustancial de los planes de estudios impartidos en centros universitarios no acreditados institucionalmente

Los centros universitarios no acreditados institucionalmente podrán proponer, a través de su universidad, modificaciones sustanciales de los planes de estudios verificados, que serán solicitadas al Consejo de Universidades para su aprobación.

Sin perjuicio de lo que puedan acordar las agencias de calidad, serán objeto de modificación sustancial como mínimo los siguientes aspectos que afecten a la naturaleza, objetivos y características del título como:

a) la incorporación o modificación de menciones y especialidades y su distribución de créditos;

b) el cambio en la modalidad de impartición;

c) la incorporación o cambio en complementos de formación;

d) la distribución de materias y asignaturas de formación básica y de formación obligatoria;

e) el cambio en el volumen de créditos del trabajo final de Grado y de Máster;

f) el cambio en el número de plazas ofertadas y la modificación parcial en la denominación del título.

No obstante lo anterior, si conforme a la propuesta de la universidad las modificaciones presentadas suponen a juicio de la agencia correspondiente el diseño de un nuevo título, se emitirá por dicha agencia informe denegando las modificaciones solicitadas y se instará a la verificación de un nuevo título.

El procedimiento para la modificación sustancial se tramitará conforme a lo establecido para el proceso de verificación de los planes de estudios.

Producida la aprobación definitiva de la modificación sustancial, esta tendrá efecto de conformidad con el calendario de implantación previsto a tal fin en la memoria modificada.

En el supuesto de que las modificaciones aceptadas afecten a los términos de la denominación del título contenidos en la resolución de verificación de la memoria del plan de estudios, o de forma significativa a la estructura de las enseñanzas en los términos expresados en el correspondiente apartado de la memoria establecida en el anexo II del Real Decreto 822/2021, se procederá a una nueva publicación del plan de estudios.

En todo caso, las agencias de calidad establecerán de forma común los criterios generales para delimitar qué tipos de cambios de la memoria del plan de estudios de un título universitario oficial son susceptibles de incluirse en este tipo de procedimiento.

D) Procedimiento para la modificación sustancial de los planes de estudios impartidos en centros universitarios acreditados institucionalmente

Los centros universitarios acreditados institucionalmente podrán proponer, a través de su universidad, modificaciones sustanciales de los planes de estudios verificados, que serán solicitadas para su aprobación por el Consejo de Universidades. Esta propuesta irá acompañada de un informe motivado sobre la adecuación académica y normativa de la modificación sustancial realizado por el Sistema Interno de Garantía de la Calidad del centro o de la universidad.

Sin perjuicio de lo que puedan acordar las agencias de calidad, serán objeto de modificación sustancial como mínimo los aspectos previstos en el apartado C) anterior.

El procedimiento para la modificación sustancial se tramitará conforme a lo establecido para el proceso de verificación de las memorias de los planes de estudios. La agencia de calidad en el momento de realizar su informe deberá tener en consideración primordialmente el informe elaborado por el Sistema Interno de Garantía de la Calidad del centro o universidad proponente de la modificación sustancial.

Producida la aprobación definitiva de la modificación sustancial, esta tendrá efecto de conformidad con el calendario de implantación previsto a tal fin en la memoria modificada.

En el supuesto de que las modificaciones aceptadas afecten a los términos de la denominación del título contenidos en la resolución de verificación de la memoria del plan de estudios, o de forma significativa a la estructura de las enseñanzas en los términos expresados en el correspondiente apartado de la memoria establecida en el anexo II del Real Decreto 822/2021, se procederá a una nueva publicación del plan de estudios.

En todo caso, las agencias de calidad establecerán de forma común los criterios generales para delimitar qué tipos de cambios de la memoria del plan de estudios de un título universitario oficial son susceptibles de incluirse en este tipo de procedimiento.

1.8.5. Renovación de la acreditación

A) Procedimiento de renovación de la acreditación de los títulos impartidos en centros universitarios no acreditados institucionalmente

Los centros universitarios que no estén acreditados institucionalmente deberán renovar la acreditación de sus títulos universitarios oficiales de acuerdo con el procedimiento que cada Comunidad Autónoma establezca en relación con las universidades de su ámbito competencial, que será resuelta por el Consejo de Universidades a partir del informe preceptivo y vinculante de la agencia de calidad correspondiente, dentro de los siguientes plazos:

a) La acreditación de los títulos universitarios oficiales de Grado que tengan 240 créditos deberá haber sido renovada en el plazo máximo de seis años, desde la fecha de inicio de impartición del título o de renovación de la acreditación anterior.

b) La acreditación de los títulos universitarios oficiales de Grado que tengan 300 o 360 créditos deberá haber sido renovada en el plazo máximo de ocho años, desde la fecha de inicio de impartición del título o de renovación de la acreditación anterior.

c) La acreditación de los títulos universitarios oficiales de Máster deberá haber sido renovada en el plazo máximo de seis años, desde la fecha de inicio de impartición del título o de renovación de la acreditación anterior.

d) La acreditación de los títulos universitarios oficiales de Doctorado deberá haber sido renovada en el plazo máximo de seis años, desde la fecha de inicio del programa de Doctorado o de renovación de la acreditación anterior.

El procedimiento de renovación de la acreditación de un título universitario oficial no podrá tener una duración superior a los seis meses.

Para el inicio de este procedimiento, la universidad efectuará la solicitud al Consejo de Universidades a través de la aplicación correspondiente del Ministerio de Universidades.

La solicitud de renovación de la acreditación recibida se trasladará, en el plazo máximo de 5 días hábiles, a la agencia de calidad competente para que compruebe que el plan de estudios se está llevando a cabo de acuerdo con su proyecto inicial, mediante una evaluación que ha de incluir, en todo caso, una visita de personas expertas externas a la universidad, con la participación de al menos un estudiante, y que concluirá con la elaboración de un informe de evaluación preceptivo para el Consejo de Universidades.

Cuando se trate de la segunda o sucesivas renovaciones de la acreditación del título, en el proceso de evaluación se abordarán los aspectos que hayan sido señalados como objeto de especial atención en anteriores renovaciones de la acreditación, sin perjuicio del aseguramiento de la calidad en todos los aspectos del título.

La agencia elaborará una propuesta justificada de informe sobre la renovación de la acreditación que será enviada a la universidad para que pueda presentar alegaciones en el plazo de 20 días hábiles.

Valoradas las alegaciones, si las hubiere, la agencia de evaluación propondrá un informe definitivo que podrá ser favorable o desfavorable a la renovación de la acreditación, y lo enviará a la universidad solicitante, al Consejo de Universidades, a la Comunidad Autónoma o Comunidades Autónomas correspondientes y al Ministerio de Universidades.

El Consejo de Universidades, una vez recibido el informe de la agencia de calidad dictará la correspondiente resolución. Si el informe es favorable se dictará resolución estimatoria y en caso de que el informe sea desfavorable, se dictará resolución desestimatoria de la renovación de la acreditación. La resolución deberá ser motivada y expresará los recursos que contra la misma procedan, órgano administrativo o judicial ante el que hubieran de presentarse y plazo para interponerlos. Transcurridos los plazos previstos sin que se haya dictado la correspondiente resolución, el sentido del silencio administrativo será estimatorio.

El Consejo de Universidades notificará la resolución de renovación de la acreditación o de no renovación en los 3 días hábiles después de haberla aprobado, a la universidad solicitante del título, comunicándola a la Comunidad Autónoma o Comunidades Autónomas interesadas, a la agencia de evaluación que ha participado en el procedimiento y al Ministerio de Universidades. En el caso en el que un título no renueve su acreditación, el título será declarado «a extinguir», practicándose en el RUCT la anotación a tal efecto. Como consecuencia de ello, la Comunidad Autónoma competente determinará la extinción progresiva de su plan de estudios, con periodicidad anual, desde el año académico siguiente a aquel en que se produjo la citada resolución, debiendo declarar su extinción definitiva cuando esta se produzca a efectos de su inscripción en el RUCT. En todo caso, tanto la Comunidad Autónoma como la universidad, en el ámbito de sus respectivas competencias, deberán adoptar las medidas adecuadas que garanticen los derechos académicos de los estudiantes que se encuentren cursando dichos estudios.

La universidad implicada podrá presentar una reclamación ante la Presidencia del Consejo de Universidades en el plazo de 15 días hábiles desde la recepción de la resolución del Consejo de Universidades. Si se admite a trámite la reclamación, esta deberá ser valorada por la Comisión de Reclamaciones de Verificación y Acreditación de Planes de Estudios del Consejo de Universidades. La comisión estará formada por expertos académicos y profesionales que no hayan participado en el procedimiento evaluativo hasta el momento.

El Consejo de Universidades, una vez concluido el procedimiento, comunicará la resolución del procedimiento de renovación de la acreditación al RUCT, para incorporar al expediente del título la renovación favorable o la no renovación de dicha acreditación. La correspondiente resolución pondrá fin a la vía administrativa de acuerdo con lo establecido en el artículo 114.1.b) de la Ley 39/2015, de 1 de octubre. Transcurridos los plazos previstos sin que se haya dictado la correspondiente resolución a la reclamación, se podrá entender desestimada.

La universidad cuyo título universitario oficial no haya solicitado renovación de la acreditación de un título universitario oficial en el correspondiente plazo o que, habiéndolo hecho, no hubiera obtenido la misma, no podrá presentar en los dos años siguientes, a contar desde la fecha en la que venció la acreditación del título, una memoria de plan de estudios a un nuevo proceso de verificación si este es similar en denominación y contenidos fundamentales con el plan de estudios del título que no ha renovado la acreditación.

B) Procedimiento de renovación de la acreditación de los títulos que se imparten en centros universitarios acreditados institucionalmente

Los centros universitarios que hayan obtenido la acreditación institucional mediante el procedimiento establecido el artículo 14 del Real Decreto 640/2021, de 27 de julio, renovarán la acreditación de los títulos universitarios oficiales que impartan mientras dichos centros mantengan la acreditación institucional. En el RUCT deberá consignarse como fecha de renovación la correspondiente a la resolución de acreditación institucional dictada por el Consejo de Universidades.

1.9. Las enseñanzas propias de las Universidades. La formación permanente

1.9.1. Las enseñanzas propias universitarias

Las universidades en uso de su autonomía podrán impartir otras enseñanzas conducentes a la obtención de otros títulos distintos a los títulos universitarios oficiales, que serán definidos como títulos propios. La expedición de estos títulos se realizará del modo que determine la universidad, y teniendo presente lo establecido en el Real Decreto 822/2021, sin que en ningún caso ni su denominación ni el formato en que se elaboren e informen públicamente los correspondientes títulos propios puedan inducir a confusión con respecto los títulos universitarios oficiales.

1.9.2. La formación permanente

Dentro de los estudios universitarios propios, la formación permanente estará conformada por una serie de enseñanzas cuya finalidad es fortalecer la formación de los ciudadanos y ciudadanas a lo largo de la vida, actualizando y ampliando sus conocimientos, sus capacidades y sus habilidades generales, específicas o multidisciplinares de los diversos campos del saber.

Este tipo de enseñanzas podrá ser impartida por centros o institutos de formación permanente, fundaciones universitarias, facultades o escuelas sean propias o adscritas, así como institutos de investigación, a partir de los establecido en los respectivos Estatutos o Normas de organización y funcionamiento de la universidad. Los órganos de gobierno de la universidad regularán mediante una normativa específica como mínimo las condiciones de impartición, las plazas disponibles, el plan de estudios, la participación de profesorado propio de la universidad y del externo, y los precios de dichos títulos que, en las universidades públicas, serán aprobados por el Consejo Social. Asimismo, las universidades en la información institucional harán constar expresamente que estos títulos son de formación permanente.

Estas enseñanzas de formación permanente podrán desarrollarse en la modalidad docente presencial, híbrida o virtual.

Todos los títulos de formación permanente deberán tener como responsable como mínimo un profesor o una profesora de la universidad en la cual se imparten, pudiendo tener codirectores o codirectoras de otras universidades, profesionales de reconocido prestigio, personal de organizaciones sociales y empresariales o entidades, o miembros de otras administraciones.

En todo caso, las universidades deberán diferenciar las enseñanzas de formación permanente que requieran titulación universitaria previa de las que no lo requieran.

Dentro del primer grupo, cuyo objetivo es la ampliación de conocimientos y competencias, la especialización y la actualización formativa de titulados y tituladas universitarias, se pueden diferenciar los siguientes títulos: el Máster de Formación Permanente (con una carga de 60, 90 y 120 créditos ECTS), el Diploma de Especialización (con entre 30 y 59 créditos) y el Diploma de Experto (de menos de 30 créditos).

En el segundo grupo, cuya finalidad es la ampliación y actualización de conocimientos, competencias y habilidades formativas o profesionales que contribuyan a una mejor inserción laboral de los ciudadanos y de las ciudadanas sin titulación universitaria, se entregará un Certificado con la denominación del curso respectivo, en el que ha de figurar la carga crediticia correspondiente.

Igualmente, las universidades podrán impartir enseñanzas propias de menos de 15 ECTS que requieran o no titulación universitaria previa, en forma de microcredenciales o micromódulos, que permitan certificar resultados de aprendizaje ligados a actividades formativas de corta duración. En ningún caso estas enseñanzas podrán confundirse con las titulaciones ofertadas por los centros de Formación Profesional de Grado Medio o Grado Superior.

Las universidades, en el ejercicio de su autonomía, podrán utilizar otras denominaciones para sus títulos de formación permanente, exceptuando el caso del Máster de Formación Permanente que siempre tendrá esta denominación. En todo caso, si así fuere, se deberá mantener las características establecidas en el presente apartado 1.9.2, siempre diferenciando expresamente estos títulos de formación permanente de los títulos universitarios oficiales.

Los órganos de gobierno de las universidades deberán aprobar anualmente la programación de formación permanente. Asimismo, asegurarán que las unidades, centros, institutos o fundaciones que implementen títulos de formación permanente en su información institucional, documental o publicitaria no induzcan a confusión en cuanto al nivel de estos títulos, especialmente en el caso del Máster de Formación Permanente que siempre deberá contemplar en su difusión esta denominación.

La universidad garantizará la calidad y el rigor académico y científico de los títulos de formación permanente, siendo ello responsabilidad de los sistemas internos de garantía de la calidad que la institución universitaria determine. Específicamente, en el caso del Máster de Formación Permanente, previamente a su aprobación por los órganos de gobierno, deberá contar preceptivamente con un informe favorable del Sistema Interno de Garantía de la Calidad de la universidad, que tendrá carácter vinculante para esta. Una vez obtenido este informe favorable la universidad podrá solicitar la inclusión en el RUCT de este, siempre con la denominación de Máster de Formación Permanente en la temática considerada.

1.10. Otras disposiciones contenidas en el Real Decreto 822/2001

1.10.1. Eficacia de los títulos universitarios oficiales correspondientes a la ordenación previa al EEES

Los títulos universitarios oficiales obtenidos conforme a planes de estudios anteriores a la actual ordenación de las enseñanzas universitarias implementadas bajo los principios del Espacio Europeo de Educación Superior mantendrán todos sus efectos académicos y, en su caso, profesionales.

Las personas que posean un título oficial español de Licenciado/a, Arquitecto/a o Ingeniero/a y deseen acceder a enseñanzas oficiales de Grado, podrán conseguir el reconocimiento de créditos que proceda en términos académicos. De igual modo, ese título les permitirá acceder a enseñanzas de Máster Universitario. En este caso, si procediera podrían reconocerse créditos con relación a los conocimientos, competencias y habilidades aprendidas en los títulos precedentes y su adecuación con el plan de estudios del Máster Universitario correspondiente al que se pretenda acceder.

Las personas que posean un título oficial de Diplomado/a, Arquitecto/a Técnico/a o Ingeniero/a Técnico/a, y deseen acceder a enseñanzas oficiales de Grado, podrán conseguir el reconocimiento de créditos que proceda en términos académicos. De igual modo, ese título les permitirá acceder a enseñanzas de Máster Universitario, pudiendo la universidad en el ejercicio de su autonomía exigir complementos formativos si fueren necesarios académicamente. Además, si procediera y de forma excepcional y motivada podrían reconocerse créditos con relación a los conocimientos, competencias y habilidades aprendidas en los títulos precedentes y su adecuación con el plan de estudios del Máster Universitario correspondiente al que se quiere acceder.

1.10.2. Aplicación de convenios internacionales en materia de reconocimiento mutuo de titulaciones universitarias

Mediante los correspondientes acuerdos o convenios internacionales bilaterales o multilaterales, se podrán reconocer expresamente como equivalentes a títulos universitarios oficiales españoles a los títulos universitarios emitidos por universidades del país o de los países firmantes, con independencia de lo fijado en la normativa específica sobre homologación y equivalencias de enseñanzas universitarias extranjeras.

1.10.3. Universidades Concordatarias de la Iglesia Católica

Las universidades de la Iglesia Católica establecidas en España con anterioridad al Acuerdo de 3 de enero de 1979, entre el Estado español y la Santa Sede, sobre Enseñanza y Asuntos Culturales, en virtud de lo establecido en el Convenio entre la Santa Sede y el Estado español, de 10 de mayo de 1962, y el mencionado Acuerdo, mantienen sus procedimientos especiales en materia de reconocimiento de efectos civiles de planes de estudios y títulos, mientras no opten por transformarse en universidades privadas.

En todo caso, a efectos de hacer efectivos dichos procedimientos estas universidades solicitarán al Consejo de Universidades la verificación de la memoria del plan de estudios conducente a la obtención de un título universitario oficial, que será evaluada por la agencia de calidad correspondiente como el resto de oferta oficial del sistema universitario. Dicha verificación se llevará a cabo una vez se compruebe que dichos planes de estudios se ajustan a las directrices y condiciones establecidas por el Gobierno con carácter general, fijados en el Real Decreto 822/2021.

El Consejo de Universidades, una vez verificado el título universitario, lo remitirá al Ministerio de Universidades para que su titular proponga al Gobierno que, mediante acuerdo del Consejo de Ministros, se establezca su carácter oficial y ordene su inscripción en RUCT y su publicación en el «Boletín Oficial del Estado».

Para el desarrollo de los procedimientos de modificación, seguimiento y de la renovación de la acreditación de estos títulos universitarios oficiales, se procederá de idéntica forma que lo establecido en el Real Decreto 822/2021 dependiendo de si son centros acreditados institucionalmente o no.

1.10.4. Títulos de Especialistas en Ciencias de la Salud

Los títulos universitarios no podrán inducir a confusión ni coincidir en ningún caso en su denominación y contenidos con los de los títulos universitarios que habiliten para el ejercicio de una profesión sanitaria o con los de los especialistas en ciencias de la salud regulados en la Ley 44/2003, de 21 de noviembre, de ordenación de las profesiones sanitarias.

Las universidades decidirán, a partir de la formación investigadora que acredite cada uno de los especialistas en ciencias de la salud de los contemplados en el párrafo anterior, la formación complementaria que en su caso hayan de cursar para presentación y defensa de la tesis doctoral en el marco del Real Decreto 99/2011, de 28 de enero.

1.10.5. Titulaciones universitarias conjuntas internacionales

En el procedimiento de verificación de planes de estudios conducentes a titulaciones conjuntas internacionales, entendiendo como tales los títulos universitarios oficiales españoles a los que conducen enseñanzas conjuntas entre una o más universidades españolas y una universidad extranjera o varias universidades extranjeras, los informes de evaluación emitidos por órganos de evaluación inscritos en el Registro Europeo de Agencias de Aseguramiento de la Calidad en la Educación Superior (EQAR, en su siglas en inglés) serán reconocidos por las agencias de calidad españolas competentes a efectos de emisión del informe previsto para el procedimiento de verificación de planes de estudio.

En el caso de tratarse de titulaciones universitarias conjuntas con países cuyas agencias no formen parte dicho registro o no dispongan de agencias de evaluación de la calidad, será necesario que el título conjunto cuente con informe favorable de ANECA o de la agencia de evaluación de la Comunidad Autónoma donde radique la universidad española solicitante.

En todo caso, asimismo, la universidad o las universidades podrán utilizar el Procedimiento Europeo para la Garantía de la Calidad de los Programas Conjuntos adoptado por los Ministros Europeos responsables de Educación Superior (*European Approach for Quality Assurance of Joint Programmes*) en las diferentes etapas del proceso de evaluación, modificación sustancial y acreditación, siempre que el país de la universidad coordinadora haya suscrito este acuerdo.

El plazo para la renovación de la acreditación de estas titulaciones será el que determine la normativa del país donde se ha emitido el informe de evaluación externa.

En el caso de que el título universitario conjunto de Grado tuviese una carga crediticia diferente de la establecida por el Real Decreto 822/2021, será necesario, previa a su autorización, disponer de informe favorable de ANECA o de la agencia de la evaluación de la Comunidad Autónoma donde radique la universidad española solicitante.

La gestión de los expedientes académicos del estudiantado, la normativa académica, la emisión de los títulos y del Suplemento Europeo al Título, así como el precio de la prestación del servicio académico, quedarán reflejadas en el convenio suscrito entre las universidades que promueven la titulación conjunta. En todo caso, la universidad o las universidades españolas siempre contarán con una copia del expediente de los y las estudiantes matriculado

1.10.6. Titulaciones universitarias conjuntas internacionales en el marco del Programa de Universidades Europeas de la Comisión Europea

Las enseñanzas oficiales de Grado, de Máster y de Doctorado conjuntas que se desarrollen como parte indisociable de un proyecto aprobado en el marco de la convocatoria oficial de la Comisión Europea del Programa de Universidades Europeas (Erasmus+ *European Universities*), en las que participen una o varias universidades españolas, serán objeto de una serie de especificidades en materia de evaluación de la calidad de la memoria y en su acreditación, en la matriculación del estudiantado, en la gestión del expediente del o la estudiante, y en la emisión del título.

A efectos de lo anterior, se entiende por título conjunto el correspondiente a un único plan de estudios oficial diseñado y participado por todas o como mínimo tres de las universidades del consorcio que han conformado las universidades que participan en una determinada alianza y que han suscrito el correspondiente convenio.

La memoria del plan de estudios de los títulos universitarios oficiales de Grado, de Máster y de Doctorado conjuntos internacionales en la que participe una o varias universidades españolas en el marco de una convocatoria del Programa de Universidades Europeas, podrá ser evaluada por una agencia de calidad de uno de los países a los que pertenecen las universidades que promueven el título, siempre y cuando esta agencia esté inscrita en el Registro Europeo de Agencias de Aseguramiento de la Calidad en la Educación Superior (EQAR, en su siglas en inglés) o tengan esa consideración en la respectiva legislación nacional –en su caso por el órgano de evaluación establecido en el país–. El informe resultado de esa evaluación será válido a todos los efectos en el procedimiento de verificación de un título universitario oficial en España. Este mismo procedimiento podrá implementarse para las modificaciones sustanciales de los planes de estudios y para la renovación de la acreditación de un título universitario oficial.

Las memorias de los planes de estudios conducentes a titulaciones conjuntas de Grado, Máster o Doctorado oficial de tres o más universidades (siempre que incluyan una o varias universidades españolas) que participen en un proyecto aprobado en el marco de una convocatoria del Programa de las Universidades Europeas de la Comisión Europea, podrán utilizar el Procedimiento Europeo para la Garantía de la Calidad de los Programas Conjuntos adoptado por los Ministros Europeos responsables de Educación Superior (*European Approach for Quality Assurance of Joint Programmes*), en las diferentes etapas del proceso de verificación, seguimiento, modificación sustancial de los planes de estudios y renovación de la acreditación del título universitario oficial, siempre que el país de la universidad coordinadora haya suscrito este acuerdo.

El plazo para la renovación de la acreditación de estas titulaciones será el que determine la normativa del país donde se ha emitido el informe de evaluación externa.

Si el informe emitido por la agencia de aseguramiento de la calidad es positivo, este será remitido al Consejo de Universidades al objeto de que este dicte la correspondiente resolución de verificación, informándose a todas las universidades que promueven el título, así como a la Comunidad Autónoma o a las Comunidades Autónomas de la universidad o universidades españolas participantes, y al Ministerio de Universidades. Posteriormente, una vez autorizada su implantación por la correspondiente Comunidad Autónoma, se procederá con arreglo al procedimiento general establecido en el Real Decreto 822/2021 (art. 27).

El nivel de aprendizaje alcanzado y superado por los y las estudiantes en las enseñanzas oficiales de Grado y de Máster, se expresará mediante las calificaciones que se establezcan en el convenio. Asimismo, se deberá disponer de la tabla de equivalencias con el marco de calificaciones de los países implicados en la titulación. De igual modo, deberá especificarse el procedimiento de evaluación que se seguirá en el caso del programa de Doctorado conjunto.

De forma excepcional, en estas enseñanzas conjuntas internacionales conducentes a la obtención de títulos universitarios oficiales en el marco de la convocatoria del Programa de las Universidades Europeas, los precios de los servicios académicos los fijará el consorcio y quedarán reflejados en el convenio, y estarán relacionados con los costes de prestación del servicio del conjunto de los países implicados.

La gestión de los expedientes académicos del estudiantado matriculado en estos títulos universitarios oficiales conjuntos, la normativa académica, la emisión de los títulos

y del Suplemento Europeo al Título quedará reflejada en el convenio suscrito entre las universidades de cada alianza, que definirá su forma de concreción. En todo caso, la universidad o las universidades españolas siempre contarán con una copia del expediente de los y las estudiantes matriculados.

La duración de los títulos universitarios oficiales implicados en estos proyectos académicos conjuntos dentro del Programa de Universidades Europeas, podrá ser diferente a la establecida en el Real Decreto 822/2021, en tanto que así se haya establecido en el proyecto aprobado por la Comisión Europea en la respectiva convocatoria y reciba el informe favorable de una agencia de calidad.

1.10.7. Verificación y de renovación de la acreditación de titulaciones universitarias conjuntas internacionales Erasmus Mundus

Se considerará, a todos los efectos, que las enseñanzas oficiales universitarias promovidas a través de consorcios internacionales en las que participen universidades españolas y extranjeras que habiendo sido evaluadas y seleccionadas por la Comisión Europea en convocatorias competitivas hayan obtenido el sello Erasmus Mundus, cuentan con el informe favorable de verificación.

La universidad española solicitante que participa en un determinado programa Erasmus remitirá al Ministerio de Universidades el plan de estudios aprobado por la Comisión Europea, al que acompañará el convenio suscrito por los participantes en el consorcio y el escrito justificativo de haber alcanzado el sello Erasmus Mundus, así como la documentación que proporcione la información imprescindible para la inscripción del título en el RUCT.

El Ministerio de Universidades enviará el expediente al Consejo de Universidades a efectos de emitir la correspondiente resolución.

Se entenderá que estas titulaciones cumplen con el requisito de renovación de su acreditación mientras siga en vigor el sello Erasmus Mundus. Concluido el plazo de vigencia, si no se obtiene la renovación de este, las universidades que quisieran continuar impartiendo el plan de estudios de dicha titulación, deberán solicitar la modificación sustancial del mismo sin la calificación de Erasmus Mundus.

1.10.8. Programas académicos con recorridos sucesivos en el ámbito de la Ingeniería y la Arquitectura

Las universidades, en el ámbito de su autonomía, podrán ofertar como experiencia docente piloto programas académicos como recorridos sucesivos –ciclos consecutivos–, que vinculen un título de Grado y un título de Máster Universitario orientado a la especialización profesional, manteniendo su diferenciación e independencia estructural. Estos programas tienen como finalidad reforzar la formación integral del o la estudiante. En ningún caso, la denominación del programa académico podrá inducir a confusión con la posible habilitación profesional a la que puedan conducir los títulos que lo integran.

La ordenación académica propuesta para el programa académico deberá haber sido informada favorablemente por la agencia de calidad competente. La oferta de estos programas académicos no constituirá en ningún caso una nueva inscripción en el RUCT.

Las universidades podrán establecer, mediante una normativa aprobada por sus órganos de gobierno, un procedimiento para el acceso a los estudios oficiales de Máster Universitario de estos programas sin haber superado el Grado vinculado. Este consistirá en permitir que un o una estudiante de Grado vinculado al que le reste por superar el TFG y una o varias asignaturas que en ningún caso de forma conjunta (TFG y asignaturas) podrán superar los 30 créditos ECTS, podrá acceder y matricularse en el Máster Universitario vinculado. En ningún caso, podrá obtener el título de Máster Universitario si previamente no ha obtenido el título universitario oficial de Graduada o Graduado. Las universidades garantizarán la prioridad en la matrícula de los y las estudiantes que dispongan del título universitario oficial de Grado.

Queda expresamente prohibida la reserva de plaza en el Máster Universitario implicado en un programa académico con recorridos sucesivos en el ámbito de la Ingeniería y la Arquitectura, para aquellos estudiantes que lo cursen desde el Grado. De igual modo, un o una estudiante que lo curse podrá abandonar este programa académico específico en cualquier momento tanto si está matriculado en el Grado como en el Máster Universitario.

1.10.9. Menciones en las titulaciones que habilitan para el ejercicio de las profesiones de Maestro o Maestra en Educación Infantil y de Maestro o Maestra en Educación Primaria

Con carácter excepcional, es posible cursar menciones previstas en los planes de estudios de los títulos universitarios oficiales de Grado que habiliten para el ejercicio de las profesiones de Maestro en Educación Infantil o Maestro en Educación Primaria, en una universidad distinta a aquella en la que se obtuvo previamente el indicado título universitario. En este caso, no se podrá expedir un nuevo título a quienes cursen tales menciones, por lo que la universidad expedirá un certificado académico oficial que se considerará como documento válido a los efectos de acreditación de la obtención de tal mención.

1.10.10. Disposiciones transitorias

A) Títulos en proceso de verificación o de establecimiento de su carácter oficial con relación a las ramas de conocimiento

Sin perjuicio de los establecido en la disposición transitoria quinta, los títulos universitarios oficiales de Grado o de Máster Universitario que en el momento de la entrada en

vigor del Real Decreto 822/2021 se encuentren en proceso de verificación por una agencia de calidad o de establecimiento de su carácter oficial, mantendrán su adscripción a las ramas de conocimiento y todas aquellas cuestiones académicas relacionadas con las ramas de conocimiento, con lo que no será necesaria modificar la memoria en evaluación para adaptarla a su adscripción a los ámbitos del conocimiento y en todas aquellas cuestiones implicadas.

B) Adaptación de las titulaciones al formato de las modalidades docentes presencial, híbrida y virtual

Los títulos de Grado y de Máster que, en el momento de entrada en vigor del Real Decreto 822/2021, dispongan de unas modalidades docentes cuyos porcentajes de créditos fueren diferentes a los intervalos establecidos, dispondrán de hasta tres años para adaptarse a lo fijado en dicha norma.

C) Agencias de aseguramiento de la calidad en proceso de inscripción en el EQAR

Las agencias de aseguramiento de la calidad de las Comunidades Autónomas que, en el momento de entrada en vigor del Real Decreto 822/2021, aún no estén inscritas en el Registro Europeo de Agencias de Aseguramiento de la Calidad en la Educación Superior (*The European Quality Assurance Register for Higher Education*, EQAR), dispondrán de un periodo transitorio de cuatro años en los cuales podrán seguir desarrollando las funciones que les son propias y que se establecen en esa norma con relación a los procedimientos de garantía de la calidad universitaria.

D) Adaptación de la adscripción a los ámbitos de conocimiento y de la memoria de verificación del plan de estudios

Los títulos universitarios oficiales habrán de adscribirse a un ámbito de conocimiento en el plazo máximo de cuatro años a contar desde la entrada en vigor del Real Decreto 822/2021. A tal efecto, la universidad solicitará la correspondiente modificación, pudiendo optar por modificar tan solo los aspectos relacionados con la adscripción a un determinado ámbito de conocimiento o bien adaptar la memoria de verificación del plan de estudios al modelo establecido en dicho real decreto.

Asimismo, la memoria de verificación de los planes de estudios habrá de adaptarse al modelo establecido en el anexo II cuando la universidad proponga una modificación sustancial de la citada memoria.

E) Denominación de los Másteres propios de las universidades

Los Másteres propios de las universidades dispondrán de dos años, desde el momento de entrada en vigor del Real Decreto 822/2021, para adaptar su denominación al formato establecido esa norma.

F) Enseñanzas universitarias oficiales que cuenten con un reconocimiento Dual

Los títulos universitarios oficiales de Grado y de Máster que, a la entrada en vigor del Real Decreto 822/2021, cuenten con un reconocimiento Dual otorgado por una agencia de aseguramiento de la calidad competente deberán solicitar una modificación de su plan de estudios para adaptarse a los requisitos establecidos en esa norma.

De forma excepcional, los estudiantes matriculados en los títulos universitarios oficiales de Grado y de Máster que, a la entrada en vigor del Real Decreto 822/2021, cuenten con un reconocimiento similar otorgado por una agencia de aseguramiento de la calidad competente podrán finalizar sus estudios con dicho reconocimiento.

2. El Espacio europeo de enseñanza superior. El Real Decreto 1125/2003, de 5 de septiembre, por el que se establece el sistema europeo de créditos y el sistema de calificaciones en las titulaciones universitarias de carácter oficial y validez en todo el territorio nacional

2.1. El Espacio europeo de enseñanza superior. La declaración de Bolonia

2.1.1. Desarrollo histórico

La Declaración de Bolonia tiene como precedente la firma de la Carta Magna de las Universidades (*Magna Charta Universitatum*) por los rectores de universidades europeas el 18 de septiembre de 1988 en Bolonia, que proclama los principios básicos de la reforma:

a) Libertad de investigación y enseñanza.

b) Selección de profesorado.

c) Garantías para el estudiante.

d) Intercambio entre universidades.

Diez años después se firmó la Declaración de la Sorbona (25 de mayo de 1998) en una reunión de ministros de Educación de cuatro países europeos (Alemania, Italia, Francia y Reino Unido)[6].

---

[6] El 25 de mayo de 1998, los Ministros de Educación de Francia, Alemania, Italia y Reino Unido firmaron en la Sorbona una Declaración instando al desarrollo de un "Espacio Europeo de Educación Superior". Ya durante este encuentro, se previó la posibilidad de una reunión de seguimiento en 1999, teniendo en cuenta que la Declaración de la Sorbona era concebida como un primer paso de un proceso político de cambio a largo plazo de la enseñanza superior en Europa.

El 19 de junio de 1999, 29 ministros de Educación europeos firmaron la Declaración de Bolonia, que da el nombre al proceso y en el que se basan los fundamentos del Espacio Europeo de Educación Superior (EEES), que ha finalizado en el año 2010.

El proceso de convergencia europea conocido también como Proceso de Bolonia es un proceso muy amplio de reforma a escala europea que tiene como objetivo la creación del Espacio Europeo de Educación Superior para el año 2010. Promovido en 1999 por los ministros de educación superior de 29 países, este proceso se ha ido desarrollando y ha ampliado su alcance hasta abarcar en la actualidad a 47 países, lo que supone una representación de casi 30 millones de estudiantes (todos los países miembros del Consejo de Europa excepto Mónaco y San Marino).

Los objetivos estratégicos para la creación del Espacio Europeo, según se enuncian en la **Declaración de Bolonia**, se centran en:

1. Un sistema fácilmente comprensible y comparable de titulaciones que permitan fomentar el acceso al mercado laboral e incrementar la competitividad del sistema universitario europeo para que se convierta en un destino atractivo para los estudiantes y profesores de otras regiones del mundo.
2. El establecimiento de un sistema basado fundamentalmente en tres ciclos principales (grado, máster y doctorado).
3. La adopción de un sistema de créditos compatibles que promocione la movilidad.
4. La promoción de la cooperación europea para garantizar la calidad de la Educación Superior a través del desarrollo de redes, proyectos conjuntos, organismos específicos de soporte, etc., para definir criterios y metodologías comparables.
5. El impulso de las dimensiones europeas necesarias en la educación.
6. La promoción de la movilidad de estudiantes, profesores y personal administrativo de las universidades y otras instituciones de Educación Superior europeas.

Posteriormente en el **Comunicado de Praga** (mayo de 2001) se introducen algunas líneas adicionales:

1. El aprendizaje a lo largo de la vida como elemento esencial para alcanzar una mayor competitividad europea, para mejorar la cohesión social, la igualdad de oportunidades y la calidad de vida.

2. El rol activo de las universidades, de las instituciones de educación superior y de los estudiantes en el desarrollo del proceso de convergencia.
3. La promoción del atractivo del Espacio Europeo de Educación Superior mediante el desarrollo de sistemas de garantía de la calidad y de mecanismos de certificación y de acreditación.

El 19 de septiembre de 2003, los ministros responsables de la Educación Superior procedentes de 33 países, se reunieron en **Berlín (Alemania)** con el objetivo de analizar el progreso efectuado, y para establecer prioridades y nuevos objetivos para los años siguientes, con vista a acelerar la realización del área de Educación Superior Europea.

Los ministros reafirmaron la importancia social del proceso de Bolonia. La necesidad de incrementar la competitividad debe ser equilibrada con el objetivo de mejorar las características sociales del área de Educación Superior Europea, se pretende que exista un fortalecimiento de la cohesión social y que se reduzcan las desigualdades sociales y de género, tanto a nivel nacional como a nivel europeo. En ese contexto, los Ministros reafirman su posición de que la Educación Superior es una responsabilidad pública. Señalan que deben prevalecer los valores académicos en la cooperación académica internacional y en los intercambios.

En su reunión en Berlín, los ministros responsables de educación superior definieron tres prioridades, cuyas líneas de acción específicas se recogen en el Comunicado de Berlín para los siguientes dos años: asegurar la calidad, a través del desarrollo de criterios y metodologías de evaluación de calidad compartidas; desarrollar la estructura de los grados y un marco de calificaciones internacional para el EEES (el sistema ECTS) y, por último, establecer el reconocimiento de los grados y los periodos de estudio, para lo cual los ministros subrayaron la importancia de que los países ratificasen el Convenio de Lisboa (*Lisbon Recognition Convention*), de manera que cada estudiante que se graduase desde 2005 recibiera un Diploma de Suplemento Europeo al Título automáticamente y sin coste económico alguno. Finalmente, los ministros consideraron la importancia de la investigación en el proceso y la necesidad de implicar el tercer ciclo en el proceso de convergencia, y de establecer vínculos y sinergias entre el EEES y el Espacio Europeo de Investigación.

La siguiente reunión de ministros tuvo lugar en **Bergen (Noruega)** los días 19 y 20 de mayo de 2005. Los ministros de 45 países elaboraron el Comunicado de Bergen con las principales conclusiones, entre las que se destacaron los avances realizados y se resaltaron los principales desafíos futuros, especialmente tres aspectos: la mayor vinculación entre educación superior e investigación con la plena incorporación del doctorado como elemento fundamental de conexión entre los espacios de educación superior e investigación; el desarrollo de la dimensión social de la educación superior mejorando las condiciones de igualdad de acceso y la acogida y atención a los estudiantes y los recursos financieros y, finalmente, la dimensión internacional de la educación europea, con el apoyo decidido a la movilidad de los estudiantes y de todo el personal universitario.

La siguiente conferencia de ministros de educación superior tuvo lugar en **Londres** durante los días 17 y 18 de mayo de 2007 y en ella se verificaron los procesos desde la reunión celebrada en Bergen.

La siguiente cumbre ministerial, celebrada en **Lovaina (Bélgica)** en abril de 2009, puso de manifiesto los retos a los que hace frente el EEES de aquí al año 2020, y así consta en el Comunicado de Lovaina. La última reunión fue celebrada en **Bucarest** en 2012.

Con el fin de coordinar la organización de estas reuniones se constituyó el *Grupo de Seguimiento de Bolonia* (BFUG). Está integrado por representantes de los Estados miembro del proceso y se reúne de forma regular al menos dos veces al año para preparar los distintos aspectos de la Conferencia de Ministros. Asimismo, el grupo aprueba programas de trabajo que incluyen seminarios y reuniones sobre cuestiones específicas relacionadas con el proceso de convergencia europea.

Paralelamente a las reuniones de los ministros, la Comisión Europea se implicó en el proceso de convergencia de la educación superior europea. Así, la Comisión ha publicado varios *documentos* apoyando la iniciativa, entre los que destacan la Comunicación de mayo de 2003 (El papel de las universidades en la Europa del conocimiento), la de abril de 2005 (Movilizar el capital intelectual de Europa); la Recomendación del Parlamento Europeo y el Consejo, de noviembre 2005, sobre las Competencias clave para el aprendizaje permanente, así como el Informe 2006 de la Comisión y el Consejo (Modernizar la Educación y la formación una contribución esencial a la prosperidad y a la cohesión social, sobre los progresos registrados en la puesta en práctica del programa de trabajo Educación y Formación 2010).

Asimismo, la Comisión, a través del programa Sócrates, financia la creación de *grupos nacionales* conocidos como Promotores de Bolonia cuyo objetivo es colaborar con las instituciones de educación superior para la difusión de la información relacionada con el proceso de convergencia europea. Están formados por personas cuya actividad está relacionada directamente con la educación superior y que tienen suficientes conocimientos y experiencia para asesorar y colaborar con las instituciones en la puesta en marcha de las prioridades de este proceso.

Las organizaciones de universidades europeas han acogido muy positivamente la iniciativa ministerial. Así, la Asociación de la Universidad Europea (EUA) se implicó en el proceso y ha desarrollado varios estudios sobre la Educación Superior Europea, como los Informes Trends, que se presentan en las reuniones bianuales de ministros de educación superior y aportan elementos clave de discusión sobre el proceso de convergencia.

Igualmente, en las conferencias de Salamanca (2001), Graz (2003), Glasgow (2005) y Lisboa (2007), la EUA hizo explícito su apoyo y sugerencias a la iniciativa del EEES. Estas declaraciones han constituido elementos esenciales para la elaboración posterior de los comunicados de los ministros europeos de Educación.

Los 45 países firmantes de la Declaración de Bolonia emprendieron las reformas legislativas pertinentes para adaptarse al Espacio Europeo de Educación Superior. En un primer momento en España se aprobaron los reales decretos en los que se establece la estructura de las enseñanzas universitarias y se regulan los estudios universitarios oficiales de grado y posgrado; se establece el sistema europeo de créditos y el sistema de calificaciones en las titulaciones de carácter oficial así como el procedimiento para la expedición por las universidades del Suplemento Europeo al Título.

La creación de un EEES no pretende armonizar los sistemas de educación superior nacionales, sino proveer herramientas para conectar dichos sistemas y tender puentes que faciliten a los individuos la movilidad de un sistema de educación superior a otro. El objetivo último es, en definitiva, encontrar el equilibrio entre diversidad y unidad, esto es, permitir que se mantenga la diversidad de los sistemas nacionales y las universidades en términos de cultura, lenguas y objetivos, a la vez que se mejora, a través del EEES, la transparencia entre los sistemas de educación superior y se desarrollan instrumentos que facilitan el reconocimiento de los grados y las cualificaciones académicas, la movilidad y los intercambios entre instituciones.

El proceso de convergencia en materia de educación superior no es un proceso cerrado en sí mismo, sino que mira al exterior, que se implica en el desarrollo de las tendencias internacionales de educación y busca alcanzar las mayores cotas de competitividad a nivel mundial.

2.1.2. La declaración de Bolonia

La creación de un Espacio Europeo de la Educación Superior antes del año 2010 es el objetivo fundamental de la Declaración de Bolonia firmada el 19 junio de 1999 por los ministros de Educación de 29 países europeos. A continuación reproducimos el texto de dicha Declaración.

Gracias a los extraordinarios avances registrados en los últimos años, el proceso de construcción europea es hoy una realidad tangible y significativa para la Unión sus ciudadanos.

La perspectiva de la ampliación y el estrechamiento de las relaciones con otros países europeos enriquecen esta realidad dotándola de nuevas dimensiones. Al mismo tiempo, asistimos a una creciente sensibilización en amplios sectores del mundo político y académico, así como en la opinión pública, acerca de la necesidad de construir una Europa más completa e influyente, especialmente a través del refuerzo de sus dimensiones intelectuales, culturales, sociales, científicas y pedagógicas.

Pocos ponen hoy en duda que la Europa del conocimiento es un factor insustituible de cara al desarrollo social y humano y a la consolidación y el enriquecimiento de la ciudadanía europea, capaz de ofrecer a los ciudadanos las competencias necesarias para responder a los retos del nuevo milenio y reforzar la conciencia de los valores compartidos y de la pertenencia a un espacio social y cultural común.

La importancia fundamental de la educación y de la cooperación en este ámbito para el desarrollo y la consolidación de sociedades estables, pacíficas y democráticas es universalmente reconocida, especialmente a la vista de la situación en el sudeste de Europa.

La declaración de la Sorbona el 25 de mayo de 1998, inspirada en estas mismas consideraciones, subraya el papel fundamental de las universidades en el desarrollo de las dimensiones culturales europeas e insistía en la necesidad de crear un espacio europeo de la enseñanza superior como medio privilegiado para fomentar la movilidad y la empleabilidad de los ciudadanos y el desarrollo global de nuestro continente.

Algunos países europeos aceptaron la invitación a comprometerse en la consecución de los objetivos señalados en la declaración mediante su firma, o expresando su adhesión a estos principios. La dirección tomada por diversas reformas de la enseñanza superior, adoptadas mientras tanto en Europa, dan testimonio de la voluntad de actuar de muchos Gobiernos.

Por su parte, las instituciones de enseñanza superior europeas han aceptado el reto y han adquirido un papel principal en la construcción del Espacio Europeo de Enseñanza Superior, siguiendo así los principios fundamentales expuestos en la *Magna Charta Universitatum*, adoptada en Bolonia en 1988. Este aspecto reviste especial importancia, ya que la independencia y la autonomía de las Universidades garantizan que los sistemas de enseñanza superior y de investigación pueden adaptarse en todo momento a las nuevas necesidades, a las expectativas de la sociedad y a la evolución de los conocimientos científicos.

El rumbo emprendido y los objetivos marcados apuntan en la buena dirección, pero si queremos conseguir una mayor compatibilidad y comparabilidad entre los diferentes sistemas de enseñanza superior se requiere un impulso constante. Hemos de apoyar esta dinámica promoviendo medidas concretas que permitan alcanzar progresos tangibles. La reunión del 18 de junio contó con la participación de expertos académicos de todos los países europeos y aportó ideas de gran utilidad acerca de iniciativas que podrían adoptarse de cara al futuro.

Merece especial atención el objetivo de mejorar la competitividad del sistema de enseñanzas superior. La vitalidad y la eficacia de una civilización se miden por el influjo que su cultura ejerce sobre otros países. Debemos garantizar que la capacidad de atracción del sistema europeo de enseñanza superior en el mundo entero esté a la altura de su extraordinaria tradición cultural y científica.

Al tiempo que reafirmamos nuestra adhesión a los principios generales que subyacen en la declaración de la Sorbona, nos comprometemos a coordinar nuestras políticas para alcanzar en un breve plazo de tiempo, y en cualquier caso dentro de la primera década del tercer milenio, los objetivos siguientes, que consideramos de capital importancia para establecer el área europea de educación superior y promocionar el sistema europeo de enseñanza superior en todo el mundo:

1. Adopción de un sistema de títulos fácilmente comprensibles y comparables, por medio, entre otras medidas, del suplemento europeo al título, a fin de promover la empleabilidad de los ciudadanos europeos y la competitividad del sistema de enseñanza superior europeo a escala internacional.
2. Adopción de un sistema basado esencialmente en dos ciclos principales, diplomatura (pregrado) y licenciatura (grado). El acceso al segundo ciclo requerirá que los estudios de primer ciclo se hayan completado, con éxito, en un periodo mínimo de tres años. El título obtenido después del primer ciclo será también considerado en el mercado laboral europeo como nivel adecuado de cualificación. El segundo ciclo conducirá al grado de maestría y/o doctorado, al igual que en muchos países europeos.

3. El establecimiento de un sistema de créditos –similar al sistema de ETCS– como medio adecuado para promocionar una más amplia movilidad estudiantil. Los créditos se podrán conseguir también fuera de las instituciones de educación superior, incluyendo la experiencia adquirida durante la vida, siempre que esté reconocida por las Universidades receptoras involucradas.
4. Promoción de la movilidad, eliminando los obstáculos para el ejercicio efectivo de libre intercambio, prestando una atención particular a:
   a) El acceso a oportunidades de estudio y formación y servicios relacionados, para los estudiantes.
   b) El reconocimiento y valoración de los periodos de estancia en instituciones de investigación, enseñanza y formación europeas, sin perjuicio de sus derechos estatutarios, para los profesores, investigadores y personal de administración.
5. Promoción de la cooperación europea en aseguramiento de la calidad con el objeto de desarrollar criterios y metodologías comparables.
6. Promoción de las dimensiones europeas necesarias en educación superior, particularmente dirigidas hacia el desarrollo curricular, cooperación entre instituciones, esquemas de movilidad y programas de estudio, integración de la formación e investigación.

Por la presente nos comprometemos a conseguir estos objetivos –dentro del contexto de nuestras competencias institucionales y respetando plenamente la diversidad de culturas, lenguas, sistemas de educación nacional y de la autonomía Universitaria– para consolidar el Espacio Europeo de Enseñanza superior. Con tal fin, seguiremos en la vía de la cooperación intergubernamental, junto con los de las organizaciones europeas no gubernamentales con competencias en el ámbito de la enseñanza superior. Esperamos que las Universidades respondan de nuevo con prontitud y positivamente y que contribuyan activamente al éxito de nuestros esfuerzos.

Convencidos de que el establecimiento del Espacio Europeo de Enseñanza Superior requiere un constante apoyo, supervisión y adaptación a unas necesidades en constante evolución, decidimos reunirnos de nuevo dentro de dos años para evaluar el progreso obtenido y las nuevas medidas que deben adoptarse.

2.2. Desarrollo normativo: la implantación del sistema de créditos europeos

La ya derogada Ley Orgánica 6/2001, de 21 de diciembre, de Universidades (LOU), estableció que, a fin de promover la más amplia movilidad de estudiantes y titulados españoles en el espacio europeo de enseñanza superior, el Gobierno, previo informe del Consejo de Universidades, adoptaría las medidas que aseguraran que los títulos oficiales expedidos por las universidades españolas se acompañen del suplemento europeo al título. Asimismo, el Gobierno, previo informe del Consejo de Universidades, establecerá las

normas necesarias para que la unidad de medida del haber académico, correspondiente a la superación de cada una de las materias que integran los planes de estudio de las diversas enseñanzas conducentes a la obtención de títulos de carácter oficial y validez en todo el territorio nacional, sea el crédito europeo.

Entre las medidas encaminadas a la construcción del Espacio Europeo de Educación Superior se encuentra el establecimiento del Sistema Europeo de Transferencia de Créditos (ECTS) en las titulaciones oficiales de grado y de posgrado. Este sistema se ha generalizado a partir de los programas de movilidad de estudiantes Sócrates-Erasmus, facilitando las equivalencias y el reconocimiento de estudios realizados en otros países. Asimismo, su implantación ha sido recomendada en las sucesivas declaraciones de Bolonia (1999) y Praga (2001).

El sistema europeo de créditos está ya implantado en una gran mayoría de los Estados miembros y asociados a la Unión Europea y constituye un punto de referencia básico para lograr la transparencia y armonización de sus enseñanzas. La adopción de este sistema constituye una reformulación conceptual de la organización del currículo de la educación superior mediante su adaptación a los nuevos modelos de formación centrados en el trabajo del estudiante. Esta medida del haber académico comporta un nuevo modelo educativo que ha de orientar las programaciones y las metodologías docentes centrándolas en el aprendizaje de los estudiantes, no exclusivamente en las horas lectivas.

El sistema europeo de transferencia y acumulación de créditos ofrece, asimismo, los instrumentos necesarios para comprender y comparar fácilmente los distintos sistemas educativos, facilitar el reconocimiento de las cualificaciones profesionales y la movilidad nacional e internacional, con reconocimiento completo de los estudios cursados, incrementar la colaboración entre universidades y la convergencia de las estructuras educativas y, en fin, fomentar el aprendizaje en cualquier momento de la vida y en cualquier país de la Unión Europea.

Las repercusiones de la adopción del crédito europeo serán, entre otras, las siguientes:

a) Incrementará la transparencia para comprender y comparar fácilmente los sistemas educativos.

b) Facilitará el reconocimiento de las cualificaciones profesionales.

c) Dotará al sistema de flexibilidad, con mayores oportunidades de formación en la Unión Europea.

d) Incrementará la colaboración entre Universidades y la convergencia de las estructuras educativas.

e) Representará un importante cambio conceptual con grandes repercusiones sobre los métodos docentes y de aprendizaje.

f) Implicará una revisión de las actuales titulaciones desde la nueva perspectiva del trabajo/esfuerzo del estudiante.

g) Fomentará el aprendizaje en cualquier momento de la vida, en cualquier país de la UE y con cualquier tipo de enseñanza (*Life Long Learning – LLL*).

Por Real Decreto 1125/2003, de 5 de septiembre, se establece el sistema europeo de créditos y el sistema de calificaciones en las titulaciones universitarias de carácter oficial y validez en todo el territorio nacional.

Dicha norma tiene por objeto establecer el crédito europeo como la unidad de medida del haber académico en las enseñanzas universitarias de carácter oficial, así como el sistema de calificación de los resultados académicos obtenidos por los estudiantes en estas enseñanzas.

El concepto de crédito y el modo de su asignación establecidos en esta norma se aplicarán a las directrices generales propias correspondientes a títulos universitarios de carácter oficial que apruebe el Gobierno a partir de la entrada en vigor del Real Decreto, así como a los planes de estudios que deban cursarse para la obtención y homologación de dichos títulos.

2.2.1. Concepto de crédito

El crédito europeo es la unidad de medida del haber académico que representa la cantidad de trabajo del estudiante para cumplir los objetivos del programa de estudios y que se obtiene por la superación de cada una de las materias que integran los planes de estudios de las diversas enseñanzas conducentes a la obtención de títulos universitarios de carácter oficial y validez en todo el territorio nacional.

En esta unidad de medida se integran las enseñanzas teóricas y prácticas, así como otras actividades académicas dirigidas, con inclusión de las horas de estudio y de trabajo que el estudiante debe realizar para alcanzar los objetivos formativos propios de cada una de las materias del correspondiente plan de estudios.

2.2.2. Asignación de créditos

El número total de créditos establecido en los planes de estudios para cada curso académico será de 60.

El número de créditos de cada titulación será distribuido entre la totalidad de las materias integradas en el plan de estudios que deba cursar el alumno, en función del número total de horas que comporte para el alumno la superación o realización de cada una de ellas.

En la asignación de créditos a cada una de las materias que configuren el plan de estudios se computará el número de horas de trabajo requeridas para la adquisición por los estudiantes de los conocimientos, capacidades y destrezas correspondientes. En esta asignación deberán estar comprendidas las horas correspondientes a las clases lectivas, teóricas o prácticas, las horas de estudio, las dedicadas a la realización de seminarios, trabajos, prácticas o proyectos, y las exigidas para la preparación y realización de los exámenes y pruebas de evaluación.

Esta asignación de créditos, y la estimación de su correspondiente número de horas, se entenderá referida a un estudiante dedicado a cursar a tiempo completo estudios universitarios durante un mínimo de 36 y un máximo de 40 semanas por curso académico.

El número mínimo de horas, por crédito, será de 25, y el número máximo, de 30.

El Gobierno, previo informe del Consejo de Universidades, fijará el número mínimo de créditos que deban ser asignados a una determinada materia en planes de estudio de enseñanzas conducentes a la obtención de títulos universitarios oficiales con validez en todo el territorio nacional.

2.2.3. Sistema de calificaciones

La obtención de los créditos correspondientes a una materia comportará haber superado los exámenes o pruebas de evaluación correspondientes.

El nivel de aprendizaje conseguido por los estudiantes se expresará con calificaciones numéricas que se reflejarán en su expediente académico junto con el porcentaje de distribución de estas calificaciones sobre el total de alumnos que hayan cursado los estudios de la titulación en cada curso académico.

La media del expediente académico de cada alumno será el resultado de la aplicación de la siguiente fórmula: suma de los créditos obtenidos por el alumno multiplicados cada uno de ellos por el valor de las calificaciones que correspondan, y dividida por el número de créditos totales obtenidos por el alumno.

Los resultados obtenidos por el alumno en cada una de las materias del plan de estudios se calificarán en función de la siguiente escala numérica de 0 a 10, con expresión de un decimal, a la que podrá añadirse su correspondiente calificación cualitativa:

- 0-4,9: Suspenso (SS).
- 5,0-6,9: Aprobado (AP).
- 7,0-8,9: Notable (NT).
- 9,0-10: Sobresaliente (SB).

Los créditos obtenidos por reconocimiento de créditos correspondientes a actividades formativas no integradas en el plan de estudios no serán calificados numéricamente ni computarán a efectos de cómputo de la media del expediente académico.

La mención de «Matrícula de Honor» podrá ser otorgada a alumnos que hayan obtenido una calificación igual o superior a 9.0. Su número no podrá exceder del cinco % de los alumnos matriculados en una materia en el correspondiente curso académico, salvo que el número de alumnos matriculados sea inferior a 20, en cuyo caso se podrá conceder una sola «Matrícula de Honor».

2.2.4. Adaptación al sistema

Las enseñanzas universitarias actuales conducentes a la obtención de un título universitario oficial que estén implantadas en la actualidad deberán, en todo caso, adaptarse al sistema de créditos establecido con anterioridad al 1 de octubre de 2010.

3. El Registro de Universidades, Centros y Títulos

3.1. Contenido

El artículo 7 de la LOSU establece que los títulos universitarios de carácter oficial deberán inscribirse en el Registro de Universidades, Centros y Títulos. Esta inscripción tendrá efectos constitutivos respecto de la creación de títulos universitarios oficiales y llevará aparejada la consideración inicial de título acreditado a los efectos legal y reglamentariamente establecidos. Podrán, igualmente, inscribirse otros títulos no oficiales a efectos informativos.

Así, el RUCT, que tendrá carácter público y de registro administrativo, se concibe como un instrumento que recogerá la información actualizada relativa al sistema universitario español, para lo que se inscribirán en el mismo los datos relevantes relativos a Universidades, Centros y Títulos.

La nueva concepción en el diseño de los títulos universitarios que se recogía en el Real Decreto 1393/2007, de 29 de octubre, por el que se establecía la ordenación de las enseñanzas universitarias oficiales, se basaba en un proceso de verificación del plan de estudios que culmina con la inscripción en el RUCT del título oficial, como requisito necesario para la determinación del carácter oficial del mismo. De este modo, la inscripción en el RUCT de los títulos oficiales tendrá carácter constitutivo. Dicha inscripción tendrá como efecto la consideración inicial de título acreditado.

Además todos los procesos relativos a la renovación de la acreditación de los títulos, así como a la modificación y extinción de los planes de estudios conducentes a títulos oficiales deberán ser anotados en el RUCT.

El Real Decreto 1509/2008, de 12 de septiembre, regula el Registro de Universidades, Centros y Títulos y fue publicado en el Boletín Oficial del Estado número 232 de 25 de septiembre de 2008, entrando en vigor el 26 de septiembre de 2008. Fue modificado por la disposición final 2 del Real Decreto 822/2021, de 28 de septiembre.

3.2. El Registro de Universidades, Centros y Títulos

En el Ministerio de Educación, Cultura y Deporte se constituye el Registro de Universidades, Centros y Títulos (RUCT), que tendrá carácter público y de registro administrativo.

Se inscribirán en el RUCT, las Universidades y los Centros universitarios. Asimismo, deberán inscribirse los títulos universitarios de carácter oficial y con validez en todo el territorio nacional. También podrán inscribirse, a petición de la universidad expedidora, otros títulos de carácter no oficial, a efectos informativos.

En el RUCT se incluirá la información actualizada relativa al sistema universitario español, para lo que se inscribirán en el mismo los datos relevantes relativos a Universidades, Centros y Títulos.

El RUCT está constituido por el conjunto de las inscripciones de los elementos referidos en este apartado y por las demás diligencias que deban practicarse, de conformidad con lo previsto en el real decreto anteriormente citado.

3.2.1. Estructura del RUCT

El RUCT estará constituido por tres secciones:

a) Universidades.

b) Centros.

c) Títulos.

Dentro de la sección de Títulos existirán a su vez cinco subsecciones:

a) Títulos correspondientes a enseñanzas de Grado.

b) Títulos correspondientes a enseñanzas oficiales de Máster.

c) Títulos correspondientes a enseñanzas de Doctorado.

d) Títulos declarados equivalentes a los correspondientes a las anteriores subsecciones a) y b).

e) Títulos correspondientes a enseñanzas no oficiales.

El RUCT seguirá el sistema de asientos registrales, correspondiendo a cada inscripción un asiento en el que constarán los datos previstos para cada Universidad, Centro y Título.

3.2.2. Efectos de la Inscripción en el RUCT

La inscripción en el RUCT tendrá efectos informativos respecto de la situación jurídica de las universidades y centros, así como de los títulos.

En el caso de los títulos oficiales, tendrá además efectos constitutivos respecto de la creación de títulos universitarios oficiales y llevará aparejada la consideración inicial de título acreditado.

3.2.3. Funciones del RUCT

Las funciones del RUCT son las siguientes:

a) Inscripción y anotación de los datos registrales correspondientes a Universidades, Centros y Títulos universitarios.

b) Emisión de certificaciones sobre los datos registrados.

c) Coordinación y colaboración con los Registros que pudiesen existir sobre los mismos o análogos datos a los registrados.

d) Información de los datos registrados mediante el establecimiento de los oportunos mecanismos de acceso.

e) Mantenimiento del archivo documental en soporte informático en el que se depositarán los documentos que hayan servido para realizar las inscripciones.

3.2.4. Soporte del RUCT

El RUCT gestionará sus procedimientos por medios electrónicos, implantando sobre los sistemas en que se contenga la citada información, las medidas de seguridad previstas en la normativa vigente en materia de protección de datos de carácter personal.

A los efectos previstos el Ministerio de Educación, Cultura y Deporte dictará las oportunas instrucciones sobre procedimiento informático y de verificación documental.

Los órganos competentes para dar traslado de datos registrales al RUCT lo podrán realizar en soporte informático.

Cuando de los datos existentes en el RUCT se detecten irregularidades o se derive el incumplimiento de los requisitos establecidos, el Ministerio de Educación adoptará las medidas oportunas para promover, de acuerdo con lo dispuesto en las leyes, la anulación, cuando proceda, de las correspondientes inscripciones y llevar a cabo las acciones legales que resulten pertinentes.

3.2.5. Gestión del RUCT

La gestión del RUCT y la realización de todos los actos que se deriven del contenido del Real Decreto 1509/2008, de 12 de septiembre, corresponde a la Dirección General de Universidades.

3.2.6. Consulta del RUCT

La consulta al RUCT será pública y se realizará mediante la puesta a disposición de los interesados de los soportes informáticos en la forma que se establezca por el Ministerio de Ciencia e Innovación.

Los soportes informáticos deberán tener en cuenta lo establecido en el Reglamento sobre las condiciones básicas para el acceso de las personas con discapacidad a las tecnologías, productos y servicios relacionados con la sociedad de la información y medios de comunicación social, aprobado por Real Decreto 1494/2007, de 12 de noviembre.

3.3. Sección de Universidades

3.3.1. Inscripción de Universidades

En la sección de Universidades se realizarán las inscripciones relativas a las Universidades, correspondiendo a cada una de ellas un asiento registral en el que se anotarán los datos que se recogen en el apartado siguiente.

3.3.2. Contenido de los asientos registrales relativos a Universidades

La inscripción en la sección de Universidades ha de contener los siguientes datos:

a) Clave registral: a efectos de su identificación, el responsable de la gestión del Registro otorgará una clave registral a cada una de las Universidades.

b) Denominación completa.

c) Domicilio.

d) Fecha e instrumento de creación o reconocimiento.

e) Su titularidad pública, privada o de la Iglesia.

f) Administración educativa responsable.

g) Naturaleza del Centro.

3.3.3. Comunicación de datos registrales relativos a Universidades

Los datos registrales referidos a las Universidades, así como cualquier modificación que sufran los mismos, serán trasladados al RUCT por el Rector de la Universidad, **salvo** los relativos a su creación o reconocimiento, o a su supresión o revocación, o modificación del acto originario constitutivo por parte de la Administración educativa responsable, cuyo traslado corresponderá, en su caso, al órgano competente de dicha Administración Educativa, así como cualesquiera actos de naturaleza equivalente que corresponda adoptar a la misma.

Sin perjuicio de lo previsto anteriormente corresponde al Ministerio de Educación dar traslado al RUCT de los datos registrales referentes a las Universidades creadas por ley de las Cortes Generales, así como cualquier modificación que sufran los mismos.

El RUCT dará traslado al órgano competente de las comunidades autónomas de los asientos que se inscriban, referidos a las universidades pertenecientes a su respectivo ámbito competencial.

3.4. Sección de Centros

3.4.1. Inscripción de Centros

En la sección de Centros se realizarán las inscripciones relativas a los centros universitarios, correspondiendo a cada uno de ellos un asiento registral en el que se anotarán los datos que se recogen en el apartado siguiente.

3.4.2. Contenido de los asientos registrales relativos a Centros

La inscripción en la sección de Centros ha de contener los siguientes datos:

a) Clave registral: a efectos de su identificación, se otorgará una clave registral a cada uno de los Centros.

b) Denominación.

c) Universidad a la que se vincula.

d) Naturaleza de la vinculación.

e) Domicilio.

f) Fecha e instrumento de creación.

g) Su naturaleza de Escuela, Facultad, Departamento, Instituto Universitario de Investigación o de otro centro o estructura integrado o adscrito a una Universidad.

h) En el caso de los Institutos Universitarios de Investigación las entidades que lo constituyen.

3.4.3. Comunicación de datos registrales relativos a Centros

Los datos registrales referidos a los Centros, así como cualquier modificación que sufran los mismos, serán trasladados al RUCT por el Rector de la Universidad, salvo los relativos a su creación o reconocimiento, o a su supresión o revocación, o modificación del acto originario constitutivo por parte de la Administración educativa responsable, cuyo traslado corresponderá, en su caso, al órgano competente de dicha Administración Educativa, así como cualesquiera actos de naturaleza equivalente que corresponda adoptar a la misma.

Sin perjuicio de lo previsto anteriormente corresponde al Ministerio de Educación dar traslado al RUCT de los datos registrales referentes a las Universidades creadas por ley de las Cortes Generales, así como cualquier modificación que sufran los mismos.

El RUCT dará traslado al órgano competente de las Comunidades Autónomas de los asientos que se inscriban, referidos a las universidades pertenecientes a su respectivo ámbito competencial.

3.5. Sección de Títulos

3.5.1. Inscripción de títulos

En la sección de Títulos se realizarán las inscripciones en la subsección respectiva, correspondiendo a cada título un asiento registral en el que se anotarán los datos que se recogen en el apartado siguiente.

3.5.2. Contenido de los asientos registrales relativos a títulos oficiales

La inscripción en la sección de Títulos ha de contener **con carácter fundamental** los siguientes datos:

a) Clave registral: a efectos de su identificación, se otorgará una clave registral a cada uno de los títulos.

b) Denominación del título. En el caso de los títulos correspondientes a enseñanzas de Grado y Máster se indicará el ámbito de conocimiento al que están adscritos.

c) Universidad o centro que expide el título.

d) Acuerdo de Consejo de Ministros por el que se establece el carácter oficial del título con indicación de la fecha de publicación en el «Boletín Oficial del Estado».

e) En el caso de los títulos declarados equivalentes, norma por la que se declara la correspondiente equivalencia.

La inscripción en la sección de Títulos ha de contener **con carácter complementario** los siguientes datos:

a) Centro o centros en el que se imparten las enseñanzas.

b) Tipo de las enseñanzas conducentes al título (presencial, semipresencial, no presencial).

c) Número de plazas reservadas a alumnos de nuevo ingreso.

d) Número mínimo de créditos europeos de matrícula por estudiante y periodo lectivo y, en su caso, las normas de permanencia en las enseñanzas.

e) En el caso de títulos de Grado, el sistema de reconocimiento y transferencia de créditos con otras enseñanzas de la misma naturaleza.

f) Competencias generales y específicas que los estudiantes deban adquirir para la obtención del título.

g) La información a incluir en el Suplemento Europeo al Título.

h) La estructura de las enseñanzas conducentes al título, recogiéndose en este punto la denominación y descripción de los módulos o materias que integran el plan de estudios, el contenido de los mismos en créditos europeos (ECTS) y su naturaleza obligatoria u optativa.

i) En su caso, las condiciones o pruebas de acceso especiales.

j) Los procedimientos, incluido el sistema de reconocimiento y acumulación de créditos europeos, para la organización de la movilidad de los estudiantes propios y de acogida.

k) El cronograma de implantación del título y los procedimientos de adaptación de los estudiantes procedentes de enseñanzas anteriores al nuevo plan de estudios.

En el caso de títulos conjuntos la inscripción se realizará atendiendo a esta condición.

El órgano competente para la gestión del RUCT diferenciará, a través del correspondiente medio informático, el acceso a los datos registrales referentes a títulos según se trate de los correspondientes a los datos fundamentales o a los datos complementarios.

3.5.3. Comunicación de datos registrales relativos a títulos oficiales

Una vez publicado en el «Boletín Oficial del Estado» el Acuerdo de establecimiento del carácter oficial del título e inscripción en el RUCT, el responsable del RUCT procederá a la inscripción.

Las Universidades, tras obtener la autorización de la comunidad autónoma y la verificación por parte del Consejo de Universidades darán traslado al RUCT de la modificación de los datos registrales relativos a sus títulos.

3.5.4. Inscripción de títulos no oficiales

El Ministerio de Educación, Cultura y Deporte, previo informe del Consejo de Universidades y de la Conferencia General de Política Universitaria, adecuará las condiciones y criterios para acceder al registro de estos títulos.

Las Universidades podrán solicitar la inscripción, a efectos informativos, de los títulos de carácter no oficial que impartan.

El contenido de los asientos registrales relativos a estos títulos se regirá, en lo que resulte aplicable, por lo previsto en el Real Decreto 1509/2008, de 12 de septiembre, para el supuesto de los títulos universitarios de carácter oficial.

3.5.5. Responsabilidad sobre los datos registrados

La responsabilidad de la información contenida en los datos registrados en el RUCT corresponde a la Universidad, a la Administración Educativa o al órgano competente en cada caso para dar traslado de tales datos registrales al RUCT, salvo en aquellos en que sea imputable al propio Registro.

ANEXO I

Ámbitos de conocimiento

Los ámbitos del conocimiento en los cuáles inscribir los títulos universitarios oficiales de Grado y de Máster serán los siguientes:

- Actividad física y ciencias del deporte.
- Arquitectura, construcción, edificación y urbanismo, e ingeniería civil.
- Biología y genética.
- Bioquímica y biotecnología.
- Ciencias agrarias y tecnología de los alimentos.
- Ciencias biomédicas.
- Ciencias del comportamiento y psicología.
- Ciencias económicas, administración y dirección de empresas, márquetin, comercio, contabilidad y turismo.
- Ciencias de la educación.
- Ciencias medioambientales y ecología.
- Ciencias sociales, trabajo social, relaciones laborales y recursos humanos, sociología, ciencia política y relaciones internacionales.
- Ciencias de la Tierra.
- Derecho y especialidades jurídicas.
- Enfermería.
- Estudios de género y estudios feministas.
- Farmacia.
- Filología, estudios clásicos, traducción y lingüística.
- Física y astronomía.
- Fisioterapia, podología, nutrición y dietética, terapia ocupacional, óptica y optometría y logopedia.
- Historia del arte y de la expresión artística, y bellas artes.
- Historia, arqueología, geografía, filosofía y humanidades.
- Industrias culturales: diseño, animación, cinematografía y producción audiovisual.
- Ingeniería eléctrica, ingeniería electrónica e ingeniería de la telecomunicación.

- Ingeniería industrial, ingeniería mecánica, ingeniería automática, ingeniería de la organización industrial e ingeniería de la navegación.
- Ingeniería informática y de sistemas.
- Ingeniería química, ingeniería de los materiales e ingeniería del medio natural.
- Matemáticas y estadística.
- Medicina y odontología.
- Periodismo, comunicación, publicidad y relaciones públicas.
- Química.
- Veterinaria.
- Interdisciplinar.

ANEXO II

Modelo de memoria para la solicitud de verificación del plan de estudios de un título universitario oficial

Presentación

El plan de estudios configura el proyecto de título universitario oficial de Grado y Máster que deben presentar las universidades para su correspondiente verificación por el Consejo de Universidades previo informe favorable de la agencia de calidad correspondiente, para posteriormente, una vez obtenida la autorización de la Comunidad Autónoma, establecer su carácter oficial mediante Acuerdo de Consejo de Ministros, la posterior inscripción en el RUCT y su publicación en el BOE.

El proyecto constituye el compromiso de la institución sobre las características del título y las condiciones en las que se van a desarrollar las enseñanzas, que concretan el proyecto académico formativo que lo define. En la fase de acreditación, la universidad deberá justificar el ajuste del desarrollo y despliegue del título con lo propuesto en el proyecto de memoria presentada, o en todo caso justificar las causas académicas, infraestructurales o de disponibilidad de profesorado que explican el desajuste y las acciones realizadas en cada uno de los ámbitos.

La cumplimentación de la memoria del plan de estudios que acompañará a la solicitud de verificación de los planes de estudios se materializará en un fichero electrónico de intercambio abierto, que será remitido a los órganos de evaluación externa competentes a través del soporte informático habilitado al efecto por ANECA, facilitado mediante convenio a otras agencias, o mediante otros soportes propios de ellas, que a su vez conectarán con el soporte informático del Registro de Universidades, Centros y Títulos (RUCT).

La configuración y terminología empleada en la memoria del plan de estudios deberá estar alineada con los criterios y directrices para el aseguramiento de la calidad en el Espacio Europeo de Educación Superior (*Standards and Guidelines for Quality Assurance in the European Higher Education Area*, ESG), para facilitar los títulos conjuntos internacionales y el reconocimiento internacional de los títulos universitarios españoles.

La extensión de la memoria se limita a un máximo de 10.000 palabras, que podrán contener referencias a documentos oficiales de la universidad (convenios, normativas o acreditaciones institucionales) o del centro, con hipervínculos, en su caso, a su ubicación en la web institucional del centro o de la universidad.

Estos documentos oficiales podrán referirse a aspectos comunes a un conjunto de planes de estudios de la universidad, y deberán estar accesibles públicamente, sin necesidad de incorporarlos en su literalidad en cada memoria del plan de estudios. Todo ello sin perjuicio de que en el plan de estudios se puedan establecer desarrollos particulares de estos aspectos comunes, si se considera imprescindible y sin exceder el límite de extensión.

En particular, si el centro universitario responsable del plan de estudios está acreditado institucionalmente, no será necesario aportar evidencias que afecten al plan de estudios que se propone verificar y que ya hayan sido objeto de evaluación en el procedimiento de acreditación institucional.

1. Descripción, objetivos formativos y justificación del título

1.1 Denominación completa del título en castellano, pudiendo ser en inglés u otro idioma en caso de que todo el título se imparta en este idioma. También podrá tener denominación bilingüe.

1.2 Ámbito de conocimiento al que se adscribe.

1.3 En su caso, Menciones del título de Grado y Especialidades en el título de Máster Universitario.

1.4 Universidad o universidades, en el caso de títulos conjuntos, que imparten las enseñanzas.

1.4.bis) En el caso de títulos conjuntos, universidad solicitante responsable de los procedimientos de verificación, renovación de la acreditación, modificación o extinción. En estos casos se ha de aportar el correspondiente convenio subscrito por todas las universidades participantes.

1.5 Centro o centros universitarios en los que se imparte este título en la universidad o en las universidades.

1.5.bis) En el caso de títulos de Grado o de Máster Universitario impartidos en varios centros, centro responsable que asume la coordinación para un desarrollo armonizado de las enseñanzas.

1.6 Modalidad de enseñanza: presencial, híbrida y virtual.

1.7 Número total de créditos.

1.8 Idioma o idiomas de impartición.

1.9 Número de plazas ofertadas en el título.

1.9.bis) En caso de ser un título que combine una modalidad presencial con una modalidad virtual, se identificarán el número de plazas ofertadas en cada vía o itinerario.

1.10 Justificación del interés académico, científico, profesional y social del título e incardinación en el contexto de la planificación estratégica de la universidad o del sistema universitario de la Comunidad Autónoma.

1.11 Principales objetivos formativos del título.

1.11.bis) En su caso, objetivos formativos de Menciones o Especialidades según el título.

1.12 Estructuras curriculares específicas, justificación de sus objetivos.

1.13 Estrategias metodológicas de innovación docente específicas, justificación de sus objetivos.

1.14 Perfiles fundamentales de egreso a los que se orientan las enseñanzas.

1.14.bis) En su caso, actividad profesional regulada para la que el título habilita el acceso.

2. Resultados del proceso de formación y de aprendizaje

Los resultados del proceso de formación y de aprendizaje que supone un título académico, y que se concretan en conocimientos o contenidos, competencias y habilidades o destrezas asumidos por el estudiantado, deberán tener en cuenta los principios generales de la organización de las enseñanzas universitarias oficiales establecidos en este real decreto, en especial aquellos fijados en el artículo 3 y en el artículo 4; y en el caso de títulos que habilitan para el ejercicio de una actividad profesional regulada, ajustarse a las disposiciones establecidas en la correspondiente orden ministerial. Asimismo, deberán estar alineados con el nivel MECES de cualificación del título en el Espacio Europeo de Educación Superior (EEES) y ser coherentes con la denominación del título, su ámbito de conocimiento y el perfil de egreso.

Estos resultados deben ser evaluables, y deben centrarse en aquellos conocimientos o contenidos, competencias y habilidades o destrezas académicamente relevantes y significativas que definen el proyecto formativo que es un título universitario oficial. Su número no debe exceder en ningún caso de la capacidad para su adquisición por el estudiantado, de la viabilidad organizativa del plan de estudios ni de la racionalidad del sistema de evaluación que valore el progreso en el aprendizaje.

Se aportará un listado de los resultados fundamentales del proceso de formación y de aprendizaje. La universidad identificará cada resultado de aprendizaje, haciendo referencia a su clasificación (conocimientos o contenidos, competencias y habilidades o destrezas).

3. Admisión, reconocimiento y movilidad

3.1 Requisitos de acceso y procedimientos de admisión de estudiantes. En su caso, pruebas particulares de acceso o criterios particulares de admisión.

3.2 Criterios para el reconocimiento y transferencias de créditos. En el caso de enseñanzas que se extinguen por la implantación del correspondiente título propuesto, reflejar los reconocimientos en el título a implantar.

3.3 Procedimientos para la organización de la movilidad de los estudiantes propios y de acogida.

4. Planificación de las enseñanzas

4.1 Estructura básica de las enseñanzas: descripción de los módulos, materias o asignaturas del plan de estudios propuesto, indicando para cada caso:

a) Denominación.

b) Número de créditos ECTS.

c) Tipología (básica, obligatoria, optativa, prácticas académicas externas, trabajo fin de titulación).

d) Organización temporal.

e) Resultados básicos de aprendizaje (identificación de los más relevantes).

f) En caso de articularse el plan de estudios en módulos, aportar la distribución de materias o de asignaturas que comprenden –con su respectivo número de créditos ECTS).

4.2 Descripción básica de las actividades y metodologías docentes.

4.3 Descripción básica de los sistemas de evaluación.

4.4 Descripción básica de las estructuras curriculares específicas.

5. Personal académico y de apoyo a la docencia

5.1 Descripción de los perfiles básicos del profesorado y de otros recursos humanos necesarios y disponibles para desarrollar adecuadamente el plan de estudios propuesto.

5.2 Los perfiles se pueden describir de manera agregada por ámbitos del conocimiento (con relación a la docencia) o áreas de conocimiento del profesorado implicado (entendiéndose en términos del perfil de la plaza del profesorado), si bien se podrá descender a nivel del profesor o de la profesora implicados, sin necesidad en este caso de aportar información nominal.

5.3 Concretamente, se aportará la siguiente información:

a) Denominación del ámbito de conocimiento o área de conocimiento.

b) Número de profesores/as.

c) Número de doctores/as.

d) Categorías y acreditaciones.

e) Méritos docentes (solo en el caso del profesorado no acreditado)

f) Méritos investigadores (solo en el caso del profesorado no doctor)

g) Materias o asignaturas en las que están implicados.

h) Número de ECTS asumidos en las materias o asignaturas del plan de estudios.

i) Disponibilidad docente (en ECTS) por ámbito conocimiento o área de conocimiento.

6. Recursos para el aprendizaje: materiales e infraestructurales, prácticas y servicios

6.1 Justificación de que los medios materiales y servicios disponibles propios y, en su caso, concertados con otras entidades ajenas a la universidad, como espacios docentes, instalaciones y equipamientos académicos; laboratorios; aulas de informática; equipamiento científico, técnico, humanístico o artístico; biblioteca y salas de lectura; y disponibilidad de nuevas tecnologías –internet, campus virtual docente–, etc., son los adecuados para garantizar con calidad la adquisición de conocimientos o contenidos, competencias y habilidades o destrezas y el desarrollo de las actividades formativas planificadas, observando los criterios de accesibilidad universal y diseño para todas/os.

6.2 En el caso de que se incluyan prácticas académicas externas, señalar brevemente el mecanismo de organización y, asimismo, adjuntar como anexos los principales convenios o compromisos de las entidades, instituciones, organizaciones y empresas que recibirán al estudiantado.

6.3 En el caso de que no se disponga de todos los recursos materiales y servicios necesarios en el momento de la propuesta del plan de estudios, se deberá indicar la previsión de adquisición de los mismos.

7. Calendario de implantación

7.1 Cronograma de implantación del título –temporalización por cursos del despliegue de la enseñanza, o, en su caso, despliegue por varios cursos o total–.

7.2 Procedimiento de adaptación, en su caso, al nuevo plan de estudios por parte del estudiantado procedente de la anterior ordenación universitaria.

7.3 Enseñanzas que se extinguen por la implantación del correspondiente título propuesto.

8. Sistema Interno de Garantía de la Calidad

8.1 La universidad identificará el Sistema Interno de Garantía de la Calidad (SIGC) aplicable al título, que deberá ser conforme a los criterios y directrices para el aseguramiento de la calidad en el Espacio Europeo de Educación Superior (ESG).

A tal fin, se facilitará un acceso a la documentación del SIGC, indicando en su caso si se trata de un sistema institucional que ha sido objeto de certificación externa.

8.2 Identificación de los medios de información pública relevante del plan de estudios dirigidos a atender las necesidades del estudiantado.

ANEXOS

La universidad podrá incluir como anexos, en su caso, propuestas de desarrollos particulares para el título de determinadas normativas institucionales de organización académica con relación a especificidades de su naturaleza académica o profesionalizadora.

TEMA 7

Real Decreto 99/2011, de 28 de enero, por el que se regulan las enseñanzas oficiales de doctorado

Rentabiliza tu **esfuerzo** con los recursos del Curso Online MAD360.

Índice

1. El Real Decreto 99/2011, de 28 de enero, por el que se regulan las enseñanzas oficiales de Doctorado: definiciones

1.1. El Real Decreto 99/2011, de 28 de enero: aprobación y estructura

1.1.1. Aprobación, Preámbulo y Estructura

La Ley Orgánica 6/2001, de 21 de diciembre, de Universidades definió la estructura de las enseñanzas universitarias en tres ciclos: Grado, Máster y Doctorado.

Ley Orgánica 2/2023, de 22 de marzo, del Sistema Universitario (LOSU), en su artículo 9 establece que los estudios de Doctorado tienen como finalidad la adquisición de las competencias y las habilidades concernientes a la investigación dentro de un ámbito del conocimiento científico, técnico, humanístico, artístico o cultural.

Los estudios de Doctorado se organizarán en la forma que determinen los Estatutos o normas de organización y funcionamiento de las respectivas universidades, de acuerdo con los criterios que para la obtención del título de Doctor o Doctora apruebe el Gobierno, mediante real decreto, previo informe del Consejo de Universidades. Este real decreto regulará, entre otras, las menciones internacional e industrial en el título de Doctor/a.

El doctorado con mención industrial, que requerirá en todo caso de un convenio con la universidad, podrá desarrollarse mediante el contrato predoctoral previsto en el artículo 21 de la Ley 14/2011, de 1 de junio, de la Ciencia, la Tecnología y la Innovación, bien por entidades públicas, bien por empresas o entidades privadas cuando sean beneficiarias de ayudas o subvenciones públicas que tengan como objeto la contratación de personal predoctoral para esta modalidad de doctorado.

El desarrollo del tercer ciclo dentro de la construcción del Espacio Europeo de Educación Superior (EEES) debe tener presente las nuevas bases de la Agenda Revisada de Lisboa, así como la construcción del Espacio Europeo de Investigación (EEI) y los objetivos trazados para éste en el Libro Verde de 2007. De este modo, el doctorado debe jugar un papel fundamental como intersección entre el EEES y el EEI, ambos pilares fundamentales de la sociedad basada en el conocimiento. La investigación debe tener una clara importancia como parte integral de la educación superior universitaria y la movilidad debe ser valorada tanto en la etapa doctoral como Postdoctoral, como pieza esencial en la formación de jóvenes investigadores.

El proceso del cambio del modelo productivo hacia una economía sostenible necesita a los doctores como actores principales de la sociedad en la generación, transferencia y adecuación de la I+D+i. Los doctores han de jugar un papel esencial en todas las instituciones implicadas en la innovación y la investigación, de forma que lideren el trasvase desde el conocimiento hasta el bienestar de la sociedad.

Desde el punto de vista europeo, desde el comunicado de Berlín en 2003, hasta el último comunicado de Lovaina en 2009, los ministros europeos responsables de la educación superior han ido avanzando en el desarrollo de aquellos aspectos que deben caracterizar un programa de doctorado en el marco de los Espacios Europeos de Educación Superior e Investigación. De igual manera, los diferentes encuentros y actividades de la European University Association (EUA) han realizado un conjunto de estudios y recomendaciones para el desarrollo de los programas de doctorado.

En el Comunicado de Berlín (2003) se trata, dentro de las acciones adicionales, el papel del doctorado en la relación entre el EEES y el EEI. El proceso de concreción del doctorado como tercer ciclo se percibe de forma clara a partir del proyecto piloto «Doctoral Programmes for the European Knowledge Society» promovido por la European University Association (EUA) que es utilizado de base del Comunicado de la Conferencia de Bergen (2005), donde se establece definitivamente el doctorado como tercer ciclo de los estudios europeos, diferenciado del máster. En dicho comunicado los ministros europeos responsables de la educación superior destacan la importancia de la educación superior universitaria en la mejora de la I+D+i y la importancia de la investigación en el apoyo de la función docente universitaria, todo ello para mejorar el desarrollo económico y cultural de nuestras sociedades, así como de forma fundamental defender su papel como elemento de cohesión social. El componente fundamental de la formación doctoral es el avance del conocimiento científico a través de la «investigación original». Además, se considera que en este tercer ciclo los participantes en programas de doctorado no son sólo estudiantes sino investigadores en formación. Con ello se enlaza en este momento del Proceso de Bolonia la formación doctoral, la carrera investigadora y la transmisión del conocimiento a la sociedad.

La reunión-seminario realizada en Salzburgo en febrero de 2005 confecciona un conjunto de 10 recomendaciones o principios para el desarrollo futuro de los programas de doctorado de los diferentes países.

Los derechos de los doctorandos como investigadores en formación se recogen en las bases descritas en la Carta Europea del Investigador y en el Código de Conducta para la Contratación de Investigadores de marzo de 2005 ampliamente aceptados en Europa por parte de las Universidades.

España, como miembro activo de los procesos conducentes a la creación y desarrollo de un Espacio Europeo del Conocimiento, ha ido incorporando las reformas legislativas que han permitido consolidar una oferta de enseñanzas acorde a los principios del EEES. De igual manera se ha avanzado en la regulación de la figura de investigador en formación, a través del Estatuto del Personal Investigador en Formación aprobado por Real Decreto 63/2006, de 27 de enero.

Asimismo, en un proceso vivo que continúa precisando y profundizando los elementos conducentes a hacer de Europa un espacio basado en el conocimiento, atractivo, abierto y cooperativo con otras regiones del mundo, con una oferta formativa de alta calidad en docencia e investigación, es necesario seguir avanzando especialmente en el doctorado como elemento fundamental de encuentro entre el EEES y el EEI y el soporte para buscar nuevos motores de crecimiento sostenibles. El proceso europeo ha alcanzado bastante notoriedad internacional toda vez que una de las principales consecuencias del mismo es alcanzar una definición clara del estándar de competencias, exigencias y contribución a la sociedad de un doctor en el marco nacional y europeo. De esta forma, se define con claridad la misión de los doctores en la nueva sociedad del conocimiento, lo que redundará en el reconocimiento profesional y prestigio social, la idoneidad en las perspectivas laborales y en sus aportaciones al nuevo modelo de crecimiento.

Las estrategias institucionales en material de I+D+i de las universidades deben tener al doctorado en el centro de sus actuaciones, permitiendo una amplia flexibilidad y autonomía, pero a la vez alcanzando altas cotas de calidad, internacionalización, innovación, reconocimiento y movilidad.

La formación de investigadores es, en estos momentos, un elemento clave de una sociedad basada en el conocimiento. El reconocimiento social de las capacidades adquiridas en esta etapa formativa, la necesidad de incrementar sustancialmente el número de personas con competencia en investigación e innovación y el impulso a su influencia y empleo tanto dentro como fuera de los ámbitos académicos es uno de los principales desafíos españoles y europeos. Los documentos europeos también destacan la necesidad de impulsar la I+D+i en todos los sectores sociales particularmente mediante la colaboración en el doctorado de industrias y empresas, con el fin de que jueguen un papel sustancial en sus estrategias de innovación y futuro.

Las especiales características de los estudios de doctorado y la variedad de necesidades y métodos de formación investigadora de los distintos ámbitos del conocimiento aconsejan un alto grado de flexibilidad en la regulación de estos estudios. De esta forma se promueve un modelo de formación doctoral con base en la Universidad pero integradora de la colaboración de otros organismos, entidades e instituciones implicadas en la I+D+i tanto nacional como internacional, en el que las Escuelas de Doctorado, cuya creación se prevé en la presente norma, están llamadas a jugar un papel esencial.

En este ámbito de colaboración, ha de corresponder un especial protagonismo a los Organismos Públicos de Investigación como instituciones de carácter público y ámbito nacional que junto con las universidades forman el núcleo básico del sistema público de investigación científica y desarrollo tecnológico español. La experiencia acumulada, especialmente con el Consejo Superior de Investigaciones Científicas, habla de los enormes beneficios esperados de una colaboración equilibrada para la formación de investigadores y doctores.

Asimismo, se ha de hacer mención al no menos importante papel que han de desempeñar aquellas otras instituciones que canalizan la investigación a su plasmación en la sociedad, como empresas, hospitales, fundaciones, etc. que han de convertirse en actores y aliados en la formación doctoral y después en la inclusión de los doctores en sus actuaciones cotidianas.

En consonancia con las recomendaciones europeas, es determinante enfatizar el importante, adecuado y necesario papel que la supervisión y el seguimiento de las actividades doctorales, en términos de los objetivos de los programas de doctorado y de las Escuelas de Doctorado. Aunque se enfatizan las responsabilidades personales en este aspecto, son compartidas por las propias instituciones que gestionen el programa, a través de las correspondientes Comisiones Académicas, y, en su caso, por las Escuelas de Doctorado a través de diversos mecanismos.

De acuerdo con todo lo expuesto, este real decreto persigue el objetivo de colaborar en la formación de aquellos que han de liderar y cooperar en el trasvase del conocimiento hacia el bienestar de la sociedad coordinadamente con la incorporación de las principales recomendaciones surgidas de los distintos foros europeos e internacionales. Todas ellas se refieren a la estructura y organización de doctorado, las competencias a adquirir, las condiciones de acceso y el desarrollo de la carrera investigadora en su etapa inicial, el fundamental papel de la supervisión y tutela de la formación investigadora, la inserción de esta formación en un ambiente investigador que incentive la comunicación y la creatividad, la internacionalización y movilidad esenciales en este tipo de estudios y la evaluación y acreditación de la calidad como referencia para su reconocimiento y atractivo internacional.

De conformidad con lo anterior la presente norma prevé la creación de Escuelas de Doctorado y establece comisiones académicas de los programas de doctorado, así como la figura del coordinador del programa. Introduce como novedad el documento de actividades del doctorando previendo un régimen de supervisión y seguimiento del mismo y establece por vez primera un plazo máximo de duración de los estudios de doctorado con la posibilidad de dedicación a tiempo parcial y a tiempo completo.

Por otro lado, la nueva ordenación establece una regulación de estas enseñanzas que propicia una más clara distinción entre el segundo ciclo de estudios universitarios, de Máster, y el tercero, de doctorado, determinando asimismo los criterios específicos para la verificación y evaluación de los programas de doctorado.

Entre las principales novedades se incluye asimismo la previsión de que los tribunales encargados de evaluar las tesis doctorales deberán estar conformados en su mayoría por doctores externos a la Universidad y a las instituciones colaboradoras. También se recogen aspectos relativos a la protección de datos confidenciales y garantías de eventuales patentes de los trabajos de investigación y se establece la posibilidad de incluir en el título la mención de «Doctor Internacional».

El carácter básico de esta norma reglamentaria se justifica, conforme a la doctrina del Tribunal Constitucional, en la propia naturaleza de la materia regulada, que constituye un complemento indispensable para asegurar la completa ordenación de las enseñanzas universitarias oficiales establecida mediante el Real Decreto 1393/2007, de 29 de octubre, modificado por el Real Decreto 861/2010, de 2 de julio.

De este modo, la regulación de las enseñanzas oficiales de doctorado acometida en este real decreto resulta, por la naturaleza de la materia y de acuerdo con la doctrina del Tribunal Constitucional, complemento necesario para garantizar la consecución de

la finalidad objetiva a que responde la competencia estatal, sin que dicho cumplimiento resulte un obstáculo al ejercicio de las competencias de desarrollo normativo que corresponden a las comunidades autónomas.

El Real Decreto 99/2011, de 28 de enero, por el que se regulan las enseñanzas oficiales de doctorado fue publicado en el Boletín Oficial del Estado el 10 de febrero de 2011 y entró en vigor el 11 de febrero de 2011. Se compone de un total de 16 artículos, 3 disposiciones adicionales, 2 disposiciones transitorias, 1 disposición derogatoria, 4 disposiciones finales y 2 Anexos.

1.1.2. La reforma del Real Decreto 99/2011 efectuada por el Real Decreto 576/2023, de 4 de julio.

La última reforma producida en este Real Decreto fue efectuada por el Real Decreto 576/2023, de 4 de julio, y entró en vigor el 19 de julio de 2023.

Esta reforma es de gran calado y afecta a prácticamente la totalidad del Real Decreto. Exponemos a continuación el preámbulo contenido en el Real Decreto 576/2023 para comprender el objetivo de dicha reforma.

Los estudios de doctorado se encuentran regulados desde hace más de una década por el Real Decreto 99/2011, de 28 de enero, por el que se regulan las enseñanzas oficiales de doctorado. Su caracterización como estudios que tienen como finalidad la especialización del doctorando o doctoranda en su formación investigadora dentro de determinados ámbitos científicos, técnicos, humanísticos o artísticos y la necesidad de superar un período de formación y de elaborar, presentar y aprobar un trabajo original de investigación ya venía predeterminada por la Ley Orgánica 6/2001, de 21 de diciembre, de Universidades. Pero con el Real Decreto 99/2011, de 28 de enero, la regulación de los estudios de doctorado adquirió autonomía respecto de las demás enseñanzas universitarias oficiales y respecto de los estudios de posgrado. En el contexto de la construcción del Espacio Europeo de Educación Superior (en adelante, EEES), este Real Decreto incorporó al ordenamiento jurídico español las principales recomendaciones surgidas de distintos foros europeos e internacionales en relación con cuestiones como la estructura y organización del doctorado, las competencias a adquirir, las condiciones de acceso y el desarrollo de la carrera investigadora en su etapa inicial o el papel de la supervisión y tutela de la formación investigadora.

Desde su entrada en vigor, el Real Decreto 99/2011, de 28 de enero, ha sido modificado parcialmente en tres ocasiones. Ninguna de estas reformas modificó radicalmente las enseñanzas de doctorado. Pero sí introdujeron innovaciones parciales vinculadas sobre todo con la calidad y la internacionalización del doctorado. Así, en la década transcurrida desde su aprobación original, se han modificado aspectos como el acceso a estos estudios computado en créditos del *European Credit Transfer System* (en adelante, ECTS), la dirección y codirección de las tesis doctorales, el sistema de calificación de estas, o la introducción de la Mención Internacional, el régimen de cotutela internacional o la Mención Industrial en el título de Doctor/a. De este modo, se han ido introduciendo modificaciones puntuales que han tenido muy presente el desarrollo del EEES y la necesidad de adecuar las enseñanzas de doctorado a una sociedad cada vez más internacionalizada e interconectada, en la que la investigación universitaria tiene que estar más relacionada con las necesidades nuevas y de mercados laborales en restructuración.

Transcurrida más de una década desde su aprobación inicial, resulta necesario introducir nuevas modificaciones en la regulación de las enseñanzas de doctorado que resultan inaplazables y que tienen mayor calado, lo que conlleva a su vez acometer una reforma en profundidad del articulado del Real Decreto 99/2011, de 28 de enero. Por un lado, la reciente Ley Orgánica 2/2023, de 22 de marzo, del Sistema Universitario, refuerza la internacionalización de los estudios universitarios, su conexión con las necesidades sociales y con su entorno local y global, así como la apuesta por la Ciencia abierta y la Ciencia ciudadana. La nueva ley orgánica también regula de manera expresa las Menciones Internacional e Industriales de los títulos de doctorado, a la vez que refuerza la autonomía de las universidades. Por otro lado, el Real Decreto 822/2021, de 28 de septiembre, por el que se establece la organización de las enseñanzas universitarias y del procedimiento de aseguramiento de su calidad, incorpora referencias a la interdisciplinariedad y a la adquisición de habilidades concernientes con la investigación que deben ser incorporadas. Pero son sobre todo la experiencia de los últimos años y la necesidad de modificar aspectos del funcionamiento de los programas de doctorado los que motivan la introducción de una serie de cambios que redundarán sin duda en una mejora de las condiciones en las que los y las doctorandas desarrollan sus estudios.

Por un lado, se prevé que las escuelas de doctorado proporcionen asesoramiento a sus estudiantes para su integración en los programas de doctorado, así como la obligatoriedad de contar con un plan de formación personal. Se establece que estos tengan la consideración de investigadores o investigadoras en formación y se refuerza la obligación del Director o la Directora de la tesis de acompañar y asesorar al doctorando o doctoranda durante todo el proceso de elaboración de la tesis. Además, los Comités de Dirección de estas escuelas deberán contar con la representación de estudiantes.

Por otro lado, se adapta la duración de las enseñanzas de doctorado a las necesidades reales de los y las estudiantes. Así, la experiencia en estos años aconseja que se pueda ampliar la duración máxima de los estudios de doctorado tanto en los casos en los que los doctorandos lo cursan a tiempo completo como a tiempo parcial, estableciendo la posibilidad de una prórroga de un año. Además, cuando la doctoranda o el doctorando sea una persona con un grado de discapacidad igual o superior al 33 por ciento, la dura-

ción de los estudios de doctorado será de un máximo de seis años a tiempo completo y de nueve años a tiempo parcial. Asimismo, es necesario revisar las causas de suspensión de este cómputo como consecuencia de las situaciones de incapacidad temporal, nacimiento, adopción, guarda con fines de adopción, acogimiento, riesgo durante el embarazo, riesgo durante la lactancia y violencia de género.

En tercer lugar, se introducen una serie de medidas vinculadas con la supervisión y evaluación del doctorado y la garantía de su calidad. Así, por ejemplo, se exige que cada tesis cuente con un mínimo de dos informes emitidos por doctores o doctoras expertos en la materia y externos a la universidad que podrán proponer aspectos de mejora. Se prevé que el tribunal que evalúe la tesis doctoral esté formado por una mayoría de miembros externos no solo a la universidad donde se defiende la tesis, sino también al programa en que se encuentre matriculada la doctoranda o el doctorando y se garantiza que este tenga una composición equilibrada entre hombres y mujeres. Asimismo, se abre la puerta para que las escuelas de doctorado puedan hacer uso de la acreditación institucional prevista en el Real Decreto 822/2021, de 28 de septiembre.

Por último, se regulan algunos aspectos relacionados con los requisitos de acceso y admisión, la Mención Internacional en el título de Doctor o Doctora y las tesis en régimen de cotutela, así como la Mención Industrial, con el objetivo, en este último caso, de mejorar la transferencia e intercambio del conocimiento en un entorno no específicamente académico, y se añade un artículo nuevo relativo al Premio Extraordinario de Doctorado.

Por último, en cuanto al principio de transparencia, durante el procedimiento de elaboración de la norma se ha posibilitado la participación activa de los potenciales destinatarios a través de los trámites de consulta pública y de audiencia e información pública, permitiendo la participación de la Conferencia de Rectores de las Universidades Españolas, así como de otras asociaciones, organizaciones estudiantiles y organizaciones representativas de derechos e intereses legítimos de colectivos universitarios y profesionales.

1.2. Objeto y definiciones de los estudios de doctorado

1.2.1. Objeto

El Real Decreto tiene por objeto regular la organización de los estudios de doctorado correspondientes al tercer ciclo de las enseñanzas universitarias oficiales conducentes a la obtención del Título de Doctor o Doctora, que tendrá carácter oficial y validez en todo el territorio nacional.

1.2.2. Definiciones

1. Los estudios de doctorado, en virtud de lo establecido en el artículo 9 de la Ley Orgánica 2/2023, de 22 de marzo, del Sistema Universitario, conforman el tercer ciclo de las enseñanzas universitarias oficiales en España, cuya finalidad es la adquisición de las competencias y las habilidades concernientes con la investigación de calidad y su desarrollo.

2. Se denomina programa de doctorado a un conjunto de actividades conducentes a la obtención del título de Doctora o Doctor. Dicho programa tendrá por objeto el desarrollo de los distintos aspectos formativos de la doctoranda o el doctorando y establecerá los procedimientos y líneas de investigación para el desarrollo de tesis doctorales.
3. Tiene la consideración de doctoranda o doctorando quien, previa acreditación de los requisitos establecidos, ha sido admitido a un programa de doctorado y se ha matriculado en el mismo.
4. El Director de tesis es el máximo responsable en la conducción del conjunto de las tareas de investigación del doctorando, en los términos previstos en el Real Decreto 99/2011.
5. El tutor es el responsable de la adecuación de la formación y de la actividad investigadora a los principios de los programas y, en su caso, de las Escuelas de Doctorado.
6. La Comisión académica de cada programa es la responsable de su definición, actualización, calidad y coordinación, así como de la supervisión del progreso de la investigación y de la formación y de la autorización de la presentación de tesis de cada doctorando del programa.
7. Se entiende por documento de actividades del doctorando el registro individualizado de control de dichas actividades, materializado en el correspondiente soporte. El Director de tesis y el tutor revisarán dicho documento. La Comisión académica lo evaluará anualmente.
8. Se entiende por Escuela de Doctorado la Unidad creada por una o varias Universidades y en posible colaboración con otros organismos, centros, instituciones y entidades con actividades de I+D+i, nacionales o extranjeras, que tiene por objeto fundamental la organización dentro de su ámbito de gestión del Doctorado, en una o varias ramas de conocimiento o con carácter interdisciplinar.
9. A los efectos de este real decreto, se entiende por experiencia investigadora acreditada la posesión de, al menos, un periodo de actividad investigadora reconocida por la Comisión Nacional Evaluadora de la Actividad Investigadora (CNEAI) en aplicación del Real Decreto 1086/1989, de 28 de agosto, sobre retribuciones del profesorado universitario, o, en el caso de que no se esté en situación de poder acreditarlo por esta vía, tener méritos de investigación equiparables, según lo establecido en la normativa de la propia universidad

2. Estructura y duración de los estudios de Doctorado

Las enseñanzas de doctorado se organizan en programas de doctorado de los diversos ámbitos científicos, tecnológicos, humanísticos, sociales y artísticos, así como desde un enfoque interdisciplinar del conocimiento, en la forma que determinen los estatutos de las universidades y de acuerdo con los criterios establecidos en el Real Decreto 99/2011. Dichos estudios finalizarán en todo caso con la elaboración y defensa de una tesis doctoral que incorpore resultados originales de investigación.

2.1. Duración de los estudios

La duración de los estudios de doctorado será de un máximo de cuatro años a tiempo completo, a contar desde la fecha de matrícula de la doctoranda o del doctorando en el programa hasta la fecha del depósito de la tesis doctoral.

No obstante, y previa autorización de la Comisión académica responsable del programa, podrán realizarse estudios de doctorado a tiempo parcial. En este caso tales estudios podrán tener una duración máxima de siete años desde la fecha de matrícula en el programa hasta la fecha de depósito de la tesis doctoral.

Cuando la doctoranda o el doctorando sea una persona con un grado de discapacidad igual o superior al 33 por ciento, la duración de los estudios de doctorado será de un máximo de seis años a tiempo completo y de nueve años a tiempo parcial.

Antes de la finalización de los plazos citados, si no se hubiera presentado la solicitud de depósito de la tesis, la Comisión académica responsable del programa, previa solicitud de la doctoranda o el doctorando, podrá autorizar la prórroga de este plazo por un año más, en las condiciones que se hayan establecido en el correspondiente programa de doctorado.

Las situaciones de incapacidad temporal, nacimiento, adopción, guarda con fines de adopción, acogimiento, riesgo durante el embarazo, riesgo durante la lactancia y violencia de género o cualquier otra situación contemplada en la normativa vigente durante el período de tiempo mencionado anteriormente interrumpirán el cómputo del plazo límite de duración de los estudios de doctorado.

La doctoranda o el doctorando podrán solicitar periodos de baja temporal en el programa hasta un total de dos años. Dicha solicitud deberá ser dirigida y justificada ante la Comisión académica responsable del programa, que se pronunciará sobre la procedencia de acceder a lo solicitado por la doctoranda o el doctorando.

2.2. Organización de la formación doctoral

Los programas de doctorado incluirán aspectos organizados de formación investigadora que no requerirán su estructuración en créditos ECTS y comprenderán tanto formación transversal e interdisciplinar como específica del ámbito de cada programa, si bien en todo caso la actividad esencial de la doctoranda y del doctorando será la investigadora.

La organización de dicha formación y los procedimientos para su control deberán expresarse en la memoria para la verificación de los programas de doctorado incluida en el Anexo I de esta norma[1] y formarán parte de la posterior evaluación a efectos de la renovación de la acreditación de dichos programas.

Las actividades de formación realizadas por el doctorando se recogerán en el documento de actividades.

1 Véase al final del presente tema.

3. Competencias que debe adquirir el doctorando

3.1. Competencias reguladas en el Real Decreto 99/2011, de 28 de enero

Los estudios de doctorado garantizarán, como mínimo, la adquisición por el doctorando de las siguientes competencias básicas así como aquellas otras que figuren en el Marco Español de Cualificaciones para la Educación Superior:

a) Comprensión sistemática de un ámbito de estudio y dominio de las habilidades y métodos de investigación relacionados con dicho ámbito.

b) Capacidad de concebir, diseñar o crear, poner en práctica y adoptar un proceso sustancial de investigación o creación.

c) Capacidad para contribuir a la ampliación de las fronteras del conocimiento a través de una investigación original.

d) Capacidad de realizar un análisis crítico y de evaluación y síntesis de ideas nuevas y complejas.

e) Capacidad de comunicación con la comunidad académica y científica y con la sociedad en general acerca de sus ámbitos de conocimiento en los modos e idiomas de uso habitual en su comunidad científica internacional.

f) Capacidad de fomentar, en contextos académicos y profesionales, el avance científico, tecnológico, social, artístico o cultural dentro de una sociedad basada en el conocimiento.

g) Capacidad de fomentar la Ciencia Abierta y la Ciencia Ciudadana, conforme al artículo 12 de la Ley Orgánica 2/2023, de 22 de marzo, como modo de contribuir a la consideración del conocimiento científico como un bien común, mediante la evaluación de actividades transversales llevadas a cabo por la doctoranda o el doctorando relacionadas con diferentes dimensiones de la Ciencia Abierta y la Ciencia Ciudadana, así como la capacitación adquirida en sendas disciplinas en formato de microcredenciales o similar.

Asimismo, la obtención del título de Doctor debe proporcionar una alta capacitación profesional en ámbitos diversos, especialmente en aquellos que requieren creatividad e innovación. Los doctores habrán adquirido, al menos, las siguientes capacidades y destrezas personales para:

a) Desenvolverse en contextos en los que hay poca información específica.

b) Encontrar las preguntas claves que hay que responder para resolver un problema complejo.

c) Diseñar, crear, desarrollar y emprender proyectos novedosos e innovadores en su ámbito de conocimiento.

d) Trabajar tanto en equipo como de manera autónoma en un contexto internacional o multidisciplinar.

e) Integrar conocimientos, enfrentarse a la complejidad y formular juicios con información limitada.

f) La crítica y defensa intelectual de soluciones.

3.2. Competencias reguladas en el Real Decreto 1027/2011, de 15 de julio, por el que se establece el Marco Español de Cualificaciones para la Educación Superior (MECES)

El nivel de Doctor se constituye en el nivel 4 del MECES, en el que se incluyen aquellas cualificaciones que tienen como finalidad la formación avanzada del estudiante en las técnicas de investigación.

Las características de las cualificaciones ubicadas en este nivel vienen definidas por los siguientes descriptores presentados en términos de resultados del aprendizaje.

a) haber adquirido conocimientos avanzados en la frontera del conocimiento y demostrado, en el contexto de la investigación científica reconocida internacionalmente, una comprensión profunda, detallada y fundamentada de los aspectos teóricos y prácticos y de la metodología científica en uno o más ámbitos investigadores;

b) haber hecho una contribución original y significativa a la investigación científica en su ámbito de conocimiento y que esta contribución haya sido reconocida como tal por la comunidad científica internacional;

c) haber demostrado que son capaces de diseñar un proyecto de investigación con el que llevar a cabo un análisis crítico y una evaluación de situaciones imprecisas donde aplicar sus contribuciones y sus conocimientos y metodología de trabajo para realizar una síntesis de ideas nuevas y complejas que produzcan un conocimiento más profundo del contexto investigador en el que se trabaje;

d) haber desarrollado la autonomía suficiente para iniciar, gestionar y liderar equipos y proyectos de investigación innovadores y colaboraciones científicas, nacionales o internacionales, dentro su ámbito temático, en contextos multidisciplinares y, en su caso, con una alta componente de transferencia de conocimiento;

e) haber mostrado que son capaces de desarrollar su actividad investigadora con responsabilidad social e integridad científica;

f) haber justificado que son capaces de participar en las discusiones científicas que se desarrollen a nivel internacional en su ámbito de conocimiento y de divulgar los resultados de su actividad investigadora a todo tipo de públicos;

g) haber demostrado dentro de su contexto científico específico que son capaces de realizar avances en aspectos culturales, sociales o tecnológicos, así como de fomentar la innovación en todos los ámbitos en una sociedad basada en el conocimiento.

4. Requisitos de acceso al doctorado

Con carácter general, para el acceso a un programa oficial de doctorado será necesario estar en posesión de los títulos oficiales españoles de Grado, o equivalente, y de Máster universitario, o equivalente, siempre que se hayan superado, al menos, 300 créditos ECTS en el conjunto de estas dos enseñanzas.

Asimismo, podrán acceder quienes se encuentren en alguno de los siguientes supuestos:

a) Estar en posesión de títulos universitarios oficiales españoles o títulos españoles equivalentes siempre que se hayan superado, al menos, 300 créditos ECTS en el conjunto de estas enseñanzas y acreditar un nivel 3 del Marco Español de Cualificaciones para la Educación Superior.

b) Estar en posesión de un título obtenido conforme a sistemas educativos extranjeros pertenecientes al Espacio Europeo de Educación Superior (EEES), sin necesidad de su homologación, que acredite un nivel 7 del Marco Europeo de Cualificaciones siempre que dicho título faculte para el acceso a estudios de doctorado en el país de expedición del mismo. Esta admisión no implicará, en ningún caso, la homologación del título previo del que esté en posesión el interesado ni su reconocimiento a otros efectos que el del acceso a enseñanzas de doctorado.

c) Estar en posesión de un título obtenido conforme a sistemas educativos extranjeros ajenos al EEES, sin necesidad de su homologación, previa comprobación por la universidad de que éste acredita un nivel de formación equivalente a la del título oficial español de Máster universitario y que faculta en el país de expedición del título para el acceso a estudios de doctorado. Esta admisión no implicará, en ningún caso, la homologación del título previo del que esté en posesión el interesado ni su reconocimiento a otros efectos que el del acceso a enseñanzas de doctorado.

d) Estar en posesión de otro título de Doctora o Doctor.

e) Igualmente podrán acceder los titulados universitarios que, previa obtención de plaza en formación en la correspondiente prueba de acceso a plazas de formación sanitaria especializada, hayan superado con evaluación positiva al menos dos años de formación de un programa para la obtención del título oficial de alguna de las especialidades en Ciencias de la Salud.

5. Criterios de admisión

Las universidades, a través de las comisiones académicas, podrán establecer requisitos y criterios adicionales para la selección y admisión de los estudiantes a un concreto programa de doctorado. En particular, se podrá establecer el aval de una investigadora o investigador como posible Directora o Director de la tesis doctoral.

La admisión a los programas de doctorado podrá incluir la exigencia de complementos de formación específicos.

Dichos complementos de formación específica deberán superarse en el periodo inicial de desarrollo de la tesis, en un plazo máximo de un curso académico, y tendrán, a efectos de precios públicos y de concesión de becas y ayudas al estudio, la consideración de formación de nivel de doctorado.

Las universidades garantizarán una información transparente y accesible sobre los procedimientos de admisión, y deberán disponer de sistemas de orientación al estudiantado, que deberán reflejarse en la memoria de verificación del programa de doctorado. Además, asegurarán que dicha información y los procedimientos de admisión tengan en cuenta al estudiantado con discapacidad o con necesidades específicas, y dispondrán de servicios de apoyo y asesoramiento adecuados.

Las universidades reservarán, al menos, un 5 por 100 de las plazas ofertadas para estudiantes que tengan reconocido un grado de discapacidad igual o superior al 33 por 100, así como para estudiantes con necesidades educativas especiales permanentes asociadas a circunstancias personales de discapacidad, que en sus estudios anteriores hayan precisado de recursos y apoyos para su plena normalización educativa.

6. Los programas de doctorado

6.1. Programas de doctorado

La universidad, de acuerdo con lo que establezca su normativa, definirá su estrategia en materia de investigación y de formación doctoral que se articulará a través de programas de doctorado desarrollados en Escuelas de Doctorado o en sus otras unidades competentes en materia de investigación, de acuerdo con lo establecido en los estatutos de la universidad, en los respectivos convenios de colaboración y en el Real Decreto 99/2011, de 28 de enero.

La citada estrategia contará preferentemente con aliados externos para su puesta en marcha en virtud de complementariedades, compartición de excelencia o sinergias con las estrategias de I+D+i de otras instituciones. En este sentido, los programas de doctorado pueden llevarse a cabo de forma conjunta entre varias universidades y contar con la colaboración, expresada mediante un convenio, de otros organismos, centros, instituciones y entidades con actividades de I+D+i, públicos o privados, nacionales o extranjeros.

En el marco de la citada estrategia, cada programa de doctorado será organizado, diseñado y coordinado por una Comisión Académica responsable de las actividades de formación e investigación del mismo. Dicha comisión académica estará integrada por doctores y será designada por la Universidad, de acuerdo con lo establecido en su normativa, estatutos y convenios de colaboración, pudiendo integrarse en la misma investigadores de Organismos Públicos de Investigación así como de otras entidades e instituciones implicadas en la I+D+i tanto nacional como internacional.

Cada programa de doctorado contará con un coordinador designado por el rector de la universidad o por acuerdo entre rectores cuando se trate de programas conjuntos o en el modo indicado en el convenio con otras instituciones cuando se desarrolle un doctorado en colaboración. Dicha condición deberá recaer sobre un investigador relevante y estar avalada por la dirección previa de al menos dos tesis doctorales y la justificación de la posesión de al menos dos períodos de actividad investigadora reconocidos de acuerdo con las previsiones del Real Decreto 1086/1989, de 28 de agosto, de retribuciones del profesorado universitario. En el caso de que dicho investigador ocupe una posición en la que no resulte de aplicación el citado criterio de evaluación, deberá acreditar méritos equiparables a los señalados.

Todo el profesorado de un programa de doctorado deberá poseer el título de doctor, sin perjuicio de la posible colaboración en determinadas actividades específicas de otras personas o profesionales en virtud de su relevante cualificación en el correspondiente ámbito de conocimiento.

6.2. Verificación, seguimiento y renovación de la acreditación de los Programas de doctorado

Se encuentra regulada en el artículo 10 del Real Decreto 99/2001, de 28 de enero.

Los programas de doctorado conducentes a la obtención del título oficial de Doctora o Doctor deberán ser verificados por el Consejo de Universidades y autorizados por las correspondientes Comunidades Autónomas, de acuerdo con lo dispuesto en el Real Decreto 822/2021, de 28 de septiembre, por el que se establece la organización de las enseñanzas universitarias y del procedimiento de aseguramiento de su calidad, con las particularidades a que se refiere el Real decreto 99/2011.

A efectos de su verificación los programas de doctorado se ajustarán a la memoria que figura como Anexo I del Real Decreto 99/2011[2].

2 Véase al final del presente tema.

La acreditación de los títulos universitarios oficiales de Doctorado renovarán su acreditación conforme a la establecido en el artículo 34 del Real Decreto 822/2021, de 28 de septiembre, para los títulos impartidos en centros universitarios no acreditados institucionalmente. Los títulos universitarios oficiales de Doctor impartidos en Escuelas de Doctorado o centros universitarios que hayan obtenido la acreditación institucional renovarán su acreditación de acuerdo con lo establecido en el artículo 35 del Real Decreto 822/2021, de 28 de septiembre.

Para garantizar la calidad del doctorado y el correcto desarrollo de la formación doctoral la universidad deberá justificar la existencia de equipos investigadores solventes y experimentados en el ámbito correspondiente.

De acuerdo con lo establecido en el Anexo II[3], los criterios de evaluación para la verificación y acreditación de los programas de doctorado tendrán en cuenta el porcentaje de investigadores con experiencia acreditada, los proyectos competitivos en que participan, las publicaciones recientes y la financiación disponible para los doctorandos.

Asimismo se valorará el grado de internacionalización de los doctorados, con especial atención a la existencia de redes, la participación de profesores y estudiantes internacionales, la movilidad de profesores y estudiantes, y los resultados tales como cotutelas, menciones europeas e internacionales, publicaciones conjuntas con investigadores extranjeros, organización de seminarios internacionales, o cualquier otro criterio que se determine al respecto.

7. Escuelas de Doctorado

7.1. Creación

Las universidades podrán crear Escuelas de Doctorado conforme a lo establecido en el artículo 41.2 de la Ley Orgánica 2/2023, de 22 de marzo, de acuerdo con lo previsto en sus Estatutos, y en el Real Decreto 99/2011, con la finalidad de organizar, dentro de su ámbito de gestión, las enseñanzas y actividades propias del doctorado. Su creación deberá ser notificada al Ministerio de Universidades a través de la Secretaría General de Universidades, a efectos de su inscripción en el Registro de Universidades, Centros y Títulos (RUCT), regulado mediante Real Decreto 1509/2008, de 12 de septiembre.

Las Escuelas de Doctorado podrán ser creadas individualmente por una universidad, o conjuntamente con otras o en colaboración de una o varias universidades con otros organismos, centros, instituciones y entidades con actividades de I+D+i, públicas o privadas, nacionales o extranjeras.

---

3 Véase al final del presente tema.

7.2. Funciones y requisitos

Las Escuelas de Doctorado deberán garantizar que desarrollan su propia estrategia ligada a la estrategia de investigación de la universidad o universidades y, en su caso, de los Organismos Públicos de Investigación y demás entidades e instituciones implicadas. También deben acreditar una capacidad de gestión adecuada para sus fines asegurada por las Universidades e instituciones promotoras.

Las Escuelas planificarán la necesaria oferta de actividades inherentes a la formación y desarrollo de los doctorandos, llevadas a cabo bien por colaboradores de las universidades y entidades promotoras bien con el auxilio de profesionales externos, profesores o investigadores visitantes. En todo caso las Escuelas de Doctorado deberán garantizar un liderazgo en su ámbito y una masa crítica suficiente de doctores profesores de tercer ciclo y doctorandos en su ámbito de conocimiento.

7.3. Organización y acreditación

Las Escuelas de Doctorado podrán organizarse centrando sus actividades en uno o más ámbitos especializados o interdisciplinares. Asimismo, de acuerdo con lo que establezcan los estatutos de la universidad y la normativa de la comunidad autónoma correspondiente, podrán incluir enseñanzas oficiales de Máster Universitario de contenido fundamentalmente científico, así como otras actividades abiertas de formación en investigación. Las Escuelas de Doctorado proporcionarán asesoramiento al estudiantado que se incorpore a los programas de doctorado sobre todos aquellos aspectos necesarios para su integración plena en dichos programas utilizando para ello tanto su página web como mediante la realización de seminarios específicos.

Las Escuelas de Doctorado contarán con un Comité de Dirección que realizará funciones de organización y gestión. Su composición vendrá determinada por los Estatutos de la universidad o por los acuerdos por los que la Escuela de Doctorado se haya formado con otras universidades o en colaboración de una o varias universidades con otros organismos, centros, instituciones y entidades con actividades de I+D+i, públicas o privadas, nacionales o extranjeras. En ella se asegurará la presencia equilibrada de mujeres y hombres. En todo caso, se asegurará la representación del estudiantado de doctorado en dicho Comité. La Directora o Director de la Escuela será nombrado por la Rectora o Rector o por consenso de las rectoras o rectores cuando se establezca por agregación de varias universidades. Debe ser una investigadora o investigador de reconocido prestigio perteneciente a una de las universidades o instituciones promotoras con los requisitos académicos mínimos que se establezcan estatutariamente. Esta condición debe estar avalada por la justificación de la posesión de al menos tres períodos de actividad investigadora reconocidos de acuerdo con las previsiones del Real Decreto 1086/1989, de 28 de agosto. En el caso de que dicha investigadora o investigador ocupe una posición en la que no resulte de aplicación el citado criterio de evaluación, deberá acreditar méritos equiparables a los señalados.

Las Escuelas de Doctorado contarán con un reglamento de régimen interno que establecerá, entre otros aspectos, los derechos y deberes de los doctorandos y las doctorandas, de conformidad con lo establecido en el Real Decreto 1791/2010, de 30 de diciembre, por el que se aprueba el Estatuto del Estudiante Universitario, así como por lo establecido en el resto de la normativa vigente, y de los tutores y de los directores de tesis, así como la composición y funciones de las comisiones académicas de sus programas.

Todas las personas integrantes de una Escuela de Doctorado deberán suscribir su compromiso con el cumplimiento del código de buenas prácticas adoptado por dicha Escuela.

Las Escuelas de Doctorado podrán acogerse al procedimiento de acreditación institucional de centros universitarios regulado mediante el Real Decreto 640/2021, de 27 de julio, de creación, reconocimiento y autorización de universidades y centros universitarios, y acreditación institucional de centros universitarios.

8. Supervisión y seguimiento del doctorado

Las doctorandas y los doctorandos, que tendrán la consideración de investigador o investigadora en formación, se matricularán anualmente en la universidad correspondiente por el concepto de tutela académica del doctorado. Cuando se trate de programas conjuntos, el convenio determinará la forma en que deberá llevarse a cabo dicha matrícula.

Las personas incorporadas a un programa de Doctorado se someterán al régimen jurídico, en su caso contractual, que resulte de la legislación específica que les sea de aplicación.

Una vez admitido al programa de doctorado, a cada doctoranda o doctorando le será asignado por parte de la correspondiente Comisión académica una Directora o Director de tesis. Dicha asignación podrá recaer sobre cualquier Doctora o Doctor español o extranjero con experiencia investigadora acreditada. Asimismo, le será asignado una tutora o tutor, Doctora o Doctor con experiencia investigadora acreditada, ligada o ligado al programa, a quien corresponderá velar por la interacción de la doctoranda o del doctorando con la Comisión académica. La tutora o tutor podrá ser coincidente o no con la Directora o Director de tesis doctoral.

La Comisión académica, oída u oído la doctoranda o el doctorando, podrá modificar el nombramiento de la tutora o tutor o de la Directora o Director de tesis en cualquier momento del periodo de realización del Doctorado, siempre que concurran razones justificadas.

Una vez matriculado en el programa, se materializará para cada doctorando el documento de actividades personalizado a efectos del registro individualizado de control. En él se inscribirán todas las actividades de interés para el desarrollo del doctorando según regule la Universidad, la Escuela o la propia Comisión académica y será regularmente revisado por el tutor y el Director de tesis y supervisado anualmente por la Comisión académica responsable del programa de Doctorado.

Antes de la finalización del primer año, contado desde la fecha de la matrícula, la doctoranda o el doctorando, con la asistencia de su Directora o Director y su tutora o tutor, elaborará un documento que incluya un plan de investigación y un plan de formación personal. El plan de investigación incluirá al menos la metodología que se va a utilizar y los objetivos que se pretende alcanzar, así como los medios y la planificación temporal para lograrlo. El plan de formación personal de la doctoranda o doctorando contendrá una previsión de las distintas actividades formativas que se desarrollarán durante la tesis doctoral (cursos, impartición de seminarios, acciones de movilidad, etc.). Dicho documento se podrá mejorar y detallar a lo largo de su estancia en el programa y debe estar avalado por la Directora o Director y por la tutora o tutor. En el caso de los doctorandos con Mención Industrial se tendrá en cuenta además lo dispuesto en el apartado 10.3 del presente tema.

Anualmente la Comisión académica del programa evaluará el progreso de la doctoranda o doctorando en cuanto al plan de investigación y el documento de actividades junto con los informes que a tal efecto deberán emitir la Directora o Director y la tutora o tutor. En el caso de que la Comisión académica detecte carencias importantes, la doctoranda o el doctorando deberá ser reevaluado en el plazo máximo de seis meses. En el supuesto de que las carencias se sigan produciendo, la Comisión académica deberá emitir un informe motivado, previa audiencia a la interesada o interesado, y la doctoranda o el doctorando causará baja definitiva en el programa.

Las Universidades establecerán las funciones de supervisión de los doctorandos mediante un compromiso documental firmado por la Universidad, el doctorando, su tutor y su Director en la forma que se establezca. Este compromiso será rubricado a la mayor brevedad posible después de la admisión y habrá de incluir un procedimiento de resolución de conflictos y contemplar los aspectos relativos a los derechos de propiedad intelectual o industrial que puedan generarse en el ámbito de programas de Doctorado.

Las Universidades, a través de la Escuela de Doctorado o de la correspondiente Unidad responsable del programa de Doctorado establecerán los mecanismos de evaluación y seguimiento indicados anteriormente, la realización de la tesis en el tiempo proyectado y los procedimientos previstos en casos de conflicto y aspectos que afecten al ámbito de la propiedad intelectual de acuerdo con lo establecido en el párrafo anterior.

9. La tesis doctoral

9.1. Introducción

La tesis doctoral consistirá en un trabajo original de investigación elaborado por el candidato en cualquier ámbito de estudio. La tesis debe capacitar al doctorando para el trabajo autónomo en el ámbito de la I+D+i (Investigación+Desarrollo+Innovación).

Las universidades establecerán el procedimiento para el depósito de la tesis doctoral, incluyendo la determinación de un plazo máximo para su posterior defensa.

La tesis contará con un mínimo de dos informes emitidos por personas doctoras expertas en la materia, externas a la universidad, que podrán proponer aspectos de mejora. Dichas personas expertas podrán formar parte del tribunal que evalúe la tesis. En función del contenido de dichos informes, la Comisión académica dará un plazo a la doctoranda o doctorando para responder y, en su caso, incluir las modificaciones pertinentes en la tesis doctoral antes de su depósito.

La universidad garantizará la publicidad de la tesis doctoral finalizada a fin de que, durante el proceso de evaluación, y con carácter previo a su defensa, otras personas doctoras puedan remitir observaciones sobre su contenido.

La tesis podrá ser desarrollada y, en su caso, defendida, en los idiomas habituales para la comunicación científica en su ámbito de estudio.

9.2. Dirección de tesis

La Directora o el Director de tesis será la persona responsable de la coherencia e idoneidad de las actividades de formación, del impacto y novedad en su campo de la temática de la tesis doctoral y de la guía en la planificación y su adecuación, en su caso, a la de otros proyectos y actividades donde se inscriba la doctoranda o el doctorando. La tesis podrá ser codirigida por otras doctoras o doctores, que deberán reunir los mismos requisitos en cuanto a experiencia investigadora que los señalados para el Director de Tesis, cuando concurran razones de índole académico o de interdisciplinariedad temática o cuando se trate de programas desarrollados en colaboración nacional o internacional. La Comisión académica podrá autorizar la codirección de la tesis por parte de doctores que no cumplan con el requisito de experiencia investigadora acreditada exigido.

En ningún caso, el número de Directoras o Directores será superior a tres.

Para la codirección de la tesis será necesaria la autorización previa de la Comisión académica. Dicha autorización podrá ser revocada con posterioridad si a juicio de la Comisión académica la codirección no beneficia el desarrollo de la tesis.

Las universidades, a través de la Escuela de Doctorado o de la correspondiente unidad responsable del programa de doctorado, podrán establecer requisitos adicionales para ser Directora o Director de tesis.

En cualquier caso, las Directoras o Directores de tesis tendrán la obligación de acompañar y asesorar al doctorando o doctoranda durante todo el desarrollo de su tesis en todas aquellas tareas incluidas en el plan de investigación y en el de formación personal.

La labor de tutorización de la doctoranda o el doctorando y dirección de tesis deberá ser reconocida como parte de la dedicación docente e investigadora del profesorado.

9.3. Evaluación y defensa de la tesis doctoral

9.3.1. Composición del tribunal

El tribunal que evalúe la tesis doctoral se compondrá de acuerdo con los requisitos fijados por la universidad y de acuerdo con lo establecido en el presente apartado.

La totalidad de los miembros que integren el tribunal deberán estar en posesión del título de Doctora o Doctor y contar con experiencia investigadora acreditada. En todo caso, el tribunal estará formado por una mayoría de miembros externos al programa y a la universidad donde se defienda la tesis. La persona o personas directoras de la tesis doctoral y la tutora o tutor no podrán formar parte del tribunal, salvo de las tesis presentadas en el marco de acuerdos de cotutela con universidades extranjeras que así lo tengan previsto.

Se deberá garantizar el principio de composición equilibrada, entre mujeres y hombres, tal y como indica la disposición adicional primera de la Ley Orgánica 3/2007, de 22 de marzo, para la Igualdad Efectiva de Mujeres y Hombres.

9.3.2. Evaluación y defensa

El tribunal que evalúe la tesis dispondrá del documento de actividades de la doctoranda o doctorando, con las actividades formativas llevadas a cabo por la doctoranda o el doctorando, y los informes de personas expertas externas, así como, en su caso, la respuesta de la doctoranda o doctorando a los mismos. El documento de actividades no dará lugar a una puntuación cuantitativa pero sí constituirá un instrumento de evaluación cualitativa que complementará la evaluación de la tesis doctoral.

La tesis doctoral se evaluará en el acto de defensa que tendrá lugar en sesión pública y consistirá en la exposición y defensa por el doctorando del trabajo de investigación elaborado ante los miembros del tribunal. Los doctores presentes en el acto público podrán formular cuestiones en el momento y forma que señale el presidente del tribunal.

Una vez aprobada la tesis doctoral, la universidad se ocupará de su archivo en formato electrónico abierto en un repositorio institucional y remitirá, en formato electrónico, un ejemplar de esta, así como toda la información complementaria que fuera necesaria al

Ministerio de Universidades a los efectos de su publicación en un repositorio nacional, que será gestionado por la Secretaría General de Universidades.

En circunstancias excepcionales determinadas por la Comisión académica del programa, como pueden ser, entre otras, la participación de empresas en el programa, la existencia de convenios de confidencialidad con empresas o la posibilidad de generación de patentes que recaigan sobre el contenido de la tesis, las universidades habilitarán procedimientos para desarrollar los apartados anteriores que aseguren la no publicidad de estos aspectos.

9.3.3. Calificación

El tribunal emitirá un informe y la calificación global concedida a la tesis de acuerdo con la siguiente escala: No apto, aprobado, notable y sobresaliente.

El tribunal podrá otorgar la mención de cum laude si la calificación global es de sobresaliente y se emite en tal sentido el voto secreto positivo por unanimidad.

La Universidad habilitará los mecanismos precisos para la materialización de la concesión final de dicha mención garantizando que el escrutinio de los votos para dicha concesión se realice en sesión diferente de la correspondiente a la de defensa de la tesis doctoral.

Las universidades podrán conceder Premio Extraordinario de Doctorado a aquellas tesis que resulten especialmente meritorias y que hayan obtenido la calificación máxima, con una propuesta de Premio Extraordinario por cada diez tesis doctorales defendidas o fracción.

10. Mención internacional en el título de Doctora o Doctor. Tesis en régimen de cotutela internacional. Mención industrial

10.1. Doctor Internacional

El título de Doctora o Doctor podrá incluir en su anverso la mención "Doctorado internacional", siempre que concurran las siguientes circunstancias:

a) Que, durante el periodo de formación necesario para la obtención del título de Doctora o Doctor, la doctoranda o el doctorando haya realizado una o varias estancias durante, al menos, tres meses de duración fuera de España en una o varias instituciones de enseñanza superior o centros de investigación de prestigio con el objeto de complementar y reforzar su formación investigadora.

   En caso de realizar varias estancias, al menos una de ellas tendrá una duración mínima de un mes.

Las estancias y las actividades han de ser avaladas por la Directora o el Director y autorizadas por la Comisión académica y, una vez realizadas y validadas por la entidad de acogida, se incorporarán al documento de actividades de la doctoranda o el doctorando.

b) Que parte de la tesis doctoral, al menos el resumen y las conclusiones, se haya redactado y defendido en una de las lenguas habituales para la comunicación científica en su ámbito de estudio, distinta a cualquiera de las lenguas oficiales en España.

Esta norma no será de aplicación cuando las estancias, informes y expertos procedan de un país de habla hispana.

c) Que al menos dos de las personas expertas informantes de la tesis pertenezcan a alguna institución de educación superior o instituto de investigación no español.

Dichas personas expertas no podrán coincidir con las investigadoras o investigadores que recibieron a la doctoranda o al doctorando y realizaron tareas de tutoría o dirección de trabajos en la entidad de acogida.

d) Que al menos una persona experta perteneciente a alguna institución de educación superior o centro de investigación no español, con el título de Doctora o Doctor, y distinto de la persona responsable de la estancia mencionada en el párrafo a), haya formado parte del tribunal evaluador de la tesis.

10.2. Cotutela

En aras de impulsar y facilitar la internacionalización de su oferta académica, las universidades incentivarán los doctorados en cotutela internacional conforme a lo previsto en el artículo 26.2 de la Ley Orgánica 2/2023, de 22 de marzo. A tal efecto, el título de Doctora o Doctor incluirá en su anverso la diligencia "Tesis en régimen de cotutela con la Universidad U", siempre que concurran las siguientes circunstancias:

a) Que la tesis doctoral esté supervisada por Doctoras o Doctores de dos o más universidades, de las cuales una deberá ser española y el resto extranjeras, que deberán formalizar un convenio de cotutela.

b) Que, por su trabajo de tesis doctoral, la doctoranda o el doctorando obtenga dos o más títulos, uno por cada una de las instituciones de educación superior responsables del desarrollo de la tesis.

c) Que, durante el periodo de formación necesario para la obtención del título de Doctora o Doctor, la doctoranda o el doctorando haya realizado una estancia mínima de seis meses en cada una de las instituciones con las que se establece el convenio de cotutela, realizando trabajos de investigación, bien en un solo período o en varios. Las estancias y las actividades serán reflejadas en el convenio de cotutela.

d) Las tesis en cotutela podrán igualmente dar lugar a inclusión de la mención «Doctorado Internacional» en el título de Doctora o Doctor si se realizan estancias en instituciones diferentes de las propias del convenio formalizado, según lo establecido en el apartado a) y siempre que concurran las circunstancias expresadas en el apartado 10.1 anterior.

10.3. Mención Industrial en el título de Doctor

Esta mención se obtendrá al realizar los estudios de doctorado con la colaboración del tejido social y económico con el fin de fomentar la colaboración y la transferencia e intercambio de conocimiento entre el mundo académico y el mundo social y económico, ya sea éste del ámbito público o privado. Se podrá otorgar la mención "Doctorado Industrial" siempre que concurran las siguientes circunstancias:

a) Que la tesis haya desarrollado un proyecto de investigación de interés industrial, comercial, social o cultural de una entidad, empresa pública o privada o administración pública. Quedan excluidas las universidades, los organismos públicos de investigación (nacionales o autonómicos) y los hospitales universitarios. De manera excepcional, se podrá realizar esta mención en cualquiera de estas instituciones, excepto en las universidades, siempre que el contenido de la tesis sea eminentemente aplicado. La relación directa entre la tesis doctoral y la labor desarrollada por la doctoranda o el doctorando en la entidad o empresa deberá formalizarse en una memoria científico-técnica que deberá ser aprobada por la universidad.

b) Que se haya suscrito un convenio entre la entidad, empresa o administración pública y la universidad para el desarrollo académico de la tesis doctoral, que establecerá, como mínimo, las obligaciones de las partes y los derechos de propiedad industrial que se puedan generar.

c) Que la doctoranda o el doctorando haya estado contratada o contratado por la entidad, empresa o administración pública donde desarrolle el proyecto de investigación al menos un año durante el desarrollo de la tesis, siendo necesario que una parte sustancial de la misma se desarrolle en la entidad, empresa o administración pública.

La doctoranda o el doctorando tendrá una persona tutora de la tesis designada por la universidad y una persona responsable designada por la entidad, empresa o administración pública, que podrá ser, en su caso, Directora o Director de la tesis. En ningún caso el responsable designado por la empresa podrá formar parte del tribunal evaluador de la tesis.

11. Otras normas relativas a los estudios de doctorado

11.1. Fomento de la formación doctoral

El Ministerio de Universidades podrá realizar una convocatoria anual para otorgar un sello de Doctorado de excelencia a aquellos programas de doctorado que destaquen por sus resultados y su alto nivel de internacionalización. En dicha convocatoria se establecerán los requisitos para la obtención del citado sello y los criterios de evaluación.

Asimismo, el Ministerio de Universidades podrá realizar una convocatoria anual para otorgar una mención de excelencia a las Escuelas de Doctorado que destaquen por su prestigio y especial proyección internacional. En dicha convocatoria se establecerán los requisitos para la obtención de la citada mención y los criterios de evaluación.

El Gobierno, en el marco de la legislación vigente en materia de ciencia, tecnología e innovación, podrá realizar convocatorias periódicas de ayudas para el fomento de las Escuelas de Doctorado y de la formación doctoral de calidad, dirigidas a programas de doctorado, especialmente a aquellos que hayan obtenido el sello de excelencia y a las Escuelas de Doctorado que asimismo hayan obtenido la mención de excelencia.

Las administraciones públicas podrán establecer mecanismos de fomento y financiación de la internacionalización de los doctorados y de apoyo a la movilidad.

11.2. Verificación de programas de doctorado conjuntos internacionales seleccionados por la Comisión Europea

Los programas de doctorado conjuntos creados mediante consorcios internacionales en los que participen instituciones de Educación Superior españolas y extranjeras y que hayan sido evaluados y seleccionados por la Comisión Europea en convocatorias competitivas se entenderá que cuentan con el informe favorable exigido en el procedimiento de verificación.

A estos efectos, la universidad solicitante enviará al Ministerio de Universidades la propuesta del programa de doctorado aprobado por la Comisión Europea junto con el convenio de creación del consorcio y la carta de notificación de haber sido seleccionada en la convocatoria correspondiente, así como la documentación que proporcione los datos necesarios para la inscripción del correspondiente programa de doctorado en el RUCT.

El Ministerio de Universidades enviará el expediente al Consejo de Universidades a efectos de la emisión de la pertinente resolución de verificación de acuerdo con lo dispuesto en el Real Decreto 822/2021, de 28 de septiembre.

Se entenderá que estas titulaciones cumplen con el requisito de renovación de su acreditación mientras siga en vigor la selección por parte de la Comisión Europea. Si al finalizar el plazo de vigencia no se obtiene su renovación por parte de la Comisión Europea, las universidades que deseen seguir impartiendo el programa de dicha titulación deberán solicitar la modificación sustancial del mismo.

11.3. Incorporación a las nuevas enseñanzas de doctorado establecidas en el Real decreto 99/2011, de 28 de enero

Los doctorandos que hubieren iniciado su programa de doctorado conforme a anteriores ordenaciones universitarias, podrán acceder a las enseñanzas de doctorado reguladas en Real Decreto 99/2011, de 28 de enero, previa admisión de la universidad correspondiente, de acuerdo con lo establecido en el Real Decreto 99/2011, de 28 de enero y en la normativa de la propia universidad.

Podrán ser admitidos a los estudios de doctorado regulados en el Real Decreto 99/2011, de 28 de enero, los Licenciados, Arquitectos o Ingenieros que estuvieran en posesión del Diploma de Estudios Avanzados obtenido de acuerdo con lo dispuesto en el Real Decreto 778/1998, de 30 de abril, o hubieran alcanzado la suficiencia investigadora regulada en el Real Decreto 185/1985, de 23 de enero.

11.4. Doctora o Doctor Honoris Causa

De acuerdo con lo que establezca su normativa, las universidades podrán nombrar Doctora o Doctor Honoris Causa a aquellas personas que, en atención a sus excepcionales méritos académicos, científicos, culturales, sociales o específicamente personales sean acreedoras de tal distinción.

11.5. Doctorandos conforme a anteriores ordenaciones

A los doctorandos que en la fecha de entrada en vigor del Real Decreto 99/2011, de 28 de enero hubiesen iniciado estudios de doctorado conforme a anteriores ordenaciones, les será de aplicación las disposiciones reguladoras del doctorado y de la expedición del título de Doctor por las que hubieren iniciado dichos estudios. En todo caso, el régimen relativo a tribunal, defensa y evaluación de la tesis doctoral previsto por el Real Decreto 99/2011, de 28 de enero será aplicable a dichos estudiantes a partir de un año de su entrada en vigor.

En todo caso, quienes a la entrada en vigor del Real Decreto 99/2011, de 28 de enero se encuentren cursando estudios de doctorado disponen de 5 años para la presentación y defensa de la tesis doctoral. Transcurrido dicho plazo sin que se haya producido ésta, el doctorando causará baja definitiva en el programa.

11.6. Programas de doctorado verificados con anterioridad o en tramitación

Los programas de doctorado ya verificados conforme a lo establecido en el Real Decreto 1393/2007, de 29 de octubre, debieron adaptarse a lo dispuesto en el Real Decreto 99/2011 con anterioridad al inicio del curso académico 2014-2015. En todo caso tales programas debieron quedar completamente extinguidos con anterioridad al 30 de septiembre de 2017.

Las universidades responsables de los programas de doctorado que en la fecha de entrada en vigor del Real Decreto 99/2011 hubieran iniciado el procedimiento de verificación y no hubieran obtenido todavía la correspondiente resolución, podrán optar entre continuar la tramitación ya iniciada o acogerse a lo dispuesto en dicho Real Decreto.

ANEXO I

Memoria para la verificación de los programas de doctorado a que se refiere el artículo 10.2 del Real Decreto 99/2011[4]

[1] Descripción del programa de doctorado, que contendrá los datos básicos: denominación, instituciones participantes (siempre al menos una universidad coordinadora) y colaboradoras, si el programa se integra o no en una escuela doctoral, la existencia de redes o convenios internacionales, etc.

[2] Competencias.

Descripción de las competencias a adquirir por los estudiantes al finalizar el programa de doctorado.

[3] Acceso y admisión de estudiantes.

Vías y requisitos de acceso y admisión de los estudiantes, así como los sistemas para hacer accesible dicha información a los estudiantes antes de su matriculación.

Sistemas y procedimientos de admisión adaptados a estudiantes con necesidades educativas especiales derivadas de la discapacidad.

Descripción de los complementos de formación específicos adaptados a los diversos perfiles de ingreso, en el caso de que existan.

En el caso de que el programa de doctorado provenga de un programa existente, número de estudiantes admitidos en los últimos 5 años identificando aquellos que provengan de otros países. En el caso de nuevos programas, se facilitará la estimación de matrícula y previsión de estudiantes extranjeros.

[4] Actividades formativas.

Detalle de las actividades de formación transversal y específica del ámbito del programa.

Planificación de las mismas.

Procedimientos de control.

Actuaciones y criterios de movilidad.

[5] Organización del programa.

5.1 Supervisión de tesis.

Relación de actividades previstas para fomentar la dirección de tesis doctorales y existencia de una guía de buenas prácticas para su dirección.

---

4 Este artículo 10.2 establece: *"A efectos de su verificación los programas de doctorado se ajustarán a la memoria que figura como Anexo I del presente real decreto".*

Relación de actividades previstas que fomenten la supervisión múltiple en casos justificados académicamente y presencia de expertos internacionales en las comisiones de seguimiento, informes previos y en los tribunales de tesis.

5.2 Seguimiento del doctorando.

Descripción del procedimiento utilizado por la correspondiente comisión académica para la asignación del tutor y director de tesis del doctorando.

Descripción del procedimiento para el control del documento de actividades de cada doctorando y la certificación de sus datos.

Descripción del procedimiento para la valoración anual del Plan de investigación y el documento de actividades del doctorando.

Normativa para la presentación y lectura de tesis doctorales.

Previsión de las estancias de los doctorandos en otros centros de formación nacionales e internacionales, co-tutelas y menciones europeas.

[6] Recursos humanos.

Descripción de los equipos de investigación y profesorado, detallando la internacionalización del programa.

Descripción de los mecanismos habilitados para colaboraciones externas.

Líneas de investigación del programa con indicación de los equipos investigadores asociados a las mismas.

Producción científica del personal investigador en los últimos 5 años y contribuciones conjuntas con investigadores extranjeros.

Experiencia del personal investigador en la dirección de tesis doctorales.

Mecanismos de cómputo de la labor de tutorización y dirección de tesis como parte de la dedicación docente e investigadora del profesorado.

[7] Recursos materiales y apoyo disponible para los doctorandos.

Descripción de los medios materiales y servicios disponibles (laboratorios y talleres, biblioteca, acceso a bases de datos, conectividad, etc.).

Previsión para la obtención de recursos externos que sirvan de apoyo a los doctorandos en su formación.

[8] Revisión, mejora y resultados del programa.

Órgano, unidad o persona responsable del sistema de garantía de calidad.

Descripción de los mecanismos y procedimientos de seguimiento que permitan analizar el desarrollo y resultados del programa de doctorado para su mejora.

Descripción de los procedimientos que aseguren el correcto desarrollo de los programas de movilidad y mecanismos para publicar información sobre el programa, su desarrollo y resultados.

En el caso de programas en los que participen más de una universidad, se deberán describir los mecanismos y procedimientos que aseguren la coordinación entre las universidades participantes.

Descripción del procedimiento para el seguimiento de doctores egresados.

Datos relativos a los últimos 5 años o estimación prevista en los próximos 6 años (en el caso de programas de nueva creación) sobre: tesis producidas, tasa de éxito en la realización de tesis doctorales, calidad de las tesis y contribuciones resultantes. Justificación de los datos aportados.

ANEXO II

Criterios de evaluación para la verificación de los programas de doctorado a que se refiere el artículo 10.5 de este Real Decreto[5]

[1] Descripción del programa de doctorado.

Se valorará:

Que la denominación del programa de doctorado sea coherente con las líneas de investigación en propuestas en el mismo.

La participación en el programa de otras instituciones participantes.

La imbricación del programa en la estrategia de I+D+i de la universidad o, en su caso, de otras instituciones. Este aspecto quedará plasmado en su inscripción en el seno de una Escuela Doctoral, sea propia de la universidad que propone el programa de doctorado, interuniversitario o bien en colaboración con otros organismos e instituciones.

La existencia de redes o convenios internacionales.

[2] Competencias.

Se valorará:

Si las competencias a adquirir por el doctorando son evaluables y garantizan, como mínimo, las competencias básicas detalladas en el artículo 5 de este Real Decreto o bien son coherentes con las correspondientes al nivel de doctorado.

---

5 Dicho artículo establece lo siguiente: *"De acuerdo con lo establecido en el Anexo II, los criterios de evaluación para la verificación y acreditación de los programas de doctorado tendrán en cuenta el porcentaje de investigadores con experiencia acreditada, los proyectos competitivos en que participan, las publicaciones recientes y la financiación disponible para los doctorandos. Asimismo se valorará el grado de internacionalización de los doctorados, con especial atención a la existencia de redes, la participación de profesores y estudiantes internacionales, la movilidad de profesores y estudiantes, y los resultados tales como cotutelas, menciones europeas e internacionales, publicaciones conjuntas con investigadores extranjeros, organización de seminarios internacionales, o cualquier otro criterio que se determine al respecto".*

[3] Acceso y admisión de estudiantes.

Se valorará:

La claridad y adecuación de los procedimientos de admisión y selección de los estudiantes.

Adaptación de los complementos de formación específicos a los diversos perfiles de ingreso, en el caso de que existan.

El número de estudiantes (nacionales y extranjeros) matriculados en el programa de doctorado en los últimos 5 años o valoración de la estimación prevista.

[4] Actividades formativas.

Se valorará:

La organización de la formación que se proporcione a los doctorandos, en particular sobre conocimientos disciplinares y metodológicos (seminarios, cursos, talleres, etc.), competencias transversales, experiencias formativas (jornadas de doctorandos, congresos nacionales o internacionales, etc.) y su planificación a lo largo del desarrollo del programa.

[5] Organización del programa.

Se valorará:

La adecuación de las actividades previstas de fomento de la dirección de tesis doctorales al desarrollo del programa.

La adecuación de los procedimientos anteriormente descritos a los objetivos del programa.

La presencia de expertos internacionales en las comisiones de seguimiento, informes previos y en los tribunales de tesis.

En la fase de renovación de la acreditación se revisarán las estimaciones facilitadas en este criterio, atendiendo a las justificaciones aportadas y las acciones derivadas de su seguimiento.

[6] Recursos humanos.

Se valorará:

Que un porcentaje mínimo del 60% de los investigadores doctores participantes en el programa tengan experiencia acreditada (excluidos los invitados y visitantes de corta duración).

Número de profesores extranjeros que participan en el programa.

Que los grupos de investigación incorporados al programa de doctorado cuentan con, al menos, un proyecto competitivo en los temas de las líneas de investigación del programa.

La calidad de las contribuciones científicas del personal investigador que participa en el programa en los últimos 5 años/ tener un tramo de investigación vivo/haber alcanzado el número máximo de tramos posible. Contribuciones conjuntas con investigadores extranjeros.

Que el personal investigador participante en el programa tenga experiencia contrastada en la dirección de tesis doctorales en los últimos 5 años.

La existencia en la universidad de mecanismos claros de reconocimiento de la labor de tutorización y dirección de tesis.

[7] Recursos materiales y apoyo disponible para los doctorandos.

Se valorará:

Si los recursos materiales y otros medios disponibles son adecuados para garantizar el desarrollo de la investigación a realizar por el estudiante.

Los recursos externos y las bolsas de viaje dedicadas a ayudas para asistencia a congresos y estancias en el extranjero.

La financiación de seminarios, jornadas y otras acciones formativas nacionales e internacionales.

El porcentaje de doctorandos que consiguen ayudas o contratos post-doctorales.

[8] Revisión, mejora y resultados del programa.

Se valorará:

Que el programa de doctorado disponga de un órgano responsable así como que articule procedimientos y mecanismos para supervisar su desarrollo, analizar los resultados y determinar las actuaciones oportunas para su mejora. La opinión de los estudiantes y la de los doctores egresados será de especial importancia a la hora de definir e implantar acciones de mejora.

Se valorará la existencia de un procedimiento que analice los resultados del programa de movilidad, mecanismos para publicar información sobre el programa, su desarrollo y resultado.

En el caso de los programas en los que participe más de una universidad, se valorará la existencia de mecanismos y procedimientos que aseguren la coordinación entre las universidades participantes.

Los datos relativos a los últimos 5 años o la estimación prevista en función de su justificación y contexto. En la fase de renovación de la acreditación se revisarán dichas estimaciones, atendiendo a las justificaciones aportadas y las acciones derivadas de su seguimiento.

La empleabilidad de los doctorandos durante los tres años posteriores a la lectura de su tesis o previsión de la misma, en el caso de nuevos programas.

TEMA 8

Las enseñanzas universitarias

Las enseñanzas universitarias: homologación, declaración de equivalencia y de convalidación de enseñanzas universitarias de sistemas educativos extranjeros. La correspondencia al nivel del marco español de cualificaciones para la educación superior de títulos pertenecientes a ordenaciones académicas anteriores. Regulación de la obtención y expedición de títulos oficiales: El Real Decreto 1002/2010, de 5 de agosto, sobre expedición de títulos universitarios oficiales. El Suplemento Europeo al Título

Este **manual** desarrolla tu programa de materias y en el Curso MAD360 encontrarás las **actualizaciones** y todo lo necesario para conseguir tu plaza.

Índice

1. La homologación de títulos extranjeros. Declaración de equivalencia y convalidación de enseñanzas universitarias de sistemas educativos extranjeros. La correspondencia al nivel del Marco Español de cualificaciones para la educación superior de títulos pertenecientes a ordenaciones académicas anteriores

1.1. Planteamiento general y regulación normativa

El artículo 149.1.30.ª de la Constitución atribuye la regulación de las condiciones de obtención, expedición y homologación de títulos académicos y profesionales a la competencia exclusiva del Estado.

El artículo 10 de la LOSU establece que corresponde al Gobierno, previo informe del Consejo de Universidades, regular: b) Los criterios generales a los que habrán de ajustarse las universidades en materia de convalidación y adaptación de estudios cursados en centros académicos españoles o extranjeros. Este procedimiento deberá estructurarse partiendo de los principios que sustenten el Espacio Europeo de Educación Superior, en cuanto al mutuo reconocimiento de títulos académicos de los países que lo han implementado, así como de acuerdo con el Convenio sobre reconocimiento de cualificaciones relativas a la educación superior en la Región Europea (número 165 del Consejo de Europa), hecho en Lisboa el 11 de abril de 1997; c) Las condiciones para la declaración de equivalencia de un título oficial extranjero de educación superior en relación con el nivel académico universitario oficial de Grado o de Máster Universitario. Los títulos de Grado expedidos por universidades en los Estados miembros de la Unión Europea serán equivalentes, a todos los efectos, a aquellos expedidos por universidades españolas y, (...) e) El régimen de convalidaciones y de reconocimiento de créditos entre las enseñanzas oficiales universitarias y las otras enseñanzas que constituyen la educación superior (artículo 10 LOSU).

Esta materia se regula en el Real Decreto 889/2022, de 18 de octubre, por el que se establecen las condiciones y los procedimientos de homologación, de declaración de equivalencia y de convalidación de enseñanzas universitarias de sistemas educativos extranjeros y por el que se regula el procedimiento para establecer la correspondencia al nivel del Marco Español de Cualificaciones para la Educación Superior de los títulos universitarios oficiales pertenecientes a ordenaciones académicas anteriores. Entró en vigor el 8 de noviembre de 2022, a los veinte días de su publicación en el «Boletín Oficial del Estado».

El Real Decreto 889/2022, de 18 de octubre deroga el Real Decreto 967/2014, de 21 de noviembre, por el que se establecían los requisitos y el procedimiento para la homologación y declaración de equivalencia a titulación y a nivel académico universitario oficial y para la convalidación de estudios extranjeros de educación superior, y el procedimiento para determinar la correspondencia a los niveles del marco español de cualificaciones para la educación superior de los títulos oficiales de Arquitecto, Ingeniero, Licenciado, Arquitecto Técnico, Ingeniero Técnico y Diplomado.. Asimismo, quedaban derogadas cuantas disposiciones de igual o inferior rango se opongan a lo establecido en este real decreto.

1.2. Principales novedades de la norma. El Preámbulo del Real Decreto 889/2022, de 18 de octubre

El proceso de construcción de Europa en los últimos años ha estado indefectiblemente unido a un crecimiento de la movilidad del estudiantado y del profesorado universitario, como, igualmente, de las personas trabajadoras y profesionales. A medida que se han afianzado las dinámicas de globalización estas se han intensificado, haciéndose cada vez más complejas en cuanto a sus participantes y motivaciones e incrementándose el volumen de personas que las protagonizaban.

Una de las consecuencias especialmente relevante ha sido la creciente apertura de los mercados laborales nacionales a la movilidad de profesionales procedentes de otros países. Este proceso no es exclusivo de Europa, pues está afectando, de una u otra forma, a una amplia mayoría de países, tanto como espacios emisores como espacios receptores de esos profesionales, como así sucede, por ejemplo, con los Estados Unidos o con numerosas naciones latinoamericanas. España tampoco ha sido una excepción, tanto como país receptor como un país del cual han salido titulados y profesionales que buscaban oportunidades de ejercer su profesión en otros contextos nacionales. Estos procesos han mostrado una evidente sensibilidad de la evolución de las economías nacionales y de la capacidad de retención o de atracción, según los casos, de los respectivos mercados laborales.

Este proceso de internacionalización de los espacios laborales profesionales ha recibido un empuje definitivo con la armonización formativa que ha supuesto la asunción generalizada de los principios del Espacio Europeo de Educación Superior en la mayoría de

países europeos. La estructuración de un sistema formativo universitario común basado en tres etapas: Grado, Máster y Doctorado, la articulación de un modelo educativo que pivota en torno a las competencias y conocimientos que definen los diferentes títulos, y, por último, la utilización generalizada del Sistema Europeo de Transferencia y Acumulación de Créditos (*European Credit Transfer and Accumulation System*, ECTS), han convergido en el robustecimiento de las potencialidades de reconocimiento entre países de las titulaciones universitarias alcanzadas, lo que contribuye definitivamente a la movilidad de personas con conocimientos en los diversos campos del saber. Este reconocimiento, en determinados casos, comporta expresamente la capacidad de ejercer la profesión a la que ha conducido la consecución de esa titulación.

En el ámbito europeo, el Convenio sobre reconocimiento de cualificaciones relativas a la educación superior en la Región Europea (número 165 del Consejo de Europa), hecho en Lisboa el 11 de abril de 1997 y ratificado por España en el año 2009, establece los principios esenciales que deben atenderse en lo que respecta, entre otras cosas, al reconocimiento de periodos de estudio y de cualificaciones de educación superior.

En este contexto, cabe resaltar que las normativas nacionales no son siempre análogas en cuanto a los requisitos para el reconocimiento de los títulos universitarios conseguidos en otros países, o en relación con la posibilidad y mecanismos establecidos para ejercer una profesión que se encuentre regulada por las normativas nacionales o europeas. En este último aspecto, en España concretamente se dispone de un acervo normativo que establece una serie de Grados y de Másteres Universitarios que son habilitantes para el ejercicio de una profesión regulada. De igual modo esta situación se reproduce en otros países, aunque con matizaciones importantes. Ante esta realidad, la Comisión Europea ha impulsado normativas y otras medidas que tratan de abrir caminos efectivos a la movilidad de los profesionales, una parte importante de los cuales disponen de titulación universitaria.

En este sentido, la libre circulación de personas trabajadoras es una de las cuatro libertades fundamentales del proyecto europeo, tal y como se recoge en el artículo 45 del Tratado de Funcionamiento de la Unión Europea, que expresamente prohíbe cualquier discriminación por razón de nacionalidad entre las personas trabajadoras de los países miembros de la Unión. Más allá de la inclusión de este planteamiento en multitud de documentos estratégicos de la Comisión Europea aprobados durante estos años, se promulgaron en la primera década de este siglo la Directiva 2005/36/CE del Parlamento Europeo y del Consejo, de 7 de septiembre de 2005, relativa al reconocimiento de cualificaciones profesionales, así como, el Reglamento (UE) n.º 492/2011 del Parlamento Europeo y del Consejo, de 5 de abril de 2011, relativo a la libre circulación de los trabajadores dentro de la Unión.

Todas estas normas se convierten en piezas esenciales para facilitar la movilidad de profesionales en el mercado laboral europeo y eliminar o condicionar las barreras nacionales normativas y administrativas que la dificultan.

En España, al amparo de lo establecido en el artículo 149.1.30.ª de la Constitución, es competencia exclusiva del Estado la regulación de las condiciones de obtención, expedición y homologación de títulos académicos y profesionales. Así se ha reflejado en la legislación que a tal efecto se ha promulgado.

Lo dispuesto en la norma que se encontraba actualmente en vigor, el Real Decreto 967/2014, de 21 de noviembre, no ha sido capaz de asumir el aumento del volumen de solicitudes para el reconocimiento, a través de los procedimientos de homologación y de declaración de equivalencia, de la titulación universitaria obtenida en sistemas educativos extranjeros. Ello, unido a la complejidad del procedimiento establecido en la norma, ha tenido como consecuencia la acumulación de expedientes y la demora subsiguiente en la resolución de los mismos.

De ahí la oportunidad de aprobar una nueva norma, ante la trascendencia para nuestra sociedad y para nuestro mercado laboral de la llegada de estos titulados y de estos profesionales cualificados.

Este real decreto se articula, por lo tanto, a partir de la experiencia desarrollada y de la voluntad de resolver los problemas detectados en el ámbito de las homologaciones y declaraciones de equivalencia de los títulos universitarios extranjeros desde cinco principios fundamentales: el rigor académico, la transparencia procedimental, la agilización en la resolución de la instrucción de los procedimientos para garantizar los derechos de la ciudadanía, la modernización y tramitación electrónica y la seguridad jurídica.

Por tanto, tiene como objetivo fundamental ordenar las condiciones, los requisitos y el procedimiento para, por una parte, la homologación de los títulos obtenidos en el marco de sistemas de educación superior extranjeros a los correspondientes títulos universitarios españoles que habilitan para el ejercicio de una profesión regulada en España y, por otra, la declaración de equivalencia a nivel académico oficial en nuestro país de un título obtenido en el marco de sistemas de educación superior extranjeros, que, sin embargo, no constituye un requisito para el acceso y el ejercicio de una profesión regulada en España. Es en estos procedimientos donde se concentran las principales novedades del proyecto normativo, como la digitalización intensa y global o la creación de la Comisión de Análisis Técnico de Homologaciones y Declaraciones de Equivalencia.

De igual modo, regula el reconocimiento mediante convalidación de estudios universitarios extranjeros o periodos de estos, cuya competencia corresponde a las universidades. Y, finalmente, determina el mecanismo para definir la correspondencia de un título español, obtenido en la etapa previa al Espacio Europeo de Educación Superior, al Marco Español de Cualificaciones para la Educación Superior.

El proyecto normativo se dictó al amparo de lo previsto en el artículo 149.1.30.ª de la Constitución española, que atribuye al Estado la competencia exclusiva sobre la regulación de las condiciones de obtención, expedición y homologación de títulos académicos y profesionales, así como en virtud del mandato en favor del Gobierno contenido en el artículo 36 y la disposición final tercera de la Ley Orgánica 6/2001, de 21 de diciembre.

1.3. Disposiciones generales

1.3.1. Objeto

El Real Decreto 889/2022, de 18 de octubre, tiene como objeto la ordenación de las condiciones, los requisitos y los procedimientos para el reconocimiento de títulos de

educación superior obtenidos en sistemas educativos extranjeros con relación a los títulos universitarios oficiales correspondientes en España. Para ello se establecen dos procedimientos específicos:

a) La homologación de títulos obtenidos en el marco de sistemas de educación superior extranjeros a un título universitario oficial español, cuando este título sea habilitante y conduzca al ejercicio de una profesión regulada por la normativa vigente a tal efecto en España.

b) La declaración de equivalencia de títulos obtenidos en el marco de sistemas de educación superior extranjeros a un nivel académico oficial español de Grado y Máster Universitario, sin que ello habilite para el ejercicio de una profesión regulada en España.

Asimismo, establece el procedimiento para la convalidación de estudios universitarios extranjeros o periodos de estos, realizados en el marco de enseñanzas universitarias y de educación superior extranjeras, por enseñanzas universitarias oficiales que se estén impartiendo en el sistema universitario español.

Por último, regula el procedimiento para la determinación de la correspondencia al nivel del Marco Español de Cualificaciones para la Educación Superior (MECES), de los títulos universitarios oficiales pertenecientes a ordenaciones académicas anteriores a la prevista en la Ley Orgánica 6/2001, de 21 de diciembre, de Universidades, así como de los títulos profesionales y de enseñanza superior que a la entrada en vigor del Real Decreto 889/2022, de 18 de octubre, hubiesen sido declarados equivalentes al título de Arquitecto/a, Ingeniero/a, Licenciado/a, Arquitecto/a Técnico/a, Ingeniero/a Técnico/a o Diplomado/a.

1.3.2. Ámbito de aplicación

Lo dispuesto en el Real Decreto 889/2022, de 18 de octubre, se aplicará a los títulos extranjeros, a partir de los cuales se solicite, según el caso, la homologación o la declaración de equivalencia.

De igual forma, se aplicará a estudios universitarios desarrollados en el marco de sistemas de educación superior extranjeros o periodos de estos, a partir de los cuales se solicite una convalidación por estudios de un título universitario oficial español.

La determinación de la correspondencia al nivel del MECES se aplicará a los siguientes títulos universitarios oficiales españoles pertenecientes a ordenaciones académicas anteriores:

a) Arquitecto/a.

b) Ingeniero/a.

c) Licenciado/a.

d) Arquitecto/a Técnico/a.

e) Ingeniero/a Técnico/a.

f) Diplomado/a.

g) Los títulos profesionales y de enseñanza superior que a la entrada en vigor del Real Decreto 889/2022, de 18 de octubre hubiesen sido declarados equivalentes al título de Arquitecto/a, Ingeniero/a, Licenciado/a, Arquitecto/a Técnico/a, Ingeniero/a Técnico/a o Diplomado/a.

Se excluye del ámbito de aplicación del Real Decreto 889/2022 el reconocimiento profesional previsto en las normas de Derecho de la Unión Europea para los ciudadanos y las ciudadanas de la Unión Europea, que se regirá por su normativa específica, en particular, por el Real Decreto 581/2017, de 9 de junio, por el que se incorpora al ordenamiento jurídico español la Directiva 2013/55/UE del Parlamento Europeo y del Consejo, de 20 de noviembre de 2013, por la que se modifica la Directiva 2005/36/CE relativa al reconocimiento de cualificaciones profesionales y el Reglamento (UE) n.º 1024/2012 relativo a la cooperación administrativa a través del Sistema de Información del Mercado Interior (Reglamento IMI).

1.3.3. Exclusiones

No podrá concederse la homologación, ni la declaración de equivalencia de títulos extranjeros, a:

a) Títulos y diplomas propios, especialmente de formación permanente, que impartan las universidades.

b) Títulos españoles cuyos planes de estudios se hayan extinguido o que aún no estén implantados en al menos una universidad española.

c) Niveles académicos distintos de Grado y Máster Universitario. En el caso del nivel académico de Doctorado, se aplicará el procedimiento establecido en la disposición adicional segunda.

No serán objeto de homologación, ni de declaración de equivalencia, los siguientes títulos extranjeros o estudios expedidos o realizados en el extranjero:

a) En los supuestos de homologación a un título con formación armonizada por normativa de la Unión Europea, aquellos títulos extranjeros que no cumplan con los criterios establecidos en dicha normativa.

b) Los correspondientes a estudios extranjeros realizados, en todo o en parte, en España, cuando los centros carezcan de la preceptiva autorización para impartir tales enseñanzas, o bien cuando las enseñanzas sancionadas por el título extranjero no estuvieran efectivamente implantadas en la universidad o institución de educación superior extranjera en el momento en que esta expidió el título. No obstante, cuando esas circunstancias afecten solo a parte de los estudios realizados, los estudios parciales que no incurran en ellas podrán ser objeto de convalidación.

c) Los títulos que hayan sido objeto en España de un procedimiento de homologación en los que haya recaído resolución respecto a una solicitud idéntica, salvo en los supuestos de desistimiento expreso o tácito o cuando, excepcionalmente, la

Comisión de Análisis Técnico de Homologaciones y Declaraciones de Equivalencia haya determinado expresamente en una medida de carácter general un cambio de criterio en la valoración de determinados estudios. Se entenderá por solicitud idéntica aquella formulada en relación con una misma titulación extranjera y para un mismo título oficial español.

d) Los títulos que hayan sido objeto en España de un procedimiento de declaración de equivalencia en los que haya recaído resolución respecto a una solicitud idéntica, salvo los supuestos de desistimiento expreso o tácito o cuando, excepcionalmente, la Comisión de Análisis Técnico de Homologaciones y Declaraciones de Equivalencia haya adoptado expresamente en una medida de carácter general un cambio de criterio en la valoración de determinados estudios. Se entenderá por solicitud idéntica aquella formulada en relación con una misma titulación extranjera y para el mismo nivel académico.

e) Los títulos sobre los que se esté tramitando la convalidación de sus estudios ante una universidad española

f) Los títulos obtenidos por reconocimiento de la experiencia profesional o laboral o de estudios universitarios no oficiales (propios o de formación permanente) en un porcentaje superior al 15 % del total de créditos que constituyen el plan de estudios.

Mediante el procedimiento establecido en el Real Decreto 889/2022, de 18 de octubre, no será posible determinar la correspondencia al nivel del MECES de los títulos propios expedidos por las universidades.

Cuando el órgano instructor compruebe la concurrencia de algunas de las circunstancias descritas en los apartados anteriores no se requerirá la propuesta de resolución de la Comisión de Análisis Técnico de Homologaciones y Declaraciones de Equivalencia y se podrá resolver, motivadamente, la inadmisión de la solicitud de homologación o de declaración de equivalencia.

1.3.4. Definiciones

A efectos de la aplicación del Real Decreto 889/2022, de 18 de octubre, se entenderá por:

a) Título extranjero: cualquier título o diploma con validez oficial obtenido en el marco de sistemas de educación superior extranjeros, acreditativo de la completa superación del correspondiente ciclo de estudios superiores, incluido, en su caso, el periodo de prácticas necesario para su obtención, prueba de aptitud o certificación habilitante, con carácter oficial en su país de origen y expedido en el extranjero por una universidad, institución de educación superior reconocida oficialmente en el mismo o autoridad competente, de acuerdo con la normativa del país al que pertenezcan dichos estudios.

b) Homologación: reconocimiento oficial de la formación superada para la obtención de un título extranjero, equiparable a la exigida para la obtención de un título español cuya obtención se requiere para el ejercicio de una profesión regulada.

c) Declaración de equivalencia: reconocimiento oficial de la formación superada para la obtención de un título extranjero, equiparable a la exigida para la obtención de un nivel académico de Grado, Máster Universitario o Doctorado, con exclusión de los efectos profesionales respecto de aquellos títulos susceptibles de obtenerse por homologación.

d) Profesión regulada: aquella profesión para cuyo acceso al ejercicio se exija estar en posesión de un título universitario oficial con sujeción a lo dispuesto en los artículos 14.8 y 17.6 del Real Decreto 822/2021, de 28 de septiembre, por el que se establece la organización de las enseñanzas universitarias y del procedimiento de aseguramiento de su calidad, según se trate respectivamente de enseñanzas de Grado o de Máster Universitario.

e) Efectos académicos: los inherentes a la obtención de los títulos oficiales que conforman el sistema universitario español y que permiten la prosecución de estudios en el mismo o en diferentes niveles del sistema educativo español.

f) Efectos profesionales: aquellos proporcionados por los títulos universitarios oficiales exigidos para permitir el acceso al ejercicio de alguna de las profesiones reguladas.

g) Convalidación: el reconocimiento oficial, a efectos académicos, de la validez de estudios superiores realizados en el extranjero, hayan finalizado o no con la obtención de un título, respecto de estudios universitarios españoles.

h) Medida de carácter general: informe motivado de la Comisión de Análisis Técnico de Homologaciones y Declaraciones de Equivalencia, que se realizará atendiendo a los criterios recogidos en este real decreto y que establecerá un criterio general aplicable a la homologación o a la declaración de equivalencia de determinados títulos extranjeros.

i) Correspondencia al nivel del MECES: la determinación de correspondencia a un nivel del MECES de un título universitario oficial español incluido en el ámbito de aplicación del Real Decreto 889/2022, de 18 de octubre.

j) Título habilitante: aquel exigido para el ejercicio de una profesión regulada en España, cuyo diseño y directrices respondan a lo dispuesto en los artículos 14.8 y 17.6 del Real Decreto 822/2021, de 28 de septiembre, según se trate respectivamente de enseñanzas de Grado o Máster Universitario.

1.3.5. Efectos de la homologación, de la declaración de equivalencia y de la convalidación

La homologación otorga al título extranjero, desde la fecha en que sea concedida y se expida la correspondiente credencial, los mismos efectos del título español al que se homologa en todo el territorio nacional. Asimismo, conllevará la posibilidad de ejercicio de la profesión regulada de que se trate en las mismas condiciones que las personas poseedoras de los títulos españoles que habiliten para tal ejercicio.

La obtención de la declaración de equivalencia tendrá en todo el territorio nacional, desde la fecha en que se conceda la misma y se expida el correspondiente certificado, los efectos académicos y administrativos correspondientes al nivel académico respecto del cual se haya declarado la equivalencia.

La convalidación de estudios universitarios extranjeros, desde el momento de emisión de la misma, tendrá los mismos efectos académicos que correspondan a la superación de los estudios universitarios por los que esta se conceda. Asimismo, la convalidación permitirá proseguir dichos estudios en una universidad española.

Ni la homologación, ni la declaración de equivalencia, ni la convalidación presuponen en ningún caso la posesión de cualquier otro título ni nivel académico del sistema educativo español.

1.4. Procedimientos de homologación y de declaración de equivalencia de títulos extranjeros

1.4.1. Disposiciones comunes

A) Órganos competentes

Los actos de instrucción se efectuarán de oficio por el órgano de la Secretaría General de Universidades que tenga atribuida la función de instruir los procedimientos de homologación y de declaración de equivalencia.

El órgano competente para la resolución de los procedimientos de este apartado 1.4 será la persona titular del Ministerio de Universidades.

B) Obligatoriedad de relacionarse electrónicamente

Conforme a lo dispuesto en el artículo 14.3 de la Ley 39/2015, de 1 de octubre, del Procedimiento Administrativo Común de las Administraciones Públicas, así como en el Reglamento de actuación y funcionamiento del sector público por medios electrónicos, aprobado por el Real Decreto 203/2021, de 30 de marzo, será obligatoria, para las personas solicitantes de los procedimientos de homologación o de declaración de equivalencia la realización de todos los trámites con las Administraciones públicas, incluido el de interposición de recursos administrativos relacionados con estos procedimientos, por medios electrónicos a través de la sede electrónica del Ministerio de Universidades.

Las solicitudes, las comunicaciones y la documentación requerida deberán presentarse en el registro electrónico, accesible a través de la sede electrónica del Ministerio de Universidades. Asimismo, los medios electrónicos que se emplearán en la tramitación de las solicitudes y en la comunicación con las personas solicitantes serán los sistemas determinados en la citada sede electrónica.

En el caso de requerir el órgano instructor la presentación de originales y si estos solo pueden presentarse en formato papel, dichos documentos serán digitalizados, según lo dispuesto en el artículo 16.5 de la Ley 39/2015, de 1 de octubre, devolviéndose los originales a la persona interesada.

Las personas interesadas serán notificadas, en todo caso, a través de la dirección electrónica habilitada única, así como mediante comparecencia en la sede electrónica del Ministerio de Universidades.

C) Condiciones generales para la homologación y la declaración de equivalencia

La homologación de un título extranjero se podrá solicitar respecto de aquellos títulos universitarios oficiales de Grado o de Máster Universitario vigentes cuya obtención habilite para el acceso al ejercicio de una profesión regulada en España. En todo caso, para el acceso al ejercicio de la correspondiente profesión regulada en España deberán cumplirse los requisitos que disponga la normativa específica que ordene la misma.

A efectos del procedimiento de homologación de títulos extranjeros, en el anexo[1] se relaciona la normativa por la que se establecen los requisitos para la verificación de los títulos universitarios oficiales que habiliten para el ejercicio de las profesiones correspondientes.

En particular, cuando la normativa específica reguladora de una profesión exija, para el acceso al ejercicio de la misma estar en posesión de un título español oficial concreto de Máster Universitario, que a su vez tenga como requisito de acceso estar en posesión de un título universitario oficial español concreto de Grado, la homologación a dicho Máster Universitario requerirá la previa acreditación de la posesión de un título universitario que cumpla con las mismas condiciones y exigencias formativas que se hayan establecido en los planes de estudios de dicho Grado.

En los supuestos en que el acceso al Máster Universitario indicado en el párrafo anterior tenga como requisito de acceso estar en posesión de un título de Grado no específico, la homologación a dicho Máster Universitario requerirá la acreditación de una previa declaración de equivalencia al nivel académico oficial de Grado.

La declaración de equivalencia de un título extranjero se podrá solicitar con relación al nivel académico oficial de Grado o de Máster Universitario cuya obtención no habilita para el acceso al ejercicio de una profesión regulada en España.

D) Requisitos generales de los títulos extranjeros

Los títulos extranjeros a partir de los cuales se solicite una homologación o una declaración de equivalencia a un nivel académico oficial en España, deberán tener carácter oficial en su país de origen y haber sido expedidos por la universidad, por una institución de educación superior, o por la autoridad competente, con arreglo a la normativa vigente en dicho país.

1 Véase al final del presente tema.

Estos títulos extranjeros, asimismo, deberán disponer de un nivel académico equivalente al del título universitario oficial español de Grado o de Máster Universitario, para el que se solicita la homologación o la declaración de equivalencia, según proceda.

En el caso de la solicitud de homologación, los títulos extranjeros a partir de los cuales se solicite deberán incorporar en su plan de estudios los conocimientos y competencias que son considerados como fundamentales del proyecto formativo del título universitario oficial español de Grado o de Máster Universitario al que se pretende homologar. Asimismo, dichos títulos extranjeros deberán incorporar en su plan de estudios aquellos conocimientos y competencias específicos que se hayan establecido en la normativa vigente para los títulos que habilitan para el ejercicio de la profesión regulada de que se trate.

Para la homologación de títulos extranjeros se exigirá a la persona solicitante la acreditación de la competencia lingüística necesaria para el ejercicio en España de la correspondiente profesión regulada.

E) Comisión de Análisis Técnico de Homologaciones y Declaraciones de Equivalencia

Se crea la Comisión de Análisis Técnico de Homologaciones y Declaraciones de Equivalencia (en adelante, la Comisión), que estará adscrita a la Secretaría General de Universidades del Ministerio de Universidades. Esta Comisión se regirá, en lo no dispuesto en el Real Decreto 889/2022, por las disposiciones que le sean de aplicación del Capítulo II del título preliminar de la Ley 40/2015, de 1 de octubre, de Régimen Jurídico del Sector Público.

La Comisión tendrá como funciones la formulación de la propuesta de resolución, así como la adopción de medidas de carácter general.

La Comisión estará compuesta por trece personas, con la siguiente composición:

a) Tres en representación de la Secretaría General de Universidades. Una de ellas será la persona responsable de la unidad de la Secretaría General de Universidades encargada de la tramitación de estas solicitudes, con rango de subdirector/a general, que ejercerá la presidencia y las funciones de coordinación de la Comisión. Las otras dos serán elegidas entre el personal funcionario de esa Subdirección, con un nivel mínimo de 28 y con funciones en la tramitación de los procedimientos de homologación y de declaración de equivalencia de títulos universitarios extranjeros. Una de ellas actuará como secretario/a, que tendrá voz y voto.

b) Dos en representación de la Agencia Nacional de Evaluación de la Calidad y Acreditación (ANECA), que serán propuestas por la persona titular de la Dirección de ese organismo, entre personal laboral o funcionario de la ANECA, con experiencia en los procedimientos de reconocimiento internacional de títulos y estudios de educación superior y en los modelos internacionales de evaluación, certificación y acreditación de la calidad de los programas de estudios.

c) Cuatro personas en representación de los Decanatos de Facultad o de las Direcciones de Escuela universitarias españolas.

d) Cuatro personas elegidas entre el profesorado universitario con vinculación permanente a su universidad, a propuesta de las universidades españolas.

Las personas titulares y suplentes que integran esta Comisión serán designadas por la persona titular de la Secretaría General de Universidades. Las contempladas en los párrafos c) y d) serán nombradas con el previo acuerdo del Consejo de Universidades.

Se garantizará una composición equilibrada entre mujeres y hombres según lo dispuesto en el artículo 54 de la Ley Orgánica 3/2007, de 22 de marzo, para la igualdad efectiva de mujeres y hombres, así como una representación plural de las ramas de conocimiento.

Las personas a que se hace referencia en los párrafos c) y d) se renovarán cada tres años garantizando igualmente el principio de composición equilibrada previsto en el artículo 54 de la Ley Orgánica 3/2007, de 22 de marzo.

F) Criterios básicos y específicos para la resolución de los procedimientos de homologación y de declaración de equivalencia

Las resoluciones de los procedimientos de homologación y de declaración de equivalencia de títulos extranjeros se adoptarán tras examinar la documentación que acredite la formación recibida por el o la solicitante. A tal efecto, se deberá atender a los siguientes criterios básicos y específicos.

Criterios básicos:

a) La equiparación entre los niveles académicos requeridos para el acceso a las enseñanzas conducentes a la obtención del título extranjero, con respecto al acceso al título universitario español.

b) La equiparación entre el nivel académico que supone la obtención del título extranjero con el que se solicita la homologación o la declaración de equivalencia, al título universitario oficial en España, en el caso de la homologación, y del nivel académico del título universitario oficial correspondiente en España, en el caso de la declaración de equivalencia.

c) Para el caso concreto de una solicitud de homologación a un título de Grado o de declaración de equivalencia al nivel académico de Grado, será condición necesaria que el título extranjero dé acceso a estudios de Máster Universitario o de postgrado equivalentes en su país de origen.

Criterios específicos:

a) Las competencias y conocimientos fundamentales que identifican el título extranjero, así como la duración y carga crediticia de las enseñanzas que conducen a la obtención de dicho título.

b) En el caso de la solicitud de una homologación de un título extranjero a un título universitario oficial español que habilite y permita el acceso al ejercicio de una profesión regulada, los títulos extranjeros deberán acreditar la duración y contenidos de los requisitos estipulados en dicha normativa, ya sea nacional, ya sea de la Unión Europea.

c) En los casos en los que los títulos extranjeros presentados para homologación requieran en su país de origen la obtención de otros títulos o el cumplimiento de determinadas condiciones o exigencias adicionales para el ejercicio de la misma profesión, se deberá acreditar estar en posesión de dichos títulos o haber cumplido con los requisitos adicionales.

d) Cuando se solicite la declaración de equivalencia a un nivel académico de un título correspondiente a las enseñanzas realizadas conforme a sistemas de educación de países del Espacio Europeo de Educación Superior, la resolución tendrá en cuenta el nivel académico que les corresponde a los títulos conforme a lo reflejado, en su caso, en el Suplemento Europeo al Título.

e) Se podrán tener en consideración conocimientos y competencias adquiridos por la persona interesada en otras enseñanzas universitarias oficiales diferentes del título extranjero que se trata de homologar o equivaler, atendiendo a que complementen académicamente la formación obtenida a través del título que se pretende homologar o equivaler.

f) De igual forma, en el procedimiento de homologación, se podrá tener en cuenta la experiencia profesional, si esta está relacionada con las competencias profesionales recogidas en las órdenes por la que se establecen los requisitos para las verificaciones de los títulos universitarios oficiales recogidas en el anexo. En todo caso, se establece en un máximo del 15 % del número de créditos del Grado o del Máster Universitario al que el título extranjero pretende homologarse.

g) Asimismo, se podrá tener en consideración, en determinados casos, la diferente duración de las titulaciones en las diversas legislaciones nacionales que dan lugar al mismo título, al tener en cuenta prioritariamente los conocimientos y competencias fundamentales que caracterizan a un título con relación a aquellas que definen dicho título universitario en España.

1.4.2. Procedimiento

A) Inicio del procedimiento

Las personas interesadas podrán solicitar la homologación o la declaración de equivalencia de títulos extranjeros mediante la presentación de una solicitud en el registro electrónico, accesible a través de la sede electrónica del Ministerio de Universidades.

Una vez presentada y registrada la solicitud, las personas interesadas podrán conocer en todo momento el estado de tramitación de la misma a través de la sede electrónica del Ministerio de Universidades.

Las personas interesadas podrán actuar por medio de representante, entendiéndose con este las actuaciones administrativas, salvo manifestación expresa en contra del interesado. La representación podrá acreditarse mediante cualquier medio válido en Derecho que deje constancia fidedigna de su existencia, conforme a lo previsto en el artículo 5.4 de la Ley 39/2015, de 1 de octubre.

B) Documentación a adjuntar a la solicitud

Las solicitudes, tanto de homologación como de declaración de equivalencia, deberán ir acompañadas obligatoriamente de los siguientes documentos:

a) Documento que acredite la identidad y nacionalidad de la persona solicitante, expedido por las autoridades competentes del país de origen o de procedencia.

b) En el caso de residentes en territorio español, declaración de la persona solicitante autorizando la comprobación y verificación de su identidad conforme a lo dispuesto en el Real Decreto 522/2006, de 28 de abril, por el que se suprime la aportación de fotocopias de documentos de identidad en los procedimientos administrativos de la Administración General del Estado y de sus organismos públicos vinculados o dependientes. No obstante, la persona solicitante podrá denegar expresamente su consentimiento y, en tal caso, deberá adjuntar una copia del documento acreditativo de identidad en vigor.

c) Título cuya homologación o declaración de equivalencia se solicita, o de la certificación acreditativa de su expedición.

d) Certificación académica de los estudios realizados por la persona solicitante para la obtención del título, en la que consten, entre otros extremos, la duración oficial en años académicos del plan de estudios seguido, las asignaturas cursadas, la carga horaria de cada una de ellas y, en su caso, los correspondientes créditos ECTS obtenidos (*European Credit Transfer and Accumulation System*).

   Los documentos indicados en los párrafos c) y d) deberán presentarse legalizados por vía diplomática o, en su caso, mediante la apostilla del Convenio de La Haya. Este requisito no se exigirá a los documentos expedidos por las autoridades de los Estados miembros de la Unión Europea o signatarios del Acuerdo sobre el Espacio Económico Europeo y Suiza. Deberán ir acompañados, en su caso, de la correspondiente traducción oficial al castellano.

e) Acreditación del pago de la tasa correspondiente.

f) Acreditación, en su caso, de la representación.

g) Declaración responsable en la que la persona interesada manifieste la veracidad de los datos que aporta, así como de estar en posesión de la documentación original requerida en el procedimiento solicitado. Dicha documentación podrá ser requerida por el órgano competente en cualquier momento del procedimiento, así como solicitar las aclaraciones o, en su caso, la documentación adicional que se estime necesaria para la comprobación de los requisitos y la valoración de la solicitud.

Para la acreditación de la competencia lingüística, la persona interesada deberá aportar, junto con la solicitud, alguno de los documentos siguientes:

a) «Diploma de español como lengua extranjera» (DELE), nivel B2, o superior, expedido conforme lo previsto en el Real Decreto 1137/2002, de 31 de octubre, por el que se regulan los «diplomas de español como lengua extranjera (DELE)».

b) Certificado oficial de nivel intermedio B2, o de nivel superior, de español para extranjeros, expedido por las Administraciones educativas a través de las escuelas oficiales de idiomas.

c) Certificado de Aptitud en español para extranjeros expedido por las Administraciones educativas a través de las escuelas oficiales de idiomas.

d) Certificado expedido por el Centro donde se cursaron los estudios conducentes al título cuya homologación se pretende, en el que conste que, al menos, el 75 % de la formación fue cursada en español.

e) Certificado de que la formación previa al acceso a los estudios superiores fue cursada en español.

No se exigirá aportación de ningún documento de los referidos en este apartado a las personas solicitantes de homologación nacionales de Estados cuya lengua oficial sea el español.

C) Instrucción del procedimiento

La instrucción del procedimiento constará de los siguientes trámites:

a) Revisión de la solicitud presentada y de la documentación justificativa. Este trámite no podrá superar los 10 días hábiles desde el momento de presentación de la solicitud.

   En caso de duda sobre la autenticidad, validez o contenido de los documentos aportados, el órgano instructor podrá efectuar las diligencias necesarias para su comprobación, incluyendo la solicitud a la persona interesada de la presentación de los documentos originales o compulsados oficialmente, así como dirigirse a la autoridad competente expedidora de los mismos para validar los extremos dudosos.

b) En el caso de que se aprecie la falta de alguna documentación o se requiera la mejora de la solicitud, el órgano instructor requerirá la subsanación de la misma, otorgando a las personas solicitantes un plazo máximo de diez días hábiles para dar cumplimiento a lo requerido, con indicación de que, si así no lo hiciera, se tendrá por desistida la solicitud, previa resolución dictada en los términos de la Ley 39/2015, de 1 de octubre.

c) No obstante, de manera excepcional y en casos debidamente justificados, en atención a las especiales características de este procedimiento, a las personas solicitantes que acrediten tener dificultades para obtener y aportar la documentación solicitada, se les podrá conceder, previa solicitud al efecto, la ampliación de este plazo hasta un máximo de 35 días hábiles, en el marco de lo dispuesto en el artículo 1, apartado 2, de la Ley 39/2015, de 1 de octubre.

d) En el caso de las solicitudes de homologación de un título extranjero será preceptivo solicitar un informe no vinculante a los Consejos Generales, y en su caso, a los Colegios Profesionales de ámbito nacional que representen los intereses del sector profesional correspondiente. Dicho informe deberá ser emitido en un plazo máximo de diez días hábiles, transcurridos los cuales el órgano instructor podrá proseguir las actuaciones.

En todos los casos en que a lo largo del procedimiento se requiera a la persona interesada para la subsanación de deficiencias o la aportación de documentos y otros elementos de juicio necesarios, se suspenderá el plazo para resolver y notificar por el tiempo que medie entre la notificación del requerimiento y su efectivo cumplimiento, o, en su defecto, por el del plazo concedido.

D) Propuesta de resolución de la Comisión de Análisis Técnico de Homologaciones y Declaraciones de Equivalencia

Instruido el procedimiento, la Comisión formulará propuesta de resolución, salvo en los supuestos de exclusiones y en los contemplados en el apartado E) siguiente.

La propuesta de resolución deberá incluir la valoración sobre aquellos aspectos generales del título extranjero, como pueden ser su duración, su nivel académico en el país de origen, a qué profesiones permite acceder en su país de origen y a cuáles, en su caso, permitiría en España, entre otros. Asimismo, se pronunciará sobre otros aspectos específicos, como las características fundamentales del plan de estudios y aquellas otras que pudieran tener un carácter singular y diferenciador del título con relación a la formación académica o al ejercicio de una profesión regulada, según el caso, la realización de prácticas académicas externas, la convalidación de créditos por experiencia profesional o por estudios de otros títulos, entre otros.

La Comisión podrá solicitar informes sobre los conocimientos y competencias académicos o profesionales de las distintas titulaciones a la ANECA, así como a profesorado universitario o a personas profesionales expertas en el ámbito de conocimiento o profesional de dicho título.

La Comisión dispondrá de un máximo de dos meses para formular la propuesta de resolución, que indicará si es favorable o desfavorable. En el caso de la homologación podrá ser también favorable condicionada a la superación de requisitos formativos complementarios, que serán especificados en la resolución correspondiente. La propuesta de resolución desfavorable o favorable condicionada será notificada a la persona interesada.

E) Excepciones a la necesidad de formulación de propuesta de resolución de la Comisión

El órgano instructor elevará propuesta de resolución cuando concurra alguno de los siguientes supuestos:

a) Que se trate de títulos extranjeros de países del Espacio Europeo de Educación Superior, en el caso del procedimiento de declaración de equivalencia a un nivel académico oficial en España.

b) Cuando exista una medida de carácter general de la Comisión.

La Comisión, bien de oficio, bien a propuesta del órgano instructor, podrá adoptar una medida de carácter general en los siguientes casos:

1. Cuando exista un acuerdo internacional suscrito por el Reino de España de reconocimiento mutuo y recíproco de los niveles académicos que disponen oficialmente sus

respectivos títulos universitarios oficiales, o que reconozcan mutuamente las titulaciones universitarias cuya obtención es requisito para el acceso al ejercicio de una misma profesión regulada en ambos países, siempre atendiendo a aquellos requisitos que disponga la normativa específica tanto nacional como de la Unión Europea.

2. Cuando existan acuerdos entre la ANECA o las agencias de aseguramiento de la calidad de las Comunidades Autónomas y las presentes en otro país, que reconozcan mutuamente la calidad de los planes de estudio de las enseñanzas universitarias oficiales de un determinado país o de una determinada universidad o conjunto de universidades del país, con relación a los conocimientos fundamentales que aportan y las competencias a las que conducen, según los niveles académicos en los que se encuadran los respectivos títulos cuya obtención se alcanza al superar dichas enseñanzas, siempre atendiendo a aquellos requisitos que disponga la normativa específica tanto nacional como de la Unión Europea.
3. Cuando se corrobore que determinadas solicitudes de homologación y de declaración de equivalencia de un determinado título extranjero provienen de la misma universidad, del mismo plan de estudios y de un determinado país, y que asimismo contienen aspectos genéricos, como son la duración o nivel o cualquier otro aspecto genérico, que las hagan en todo caso susceptibles de aplicación de criterios homogéneos.

F) Audiencia

Antes de formular la propuesta de resolución, el órgano instructor dará audiencia a las personas interesadas, de conformidad con el artículo 82 de la Ley 39/2015, de 1 de octubre, por un plazo de diez días hábiles, salvo que, antes del vencimiento de dicho plazo, estas manifiesten su decisión de no efectuar alegaciones ni aportar nuevos documentos o justificaciones, en cuyo caso se tendrá por realizado el trámite.

Se podrá prescindir del trámite de audiencia cuando no figuren en el procedimiento ni sean tenidos en cuenta en la resolución otros hechos ni otras alegaciones y pruebas que las aducidas por la persona interesada.

En los supuestos de propuesta de resolución desfavorable o favorable condicionada, esta se considerará provisional. El órgano instructor lo notificará a las personas solicitantes, al efecto de presentación de alegaciones y de la documentación que estimen oportuna, en el plazo máximo de diez días hábiles a contar desde su notificación. En el caso de que las personas interesadas no realicen alegaciones transcurrido dicho plazo, la propuesta de resolución tendrá carácter definitivo.

Una vez revisadas las alegaciones, en su caso, la Comisión formulará la propuesta de resolución, que tendrá carácter definitivo.

G) Resolución

Recibida la propuesta de resolución del órgano instructor o de la Comisión, según el caso, la persona titular del Ministerio de Universidades dictará resolución.

La resolución deberá ser motivada y contendrá uno de los siguientes pronunciamientos:

a) Concesión de la homologación a un título universitario oficial español de Grado o de Máster Universitario, que habilite al ejercicio de una profesión regulada.

b) Concesión de la declaración de equivalencia a un nivel académico oficial de Grado o de Máster Universitario.

c) Denegación de la homologación o declaración de equivalencia.

d) Concesión condicionada de la homologación a la superación de unos requisitos formativos complementarios. En este caso, la resolución deberá indicar expresamente los requisitos formativos complementarios que deberán cumplimentarse para la obtención de la homologación correspondiente.

La resolución se dictará y notificará en el plazo máximo de seis meses, desde la fecha en que la solicitud haya tenido entrada en el registro electrónico. Transcurrido dicho plazo sin haberse notificado la resolución, la solicitud se podrá entender desestimada por silencio administrativo, según se establece en la disposición adicional vigésima novena de la Ley 14/2000, de 29 de diciembre, de medidas fiscales, administrativas y del orden social, en su anexo 2.

H) Requisitos formativos complementarios

La finalidad de estos requisitos formativos será la de equiparar de forma ponderada los contenidos formativos entre la titulación extranjera y la española a la que trata de homologarse, garantizando así la calidad formativa de todas las personas profesionales que ejercen una determinada profesión en España.

Los requisitos formativos complementarios son necesarios cuando en la elaboración de la propuesta de resolución sobre la homologación de un título extranjero se detectan carencias de conocimientos y de competencias, o de prácticas académicas determinadas.

Estos requisitos podrán consistir en la realización de un periodo de prácticas académicas, la superación de una prueba de aptitud, la elaboración de un proyecto o trabajo académico o técnico, o la superación de determinados cursos académicos que permitan subsanar las carencias detectadas.

El desarrollo de estos requisitos se realizará en una o varias universidades españolas, a elección por la persona interesada, siempre y cuando tenga implantado y vigente el título universitario oficial español al que se pretende homologar. En este sentido, el periodo máximo de desarrollo y superación de estos requisitos formativos complementarios será de cuatro años desde el momento de notificación de la resolución. Si se superase ese periodo sin obtener estos requisitos se considerará que la homologación condicionada perderá su eficacia, sin perjuicio de que la persona interesada pueda solicitar la convalidación de determinados periodos de estudio.

Las personas interesadas no podrán solicitar una nueva homologación del título extranjero que ya haya sido objeto de procedimiento de homologación con resultado fa-

vorable condicionado a la superación de requisitos formativos complementarios, incluso en el caso de que haya perdido su eficacia al no haberse superado en el plazo de cuatro años establecido en el párrafo anterior.

I) Credenciales de homologación y certificados de declaración de equivalencia

La resolución favorable de homologación conllevará la expedición de una credencial por el órgano competente de la Secretaría General de Universidades.

En el caso de una resolución de concesión condicionada de una homologación, que requiera la superación de requisitos formativos complementarios, se expedirá la credencial una vez que la persona solicitante acredite ante el órgano instructor su superación.

La resolución favorable de una declaración de equivalencia conllevará la expedición de un certificado por el órgano competente de la Secretaría General de Universidades.

Las credenciales de homologación y los certificados de declaración de equivalencia se entregarán a la persona interesada mediante comparecencia en sede electrónica o a través de los medios electrónicos habilitados a tal efecto.

Las credenciales de homologación y los certificados de declaración de equivalencia se inscribirán en el Registro Nacional de Titulados Universitarios Oficiales, en una sección especial, de conformidad con el Real Decreto 1002/2010, de 5 de agosto, sobre expedición de títulos universitarios oficiales.

J) Recursos

Frente a las resoluciones de la persona titular del Ministerio de Universidades, que ponen fin a la vía administrativa, cabrá la interposición del recurso potestativo de reposición, conforme a lo establecido en los artículos 123 y 124 de la Ley 39/2015, de 1 de octubre, sin perjuicio de su impugnación directa ante el orden jurisdiccional contencioso-administrativo según lo establecido por la Ley 29/1998, de 13 de julio, reguladora de la jurisdicción contencioso-administrativa, en el plazo de dos meses a contar desde el día siguiente a la fecha de su notificación o del día siguiente a aquel en que se produzca el acto presunto.

1.5. Convalidación de estudios universitarios extranjeros o periodos de estos por estudios universitarios oficiales españoles

1.5.1. Competencias en la convalidación

La convalidación de estudios universitarios extranjeros, o de periodos de estos, por estudios universitarios oficiales españoles parciales corresponde a la universidad española donde se haya solicitado dicha convalidación.

La universidad española que proceda a la convalidación de unos estudios universitarios extranjeros dispondrá como máximo de dos meses para la resolución de este procedimiento desde el registro de la solicitud.

1.5.2. Criterios y condiciones de la convalidación

El Consejo de Universidades determinará los criterios básicos de acuerdo con los cuales las universidades españolas implementarán el procedimiento de convalidación. Las condiciones específicas de la convalidación serán fijadas por las normativas de cada universidad aplicables a este procedimiento.

1.5.3. Estudios universitarios extranjeros objeto del procedimiento de convalidación

Podrán ser objeto de convalidación los estudios universitarios extranjeros oficiales en su país de origen, impartidos en una universidad o institución de educación superior oficialmente reconocida en ese país, y cursados por la persona interesada, aunque no se hayan completado y obtenido el título universitario al que conducen estos estudios.

No podrán ser objeto de convalidación unos estudios universitarios extranjeros si concurren algunas de las siguientes causas de exclusión:

a) Los correspondientes a estudios extranjeros realizados, en todo o en parte, en España, cuando los centros carezcan de la preceptiva autorización para impartir tales enseñanzas, o bien cuando las enseñanzas sancionadas por el título extranjero no estuvieran efectivamente implantadas en la universidad o institución de educación superior extranjera en el momento en que esta expidió el título. No obstante, cuando esas circunstancias afecten solo a parte de los estudios realizados, los estudios parciales que no incurran en ellas podrán ser objeto de convalidación.

b) Los títulos que hayan sido objeto en España de un procedimiento de homologación en los que haya recaído resolución respecto a una solicitud idéntica, salvo en los supuestos de desistimiento expreso o tácito o cuando, excepcionalmente, la Comisión de Análisis Técnico de Homologaciones y Declaraciones de Equivalencia haya determinado expresamente en una medida de carácter general un cambio de criterio en la valoración de determinados estudios. Se entenderá por solicitud idéntica aquella formulada en relación con una misma titulación extranjera y para un mismo título oficial español.

c) Los títulos que hayan sido objeto en España de un procedimiento de declaración de equivalencia en los que haya recaído resolución respecto a una solicitud idéntica, salvo los supuestos de desistimiento expreso o tácito o cuando, excepcionalmente, la Comisión de Análisis Técnico de Homologaciones y Declaraciones de Equivalencia haya adoptado expresamente en una medida de carácter general un cambio de criterio en la valoración de determinados estudios. Se entenderá por solicitud idéntica aquella formulada en relación con una misma titulación extranjera y para el mismo nivel académico.

El trabajo de fin de Grado y el trabajo de fin de Máster Universitario no podrán ser objeto de convalidación.

Cuando los estudios hayan concluido con la obtención de un título extranjero que dé acceso a una profesión regulada en España, la persona interesada podrá optar entre solicitar la homologación por el título universitario oficial español correspondiente o la convalidación de estudios, teniendo en cuenta que ambas posibilidades no pueden solicitarse simultáneamente.

En los supuestos en que se hubiese solicitado la homologación y esta hubiese sido desfavorable o, siendo condicionada, hubiese transcurrido el periodo máximo de superación de los requisitos formativos complementarios sin haberse acreditado su superación, las personas interesadas podrán solicitar la convalidación de esos estudios universitarios.

1.6. Procedimiento para determinar la correspondencia de títulos universitarios oficiales españoles a los niveles del Marco Español de Cualificaciones para la Educación Superior (MECES)

1.6.1. Inicio e instrucción del procedimiento

El procedimiento para la determinación de la correspondencia al nivel del MECES se iniciará de oficio por la Secretaría General de Universidades, por propia iniciativa, como consecuencia de orden superior, a petición razonada de otros órganos o por denuncia. No obstante, con anterioridad al acuerdo de inicio, la Secretaría General de Universidades podrá abrir un periodo de información previa con el fin de conocer la conveniencia o no de iniciar el procedimiento.

La instrucción del procedimiento se realizará por la Secretaría General de Universidades a través del órgano competente de la misma, de acuerdo con el real decreto de estructura del Ministerio con competencias en materia de universidades.

1.6.2. Informes

A efectos de la resolución de este procedimiento, la Secretaría General de Universidades solicitará un informe vinculante a la ANECA. La solicitud de este informe suspenderá el plazo máximo legal para resolver el procedimiento y notificar la resolución, según lo establecido en el artículo 22.1.d) de la Ley 39/2015, de 1 de octubre. En todo caso, la ANECA evacuará su informe en el plazo máximo de tres meses.

Una vez recibido el informe de la ANECA, la Secretaría General de Universidades solicitará un informe preceptivo, pero de carácter no vinculante, al Consejo de Universidades, previo a la resolución del procedimiento.

1.6.3. Criterios para la elaboración del Informe de la ANECA

Los informes de la ANECA tendrán en consideración la formación adquirida, basada en los contenidos, conocimientos, competencias y habilidades definitorias del plan de estudios, para la obtención del título cuya correspondencia al nivel del MECES se pretende, así como igualmente tendrá en consideración su duración y su carga crediticia.

1.6.4. Información pública

La Secretaría General de Universidades, antes de finalizar la fase de instrucción del procedimiento, determinará un periodo de información pública de veinte días hábiles. El inicio de este trámite se informará a través de la página web del Ministerio de Universidades.

Igualmente, el expediente de correspondencia podrá examinarse a través de la página web del Ministerio de Universidades, siempre que los documentos del mismo no contengan datos de carácter personal en los términos que dispone la Ley Orgánica 3/2018, de 5 de diciembre, de Protección de Datos Personales y garantía de los derechos digitales, al efecto de que cualquier persona física o jurídica pueda formular alegaciones dentro del plazo establecido en el periodo de información pública.

En los casos en que se disponga de Consejos Generales o de los Colegios de ámbito nacional, que representen los intereses colectivos de un sector profesional, se informará a estos de la apertura del trámite de información pública, para que puedan emitir un informe, que tendrá un carácter no vinculante. Transcurrido el plazo señalado se dará continuidad a las actuaciones.

1.6.5. Resolución, efectos, publicación e inscripción en el Registro de Universidades, Centros y Títulos

Una vez instruido el procedimiento, la Secretaría General de Universidades elevará a la persona titular del Ministerio de Universidades la propuesta de resolución del procedimiento.

A propuesta del Ministerio de Universidades, mediante acuerdo del Consejo de Ministros se aprobará la resolución que concluya el procedimiento, en la que se reconocerá, en caso de ser favorable, la correspondencia del título examinado al correspondiente nivel del Marco Español de Cualificaciones para la Educación Superior.

La resolución será motivada, con sucinta referencia de hechos y fundamentos de derecho.

La Secretaría General de Universidades cursará la publicación en el «Boletín Oficial del Estado» del Acuerdo del Consejo de Ministros por el que se apruebe la resolución que concluya este procedimiento.

Una vez publicada la resolución en el «Boletín Oficial del Estado», la unidad competente de la Secretaría General de Universidades inscribirá la resolución de reconocimiento de correspondencia en el Registro de Universidades, Centros y Títulos.

Dichas resoluciones causarán los efectos que la normativa vigente establezca en lo relativo a la posesión del nivel del MECES.

1.6.6. Plazo para resolver y publicar la resolución

El plazo máximo para resolver y publicar la resolución del procedimiento de correspondencia establecido en el Real Decreto 889/2022 será de seis meses, sin perjuicio de lo previsto en el artículo 22 de la Ley 39/2015, de 1 de octubre.

Asimismo, la resolución que ponga fin al procedimiento de declaración de correspondencia se publicará en la página web del Ministerio de Universidades.

1.6.7. Expedición de certificados

La posesión del nivel del MECES correspondiente por una persona titulada quedará acreditada con la mera referencia de la publicación en el «Boletín Oficial del Estado», presentada de forma conjunta con el título de que se trate.

Con independencia de lo establecido en el párrafo anterior, la Secretaría General de Universidades garantizará que, a través de la sede electrónica del Ministerio de Universidades, pueda obtenerse directamente un certificado de correspondencia al nivel del MECES del título correspondiente. La responsabilidad de la gestión y emisión de este certificado será de la unidad responsable del Registro Nacional de Titulados Universitarios Oficiales.

El certificado quedará inscrito en una sección especial del Registro Nacional de Titulados Universitarios Oficiales.

1.7. Otras disposiciones del Real Decreto 889/2022, de 18 de octubre

1.7.1. Especialidades de Ciencias de la Salud

El reconocimiento de títulos universitarios extranjeros a los correspondientes títulos oficiales españoles acreditativos de una especialidad en Ciencias de la Salud se regirá por su normativa específica.

1.7.2. Declaración de equivalencia al nivel académico de Doctora o Doctor

Corresponde a las universidades la declaración de equivalencia de los títulos extranjeros al nivel académico de Doctora o Doctor. Las normas estatutarias de las universidades públicas y las de organización y funcionamiento de las universidades privadas determinarán el órgano competente para efectuar la declaración de equivalencia, así como el procedimiento a seguir, en su ámbito respectivo, para su obtención.

El procedimiento se iniciará mediante solicitud de la persona interesada, dirigida a la persona titular del Rectorado de la universidad de su elección, acompañada por los documentos que a tal efecto se le soliciten por la universidad.

La concesión de la declaración de equivalencia se acreditará mediante el correspondiente certificado de declaración de equivalencia expedido por la universidad que la otorgue y en él se hará constar el título extranjero poseído por la persona interesada y la universidad de procedencia. Con carácter previo a su expedición, la universidad lo comunicará al órgano competente de la Secretaría General de Universidades, a los efectos de su inscripción en la sección especial del Registro Nacional de Titulados Universitarios Oficiales.

El título extranjero que hubiera sido ya declarado equivalente no podrá ser sometido a nuevo trámite de declaración de equivalencia en otra universidad. No obstante, cuando la declaración de equivalencia sea denegada, la persona interesada podrá iniciar un nuevo expediente en una universidad española distinta.

La declaración de equivalencia al nivel académico de Doctora o Doctor no implica, en ningún caso, la homologación, declaración de equivalencia o reconocimiento de otro u otros títulos extranjeros de los que esté en posesión la persona interesada, ni el reconocimiento en España a nivel distinto al de Doctora o Doctor.

1.7.3. Tasas

Serán exigibles las tasas establecidas en el artículo 28 de la Ley 53/2002, de 30 de diciembre, de Medidas Fiscales, Administrativas y del Orden Social. La devolución de las mismas solo procederá cuando no se realice su hecho imponible por causas no imputables al sujeto pasivo, conforme al artículo 12 de la Ley 8/1989, de 13 de abril, de Tasas y Precios Públicos.

De acuerdo con el artículo 11 del Reglamento de actuación y funcionamiento del sector público por medios electrónicos, aprobado por Real Decreto 203/2021, de 30 de marzo, en la sede electrónica del Ministerio de Universidades se pondrán a disposición de las personas interesadas los servicios necesarios para el pago electrónico de las tasas.

Conforme a lo dispuesto en el artículo 14.3 de la Ley 39/2015, de 1 de octubre, así como en el Reglamento de actuación y funcionamiento del sector público por medios electrónicos, aprobado por Real Decreto 203/2021, de 30 de marzo, las solicitudes de devolución de tasas, incluido el eventual recurso administrativo, se realizarán exclusivamente por medios electrónicos.

1.7.4. Titulación para el ingreso en las administraciones públicas

El régimen de titulaciones exigible para el ingreso en las administraciones públicas se regirá, en todo caso, por lo previsto en el texto refundido de la Ley del Estatuto Básico del Empleado Público, aprobado por el Real Decreto Legislativo 5/2015, de 30 de octubre, y el resto de su normativa específica que resulte de aplicación.

1.7.5. Régimen transitorio de los procedimientos

Los expedientes de homologación, de declaración de equivalencia o de convalidación de títulos extranjeros iniciados con anterioridad a la entrada en vigor del Real Decreto 889/2022, de 18 de octubre, continuarán tramitándose y se resolverán conforme al Real Decreto 967/2014, de 21 de noviembre, por el que se establecen los requisitos y el procedimiento para la homologación y declaración de equivalencia a titulación y a nivel académico universitario oficial y para la convalidación de estudios extranjeros de educación superior, y el procedimiento para determinar la correspondencia a los niveles del marco español de cualificaciones para la educación superior de los títulos oficiales de Arquitecto, Ingeniero, Licenciado, Arquitecto Técnico, Ingeniero Técnico y Diplomado, y al Real Decreto 285/2004, de 20 de febrero, por el que se regulan las condiciones de homologación y convalidación de títulos y estudios extranjeros de educación superior, según corresponda. Esto se aplicará igualmente a los plazos de superación de los requisitos formativos complementarios.

Las personas interesadas en cualesquiera de los procedimientos indicados en el párrafo anterior podrán desistir expresamente de sus solicitudes siempre que aún no se hubiera notificado el inicio del trámite de audiencia por acuerdo del órgano instructor. Dicho desistimiento deberá efectuarse a través de medios electrónicos ante el órgano instructor del Ministerio de Universidades, pudiendo solicitarse simultáneamente el reinicio de la tramitación del expediente conforme a las normas previstas en este real decreto, en cuyo caso estarán exentos del pago de la tasa.

En ninguno de los supuestos contemplados en los dos párrafos anteriores procederá la devolución de las tasas devengadas por el inicio de los expedientes inicialmente tramitados.

No podrá iniciarse un nuevo procedimiento de homologación basado en el Real Decreto 889/2022, de 288 de octubre en los supuestos en que ya hubiera recaído una resolución, en el momento de su entrada en vigor, respecto de solicitudes de homologación a un título español del Catálogo de Títulos Universitarios Oficiales, creado por la disposición adicional primera del Real Decreto 1497/1987, de 27 de noviembre, por el que se establecen directrices generales comunes de los planes de estudio de los títulos universitarios de carácter oficial y validez en todo el territorio nacional, tramitadas conforme al Real Decreto 285/2004, de 20 de febrero, al Real Decreto 967/2014, de 21 de noviembre, o al Real Decreto 86/1987, de 16 de enero, por el que se regulan las condiciones de homologación de títulos extranjeros de educación superior.

No podrá iniciarse un nuevo procedimiento de declaración de equivalencia basado en el Real Decreto 889/2022, de 18 de octubre, en los supuestos en que ya hubiera recaído una resolución en el momento de su entrada en vigor respecto de solicitudes de declaración de equivalencia a nivel académico de Grado, Máster Universitario o Doctorado tramitadas conforme al Real Decreto 967/2014, de 21 de noviembre, y de solicitudes de homologación a los niveles académicos de Diplomado/a, Licenciado/a o Doctor/a tramitadas conforme al Real Decreto 285/2004, de 20 de febrero. Estas solicitudes de inicio serán inadmitidas.

1.7.6. Personas beneficiarias del régimen de protección temporal

Las personas beneficiarias del régimen de protección temporal a que hacen referencia los artículos 2 y 11 del Reglamento sobre régimen de protección temporal en caso de afluencia masiva de personas desplazadas, aprobado por el Real Decreto 1325/2003, de 24 de octubre, podrán, con carácter excepcional, y a los efectos de inicio del procedimiento, sustituir la documentación exigida por una declaración responsable en la que la persona interesada manifieste la veracidad de los datos que declara, así como de encontrarse en disposición de aportar, antes de la finalización del procedimiento, la documentación original requerida en el procedimiento solicitado, sin que en ningún caso dicha declaración derive en el reconocimiento o ejercicio de un derecho o el inicio de una actividad previo a la resolución del procedimiento. El modelo y contenido de dicha declaración serán determinados por el Ministerio de Universidades.

La declaración responsable a que hace referencia el punto anterior en ningún caso exime, al objeto de la finalización y resolución del procedimiento, de la presentación de la documentación con valor probatorio que se exija por la administración competente en materia de homologación y declaración de equivalencia de títulos extranjeros de educación superior.

Hasta la propuesta de resolución no serán de aplicación los plazos de subsanación, apercibimiento o archivo previstos en el Real Decreto 889/2022, de 18 de octubre, de conformidad con lo dispuesto en el artículo 1.2 de la Ley 39/2015, de 1 de octubre.

Las tasas establecidas en el artículo 28 de la Ley 53/2002, de 30 de diciembre, no serán exigibles hasta la finalización de la instrucción del procedimiento.

El Ministerio de Universidades realizará las actuaciones necesarias para agilizar la tramitación de los expedientes de homologación y declaración de equivalencia de las personas beneficiarias del régimen de protección temporal.

2. La expedición de títulos universitarios oficiales

2.1. El Real Decreto 1002/2010, de 5 de agosto, sobre expedición de títulos universitarios oficiales

La letra h) del artículo 3.2 de la Ley Orgánica 2/2023, de 22 de marzo, del Sistema Universitario (LOSU), establece que, en los términos de esta ley orgánica, la autonomía de las Universidades comprende y requiere: La expedición de los títulos correspondientes a las enseñanzas universitarias de carácter oficial, así como de títulos propios, incluida la formación a lo largo de la vida.

A tenor del artículo 8 de la LOSU el Gobierno, mediante Real decreto, previo informe de la Conferencia General de Política Universitaria y del Consejo de Universidades, establecerá las directrices y condiciones para la obtención y expedición de los títulos univer-

sitarios oficiales. Estos serán expedidos, en nombre del Rey, por el Rector o Rectora de la universidad. Dicha regulación se contiene en la actualidad en el RD 822/2021, de 28 de septiembre.

El artículo 8 del Real Decreto 822/2021, de 28 de septiembre, por el que se establece la organización de las enseñanzas universitarias y del procedimiento de aseguramiento de su calidad establece que los títulos universitarios de Grado, de Máster Universitario y de Doctorado tienen carácter oficial y son válidos en España, cuentan con efectos académicos y administrativos, y en el caso de que así resulte de la normativa aplicable, habilitan para el ejercicio de determinadas profesiones reguladas.

La expedición de los títulos de Graduada o Graduado, de Máster Universitario y de Doctora o Doctor a que conducen la superación de los créditos de los respectivos planes de estudios y la superación del programa de Doctorado, se efectuará en nombre del Rey por la Rectora o el Rector de la universidad en que se hubieren finalizado los estudios, de acuerdo con las directrices y requerimientos establecidos por el Real Decreto 1002/2010, de 5 de agosto, sobre expedición de títulos universitarios oficiales.

Esta materia se encuentra desarrollada en el Real Decreto 1002/2010, de 5 de agosto, sobre expedición de títulos universitarios oficiales (BOE de 6 de agosto y entrada en vigor el 7 de agosto). Igualmente serán analizados diversos aspectos del Real Decreto 1044/2003, de 1 de agosto, por el que se estableció el procedimiento para la expedición por las universidades del Suplemento Europeo al Título y del Real Decreto 22/2015, de 23 de enero, por el que se establecen los requisitos de expedición del Suplemento Europeo a los títulos regulados en el Real Decreto 1393/2007, de 29 de octubre, por el que se establece la ordenación de las enseñanzas universitarias oficiales[2].

2.2. Normas generales

2.2.1. Objeto

El Real decreto 1002/2010, de 5 de agosto, tiene por objeto la regulación de los requisitos y el procedimiento para la expedición de los títulos correspondientes a las enseñanzas universitarias oficiales de Grado, Máster y Doctorado.

Asimismo mediante esta norma se establecen las condiciones y el procedimiento por el que las universidades españolas podrán expedir el Suplemento Europeo al Título de dichas enseñanzas, con el fin de promover la movilidad de titulados en el espacio europeo de educación superior.

2 Todas las referencias realizadas en el presente tema al Real Decreto 1393/2007, de 29 de octubre, por el que se establece la ordenación de las enseñanzas universitarias oficiales hay que entenderlas realizadas al Real Decreto 822/2021, de 28 de septiembre, por el que se establece la organización de las enseñanzas universitarias y del procedimiento de aseguramiento de su calidad.

2.2.2. Ámbito de aplicación

Las disposiciones contenidas en dicho real decreto serán de aplicación a la expedición de títulos universitarios oficiales en todo el territorio nacional por las universidades españolas públicas y privadas, así como de los suplementos europeos a dichos títulos.

2.2.3. Títulos oficiales

Los títulos oficiales son los de Graduado o Graduada, Máster Universitario y Doctor o Doctora, referidos respectivamente a la superación del primero, segundo y tercer ciclo de los estudios universitarios.

Dichos títulos serán expedidos, en nombre del Rey, por el Rector o Rectores de la Universidad o Universidades correspondientes, de acuerdo con los requisitos que respecto a su formato, texto y procedimiento de expedición se establecen.

Los títulos universitarios oficiales tendrán validez en todo el territorio nacional y facultarán a sus poseedores para disfrutar de los derechos que en cada caso otorguen las disposiciones vigentes.

Los títulos universitarios oficiales, expedidos surtirán efectos plenos desde la fecha de la completa finalización de los estudios correspondientes a su obtención.

2.2.4. Registro Nacional de Titulados Universitarios Oficiales

Sin perjuicio de los Registros Universitarios de Títulos Oficiales de cada universidad, se crea en el Ministerio de Educación el Registro Nacional de Titulados Universitarios Oficiales en el que se inscribirán los títulos universitarios oficiales con carácter previo a su expedición, que tendrá carácter público y estará adscrito a la Subdirección General de Títulos y Reconocimiento de Cualificaciones.

El Registro Nacional de Titulados Universitarios Oficiales integrará los datos obrantes en el Registro Nacional de Títulos creado por el Real Decreto 1496/1987, de 6 de noviembre. La creación y el mantenimiento del Registro se llevará a cabo con los medios económicos y materiales de la Subdirección General de Títulos y Reconocimiento de Cualificaciones.

2.3. Expedición de títulos universitarios oficiales de grado

2.3.1. Títulos de Grado

Los títulos universitarios oficiales de Grado se obtienen tras la superación de las correspondientes enseñanzas que tienen como finalidad la obtención de una formación general orientada al ejercicio profesional de acuerdo con la normativa vigente.

La denominación de estos títulos será: Graduado o Graduada en T, con Mención, en su caso, en M, por la Universidad U, siendo T la denominación específica del Grado, M la correspondiente a la Mención, y U la denominación de la Universidad que lo expide. Los títulos oficiales de Grado se expedirán con la denominación que, en cada caso, figure en el Registro de Universidades, Centros y Títulos. Dicha denominación quedará reservada en exclusiva para cada uno de ellos.

La expedición material de estos títulos contemplará, junto a la expresión de su denominación específica, incluida, en su caso, la correspondiente Mención, y la referencia expresa a su condición de enseñanzas de Grado, alusión a su carácter oficial y validez en todo el territorio nacional, así como indicación del Acuerdo del Consejo de Ministros por el que se establece la oficialidad del título, de conformidad con los modelos establecidos en los Anexos del Real decreto 1002/2010, de 5 de agosto.

En los supuestos en que se acredite la superación de más de una Mención vinculada a un mismo título de Grado, procederá la expedición de un único título de Graduado o Graduada, en cuyo anverso figurará una de ellas, haciéndose constar las restantes en el reverso. No se podrán expedir dos o más títulos universitarios con la misma denominación de Graduado o Graduada en T, con Mención, en su caso, en M, por distintas Universidades U, siendo T la denominación específica del Grado, M la correspondiente a la Mención, y U la denominación de las Universidades que lo expiden.

2.3.2. Expedición de Títulos Conjuntos de Grado obtenidos tras la superación de un plan de estudios conjunto entre universidades españolas

La expedición de títulos conjuntos de Grado obtenidos tras la superación de un plan de estudios conjunto entre dos o más universidades españolas se regirá además de por lo dispuesto en el Real decreto 1002/2010, de 5 de agosto, por lo establecido en el Convenio que a esos efectos hayan suscrito las respectivas universidades.

La denominación de estos títulos será: Graduado o Graduada en T con Mención, en su caso, en M, por las Universidades UU, siendo T el nombre específico del título, M el correspondiente a la Mención y UU la denominación de las Universidades participantes en el plan de estudios conjunto. Los títulos conjuntos de Grado se expedirán con la denominación que, en cada caso, figure en el Registro de Universidades, Centros y Títulos. Dicha denominación quedará reservada en exclusiva para cada uno de ellos.

El título será expedido conjuntamente por los rectores de las universidades participantes y su expedición se materializará en un único documento, en el que consten los emblemas y atributos de aquellas y las firmas impresas de los Rectores de todas las universidades participantes, de conformidad con los modelos previstos.

2.3.3. Expedición de Títulos Conjuntos de Grado obtenidos tras la superación de un plan de estudios conjunto entre universidades españolas y extranjeras

La expedición de los títulos conjuntos de Grado obtenidos tras la superación de un plan de estudios conjunto entre universidades españolas y extranjeras se regirá además de por lo dispuesto en el Real decreto 1002/2010, de 5 de agosto, por lo establecido en el Convenio que a estos efectos hayan suscrito las respectivas universidades que, en todo caso, deberá cumplir los requisitos que se establecen en los siguientes párrafos.

La denominación de estos títulos será: Graduado o Graduada en T con Mención, en su caso, en M, por las Universidades UU, siendo T el nombre específico del título, M el correspondiente a la Mención y UU la denominación de las Universidades españolas y extranjeras participantes en el plan de estudios conjunto. Los títulos conjuntos de Grado se expedirán con la denominación que, en cada caso, figure en el Registro de Universidades, Centros y Títulos. Dicha denominación quedará reservada en exclusiva para cada uno de ellos.

El Convenio deberá especificar cuál será la universidad responsable de la expedición material y registro del título:

a) Cuando el Convenio estipule que el título será expedido por la universidad o universidades españolas, el título se expedirá de acuerdo con lo establecido en el Real decreto 1002/2010, de 5 de agosto, e incorporará mención expresa del plan de estudios conjunto que confiere el derecho a su obtención, según modelos establecidos. En este supuesto los expedientes serán custodiados por la universidad española que corresponda según lo establecido en el Convenio.

b) Cuando, de acuerdo con lo estipulado en el convenio la expedición del título le corresponda a la universidad extranjera, para surtir efectos en España, el título deberá ser presentado ante una de las universidades españolas firmantes del Convenio, para que esta incluya una diligencia señalando el título oficial de Grado que corresponda y proceda a los trámites necesarios para su anotación en el Registro Nacional de Titulados Universitarios Oficiales, según modelo establecido.

2.4. Expedición de títulos oficiales de Máster universitario

2.4.1. Títulos de Máster Universitario

Los títulos oficiales de Máster Universitario se obtienen tras la superación de las correspondientes enseñanzas que tienen como finalidad la adquisición por el estudiante de una formación avanzada, de carácter especializado o multidisciplinar.

La denominación de estos títulos será Máster Universitario en T, en su caso, en la especialidad de E, por la Universidad U, siendo T la denominación específica del Máster, E el de la especialidad y U la denominación de la Universidad que lo expide. Los títulos oficiales de Máster Universitario se expedirán con la denominación que, en cada caso, figure en el Registro de Universidades, Centros y Títulos. Dicha denominación quedará reservada en exclusiva para cada uno de ellos.

La expedición material de estos títulos contemplará, junto a la expresión de su denominación específica y la referencia expresa a su condición de enseñanzas de Máster,

alusión a su carácter oficial y validez en todo el territorio nacional, así como, en su caso, mención expresa a la especialidad cursada, según el modelo previsto.

En los supuestos en que se acredite la superación de más de una Especialidad vinculada a un mismo título de Máster Universitario, procederá la expedición de un único título en cuyo anverso figurará una de ellas, haciéndose constar las restantes en el reverso. No se podrán expedir dos o más títulos universitarios con la misma denominación de Máster Universitario en T, con Especialidad, en su caso, en E, por distintas Universidades U, siendo T la denominación específica del Máster Universitario, E la correspondiente a la Especialidad, y U la denominación de las Universidades que lo expiden.

2.4.2. Expedición de Títulos Conjuntos de Máster Universitario obtenidos tras la superación de un plan de estudios conjunto entre universidades españolas

La expedición de títulos conjuntos de Máster Universitario obtenidos tras la superación de un plan de estudios conjunto entre dos o más universidades españolas se regirá además de por lo dispuesto en el Real decreto 1002/2010, de 5 de agosto, por lo establecido en el Convenio que a esos efectos hayan suscrito las respectivas universidades.

La denominación de estos títulos será: Máster Universitario en T, en su caso, en la especialidad de E, por las Universidades UU, siendo T el nombre específico del título, E de la especialidad y UU la denominación de las Universidades participantes en el plan de estudios conjunto. Los títulos conjuntos de Máster Universitario se expedirán con la denominación que, en cada caso, figure en el Registro de Universidades, Centros y Títulos. Dicha denominación quedará reservada en exclusiva para cada uno de ellos.

El título será expedido conjuntamente por los rectores de las universidades participantes y su expedición se materializará en un único documento, en el que consten los emblemas y atributos de aquellas, y las firmas impresas de los Rectores de todas las universidades participantes, de conformidad con el modelo previsto.

2.4.3. Expedición de Títulos Conjuntos de Máster Universitario obtenidos tras la superación de un plan de estudios conjunto entre universidades españolas y extranjeras

La expedición de títulos conjuntos de Máster Universitario obtenidos tras la superación de un plan de estudios conjunto entre universidades españolas y extranjeras se regirá además de por lo dispuesto en el Real decreto 1002/2010, de 5 de agosto, por lo establecido en el Convenio que a esos efectos hayan suscrito las respectivas universidades que, en todo caso, deberá cumplir los requisitos que se establecen en los siguientes apartados.

La denominación de estos títulos será: Máster Universitario en T, en su caso, en la especialidad de E, por las Universidades UU, siendo T el nombre específico del título, E de la especialidad y UU la denominación de las Universidades españolas y extranjeras participantes en el plan de estudios conjunto. Los títulos conjuntos de Máster Universitario se expedirán con la denominación que, en cada caso, figure en el Registro de Universidades, Centros y Títulos. Dicha denominación quedará reservada en exclusiva para cada uno de ellos.

El Convenio deberá especificar cuál será la universidad responsable de la expedición material y registro del título:

a) Cuando el Convenio estipule que el título será expedido por la universidad o universidades españolas, el título se expedirá de acuerdo con lo establecido en el Real decreto 1002/2010, de 5 de agosto, e incorporará mención expresa del plan de estudios conjunto que da derecho a su obtención, según modelo establecido. En este supuesto los expedientes serán custodiados por la universidad española que corresponda según lo establecido en el Convenio.

b) Cuando, de acuerdo con lo estipulado en el convenio la expedición del título le corresponda a la universidad extranjera, para surtir efectos en España, el título deberá ser presentado ante una de las universidades españolas firmantes del Convenio, para que esta incluya una diligencia señalando el título oficial de Máster Universitario que corresponda y proceda a los trámites necesarios para su anotación en el Registro Nacional de Titulados Universitarios Oficiales, según modelo establecido.

2.5. Expedición de títulos oficiales de Doctor

2.5.1. Títulos de Doctor

Los títulos oficiales de Doctor se obtienen tras la superación de las correspondientes enseñanzas que tienen como finalidad la adquisición de las competencias y habilidades relacionadas con la investigación científica de calidad y finalizarán con la elaboración y defensa de una tesis doctoral que incorpore resultados originales de investigación.

La denominación del título de Doctor será: Doctor o Doctora por la Universidad U, siendo U la denominación de la Universidad que expide el título e incluirá información que especifique el campo de conocimiento sobre el que se ha elaborado la tesis doctoral. Los títulos oficiales de Doctor se expedirán con la denominación que, en cada caso, figure en el Registro de Universidades, Centros y Títulos. Dicha denominación quedará reservada en exclusiva para cada uno de ellos.

La expedición material de estos títulos contemplará referencia expresa a su condición de enseñanzas de doctorado y alusión a su carácter oficial y validez en todo el territorio nacional, según el modelo previsto.

Podrá incluir, en su caso, la mención *cum laude*, de conformidad con lo establecido para la defensa y evaluación de la tesis doctoral en su normativa específica.

En el anverso del título de Doctor podrá figurar la mención "Doctorado internacional", siempre que concurran las circunstancias establecidas al efecto en el artículo 15 del Real Decreto 99/2011, de 28 de enero, por el que se regulan las enseñanzas oficiales de Doctorado.

Asimismo, en el anverso del título de Doctor podrá figurar la mención "Doctorado industrial", siempre que concurran las circunstancias establecidas al efecto en el artículo 15 bis del Real Decreto 99/2011, de 28 de enero, por el que se regulan las enseñanzas oficiales de Doctorado.

En el supuesto de que la tesis doctoral se realice cotutelada por dos o más Doctores de una universidad española y otra extranjera, conforme a lo previsto en el artículo 15.2 del Real Decreto 99/2011, de 28 de enero, en el anverso del título se hará constar una diligencia con el siguiente texto: "Tesis en régimen de cotutela con la universidad U".

2.5.2. Expedición de Títulos Conjuntos de Doctor obtenidos tras la superación de un programa conjunto entre universidades españolas

La expedición de títulos conjuntos de Doctor obtenidos tras la superación de un programa de doctorado conjunto entre dos o más universidades españolas se regirá además de por lo dispuesto en el Real decreto 1002/2010, de 5 de agosto, por lo establecido en el Convenio que a esos efectos hayan suscrito las respectivas universidades.

La denominación del título de Doctor será: Doctor o Doctora por las Universidades UU, siendo UU la denominación de las Universidades participantes en el programa conjunto, e incluirá información que especifique el campo de conocimiento sobre el que se ha elaborado la tesis doctoral. Los títulos conjuntos de Doctor se expedirán con la denominación que, en cada caso, figure en el Registro de Universidades, Centros y Títulos. Dicha denominación quedará reservada en exclusiva para cada uno de ellos.

El título será expedido conjuntamente por los rectores de las universidades participantes y su expedición se materializará en un único documento en el que consten los emblemas y atributos de aquellas, y las firmas impresas de los Rectores de todas las universidades participantes, de conformidad con el modelo previsto.

2.5.3. Expedición de Títulos Conjuntos de Doctor obtenidos tras la superación de un programa conjunto entre universidades españolas y extranjeras

La expedición de los títulos conjuntos de Doctor obtenidos tras la superación de un programa de doctorado conjunto entre dos o más universidades españolas y extranjeras se regirá, además de por lo dispuesto en el Real decreto 1002/2010, de 5 de agosto, por lo establecido en el Convenio que a esos efectos hayan suscrito las respectivas universidades que, en todo caso, deberá cumplir los requisitos que se establecen en los siguientes apartados.

La denominación de estos títulos será: Doctor o Doctora por las Universidades UU, siendo UU la denominación de las Universidades españolas y extranjeras participantes en el programa conjunto, e incluirá información que especifique el campo de conocimiento sobre la el que se ha elaborado la tesis doctoral. Los títulos conjuntos de Doctor se expedirán con la denominación que, en cada caso, figure en el Registro de Universidades, Centros y Títulos. Dicha denominación quedará reservada en exclusiva para cada uno de ellos.

El Convenio deberá especificar cuál será la universidad responsable de la expedición material y registro del título:

a) Cuando el Convenio estipule que el título será expedido por la universidad o universidades españolas, el título se expedirá de acuerdo con lo establecido en el Real decreto 1002/2010, de 5 de agosto, e incorporará mención expresa del programa de doctorado conjunto que da derecho a su obtención, según modelo establecido. En este supuesto los expedientes serán custodiados por la universidad española que corresponda según lo establecido en el Convenio.

b) Cuando, de acuerdo con lo estipulado en el convenio la expedición del título le corresponda a la universidad extranjera, para surtir efectos en España, el título deberá ser presentado ante una de las universidades españolas firmantes del Convenio, para que esta incluya una diligencia señalando el título oficial de Doctor que corresponda y proceda a los trámites necesarios para su anotación en el Registro Nacional de Titulados Universitarios Oficiales, según modelo establecido.

2.6. Procedimiento de expedición de títulos oficiales

2.6.1. Solicitud

Una vez superados los estudios universitarios conducentes a la obtención de una determinada titulación oficial, el interesado podrá solicitar la expedición del correspondiente título ante el órgano competente de la universidad en la que hubiera finalizado aquellos. El expediente constará de los siguientes documentos:

a) Solicitud del interesado de expedición del título, dirigida al Rector de la universidad.

b) Acreditación de los datos de identidad del interesado.

c) Acreditación del pago de la tasa por expedición del correspondiente título.

Completado el expediente la Universidad expedirá una certificación supletoria provisional que sustituirá al título y gozará de idéntico valor a efectos del ejercicio de los derechos a él inherentes, en tanto no se produzca su expedición material. Dicha certificación incluirá los datos esenciales que deben figurar en el título correspondiente y el número de registro nacional de titulados universitarios oficiales, y será firmada por el Rector.

La certificación supletoria provisional tendrá una validez de un año desde la fecha de emisión de la certificación. Dicho plazo de validez deberá constar en la propia certificación supletoria provisional, y será prorrogable cuando por causas técnicas no haya podido la Universidad expedir el título[3].

2.6.2. Comunicación al Registro Nacional de Titulados Universitarios Oficiales

En relación con los títulos oficiales que expidan, las universidades se ajustarán a las normas de organización y procedimiento de los registros universitarios de títulos oficiales que se establezcan al respecto, teniendo en cuenta el principio de coordinación con el Registro Nacional de Titulados Universitarios Oficiales del Ministerio de Educación.

A tal efecto el Director General de Política Universitaria dictará las oportunas instrucciones sobre procedimiento informático y de verificación documental, con el fin de constituir la correspondiente base de datos en conexión con la de las respectivas universidades.

2.6.3. Soporte documental o físico y requisitos

La cartulina soporte de los títulos, de idéntico tamaño para todos ellos, será de material especial con determinadas claves de autenticidad, normalizado en formato UNE A-3, de acuerdo con las prescripciones técnicas y de seguridad determinadas. Por Resolución del Director General de Política Universitaria se determinarán las condiciones de suministro de dichas cartulinas a las universidades.

Las cartulinas llevarán incorporado el Escudo Nacional en el ángulo superior izquierdo. Estarán numeradas mediante serie alfanumérica, cuyo control corresponderá a las unidades responsables del proceso de expedición de los títulos.

---

3 La certificación supletoria provisional que sustituirá al título y gozará de idéntico valor a efectos del ejercicio de los derechos a él inherentes, **tendrá una validez de un año** desde la fecha de emisión de la certificación. Dicho plazo de validez deberá constar en la propia certificación supletoria provisional. El mismo plazo de validez de un año desde la fecha de emisión de la certificación supletoria provisional será aplicable para las certificaciones de los títulos de Especialistas en Ciencias de la Salud. Igualmente, dicho plazo de validez deberá constar en la propia certificación supletoria provisional (Disposición Final Tercera del Real Decreto 22/2015, de 23 de enero, por el que se establecen los requisitos de expedición del Suplemento Europeo a los títulos regulados en el Real Decreto 1393/2007, de 29 de octubre, por el que se establece la ordenación de las enseñanzas universitarias oficiales y se modifica el Real Decreto 1027/2011, de 15 de julio, por el que se establece el Marco Español de Cualificaciones para la Educación Superior).

Las universidades adoptarán, para los títulos que expidan, los atributos, colores, orlas y demás grafismos que estimen convenientes, sin más limitaciones que las establecidas en el Real decreto 1002/2010. Asimismo, podrán incorporar a los títulos que expidan su propio escudo u otros, nunca en mayor tamaño que el Escudo Nacional.

Los títulos llevarán impreso todo su texto, así como la firma del rector o rectores de las universidades correspondientes. No se permitirá la incorporación de inscripción alguna no impresa, salvo la firma del interesado y la del responsable de la unidad de títulos oficiales de la universidad.

Cada universidad, previamente a su entrega al interesado, efectuará en el título una estampación en seco de su sello oficial, igual para todos los títulos que expida. Remitirá muestra de dicho motivo a la Subdirección General de Títulos y Reconocimiento de Cualificaciones de este Departamento, a efectos de conocimiento y control de autenticidad.

2.6.4. Personalización del título

Los títulos universitarios oficiales incluirán en su anverso, además de las menciones que se señalan en otros apartados, los siguientes datos:

a) Referencia expresa a que el título se expide en nombre del Rey, con arreglo a la fórmula recogida en los anexos del Real decreto 1002/2010, de 5 de agosto.

b) Nombre y apellidos de la persona interesada, tal y como figuren en su documento nacional de identidad o pasaporte válido y en vigor expedido por la autoridad competente del país de origen u otro documento de identidad en vigor válido a estos efectos en el estado miembro correspondiente.

c) Lugar y fecha de nacimiento, así como nacionalidad de la persona interesada.

d) Fecha de finalización de los estudios que será la de la completa superación de las enseñanzas que dan derecho a su obtención.

e) Lugar y fecha de expedición del título.

f) Firma de la persona interesada, del responsable de la unidad de títulos oficiales de la universidad, y del Rector o Rectores de las universidades.

g) Si procede, inclusión de la mención de *cum laude* así como de la mención «Doctorado Internacional» o mención «Doctorado industrial».

h) Mención de las causas legales que, en su caso, afecten a la eficacia del título. Si la causa legal es la defunción del titular, el dato de la defunción se hará constar en el reverso del título. Cuando así proceda, se hará constar si se trata de expedición de un duplicado, así como de las causas que motivaron dicha expedición.

i) Claves oficiales del título que se expide. La primera estará compuesta por los códigos correspondientes a la universidad, al centro, y al número de registro universitario. La segunda corresponderá al número asignado por el Registro Nacional de Titulados Universitarios Oficiales.

En el reverso de los títulos universitarios oficiales se harán constar los mismos datos relativos a la clave alfanumérica del soporte, códigos de universidad y centro, número de registro universitario de títulos oficiales y número del Registro Nacional de Titulados Universitarios Oficiales, a fin de identificar las dos partes del título. Constará también el lugar y fecha de expedición del título, y la firma del responsable de la unidad de títulos oficiales de la universidad.

2.6.5. Lengua de expedición de los títulos universitarios oficiales

Los títulos oficiales se expedirán en castellano. Las universidades radicadas en las Comunidades Autónomas con lengua oficial expedirán los títulos en texto bilingüe en un solo documento redactado en castellano y en la otra lengua de la correspondiente comunidad autónoma.

En el caso de planes de estudios conjuntos entre universidades españolas, situadas en comunidades autónomas con diferentes lenguas oficiales propias, que den lugar a la expedición de un único título, el Convenio deberá determinar las lenguas que figurarán en el título, entre las que deberá incluirse necesariamente el castellano.

En el caso de planes de estudios conjuntos entre universidades españolas y extranjeras, que den lugar a la expedición de un único título, cuando dicha expedición le corresponda a la universidad española de acuerdo con el correspondiente Convenio, el título además de expedirse en lengua española, podrá incluir otras, según lo estipulado en el convenio.

2.6.6. Tasas

Las tasas que hayan de abonar los interesados, en los casos y por los conceptos que procedan, constituirán ingresos exigibles por el órgano competente que expida los títulos.

2.6.7. Procedimiento de reexpedición

A instancias del interesado y previo abono de las correspondientes tasas, procederá la expedición de duplicado de un título en los casos de extravío, robo, destrucción total o parcial o rectificación del original, siendo requisito imprescindible la publicación en el «Boletín Oficial del Estado» con objeto de propiciar en su caso las oportunas reclamaciones.

2.7. Expedición de otros títulos

2.7.1. Expedición de títulos correspondientes al programa conjunto internacional Erasmus Mundus

Los títulos obtenidos tras la superación del programa conjunto internacional Erasmus Mundus, cuando tengan que ser expedidos por una universidad española participante en el correspondiente consorcio, lo harán de acuerdo al formato establecido y de acuerdo con las características técnicas que establezca al efecto el Ministerio de Educación.

2.7.2. Expedición de títulos correspondientes a enseñanzas anteriores

La expedición de los títulos oficiales correspondientes a las enseñanzas anteriores a las establecidas en el RD 1393/2007, así como de los suplementos europeos a dichos títulos, se realizará conforme a su normativa reguladora.

2.7.3. Expedición de títulos universitarios oficiales obtenidos en el marco del Programa de Universidades Europeas de la Comisión Europea

Los títulos obtenidos tras la superación de los estudios incluidos en el marco del Programa de Universidades Europeas de la Comisión Europea, cuando deban ser expedidos por una universidad española participante en el correspondiente consorcio, lo serán de acuerdo con el formato establecido en el modelo del anexo XIV del Real Decreto 1002/2010, de 5 de agosto.

En el caso de los títulos expedidos por una universidad española en su calidad de miembro de una alianza de la iniciativa "Universidades Europeas", las universidades podrán expedir el título tanto en soporte papel como en formato electrónico o en ambos. El título electrónico tendrá la misma validez y eficacia que el de soporte papel.

Cuando el título se expida en formato electrónico tendrá la misma estructura y contenidos que en formato papel, excepto en lo que se refiere a las firmas o sellos propuestos, que corresponderán al responsable de dicha emisión electrónica.

Los títulos electrónicos incluirán una firma o sello electrónico basado en certificado reconocido, sellado de tiempo y código seguro de verificación o CSV. El título electrónico estará disponible en el portal de la universidad correspondiente para descarga y comprobación mediante acceso a dicho portal.

Los formatos y los soportes digitales admitidos para estos títulos electrónicos se establecerán por orden ministerial.

Los títulos expedidos por una universidad extranjera en el marco del Programa Universidades Europeas de la Comisión Europea surtirán efectos en España cuando sean presentados ante una universidad española que forme parte del mismo convenio y ésta incluya una diligencia señalando el título oficial al que corresponda y proceda a los trámites necesarios para su anotación en el Registro Nacional de Titulados Universitarios Oficiales, según modelo establecido en el anexo X.

3. Suplemento Europeo al título en las titulaciones de grado, máster y doctor: definición, expedición y contenido

3.1. El Suplemento Europeo al Título. El Real Decreto 22/2015, de 23 de enero

El Real Decreto 22/2015, de 23 de enero, establece los requisitos de expedición del Suplemento Europeo a los títulos regulados en el Real Decreto 1393/2007, de 29 de octubre, por el que se establece la ordenación de las enseñanzas universitarias oficiales[4].

En el Preámbulo de esta norma se establece que con el fin de asegurar que los títulos oficiales expedidos por las universidades españolas se acompañasen de aquellos elementos de información que garantizasen la transparencia acerca de su naturaleza, nivel, contexto y contenidos de las enseñanzas certificadas por dichos títulos y por tanto, posibilitar la más amplia movilidad nacional e internacional de estudiantes y titulados españoles, se adoptó el Real Decreto 1044/2003, de 1 de agosto, por el que se establece el procedimiento para la expedición por las universidades del Suplemento Europeo al Título.

El citado real decreto se encuentra entre las medidas necesarias que, conforme los artículos 87 y 88 de la Ley Orgánica 6/2001, de 21 de diciembre, de Universidades, debían adoptarse para la plena integración del sistema español en el Espacio Europeo de Educación Superior. Ello es así, en tanto que el Suplemento Europeo al Título resulta ser una medida que facilita información ante la diversidad de titulaciones y reduce las dificultades en su reconocimiento.

No obstante, en el propio Real Decreto 1044/2003, de 1 de agosto, se recogía el carácter transitorio del procedimiento de expedición del Suplemento Europeo al Título que en él se regulaba, en tanto no se implantasen las titulaciones universitarias españolas, los créditos europeos como unidad de medida del haber académico, no se modifique el sistema vigente de calificaciones y no se haya llevado a cabo la implantación efectiva de las modalidades cíclicas de las enseñanzas contempladas en la declaración de Bolonia.

La situación anteriormente descrita se produce con la aprobación, entre otros, del Real Decreto 1393/2007, de 29 de octubre, que establece la nueva ordenación de las enseñanzas universitarias oficiales. Esta nueva regulación, que ha sido modificada por el Real Decreto 861/2010, de 2 de julio, supuso que las universidades españolas pudiesen impartir enseñanzas de Grado, Máster y Doctorado conducentes a la obtención de los correspondientes títulos oficiales.

---

[4] Todas las referencias al Real Decreto 1393/2007, de 29 de octubre, por el que se establece la ordenación de las enseñanzas universitarias oficiales hay que entenderlas realizadas al Real Decreto 822/2021, de 28 de septiembre, por el que se establece la organización de las enseñanzas universitarias y del procedimiento de aseguramiento de su calidad.

El apartado 2 del artículo 3 del citado Real Decreto 1393/2007, de 29 de octubre, prevé que estos títulos oficiales serán expedidos, en nombre del Rey, por el Rector de la Universidad en que se hubiesen concluido las enseñanzas que den derecho a su obtención, de acuerdo con los requisitos básicos que, respecto a su formato, texto y procedimiento de expedición, se establezcan por el Gobierno. La citada previsión se materializa en el Real Decreto 1002/2010, de 5 de agosto, sobre expedición de títulos universitarios oficiales, que en su artículo 1.2 contempla como objeto de su regulación el establecer las condiciones y el procedimiento por el que las universidades españolas podrán expedir el Suplemento Europeo al Título de las enseñanzas conducentes a los títulos de Graduado, Master y Doctor a que se refieren el Real Decreto 1393/2007, de 29 de octubre, con el fin de promover la movilidad de titulados en el Espacio Europeo de Educación Superior.

Asimismo, en la Disposición adicional primera del Real Decreto 1002/2010, de 5 de agosto, y de acuerdo con la previsión del Real Decreto 1044/2003, de 1 de agosto, regulador del procedimiento para la expedición por las universidades del Suplemento Europeo al Título, se determinan los contenidos integradores del Suplemento inherentes a los títulos de Grado, Máster y Doctor, realizando las correspondientes remisiones a los modelos de los anexos XII.A y XII.B del propio Real Decreto 1002/2010, de 5 de agosto. Dicha norma también contiene otras previsiones como es la relativa al soporte que deberá estar normalizado en formato UNE - A3 (plegado A4).

A pesar de la regulación del Suplemento Europeo del Título contenido en las normas anteriormente referenciadas, en la actualidad se precisa una revisión integral que conlleve una más ágil expedición del mismo. Por todo ello fue aprobado el Real Decreto 22/2015, de 23 de enero, por el que se establecen los requisitos de expedición del Suplemento Europeo a los títulos regulados en el Real Decreto 1393/2007, de 29 de octubre, por el que se establece la ordenación de las enseñanzas universitarias oficiales

3.2. Objeto y ámbito de aplicación y definición

El Real Decreto 22/2015, de 23 de enero, tiene como objeto establecer las condiciones de expedición del Suplemento Europeo al Título correspondiente a las enseñanzas universitarias oficiales de Grado y Máster reguladas por el Real Decreto 1393/2007, de 29 de octubre[5].

El Suplemento Europeo al Título es el documento que acompaña al título universitario de carácter oficial y validez en todo el territorio nacional con la información unificada, personalizada para cada titulado universitario, sobre los estudios cursados, los resultados obtenidos, las capacidades profesionales adquiridas y el nivel de su titulación en el sistema nacional de educación superior.

---

5 Esta referencia hay que entenderla realizada al Real Decreto 822/2021, de 28 de septiembre, por el que se establece la organización de las enseñanzas universitarias y del procedimiento de aseguramiento de su calidad.

3.3. Expedición

Una vez superados los estudios conducentes a los títulos oficiales de Grado o Máster y solicitado por el interesado el título, las universidades expedirán junto al mismo el Suplemento Europeo al Título (SET).

La primera expedición del Suplemento Europeo al Título tendrá carácter gratuito.

El SET no podrá ser expedido acompañando diplomas o títulos propios establecidos por las universidades u otros centros no universitarios.

3.4. Contenido

El Suplemento Europeo al Título debe contener la información siguiente de acuerdo con el modelo establecido en el Anexo I[6] del Real Decreto 22/2015, de 23 de enero, para los títulos oficiales de Graduado y Máster:

1. Datos identificativos del titulado.
2. Información sobre la titulación.
3. Información sobre el nivel de la titulación.
4. Información sobre los contenidos y resultados obtenidos.
5. Información sobre la función de la titulación.
6. Información adicional.
7. Certificación del suplemento.
8. Información sobre el sistema nacional de educación superior.

3.5. Soporte documental y personalización

El documento soporte de los Suplementos Europeos al Título que se expidan será de idéntico tamaño para todos ellos, normalizado en formato UNE A-4 y en modelo papel de seguridad. Las características técnicas del papel deberán responder a las especificadas en el anexo II del Real Decreto 22/2015, de 23 de enero.

En los documentos se incorporará impreso el Escudo de España. Asimismo se incluirán el escudo o logotipo de la Unión Europea y el de la Universidad, cuyos tamaños no podrán ser mayores que el del escudo de España.

Las lenguas de expedición serán, al menos, castellano e inglés; de forma adicional a estas lenguas, también podrá expedirse en otra lengua oficial de la Unión Europea que la

6 Los Anexos del Real Decreto 22/2015, de 23 de enero, se insertan al final del presente tema.

universidad determine, así como en la lengua cooficial que corresponda a las universidades radicadas en las Comunidades Autónomas con lengua cooficial propia.

En todas las páginas del Suplemento figurará el número con el que el título consta en el Registro Nacional de Titulados, más una serie secuencial cuyo control corresponderá a las unidades responsables del proceso de expedición del Suplemento.

Asimismo, cada universidad, previamente a su entrega al interesado, efectuará en cada hoja del Suplemento Europeo al Título una estampación en seco de su sello oficial, correspondiente al utilizado en los títulos que expida.

En el margen inferior de cada hoja que constituya el Suplemento Europeo al Título, se incluirá una línea con el siguiente texto: «Este documento se expide en papel de seguridad con sello seco.»

De forma opcional, se podrá incluir en la versión en papel el código de verificación de la versión digital.

3.6. Formato electrónico

Las Universidades expedirán el Suplemento Europeo al Título en formato papel.

No obstante, además de en formato papel, podrán expedir el Suplemento Europeo al Título de forma electrónica, con la misma estructura y contenidos y con las medidas de seguridad detalladas en el Anexo III del Real Decreto 22/2015, de 23 de enero.

El documento estará disponible en la Sede Electrónica de la universidad correspondiente.

3.7. Otras normas

3.7.1. No incremento de gasto público

Las medidas incluidas en esta norma no podrán suponer incremento de dotaciones ni de retribuciones ni de otros gastos de personal.

3.7.2. Expedición de Suplementos Europeos al Título

La expedición de los suplementos europeos a títulos oficiales correspondientes a las enseñanzas anteriores a las establecidas en el Real Decreto 1393/2007, de 29 de octubre, se realizará conforme a su normativa reguladora[7].

[7] Dicha normativa es el Real Decreto 1044/2003, de 1 de agosto.

Los Suplementos Europeos al Título correspondientes a las enseñanzas de Grado y Master del Real Decreto 1393/2007, de 29 de octubre, que se expidan a partir de la entrada en vigor del Real Decreto 22/2015, de 23 de enero, se realizarán conforme a las prescripciones establecidas por este.

3.7.3. Plazo de validez de la certificación supletoria provisional al título

La certificación supletoria provisional que sustituirá al título y gozará de idéntico valor a efectos del ejercicio de los derechos a él inherentes, previsto en el apartado 2 del artículo 14 del Real Decreto 1002/2010, de 5 de agosto, sobre expedición de títulos universitarios oficiales[8], tendrá una validez de un año desde la fecha de emisión de la certificación. Dicho plazo de validez deberá constar en la propia certificación supletoria provisional.

El mismo plazo de validez de un año desde la fecha de emisión de la certificación supletoria provisional será aplicable para las certificaciones de los títulos de Especialistas en Ciencias de la Salud. Igualmente, dicho plazo de validez deberá constar en la propia certificación supletoria provisional.

3.8. El Suplemento Europeo al Título Universitario de Doctor

3.8.1. Real Decreto 195/2016, de 13 de mayo, por el que se establecen los requisitos para la expedición del Suplemento Europeo al Título Universitario de Doctor

El Real Decreto 1393/2007, de 29 de octubre, por el que se establece la ordenación de las enseñanzas universitarias oficiales, se aprobó para desarrollar la estructura de las enseñanzas universitarias oficiales, de acuerdo con las líneas generales emanadas del Espacio Europeo de Educación Superior y de conformidad con lo previsto en el artículo 37 de la Ley Orgánica 6/2001, de 21 de diciembre, de Universidades, tras su modificación del año 2007.

Posteriormente, se aprobó el Real Decreto 1002/2010, de 5 de agosto, sobre expedición de títulos universitarios oficiales, que incluye las normas sobre expedición de los títulos correspondientes a las enseñanzas universitarias contenidas en el Real Decre-

[8] Dicho artículo establece: "Completado el expediente al que se refiere el apartado anterior, la Universidad expedirá una certificación supletoria provisional que sustituirá al título y gozará de idéntico valor a efectos del ejercicio de los derechos a él inherentes, en tanto no se produzca su expedición material. Dicha certificación incluirá los datos esenciales que deben figurar en el título correspondiente y el número de registro nacional de titulados universitarios oficiales, y será firmada por el Rector. La certificación supletoria provisional tendrá una validez de un año desde la fecha de emisión de la certificación. Dicho plazo de validez deberá constar en la propia certificación supletoria provisional, y será prorrogable cuando por causas técnicas no haya podido la Universidad expedir el título".

to 1393/2007, de 29 de octubre. En concreto, las relativas a los requisitos y procedimiento para la expedición de los títulos correspondientes a las enseñanzas universitarias oficiales de Grado, Máster y Doctorado.

Por su parte, el Real Decreto 99/2011, de 28 de enero, por el que se regulan las enseñanzas oficiales de Doctorado, estableció una nueva organización de los estudios de Doctorado correspondientes al tercer ciclo de las enseñanzas universitarias oficiales conducentes a la obtención del título de Doctor, de carácter oficial y validez en todo el territorio nacional, y en consecuencia derogó el Capítulo V del Real Decreto 1393/2007, de 29 de octubre, relativo a las enseñanzas de Doctorado.

También en el año 2011 se aprobó el Real Decreto 1027/2011, de 15 de julio, por el que se establece el Marco Español de Cualificaciones para la Educación Superior (MECES) y la descripción de sus niveles (Técnico Superior, Grado, Máster y Doctor), cuya finalidad es permitir la clasificación, comparabilidad y transparencia de las cualificaciones de la Educación Superior en el sistema educativo español.

La normativa para la expedición del suplemento europeo a los títulos de Grado y Máster quedó fijada en el Real Decreto 22/2015, de 23 de enero, por el que se establecen los requisitos de expedición del suplemento europeo a los títulos regulados en el Real Decreto 1393/2007, de 29 de octubre, por el que se establece la ordenación de las enseñanzas universitarias oficiales y se modifica el Real Decreto 1027/2011, de 15 de julio, por el que se establece el Marco Español de Cualificaciones para la Educación Superior.

El suplemento europeo al título es el documento que acompaña al título universitario de carácter oficial y validez en todo el territorio nacional con la información unificada, personalizada para cada titulado universitario, sobre los estudios cursados, los resultados obtenidos, las capacidades profesionales adquiridas y el nivel de su titulación en el sistema nacional de Educación Superior.

Para completar el marco normativo fijado en el Real Decreto 22/2015, de 23 de enero, el Real Decreto 889/2022 tiene por objeto la regulación de los requisitos y el procedimiento para la expedición del suplemento europeo al título de Doctor obtenido conforme a las enseñanzas oficiales de Doctorado reguladas en el Real Decreto 1393/2007, de 29 de octubre, y en el Real Decreto 99/2011, de 28 de enero, con el fin de promover la movilidad de titulados en el espacio europeo de Educación Superior, incluida la expedición de los suplementos europeos a los títulos de Doctor del programa Erasmus Mundus y sucesivos.

En este proyecto normativo también se regula la certificación supletoria provisional del título universitario de Doctor. La posibilidad de expedir la certificación supletoria provisional está justificada por razones de interés general. Es un medio provisional de acreditar estar en posesión de los estudios de Doctorado. Esta certificación sustituye, de forma temporal, a la expedición del título de Doctor de acuerdo con lo previsto en la nueva ordenación universitaria. Si no se regula de forma expresa en un Real Decreto la certificación supletoria provisional no será posible llevar a cabo la expedición de este tipo de documento en favor del ciudadano, afectándose gravemente los derechos de los que es titular el ciudadano, porque no tiene forma de acreditar que está en posesión de unos estudios de Doctorado que ha superado.

3.8.2. Objeto y ámbito de aplicación

El Real Decreto 195/2016, de 13 de mayo, tiene por objeto la regulación de los requisitos y el procedimiento para la expedición del suplemento europeo al título de Doctor obtenido conforme a las enseñanzas oficiales de Doctorado reguladas en el Real Decreto 1393/2007, de 29 de octubre y en el Real Decreto 99/2011, de 28 de enero, con el fin de promover la movilidad de titulados en el espacio europeo de Educación Superior, incluida la expedición de los suplementos europeos a los títulos de Doctor del programa Erasmus Mundus y sucesivos.

Las disposiciones contenidas en el mismo serán de aplicación a la expedición del suplemento europeo al título de Doctor expedido por las Universidades españolas públicas y privadas.

3.8.3. El Suplemento europeo al título de Doctor

El suplemento europeo al título de Doctor es el documento que acompaña al mencionado título universitario de carácter oficial y validez en todo el territorio nacional con la información unificada, personalizada para cada titulado universitario, sobre el programa seguido, los resultados obtenidos, las capacidades profesionales adquiridas y el nivel de su titulación en el sistema nacional de Educación Superior.

3.8.4. Expedición del suplemento europeo al título de Doctor

La expedición del suplemento europeo al título de Doctor, así como lo relativo al contenido, características del soporte documental y personalización del documento, y formato electrónico, se ajustarán a las normas establecidas en el Real Decreto 22/2015, de 23 de enero, por el que se establecen los requisitos de expedición del suplemento europeo al título y se modifica el Real Decreto 1027/2011, de 15 de julio, por el que se establece el marco español de cualificaciones para la Educación Superior.

No obstante, el suplemento europeo al título de Doctor se expedirá de acuerdo con el modelo establecido en el Anexo I del Real Decreto 195/2016, de 13 de mayo[9].

3.9. El Suplemento europeo al título en las enseñanzas anteriores a las establecidas en el Real Decreto 1393/2007, de 29 de octubre

La expedición de los suplementos europeos a títulos oficiales correspondientes a las enseñanzas anteriores a las establecidas en el Real Decreto 1393/2007, de 29 de octubre, se realizará conforme a su normativa reguladora. Como hemos señalado anteriormente dicha normativa es el Real Decreto 1044/2003, de 1 de agosto, que será analizado a continuación.

---

9 Dicho Anexo se incluye al final del presente tema.

Este Real Decreto tiene por objeto establecer las condiciones y el procedimiento por el que las universidades españolas podrán expedir el Suplemento Europeo al Título, con el fin de promover la más amplia movilidad de estudiantes y titulados españoles en el espacio europeo de enseñanza superior.

Las universidades podrán expedir el suplemento europeo a los títulos universitarios de carácter oficial y validez en todo el territorio nacional cuyas enseñanzas tengan implantadas. El Suplemento Europeo al Título no podrá ser expedido acompañando diplomas o títulos propios establecidos por las universidades u otros centros no universitarios.

El Suplemento Europeo al Título podrá ser emitido para aquellos títulos universitarios de carácter oficial y validez en todo el territorio nacional que se expidan a partir de la entrada en vigor del real decreto 1044/2003, de 1 de agosto (entró en vigor el 12 de septiembre de 2003).

3.9.1. Definición

El Suplemento Europeo al Título es el documento que acompaña a cada uno de los títulos universitarios de carácter oficial y validez en todo el territorio nacional, con la información unificada, personalizada para cada titulado universitario, sobre los estudios cursados, los resultados obtenidos, las capacidades profesionales adquiridas y el nivel de su titulación en el sistema nacional de educación superior.

3.9.2. Contenido del Suplemento Europeo al Título

El Suplemento Europeo al Título debe contener la siguiente información:

a) Datos del estudiante.

b) Información de la titulación.

c) Información sobre el nivel de la titulación.

d) Información sobre el contenido y los resultados obtenidos.

e) Información sobre la función de la titulación.

f) Información adicional.

g) Certificación del suplemento.

h) Información sobre el sistema nacional de educación superior.

3.9.3. Planes de estudios conjuntos

En los supuestos de planes de estudios conjuntos entre universidades españolas, conducentes a la obtención de un único título universitario de carácter oficial y validez en todo el territorio nacional, se expedirá un único Suplemento Europeo al Título.

Cuando se trate de planes de estudios conjuntos, establecidos entre universidades españolas y extranjeras, que conduzcan a la doble titulación, se expedirá por parte de la universidad española un Suplemento Europeo al Título donde figuren los detalles de la doble titulación.

3.9.4. Estudios parciales

En el caso de estudiantes que cursen solo parte de los estudios conducentes a un título universitario de carácter oficial y validez en todo el territorio nacional, no se expedirá el Suplemento Europeo al Título, sino únicamente una certificación de estudios, con el contenido del modelo de suplemento que proceda.

3.9.5. Expedición del Suplemento Europeo al Título

El Suplemento Europeo al Título será expedido a solicitud del interesado, por la universidad correspondiente, previa verificación del cumplimiento de lo dispuesto en el Real Decreto 1044/2003, de 1 de agosto, y con arreglo a los requisitos formales que se establecen en los anexos de dicha norma.

El documento soporte de los suplementos europeos que se expidan será de idéntico tamaño para todos ellos, normalizado en formato UNE A-4 (modelo de papel de seguridad).

En los documentos se incorporará impreso el Escudo de España. Podrán incorporarse, asimismo, los escudos o logotipos de la Unión Europea y de la propia universidad, en cuyo caso su tamaño no podrá ser mayor que el del escudo de España.

El Suplemento Europeo al Título se expedirá en castellano y en otra lengua oficial de la Unión Europea que la universidad determine. El Consejo de Universidades aprobará, a estos efectos, modelos uniformes de suplementos al título redactados en las lenguas oficiales de la Unión Europea de mayor uso. Las universidades radicadas en comunidades autónomas con lengua cooficial propia podrán expedir también los suplementos al título en su propia lengua, se atendrán a la traducción a la lengua cooficial que la Administración educativa de la comunidad autónoma correspondiente determine y respetarán en la traducción la literalidad del contenido del suplemento que figura en los anexos.

Las comunidades autónomas determinarán los precios públicos que correspondan por la expedición del Suplemento Europeo al Título.

ANEXO: Referencias para el procedimiento de homologación

Normativa

- Orden ECI/332/2008, de 13 de febrero, por la que se establecen los requisitos para la verificación de los títulos universitarios oficiales que habiliten para el ejercicio de la profesión de Médico.
- Orden ECI/333/2008, de 13 de febrero, por la que se establecen los requisitos para la verificación de los títulos universitarios oficiales que habiliten para el ejercicio de la profesión de Veterinario.
- Orden CIN/2134/2008, de 3 de julio, por la que se establecen los requisitos para la verificación de los títulos universitarios oficiales que habiliten para el ejercicio de la profesión de Enfermero.
- Orden CIN/2135/2008, de 3 de julio, por la que se establecen los requisitos para la verificación de los títulos universitarios oficiales que habiliten para el ejercicio de la profesión de Fisioterapeuta.
- Orden CIN/2136/2008, de 3 de julio, por la que se establecen los requisitos para la verificación de los títulos universitarios oficiales que habiliten para el ejercicio de la profesión de Dentista.
- Orden CIN/2137/2008, de 3 de julio, por la que se establecen los requisitos para la verificación de los títulos universitarios oficiales que habiliten para el ejercicio de la profesión de Farmacéutico.
- Orden CIN/726/2009, de 18 de marzo, por la que se establecen los requisitos para la verificación de los títulos universitarios oficiales que habiliten para el ejercicio de la profesión de Logopeda.
- Orden CIN/727/2009, de 18 de marzo, por la que se establecen los requisitos para la verificación de los títulos universitarios oficiales que habiliten para el ejercicio de la profesión de Óptico-Optometrista.
- Orden CIN/728/2009, de 18 de marzo, por la que se establecen los requisitos para la verificación de los títulos universitarios oficiales que habiliten para el ejercicio de la profesión de Podólogo.
- Orden CIN/729/2009, de 18 de marzo, por la que se establecen los requisitos para la verificación de los títulos universitarios oficiales que habiliten para el ejercicio de la profesión de Terapeuta Ocupacional.
- Orden CIN/730/2009, de 18 de marzo, por la que se establecen los requisitos para la verificación de los títulos universitarios oficiales que habiliten para el ejercicio de la profesión de Dietista-Nutricionista.

- Orden ECD/1070/2013, de 12 de junio, por la que se establecen los requisitos para la verificación de los títulos universitarios oficiales que habiliten para el ejercicio de la profesión de Psicólogo General Sanitario.
- Orden CIN/309/2009, de 9 de febrero, por la que se establecen los requisitos para la verificación de los títulos universitarios oficiales que habiliten para el ejercicio de la profesión de Ingeniero de Caminos, Canales y Puertos.
- Orden CIN/310/2009, de 9 de febrero, por la que se establecen los requisitos para la verificación de los títulos universitarios oficiales que habiliten para el ejercicio de la profesión de Ingeniero de Minas.
- Orden CIN/311/2009, de 9 de febrero, por la que se establecen los requisitos para la verificación de los títulos universitarios oficiales que habiliten para el ejercicio de la profesión de Ingeniero Industrial.
- Orden CIN/312/2009, de 9 de febrero, por la que se establecen los requisitos para la verificación de los títulos universitarios oficiales que habiliten para el ejercicio de la profesión de Ingeniero Aeronáutico.
- Orden CIN/325/2009, de 9 de febrero, por la que se establecen los requisitos para la verificación de los títulos universitarios oficiales que habiliten para el ejercicio de la profesión de Ingeniero Agrónomo.
- Orden CIN/326/2009, de 9 de febrero, por la que se establecen los requisitos para la verificación de los títulos universitarios oficiales que habiliten para el ejercicio de la profesión de Ingeniero de Montes.
- Orden CIN/354/2009, de 9 de febrero, por la que se establecen los requisitos para la verificación de los títulos universitarios oficiales que habiliten para el ejercicio de la profesión de Ingeniero Naval y Oceánico.
- Orden CIN/355/2009, de 9 de febrero, por la que se establecen los requisitos para la verificación de los títulos universitarios oficiales que habiliten para el ejercicio de la profesión de Ingeniero de Telecomunicación.
- Orden EDU/2075/2010 de 29 de julio, por la que se establecen los requisitos para la verificación de los títulos universitarios oficiales que habiliten para el ejercicio de la profesión de Arquitecto.
- Orden CIN/306/2009, de 9 de febrero, por la que se establecen los requisitos para la verificación de los títulos universitarios oficiales que habiliten para el ejercicio de la profesión de Ingeniero Técnico de Minas.
- Orden CIN/307/2009, de 9 de febrero, por la que se establecen los requisitos para la verificación de los títulos universitarios oficiales que habiliten para el ejercicio de la profesión de Ingeniero Técnico de Obras Públicas.
- Orden CIN/308/2009, de 9 de febrero, por la que se establecen los requisitos para la verificación de los títulos universitarios oficiales que habiliten para el ejercicio de la profesión de Ingeniero Técnico Aeronáutico.

- Orden CIN/323/2009, de 9 de febrero, por la que se establecen los requisitos para la verificación de los títulos universitarios oficiales que habiliten para el ejercicio de la profesión de Ingeniero Técnico Agrícola.
- Orden CIN/324/2009, de 9 de febrero, por la que se establecen los requisitos para la verificación de los títulos universitarios oficiales que habiliten para el ejercicio de la profesión de Ingeniero Técnico Forestal.
- Orden CIN/350/2009, de 9 de febrero, por la que se establecen los requisitos para la verificación de los títulos universitarios oficiales que habiliten para el ejercicio de la profesión de Ingeniero Técnico Naval.
- Orden CIN/351/2009, de 9 de febrero, por la que se establecen los requisitos para la verificación de los títulos universitarios oficiales que habiliten para el ejercicio de la profesión de Ingeniero Técnico Industrial.
- Orden CIN/352/2009, de 9 de febrero, por la que se establecen los requisitos para la verificación de los títulos universitarios oficiales que habiliten para el ejercicio de la profesión de Ingeniero Técnico de Telecomunicación.
- Orden CIN/353/2009, de 9 de febrero, por la que se establecen los requisitos para la verificación de los títulos universitarios oficiales que habiliten para el ejercicio de la profesión de Ingeniero Técnico en Topografía.
- Orden ECI/3855/2007, de 27 de diciembre, por la que se establecen los requisitos para la verificación de los títulos universitarios oficiales que habiliten para el ejercicio de la profesión de Arquitecto Técnico.
- Orden ECI/3854/2007, de 27 de diciembre, por la que se establecen los requisitos para la verificación de los títulos universitarios oficiales que habiliten para el ejercicio de la profesión de Maestro en Educación Infantil.
- Orden ECI/3857/2007, de 27 de diciembre, por la que se establecen los requisitos para la verificación de los títulos universitarios oficiales que habiliten para el ejercicio de la profesión de Maestro en Educación Primaria.
- Orden ECI/3858/2007, de 27 de diciembre, por la que se establecen los requisitos para la verificación de los títulos universitarios oficiales que habiliten para el ejercicio de las profesiones de Profesor de Educación Secundaria Obligatoria y Bachillerato, Formación Profesional y Enseñanzas de Idiomas.
- Real Decreto 775/2011, de 3 de junio, por el que se aprueba el Reglamento de la Ley 34/2006, de 30 de octubre, sobre el acceso a las profesiones de Abogado y Procurador de los Tribunales.

ANEXO I

Modelo suplemento europeo al título de graduado y máster

Escudo o emblema de la Universidad

Suplemento europeo al título (SET)

Este Suplemento al Título se ajusta al modelo elaborado por la Comisión Europea, el Consejo de Europa y UNESCO/CEPES. Su finalidad es proporcionar la información independiente necesaria para mejorar la transparencia internacional y el justo reconocimiento académico y profesional de las cualificaciones (diplomas, títulos, certificados, etc.). Está diseñado para describir la naturaleza, nivel, contexto, contenido, y rango de los estudios seguidos y completados con éxito por la persona a quien se menciona en el título al que este suplemento acompaña. Deben evitarse juicios de valor, posibles equivalencias o sugerencias de reconocimiento. Deben completarse todas las secciones y, en caso contrario, explicar los motivos por los que no se ha hecho.

1. DATOS IDENTIFICATIVOS DEL TITULADO

1.1 Apellidos

1.2 Nombre (s)

1.3 Fecha de nacimiento (día/mes/año)

1.4 Número de identificación

Documento Nacional de identidad/Pasaporte/N.I.E. + opcionalmente, código personal del titulado asignado por la institución de Educación Superior que expide el título + número del Registro Nacional de Titulados.

2. INFORMACIÓN SOBRE LA TITULACIÓN

2.1. Nombre de la titulación y título conferido (en idioma original)

- Denominación de la titulación y del título que se le otorga al poseedor del mismo, con la denominación que, en cada caso, figure en el Registro de Universidades, Centros y Títulos, así como la fecha del Acuerdo del Consejo de Ministros en el que se establece la oficialidad del mismo. Si procede, mencionar la competencia profesional.
- Estatus y tipología: especificar si es titulación nacional, titulación conjunta nacional o titulación conjunta internacional (en este último supuesto, si procede, se deberá especificar el nombre de la titulación obtenida en el/los otro/s país/es).
- Información referente a menciones de calidad de la titulación.

2.2. Principales campos de estudio de la titulación

Indicar la rama de conocimiento en la que se incardina el título y, en su caso, especialización.

2.3. Nombre y estatus de la institución que otorga el título (en idioma original)

- Nombre, estatus (pública/privada/de la Iglesia Católica) de la(s) institución(es) que otorga(n) el título.
- Información referente a menciones de calidad y su periodo de vigencia de la(s) institución(es) que otorgan el título.

2.4. Nombre y estatus de la(s) institución(es) que imparten el programa en el caso de que sea distinta a la institución que expide el título (en idioma original)

2.5. Lengua(s) utilizada(s) en la docencia y evaluación

Según el programa de estudios aprobado.

3. INFORMACIÓN SOBRE EL NIVEL DE LA TITULACIÓN

3.1. Nivel de la titulación

Indicar el nivel correspondiente de acuerdo con el marco europeo de cualificaciones de Educación Superior (los ciclos de Bolonia) y ubicarlo en el sistema educativo español (Marco Español de Cualificaciones de Educación Superior- MECES) y, cuando el marco legislativo lo permita, mencionar su nivel dentro del Marco Español de Cualificaciones de Aprendizaje a lo largo de toda la vida (MECU). Referenciar también el nivel de la titulación dentro del marco europeo de cualificaciones (The European Qualifications Framework –EQF–).

- Para más información, remitir al sistema de Educación Superior Español descrito en el apartado 8.

3.2. Duración oficial del programa

En ECTS y años académicos a tiempo completo.

3.3 Requisitos de acceso

Incluir requisitos generales y específicos para cada titulación.

4. INFORMACIÓN SOBRE LOS CONTENIDOS Y RESULTADOS OBTENIDOS

4.1. Modalidad de estudio

4.2. Requisitos del programa

- Créditos, distinguiendo teóricos de prácticos, si es posible, /prácticas en empresas/instituciones o centros de investigación/trabajos fin de grado y master.
- En el caso de programas conjuntos internacionales, proporcionar detalles sobre los requisitos mínimos para la obtención del título.
- Resultados principales de aprendizaje: Conocimientos, destrezas y competencias adquiridas al finalizar la titulación y objetivos asociados a la misma.

4.3 Descripción del programa (módulos/unidades/asignaturas estudiadas/prácticas en empresas, trabajo fin de grado/master), y calificaciones absolutas obtenidas.

(APARTADO INCORPORADO EN EL ANEXO SITUADO AL FINAL DE ESTE DOCUMENTO)

4.4 Sistema de calificación

En el sistema universitario español los módulos/asignaturas se califican con una puntuación absoluta de acuerdo a una escala del 0 al 10, con las siguientes equivalencias cualitativas:

0-4,9: suspenso; 5-6,9: aprobado; 7-8,9: notable; 9-10 sobresaliente. Puede concederse una mención especial (Matrícula de Honor) al 5 % de los estudiantes del grupo siempre que hayan obtenido una calificación de sobresaliente. Un módulo/asignatura se considera superado/a a partir del 5.

En el caso de reconocimiento de ECTS, de la experiencia profesional, actividades culturales, deportivas, representación estudiantil u otras no se hará constar ninguna puntuación sino, en su caso, la palabra «Apto».

En el caso de titulaciones conjuntas internacionales se describirá el sistema de calificación acordado por las instituciones participantes en el convenio correspondiente. Si son varios los sistemas de calificación utilizados, se proporcionará una tabla de equivalencias.

4.5. Calificación global del/la titulado/a/

Nota explicativa: la calificación global media se obtiene sumando los créditos superados, y multiplicando cada uno de ellos por la calificación obtenida expresada de 0 a 10 y dividiéndolo por el número de créditos superados.

En el caso de titulaciones conjuntas internacionales se proporcionará, además, una tabla de equivalencias con los sistemas de calificación global utilizados por las diversas instituciones del consorcio.

Incluir los premios nacionales y de la Universidad obtenidos por el estudiante.

5. INFORMACIÓN SOBRE LA FUNCIÓN DE LA TITULACIÓN

5.1. Acceso a estudios posteriores

5.2. Objetivos de la titulación (incluyendo perfil de competencias, siempre que sea posible) y Cualificación profesional (si procede)

- Síntesis de los objetivos y competencias generales que figuran en el plan de estudios. Ver información contenida en el apartado 4.2.
- Especificar si la titulación otorga competencias para el ejercicio de una profesión u otorga un estatus profesional, de acuerdo con la legislación nacional, y si da acceso a una profesión regulada.

6. INFORMACIÓN ADICIONAL

6.1. Información adicional

Información que no haya sido incluida en los apartados anteriores, de acuerdo con la normativa vigente sobre contenidos susceptibles de incorporación al Suplemento Europeo al Título (por ejemplo, información sobre prácticas extracurriculares, transferencia de créditos, etc.).

6.2. Fuentes de información adicional

Remitir a fuentes donde se proporcionen más detalles sobre la titulación

7. CERTIFICACIÓN DEL SUPLEMENTO

7.1. Fecha de expedición

Fecha de expedición del suplemento al título (día/mes/año)

7.2. Nombres y firmas de los firmantes

La del Secretario General de la universidad expedidora del título, que podría ir impresa en el documento, y la del responsable administrativo de la información que se refleja en el suplemento, que no podrá ir estampillada.

7.3. Cargo de los firmantes

7.4. Sello oficial de la universidad expedidora

8. INFORMACIÓN SOBRE EL SISTEMA NACIONAL DE EDUCACIÓN SUPERIOR

En el caso de titulaciones españolas, este apartado se cumplimentará transcribiendo el modelo uniforme del sistema universitario español, proporcionando información referente a requisitos de acceso universitario, tipo de instituciones, sistema de aseguramiento de la calidad de las titulaciones e instituciones. Además, se describirá el Marco Español de Cualificaciones de Educación Superior (MECES), así como el Marco Español de Cualificaciones de Aprendizaje a lo largo de la Vida (MECU), cuando el marco legislativo lo permita. Este último marco debe ser compatible con el Marco Europeo de Cualificaciones (*The European Qualifications Framework*), por lo que será conveniente referenciarlo. Todo ello servirá para proporcionar el contexto y ubicar la titulación y su nivel a lo largo de la descripción.

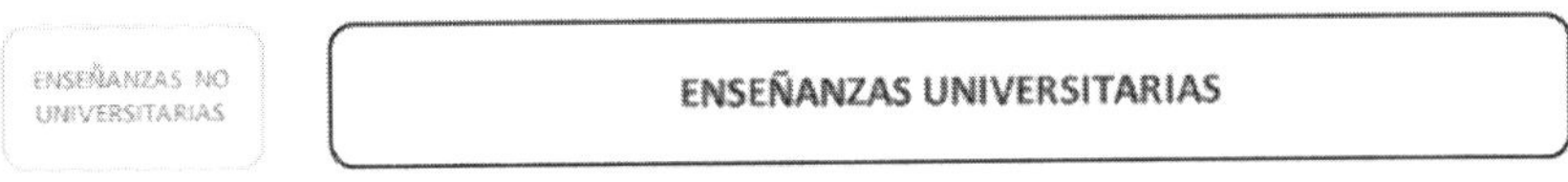

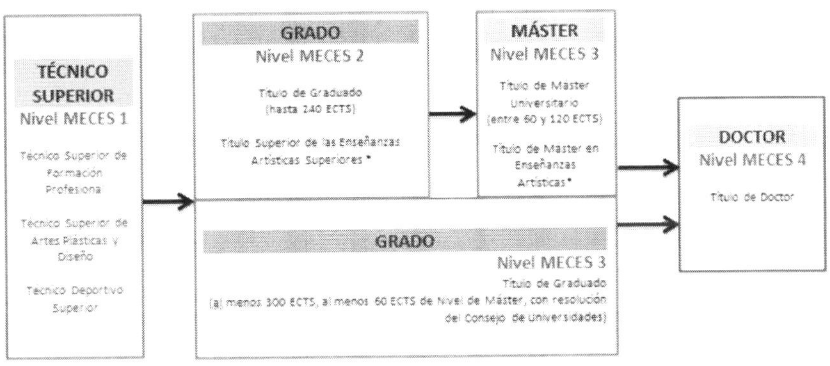

* Las Enseñanzas Artísticas Superiores son Enseñanzas no Universitarias dentro del Sistema Educativo español de Enseñanza Superior

En el caso de titulaciones conjuntas internacionales, además, información sobre los marcos nacionales de cualificaciones de los respectivos países de las instituciones del consorcio, si el marco legislativo lo permite, y sobre sus sistemas de educación superior y aseguramiento de la calidad podrán incluirse en este apartado.

ANEXO

RELATIVO AL APARTADO 4.3 «Descripción del programa (módulos/unidades/asignaturas estudiadas/prácticas en empresas, trabajo fin de grado/master), y calificaciones absolutas obtenidas»

- Forma de acceso
- Fecha de la completa finalización de estudios conducentes a la obtención del título
- Descripción del programa conducente al título

Nombre del Módulo o Asignatura (Código, opcional)	Tipo: Formación básica obligatoria optativa, prácticas y trabajo fin de grado/ master	Nivel*	ECTS	Calificación Absoluta **	Año académico	Nombre y estatus de la institución donde se ha cursado el módulo, asignatura, Prácticas ***	Lengua de instrucción y evaluación	Observaciones ****

* El nivel debe indicarse en referencia a los ciclos de Bolonia (MECES).

** En el caso de programas conjuntos internacionales, la calificación absoluta se podrá proporcionar en el sistema nacional aplicado por cada institución del consorcio (números, letras, créditos ECTS, etc.) en la que el titulado ha cursado el Módulo, asignatura, trabajo de fin de grado o máster, etc.

*** Cuando un módulo/asignatura se haya estudiado en otra institución española o extranjera distinta a la institución de origen, deberá proporcionarse esta información, mencionando el nombre de la institución (este es el caso de asignaturas, módulos, etc., cursados en otras universidades mediante programas como Erasmus, Tempus, Séneca, Erasmus Mundus, Atlantis, etc., así como en titulaciones conjuntas nacionales o internacionales).

**** Incluir reconocimientos de créditos ECTS y, en su caso, de experiencia profesional.

ANEXO II

Características técnicas

Especificaciones del soporte:

Formato: UNE A4 (210x297 mm).

Papel soporte: Específicamente diseñado para personalizar mediante impresión láser.

Composición: Pasta química blanqueada, excluyendo pasta mecánica y semi-química, encolada en masa.

Color:

L = 96,14 ± 2.

a = 0,47 ± 2.

b = 4,19 ± 2.

Grado de blancura: ≥ 80 %.

Gramaje: 100+5 g/m^2.

Espesor: 0,125 mm ± 10 %.

Índice de encolado COBB 60: 22,5 ± 4 g/m^2.

Opacidad: > 83 %.

Blanqueantes ópticos: Exento.

Fibrillas de seguridad: > 40 fibrillas/dm^2 por cara. Invisibles a la luz normal. Visibles a la luz UV de color amarillo verdoso. Longitud de la fibrilla entre 8 y 20 mm, repartidas uniformemente en las dos caras y firmemente adheridas.

Lisura Bendtsen: 210 ± 95 ml/min.

Resistencia a la tracción longitudinal: ≥ 8,5 kg.

PH superficial: ≥ 5,5.

Especificaciones de impresión:

Emblema del Escudo Nacional, y de la UE: Altura de 3 cm.

Fondo impresión guilloche, Pantone 5315, en el que figurará la leyenda con efecto relieve siguiente: DIPLOMA SUPPLEMENT, rodeada de una cenefa en color plata de un grosor de 2 mm, con los siguientes márgenes externos:

Margen superior:

Primera página 5 cm, en la que irán los escudos y emblemas.

Segunda y siguientes páginas 2cm.

Margen inferior, 2 cm, en el que irán, en todas las páginas, el número del Registro Nacional de Titulados Universitarios y el número secuencial, citados en el artículo 5.4.

Márgenes laterales derecho e izquierdo: 1 cm.

Medidas antifalsificación.

ANEXO III

Formato	XML
Firma.	1. Sistema de firma electrónica basado en certificado reconocido para cualquier documento que se desee autenticar: Firma electrónica reconocida del Secretario General de la Universidad o certificado de sello electrónico, (sello de órgano) en caso de expediciones automatizadas. 2. El documento deberá ser firmado sobre la estructura electrónica. Par ello se utilizará el formato XML de firma electrónica avanzada (XAdES) descrito en la Política de Firma de la Administración General del Estado, en su versión 1.9 o superior.
Código de verificación.	Sellado de tiempo y código seguro de verificación
Normativa.	Esquema Nacional de Seguridad e Interoperabilidad, y las normas técnicas aprobadas por Resolución de 19/07/2011 (BOE del 30/07/11).

Anexo I del Real Decreto 195/2016, de 13 de mayo

(Real Decreto 195/2016, de 13 de mayo, por el que se establecen los requisitos para la expedición del Suplemento Europeo al Título Universitario de Doctor)

Modelo de suplemento europeo al título de Doctor o Doctora

Escudo o emblema de la Universidad

SUPLEMENTO EUROPEO AL TÍTULO (SET)
DIPLOMA SUPPLEMENT (DS)

Este Suplemento al Título se ajusta al modelo elaborado por la Comisión Europea, el Consejo de Europa y UNESCO/CEPES. Su finalidad es proporcionar la información independiente necesaria para mejorar la transparencia internacional y el justo reconocimiento académico y profesional de las cualificaciones (diplomas, títulos, certificados, etc.). Está diseñado para describir la naturaleza, nivel, contexto, contenido, aseguramiento de la calidad y rango de los estudios seguidos y completados con éxito por la persona a quien se menciona el título al que este suplemento acompaña. Deben evitarse juicios de valor, posibles equivalencias o sugerencias de reconocimiento. Deben completarse todas las secciones y, en caso contrario explicar los motivos por los que no se ha hecho.

This Diploma Supplement follows the model developed by the European Commission, Council of Europe and UNESCO/CEPES. The purpose of the supplement is to provide sufficient independent data to improve the international transparency and fair academic and professional recognition of qualifications (diplomas, degrees, certificates etc.) it is designed to provide a description of the nature, level, context, content and status of the studies that were pursued and successfully completed by the individual named on the original qualification to which this supplement is appended. It should be free from any value judgements, equivalence statements or suggestions about recognition. Information in all eight sections should be provided. Where information is not provided, an explanation should give the reason why.

1. DATOS IDENTIFICATIVOS DEL TITULADO
1. INFORMATION IDENTIFYING THE HOLDER OF THE QUALIFICATION

1.1 Apellidos / 1.1 Family name(s)

1.2 Nombre(s) / 1.2 Given name(s)

1.3 Fecha de nacimiento (día/mes/año) / 1.3 Date of birth (day/month/year)

1.4 Número de identificación / 1.4 Identification number

Documento Nacional de identidad/ *Pasaporte/ N.I.E. + opcionalmente*, código personal del titulado asignado por la institución de Educación Superior que expide el título + número del Registro Nacional de Titulados.

2. INFORMACION SOBRE LA TITULACIÓN
2. INFORMATION IDENTIFYING THE QUALIFICATION

2.1 Nombre *de la titulación y título conferido* (en idioma original) / 2.1 Name of qualification and title conferred (in original language)

- Denominación de la titulación y del título que se le otorga al poseedor del mismo, con la denominación que, en cada caso, figure en el Registro de Universidades, Centros y Títulos, así como la fecha del Acuerdo del Consejo de Ministros en el que se establece la oficialidad del mismo.
- Estatus y tipología: especificar si es titulación nacional, titulación conjunta nacional o titulación conjunta internacional (en este último supuesto, si procede, se deberá especificar el nombre de la titulación obtenida en el/los otro/s país/es).
- En su caso, información referente a menciones o sellos de calidad/excelencia de la titulación.

2.2 Principales campos de estudio de la titulación / 2.2 Main fields of study for the qualification

Indicar la rama de conocimiento en la que se incardina el título y, en su caso, especialización.

2.3 Nombre y estatus de la institución que otorga el título (en idioma original) / 2.3 Name and status of awarding institution (in original language)

- Nombre y estatus (pública/privada/de la Iglesia Católica) de la(s) institución(es) que otorga(n) el título.
- Información referente a menciones/sellos de calidad/excelencia y su periodo de vigencia de la(s) institución(es) que otorgan el título.

2.4 Nombre *y estatus* de la(s) institución(es) que imparten el programa en el caso de que sea distinta a la institución que expide el título (en idioma original) / 2.4 Name and status of institution(s) (if different from 2.3) administering studies (in original language)

- Se podrá incluir el nombre (en la lengua original) de colaboradores externos (organismos, centros, instituciones y entidades I+D+i, públicos o privados, nacionales o extranjeros) incluidos, en su caso, en el convenio.

2.5 Lengua(s) utilizada(s) en la docencia y evaluación / 2.5 Language(s) of instruction / examination

Según el programa de estudios aprobado.

3. INFORMACIÓN SOBRE EL NIVEL DE LA TITULACIÓN
3. INFORMATION ON THE LEVEL OF THE QUALIFICATION

3.1 Nivel de la titulación / 3.1 Level of qualification

Indicar el nivel correspondiente de acuerdo con el marco europeo de cualificaciones de Educación Superior (los ciclos de Bolonia) y ubicarlo en el sistema educativo español (Marco Español de Cualificaciones de Educación Superior- MECES) y, cuando el marco legislativo lo permita, mencionar su nivel dentro del Marco Español de Cualificaciones de Aprendizaje a lo largo de toda la vida (MECU). Referenciar también el nivel de la titulación dentro del marco europeo de cualificaciones (The European Qualifications Framework –EQF-).

3.2 Duración oficial del programa / 3.2 Official length of programme

3.3 Requisitos de acceso / 3.3 Access requirements

4. INFORMACIÓN SOBRE LOS CONTENIDOS Y RESULTADOS OBTENIDOS
4. INFORMATION ON THE CONTENTS AND RESULTS GAINED

4.1 Forma de estudio / 4.1 Mode of study

4.2 Requisitos del programa / 4.2 Programme requirements

En el caso de programas conjuntos internacionales, proporcionar detalles sobre los requisitos mínimos para la obtención del título.

4.3 Detalles del programa (incluir las actividades formativas desarrolladas y de investigación realizadas conducentes a la obtención del título) y calificaciones obtenidas / 4.3 Programme details (training and research activities leading to the qualification) and the individual grades obtained

(APARTADO INCORPORADO EN EL ANEXO SITUADO AL FINAL DE ESTE DOCUMENTO)
(SEE ANNEX AT THE END OF THIS DOCUMENT)

4.4 Sistema de calificación / 4.4 Grading scheme

Describir según normativa aplicable.

4.5 Calificación global del/la titulado/a y, en su caso, menciones / 4.5 Overall classification of the qualification (in original language) and, if appropriate, special mentions

No procede/ *Not applicable.*

5. INFORMACION SOBRE LA FUNCIÓN DE LA TITULACIÓN
5. INFORMATION ON THE FUNCTION OF THE QUALIFICATION

5.1 Acceso a estudios posteriores / 5.1 Access to further study

El título de doctor es el máximo grado académico que se otorga en el sistema universitario español.
The doctoral degree is the highest academic degree awarded in the Spanish university system.

5.2 Objetivos de la titulación (incluyendo perfil de competencias, siempre que sea posible) **y cualificación profesional** (si procede) **/ 5.2 Stated objectives associated with the qualification and professional status** (if applicable).

6. INFORMACIÓN ADICIONAL
6. ADDITIONAL INFORMATION

6.1 Información adicional/ 6.1 Additional information

Información que no haya sido incluida en los apartados anteriores, de acuerdo con la normativa vigente sobre contenidos susceptibles de incorporación al Suplemento Europeo al Título.

6.2 Fuentes de información adicional / 6.2 Further information sources Fuentes que proporcionen más detalles sobre la titulación.

7. CERTIFICACIÓN DEL SUPLEMENTO
7. CERTIFICATION OF THE SUPPLEMENT

7.1 Fecha de expedición / 7.1 Date of issuing

Fecha de expedición del suplemento al título (día/mes/año).

7.2 Nombres y firmas de los firmantes / 7.2 Names and signatures

La del Secretario General de la universidad expedidora del título, que podría ir impresa en el documento, y la del responsable administrativo de la información que se refleja en el suplemento, que no podrá ir estampillada.

7.3 Cargo de los firmantes / 7.3 Capacity of the certifying individuals

7.4 Sello oficial de la universidad expedidora / 7.4 Official stamp or seal

8. INFORMACIÓN SOBRE EL SISTEMA NACIONAL DE EDUCACIÓN SUPERIOR
8. INFORMATION ON THE NATIONAL HIGHER EDUCATION SYSTEM

En el caso de titulaciones españolas, este apartado se cumplimentará transcribiendo el modelo uniforme del sistema universitario español, proporcionando información referente a requisitos de acceso universitario, tipo de instituciones, sistema de aseguramiento de la calidad de las titulaciones e instituciones. Además, se describirá el Marco Español de Cualificaciones de Educación Superior (MECES), así como el Marco Español de Cualificaciones de Aprendizaje a lo largo de la Vida (MECU), cuando el marco legislativo lo permita. Este último marco debe ser compatible con el Marco Europeo de Cualificaciones (The European Qualifications Framework), por lo que será conveniente referenciarlo. Todo ello servirá para proporcionar el contexto y ubicar la titulación y su nivel a lo largo de la descripción.

En el caso de titulaciones conjuntas internacionales, además, información sobre los marcos nacionales de cualificaciones de los respectivos países de las instituciones del consorcio, si el marco legislativo lo permite, y de sus sistemas de educación superior y aseguramiento de la calidad podrán incluirse en este apartado.

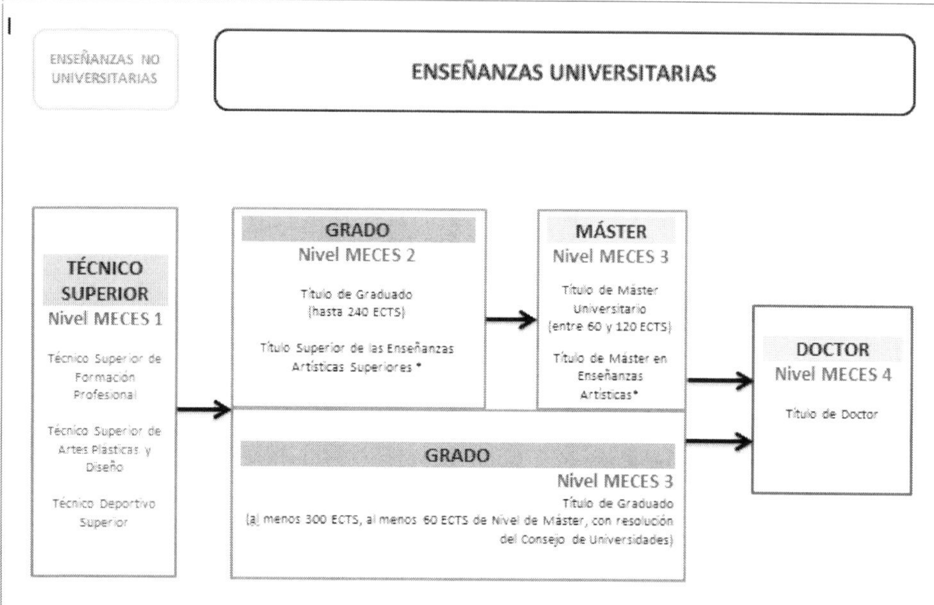

ANEXO/ANNEX

RELATIVO AL APARTADO 4.3 Detalles del programa (incluir las actividades formativas desarrolladas y de investigación realizadas conducentes a la obtención del título) y calificaciones obtenidas

4.3 Programme details (training and research activities leading to the qualification) and the individual grades obtained

- ***Título de acceso / Access to the programme***
- ***Fecha de la completa finalización del programa conducente a la obtención del título Completion date of the programme leading to the awarding of the diploma***
- ***Descripción del programa conducente al título / Programme details***

A. ***Complementos de formación específicos*** (si los hubiere).

B. ***Documento de actividades de formación del doctorando*** (si procede: participación en proyectos de investigación, publicaciones, patentes, comunicaciones en congresos, estancias en otras universidades o centros de investigación, becas o contratos de investigación, otros méritos de investigación, ...).

C. ***Tesis doctoral:*** al menos, título, línea/s de investigación, Director/ Tutor, duración (a contar desde la admisión a la fecha de defensa), lengua de redacción y lengua de defensa, miembros del Tribunal, calificación, otras informaciones relevantes sobre la Tesis.

TEMA 9

La exigencia de calidad en las Universidades. La Agencia Nacional de Evaluación de la Calidad y Acreditación (ANECA)

Tú nos eliges, nosotros te **acompañamos** y tu Curso MAD360 te ayuda a organizar el estudio para no dejarte nada atrás.

Índice

1. La Ley Orgánica del Sistema Universitario y la exigencia de calidad en las universidades

1.1. La calidad en las universidades

1.1.1. Antecedentes

En el ámbito de las Universidades ya la Ley Orgánica 1/1983, de 25 de agosto, de Reforma Universitaria (en adelante LRU), hacía una referencia expresa a la calidad como objetivo en su Preámbulo; sin embargo, a pesar de su precocidad no define todavía un sistema de la calidad propiamente dicho.

Los inicios de la gestión de la calidad en la Universidad española, tal y como señala RAMÓN J. MOLES, se identifican con el Programa Experimental de Evaluación de la Calidad del Sistema Universitario, desarrollado durante 1992 y 1994, que fueron gestionados por el Consejo de Universidades con el objeto de dar cuenta "del rendimiento de la institución en relación con los recursos que la sociedad pone a su disposición".

El Real Decreto 1947/1995, de 1 de diciembre, puso en marcha el I Plan Nacional de Evaluación de la Calidad de las Universidades (PNECU), 1996-2000, que tenía como objetivos básicos promover la evaluación institucional de las universidades, elaborar metodologías homogéneas y proporcionar información objetiva.

A este primer Plan sucederá el II Plan de Calidad de las Universidades (PCU), 2001-2006, que se implanta mediante el Real Decreto 408/2001, de 20 de abril, y que abre las puertas a sistemas de acreditación de las titulaciones.

1.1.2. La calidad en la Ley Orgánica 6/2001, de 21 de diciembre, de Universidades

Fue la Ley Orgánica 6/2001, de 21 de diciembre, de Universidades (LOU) la que supuso un avance importante en el sistema de calidad de la Universidades y ya en su Preámbulo manifestaba lo siguiente:

1. "Con esta ley se pretende dotar al sistema universitario de un marco normativo que estimule el dinamismo de la comunidad universitaria, y se pretende alcanzar una Universidad moderna que mejore su calidad, que sirva para generar bienestar y, que en función de unos mayores niveles de excelencia, influya positivamente en todos los ámbitos de la sociedad".
2. "De ahí que sea objetivo irrenunciable de la ley la mejora de la calidad del sistema universitario en su conjunto y en cada una de sus vertientes. Se profundiza, por tanto, en la cultura de la evaluación mediante la creación de la Agencia Nacional de Evaluación de la Calidad y Acreditación y se establecen nuevos mecanismos para el fomento de la excelencia: mejorar la calidad de la docencia y la investiga-

ción, a través de un nuevo sistema objetivo y transparente, que garantice el mérito y la capacidad en la selección y el acceso del profesorado, y mejorar, asimismo, la calidad de la gestión, mediante procedimientos que permitirán resolver con agilidad y eficacia las cuestiones de coordinación y administración de la Universidad".

3. "Mejorar la calidad en todas las áreas de la actividad universitaria es básico para formar a los profesionales que la sociedad necesita, desarrollar la investigación, conservar y transmitir la cultura, enriqueciéndola con la aportación creadora de cada generación y, finalmente, constituir una instancia crítica y científica, basada en el mérito y el rigor, que sea un referente para la sociedad española. Así la ley crea las condiciones apropiadas para que los agentes de la actividad universitaria, los genuinos protagonistas de la mejora y el cambio, estudiantes, profesores y personal de administración y servicios, impulsen y desarrollen aquellas dinámicas de progreso que promuevan un sistema universitario mejor coordinado, más competitivo y de mayor calidad".

4. "Una de las principales innovaciones de la ley viene dada por la introducción en el sistema universitario de mecanismos externos de evaluación de su calidad, conforme a criterios objetivos y procedimientos transparentes. Para ello se crea la Agencia Nacional de Evaluación de la Calidad y Acreditación que, de manera independiente, desarrollará la actividad evaluadora propia de sistemas universitarios avanzados y tan necesaria para medir el rendimiento del servicio público de la enseñanza superior y reforzar su calidad, transparencia, cooperación y competitividad. La Agencia evaluará tanto las enseñanzas como la actividad investigadora, docente y de gestión, así como los servicios y programas de las Universidades; su trabajo proporcionará una información adecuada para la toma de decisiones, tanto a los estudiantes a la hora de elegir titulaciones o centros como a los profesores y a las Administraciones públicas al elaborar las políticas educativas que les corresponden. La Agencia Nacional de Evaluación de la Calidad y Acreditación promoverá y garantizará la calidad de las Universidades, objetivo esencial de la política universitaria".

Y en la Exposición de motivos de la Ley Orgánica 4/2007, de 12 de abril, por la que se modificaba la Ley Orgánica 6/2001, de 21 de diciembre, de Universidades (LOMLOU) se establecía también lo siguiente: *"La Agencia Nacional de Evaluación de la Calidad y Acreditación (ANECA) tiene un papel muy importante en el binomio autonomía-rendición de cuentas. Para reforzar su papel dentro del sistema universitario, se autoriza su creación como agencia de acuerdo con la Ley de Agencias Estatales para la mejora de los servicios públicos. Con ello, se facilita la coordinación en los procesos de garantía de calidad y la definición de criterios de evaluación".*

La materia de evaluación y acreditación se introdujo por vez primera en la LOU. A ella se dedicó el Título V "De la evaluación y la acreditación", dos artículos, el 31 y 32 de la LOU y algunas referencias en los preceptos dedicados a planes de estudios, títulos y evaluación del profesorado, introduciendo la cultura de la calidad y de evaluación en los sistemas universitarios.

1.2. La calidad en la Ley Orgánica 2/2023, de 22 de marzo, del Sistema Universitario (LOSU)

1.2.1. Autonomía universitaria y calidad

El artículo 3.2 de la LOSU establece que, en los términos de esta ley orgánica, la autonomía de las Universidades comprende y requiere: a) El establecimiento de las líneas estratégicas de la universidad, entre otras, en las políticas docentes, de investigación e innovación, **de aseguramiento de la calidad** (...); p) La definición, estructuración y desarrollo de sistemas internos de **garantía de la calidad** de las actividades académicas.

Por otro lado, el artículo tercero de la LOSU, en su apartado quinto, establece que, en el ejercicio de su autonomía, las universidades deberán rendir cuentas a la sociedad del uso de sus medios y recursos humanos, materiales y económicos, desarrollar sus actividades mediante una gestión transparente y ofrecer un **servicio público de calidad**.

1.2.2. La promoción y el aseguramiento de la calidad

De conformidad con lo dispuesto en el artículo 5 de la LOSU el sistema universitario deberá garantizar niveles de buen gobierno y calidad contrastables con los estándares internacionalmente reconocidos, en particular, con los criterios y directrices establecidos para el aseguramiento de la calidad en el Espacio Europeo de Educación Superior[1].

La promoción y el aseguramiento de dicha calidad son responsabilidad compartida por las universidades, las agencias de evaluación y las Administraciones públicas con competencias en esta materia.

El aseguramiento de la calidad se hará efectivo en las condiciones y mediante los procedimientos de evaluación, certificación y acreditación que establezca el Gobierno, mediante real decreto, previo informe de la Conferencia General de Política Universitaria.

Las universidades garantizarán la calidad académica de las actividades de sus centros, a través de los sistemas internos de garantía de calidad.

1.2.3. Funciones de acreditación y evaluación

Las funciones de acreditación y evaluación del profesorado universitario, de acreditación institucional, de evaluación de titulaciones universitarias, de seguimiento de resultados e informe en el ámbito universitario, y de cualquier otra que les atribuyan las leyes

1 La creación de un Espacio Europeo de la Educación Superior (EEES) antes del año 2010 fue el objetivo fundamental de la Declaración de Bolonia firmada el 19 junio de 1999 por los ministros de Educación de 29 países europeos. Esta Declaración viene precedida por la firmada en la Sorbona en 1998, en la que se proponía la necesidad de potenciar una armonización europea en la Educación Superior en Europa.

estatales y autonómicas, corresponden a la Agencia Nacional de Evaluación de la Calidad y Acreditación (en adelante, ANECA) y a las agencias de evaluación de las comunidades autónomas inscritas en el Registro Europeo de Agencias de Calidad (EQAR), en el ámbito de sus respectivas competencias, todo ello sin perjuicio de los acuerdos internacionales de colaboración en el ámbito del aseguramiento de la calidad, así como del papel que agencias de calidad de otros Estados miembros inscritas en EQAR puedan desarrollar en el marco del Espacio Europeo de Educación Superior.

Las agencias de evaluación mencionadas deberán contar con medidas de igualdad relativas a sus procesos de evaluación y, en caso de contar con más de 50 personas trabajadoras, con un plan de igualdad relativo a su organización.

El Gobierno regulará el procedimiento y las condiciones para la acreditación institucional de los centros universitarios, basada en el reconocimiento de la capacidad de la universidad para garantizar la calidad académica de aquellos.

1.2.4. Rendición de cuentas

Finalmente el artículo 39 de la LOSU establece al respecto que, en particular, las universidades deberán establecer en sus Estatutos los mecanismos de rendición de cuentas respecto a la gestión de los recursos económicos y de personal, la calidad y evaluación de la docencia y del rendimiento del estudiantado, las actividades de investigación y de transferencia e intercambio del conocimiento, la captación de recursos para su desarrollo, la política de internacionalización, y la calidad de la gestión y la disponibilidad de los servicios universitarios.

2. La Agencia Nacional de Evaluación de la Calidad y Acreditación (ANECA)

2.1. Naturaleza, régimen jurídico y objeto

El Organismo Público Agencia Nacional de Evaluación de la Calidad y Acreditación (ANECA), con la naturaleza de organismo autónomo fue creado por el artículo 8 de la Ley 15/2014, de 16 de septiembre, de racionalización del Sector Público y otras medidas de reforma administrativa, procedente de la conversión de la Fundación Agencia Nacional de Evaluación de la Calidad y Acreditación en organismo público.

Del mismo modo, el artículo 7 de la Ley 15/2014, de 16 de septiembre, modificó el artículo 32 de la Ley Orgánica 6/2001, de 21 de diciembre, de Universidades, para integrar la Comisión Nacional Evaluadora de la Actividad Investigadora (CNEAI) en la ANECA.

La ANECA está adscrita al Ministerio de Educación, Cultura y Deporte, a través de la Secretaría General de Universidades.

Los Estatutos del organismo público ANECA garantizarán su independencia funcional. Estos Estatutos fueron aprobados por Real Decreto 1112/2015, de 11 de diciembre.

En el ejercicio de sus funciones y para el cumplimiento de los fines que le han sido asignados, la ANECA actúa con plena independencia funcional.

El objeto de la ANECA es la promoción y el aseguramiento de la calidad del Sistema de Educación Superior en España mediante procesos de orientación, evaluación, certificación y acreditación, contribuyendo al desarrollo del Espacio Europeo de Educación Superior, así como contribuir a la información y la transparencia frente a la sociedad.

La ANECA impulsará, junto a los órganos de evaluación creados por ley de las comunidades autónomas, la adopción de criterios de garantía de calidad conforme a estándares internacionales, en sus respectivos ámbitos de competencias. A tal fin, promoverá el establecimiento de mecanismos de cooperación y reconocimiento mutuo entre agencias.

2.2. Principios de actuación

La ANECA respetará en su actuación los principios de servicio a los intereses generales, eficacia y servicio al ciudadano, así como de legalidad y seguridad jurídica, atendiendo a los criterios de actuación usuales de estas instituciones en el ámbito internacional, colaborando a la consecución de los mayores niveles de calidad del sistema español de educación superior; desarrollará su actividad de acuerdo con los principios siguientes:

a) Principio de competencia técnica y científica, que garantiza que el personal, grupos o entidades que desarrollan materialmente las actividades de orientación, evaluación, acreditación y certificación, posean las capacidades técnicas, científicas y materiales necesarias para la consecución de los fines que la Ley Orgánica 2023, de 22 de marzo, del Sistema Universitario, y el resto de normativa que le sea de aplicación establezcan para la ANECA.

b) Principio de independencia de actuación, criterio, dictamen y juicio en la realización de todas sus actividades, garantizando así que lleva a cabo sus funciones de acuerdo con criterios técnico-científicos y de gestión, preestablecidos y públicos, con absoluta imparcialidad.

c) Principios de transparencia y participación, entendidos respectivamente como la rendición de cuentas a los ciudadanos y como el compromiso de consulta y participación de los interesados en el desarrollo de sus trabajos, informando de los principios, procedimientos y criterios de evaluación vigentes en cada momento.

d) Principio de ética profesional y responsabilidad pública, entendido como el compromiso del personal de la ANECA y los expertos que colaboren con ella, de observar en su actuación los valores contenidos en el Código Ético de ANECA, así como en las normas de conducta aplicables a los Empleados Públicos de la Administración General del Estado.

e) Principios de autonomía y responsabilidad, entendidos respectivamente como la capacidad de la ANECA de gestionar con autonomía los medios puestos a su disposición para alcanzar los objetivos comprometidos, y como la disposición de la misma a asumir las consecuencias de los resultados alcanzados.

f) Principios de cooperación interadministrativa y participación institucional, entendidos respectivamente como la disposición activa a colaborar con otras administraciones e instituciones.

g) Principio de calidad y mejora continua, entendido como el compromiso sistemático con la autoevaluación y la utilización de modelos de excelencia que permitan establecer áreas de mejora y prestar sus servicios de forma innovadora, asegurando la utilización de criterios y procesos de garantía de calidad interna.

h) Principios, disposiciones y buenas prácticas establecidas en el Espacio Europeo de Educación Superior, para la orientación, evaluación, acreditación y certificación de las actividades del servicio público de Educación Superior, así como los principios generales, directrices y criterios internacionalmente admitidos, dirigidos todos ellos a mejorar los procesos de garantía externa de calidad, para lo que se integrará en las redes internacionales existentes y establecerá los oportunos mecanismos de cooperación al efecto.

i) Principios de igualdad de género y no discriminación.

2.3. Funciones y competencias

A) Funciones de la ANECA y de las Agencias de evaluación de las comunidades autónomas contempladas en la LOSU

El artículo 5.4 de la LOSU establece que las funciones de acreditación y evaluación del profesorado universitario, de acreditación institucional, de evaluación de titulaciones universitarias, de seguimiento de resultados e informe en el ámbito universitario, y de cualquier otra que les atribuyan las leyes estatales y autonómicas, corresponden a la **Agencia Nacional de Evaluación de la Calidad y Acreditación** (en adelante, ANECA) y **a las agencias de evaluación de las comunidades autónomas inscritas en el Registro**

Europeo de Agencias de Calidad (EQAR), en el ámbito de sus respectivas competencias, todo ello sin perjuicio de los acuerdos internacionales de colaboración en el ámbito del aseguramiento de la calidad, así como del papel que agencias de calidad de otros Estados miembros inscritas en EQAR puedan desarrollar en el marco del Espacio Europeo de Educación Superior.

Las agencias de evaluación mencionadas deberán contar con medidas de igualdad relativas a sus procesos de evaluación y, en caso de contar con más de 50 personas trabajadoras, con un plan de igualdad relativo a su organización.

El artículo 8 de la LOSU establece que la iniciativa para impartir una enseñanza requiere el informe preceptivo y favorable sobre la necesidad y viabilidad académica y social de la implantación del título universitario oficial por la comunidad autónoma competente, el informe favorable a efectos de la verificación de la calidad de la memoria del plan de estudios **por la agencia de calidad correspondiente**, la verificación por el Consejo de Universidades del plan de estudios y la autorización de la implantación de este por la indicada comunidad autónoma.

Por otro lado, el artículo 12 de la LOSU establece que **las agencias de calidad estatal y autonómicas** incluirán entre sus criterios y requisitos de evaluación la accesibilidad en abierto de los resultados científicos del personal docente e investigador.

Las **agencias de calidad** utilizarán los repositorios institucionales como forma de acceso a la documentación, para garantizar la agilidad de los procedimientos de evaluación.

En el ámbito del profesorado la ANECA y las Agencias autonómicas tendrán las siguientes funciones:

1. El artículo 69.1 de la LOSU señala que el acceso a los cuerpos docentes universitarios exigirá, además del título de Doctor/a, la previa obtención de **una acreditación por parte de la ANECA** que, valorando los méritos y competencias de las personas aspirantes, garantice la calidad en la selección del profesorado funcionario en el conjunto del país. La ANECA acordará, mediante convenio, el desarrollo de la evaluación de dichos méritos y competencias por parte de las agencias de calidad de las Comunidades Autónomas.
2. Los complementos retributivos del personal docente funcionario derivados del desarrollo de las funciones previstas en el artículo 76.2 de la LOSU se asignarán **previa valoración por la ANECA**. La ANECA podrá acordar con las agencias de calidad autonómicas, mediante convenio, el desarrollo de la evaluación de dichos méritos individuales. Asimismo, el conjunto de las agencias de calidad acordará criterios mínimos comunes, en aplicación de los cuales la ANECA reconocerá las valoraciones realizadas por las agencias de calidad autonómicas para determinar los complementos retributivos del profesorado laboral que acceda a los cuerpos docentes universitarios.
3. A tenor del artículo 82 de la LOSU: la contratación de Profesoras y Profesores Permanentes Laborales se ajustará a las siguientes reglas: a) Las universidades podrán contratar bajo esta modalidad a las personas que ostenten el título de Doctora o

Doctor y que cuenten con la acreditación correspondiente, **emitida por parte de la ANECA** o de las agencias de calidad de las Comunidades Autónomas, de acuerdo con sus competencias (...).

4. El artículo 85 de la LOSU señala que el acceso del personal docente e investigador laboral a las plazas de Profesora y Profesor Permanente Laboral y, en su caso, la promoción dentro de dicha modalidad contractual exigirá la obtención previa de una acreditación, de acuerdo con la normativa de la comunidad autónoma. Las comunidades autónomas deberán regular el procedimiento de acreditación. Tal acreditación se realizará por parte de las agencias de calidad autonómicas o, en su caso, **de la ANECA**. Las agencias de calidad, en el marco de las competencias que estas tienen atribuidas por la normativa estatal y por las respectivas comunidades autónomas, trabajarán en criterios mínimos comunes en materia de acreditación de la figura de Profesorado Permanente Laboral. Asimismo, desde su independencia institucional y técnica, dichas agencias de calidad establecerán acuerdos entre ellas para el pleno reconocimiento de las acreditaciones, para evitar cargas administrativas. La ANECA, en aplicación de dichos criterios mínimos comunes, reconocerá la evaluación positiva de los méritos realizada por las agencias de calidad autonómicas, a los efectos de la acreditación para el acceso a los cuerpos docentes universitarios.
5. En las universidades privadas y en los centros privados adscritos a universidades públicas y privadas deberá estar en posesión del título de Doctora o Doctor el mismo porcentaje que el exigido a las universidades públicas y, al menos, el 60 % del total de su profesorado doctor deberá haber obtenido la **evaluación positiva de la ANECA** o del órgano de evaluación externa que la ley de la comunidad autónoma determine (artículo 99 LOSU).
6. La **ANECA** y las agencias de calidad autonómicas dispondrán de un periodo de un año desde la entrada en vigor de esta ley orgánica para adaptar los criterios de la acreditación a Profesor/a Titular de Universidad y a la figura de Profesor/a Permanente Laboral, a la duración de la etapa inicial de la carrera académica que establece esta ley orgánica. En el plazo de un año desde la entrada en vigor de esta ley orgánica, la ANECA acordará con las agencias de calidad de las comunidades autónomas los convenios a que se refiere el artículo 69.1 (Disposición transitoria cuarta LOSU).

B) Desarrolladas en el Estatuto de la ANECA

En el Estatuto de la ANECA se desarrolla lo dispuesto con carácter general en la LOSU y en su artículo 6 se establece que, en su ámbito de competencias, corresponden a la ANECA, utilizando protocolos y criterios de evaluación de referencia internacional, las funciones de **orientación, evaluación, certificación y acreditación** de:

a) Las enseñanzas conducentes a la obtención de títulos universitarios de carácter oficial y validez en todo el territorio nacional.
b) Los méritos de los aspirantes a los cuerpos docentes y al profesorado contratado de las Universidades.

c) Las actividades docentes, investigadoras, de transferencia de conocimiento y de gestión, del personal docente e investigador de las Universidades y del personal investigador funcionario de carrera de los Organismos Públicos de Investigación, que puedan generar complementos retributivos, conforme a lo previsto en el Real Decreto 1086/1989, de 28 de agosto, sobre retribuciones del profesorado universitario, y en la Ley 14/2011 de la Ciencia, la Tecnología y la Investigación, y demás normativa vigente así como a lo que pueda establecerse en la normativa autonómica, cuando corresponda.

d) Las instituciones y centros universitarios.

e) Las actividades, planes de desarrollo de titulaciones, programas, servicios y gestión de los centros e instituciones de educación superior, así como de los centros de educación superior que impartan enseñanzas en España conforme a sistemas educativos extranjeros o centros universitarios españoles en el extranjero.

f) Los títulos universitarios extranjeros, a través de procedimientos de homologación reconocimiento de equivalencias a títulos universitarios españoles o convalidaciones, en los términos que se determinen reglamentariamente.

g) La correspondencia a los niveles del marco español de cualificaciones para la educación superior (MECES) de los títulos universitarios nacionales anteriores al Real Decreto 1393/2007, de 29 de octubre, por el que se establece la ordenación de las enseñanzas universitarias oficiales, en los términos que se determinen reglamentariamente.

En su ámbito de competencias, corresponden asimismo a la ANECA:

a) La realización, edición y difusión de estudios y prospectiva en materia de orientación, evaluación, certificación y acreditación de las Universidades españolas, actuando como observatorio de la calidad del sistema español de universidades, en colaboración con las Comunidades Autónomas y otros organismos con funciones análogas.

b) La promoción, evaluación y certificación de los Sistemas de Garantía Internos de Calidad de las Universidades y sus centros.

c) La formación de evaluadores y técnicos en garantía de calidad.

d) La investigación sobre temas relativos a la calidad de la enseñanza superior, la difusión de experiencias y proyectos, así como la realización de programas de capacitación, cuando así se requiera, a otras agencias u órganos de evaluación.

e) La aportación de oportuna información y asesoramiento a los Consejos Sociales de las Universidades públicas españolas cuando sea requerida para ello, así como a otras instituciones o agentes de interés del sistema universitario.

f) La ejecución de las políticas públicas que le atribuya la normativa vigente, o que le sean encomendadas o en los convenios formalizados, a estos efectos, con otras Administraciones, departamentos u organismos.

g) Otras actividades y programas que puedan realizarse con el objeto de fomentar la calidad de las actividades académicas por parte de las universidades y restantes Administraciones públicas.

h) Las restantes funciones que le atribuya la ley, el Estatuto y el resto de la normativa vigente o que le sean encomendadas, dentro de su objeto y su ámbito de competencias.

Las funciones de orientación, evaluación, acreditación y certificación de la ANECA se articularán a través del juicio de expertos, de acuerdo a lo establecido en su Estatuto y en la normativa correspondiente a cada programa.

Para el desarrollo efectivo de las funciones señaladas, la ANECA podrá:

a) Establecer convenios, acuerdos y contratos con instituciones y organismos públicos, universidades y entidades privadas que realicen actividades en los ámbitos funcionales propios de la ANECA.

b) Formalizar los negocios jurídicos con entidades públicas y privadas o con personas físicas que resulten necesarios para obtener los ingresos que permitan financiar las actividades que se requieran.

c) Promover la edición de publicaciones y la organización de actividades de carácter científico de ámbito nacional e internacional.

d) Representar, cuando proceda, a la Administración General del Estado ante los Órganos y Organismos de carácter de ámbito nacional e internacional en las materias de competencia de la ANECA.

e) Impulsar la cooperación en las áreas de su competencia con las Comunidades Autónomas.

f) Desarrollar programas y actividades de cooperación internacional en las áreas de su competencia.

2.4. Estructura orgánica

La ANECA se estructura en los siguientes órganos:

1. Órganos de gobierno y dirección:
   a) El Consejo Rector.
   b) El Director.
2. Órganos de asesoramiento y evaluación:
   a) Comisión de Asesoramiento para la Evaluación de Enseñanzas e Instituciones.
   b) Comisión de Asesoramiento para la Evaluación del Profesorado.
   c) Comisión Nacional Evaluadora de la Actividad Investigadora (CNEAI).
3. Órganos de gestión:
   a) Gerencia.
   b) División de Evaluación de Enseñanzas e Instituciones.
   c) División de Evaluación del Profesorado.

2.4.1. El Consejo Rector

El Consejo Rector es el órgano colegiado de gobierno, al que le corresponde el control y seguimiento de las actividades de la ANECA, así como mantener informado de ellas a los diferentes grupos de interés de la educación superior.

El Consejo Rector tendrá 9 miembros, con la siguiente composición:

a) La persona titular de la Secretaria General de Universidades del Ministerio de Educación, Cultura y Deporte, o en su caso, del órgano superior o directivo cuyas competencias se desarrollen en el ámbito universitario, que será su Presidente.

b) La persona titular de la Dirección General de Política Universitaria del Ministerio de Educación, Cultura y Deporte, que será su Vicepresidente.

c) Un representante de la administración autonómica con responsabilidad en enseñanza universitaria, designado por la Conferencia General de Política Universitaria, que pertenecerá necesariamente a una de las Comunidades Autónomas en las que la ANECA es el órgano de evaluación externa en materia de universidades. Este representante deberá tener al menos rango de Director General.

d) Dos Rectores de universidades, designados por la Conferencia de Rectores de las Universidades Españolas de entre sus miembros, de los cuales uno pertenecerá a una universidad de una comunidad autónoma en la que la ANECA sea el órgano de evaluación externa en materia de universidades, y el otro pertenecerá a una universidad privada o de la Iglesia católica.

e) Un estudiante, que será la persona titular de la Vicepresidencia correspondiente del Consejo de Estudiantes Universitarios del Estado.

f) Un representante de los Consejos Sociales, designado de entre sus miembros por la Conferencia de Consejos Sociales de las Universidades Españolas.

g) Un representante sindical del personal docente e investigador de las Universidades, designado por la organización sindical y profesional más representativa de la Mesa Sectorial de Universidades.

h) Un representante de la Confederación Española de Organizaciones Empresariales, designado por esta.

Los vocales nombrados por designación personal lo serán por un período de dos años, pudiendo permanecer dos períodos consecutivos como máximo. Los vocales que lo sean por razón del cargo que ocupan, cesarán en la representación cuando cesen en el mismo.

La sustitución del Presidente se realizará por el Vicepresidente, quien ejercerá las funciones del mismo en caso de vacante, ausencia o enfermedad.

Actuará como Secretario del Consejo Rector el Director de la ANECA, quien tendrá voz pero no voto en las deliberaciones.

2.4.2. El Director

El Director es el órgano ejecutivo unipersonal, al que corresponden la dirección y gestión ordinaria de la ANECA y tendrá rango de Director General.

El Director de la ANECA será nombrado y separado por el Consejo Rector, a propuesta de su Presidente, entre personal funcionario de carrera perteneciente a Cuerpos o Escalas del Subgrupo A1 del ámbito académico o investigador, de reconocido prestigio, con capacidad de gestión y organización, así como experiencia en evaluación de la calidad en el ámbito del sistema de educación superior y que cuente, como mínimo, con tres tramos de productividad investigadora reconocidos por la CNEAI o por organismos internacionales con similares competencias y características.

El nombramiento del director se realizará por un periodo de tres años, prorrogable por otro periodo de hasta tres años.

El Director de la ANECA desempeñará su cargo con dedicación absoluta, plena independencia y total objetividad; no estará sujeto a mandato imperativo, ni recibirá instrucciones expresas de autoridad alguna con respecto a decisiones académicas o de evaluación.

En caso de ausencia, vacante o enfermedad del Director de la ANECA, asumirá sus funciones el Gerente del organismo, salvo aquellas funciones propiamente académicas para cuyo desempeño la suplencia será ejercida por cada Director de las Divisiones de Evaluación, en sus respectivos ámbitos.

2.4.3. Organización administrativa de la ANECA

Dependerán directamente de la Dirección de la ANECA los siguientes órganos de gestión, con rango de Subdirección General:

a) La Gerencia.

b) La División de Evaluación de Enseñanzas e Instituciones.

c) La División de Evaluación del Profesorado.

El Gerente será nombrado entre personal funcionario de carrera de la Administración General del Estado, perteneciente a cuerpos o escalas del Subgrupo A1.

Los Directores de División serán nombrados entre personal funcionario de carrera de la Administración General del Estado, perteneciente a cuerpos o escalas del Subgrupo A1, o entre personal perteneciente a los cuerpos de Profesores Titulares de Universidad y Catedráticos de Universidad.

Dependerán administrativamente de la División de Evaluación del Profesorado las Comisiones de Acreditación y Comisiones de Revisión para el acceso a los cuerpos docentes universitarios, que se regulan en el Real Decreto 678/2023, de 18 de julio, por el que se regula la acreditación estatal para el acceso a los cuerpos docentes universitarios y el

régimen de los concursos de acceso a plazas de dichos cuerpos, así como los procesos de evaluación y certificación para la contratación de personal docente universitario regulados en el Real Decreto 1052/2002, de 11 de octubre.

2.4.4. Órganos de asesoramiento y evaluación

La ANECA contará con las siguientes comisiones de evaluación:

a) Comisión de Asesoramiento para la Evaluación de Enseñanzas e Instituciones.

b) Comisión de Asesoramiento para la Evaluación del Profesorado.

c) Comisión Nacional Evaluadora de la Actividad Investigadora (CNEAI).

Las comisiones de Asesoramiento para la Evaluación de Enseñanzas e Instituciones y del Profesorado son órganos técnicos de la ANECA en sus respectivos ámbitos de evaluación, y en ellas participarán académicos de reconocida competencia, estudiantes universitarios, profesionales con conocimientos en el ámbito de la educación superior, e investigadores.

El número máximo de miembros titulares de las comisiones de Asesoramiento para la Evaluación de Enseñanzas e Instituciones y del Profesorado será de 12.

El procedimiento de selección de los miembros de estas comisiones será elaborado por el Director, que lo elevará al Consejo Rector para su aprobación; sus miembros serán nombrados por el Director de la ANECA. Los presidentes de estas comisiones de asesoramiento para la evaluación serán los Directores de las Divisiones correspondientes.

Entre las funciones de las comisiones estarán las de asesoramiento en la propuesta de nuevos programas de evaluación por parte del Director de la ANECA, seguimiento del desarrollo de aquellos que les competan, así como, en aquellos programas cuyas normas reguladoras no contemplen comisiones de reclamaciones, informe de los recursos y reclamaciones presentados frente a los actos del Director de la ANECA, de conformidad con la normativa aplicable.

Las comisiones de acreditación reguladas en el capítulo II del Real Decreto 1312/2007, de 5 de octubre, por el que se establece la acreditación nacional para el acceso a los cuerpos docentes universitarios, rendirán cuentas de su actuación a la ANECA, que establecerá mecanismos de funcionamiento interno y coordinación de las comisiones para garantizar la coherencia en su funcionamiento y de los resultados de sus evaluaciones. Cada comisión de acreditación se compondrá de 1 presidente, 1 secretario y entre 5 y 11 vocales titulares y entre 4 y 6 vocales suplentes.

Las comisiones de revisión reguladas en el capítulo IV del Real Decreto 1312/2007, de 5 de octubre, dependerán administrativamente de la División de Evaluación del Profesorado. Cada comisión de revisión se compondrá de 1 presidente, 1 secretario técnico y entre 6 y 9 vocales titulares, y entre 4 y 6 vocales suplentes.

En el nombramiento de los miembros de las distintas Comisiones de evaluación se respetará el principio de composición equilibrada reconocido en la Ley Orgánica 3/2007, de 22 de marzo, para la igualdad efectiva de mujeres y hombres.

2.4.5. La Comisión Nacional Evaluadora de la Actividad Investigadora (CNEAI)

A) Funciones y organización

La CNEAI es el órgano de la ANECA responsable de la evaluación de la actividad investigadora a efectos del reconocimiento de los correspondientes complementos retributivos, de conformidad con la normativa aplicable.

Corresponde a la CNEAI:

a) Realizar la evaluación de la actividad investigadora de los profesores universitarios a que se refiere el artículo 2.4 del Real Decreto 1086/1989, de 28 de agosto, así como la evaluación de la actividad investigadora del personal investigador funcionario de carrera al servicio de los Organismos Públicos de Investigación de la Administración General del Estado, a que se refiere el artículo 25 de Ley 14/2011, de 1 de junio.

b) Aprobar los criterios de valoración y el análisis del proceso evaluador para su mejora.

c) Resolver sobre la concesión o denegación de los tramos de investigación sometidos a evaluación. A estos efectos podrá asumir el resultado de las evaluaciones contenidas en los informes de los Comités Asesores. En el caso de que dichos informes no sean asumidos por la CNEAI, deberá incorporarse a la resolución correspondiente los motivos que la han llevado a apartarse de los referidos informes.

d) Orientar los criterios de la evaluación científica.

e) Aprobar la memoria anual.

f) Determinar el número de campos científicos, su denominación y las áreas adscritas a los mismos.

g) Aprobar o rechazar la propuesta de nombramientos de los Presidentes y Vocales especialistas miembros de los Comités Asesores, así como, en su caso, de expertos.

La CNEAI estará presidida por el Director de la ANECA. El Vicepresidente será la persona titular de la Dirección General de Política Universitaria del Ministerio de Educación, Cultura y Deporte.

La CNEAI estará formada por un representante designado por cada una de las Comunidades Autónomas con competencia en materia de universidades y/o investigación, y rango de al menos de Director General. Así mismo, formarán parte de la CNEAI doce aca-

démicos e investigadores, que serán designados por la persona titular de la Secretaría de Estado de Educación, Formación Profesional y Universidades.

Actuará como secretario de la CNEAI el Director de la División de Evaluación del Profesorado de la ANECA, quien será también miembro de pleno derecho.

La CNEAI recabará el asesoramiento de los miembros de la comunidad científica a través de comités asesores, por campos científicos.

La propuesta de miembros de los Comités Asesores será realizada por el Director de la ANECA, oído el Consejo de Universidades, entre investigadores de prestigio que, en caso de ser españoles, tengan reconocidos, al menos, tres tramos de investigación.

La CNEAI podrá constituir hasta 15 comités asesores. Cada Comité Asesor se compondrá de 1 presidente y entre 2 y 9 vocales.

B) Funcionamiento

Los doce académicos e investigadores miembros de la CNEAI informarán los recursos de alzada en relación con las solicitudes de evaluación de la actividad investigadora. Asimismo, con carácter bienal, y tras recabar el asesoramiento de los comités de los diferentes campos científicos, presentarán a la CNEAI una propuesta de criterios específicos para la evaluación de la actividad investigadora. La CNEAI, a través de su Presidente, elevará la propuesta a la Secretaría de Estado competente en materia de Universidades, para su posterior publicación en el «Boletín Oficial del Estado».

Los actos de la CNEAI se formalizan mediante acuerdos, que se adoptarán por mayoría de los asistentes. En caso de empate dirimirá el voto del Presidente.

Los recursos de alzada deberán ser resueltos por el Director de la ANECA.

2.5. Régimen económico y financiero

2.5.1. Recursos económicos

Los recursos económicos de la ANECA podrán provenir de las siguientes fuentes:

a) Los bienes y valores que constituyen su patrimonio.

b) Los productos y rentas de dicho patrimonio.

c) Las consignaciones específicas asignadas en los Presupuestos Generales del Estado.

d) Las transferencias corrientes o de capital que procedan de las Administraciones o entidades públicas.

e) Las aportaciones voluntarias, subvenciones, donaciones, herencias o legados y otros ingresos que se concedan u otorguen a su favor por cualesquiera personas públicas o privadas, o personas físicas, españolas o extranjeras.

f) Las tasas y otros ingresos públicos dimanantes de su actividad.

g) Los ingresos propios, ordinarios y extraordinarios, que esté autorizada a percibir, incluidos los derivados por prestación de servicios, como contraprestación por las actividades que pueda realizar en virtud de convenios, contratos, encomiendas de gestión o por disposición legal, para otras entidades públicas o privadas, nacionales o internacionales, o para personas físicas.

h) Cualesquiera otros recursos económicos, ordinarios o extraordinarios, que legalmente puedan corresponderle o pudieran serles atribuidos.

Los ingresos y pagos a realizar por la ANECA se harán a través de la cuenta que mantenga, bien en el Banco de España, bien en otras entidades de crédito, para cuya apertura se precisará previa autorización de la Dirección General del Tesoro y Política Financiera en los términos establecidos en la Ley 47/2003, de 26 de noviembre.

2.5.2. Régimen económico-financiero

El régimen presupuestario, económico-financiero y de contabilidad de la ANECA será el establecido para los organismos autónomos en la Ley 47/2003, de 26 de noviembre, y demás disposiciones vigentes en la materia.

Sin perjuicio de las competencias de fiscalización atribuidas al Tribunal de Cuentas, el control de la gestión económico-financiera de la ANECA corresponde a la Intervención General de la Administración del Estado y se ejercerá bajo la modalidad de control financiero permanente, en las condiciones y en los términos que establece la Ley 47/2003, de 26 de noviembre, a través de la Intervención Delegada en la ANECA que dependerá funcional y orgánicamente de la Intervención General de la Administración del Estado.

La ANECA estará sometida a un control de eficacia, ejercido por el Ministerio competente en materia de Universidades, que tendrá como finalidad comprobar el grado de cumplimiento de sus objetivos y la adecuada utilización de los recursos asignados, sin perjuicio del control establecido al respecto por la Ley 47/2003, de 26 de noviembre.

2.5.3. Contratación

El régimen jurídico aplicable a la contratación de la ANECA será el establecido para las Administraciones públicas en el Texto Refundido de la Ley de Contratos del Sector Público, aprobado por Real Decreto Legislativo 3/2011, de 14 de noviembre, y su normativa de desarrollo.

2.5.4. Cuentas anuales

En los términos que se establecen en la Ley 47/2003, de 26 de noviembre, las cuentas anuales de la ANECA se formulan por su Director, quien las elevará al Consejo Rector para su aprobación en el plazo de tres meses desde el cierre del ejercicio económico. Una vez

auditadas dichas cuentas por la Intervención General de la Administración General del Estado, se informará de las mismas al Consejo Rector, así como del informe de la auditoría correspondiente.

La rendición de cuentas corresponde al Director de la ANECA. Las cuentas se remitirán a través de la Intervención General de la Administración del Estado al Tribunal de Cuentas para su fiscalización, dentro de los siete meses siguientes a la terminación del ejercicio económico.

Sin perjuicio de la publicación de las cuentas anuales a que hace mención el artículo 136 de la Ley 47/2003, de 26 de noviembre, las cuentas anuales se harán públicas mediante su inclusión en el informe general de actividad de la ANECA.

2.5.5. Régimen patrimonial

El régimen patrimonial de la ANECA será el establecido en su Estatuto, con sujeción en todo caso a lo establecido en la Ley 33/2003, de 3 de noviembre.

Además de los bienes que integren su propio patrimonio, la ANECA podrá contar con los bienes patrimoniales de titularidad pública cuya adscripción se acuerde por parte de la Administración General del Estado u otras Administraciones públicas, de conformidad con lo dispuesto en la Ley 33/2003, de 3 de noviembre, que conservarán la calificación jurídica originaria y que únicamente podrán ser utilizados para el cumplimiento de sus fines, correspondiendo a la ANECA su utilización, administración y cuantas prerrogativas referentes al dominio público y a los bienes patrimoniales del Estado estén legalmente establecidas.

Integran el patrimonio propio de la ANECA el conjunto de bienes y derechos de los que sea titular. ANECA podrá adquirir toda clase de bienes y derechos por cualquiera de los modos admitidos en el ordenamiento jurídico.

La ANECA formará y mantendrá actualizado el inventario de sus bienes y derechos, con la única excepción de los de carácter fungible. El inventario se revisará, en su caso, anualmente con referencia al 31 de diciembre y se incluirá en el balance que se incorpore a la cuenta anual del Organismo.

2.6. Recursos humanos

2.6.1. Régimen de personal

El personal de la ANECA se rige por la Ley 40/2015, de 1 de octubre, por el texto refundido de la Ley del Estatuto de los Trabajadores, aprobado por el Real Decreto Legislativo 2/2015, de 23 de octubre, y por el texto refundido de la Ley del Estatuto Básico del Empleado Público, aprobado por el Real Decreto Legislativo 5/2015, de 30 de octubre.

Con carácter general, los puestos de trabajo de la ANECA serán desempeñados por personal funcionario público. El personal funcionario y laboral de la ANECA se regirá por la normativa sobre función pública y legislación laboral aplicable al resto del personal de la Administración General del Estado.

2.6.2. Ordenación de puestos de trabajo

La ANECA propondrá a los órganos competentes, a través del Ministerio de adscripción, la relación de puestos de trabajo (RPT) de la misma. La propuesta de RPT será elaborada por el Director de la ANECA y deberá contemplar las especificidades de los puestos y el régimen de dedicación que permita cubrir las tareas necesarias para el cumplimiento de las finalidades de la ANECA.

2.7. Régimen jurídico

2.7.1. Resoluciones y actos administrativos y régimen de impugnación

Los actos dictados por los órganos de la ANECA en el ejercicio de potestades administrativas tienen la consideración de actos administrativos.

La ANECA dictará las normas internas necesarias para el cumplimiento de su objeto y para su funcionamiento, a través de resoluciones, instrucciones y circulares del Director.

Los actos y resoluciones del Director de la ANECA pondrán fin a la vía administrativa y frente a ellos podrá interponerse recurso potestativo de reposición, o impugnarse directamente ante la jurisdicción contencioso-administrativa, de acuerdo con lo previsto en el artículo 123 de la Ley 39/2015, de 1 de octubre, sin perjuicio del régimen de reclamaciones que la normativa reguladora de los diferentes procedimientos pueda establecer.

Frente a los actos y resoluciones de otros órganos de la ANECA distintos del Director podrá interponerse recurso de alzada, que deberá ser resuelto por el Director de la ANECA.

Corresponde a la persona titular del Ministerio de Educación, Cultura y Deporte la resolución de los procedimientos de responsabilidad patrimonial seguidos por actuaciones del organismo, de conformidad con la Ley 39/2015, de 1 de octubre.

2.7.2. Información y confidencialidad

La ANECA, en el ejercicio de sus actividades, se somete a la normativa de protección de datos de carácter personal, en particular a la Ley Orgánica 15/1999, de 13 de diciembre, de protección de datos de carácter personal, y a las disposiciones que la desarrollan.

Para la elaboración de ficheros y bases de datos, la ANECA podrá solicitar la colaboración y apoyo de las Comunidades Autónomas, las Universidades, los Organismos Públicos de Investigación y otros organismos de investigación, y de otras Administraciones públicas, y contar con la información necesaria que dichas instituciones y organismos le faciliten, a los efectos de poder ejercer las funciones que le corresponden, de acuerdo con el Estatuto.

2.7.3. Asistencia jurídica

De conformidad con lo previsto en la Ley 52/1997, de 27 de noviembre, el asesoramiento jurídico de la ANECA será desempeñado por la Abogacía del Estado en el Ministerio de Educación, Cultura y Deporte, o del Departamento competente en materia de Universidades.

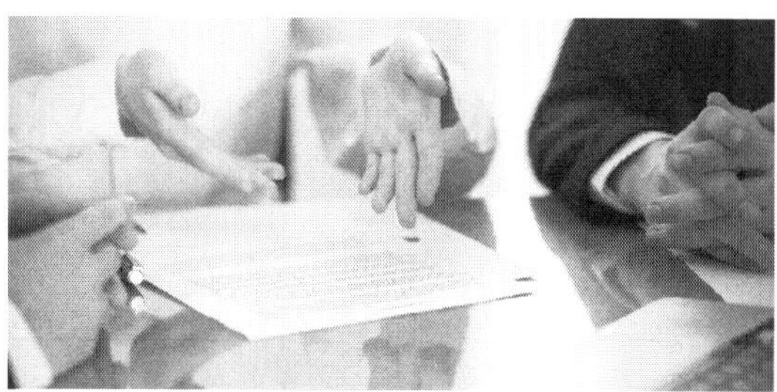

2.8. Los Programas de evaluación, acreditación y certificación desarrollados por la ANECA

La ANECA desarrolla diferentes programas para llevar a cabo su actividad (evaluación, certificación y acreditación), con el fin de integrar nuestro sistema en el Espacio Europeo de Educación Superior. En la actualidad son programas de la ANECA los siguientes:

1. Programas de evaluación de títulos:

    a) PROGRAMA VERIFICA: los planes de estudio conducentes a la obtención de Títulos oficiales (Grado, Máster Universitario y Doctorado) serán verificados por el Consejo de Universidades. Será la Agencia Nacional de Evaluación de la Calidad y Acreditación (ANECA) o, en su caso, los órganos de evaluación que la Ley de las Comunidades Autónomas determinen, y que cumplan con los criterios y estándares de calidad establecidos por la Comisión Europea, los encargados de evaluar los planes de estudio, de acuerdo con los protocolos de verificación que se establezcan conjuntamente entre las Agencias.

    b) PROGRAMA MONITOR: realiza un seguimiento del título oficial para comprobar su correcta implantación y resultados. Propone proporcionar a las universidades una valoración externa sobre cómo se está realizando la implantación de sus títulos oficiales con la finalidad de que esta pueda ser utilizada como un elemento más para la mejora de la formación que ofertan.

    c) PROGRAMA ACREDITA: realiza una valoración para la renovación de la acreditación inicial de los títulos oficiales. Esta evaluación se realiza de manera cíclica y tiene un doble objetivo: comprobar si el título se está llevando a cabo de acuerdo con los objetivos establecidos en su proyecto inicial (por el cual obtuvo la condición de título oficial) y comprobar si sus resultados son adecuados y contribuyen a la formación de los estudiantes y a la consecución, por tanto, de los objetivos previstos. El resultado de este proceso de evaluación es un informe final en términos favorables o desfavorables a la renovación de la acreditación.

d) PROGRAMA SIC: evalúa títulos para la obtención de Sellos Internacionales de Calidad.

2 Programas de evaluación del profesorado:

a) Para la contratación (PEP): evalúa la actividad docente e investigadora y la formación académica de los solicitantes para el acceso a las figuras de profesor universitario contratado (profesor contratado doctor, profesor ayudante doctor y profesor de universidad privada) establecidas en la LOSU.

b) Acreditación Nacional (ACADEMIA): a través de sus Comisiones de acreditación, evalúa el perfil de los solicitantes para el acceso a los cuerpos de funcionarios docentes universitarios (Profesores Titulares de Universidad y Catedráticos de Universidad).

c) Programa CNEAI: evaluación de los tramos de investigación. El organismo autónomo ANECA lleva a cabo las funciones de evaluación que hasta ahora desarrollaba la ahora la Comisión Nacional Evaluadora de la Actividad Investigadora (CNEAI).

3. Evaluación institucional:

a) PROGRAMA ACREDITACIÓN INSTITUCIONAL: evalúa las solicitudes de acreditación institucional de los centros universitarios.

b) PROGRAMA AUDIT: orienta a los centros universitarios en el diseño de sistemas de garantía interna de calidad.

c) PROGRAMA AUDIT INTERNACIONAL: certificar los sistemas de aseguramiento de la calidad de instituciones de Educación superior de terceros países.

d) PROGRAMA DOCENTIA: da apoyo a las universidades para que diseñen mecanismos propios para crear sistemas de evaluación de su profesorado.

TEMA 10

El Sistema Español de Ciencia, Tecnología e Innovación: La Ley 14/2011, de 1 de junio, de la Ciencia, la Tecnología y la Innovación. La investigación en las Universidades. El Estatuto del Personal Investigador Predoctoral en Formación

Índice

1. El Sistema Español de Ciencia, Tecnología e Innovación: La Ley 14/2011, de 1 de junio, de la Ciencia, la Tecnología y la Innovación

1.1. La Ley 14/2011, de 1 de junio, de la Ciencia, la Tecnología y la Innovación: aprobación, estructura y Preámbulo

1.1.1. Aprobación y estructura

La Ley 14/2011, de 1 de junio, de la Ciencia, la Tecnología y la Innovación (en adelante LCTI) fue publicada en el Boletín Oficial del Estado el 2 de junio de 2011. Entró en vigor, salvo determinadas excepciones, el 2 de diciembre de 2011.

Los 47 artículos de la ley presentan la siguiente estructura:

- Preámbulo
- **Título Preliminar**. Disposiciones generales (arts. 1 al 5).
- **Título I**. Gobernanza del Sistema Español de Ciencia, Tecnología e Innovación (arts. 6 al 11).
- **Título II**. Recursos humanos dedicados a la investigación (arts. 12 al 32 bis).
    * Capítulo I. Personal Investigador al servicio de las Universidades públicas, de los Organismos Públicos de Investigación y de los Organismos de investigación de otras Administraciones públicas.
        • Sección 1.ª Disposiciones generales.
        • Sección 2.ª Contratación del personal investigador de carácter laboral.
    * Capítulo II. Especificidades aplicables al personal al servicio de los Organismos Públicos de Investigación de la Administración General del Estado.
        • Sección 1.ª Personal investigador al servicio de los Organismos Públicos de Investigación de la Administración General del Estado.
        • Sección 2.ª Personal de investigación al servicio de los Organismos Públicos de Investigación de la Administración General del Estado.
    * Capítulo III. Especificidades aplicables al personal docente e investigador al servicio de las Universidades públicas.
- **Título III**. Impulso de la investigación científica y técnica, la innovación, la transferencia del conocimiento, la difusión y la cultura científica, tecnológica e innovadora (arts. 33 al 40).
    - Capítulo I. Disposiciones generales.
    - Capítulo II. Transferencia y difusión de los resultados de la actividad de investigación, desarrollo e innovación y cultura científica, tecnológica e innovadora.
    - Capítulo III. Internacionalización del sistema y cooperación al desarrollo.

- **Título IV**. Fomento y coordinación de la investigación científica y técnica en la Administración General del Estado (arts. 41 al 47)
  - * Capítulo I. Gobernanza.
  - * Capítulo II. Agentes de financiación.
  - * Capítulo III. Agentes de ejecución.
    - Disposiciones adicionales (33).
    - Disposiciones transitorias (6).
    - Disposición derogatoria.
    - Disposiciones finales (11).

El Gobierno, a propuesta del Ministerio de Ciencia e Innovación, dictará en el ámbito de sus competencias las disposiciones necesarias para la ejecución y desarrollo de lo establecido en la LCTI.

La Ley 17/2022, de 5 de septiembre, ha modificado muchos aspectos de la LCTI. En el Preámbulo de esta última norma se establecía lo siguiente:

Habida cuenta del tiempo transcurrido desde la aprobación de la vigente Ley 14/2011, de 1 de junio, de la Ciencia, la Tecnología y la Innovación, resulta imprescindible proceder a su actualización a la vista de las grandes tendencias nacionales e internacionales en el ámbito de la política científica y de la innovación, incidiendo en aquellas cuestiones que han de ser modificadas para mejorar la competitividad del Sistema Español de Ciencia, Tecnología e Innovación y para situar estas políticas públicas en el centro del debate social. Para ello, esta ley se enfoca a resolver las carencias detectadas en el Sistema Español de Ciencia, Tecnología e Innovación:

a) En primer lugar, poniendo el acento en las carencias relativas a la carrera y desarrollo profesional del personal investigador.

b) En segundo lugar, abordando la necesidad de actualizar la normativa reguladora de la transferencia de conocimiento y de resultados de la actividad investigadora, con énfasis tanto en el régimen jurídico aplicable a la misma como en el personal investigador que, con el ejercicio propio de su actividad laboral, da lugar a la obtención de dichos resultados.

c) Y en tercer lugar, mejorando los mecanismos de gobernanza del Sistema y la coordinación y colaboración entre agentes tanto públicos como privados.

1.1.2. Preámbulo de la Ley 14/2011, de 1 de junio

Como indica ANTONIO ARIAS RODRÍGUEZ, el preámbulo de la LCTI nos presenta las cinco características que distinguen el actual contexto del sistema español de I+D+i, frente al existente en la década de los ochenta:

a) Desarrollo autonómico,

b) Creciente dimensión europea,

c) Salto cuantitativo y cualitativo en los recursos públicos,

d) Consolidación de una comunidad científica y técnica profesionalizada, competitiva y abierta al mundo, así como,

e) Una transición hacia una economía basada en el conocimiento y la innovación.

A continuación reproducimos el Preámbulo de la LCTI.

I. La generación de conocimiento en todos los ámbitos, su difusión y su aplicación para la obtención de un beneficio social o económico, son actividades esenciales para el progreso de la sociedad española, cuyo desarrollo ha sido clave para la convergencia económica y social de España en el entorno internacional. Este desarrollo, propiciado en gran medida por la Ley 13/1986, de 14 de abril, de Fomento y Coordinación General de la Investigación Científica y Técnica, tiene ante sí en la actualidad el reto de la consolidación e internacionalización definitiva de la ciencia.

Por otra parte, el sector productivo español, imponiéndose a una inercia histórica, está empezando a desarrollar desde fechas recientes una cultura científica, tecnológica e innovadora que es esencial para su competitividad. La economía española debe avanzar hacia un modelo productivo en el que la innovación está llamada a incorporarse definitivamente como una actividad sistemática de todas las empresas, con independencia de su sector y tamaño, y en el que los sectores de media y alta tecnología tendrán un mayor protagonismo.

Ambas condiciones, así como la emergencia de una cultura de cooperación entre el sistema público de ciencia y tecnología y el tejido productivo, de la que España carecía hace unos años, permiten a nuestro país estar en las mejores condiciones para lograr una sociedad y una economía del conocimiento plenamente cohesionadas. El papel de la ciencia para tal fin, así como su difusión y transferencia, resultan elementos imprescindibles de la cultura moderna, que quiere regirse por la razón y el pensamiento crítico en la elección de sus objetivos y en su toma de decisiones.

La Ley 13/1986, de 14 de abril, estableció la organización básica del Estado en materia de ciencia y tecnología, definiendo un instrumento principal de planificación estratégica: el Plan Nacional de Investigación Científica y Desarrollo Tecnológico. De forma más reciente, las comunidades autónomas han venido desarrollando sus propios instrumentos de organización y planificación de la ciencia y la tecnología, así como de apoyo a la innovación, de acuerdo con sus competencias. Todo ello junto a una creciente asignación de recursos públicos a estas políticas, especialmente significativa en los últimos años, ha configurado un Sistema Español de Ciencia, Tecnología e Innovación robusto y complejo, con capacidades y con retos muy distintos a los de 1986; un sistema que demanda un nuevo marco legal que propicie la respuesta a los importantes desafíos que tiene el propio desarrollo científico, otorgando nuevos apoyos y mejores instrumentos a los agentes del sistema, para que puedan ser progresivamente más eficaces y eficientes en el ejercicio responsable de sus actividades.

En particular, hay cinco situaciones que distinguen el actual contexto del Sistema Español de Ciencia, Tecnología e Innovación del que existía en el momento de aprobación de la mencionada ley.

En primer lugar, el desarrollo de las competencias en materia de investigación científica y técnica e innovación de las comunidades autónomas a través de sus Estatutos de Autonomía y de la aprobación de sus marcos normativos. Este desarrollo ha dado lugar a verdaderos sistemas autonómicos de I+D+i con entidad propia, que coexisten con el sistema promovido desde la Administración General del Estado. Este «sistema de sistemas» demanda, en aras de una mayor eficiencia y búsqueda de sinergias, el establecimiento de nuevos mecanismos de gobernanza basados en la cooperación, desde el respeto a las respectivas competencias.

En segundo lugar, España se encuentra plenamente integrada en la Unión Europea. El nuevo marco legal debe, por tanto, establecer mecanismos eficientes de coordinación y de colaboración entre las Administraciones públicas, y facilitar el protagonismo español en la construcción del Espacio Europeo de Investigación y del Espacio Europeo de Conocimiento. En este sentido, el Grupo de Análisis de la Estrategia de Lisboa establece, en particular, las siguientes recomendaciones:

a) Un cambio en las políticas, evolucionando hacia políticas abiertas, dinámicas y sistemáticas, basadas en una mezcla eficiente de políticas e instrumentos, adaptadas a diversos escenarios, actores y campos de la ciencia y la tecnología, incorporando aspectos multidimensionales.

b) Incorporar nuevos estilos de gobernanza de las políticas del conocimiento, reforzando las capacidades de inteligencia estratégica, incorporando la experimentación de políticas, dando poder a los agentes de cambio y estableciendo incentivos claros dirigidos a los objetivos de Lisboa.

c) Construir un nuevo modelo de políticas del conocimiento basado en la configuración dinámica del conocimiento, con combinación de políticas que tengan en cuenta las especificidades de sectores y actores, que supere las fronteras administrativas, regionales y nacionales. Es el modelo propuesto para construir el Espacio Europeo del Conocimiento con una perspectiva dinámica, multidimensional y con múltiples actores.

En tercer lugar, el tamaño alcanzado por nuestro sistema, tanto en lo que hace referencia a la cuantía de los recursos públicos disponibles, como a la naturaleza de los instrumentos de financiación, exige una transformación profunda del modelo de gestión de la Administración General del Estado. Se trata de avanzar hacia un nuevo esquema, la Agencia Estatal de Investigación, más eficiente y flexible pero igualmente transparente, que garantice un marco estable de financiación, y que permita la incorporación de las mejores prácticas internacionales en materia de fomento y evaluación de la investigación científica y técnica.

En cuarto lugar, la comunidad científica española, que es hoy seis veces mayor que en 1986, ha de dotarse de una carrera científica y técnica predecible, basada en méritos y socialmente reconocida, de la que actualmente carece, y el Sistema Español de Ciencia, Tecnología e Innovación debe incorporar los criterios de máxima movilidad y apertura que rigen en el ámbito científico internacional.

En quinto y último lugar, el modelo productivo español basado fundamentalmente en la construcción y el turismo se ha agotado, con lo que es necesario impulsar un cam-

bio a través de la apuesta por la investigación y la innovación como medios para conseguir una economía basada en el conocimiento que permita garantizar un crecimiento más equilibrado, diversificado y sostenible.

Estas cinco realidades: desarrollo autonómico, creciente dimensión europea, salto cuantitativo y cualitativo en los recursos públicos, consolidación de una comunidad científica y técnica profesionalizada, competitiva y abierta al mundo y transición hacia una economía basada en el conocimiento y la innovación, exigen medidas transformadoras como las contempladas específicamente en la presente ley. Esta reconoce, además, la diferencia sustancial entre la intervención pública que requiere el fomento de la investigación, incluida la investigación científica y técnica que realizan las empresas a través del Plan Estatal de Investigación Científica y Técnica, y la creación de un entorno favorable a la innovación, un reto mucho más transversal, a través del Plan Estatal de Innovación.

El esfuerzo realizado por España en las dos últimas décadas por situar su ciencia a nivel internacional debe complementarse ahora con un mayor énfasis en la investigación técnica y el desarrollo tecnológico y en la transferencia de los resultados de investigación hacia el tejido productivo. No obstante, aunque necesario, este impulso a la llamada valorización del conocimiento no es suficiente para lograr el objetivo de una economía más innovadora; se precisa un enfoque más amplio. La apuesta por la innovación es estrictamente necesaria para el crecimiento y competitividad de nuestro sistema productivo. En este sentido, la presente ley recoge también otras medidas, como las relativas a una mayor movilidad de los investigadores entre sector público de I+D y empresas, o el apoyo a la creación y consolidación de empresas de base tecnológica a través de la figura del estatuto de Joven empresa innovadora.

De igual manera, el texto contempla reformas orientadas a corregir algunas debilidades del Sistema Español de Ciencia, Tecnología e Innovación que el anterior marco legal no logró solventar, en particular, la baja contribución del sector privado a la financiación y ejecución de actividades de I+D+i. Por esta razón, incentiva el patrocinio y mecenazgo, y la inversión del sector privado en ciencia, tecnología e innovación.

La presente ley incorpora un conjunto de medidas de carácter novedoso que persiguen situar a la legislación española en materia de ciencia y tecnología e innovación en la vanguardia internacional. Entre estas medidas para una «Ciencia del siglo XXI» destacan la incorporación del enfoque de género con carácter transversal; el establecimiento de derechos y deberes del personal investigador y técnico; el compromiso con la difusión universal del conocimiento, mediante el posicionamiento a favor de las políticas de acceso abierto a la información científica; la incorporación de la dimensión ética profesional, plasmada en la creación de un Comité que aplicará los criterios y directrices internacionalmente aceptados; o el concepto de cooperación científica y tecnológica al desarrollo.

Por último, la ley profundiza en la vertebración de las relaciones y en el diálogo entre ciencia, tecnología, innovación y sociedad. En particular, reconoce las actividades de divulgación y de cultura científica y tecnológica como consustanciales a la carrera investigadora, para mejorar la comprensión y la percepción social sobre cuestiones científicas y tecnológicas y la sensibilidad hacia la innovación, así como para promover una mayor participación ciudadana en este ámbito.

II. La ley desarrolla el título competencial contenido en el artículo 149.1.15.ª de la Constitución española e incorpora normas relativas a otros ámbitos de competencias de la Administración General del Estado. Se considera el concepto de investigación científica y técnica como equivalente al de investigación y desarrollo, entendido como el trabajo creativo realizado de forma sistemática para incrementar el volumen de conocimientos, incluidos los relativos al ser humano, la cultura y la sociedad, el uso de esos conocimientos para crear nuevas aplicaciones, su transferencia y su divulgación.

La ley tiene en cuenta la pluralidad de agentes que conforman hoy día el sistema. Junto a las Universidades, Organismos Públicos de Investigación, Centros Sanitarios y Empresas, responsables de la mayor parte de la actividad investigadora, en la actualidad tienen un papel muy destacado otros agentes como los centros de investigación adscritos a las comunidades autónomas, a la Administración General del Estado o a ambas, como son los Centros Tecnológicos, los Parques Científicos y Tecnológicos y las Instalaciones Científico-Técnicas Singulares. Para este extenso conjunto de agentes la ley establece disposiciones de carácter general, y garantiza, en todo caso, el principio de neutralidad por el cual ningún agente debe resultar privilegiado debido a su adscripción o naturaleza jurídica.

Destacan entre los agentes las Universidades y los Organismos Públicos de Investigación; a todos ellos les es aplicable la gran mayoría de las normas contenidas en esta ley. En el ámbito particular de la investigación biomédica, se reconoce el papel clave que juegan los centros sanitarios. Además, se destaca el protagonismo de las empresas en el ámbito del desarrollo tecnológico y la innovación, ya que juegan un papel fundamental para transformar la actividad de investigación científica y técnica en mejoras de la productividad española y de la calidad de vida de los ciudadanos. Se reconoce asimismo el interés general de la actividad desarrollada por organismos de investigación privados como los Centros Tecnológicos y el papel de agentes más vinculados a favorecer la transferencia tecnológica y la cooperación entre los diferentes agentes del sistema como, entre otros, los Parques Científicos y Tecnológicos, las Plataformas Tecnológicas y las Agrupaciones de Empresas Innovadoras. Tanto estos agentes como aquellos de creación más reciente se ven ampliamente afectados por la presente regulación.

III. El Título preliminar establece que el objeto de la presente ley es la consolidación de un marco para el fomento de la investigación científica y técnica y sus instrumentos de coordinación general con un fin concreto: contribuir al desarrollo económico sostenible y al bienestar social mediante la generación, difusión y transferencia del conocimiento y la innovación.

A continuación se recoge un amplio catálogo de objetivos generales que se persiguen con la creación del nuevo marco legal, que abarcan todos los aspectos relevantes relacionados con el impulso de la investigación científica y técnica y la innovación. Así, la I+D+i constituye el camino mediante el cual se pretende dar respuesta a los grandes retos estratégicos del Estado en materia económica, conjugando la necesidad de cambio y la sostenibilidad.

El Título preliminar define, acto seguido, el Sistema Español de Ciencia, Tecnología e Innovación, con carácter inclusivo. Se define como un Sistema de sistemas que articula lo público y lo privado y que integra de forma colaborativa en el ámbito público el conjunto

de los mecanismos, planes y actuaciones que puedan ser definidos e implementados, para la promoción y desarrollo de la I+D+i, tanto por las administraciones autonómicas como por la Administración General del Estado.

El Sistema, que se rige por unos principios inspiradores entre los que se cuentan los de eficacia, cooperación y calidad, está integrado por el sistema de la Administración General del Estado y por los de las comunidades autónomas y está orientado a la promoción, el desarrollo y el apoyo de la investigación científica y técnica y la innovación.

El Sistema Español de Ciencia, Tecnología e Innovación cuenta en la actualidad con una diversidad de agentes, públicos y privados, de diverso alcance y significación, comprometidos en el fomento y desarrollo de la investigación, desarrollo e innovación de las ciencias y de las tecnologías. Se caracterizan desde un punto de vista funcional como agentes de coordinación, de ejecución y de financiación.

La variedad de agentes constituye, en principio, muestra del amplio compromiso existente a favor de la I+D+i. Este compromiso no es, sin embargo, por sí solo, garantía suficiente para que el sistema responda a los desafíos, necesidades y oportunidades que ofrece el siglo XXI con una economía y una sociedad progresivamente más globalizadas.

Constituyen, por ello, retos pendientes del sistema los siguientes:

- Un mayor y suficiente dimensionamiento del sistema y de sus agentes para responder a la escala de los problemas que tiene la economía y la sociedad a la que debe transferir sus conocimientos.
- Una mayor internacionalización.
- Una mayor participación y protagonismo de la iniciativa privada en el conjunto del sistema.
- Una mayor apertura y flexibilidad de los agentes públicos del sistema al sistema productivo y a la sociedad en su conjunto.
- Una mayor apuesta por la colaboración entre el conjunto de los agentes del Sistema.
- Una extensión y profundización de la cultura de la innovación y de la asunción del riesgo en todos los órdenes y escalas del sistema productivo y del conjunto de los sistemas de la sociedad, con especial incidencia en el ámbito educativo y formativo.

En esa dirección deben encaminarse, de forma preferente, los apoyos y medidas que desde las Administraciones públicas vayan a establecerse en favor de la adecuación y potenciación del sistema.

Por ello, la participación de una amplia y diversa gama de agentes en el Sistema Español de Ciencia, Tecnología e Innovación requiere, para una mayor eficacia y eficiencia del mismo, el diseño e implementación de una gobernanza que responda a los siguientes criterios:

- El reconocimiento de todos y cada uno de los agentes en el papel que desempeña cada cual en el marco del Sistema.

- El establecimiento de unas reglas de juego que, además de ser operativas, eficaces y eficientes, sean equitativas, basadas en la igualdad de oportunidades, para el conjunto y para cada uno de los agentes.
- La definición e implementación del papel propio del papel de las Administraciones públicas, de cada una y del conjunto de las mismas.
- La definición e implementación de una gestión colaborativa del Sistema público-privado.

Por último, el Título preliminar contiene una significativa referencia a la evaluación científica y técnica como mecanismo que ha de garantizar la transparencia y la objetividad en la asignación de los recursos públicos en materia de investigación científica y técnica.

IV. El Título I desarrolla las competencias del Estado en materia de coordinación general de la investigación científica y técnica e innovación y regula la gobernanza del sistema.

La Estrategia Española de Ciencia y Tecnología[1] se concibe como el marco de referencia plurianual para alcanzar un conjunto de objetivos generales, compartidos por la totalidad de las Administraciones públicas con competencias en materia de fomento de la investigación científica y técnica. Con ello, se dispone de un instrumento que servirá de referencia para la elaboración de los planes de investigación científica y técnica de las distintas Administraciones públicas, y para su articulación con las políticas de investigación de la Unión Europea y de Organismos Internacionales.

Por su parte, la Estrategia Española de Innovación se configura como el marco de referencia plurianual con el que, desde una concepción multisectorial, se pretende implicar a todos los agentes políticos, sociales y económicos en la consecución del objetivo común de favorecer la innovación y así transformar la economía española en una economía basada en el conocimiento.

Esta Estrategia debe atender a cinco ejes de actuación: generación de un entorno financiero proclive a la innovación, fomento de la innovación desde la demanda pública, proyección internacional, fortalecimiento de la cooperación territorial y capital humano, colocando a la transferencia de conocimiento como elemento transversal que unifica todos los ejes.

La Estrategia Española de Innovación deberá contemplar también la necesidad de impulsar la contratación pública destinada a fortalecer la demanda de productos innovadores, tal y como recomienda el Parlamento Europeo en su Resolución de 3 de febrero de

1 Las referencias contenidas en la presente Ley, a la Estrategia Española de Ciencia y Tecnología, a la Estrategia Española de Innovación, al Plan Estatal de Investigación Científica y Técnica y al Plan Estatal de Innovación, se entenderán efectuadas, respectivamente, a la Estrategia Española de Ciencia, Tecnología e Innovación y al Plan Estatal de Investigación Científica y Técnica y de Innovación, según establece la disposición adicional 1 de la Ley 17/2022, de 5 de septiembre.

2009, teniendo en cuenta la Comunicación de la Comisión, de 14 de diciembre de 2007, titulada «La contratación precomercial: impulsar la innovación para dar a Europa servicios públicos de alta calidad y sostenibles» (COM(2007)0799), así como el informe del Grupo de expertos independientes sobre investigación, desarrollo e innovación, titulado «Creación de una Europa innovadora» (Informe Aho).

La formulación de una Estrategia Española de Innovación forma parte de las previsiones incluidas en la Estrategia para la Economía Sostenible, que el Gobierno aprobó en diciembre de 2009. Asimismo, la Estrategia Española de Innovación queda englobada dentro del marco planteado por la Unión Europea en la Estrategia Europa 2020 en la que, dentro de una visión conjunta y un cuadro común de objetivos globales, se persigue alcanzar el 1% sobre el PIB de inversión pública y el 2 % de inversión privada en I+D+i, haciendo que la inversión global de los países en I+D+i llegue al 3 % de su PIB[2].

El Consejo de Política Científica, Tecnológica y de Innovación es el órgano encargado de la coordinación general del sistema y está formado por representantes del máximo nivel de la Administración General del Estado y de las comunidades autónomas. El Consejo estará asesorado por el Consejo Asesor de Ciencia, Tecnología e Innovación, del que formarán parte las asociaciones empresariales y sindicatos más representativos y miembros destacados de la comunidad científica y tecnológica.

Por último, el Título I crea el Sistema de Información sobre Ciencia, Tecnología e Innovación, con el objetivo de disponer de información global del conjunto de agentes del sistema para la elaboración y seguimiento de la Estrategia Española de Ciencia y Tecnología, la Estrategia Española de Innovación, y sus planes de desarrollo.

V. El Título II se centra en los recursos humanos dedicados a la investigación en Universidades públicas, Organismos Públicos de Investigación de la Administración General del Estado y Organismos de investigación de otras Administraciones públicas.

El Capítulo I se divide en dos secciones: la 1.ª regula las disposiciones generales aplicables a todo el personal investigador de su ámbito de actuación, y la 2.ª se refiere, específicamente, al personal investigador que desarrolla su labor vinculado con una relación de carácter laboral.

La Sección 1.ª se inicia con una definición de la actividad investigadora. A continuación se recoge un catálogo de derechos y deberes específicos del personal investigador, de acuerdo con lo indicado en la Recomendación de la Comisión de 11 de marzo de 2005 relativa a la Carta Europea del Investigador y al Código de conducta para la contratación de investigadores, y sin perjuicio de aquellos que les son de aplicación en virtud de la relación, funcionarial o laboral, que les una con la entidad para la que prestan servicios en función de la normativa vigente. Además, se establecen los criterios de selección del personal investigador que garanticen un desarrollo profesional sobre la base del respeto a los principios constitucionales de igualdad, mérito y capacidad.

---

2 El actual programa de la Unión Europea en Investigación se denomina Programa Horizonte (2021-2027).

La movilidad juega un papel fundamental en el desarrollo profesional del investigador y, por consiguiente, en el progreso científico. Su organización y planificación, tanto a escala nacional como internacional, constituye un elemento fundamental en materia de política científica, como lo demuestran las distintas acciones emprendidas por las instituciones españolas responsables y por los programas de cooperación internacional y movilidad de científicos contemplados en los sucesivos Programas Marco de la Unión Europea. Esta ley establece el reconocimiento de la movilidad en los procesos de evaluación: por ello, la ley establece la posibilidad de que los investigadores sean adscritos temporalmente a otros agentes públicos de ejecución; se regulan nuevas situaciones de excedencia temporal para aquellos investigadores que se incorporen a otros agentes de naturaleza pública o privada, nacionales, internacionales o extranjeros; se recoge una autorización para realizar estancias formativas en centros de reconocido prestigio; y se establece la posibilidad de autorizar al personal investigador a prestar servicios a tiempo parcial en sociedades mercantiles creadas o participadas por los organismos en los que presta sus servicios.

La Sección 2.ª establece tres modalidades contractuales a las que pueden acogerse tanto los Organismos Públicos de Investigación de la Administración General del Estado y los Organismos de investigación de otras Administraciones públicas, como las Universidades públicas cuando sean perceptoras de fondos cuyo destino incluya la contratación del personal investigador. La implantación de estas nuevas modalidades contractuales no supondrá incremento presupuestario.

Los investigadores que, dentro de los estudios de doctorado, realicen tareas de investigación en un proyecto específico y novedoso, podrán ser contratados mediante un contrato predoctoral; se trata de un contrato temporal con una duración de hasta cuatro años o hasta seis si se trata de personas con discapacidad, para el que se establece una reducción del 30 % de la cuota empresarial a la Seguridad Social por contingencias comunes.

La consecución de la titulación de doctorado pone fin a la etapa de formación del personal investigador, y a partir de ese momento da comienzo la etapa postdoctoral, cuya fase inicial está orientada al perfeccionamiento y especialización profesional del personal investigador y se desarrolla habitualmente mediante procesos de movilidad o mediante la contratación laboral temporal.

El contrato de acceso al Sistema Español de Ciencia, Tecnología e Innovación podrá suscribirse con quienes se encuentren en posesión del título de doctor o equivalente. Este contrato temporal de hasta cinco años tendrá por objeto primordial la realización de tareas de investigación orientadas a la obtención de un elevado nivel de perfeccionamiento y especialización profesional por el personal investigador, que conduzcan a la consolidación de su experiencia profesional. Implica un considerable avance en la supresión de la temporalidad del personal investigador, pues a partir de la finalización del segundo año de contrato, este puede someter a evaluación la actividad investigadora desarrollada y, de ser superada la evaluación, esta se tendrá en cuenta como mérito en los procesos selectivos de personal laboral fijo que sean convocados por las Universidades públicas, Organismos Públicos de Investigación de la Administración General del Estado y Organismos de investigación de otras Administraciones públicas; además, de tratarse

de personal investigador de Universidades públicas, se tendrá en cuenta la evaluación superada a efectos de la consideración de los méritos investigadores en la evaluación positiva requerida para la contratación como Profesor Contratado Doctor.

Por último, se crea el denominado contrato de investigador distinguido, al que se podrán acoger investigadores de reconocido prestigio para realizar actividades de investigación o dirigir equipos humanos, centros de investigación, instalaciones y programas científicos y tecnológicos singulares de gran relevancia.

El artículo 2.2 de la Ley 7/2007, de 12 de abril, del Estatuto Básico del Empleado Público, permite la aprobación de normas singulares de adecuación del régimen establecido por el Estatuto a las peculiaridades del personal investigador. Haciendo uso de esta autorización, el Capítulo II regula en su Sección 1.ª las peculiaridades del régimen del personal investigador que preste servicio en los Organismos Públicos de Investigación de la Administración General del Estado. Por su parte, la Sección 2.ª del Capítulo II se refiere a determinados aspectos relacionados con el personal de investigación al servicio de esos agentes.

La carrera profesional del personal investigador funcionario se estructura en torno a un nuevo diseño de escalas científicas, que se reorganizan para homogeneizar su régimen de selección, retributivo y de promoción. Además, se prevé el establecimiento de un sistema objetivo para evaluar el desempeño del personal funcionario a los efectos de carrera profesional horizontal, formación, provisión de puestos de trabajo y percepción de retribuciones complementarias.

Los procesos selectivos de acceso a las escalas científicas podrán prever un turno de promoción interna para el acceso, bien desde otras escalas científicas o desde las escalas técnicas, bien desde el contrato laboral fijo, o bien desde los cuerpos docentes universitarios de Universidades públicas.

Se regula la participación de extranjeros en los procesos selectivos de acceso a las escalas científicas, y se posibilita la realización de las pruebas pertinentes en idioma inglés para facilitar la participación de estos candidatos; el objetivo es favorecer la movilidad geográfica e interinstitucional del personal asociado a las actividades de I+D e innovación, y atraer talento a los centros españoles.

El personal de investigación al servicio de los Organismos Públicos de Investigación de la Administración General del Estado está compuesto por el personal investigador y el perteneciente a las escalas técnicas. Por otro lado, se establece la aplicación de la carrera profesional que regule la ley de ordenación de la función pública de la Administración General del Estado al personal funcionario perteneciente a Cuerpos o Escalas no incluidos en el ámbito de aplicación de esta ley, cuando preste servicios en los Organismos Públicos de Investigación de la Administración General del Estado.

La ley recoge un catálogo de derechos y deberes del personal técnico al servicio de los Organismos Públicos de Investigación de la Administración General del Estado, sin perjuicio de aquellos que les son de aplicación en virtud de la relación funcionarial o laboral que les una con la entidad para la que prestan servicios en función de la normativa vigente.

El personal técnico funcionario al servicio de los Organismos Públicos de Investigación de la Administración General del Estado se agrupará en torno a seis escalas. Además se prevé la posibilidad de establecer procedimientos de promoción interna entre las escalas científicas y las técnicas del mismo subgrupo de clasificación para facilitar el desarrollo de la carrera profesional.

El Capítulo III establece algunas especificidades para el personal investigador perteneciente a los cuerpos docentes universitarios al servicio de las Universidades públicas, como la posibilidad para el personal laboral fijo contratado por las Universidades públicas de acuerdo con el artículo 22.4 de la presente ley de ser acreditado para Profesor Titular de Universidad, siempre que obtenga un informe positivo de su actividad docente e investigadora de acuerdo con el procedimiento que establezca el Gobierno, y el establecimiento por las Universidades públicas de la distribución de la dedicación del personal docente e investigador a su servicio.

VI. El Título III de la ley regula el fomento y la cooperación como elementos para el impulso de la investigación científica y técnica, la transferencia de los resultados de la actividad investigadora y la innovación como elemento esencial para inducir el cambio en el sistema productivo, así como la difusión de los resultados y la cultura científica y tecnológica.

El Capítulo I establece una lista abierta de medidas a adoptar por los agentes de financiación, que giran en torno al fomento de la investigación, el desarrollo y la innovación, la inversión empresarial en estas actividades mediante fórmulas jurídicas de cooperación, la valorización y transferencia del conocimiento, la transferencia inversa, la difusión de los recursos y resultados, la capacidad de captación de recursos humanos especializados, el apoyo a la investigación, a los investigadores jóvenes y a las jóvenes empresas innovadoras, la inclusión de la perspectiva de género como categoría transversal, el refuerzo del papel innovador de las Administraciones públicas a través del impulso de la aplicación de tecnologías emergentes y la promoción de las unidades de excelencia, entre otras.

En materia de cooperación entre agentes públicos y privados del Sistema, se prevé la posibilidad de llevar a cabo convenios de colaboración que permitirán la realización conjunta de proyectos y actuaciones de investigación, desarrollo e innovación, de creación o financiación de centros, de financiación de proyectos singulares, de formación del personal, de divulgación, y de uso compartido de inmuebles, instalaciones y medios materiales.

El Capítulo II contiene el mandato a las Administraciones públicas de fomentar la valorización del conocimiento, entendida como la puesta en valor del conocimiento obtenido mediante el proceso de investigación, con objeto de que los resultados de la investigación promovidos o generados por ella se transfieran a la sociedad.

En este contexto se incluye el fomento de la transferencia inversa del conocimiento liderada por el sector empresarial en colaboración con los agentes de investigación para el desarrollo de los objetivos de mercado basados en dichos resultados.

En cuanto a la promoción, gestión y transferencia de resultados de la actividad investigadora, los contratos de sociedad, de colaboración para la valorización y transferencia de resultados, y de prestación de servicios de investigación y de asistencia técnica, estarán sujetos al derecho privado.

Una de las novedades de la ley es la previsión que establece sobre publicación en acceso abierto, que dispone que todos los investigadores cuya actividad haya sido financiada mayoritariamente con los Presupuestos Generales del Estado estén obligados a publicar en acceso abierto una versión electrónica de los contenidos aceptados para publicación en publicaciones de investigación. Para su desarrollo, se encomienda a los agentes del Sistema el establecimiento de repositorios institucionales de acceso abierto.

En materia de cultura científica y tecnológica, la ley impone a las Administraciones públicas el deber de fomentar las actividades conducentes a la mejora de la cultura científica y tecnológica de la sociedad, con el objeto de facilitar el acceso de la sociedad a la ciencia. Además, se establece la inclusión de medidas en el Plan Estatal de Investigación Científica y Técnica para favorecer la cultura científica y tecnológica.

El Capítulo III de este Título III incorpora dos artículos relativos al ámbito internacional: el primero trata sobre la internacionalización del Sistema Español de Ciencia, Tecnología e Innovación, que se define como un componente intrínseco de las acciones de fomento y coordinación. Prevé la posibilidad de crear centros de investigación en el extranjero, además de promover acciones para aumentar la visibilidad internacional y la capacidad de atracción de España en el ámbito de la investigación y transferencia del conocimiento; el segundo se refiere a la cooperación científica y tecnológica al desarrollo a través del fortalecimiento de las capacidades humanas e institucionales, especialmente en proyectos con países prioritarios para la cooperación española. Las Administraciones públicas deberán reconocer en los procesos de evaluación las actividades de cooperación científica y tecnológica al desarrollo.

VII. El Título IV contiene, en su Capítulo I, la regulación relativa al fomento y coordinación de la investigación científica y técnica en el ámbito de la Administración General del Estado. Para coordinar las actividades en materia de investigación científica y técnica e innovación de los distintos departamentos ministeriales se contempla la existencia de un órgano de alto nivel, la Comisión Delegada del Gobierno para Política Científica, Tecnológica y de Innovación.

Por otro lado, para llevar a cabo el desarrollo de la programación general en materia de investigación científica y técnica en la Administración General del Estado, se crea el Plan Estatal de Investigación Científica y Técnica, instrumento de planificación plurianual cuyo fin es establecer los objetivos, las prioridades y la programación de las políticas a desarrollar por la Administración General del Estado en el marco de la Estrategia Española de Ciencia y Tecnología. Dicho plan tendrá la consideración de plan estratégico de subvenciones a los efectos de la Ley 38/2003, de 17 de noviembre, General de Subvenciones, y será aprobado por el Gobierno a propuesta del Ministerio de Ciencia e Innovación.

En paralelo, los elementos e instrumentos que se ponen al servicio del cambio de modelo productivo se planificarán en el Plan Estatal de Innovación, cuyo objetivo es transformar la economía española en una economía basada en el conocimiento. Los ejes prioritarios de la actuación estatal incluirán análisis y medidas relativos a la modernización del entorno financiero, el desarrollo de mercados innovadores, las personas, la internacionalización de las actividades innovadoras y la cooperación territorial.

El Capítulo I también señala que los Departamentos Ministeriales competentes aprobarán y harán público un plan que detalle su política de compra pública innovadora y precomercial.

Aunque existan otros agentes de financiación públicos, pertenecientes a las comunidades autónomas, a la Administración local, o privados, como fundaciones, asociaciones, entre otros, en el Capítulo II se contempla la existencia de dos agentes de financiación de la Administración General del Estado como instrumentos para el ejercicio de sus políticas de fomento: uno de nueva creación, la Agencia Estatal de Investigación, y otro, ya existente, el Centro para el Desarrollo Tecnológico Industrial[3]. Ambos instrumentos son fundamentales para mejorar la implementación de las políticas y para ejercer labores de coordinación con sus homólogos europeos, aspecto esencial en el desarrollo del Espacio Europeo de Investigación, y con los de terceros países. Estos agentes de financiación llevarán a cabo su actividad de acuerdo con los principios de independencia, transparencia, rendición de cuentas, eficacia y eficiencia en la gestión.

El Capítulo III se dedica a los agentes de ejecución de la Administración General del Estado, entre los cuales se encuentran los Organismos Públicos de Investigación: Agencia Estatal Consejo Superior de Investigaciones Científica (CSIC), Instituto Nacional de Técnica Aeroespacial (INTA), Instituto de Salud Carlos III (ISCIII), Instituto Geológico y Minero de España (IGME), Instituto Español de Oceanografía (IEO), Centro de Investigaciones Energéticas Medioambientales y Tecnológicas (CIEMAT), Instituto Nacional de Investigación y Tecnología Agraria y Alimentaria (INIA), e Instituto de Astrofísica de Canarias (IAC).

VIII. La ley contiene un conjunto de disposiciones adicionales, que regulan en primer lugar la aplicabilidad de ciertos artículos del Título II sobre recursos humanos a varios agentes del sistema.

También se incluyen disposiciones que reconocen como agentes ejecutores a otros agentes públicos y privados no directamente adscritos a la Administración General del Estado pero imprescindibles en la consecución de los objetivos de los Planes Estatales de Investigación Científica y Técnica y de Innovación, entre los que destacan las Universidades, las empresas, los Centros Tecnológicos, los Parques Científicos y Tecnológicos, así como cualquier otro que asuma entre sus objetivos los definidos en los sucesivos Planes Estatales de Investigación Científica y Técnica y de Innovación y que participe en las acciones que de los mismos se deriven.

Otras disposiciones introducen los necesarios ajustes en cuanto a supresión, creación y régimen retributivo en las escalas de los Organismos Públicos de Investigación de la Administración General del Estado.

Se autoriza al Gobierno para aprobar una reorganización de los Organismos Públicos de Investigación, con el fin de adecuarlos a los objetivos de la presente ley en aras de una mayor eficiencia, y para crear la Agencia Estatal de Investigación.

---

3 Las referencias contenidas en la presente Ley al Centro para el Desarrollo Tecnológico e Industrial E.P.E., se entenderán realizadas en todo caso al Centro para el Desarrollo Tecnológico y la Innovación, según establece la disposición adicional 2 de la Ley 17/2022, de 5 de septiembre.

La perspectiva de género se instaura como una categoría transversal en la investigación científica y técnica, que debe ser tenida en cuenta en todos los aspectos del proceso para garantizar la igualdad efectiva entre hombres y mujeres. Además, se establecen medidas concretas para la igualdad en este ámbito.

Asimismo, se incluyen disposiciones que recogen entre otras cuestiones, la regulación de los centros de investigación propios de las comunidades autónomas con competencia exclusiva, el régimen aplicable a los sistemas de Concierto y Convenio, y el régimen jurídico del Instituto de Astrofísica de Canarias.

Las disposiciones transitorias regulan la subsistencia temporal del Consejo Asesor para la Ciencia y la Tecnología, del Consejo General de la Ciencia y la Tecnología y de la Comisión Delegada del Gobierno para Política Científica y Tecnológica. Se declaran también subsistentes el Plan Nacional de Investigación Científica, Desarrollo e Innovación Tecnológica 2008-2011 hasta su finalización, la Estrategia Nacional de Ciencia y Tecnología aprobada en la III Conferencia de Presidentes hasta su sustitución por la Estrategia Española de Ciencia y Tecnología y del Plan Estatal de Innovación.

Se establece un régimen transitorio para la entrada en vigor de los contratos de personal investigador en formación que prevé esta ley. Asimismo, se establece un régimen transitorio para la aplicación de los sistemas de evaluación del desempeño en las escalas científicas de los Organismos Públicos de Investigación de la Administración General del Estado.

La disposición derogatoria prevé la derogación, desde su entrada en vigor, de todas las disposiciones que se opongan a lo establecido en la presente ley.

Otro grupo de disposiciones finales modifican determinadas leyes como complemento a las disposiciones de esta ley. Así, se modifican la Ley 53/1984, de 26 de diciembre, de incompatibilidades del personal al servicio de las Administraciones públicas, la Ley 11/1986, de 20 de marzo, de patentes de invención y modelos de utilidad, la Ley Orgánica 6/2001, de 21 de diciembre, de Universidades, la Ley 49/2002, de 23 de diciembre, de régimen fiscal de las entidades sin fines lucrativos y de los incentivos fiscales al mecenazgo, la Ley 38/2003, de 17 de noviembre, General de Subvenciones, la Ley 55/2003, de 16 de diciembre, del Estatuto Marco del personal estatutario de los servicios de salud, la Ley 29/2006 de 26 de julio, de garantías y uso racional de los medicamentos y los productos sanitarios, y la Ley 14/2007, de 3 julio, de investigación biomédica.

La ley concluye con tres disposiciones finales relativas al título competencial, desarrollo reglamentario y entrada en vigor.

1.2. Título Preliminar. Disposiciones generales

1.2.1. Objeto

La Ley 14/2011, de 1 de junio, de la Ciencia, la Tecnología y la Innovación establece el marco para el fomento de la investigación científica y técnica y sus instrumentos de coordinación general, con el fin de contribuir a la generación, difusión y transferencia del conocimiento para resolver los problemas esenciales de la sociedad. El objeto fundamental es la promoción de la investigación, el desarrollo experimental y la innovación como elementos sobre los que ha de asentarse el desarrollo económico sostenible y el bienestar social.

1.2.2. Objetivos generales

Los objetivos generales de la LCTI son los siguientes:

a) Fomentar la investigación científica y técnica abierta, inclusiva y responsable en todos los ámbitos del conocimiento, como factor esencial para desarrollar la competitividad y el bienestar social, mediante la creación de un entorno económico, social, cultural e institucional favorable al conocimiento y a la innovación.

b) Fomentar la ciencia básica o fundamental y su valor intrínseco y autosuficiente para generar nuevos conocimientos, reconociendo el valor de la ciencia como bien común.

c) Impulsar la ciencia abierta al servicio de la sociedad y promover iniciativas orientadas a facilitar el libre acceso a los datos, documentos y resultados generados por la investigación, desarrollar infraestructuras y plataformas abiertas, y fomentar la participación abierta de la sociedad civil en los procesos científicos.

d) Impulsar la transferencia de conocimiento, favoreciendo la interrelación de los agentes y propiciando una eficiente colaboración público-privada, así como la cooperación entre las distintas áreas de conocimiento y la formación de equipos transdisciplinares. La transferencia de conocimiento debe producirse en ambos sentidos, enriqueciendo y mejorando el tejido productivo y empresarial, pero también generando beneficios y ventajas en el ámbito público en pro del conjunto de la sociedad.

e) Fomentar la innovación en todos los sectores y en la sociedad, mediante la creación de entornos económicos e institucionales favorables a la innovación que estimulen la productividad y mejoren la competitividad en beneficio del bienestar social, la salud y las condiciones de vida de las personas. Fomentar la participación ciudadana en el diseño y objetivos de los programas y proyectos de investigación públicos.

f) Promover la innovación pública, entendida como aquella innovación protagonizada por el sector público y, en particular, la capacidad de experimentar en política pública, diseñar intervenciones basadas en evidencias –especialmente evidencias científicas–, regular atendiendo al impacto normativo en innovación, desarrollar bancos de pruebas y desplegar una contratación pública comprometida con la incorporación de soluciones innovadoras y de I+D.

g) Contribuir a un desarrollo sostenible que posibilite un progreso social armónico y justo, sustentado a partir de los grandes retos sociales y económicos a los que la ciencia y la innovación han de dar respuesta.

h) Coordinar las políticas de ciencia, tecnología e innovación en la Administración General del Estado y entre las distintas Administraciones públicas, mediante los instrumentos de planificación que garanticen el establecimiento de prioridades en la asignación de recursos y de objetivos e indicadores de seguimiento y evaluación.

i) Potenciar el fortalecimiento institucional de los agentes del Sistema Español de Ciencia, Tecnología e Innovación y la colaboración entre ellos.

j) Garantizar el acceso al Sistema Español de Ciencia, Tecnología e Innovación en condiciones de igualdad, mérito, capacidad, publicidad y concurrencia de todas las personas aspirantes y contribuir a la formación continua, la cualificación y la potenciación de las capacidades del personal que participa en el mismo.

k) Favorecer la internacionalización de la investigación científica, el desarrollo tecnológico y la innovación, especialmente en el ámbito de la Unión Europea.

l) Fomentar la cooperación al desarrollo en materia de investigación científica, desarrollo tecnológico e innovación, orientada al progreso social y productivo, bajo el principio de investigación e innovación responsable.

m) Impulsar la cultura científica, tecnológica e innovadora a través de la educación, la formación y la divulgación en todos los sectores y en el conjunto de la sociedad, dedicando esfuerzos específicos para incluir a colectivos con una mayor dificultad de acceso, incluyendo a personas que residen en zonas despobladas o con riesgo de despoblación.

n) Promover la inclusión de la perspectiva de género como categoría transversal en la ciencia, la tecnología y la innovación, así como una presencia equilibrada de mujeres y hombres en todos los ámbitos del Sistema Español de Ciencia, Tecnología e Innovación.

o) Promover la participación activa del sector privado y la sociedad civil en materia de investigación, desarrollo e innovación, y el reconocimiento social de la ciencia a través de la formación científica de la sociedad, de la divulgación científica y tecnológica, la participación ciudadana en la toma de decisiones científicas, así como el reconocimiento de la actividad innovadora y empresarial.

p) Fomentar la innovación e investigación aplicada al desarrollo de entornos, productos, servicios y prestaciones que garanticen los principios de diversidad, inclusión, accesibilidad universal, diseño para todos y vida independiente en favor de las personas con discapacidad o en situación de dependencia o vulnerabilidad.

q) Promover y garantizar entornos laborales igualitarios, diversos, inclusivos y seguros allá donde se hace ciencia e investiga, previniendo y erradicando cualquier situación de discriminación directa o indirecta.

r) Promover la retención, atracción y retorno del talento científico e investigador.

s) Fomentar la carrera profesional y la movilidad profesional del conjunto del personal de investigación, científicos, técnicos y personal de gestión.

t) Aplicar la ciencia y la innovación como herramientas primordiales para la modernización de la economía española y para la corrección de la despoblación y de los desequilibrios territoriales.

1.2.3. Sistema Español de Ciencia, Tecnología e Innovación

A efectos de la LCTI, se entiende por Sistema Español de Ciencia, Tecnología e Innovación el conjunto de agentes, públicos y privados, que desarrollan funciones de financiación, de ejecución, o de coordinación en el mismo, así como el conjunto de relaciones, estructuras, medidas y acciones que se implementan para promover, desarrollar y apoyar la política de investigación, el desarrollo y la innovación en todos los campos de la economía y de la sociedad.

Dicho Sistema, que se configura en los términos que se contemplan en la LCTI, está integrado, en lo que al ámbito público se refiere, por las políticas públicas desarrolladas por la Administración General de Estado y por las desarrolladas, en su propio ámbito, por las comunidades autónomas.

Son agentes de coordinación las Administraciones públicas, así como las entidades vinculadas o dependientes de estas, cuando desarrollen funciones de planificación, programación y coordinación, con el fin de facilitar la información recíproca, la homogeneidad de actuaciones y la acción conjunta de los agentes del Sistema Español de Ciencia, Tecnología e Innovación, para obtener la integración de acciones en la globalidad del sistema.

La coordinación general de las actuaciones en materia de investigación científica y técnica se llevará a cabo por la Administración General del Estado, a través de los instrumentos que establece la LCTI.

Son agentes de financiación las Administraciones públicas, las entidades vinculadas o dependientes de estas y las entidades privadas, cuando sufraguen los gastos o costes de las actividades de investigación científica y técnica o de innovación realizadas por otros agentes, o aporten los recursos económicos necesarios para la realización de dichas actividades.

Son agentes de ejecución las entidades públicas y privadas que realicen o den soporte a la investigación científica y técnica o a la innovación.

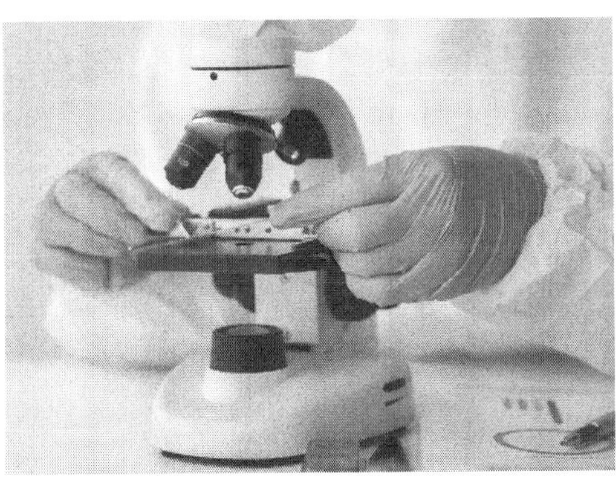

Forman parte del Sistema Español de Ciencia, Tecnología e Innovación:

a) El personal investigador.

b) El personal técnico.

c) El personal que realiza funciones de gestión, administración y servicios relacionados con la investigación, el desarrollo, la transferencia de conocimiento y la innovación, cuyo régimen jurídico será el que corresponda según la normativa general de la función pública que le resulte de aplicación en cada caso.

1.2.4. Principios

El Sistema Español de Ciencia, Tecnología e Innovación se rige por los principios de calidad, coordinación, cooperación, eficacia, eficiencia, competencia, transparencia, internacionalización, apertura de la investigación científica, evaluación de resultados, igualdad de trato y oportunidades, inclusión y rendición de cuentas. Estos principios deben estar en consonancia con los fundamentos de una investigación abierta, inclusiva y responsable.

El Sistema se basa en la colaboración, la coordinación y la cooperación administrativas interinstitucionales dentro del respeto al reparto competencial establecido en la Constitución y en cada uno de los Estatutos de Autonomía, y en el encaje y complementariedad del Sistema con el marco comunitario europeo.

1.2.5. Transversalidad de género

La integración de la perspectiva de género en el Sistema Español de Ciencia, Tecnología e Innovación se basará en un abordaje dual: será transversal a las políticas de la ciencia, la tecnología y la innovación, y se integrará en los instrumentos de planificación aprobados por los agentes públicos en ciencia, tecnología e innovación a la vez que se adoptarán medidas específicas para avanzar hacia una igualdad de género real y efectiva en la I+D+i.

La composición de los órganos, consejos y comités regulados en la LCTI, así como de los órganos de evaluación y selección del Sistema Español de Ciencia, Tecnología e Innovación, se ajustará a los principios de composición y presencia equilibrada entre mujeres y hombres establecidos por la Ley Orgánica 3/2007, de 22 de marzo, para la igualdad efectiva de mujeres y hombres. Este mismo principio se aplicará a las personas colaboradoras invitadas a participar en procesos de selección o evaluación de todo tipo de convocatorias o premios, que, en caso de ser una única persona, será del sexo menos representado en el órgano de selección o evaluación. Se entenderá por composición equilibrada la presencia de mujeres y hombres de forma que, en el conjunto a que se refiera, las personas de cada sexo no superen el 60 % ni sean menos del 40 %.

La Estrategia Española de Ciencia, Tecnología e Innovación y el Plan Estatal de Investigación Científica y Técnica y de Innovación promoverán la incorporación de la perspectiva de género como una categoría transversal en todo su desarrollo, de manera que su relevancia sea considerada en todos los aspectos del proceso, incluidos la definición de las prioridades de la investigación científico-técnica o innovadora, los problemas de investigación o de innovación, los marcos teóricos y explicativos, los métodos, la recogida e interpretación de datos, las conclusiones, las aplicaciones y los desarrollos tecnológicos, y las propuestas para estudios futuros.

Se promoverán los estudios de género, desde una visión inclusiva e intercultural, y su consideración transversal en el resto de áreas de conocimiento, así como medidas concretas para estimular y dar reconocimiento a la presencia y liderazgo de mujeres en los equipos de investigación y de innovación.

Los procedimientos de selección y evaluación del personal de investigación al servicio de las universidades públicas y de los Organismos Públicos de Investigación de la Administración General del Estado, y los procedimientos de concesión de ayudas y subvenciones por parte de los agentes de financiación de la investigación, establecerán mecanismos para eliminar los sesgos de género y para integrar el análisis científico de la dimensión de género en el contenido de los proyectos.

Además, se fomentará la integración de personal experto en género en los órganos de evaluación o el asesoramiento por especialistas, y se facilitará orientación específica en igualdad, sesgos de género e integración de la dimensión de género en los contenidos de los proyectos de I+D+i para el personal evaluador, y la difusión de orientaciones a través de guías o manuales prácticos.

Los procedimientos de selección y evaluación del personal docente e investigador al servicio de las universidades públicas, y del personal investigador y de investigación al servicio de los Organismos Públicos de Investigación de la Administración General del Estado, y los procedimientos de concesión de ayudas y subvenciones así como de los actos que las desarrollen y ejecuten, tendrán en cuenta las situaciones de incapacidad temporal y los periodos de tiempo dedicados al disfrute de permisos, licencias, flexibilidades horarias y excedencias por gestación, embarazo, nacimiento, adopción, guarda con fines de adopción, acogimiento familiar, riesgo durante la gestación, el embarazo y la lactancia, lactancia, o situaciones análogas relacionadas con las anteriores, así como por razones de conciliación o cuidado de menores, familiares o personas dependientes, y por razón de violencia de género, de forma que las personas que se encuentren o se hayan encontrado en dichas situaciones y que hayan disfrutado o disfruten de dichos períodos de tiempo tengan garantizadas las mismas oportunidades que el resto del personal que participa en los procesos de selección, evaluación y contratación, y su expediente, méritos y *curriculum vitae* no resulten penalizados por el tiempo transcurrido en dichas situaciones.

En todo caso se tomarán las medidas oportunas para garantizar la no discriminación y la protección del embarazo, maternidad, parto y lactancia durante la tramitación y efectos de dichas convocatorias y de los actos que las desarrollen y ejecuten en aplicación de la Ley Orgánica 3/2007, de 22 de marzo. El Gobierno regulará la forma en que estas circunstancias serán tenidas en cuenta.

Los agentes del Sistema Español de Ciencia, Tecnología e Innovación que formen parte del sector público estatal contarán con Planes de Igualdad de género en el ámbito de la

I+D+i, y con protocolos frente al acoso sexual y acoso por razón de sexo, así como por razón de orientación sexual, identidad de género y características sexuales, cuyo seguimiento se realizará con periodicidad anual. Los resultados obtenidos del seguimiento anual supondrán la evaluación de su funcionamiento y en su caso la revisión de los planes aprobados, y serán tenidos en cuenta en todo caso en los planes que se aprueben para períodos posteriores.

1.2.6. Medidas para la igualdad efectiva

Con el fin de lograr un Sistema Español de Ciencia, Tecnología e Innovación inclusivo, diverso, seguro e igualitario, los planes de igualdad establecerán programas y medidas de apoyo, fomento, organización, acción y seguimiento para la igualdad efectiva, incluida la violencia de género.

A) Medidas para lograr la igualdad efectiva y real entre mujeres y hombres

Los agentes públicos del Sistema Español de Ciencia, Tecnología e Innovación pondrán en marcha medidas para lograr la igualdad efectiva y real entre mujeres y hombres, que podrán consistir, entre otras, en las siguientes:

a) Programas para apoyar el progreso de las mujeres en la carrera de investigación en condiciones de igualdad para evitar el abandono y para que puedan progresar en condiciones de igualdad con los hombres. Estos programas podrán incluir acciones de información, formación, asesoramiento, mentoría, visibilización, establecimiento de redes de apoyo, o impulso de buenas prácticas en conciliación y movilidad, entre otras.

b) Medidas de acción positiva específicas en favor de las mujeres, para corregir situaciones de desigualdad de hecho respecto de los hombres, especialmente en los grados y niveles superiores de la carrera de investigación que serán aplicables en tanto subsistan dichas situaciones, habrán de ser razonables y proporcionadas en relación con el objetivo perseguido en cada caso, de conformidad con los requisitos para este tipo de medidas establecidos en la Ley Orgánica 3/2007, de 22 de marzo.

c) Programas de fomento del emprendimiento innovador de las mujeres, a través de la financiación de proyectos empresariales basados en el conocimiento con equipos promotores o directivos compuestos mayoritariamente por mujeres.

d) Medidas de impulso del cambio sociocultural y fomento de la corresponsabilidad, para promover la superación de los roles tradicionales de género, y para normalizar esta integración en igualdad de oportunidades, a través entre otras acciones de la formación, la concienciación y la divulgación.

e) Medidas para incluir criterios de igualdad entre los criterios sociales en todas las fases de la contratación pública, dentro del marco regulado en la Ley 9/2017, de 8 de noviembre, de Contratos del Sector Público, desde la definición del objeto del contrato y del procedimiento de licitación y elaboración de los pliegos hasta la ejecución del contrato y su seguimiento.

f) Mecanismos de seguimiento periódico para evaluar el grado de ejecución y el impacto de género de las medidas e instrumentos implementados.

g) Medidas para evitar los sesgos de género que afectan al menor reconocimiento, prestigio y financiación que reciben determinadas disciplinas científicas.

B) Medidas para promover y garantizar entornos laborales diversos, inclusivos y seguros, además de igualitarios, y tomarán medidas para prevenir, detectar de forma temprana y erradicar cualquier discriminación directa o indirecta

Los agentes públicos del Sistema Español de Ciencia, Tecnología e Innovación pondrán en marcha medidas para promover y garantizar entornos laborales diversos, inclusivos y seguros, además de igualitarios, y tomarán medidas para prevenir, detectar de forma temprana y erradicar cualquier discriminación directa o indirecta, tales como:

a) Medidas para integrar la interseccionalidad tanto en el diseño de las políticas de igualdad de género en la ciencia y la innovación como en el contenido de la investigación y en la transferencia del conocimiento.

b) Realización de estudios e investigaciones específicas en estos ámbitos.

c) Seguimiento y evaluación de las iniciativas que aborden estos aspectos, así como el impacto de las mismas para corregir las desigualdades detectadas.

C) Medidas para lograr la integración de la dimensión de género en el contenido de la I+D+i

Los agentes públicos del Sistema Español de Ciencia, Tecnología e Innovación fomentarán la puesta en marcha de medidas para lograr la integración de la dimensión de género en el contenido de la I+D+i, que podrán consistir en:

a) Mecanismos de formación, asesoramiento y capacitación para orientar en la integración de la dimensión de género en el contenido de los proyectos de I+D+i al personal investigador, personal de gestión científica, y personal evaluador.

b) Incorporación de personal experto en igualdad de género o de asesoramiento externo a los centros de investigación, así como orientaciones en materia de igualdad.

c) Información y orientaciones para la identificación de sesgos inconscientes, incluidos los sesgos de género.

1.2.7. La evaluación en la asignación de los recursos públicos

La asignación de los recursos públicos en el Sistema Español de Ciencia y Tecnología e Innovación se efectuará de acuerdo con los principios de transparencia y eficiencia, y sobre la base de una evaluación científica y/o técnica, en función de los objetivos concretos a alcanzar.

La evaluación será realizada por órganos específicos (que incluirán evaluadores internacionales en su caso) bajo los principios de autonomía, neutralidad y especialización, y partirá del análisis de los conocimientos científicos y técnicos disponibles y de su aplicabilidad. Los criterios orientadores de este análisis serán públicos, se establecerán en función de los objetivos perseguidos y de la naturaleza de la acción evaluada, e incluirán aspectos científicos, técnicos, sociales, de aplicabilidad industrial, de oportunidad de mercado y de capacidad de transferencia del conocimiento, o cualquier otro considerado estratégico. En todo caso, se respetarán los preceptos de igualdad de trato recogidos en la Directiva Europea 2000/78/CE del Consejo de 27 de noviembre de 2000, y los principios recogidos en la Carta Europea del Investigador y Código de Conducta para la contratación de investigadores (2005/251/CE).

En los procesos en que se utilice el sistema de evaluación por los pares se protegerá el anonimato de los evaluadores, si bien su identificación quedará reflejada en el expediente administrativo a fin de que los interesados puedan ejercer los derechos que tengan reconocidos.

1.3. Gobernanza del Sistema Español de Ciencia, Tecnología e Innovación

1.3.1. Estrategia Española de Ciencia y Tecnología

La Estrategia Española de Ciencia y Tecnología[4] es el instrumento para alcanzar los objetivos generales establecidos en la LCTI en materia de investigación científica y técnica y de innovación, y en ella se definirán, para un periodo plurianual:

a) Los principios básicos, así como los objetivos generales y sus indicadores de seguimiento y evaluación de resultados.

b) Las prioridades científico-técnicas y sociales generales, así como las correspondientes a la política de innovación, y los instrumentos de coordinación que determinarán el esfuerzo financiero de los agentes públicos de financiación del Sistema Español de Ciencia, Tecnología e Innovación, sin perjuicio de las competencias de las comunidades autónomas en relación con sus políticas públicas en investigación científica y técnica y de innovación.

c) Los objetivos de los planes de investigación científica y técnica y de innovación de la Administración General del Estado y de las comunidades autónomas.

d) Los mecanismos y criterios de articulación de la propia Estrategia con las políticas sectoriales del Gobierno, de las comunidades autónomas, de la Unión Europea y

4 En la actualidad la Estrategia aprobada abarca el período 2021-2027. El Plan Estatal de investigación abarca el período 2021-2023.

de los organismos internacionales, necesarios para lograr la eficiencia en el sistema y evitar redundancias y carencias, sin perjuicio del papel de las entidades locales dentro de su ámbito de actuación.

e) Los ejes prioritarios en el ámbito de la innovación, que incluirán la colaboración público-privada, la capacitación y movilidad de las personas y la participación de los actores sociales, además de la modernización del entorno financiero y productivo, el impulso de un sector público innovador, el desarrollo de mercados innovadores, la internacionalización de las actividades innovadoras, la sostenibilidad de los recursos, la cooperación territorial y la orientación a misiones con objetivos claros y definidos dentro de un marco temporal determinado.

f) La perspectiva de género como eje transversal y la inclusión de la dimensión de género en la I+D+i y su interacción con otras desigualdades.

g) Los objetivos y sus indicadores de logro de las líneas de investigación como palancas para la cohesión territorial y la lucha contra la despoblación.

h) La actuación del sector público podrá traducirse en la creación de consorcios o empresas públicas en sectores estratégicos o en los cuales se dispone de ventajas comparativas.

El Ministerio de Ciencia e Innovación, en colaboración con el Consejo de Política Científica, Tecnológica y de Innovación, y con una amplia consulta de sectores estratégicos empresariales y de los agentes sociales, elaborará la Estrategia Española de Ciencia, Tecnología e Innovación, la someterá a informe del propio Consejo de Política Científica, Tecnológica y de Innovación, del Consejo Asesor de Ciencia, Tecnología e Innovación, de los órganos de planificación económica de la Administración General del Estado, y en su caso de otros órganos que resulten procedentes, y la elevará al Gobierno para su aprobación y posterior remisión a las Cortes Generales.

En todo caso, la Estrategia deberá contar con un informe de impacto de género con carácter previo a su aprobación, elaborado por el Ministerio de Ciencia e Innovación.

1.3.2. El Consejo de Política Científica, Tecnológica y de Innovación

Se crea el Consejo de Política Científica, Tecnológica y de Innovación como órgano de cooperación y coordinación general de la investigación científica y técnica del Estado y las comunidades autónomas, que queda adscrito al Ministerio de Ciencia e Innovación.

Son funciones del Consejo:

a) Elaborar, en colaboración con el Ministerio de Ciencia e Innovación, e informar las propuestas de Estrategia Española de Ciencia, Tecnología e Innovación, y establecer en colaboración, en su caso, con los órganos colegiados correspondientes los mecanismos para la evaluación de su desarrollo, que priorizarán indicadores de impacto y resultado que reflejen la calidad científica e innovadora de los resultados obtenidos y su capacidad para generar y transmitir crecimiento económico.

b) Conocer el Plan Estatal de Investigación Científica y Técnica y de Innovación y los correspondientes planes de las comunidades autónomas de desarrollo de la Estrategia Española de Ciencia y Tecnología e Innovación, y velar por el más eficiente uso de los recursos y medios disponibles.

c) Aprobar los criterios de intercambio de información entre la Administración General del Estado y las comunidades autónomas, en el marco del Sistema de Información sobre Ciencia, Tecnología e Innovación, respetando siempre el ámbito competencial de las distintas Administraciones y la normativa sobre confidencialidad y privacidad de la información.

d) Estos criterios se establecerán de acuerdo con los generalmente aceptados en el ámbito internacional, y su determinación garantizará la correcta recogida, tratamiento y difusión de datos. Además, se tendrá en cuenta la necesidad de minimizar la carga administrativa que pudiera suponer para los agentes suministrar la información requerida, por lo que se deberá optimizar a estos efectos la utilización de la información ya disponible en fuentes públicas.

e) Tanto la Administración General del Estado como las comunidades autónomas podrán consultar la información procedente de dicho Sistema, y se articularán mecanismos para que también puedan estar a disposición de la comunidad científica, dentro del marco jurídico que a estos efectos se establezca.

f) Compartir experiencias y promover acciones conjuntas entre comunidades autónomas, o entre estas y la Administración General del Estado, para el desarrollo y ejecución de programas y proyectos de investigación.

g) Impulsar actuaciones de interés común en materia de transferencia del conocimiento y de innovación, potenciando el papel de la ciudadanía como destinataria última del conocimiento.

h) Proponer, para su estudio por la autoridad de gestión, los principios generales de la programación y de la distribución territorial de las ayudas no competitivas en investigación científica y técnica financiadas con fondos de la Unión Europea.

i) Emitir los informes y dictámenes que le sean solicitados por el Gobierno o por las comunidades autónomas.

j) Aprobar el Mapa de Infraestructuras Científicas y Técnicas Singulares (ICTS), como herramienta de planificación y desarrollo a largo plazo de este tipo de infraestructuras en España, en coordinación entre el Estado y las comunidades autónomas, y sus sucesivas actualizaciones.

k) Elaborar informes sobre la aplicación de los principios de igualdad entre los agentes del Sistema Español de Ciencia, Tecnología e Innovación y de la integración de la perspectiva de género en todos los aspectos de la investigación científica y técnica, incluyendo, cuando sea oportuno, la interseccionalidad con otros aspectos relevantes, como el nivel socioeconómico o el origen étnico.

l) Promover la realización de informes sobre el impacto económico de la Estrategia en el territorio.

Este Consejo está constituido por los titulares de los departamentos ministeriales que designe el Gobierno y los representantes de cada comunidad autónoma competentes en esta materia, y será presidido por el titular del Ministerio de Ciencia e Innovación. Se establecerá una vicepresidencia que corresponderá, con carácter rotatorio y por períodos anuales, a los representantes de las comunidades autónomas.

La Administración General del Estado dispondrá, en conjunto, de un número de votos igual al de la suma de los votos de las comunidades autónomas. Cada comunidad autónoma dispondrá de un voto, con independencia del número de representantes asistentes.

La aprobación de los asuntos que se recogen en los párrafos a), c) y f) de los párrafos anteriores y la aprobación del Reglamento de régimen interior requerirán mayoría de dos tercios de los miembros del Consejo. De acuerdo con el principio de lealtad financiera, los acuerdos que afecten de manera significativa al presupuesto o al marco financiero plurianual de los fondos regionales de las comunidades autónomas deberán contar con el voto favorable de aquellas que resulten directamente afectadas.

El Consejo aprobará su reglamento de régimen interior.

1.3.3. Consejo Asesor de Ciencia, Tecnología e Innovación

Se crea el Consejo Asesor de Ciencia, Tecnología e Innovación, como órgano de participación de la comunidad científica y tecnológica y de los agentes económicos y sociales en los asuntos relacionados con la ciencia, la tecnología y la innovación.

Las funciones del Consejo Asesor de Ciencia, Tecnología e Innovación serán las siguientes:

a) Asesorar al Ministerio de Ciencia e Innovación en la elaboración de la propuesta de Estrategia Española de Ciencia, Tecnología e Innovación e informar dicha propuesta.

b) Asesorar al Ministerio de Ciencia e Innovación en la elaboración de la propuesta del Plan Estatal de Investigación Científica y Técnica y de Innovación e informar dicha propuesta.

c) Proponer a iniciativa propia objetivos y modificaciones para su incorporación a los instrumentos indicados en los párrafos a) y b) anteriores, y conocer su desarrollo posterior mediante informes anuales.

d) Asesorar a los Gobiernos del Estado y de las comunidades autónomas y al Consejo de Política Científica, Tecnológica y de Innovación en el ejercicio de sus funciones, e informar los asuntos que estos determinen.

e) Promover la introducción en el Sistema Español de Ciencia, Tecnología e Innovación de mecanismos rigurosos de evaluación que permitan medir la eficacia social de los recursos públicos utilizados, incluidos los aspectos relativos a la dimensión y perspectiva de género.

El Consejo de Política Científica, Tecnológica y de Innovación determinará el número de miembros del Consejo Asesor, en el que estarán representados miembros de la comunidad científica y tecnológica de reconocido prestigio internacional, así como las asociaciones empresariales, los sindicatos más representativos, y otros representantes de la sociedad civil. Al menos dos tercios de los miembros del Consejo Asesor deberán pertenecer a la categoría de miembros, de prestigio contrastado, de la comunidad científica, tecnológica o innovadora. La designación de los miembros de la comunidad científica y tecnológica y de los representantes de la sociedad civil se realizará a partir de una convocatoria abierta de expresión de interés.

Asimismo, corresponderá al Consejo de Política Científica, Tecnológica y de Innovación el nombramiento de la persona titular de la Presidencia del Consejo Asesor, que deberá tener prestigio reconocido en el ámbito de la investigación científica y técnica o de la innovación.

El Consejo Asesor de Ciencia, Tecnología e Innovación queda adscrito al Ministerio de Ciencia e Innovación. Por Real Decreto, a propuesta del propio Consejo Asesor y tras ser aprobado por una mayoría cualificada de sus miembros, se aprobará su reglamento de organización y funcionamiento que responderá a los principios de calidad, independencia y transparencia.

1.3.4. Comité Español de Ética de la Investigación

Se crea el Comité Español de Ética de la Investigación, adscrito al Consejo de Política Científica, Tecnológica y de Innovación, como órgano colegiado, independiente y de carácter consultivo, sobre materias relacionadas con la ética profesional en la investigación científica y técnica y con la integridad científica. El citado Comité se erige, por tanto, en órgano colegiado de ámbito estatal de referencia en materia de integridad científica y de investigación responsable, sin perjuicio de las competencias de las comunidades autónomas que puedan disponer de órganos o programas propios en esta materia, que mantendrán su actividad e independencia.

Son funciones del Comité Español de Ética de la Investigación:

a) Emitir informes, propuestas y recomendaciones sobre materias relacionadas con la ética profesional en la investigación científica y técnica, así como con la integridad científica y la investigación responsable.

b) Establecer los principios generales para la elaboración de códigos de buenas prácticas de la investigación científica y técnica, que incluirán el tratamiento de conflictos de intereses. Estos códigos serán desarrollados por los comités de ética de las organizaciones que realizan y financian investigación.

c) Representar a España en foros y organismos supranacionales e internacionales relacionados con la integridad científica, la investigación responsable y la ética de la investigación, salvo en materia de bioética en la que la representación de España corresponderá al Comité de Bioética de España.

d) Elaborar una memoria anual de actividades.

e) Cualesquiera otras que le encomiende el Consejo de Política Científica, Tecnológica y de Innovación o la normativa de desarrollo de la LCTI.

El Consejo de Política Científica, Tecnológica y de Innovación determinará el número de miembros del Comité Español de Ética de la Investigación. Estos serán nombrados por el presidente del Consejo, con la siguiente distribución: la mitad a propuesta de las comunidades autónomas y la otra mitad a propuesta de la Administración General del Estado.

Por real decreto, a propuesta del Consejo de Política Científica, Tecnológica y de Innovación, se aprobará su reglamento de organización y funcionamiento, que podrá establecer la constitución de comités especializados dentro del mismo.

Los miembros del Comité, que deberán ser expertos reconocidos en el ámbito internacional, tendrán un mandato de cuatro años, renovable por una sola vez, salvo que sustituyan a otro miembro previamente designado antes de la expiración del plazo, en cuyo caso su mandato lo será por el tiempo que reste hasta completar cuatro años contados desde el nombramiento del miembro originario, sin perjuicio de la posibilidad de renovación.

La renovación de los miembros se realizará por mitades cada dos años, salvo la primera renovación, que se realizará por sorteo.

Los miembros del Comité cesarán por las causas siguientes:

a) expiración de su mandato;

b) renuncia, que surtirá efectos por la mera notificación al Consejo de Política Científica, Tecnológica y de Innovación;

c) separación acordada por el Consejo de Política Científica, Tecnológica y de Innovación, previa audiencia del interesado, por incapacidad permanente para el ejercicio de su función, incumplimiento grave de sus obligaciones, incompatibilidad sobrevenida o procesamiento por delito doloso. A estos efectos, el auto de apertura del juicio oral se asimilará al auto de procesamiento.

Los miembros del Comité actuarán con independencia de las autoridades que los propusieron o nombraron, y no podrán pertenecer a los órganos de gobierno de la Administración General del Estado, comunidades autónomas o Entidades locales, a las Cortes Generales o a las Asambleas Legislativas de las comunidades autónomas.

1.3.5. Sistema de Información sobre Ciencia, Tecnología e Innovación

Se crea, bajo la dependencia del Ministerio de Ciencia e Innovación, el Sistema de Información sobre Ciencia, Tecnología e Innovación, como instrumento de captación de datos y análisis para la elaboración y seguimiento de la Estrategia Española de Ciencia, Tecnología e Innovación, y de sus planes de desarrollo.

El Ministerio promoverá, mantendrá y gestionará el Sistema de Información de Ciencia, Tecnología e Innovación como un sistema de información coordinado y compartido con el resto de departamentos ministeriales y con las comunidades autónomas y contará con el criterio del Consejo de Política Científica, Tecnológica e Innovación. El Sistema de Información sobre Ciencia, Tecnología e Innovación seguirá criterios de estandarización, comparabilidad, coordinación y transparencia. La Administración General de Estado y las comunidades autónomas podrán establecer convenios de colaboración para asegurar el correcto y normal funcionamiento del Sistema de Información.

Tanto la Administración General del Estado como las comunidades autónomas deberán aportar la información necesaria y podrán consultar la información procedente de dicho Sistema, y se articularán mecanismos para que también pueda estar a disposición de la comunidad científica, dentro del marco jurídico que a estos efectos se establezca.

Los datos que se generen, almacenen, gestionen, analicen o transfieran durante el normal funcionamiento del citado sistema de información deberán cumplir los criterios y recomendaciones establecidos en el Esquema Nacional de Interoperabilidad y en el Esquema Nacional de Seguridad y la normativa de reutilización de la información del sector público, así como las directrices establecidas por la Oficina del Dato.

Los agentes del Sistema Español de Ciencia, Tecnología e Innovación cooperarán aportando información sobre sus actuaciones en materia de investigación científica y técnica, que se les solicitará de acuerdo con los criterios aprobados por el Consejo de Política Científica, Tecnológica y de Innovación. La información a aportar también podrá abarcar las actuaciones con el sector privado. Dichos criterios deberán respetar el ámbito competencial de las distintas Administraciones y la normativa sobre confidencialidad y privacidad de la información y de protección de datos de carácter personal.

El Sistema de Información sobre Ciencia, Tecnología e Innovación se articulará con los sistemas de las comunidades autónomas, a fin de facilitar la homogeneidad de datos e indicadores. Tanto la Administración General del Estado, como las comunidades autónomas, podrán consultar la información almacenada en el Sistema de Información sobre Ciencia, Tecnología e Innovación.

El cumplimiento de los criterios y procedimientos de intercambio de información podrá ser considerado como requisito para la participación de los agentes obligados en las convocatorias de las Administraciones públicas.

El Sistema de Información sobre Ciencia, Tecnología e Innovación promoverá la recogida, tratamiento y difusión de los datos desagregados por sexo, e incluirá información e indicadores específicos para el seguimiento del impacto de género de la Estrategia Española de Ciencia, Tecnología e Innovación y de sus planes de desarrollo, sirviendo como fuente para la elaboración de, entre otros, los informes de impacto de género.

1.4. Recursos humanos dedicados a la investigación[5]

1.4.1. Personal Investigador al servicio de las Universidades públicas, de los Organismos Públicos de Investigación y de los Organismos de investigación de otras Administraciones públicas

A) Ámbito de aplicación

Las disposiciones de esta sección serán de aplicación al personal investigador que preste sus servicios en las Universidades públicas, en los Organismos Públicos de Investigación de la Administración General del Estado y en los Organismos de investigación de otras Administraciones públicas, salvadas las competencias que en dichos ámbitos tengan las comunidades autónomas y lo establecido por el resto de la legislación aplicable.

B) Personal investigador

A los efectos de la LCTI, se considera personal investigador el que, estando en posesión de la titulación exigida en cada caso, lleva a cabo una actividad investigadora, entendida como el trabajo creativo realizado de forma sistemática para incrementar el volumen de conocimientos, incluidos los relativos al ser humano, la cultura y la sociedad, el uso de esos conocimientos para crear nuevas aplicaciones, su transferencia y su divulgación.

Será considerado personal investigador el personal docente e investigador definido en la Ley Orgánica 6/2001, de 21 de diciembre, de Universidades[6], entre cuyas funciones se encuentre la de llevar a cabo actividades investigadoras.

El personal investigador podrá estar vinculado con la Universidad pública u Organismo para el que preste servicios mediante una relación sujeta al derecho administrativo o al derecho laboral, y podrá ser funcionario de carrera, funcionario interino o personal

---

5 No se incluyen aquí las modalidades de contratación y la movilidad del personal investigador ya que fueron objeto de estudio en el tema 4 dedicado al Profesorado universitario.

6 En la actualidad la Ley Orgánica 2/2023, de 22 de marzo, del Sistema Universitario (LOSU).

laboral fijo o temporal, de acuerdo con el artículo 8 de la Ley 7/2007, de 12 de abril, del Estatuto Básico del Empleado Público[7].

El personal investigador funcionario se regirá por lo dispuesto en el Estatuto Básico del Empleado Público, por lo dispuesto en la LCTI, y supletoriamente por la normativa de desarrollo de función pública que le sea de aplicación.

El personal investigador de carácter laboral se regirá por lo dispuesto en la LCTI, en el Texto Refundido de la Ley del Estatuto de los Trabajadores, y sus normas de desarrollo, y en las normas convencionales. Asimismo, se regirá por los preceptos del Estatuto Básico del Empleado Público que le sean de aplicación.

No obstante, el personal investigador al servicio de las Universidades públicas se regirá por lo dispuesto en la Ley Orgánica 6/2001, de 21 de diciembre, y su normativa de desarrollo, en el Real Decreto que apruebe el estatuto del personal docente e investigador universitario, en los estatutos de las Universidades, en las disposiciones que dicten las comunidades autónomas en virtud de sus competencias, en el Estatuto Básico del Empleado Público y el Texto Refundido de la Ley del Estatuto de los Trabajadores.

C) Derechos del personal investigador

El personal investigador que preste servicios en Universidades públicas, en Organismos Públicos de Investigación de la Administración General del Estado o en Organismos de investigación de otras Administraciones públicas tendrá los siguientes derechos:

a) A formular iniciativas de investigación, desarrollo experimental, transferencia de conocimiento e innovación, a través de los órganos o estructuras organizativas correspondientes.

b) A determinar libremente los métodos de resolución de problemas, dentro del marco de las prácticas y los principios éticos reconocidos y de la normativa aplicable sobre propiedad intelectual, y teniendo en cuenta las posibles limitaciones derivadas de las circunstancias de la investigación y del entorno, de las actividades de supervisión, orientación o gestión, de las limitaciones presupuestarias o de las infraestructuras.

c) A ser reconocido y amparado en la autoría o coautoría de los trabajos de carácter científico en los que participe.

d) Al respeto al principio de igualdad de género en el desempeño de sus funciones investigadoras, en la contratación de personal y en el desarrollo de su carrera profesional.

e) A la plena integración en los equipos de investigación de las entidades para las que presta servicios.

f) A contar con los medios e instalaciones adecuados para el desarrollo de sus funciones, dentro de los límites derivados de la aplicación de los principios de eficacia

[7] En la actualidad se trata del Real Decreto Legislativo 5/2015, de 30 de octubre, por el que se aprueba el texto refundido de la Ley del Estatuto Básico del Empleado Público (TREBEP).

y eficiencia en la asignación, utilización y gestión de dichos medios e instalaciones por las entidades para las que preste servicios, y dentro de las disponibilidades presupuestarias.

g) A la consideración y respeto de su actividad científica y a su evaluación de conformidad con criterios públicos, objetivos, transparentes y preestablecidos.

h) A utilizar la denominación de las entidades para las que presta servicios en la realización de su actividad científica.

i) A participar en los beneficios que obtengan las entidades para las que presta servicios, como consecuencia de la eventual explotación de los resultados de la actividad de investigación, desarrollo o innovación en que haya participado. Dicha participación no tendrá en ningún caso la consideración de retribución o salario para el personal investigador.

j) A participar en los programas favorecedores de la conciliación entre la vida personal, familiar y laboral que pongan en práctica las entidades para las que presta servicios.

k) A su desarrollo profesional, mediante el acceso a medidas de formación continua para el desarrollo de sus capacidades y competencias.

l) A la movilidad geográfica, intersectorial e interdisciplinaria, para reforzar los conocimientos científicos y el desarrollo profesional del personal investigador, en los términos previstos en la LCTI y en el resto de normativa aplicable.

m) A desarrollar sus funciones en entornos de trabajo igualitarios, inclusivos, diversos y seguros, en los que se garantice el respeto y la no discriminación, directa ni indirecta, en el desempeño de su actividad, en la contratación de personal o en el desarrollo de su carrera profesional.

Estos derechos se entenderán sin perjuicio de los establecidos por el Real Decreto Legislativo 5/2015, de 30 de octubre, por el que se aprueba el texto refundido de la Ley del Estatuto Básico del Empleado Público, así como de los restantes derechos que resulten de aplicación al personal investigador, en función del tipo de entidad para la que preste servicios y de la actividad realizada.

D) Deberes del personal investigador

Los deberes del personal investigador que preste servicios en universidades públicas, en Organismos Públicos de Investigación de la Administración General del Estado o en organismos de investigación de otras Administraciones públicas serán los siguientes:

a) Observar las prácticas éticas reconocidas, los principios éticos correspondientes a sus disciplinas, y la integridad de la investigación, así como las normas éticas recogidas en los diversos códigos deontológicos aplicables.

b) Evitar el plagio y la apropiación indebida de la autoría de trabajos científicos o tecnológicos de terceros.

c) Poner en conocimiento de las entidades para las que presta servicios todos los hallazgos, descubrimientos y resultados susceptibles de protección jurídica, y colaborar en los procesos de protección y de transferencia de los resultados de sus investigaciones.

d) Difundir los resultados de sus investigaciones, en su caso, según lo indicado en la LCTI, para que los resultados se aprovechen mediante la comunicación y la transferencia a otros contextos de investigación, sociales o tecnológicos, y si procede, para su comercialización y valorización. En especial, el personal investigador deberá velar y tomar la iniciativa para que sus resultados generen valor social.

e) Procurar que su labor sea relevante para la sociedad.

f) Participar en las reuniones y actividades de los órganos de gobierno y de gestión de los que forme parte, y en los procesos de evaluación y mejora para los que se le requiera.

g) Encaminar sus investigaciones hacia el logro de los objetivos estratégicos de las entidades para las que presta servicios, y obtener o colaborar en los procesos de obtención de los permisos y autorizaciones necesarias antes de iniciar su labor.

h) Informar a las entidades para las que presta servicios o que financian o supervisan su actividad de posibles retrasos y redefiniciones en los proyectos de investigación de los que sea responsable, así como de la finalización de los proyectos, o de la necesidad de abandonar o suspender los proyectos antes de lo previsto.

i) Rendir cuentas sobre su trabajo a las entidades para las que presta servicios o que financian o supervisan su actividad, y responsabilizarse del uso eficaz de la financiación de los proyectos de investigación que desarrolle. Para ello, deberá observar los principios de gestión correcta, transparente y eficaz, y cooperar en las auditorías sobre sus investigaciones que procedan según la normativa vigente.

j) Utilizar la denominación de las entidades para las que presta servicios en la realización de su actividad científica, de acuerdo con la normativa interna de dichas entidades y los acuerdos, pactos y convenios que estas suscriban.

k) Seguir en todo momento prácticas de trabajo seguras de acuerdo con la normativa aplicable, incluida la adopción de las precauciones necesarias en materia de prevención de riesgos laborales, y velar por que el personal a su cargo cumpla con estas prácticas.

l) Adoptar las medidas necesarias para el cumplimiento de la normativa aplicable en materia de protección de datos y de confidencialidad.

m) Seguir en todo momento prácticas igualitarias de acuerdo con la normativa aplicable, incluida la adopción de las precauciones necesarias en materia de prevención de cualquier tipo de discriminación, y velar por que el personal a su cargo cumpla con estas prácticas.

Lo dispuesto en este apartado se entenderá sin perjuicio de lo establecido por el texto refundido de la Ley del Estatuto Básico del Empleado Público, aprobado por Real Decreto Legislativo 5/2015, de 30 de octubre, así como de las restantes normas que resulten de aplicación al personal investigador, en función del tipo de entidad para la que preste servicios y de la actividad realizada.

E) Criterios de selección del personal investigador

Los procedimientos de selección de personal investigador garantizarán los principios constitucionales de igualdad, mérito y capacidad, y se realizarán de acuerdo con lo previsto en el Real Decreto Legislativo 5/2015, de 30 de octubre, por el que se aprueba el texto refundido de la Ley del Estatuto Básico del Empleado Público, y en el resto del ordenamiento jurídico, de forma que permitan un desarrollo profesional transparente, abierto, igualitario y reconocido internacionalmente.

En el caso de los Organismos Públicos de Investigación, la Oferta de Empleo Público contendrá las previsiones de cobertura de las plazas precisas de personal investigador funcionario de carrera y laboral fijo.

Los procesos de selección del personal investigador respetarán los principios de:

a) Publicidad de las convocatorias y de sus bases.

b) Transparencia.

c) Imparcialidad y profesionalidad de los miembros de los órganos de selección.

d) Independencia y discrecionalidad técnica en la actuación de los órganos de selección.

e) Adecuación entre el contenido de los procesos selectivos y las funciones o tareas a desarrollar.

f) Agilidad, sin perjuicio de la objetividad, en los procesos de selección.

g) No serán objeto de consideración las eventuales interrupciones que se hayan producido en la carrera investigadora y sus efectos en los currículos de los candidatos.

En los procesos selectivos de promoción interna de los Organismos Públicos de Investigación de la Administración General del Estado y de los Organismos de investigación de otras Administraciones públicas se examinará la calidad y la relevancia de los resultados de la actividad investigadora y, en su caso, de la aplicación de los mismos.

Los procesos de selección de personal investigador que preste servicios en la Universidad se regirán por lo establecido en la Ley Orgánica 6/2001, de 21 de diciembre, y su normativa de desarrollo.

1.4.2. Especificidades aplicables al personal al servicio de los Organismos Públicos de Investigación de la Administración General del Estado

A) Personal investigador al servicio de los organismos públicos de Investigación de la Administración General del Estado

A1) Ámbito de aplicación

Como consecuencia de las singularidades que concurren en el desarrollo de la labor investigadora del personal investigador al servicio de los Organismos Públicos de Inves-

tigación de la Administración General del Estado, en esta sección se regulan las peculiaridades aplicables a dicho personal a que se refiere el artículo 2.2 del Real Decreto Legislativo 5/2015, de 30 de octubre, por el que se aprueba el texto refundido de la Ley del Estatuto Básico del Empleado Público[8].

En lo no dispuesto en la LCTI, será de aplicación al personal investigador lo dispuesto en el Real Decreto Legislativo 5/2015, de 30 de octubre, por el que se aprueba el texto refundido de la Ley del Estatuto Básico del Empleado Público, en el Texto Refundido de la Ley del Estatuto de los Trabajadores y su normativa de desarrollo, y en las disposiciones reguladoras de la función pública de la Administración General del Estado que se aprueben para el resto de los empleados públicos.

A2) Carrera profesional del personal investigador funcionario

El personal investigador y el personal técnico al servicio de los Organismos Públicos de Investigación de la Administración General del Estado o de los Organismos Agentes Ejecutores del Sistema Español de Ciencia, Tecnología e Innovación tendrán derecho a la carrera profesional, entendida como el conjunto ordenado de oportunidades de ascenso y expectativas de progreso profesional, conforme a los principios de igualdad, mérito y capacidad.

El personal investigador funcionario de carrera al servicio de los Organismos Públicos de Investigación de la Administración General del Estado se agrupa en:

a) Escala de Profesorado de Investigación de Organismos Públicos de Investigación.

b) Escala de Personal Investigador Científico de Organismos Públicos de Investigación.

c) Escala de Personal Científico Titular de Organismos Públicos de Investigación.

Las escalas científicas tendrán el mismo régimen retributivo, de selección y de promoción. El personal perteneciente a estas escalas tendrá plena capacidad investigadora.

El personal investigador funcionario de carrera consolidará el grado personal correspondiente al nivel de su puesto de trabajo con arreglo a lo dispuesto en la normativa general de la función pública.

El Gobierno establecerá un sistema objetivo que permita la evaluación del desempeño del personal investigador funcionario de carrera al servicio de los Organismos Públicos de Investigación de la Administración General del Estado, a fin de posibilitar la carrera profesional del mismo.

Este sistema irá acompañado de mecanismos para eliminar los sesgos de género en la evaluación y determinará los efectos de la evaluación en la carrera profesional horizontal,

---

[8] El artículo 2.2 del Estatuto Básico del Empleado Público señala que en la aplicación de este Estatuto al personal investigador se podrán dictar normas singulares para adecuarlo a sus peculiaridades.

la formación, la provisión de puestos de trabajo y la percepción de las retribuciones complementarias previstas en el artículo 24 del texto refundido de la Ley del Estatuto Básico del Empleado Público.

Los sistemas de evaluación del desempeño, a efectos de carrera profesional, se adecuarán a criterios de transparencia, objetividad, imparcialidad y no discriminación, garantizarán el principio de igualdad de oportunidades entre mujeres y hombres, se aplicarán sin menoscabo de los derechos del personal investigador funcionario y tendrán un tratamiento individualizado.

Esta evaluación se articulará de conformidad con lo previsto en el artículo 20 del texto refundido de la Ley del Estatuto Básico del Empleado Público.

A efectos de la carrera profesional horizontal, la evaluación del desempeño tendrá en cuenta los méritos del personal investigador en los ámbitos de investigación, de desarrollo experimental, de dirección, de gestión o de transferencia del conocimiento.

Tanto los méritos de investigación y desarrollo experimental como los de transferencia de conocimiento podrán tener sustantividad propia y ser objeto de evaluación diferenciada. En la evaluación se incluirán las actividades y tareas realizadas a lo largo de toda la carrera profesional del personal investigador.

El reconocimiento de tales méritos tendrá los efectos económicos previstos en la normativa vigente para las retribuciones complementarias relacionadas con el grado de interés, iniciativa o esfuerzo con que el personal investigador desempeña su trabajo y el rendimiento o resultados obtenidos.

En consecuencia, en el complemento específico, además del componente ordinario, que se corresponderá con el asignado al puesto de trabajo desempeñado, se reconoce un componente por méritos investigadores o de transferencia de conocimiento. A tales efectos, el personal investigador funcionario de carrera podrá someter a evaluación la actividad realizada en España o en el extranjero, en el sector público y en las universidades, en régimen de dedicación a tiempo completo cada cinco años, o período equivalente si hubiera prestado servicio en régimen de dedicación a tiempo parcial. El personal adquirirá y consolidará un componente del complemento específico por méritos investigadores o de transferencia de conocimiento por cada una de las evaluaciones favorables.

Asimismo, el personal investigador funcionario de carrera podrá someter la actividad investigadora o de transferencia de conocimiento realizada cada seis años en régimen de dedicación a tiempo completo, o período equivalente si hubiese prestado servicio en régimen de dedicación a tiempo parcial, a una evaluación en la que se juzgará el rendimiento de la labor desarrollada durante dicho período. El personal adquirirá y consolidará un componente del complemento de productividad por cada una de las evaluaciones favorables.

A3) Acceso al empleo público y promoción interna

La Oferta de Empleo Público, aprobada cada año por el Gobierno para la Administración General del Estado, contendrá las previsiones de cobertura de las plazas con asignación

presupuestaria precisas de personal investigador funcionario al servicio de los Organismos Públicos de Investigación de la Administración General del Estado mediante la incorporación de personal de nuevo ingreso, así como las de personal investigador laboral fijo.

Corresponderá a los Organismos Públicos de Investigación la constitución de los órganos de selección y la realización de los procesos selectivos, que deberán estar formados mayoritariamente por personal no perteneciente al mismo Organismo Público de Investigación al que vaya a ser destinado el puesto de trabajo objeto de la correspondiente convocatoria.

Podrán participar en los procesos selectivos de acceso a la condición de personal investigador funcionario de carrera, siempre que posean el título de Doctor o Doctora y cumplan el resto de requisitos exigidos en la convocatoria de acceso:

a) Las personas con nacionalidad española.

b) Los nacionales de otros Estados miembros de la Unión Europea.

c) Los nacionales de terceros países miembros de la familia de los españoles o de los nacionales de otros Estados miembros de la Unión Europea en los términos establecidos por la normativa específica en esta materia.

d) Las personas extranjeras que se hallen regularmente en territorio español.

e) Las personas extranjeras incluidas en el ámbito de aplicación de los Tratados Internacionales celebrados por la Unión Europea y ratificados por España en los que sea de aplicación la libre circulación de trabajadores, de conformidad con lo dispuesto en el artículo 57.1 del texto refundido de la Ley del Estatuto Básico del Empleado Público.

Estas personas deberán encontrarse en uno o varios de los supuestos contemplados en este apartado en el momento del nombramiento como personal funcionario.

Podrán acceder a las modalidades de contrato de trabajo específicas del personal investigador (artículo 20.1 de la LCTI) y a las previstas en el texto refundido de la Ley del Estatuto de los Trabajadores las personas que se encuentren en uno o varios de los supuestos contemplados en el apartado anterior en el momento de la firma del contrato.

El sistema selectivo de acceso al empleo público en los Organismos Públicos de Investigación de la Administración General del Estado para el personal investigador será el de concurso público, cuya convocatoria se publicará en el «Boletín Oficial del Estado» y en la página web del departamento ministerial y de la institución convocante. Dicho concurso estará basado en la valoración del currículo del personal investigador, incluyendo los méritos aportados relacionados con la actividad investigadora, de desarrollo experimental, de transferencia de conocimiento y de innovación, así como la adecuación de las competencias y capacidades de las candidaturas a las características de las plazas.

En la fase de valoración curricular, se tendrán en cuenta los siguientes elementos:

a) La valoración del currículo del personal investigador podrá ser realizada por la Agencia Estatal de Investigación, y su resultado tendrá carácter vinculante en caso de ser negativo. A los efectos de la LCTI, se promoverá la implantación de un modelo de *curriculum vitae* normalizado único.

b) El certificado R3 o equivalente tendrá efectos de exención o compensación de parte de las pruebas o fases de evaluación curricular.

Los nacionales de otros Estados miembros de la Unión Europea y de terceros Estados podrán realizar las pruebas en inglés.

La selección del personal investigador funcionario de carrera o interino se llevará a cabo por los órganos de selección especificados en cada convocatoria.

El ingreso en las escalas científicas se realizará, a través de los procesos selectivos correspondientes, mediante un turno libre al que podrán acceder quienes posean el título de Doctor o Doctora y cumplan los requisitos a que se refieren los números anteriores, y un turno de promoción interna.

Para el acceso a la Escala de Investigadores Científicos de Organismos Públicos de Investigación, podrá participar en el turno de promoción interna el personal funcionario perteneciente a la Escala de Científicos Titulares de Organismos Públicos de Investigación, así como el personal investigador contratado por los Organismos Públicos de Investigación de la Administración General del Estado bajo la modalidad de investigador/a distinguido/a.

Para el acceso a la Escala de Profesores de Investigación de Organismos Públicos de Investigación, podrá participar en el turno de promoción interna el personal funcionario perteneciente a las Escalas de Investigadores Científicos de Organismos Públicos de Investigación y de científicos titulares de Organismos Públicos de Investigación, así como el personal investigador contratado por los Organismos Públicos de Investigación de la Administración General del Estado bajo la modalidad de investigador/a distinguido/a.

Además, en los procesos selectivos convocados para el acceso a la Escala de Científicos Titulares de Organismos Públicos de Investigación, podrá participar en el turno de promoción interna el personal investigador contratado como personal laboral fijo o bajo la modalidad de investigador/a distinguido/a por los Organismos Públicos de Investigación de la Administración General del Estado.

Asimismo, los procesos selectivos de acceso a las escalas científicas podrán prever la participación en el turno de promoción interna de personal funcionario de carrera de los cuerpos docentes universitarios al servicio de las universidades públicas y del personal contratado doctor de dichas universidades o figuras equivalentes.

La promoción interna se realizará mediante procesos selectivos que garanticen el cumplimiento de los principios constitucionales de igualdad, mérito y capacidad, así como los contemplados en el artículo 55.2 del EBEP[9].

El personal que acceda por el turno de promoción interna deberá poseer los requisitos exigidos para el ingreso, tener al menos una antigüedad de dos años de servicio en la condición de personal investigador contratado como laboral, o de dos años de servicio activo en la escala o cuerpo de procedencia en el caso de personal funcionario de carrera, y superar un proceso selectivo que incorporará una fase de evaluación externa del currículo del personal investigador, que será realizada por la Agencia Estatal de Investigación, cuyo resultado tendrá carácter vinculante en caso de ser negativo. El certificado R3 o equivalente tendrá efectos de exención o compensación de parte de las pruebas o fases de evaluación curricular.

Para promover el desarrollo de la carrera profesional personal, se facilitarán procesos de promoción interna entre las escalas técnicas y las científicas del mismo subgrupo de los previstos en el artículo 76 del texto refundido de la Ley del Estatuto Básico del Empleado Público[10].

Podrán formar parte de los órganos de selección de personal funcionario y laboral aquellas personas, españolas o extranjeras, tengan o no una relación de servicios con el Organismo Público de Investigación y con independencia del tipo de relación, que puedan ser considerados profesionales de reconocido prestigio en investigación, desarrollo experimental, transferencia de conocimiento o innovación en el ámbito de que se trate.

B) Personal de investigación al servicio de los organismos públicos de Investigación de la Administración General del Estado

B1) Personal de investigación

Se considerará personal de investigación al servicio del Sistema Español de Ciencia, Tecnología e Innovación el personal investigador, el personal técnico y el personal de gestión.

---

9 Las Administraciones Públicas, entidades y organismos a los que les es de aplicación el Estatuto Básico del Empleado Público seleccionarán a su personal funcionario y laboral mediante procedimientos en los que se garanticen los principios constitucionales antes expresados, así como los establecidos a continuación: a) Publicidad de las convocatorias y de sus bases. b) Transparencia. Imparcialidad y profesionalidad de los miembros de los órganos de selección. c) Independencia y discrecionalidad técnica en la actuación de los órganos de selección. d) Adecuación entre el contenido de los procesos selectivos y las funciones o tareas a desarrollar. e) Agilidad, sin perjuicio de la objetividad, en los procesos de selección.

10 Grupo A (Subgrupos A1 y A2), Grupo B, Grupo C (Subgrupos C1 y C2).

La carrera profesional y el régimen jurídico que regule la ley de ordenación de la función pública de la Administración General del Estado y su normativa de desarrollo serán aplicables al personal técnico y de gestión funcionario y laboral fijo al servicio del Sistema Español de Ciencia, Tecnología e Innovación. Asimismo, este personal tendrá derecho a la carrera profesional para el personal investigador.

En todo caso, la carrera profesional y el régimen jurídico que regule la ley de ordenación de la función pública de la Administración General del Estado y su normativa de desarrollo serán de aplicación al personal funcionario perteneciente a cuerpos o escalas no incluidos en la LCTI que preste servicios en los Organismos Públicos de Investigación de la Administración General del Estado.

Los Ministerios de Ciencia e Innovación y de Defensa elaborarán, en sus respectivos ámbitos, Planes de Ordenación departamental del personal de investigación, en los que vinculen las necesidades de personal y la Oferta de Empleo Público con la planificación general de su actividad en el ámbito sectorial, en la forma que establezcan la ley de ordenación de la función pública de la Administración General del Estado y su normativa de desarrollo.

B2) Derechos y deberes del personal técnico al servicio de los Organismos Públicos de Investigación de la Administración General del Estado

Serán de aplicación al personal técnico al servicio de los Organismos Públicos de Investigación de la Administración General del Estado los artículos 16.1 y 2 de la LCTI. Además, serán de aplicación al personal técnico funcionario de carrera o laboral fijo al servicio de los Organismos Públicos de Investigación de la Administración General del Estado los artículos 17, 18 y 19 de la LCTI.

El personal técnico que preste servicios en Organismos Públicos de Investigación de la Administración General del Estado tendrá los siguientes derechos:

a) A determinar libremente los métodos de resolución de problemas, dentro del marco de las prácticas y los principios éticos reconocidos y de la normativa aplicable sobre propiedad intelectual, y teniendo en cuenta las posibles limitaciones derivadas de las circunstancias de la actividad y del entorno, de las actividades de supervisión, orientación o gestión, de las limitaciones presupuestarias o de las infraestructuras.

b) A ser reconocido y amparado en la autoría o coautoría de los trabajos de carácter técnico en los que participe.

c) Al respeto al principio de igualdad de género en el desempeño de sus funciones, en la contratación de personal y en el desarrollo de su carrera profesional.

d) A contar con los medios e instalaciones adecuados para el desarrollo de sus funciones, dentro de los límites derivados de la aplicación de los principios de eficacia y eficiencia en la asignación, utilización y gestión de dichos medios e instalaciones por la entidad para la que preste servicios, y dentro de las disponibilidades presupuestarias.

e) A la consideración y respeto de su actividad.

f) A utilizar la denominación de las entidades para las que presta servicios en la realización de su actividad.

g) A participar en los beneficios que obtengan las entidades para las que presta servicios, como consecuencia de la eventual explotación de los resultados de la actividad en que haya participado el personal técnico. Los referidos beneficios no tendrán en ningún caso naturaleza retributiva o salarial para el personal técnico.

h) A participar en los programas favorecedores de la conciliación entre la vida personal, familiar y laboral que pongan en práctica las entidades para las que presta servicios.

i) A su desarrollo profesional, mediante el acceso a medidas de formación continua para el desarrollo de sus capacidades y competencias.

Estos derechos se entenderán sin perjuicio de los establecidos por el EBEP, así como de los restantes derechos que resulten de aplicación al personal técnico, en función del tipo de entidad para la que preste servicios y de la actividad realizada.

Los deberes del personal técnico que preste servicios en Organismos Públicos de Investigación de la Administración General del Estado serán los siguientes:

a) Observar las prácticas éticas reconocidas y los principios éticos correspondientes a sus disciplinas, así como las normas éticas recogidas en los diversos códigos deontológicos aplicables.

b) Poner en conocimiento de las entidades para las que presta servicios todos los hallazgos, descubrimientos y resultados susceptibles de protección jurídica, y colaborar en los procesos de protección y de transferencia de los resultados de su actividad.

c) Participar en las reuniones y actividades de los órganos de gobierno y de gestión de los que forme parte y en los procesos de evaluación y mejora para los que se le requiera.

d) Procurar que su labor sea relevante para la sociedad.

e) Utilizar la denominación de las entidades para las que presta servicios en la realización de su actividad, de acuerdo con la normativa interna de dichas entidades y los acuerdos, pactos y convenios que estas suscriban.

f) Seguir en todo momento prácticas de trabajo seguras de acuerdo con la normativa aplicable, incluida la adopción de las precauciones necesarias en materia de prevención de riesgos laborales, y velar por que el personal a su cargo cumpla con estas prácticas.

g) Adoptar las medidas necesarias para el cumplimiento de la normativa aplicable en materia de protección de datos y de confidencialidad.

Estos deberes se entenderán sin perjuicio de los establecidos por el EBEP, así como de los restantes deberes que resulten de aplicación al personal técnico, en función del tipo de entidad para la que preste servicios y de la actividad realizada.

B3) Personal técnico funcionario al servicio de los Organismos Públicos de Investigación de la Administración General del Estado

Las escalas del personal técnico funcionario de carrera al servicio de los Organismos Públicos de Investigación de la Administración General del Estado son las siguientes:

a) Tecnólogos de Organismos Públicos de Investigación.

b) Técnicos Superiores Especializados de Organismos Públicos de Investigación.

c) Científicos Superiores de la Defensa.

d) Técnicos Especializados de Organismos Públicos de Investigación.

e) Ayudantes de Investigación de Organismos Públicos de Investigación.

f) Auxiliares de Investigación de Organismos Públicos de Investigación.

Se podrán prever procesos de promoción interna entre las escalas técnicas y las científicas del mismo subgrupo de los previstos en el artículo 76 del EBEP, para facilitar el desarrollo de la carrera profesional personal.

1.4.3. Especificidades aplicables al personal docente e investigador al servicio de las Universidades públicas

A) Acceso a los cuerpos docentes universitarios de las Universidades públicas

Podrán obtener la acreditación nacional y, en consecuencia, presentarse a los concursos de acceso a los cuerpos docentes universitarios, quienes posean de Título de doctor o equivalente, y cumplan los requisitos exigidos por la Ley Orgánica 2/2023, de 22 de marzo, del Sistema Universitario, la Ley 7/2007, de 12 de abril y demás normativa aplicable, y por las convocatorias correspondientes.

Las evaluaciones para la obtención de la acreditación nacional y de los concursos de acceso se llevarán a cabo por comisiones en las que podrán participar, tengan o no una relación de servicios con la Universidad y con independencia del tipo de relación, expertos españoles, así como hasta un máximo de dos expertos nacionales de otros Estados Miembros de la Unión Europea o extranjeros. Estos expertos deberán poder ser considerados profesionales de reconocido prestigio científico o técnico.

El personal contratado por las universidades públicas como personal laboral fijo de acuerdo con el artículo 22 bis.1 de la LCTI (certificado R3) podrá ser acreditado para profesorado titular de universidad, a los efectos de lo dispuesto en Ley Orgánica 2/2023, de 22 de marzo, del Sistema Universitario, cuando obtenga el informe positivo de su actividad docente e investigadora de acuerdo con el procedimiento que establezca el Gobierno.

B) Dedicación del personal docente e investigador

Las Universidades públicas, en el ejercicio de su autonomía, podrán establecer la distribución de la dedicación del personal docente e investigador a su servicio en cada una de las funciones propias de la Universidad establecidas en la Ley Orgánica 2/2023, de 22 de marzo, del Sistema Universitario, siempre de acuerdo con lo establecido en dicha ley y en su desarrollo normativo.

C) Contratos para la realización de proyectos y para la ejecución de planes y programas públicos de investigación científica y técnica o de innovación

Las universidades públicas podrán contratar personal técnico de apoyo a la investigación y a la transferencia de conocimiento.

1.5. Impulso de la investigación científica y técnica, la innovación, la transferencia del conocimiento, la difusión y la cultura científica, tecnológica e innovadora

1.5.1. Disposiciones generales

A) Medidas

Los agentes de financiación del Sistema Español de Ciencia, Tecnología e Innovación impulsarán la participación activa de los agentes públicos de ejecución en el desarrollo de la investigación y en la implantación de la innovación para estimular la investigación de calidad y la generación del conocimiento y su transferencia, así como para mejorar la productividad y la competitividad, la sociedad del conocimiento y el bienestar social a partir de la creación de una cultura de la innovación, en beneficio del bienestar social, la salud y las condiciones de vida de las personas. Con este fin llevarán a cabo, entre otras, las siguientes medidas:

a) Medidas para el fomento de la investigación, el desarrollo y la innovación, como el establecimiento de mecanismos para la colaboración público-privada en proyectos estables de investigación científica, desarrollo e innovación, o el fomento de la generación de nuevas entidades basadas en el conocimiento. El personal experto en I+D+i del sector privado podrá participar en trabajos y proyectos de agentes públicos del Sistema Español de Ciencia, Tecnología e Innovación dirigidos a la investigación, desarrollo experimental, transferencia de conocimiento o innovación.

b) Medidas para fomentar la inversión en actividades de investigación, desarrollo e innovación y estimular la cooperación entre las empresas y entre estas y los organismos de investigación, mediante fórmulas jurídicas de cooperación tales como las agrupaciones de interés económico y las uniones temporales de empresas en las que los colaboradores comparten inversión, ejecución de proyectos o explotación de los resultados de la investigación. Estas entidades se beneficiarán de los incentivos fiscales previstos en la legislación vigente, de acuerdo con los requisitos y condiciones establecidos en dicha legislación.

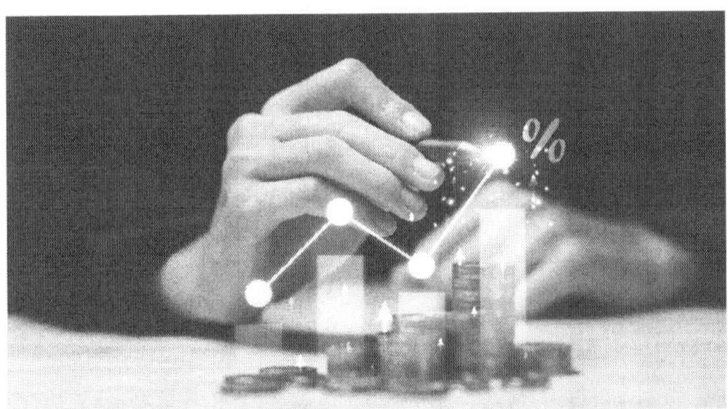

c) Medidas para la valorización del conocimiento, que incluirán la potenciación de la actividad de transferencia desde los agentes públicos de ejecución a través de las oficinas de transferencia de conocimiento[11], y desde los parques científicos y tecnológicos, los centros tecnológicos y otras estructuras dinamizadoras de la innovación, así como el fomento de la cooperación de los agentes públicos de ejecución con el sector privado a través de los instrumentos que establece el ordenamiento jurídico y, en particular, mediante la participación en sociedades mercantiles, con el objeto de favorecer la diversificación empresarial y la transformación de los resultados de la investigación científica y técnica en desarrollo económico y social sostenible. También se impulsarán medidas de transferencia del conocimiento no orientadas a la comercialización o a la explotación mercantilizada, como la creación de espacios públicos comunes. Del mismo modo, se promoverán iniciativas para establecer proyectos de colaboración entre las empresas y el sistema público de investigación. Asimismo, se promoverá la simplificación de los procedimientos administrativos para facilitar la relación equitativa y simbiótica entre el sector académico y empresarial.

d) Medidas para el desarrollo de la transferencia bidireccional de conocimiento, que incluirán la puesta de manifiesto por los agentes del sector productivo y por la sociedad civil de sus necesidades con el fin de contribuir a orientar las líneas y objetivos de investigación de los centros de investigación, de cara a alcanzar un mayor impacto socioeconómico. Para ello se aprovecharán estructuras como las

---

11 Por Real Decreto 984/2022, de 22 de noviembre, por el que se establecen las Oficinas de Transferencia de Conocimiento y se crea su Registro.

plataformas tecnológicas y de innovación, los parques científicos y tecnológicos, entre otros, y herramientas digitales que permitan la articulación de retos, la participación ciudadana, los concursos y, en general, la mejor coordinación entre oferta y demanda de conocimiento.

e) Medidas que impulsen la capacitación e incorporación de recursos humanos especializados en ciencia, tecnología e innovación en el sector empresarial, así como la articulación de un sistema de calidad en ciencia, tecnología e innovación que promueva la innovación entre los agentes económicos.

f) Medidas para la difusión en acceso abierto de los recursos y resultados de la investigación científica, el desarrollo y la innovación para su utilización por todos los agentes del Sistema, así como para su protección y utilización en normalización técnica (estandarización).

g) Medidas para el apoyo a la investigación y la innovación, tales como el establecimiento de los programas de información y apoyo a la gestión necesarios para la participación en los programas de la Unión Europea u otros programas internacionales; la creación de infraestructuras y estructuras de apoyo a la investigación y a la innovación; el impulso de los centros tecnológicos, centros de apoyo a la innovación tecnológica, parques científicos y tecnológicos, y cualesquiera otras entidades que desarrollen actividades referidas a la generación, aprovechamiento compartido y divulgación de conocimientos. Para ello se utilizarán instrumentos destinados al fortalecimiento y desarrollo de sus capacidades, a la cooperación entre ellos y con otros organismos de investigación, o la potenciación de sus actividades de transferencia a las empresas; o al apoyo a la investigación de frontera.

h) Medidas para el apoyo a los y las investigadores e investigadoras jóvenes.

i) Medidas para el apoyo a la Joven empresa innovadora.

j) Medidas para la inclusión de la perspectiva de género como categoría transversal en la ciencia, la tecnología y la innovación, y para impulsar una presencia equilibrada de mujeres y hombres en todos los ámbitos del Sistema Español de Ciencia, Tecnología e Innovación.

k) Medidas que refuercen el papel innovador de las Administraciones públicas a través del impulso de la aplicación de tecnologías emergentes, especialmente a través de instrumentos como las aceleradoras, incubadoras y centros demostradores; los espacios de experimentación y diseminación; la compra pública de innovación; y los acuerdos marco de servicios para el desarrollo de soluciones que impliquen la introducción de tecnologías disruptivas en la Administración.

l) Medidas para la promoción de unidades de excelencia. La consideración como unidad de excelencia podrá ser acreditada por el Ministerio de Ciencia e Innovación con el objetivo de reconocer y reforzar las unidades de investigación de excelencia, que contribuyen a situar a la investigación en España en una posición de competitividad internacional tanto en el sector público como en el privado, bajo la forma de centros, institutos, fundaciones, consorcios u otras.

m) Medidas para el fomento de la investigación, el desarrollo y la innovación de entornos, productos y servicios y prestaciones dirigidos a la creación de una sociedad inclusiva y accesible a las personas con discapacidad y en situación de dependencia.

n) Medidas para la promoción de la cultura científica, tecnológica y de innovación.

o) Medidas para asegurar entornos de investigación e innovación igualitarios, inclusivos, diversos y seguros, tales como la creación de un distintivo de igualdad de género en I+D+i para centros de investigación, universidades y centros de innovación que acrediten alcanzar criterios de excelencia en igualdad de género en investigación, innovación y transferencia de conocimiento, e integración de la dimensión de género en los proyectos de I+D+i, distintivo que podrá ser otorgado por el Ministerio de Ciencia e Innovación.

p) Medidas para fomentar la carrera de investigación en la empresa, la investigación colaborativa entre centros de investigación públicos y privados, la participación de personal investigador al servicio de entidades privadas en proyectos de I+D+i desarrollados por centros de investigación públicos, y los partenariados público-privados.

q) Medidas para fomentar la innovación en los proyectos que desarrollen las entidades locales en su ámbito de actividad, en especial a través de la Red Innpulso de ciudades de la ciencia y la innovación.

r) Medidas para el apoyo al personal de investigación que pudiera encontrarse en una situación de vulnerabilidad.

s) Medidas para la promoción del retorno emprendedor para la puesta en marcha de proyectos innovadores.

t) Medidas para fomentar los programas de investigación que desarrollan los centros de educación superior.

u) Medidas para el fomento de la ecoinnovación o innovación ecoeficiente.

Las medidas indicadas se adecuarán a sus fines y se desarrollarán sobre la base del principio de neutralidad, según el cual el ámbito de aplicación de las medidas será general y no cabrá discriminación por razón de la adscripción de los agentes o por su forma jurídica.

B) Convenios de colaboración

Los agentes públicos de financiación o ejecución del Sistema Español de Ciencia, Tecnología e Innovación, incluidas las Administraciones públicas, las universidades públicas, los organismos públicos de investigación de la Administración General del Estado, los consorcios y fundaciones participadas por las administraciones públicas, los organismos de investigación de otras administraciones públicas, y los centros e instituciones del Sistema Nacional de Salud, podrán suscribir convenios sujetos al derecho administrativo. Podrán celebrar estos convenios los propios agentes públicos entre sí, o con agentes pri-

vados que realicen actividades de investigación científica y técnica, nacionales, supranacionales o extranjeros, para la realización conjunta de las siguientes actividades:

a) Proyectos y actuaciones de investigación científica, desarrollo e innovación.

b) Creación o financiación de centros, institutos, consorcios o unidades de investigación, e infraestructuras científicas.

c) Financiación de proyectos científico-técnicos singulares.

d) Formación de personal científico y técnico.

e) Divulgación científica y tecnológica.

f) Uso compartido de inmuebles, de instalaciones y de medios materiales para el desarrollo de actividades de investigación científica, desarrollo e innovación.

A los efectos de lo previsto en el artículo 49.h) de la Ley 40/2015, de 1 de octubre, de Régimen Jurídico del Sector Público, la vigencia de los convenios de los párrafos a), c), d) y e) anteriores, vinculados a un programa o proyecto español, europeo o internacional de I+D+i vendrá determinada en las cláusulas del propio convenio, no pudiendo superar en ningún caso los cinco años de duración inicial. Los firmantes podrán acordar unánimemente su prórroga, antes de la finalización del plazo de vigencia previsto, por un período de hasta cinco años adicionales.

Los convenios de las letras b) y f) anteriores que afecten a consorcios de infraestructuras de investigación europeas, así como los convenios de la letra b) anterior por los que se crean o financian centros, institutos, consorcios o unidades de investigación e infraestructuras científicas que sean agentes del Sistema Español de Ciencia, Tecnología e Innovación, podrán tener vigencia indefinida, vinculada a la duración del correspondiente centro, instituto, consorcio, unidad de investigación, o infraestructura científica, en función del cumplimiento de los fines para los que fueron creados, por las exigencias del proyecto científico, o por la naturaleza de las inversiones que requiera o la amortización de las mismas.

En estos convenios se incluirán las aportaciones realizadas por los intervinientes, así como el régimen de distribución y protección de los derechos y resultados de la investigación, el desarrollo y la innovación. La transmisión de los derechos sobre estos resultados se deberá realizar con una contraprestación que corresponda a su valor de mercado.

El objeto de estos convenios no podrá coincidir con el de ninguno de los contratos regulados en la legislación sobre contratos del sector público.

La creación de centros, institutos y unidades de investigación a través de convenios de colaboración tendrá en consideración en cada caso las normas propias de constitución que fueran de aplicación.

Podrán celebrarse asimismo convenios con instituciones y empresas extranjeras como forma de promoción de la internacionalización del Sistema Español de Ciencia, Tecnología e Innovación.

1.5.2. Transferencia y difusión de los resultados de la actividad de investigación, desarrollo e innovación y cultura científica, tecnológica e innovadora

A) Titularidad y carácter patrimonial de los resultados de la actividad investigadora y del derecho a solicitar los correspondientes títulos y recurrir a mecanismos de salvaguarda de la propiedad industrial e intelectual, las obtenciones vegetales y los secretos empresariales para su protección

Los resultados de las actividades de investigación, desarrollo e innovación realizadas por el personal de investigación de los agentes públicos de ejecución del Sistema Español de Ciencia, Tecnología e Innovación, como consecuencia de las funciones que les son propias, así como el derecho a solicitar los títulos y recurrir a los mecanismos de salvaguarda de la propiedad industrial o intelectual, las obtenciones vegetales y los secretos empresariales adecuados para su protección jurídica, pertenecerán a la entidad a las que esté vinculado dicho personal de investigación, salvo que dicha entidad comunique su renuncia de forma expresa y por escrito.

Los derechos de explotación, así como los asociados a las actividades de transferencia llevadas a cabo sobre la base de la propiedad industrial o intelectual, obtenciones vegetales o secreto empresarial, corresponderán a la entidad a la que el autor esté vinculado, en los términos y con el alcance previsto en la legislación sobre propiedad industrial e intelectual, obtenciones vegetales y secreto empresarial.

En el caso del personal al servicio de los Organismos Públicos de Investigación, de las entidades del sector público estatal y de las universidades, la participación en los beneficios obtenidos por el Organismo Público de Investigación o entidad del sector público estatal por la explotación de los resultados de la investigación ascenderá al menos a un tercio de tales beneficios para el personal investigador y técnico que haya participado como autor o coautor de la invención, en la forma que se establezca reglamentariamente.

En el caso de personal investigador y técnico al servicio de las universidades públicas y de los organismos de investigación de las comunidades autónomas que haya participado como autor o coautor de la invención, las comunidades autónomas podrán establecer otro porcentaje mínimo de participación en los beneficios obtenidos. Se aplicará de forma supletoria el porcentaje mínimo de un tercio. Este mismo porcentaje se aplicará al personal investigador y técnico al servicio de las universidades públicas de titularidad estatal.

B) Valorización y transferencia del conocimiento

Las Administraciones públicas, en el ámbito de sus respectivas competencias, fomentarán la valorización, la protección y la transferencia del conocimiento con objeto de que los resultados de la investigación sean transferidos a la sociedad, siguiendo las prácticas comunes de la Unión Europea, a través de una multiplicidad de canales, formas y actores

que incluirán a todos los agentes sociales, territoriales y locales, en beneficio del bienestar de las personas. En este mismo contexto se fomentará la cooperación y la transferencia bidireccional de conocimiento en proyectos liderados por las Administraciones públicas o el sector empresarial en colaboración con las entidades de investigación para el desarrollo de objetivos sociales y de mercado basados en los resultados de la investigación.

La valorización, entendida como la puesta en valor del conocimiento obtenido mediante el proceso de investigación, alcanzará a todos los procesos que permitan acercar los resultados de la investigación financiada con fondos públicos a todos los sectores y agentes sociales, y generar valor social a través de diversas manifestaciones y tipos de transferencia, y tendrá como objetivos:

a) Detectar los grupos de investigación que realicen desarrollos científicos y tecnológicos con potenciales aplicaciones en los diferentes sectores.

b) Facilitar una adecuada protección del conocimiento y de los resultados de la investigación, con el fin de facilitar su transferencia.

c) Establecer mecanismos de transferencia de conocimientos, capacidades y tecnología, con especial interés en la creación y apoyo a entidades basadas en el conocimiento.

d) Fomentar las relaciones entre centros públicos de investigación, centros tecnológicos y empresas, en especial pequeñas y medianas, con el objeto de facilitar la incorporación de innovaciones tecnológicas, de diseño o de gestión, que impulsen el aumento de la productividad y la competitividad.

e) Fomentar las relaciones entre centros públicos de investigación, personal de investigación y empresas.

f) Fomentar las relaciones entre centros públicos de investigación, personal de investigación y corporaciones locales con el objeto de facilitar la incorporación de la evidencia científica en el diseño y ejecución de políticas públicas en las corporaciones locales.

g) Crear entornos que estimulen la demanda de conocimientos, capacidades y tecnologías generados por las actividades de investigación, desarrollo e innovación.

h) Estimular la iniciativa pública y privada que intermedie en la transferencia del conocimiento generado por la actividad de investigación, desarrollo e innovación.

i) Contribuir a dar respuesta a los retos de la sociedad, facilitando la ejecución de las estrategias públicas y la resolución de necesidades no cubiertas por las Administraciones públicas.

Los agentes públicos de ejecución promoverán estructuras eficientes dedicadas a facilitar y fomentar la actividad de transferencia, pudiendo desempeñarse a través de entidades dependientes o vinculadas, incluidas sociedades mercantiles y otras entidades empresariales públicas, por razones de ventaja económica, de gestión o de impacto social y difusión que así lo aconsejen.

Se reconoce el papel de los organismos intermedios de transferencia del conocimiento como entornos estratégicos para la transferencia de resultados de investigación a los sectores productivos y para la transferencia bidireccional de conocimiento.

Las Administraciones públicas fomentarán acciones de inversión y coinversión en capital-semilla y capital-riesgo para la inversión en tecnología y financiación de empresas tecnológicas e innovadoras españolas para su crecimiento y transformación en actores relevantes de los mercados globales, estableciendo los acuerdos y mecanismos necesarios para la protección del interés público.

Los organismos y entidades pertenecientes a la Administración General del Estado publicarán regularmente información detallada sobre las actividades de valorización y transferencia de conocimiento que realizan.

C) Aplicación del derecho privado a los contratos relativos a la promoción, gestión y transferencia de resultados de la actividad de investigación, desarrollo e innovación

Sin perjuicio de lo previsto en el último párrafo del presente apartado, se rigen por el Derecho privado aplicable con carácter general, con sujeción al principio de libertad de pactos, y podrán ser adjudicados de forma directa, los siguientes contratos relativos a la promoción, gestión y transferencia de resultados de la actividad de investigación, desarrollo e innovación, suscritos por los Organismos Públicos de Investigación de la Administración General del Estado, las universidades públicas, las fundaciones del sector público estatal y otras entidades dedicadas a la investigación, desarrollo e innovación y dependientes de la Administración General del Estado:

a) Contratos de opción para explorar la viabilidad empresarial y de sociedad suscritos con ocasión de la constitución o participación en sociedades.

b) Contratos de financiación y de colaboración para la valorización y transferencia de resultados de la actividad de investigación, desarrollo e innovación.

c) Contratos de prestación de servicios de investigación, desarrollo y asistencia técnica con entidades públicas y privadas, para la realización de trabajos de carácter científico y técnico o para el desarrollo de enseñanzas de especialización o actividades específicas de formación.

Sin perjuicio de lo establecido en el párrafo siguiente, en el caso de los agentes públicos de ejecución dependientes o adscritos a una comunidad autónoma o a una Administración local, los contratos mencionados con anterioridad se regirán por el Derecho privado conforme a lo dispuesto en la normativa propia de cada comunidad autónoma. En defecto de regulación específica en la materia, tales entidades podrán aplicar supletoriamente el régimen previsto en el presente apartado.

Lo dispuesto no resultará de aplicación a los contratos sujetos a la Ley 9/2017, de 8 de noviembre, de Contratos del Sector Público, por la que se transponen al ordenamiento jurídico español las Directivas del Parlamento Europeo y del Consejo 2014/23/UE y 2014/24/UE, de 26 de febrero de 2014.

D) Aplicación del Derecho privado a las transmisiones a terceros de derechos sobre los resultados de la actividad investigadora por Organismos Públicos de Investigación, universidades públicas y entidades dependientes de la Administración General del Estado

La transmisión a terceros de derechos sobre los resultados de la actividad investigadora, que incluye los derechos de propiedad industrial o intelectual, de obtenciones vegetales o de secretos empresariales, por parte de Organismos Públicos de Investigación, universidades públicas, fundaciones del sector público estatal, sociedades mercantiles estatales y otros centros de investigación dependientes de la Administración General del Estado, se regirá por el Derecho privado en los términos previstos en este apartado y las disposiciones reguladoras y estatutos de dichas entidades, aplicándose los principios de la legislación del patrimonio de las Administraciones públicas para resolver las dudas y lagunas que puedan presentarse.

La transmisión de derechos por estas entidades se llevará a cabo mediante adjudicación directa en los siguientes supuestos:

a) Cuando los derechos se transmitan a otra Administración Pública o, en general, a cualquier persona jurídica de derecho público o privado perteneciente al sector público. A estos efectos, se entenderá por persona jurídica de derecho privado perteneciente al sector público la entidad en cuyo capital sea mayoritaria la participación directa o indirecta de una o varias Administraciones públicas o personas jurídicas de derecho público.

b) Cuando los derechos se transmitan a una entidad sin ánimo de lucro, declarada de utilidad pública.

c) Cuando fuera declarado desierto el procedimiento promovido para la enajenación o este resultase fallido como consecuencia del incumplimiento de sus obligaciones por parte del adjudicatario, siempre que no hubiese transcurrido más de un año desde la celebración de los mismos. En este caso, las condiciones de la enajenación no podrán ser inferiores de las anunciadas previamente o de aquellas en que se hubiese producido la adjudicación.

d) Cuando la titularidad del derecho corresponda a dos o más propietarios y la venta se efectúe a favor de uno o más copropietarios.

e) Cuando la transmisión se efectúe a favor de quien ostente un derecho de adquisición preferente.

f) Cuando la titularidad del derecho corresponda a dos o más propietarios, alguno de los cuales no pertenezca al sector público, y el copropietario o copropietarios privados hubieran formulado una propuesta concreta de condiciones de la transmisión. En este caso, los copropietarios públicos deberán aprobar expresamente las condiciones propuestas, previa verificación de la razonabilidad de las mismas.

g) Cuando la transmisión se efectúe a favor de una entidad basada en el conocimiento, creada o participada por la entidad titular del derecho, o que vaya a ser creada por dicha entidad o por su personal investigador para la explotación de dichos resultados de la investigación.

h) Cuando por las peculiaridades del derecho, la limitación de la demanda, la urgencia resultante de acontecimientos imprevisibles o la singularidad de la operación proceda la adjudicación directa.

i) Cuando resulte procedente por la naturaleza y características del derecho o de la transmisión, según la normativa vigente, como en los casos de las licencias de pleno derecho o de las licencias obligatorias.

En supuestos distintos de los enumerados, para la transmisión deberá seguirse un procedimiento basado en la concurrencia competitiva de interesados, en el que se garantice una difusión previa adecuada del objeto y condiciones de la misma, que podrá realizarse a través de las páginas institucionales mantenidas en internet por el organismo o entidad titular del derecho y el departamento ministerial del que dependa o al que esté adscrito. En dicho procedimiento deberá asegurarse, asimismo, el secreto de las proposiciones y la adjudicación con base en criterios tanto económicos, de impacto social de la explotación de los resultados de la actividad investigadora o de difusión.

En todo caso, la transmisión de los derechos sobre estos resultados se hará con una contraprestación que corresponda a su valor de mercado.

Cuando se transfieran los derechos sobre los resultados de la actividad investigadora a una entidad privada, deberán preverse en el contrato cláusulas que garanticen la protección de la posición pública, en particular las siguientes:

a) Derechos de mejor fortuna que permitan a las entidades públicas recuperar parte de las plusvalías que se obtengan en caso de sucesivas transmisiones de los derechos o cuando debido a circunstancias que no se hubieran tenido en cuenta en el momento de la tasación, se apreciase que el valor de transferencia de la titularidad del derecho fue inferior al que hubiera resultado de tenerse en cuenta dichas circunstancias, así como participar de la revalorización de la entidad privada derivada de la cesión del derecho.

b) Derecho de reversión para los casos de falta de explotación de los derechos o de explotación contraria al interés general.

c) Reserva por la entidad titular de una licencia no exclusiva, intransferible y gratuita de uso limitada a actividades docentes, sanitarias y de investigación, siempre que la actividad carezca de ánimo de lucro.

E) Aplicación del Derecho privado a las transmisiones a terceros de derechos sobre los resultados de la actividad investigadora por organismos de investigación de otras Administraciones públicas

La transmisión a terceros de derechos sobre los resultados de la actividad investigadora, que incluye los derechos de propiedad industrial o intelectual, de obtenciones

vegetales o de secretos empresariales, por parte de los agentes públicos de ejecución dependientes o adscritos a una comunidad autónoma o a una Administración local, se regirá por el Derecho privado conforme a lo dispuesto en la normativa propia de cada comunidad autónoma. En defecto de regulación específica en la materia, tales entidades podrán aplicar supletoriamente el régimen previsto en este apartado 1.5.2.

F) Cooperación de los agentes públicos de ejecución con el sector privado a través de la participación en entidades basadas en el conocimiento

Los agentes públicos de ejecución del Sistema Español de Ciencia, Tecnología e Innovación podrán participar en el capital de entidades cuyo objeto social sea la realización de alguna de las siguientes actividades:

a) La investigación, el desarrollo o la innovación.

b) La realización de pruebas de concepto.

c) La explotación de patentes de invención y, en general, la cesión y explotación de los derechos de la propiedad industrial e intelectual, obtenciones vegetales y secretos empresariales.

d) El uso y el aprovechamiento, industrial o comercial, de las innovaciones, de los conocimientos científicos y de los resultados obtenidos y desarrollados por dichos agentes.

e) La prestación de servicios técnicos relacionados con sus fines propios.

La participación de los Organismos Públicos de Investigación, las fundaciones del sector público estatal, las sociedades mercantiles estatales y otros agentes públicos de ejecución dependientes o adscritos a la Administración General del Estado en sociedades mercantiles deberá ser objeto de autorización por el Consejo de Ministros, de acuerdo con lo establecido en el artículo 169.f) de la Ley 33/2003, de 3 de noviembre, del Patrimonio de las Administraciones públicas, en relación con las entidades a que se refiere el presente apartado, así como los actos y negocios que impliquen que dichas sociedades adquieran o pierdan la condición de sociedad mercantil estatal, definida en el artículo 166.1.c) de la citada Ley 33/2003, de 3 de noviembre. En estos casos, el Ministerio de tutela será el Ministerio de Ciencia e Innovación.

La participación de los Organismos Públicos de Investigación de la Administración General del Estado en el capital de las sociedades mercantiles cuyo capital sea mayoritariamente de titularidad privada requerirá la autorización previa del departamento ministerial al que estén adscritos.

Las autorizaciones previstas podrán ser objeto de delegación por parte del órgano competente, por razones de celeridad, en favor de comisiones delegadas con mandato expreso al efecto, o cuando la entidad se estructure según recoge el artículo 35 bis.3 de la LCTI (entidades dependientes o vinculadas, incluidas sociedades mercantiles y otras entidades empresariales públicas, por razones de ventaja económica, de gestión o de impacto social y difusión que así lo aconsejen).

En el caso de las universidades públicas, el procedimiento de autorización para la creación o participación en entidades basadas en el conocimiento se regirá por lo dispuesto en la legislación universitaria aplicable, sin perjuicio de la posibilidad de delegación por parte del órgano competente de dicha competencia, por razones de celeridad, en favor de comisiones delegadas con mandato expreso al efecto, o de que dicha entidad se estructure conforme a lo establecido en el artículo 35 bis.3 de la LCTI.

La participación de los organismos de investigación dependientes de otras Administraciones públicas en entidades basadas en el conocimiento, se regirá por la normativa aplicable a dichos centros.

G) Mecanismos de evaluación de las actividades de transferencia

La transferencia de conocimiento es una función de los agentes de ejecución del Sistema Español de Ciencia, Tecnología e Innovación, que puede desplegarse a través de múltiples canales, desde la comercialización de patentes, la participación en entidades basadas en el conocimiento o la creación de empresas "spin-off", hasta los contratos de consultoría o asistencia técnica, así como diversos modelos de colaboración entre agentes, el desarrollo de normas técnicas o estándares, y otros mecanismos más informales de divulgación y comunicación de los resultados de la investigación.

La transferencia no deberá entenderse solo como un proceso lineal desde la ciencia hacia la empresa y la sociedad, sino como un proceso bidireccional y colaborativo donde las empresas también juegan un papel fundamental en la producción de conocimiento y en la definición de las trayectorias tecnológicas prioritarias. Este carácter multidimensional y bidireccional de la transferencia de conocimiento se tendrá en cuenta en el diseño de los mecanismos de evaluación, considerando también las diferencias entre distintas especialidades científicas y áreas de conocimiento.

Las actividades de transferencia de conocimiento ejecutadas en cualquiera de las fórmulas previstas por el personal investigador deberán considerarse un concepto evaluable a efectos retributivos y de promoción, de forma que los méritos de transferencia se consideren en los procesos de selección y promoción y de asignación de recursos junto a los méritos investigadores. Asimismo, la ejecución de la actividad de transferencia y los impactos que produzca en los ámbitos económico, social, sanitario y ambiental, deberán considerarse concepto evaluable para el agente público de ejecución de cara a la asignación de recursos públicos, de igual forma que el cumplimiento de los objetivos previstos en el apartado B) anterior ("Valoración y transferencia del conocimiento").

H) Compra pública de innovación

Las Administraciones públicas, organismos y entidades del sector público promoverán el desarrollo de actuaciones de compra pública de innovación, con la finalidad de cumplir los siguientes objetivos:

a) La mejora de los servicios e infraestructuras públicas, mediante la incorporación de bienes o servicios innovadores, que satisfagan necesidades públicas debidamente identificadas y justificadas.

b) La dinamización económica, y la internacionalización y competitividad de las empresas innovadoras.

c) El impulso a la transferencia de conocimiento y aplicación de los resultados de la investigación, y la generación de mercados de lanzamiento para las nuevas empresas de base tecnológica.

d) El ahorro de costes a corto, medio o largo plazo.

e) La experimentación en el diseño de políticas públicas.

La compra pública de innovación podrá tener por objeto la adquisición de bienes o servicios innovadores, que no existan actualmente en el mercado como producto o servicio final, o la investigación de soluciones a futuras necesidades públicas, debiendo las tecnologías resultantes encontrarse incardinadas en alguna de las líneas de la Estrategia Española de Ciencia, Tecnología e Innovación o de los planes e instrumentos propios de la Administración autonómica correspondiente.

La compra pública de innovación podrá adoptar alguna de las modalidades siguientes:

a) Compra pública de tecnología innovadora.

b) Compra pública precomercial.

Con carácter previo al inicio de los procesos de compra pública de innovación en el ámbito de sus respectivas competencias, las Administraciones públicas, organismos y entidades del sector público, deberán determinar las concretas necesidades del servicio público no satisfechas por el mercado, detallar las correspondientes especificaciones funcionales de la solución que pretende alcanzarse, así como efectuar los estudios y consultas que resulten necesarios a fin de comprobar el contenido innovador de la citada solución.

Las licitaciones a que den lugar los procedimientos de compra pública de tecnología innovadora se regirán por lo previsto en la Ley 9/2017, de 8 de noviembre, resultando en su caso de aplicación las exclusiones en el ámbito de la I+D+i contempladas en el artículo 8 de la citada ley. Por otro lado, se fomentará el uso del procedimiento de asociación para la innovación.

En el ámbito de la Administración General del Estado, corresponderá al Ministerio de Ciencia e Innovación y al Centro para el Desarrollo Tecnológico y la Innovación (CDTI) el desarrollo de políticas, planes y estrategias en materia de compra pública de innovación.

l) Ciencia abierta

Los agentes públicos del Sistema Español de Ciencia, Tecnología e Innovación impulsarán que se haga difusión de los resultados de la actividad científica, tecnológica y de innovación, y que los resultados de la investigación, incluidas las publicaciones científicas, datos, códigos y metodologías, estén disponibles en acceso abierto. El acceso gratuito y libre a los resultados se fomentará mediante el desarrollo de repositorios institucionales o temáticos de acceso abierto, propios o compartidos.

El personal de investigación del sector público o cuya actividad investigadora esté financiada mayoritariamente con fondos públicos y que opte por diseminar sus resultados de investigación en publicaciones científicas, deberá depositar una copia de la versión final aceptada para publicación y los datos asociados a las mismas en repositorios institucionales o temáticos de acceso abierto, de forma simultánea a la fecha de publicación.

Los beneficiarios de proyectos de investigación, desarrollo o innovación financiados mayoritariamente con fondos públicos deberán cumplir en todo momento con las obligaciones de acceso abierto dispuestas en las bases o los acuerdos de subvención de las convocatorias correspondientes. Los beneficiarios de ayudas y subvenciones públicas se asegurarán de que conservan los derechos de propiedad intelectual necesarios para dar cumplimiento a los requisitos de acceso abierto.

Los resultados de la investigación disponibles en acceso abierto podrán ser empleados por las Administraciones públicas en sus procesos de evaluación, incluyendo la evaluación del mérito investigador.

El Ministerio de Ciencia e Innovación facilitará el acceso a los repositorios de acceso abierto y su interconexión con iniciativas similares nacionales e internacionales, promoviendo el desarrollo de sistemas que lo faciliten, e impulsará la ciencia abierta en la Estrategia Española de Ciencia, Tecnología e Innovación, reconociendo el valor de la ciencia como bien común y siguiendo las recomendaciones europeas en materia de ciencia abierta.

Además del acceso abierto, y siempre con el objetivo de hacer la ciencia más abierta, accesible, eficiente, transparente y beneficiosa para la sociedad, los Ministerios de Ciencia e Innovación y de Universidades, cada uno en su ámbito de actuación, así como las comunidades autónomas en el marco de sus competencias, promoverán también otras iniciativas orientadas a facilitar el libre acceso y gestión de los datos generados por la investigación (datos abiertos), de acuerdo a los principios internacionales FAIR (sencillos de encontrar, accesibles, interoperables y reutilizables), a desarrollar infraestructuras y plataformas abiertas, a fomentar la publicación de los resultados científicos en acceso abierto, y la participación abierta de la sociedad civil en los procesos científicos.

Lo anterior será compatible con la posibilidad de tomar las medidas oportunas para proteger, con carácter previo a la publicación científica, los derechos sobre los resultados de la actividad de investigación, desarrollo e innovación, de acuerdo con las normativas nacionales y europeas en materia de propiedad intelectual e industrial, obtenciones vegetales o secreto empresarial.

J) Cultura científica y tecnológica

Las Administraciones públicas fomentarán las actividades conducentes a la mejora de la cultura científica y tecnológica de la sociedad a través de la educación, la formación y la divulgación, y reconocerán adecuadamente las actividades de los agentes del Sistema Español de Ciencia, Tecnología e Innovación en este ámbito.

En el Plan Estatal de Investigación Científica y Técnica y de Innovación se incluirán medidas para la consecución de los siguientes objetivos:

a) Mejorar la formación y la cultura científica e innovadora de la sociedad, al objeto de que todas las personas puedan adquirir un mayor conocimiento científico, comprender los procesos y naturaleza de la ciencia y su relación con la sociedad, interpretar la información científica, y tener criterio propio sobre las modificaciones que tienen lugar en su entorno natural y tecnológico.

b) Fomentar la participación de la ciudadanía en el proceso científico técnico a través, entre otros mecanismos, de la definición de agendas de investigación, la observación, recopilación y procesamiento de datos, la evaluación de impacto en la selección de proyectos y la monitorización de resultados, y otros procesos de participación ciudadana.

c) Fomentar la divulgación científica, tecnológica e innovadora.

d) Apoyar a las instituciones involucradas en el desarrollo de la cultura científica y tecnológica, mediante el fomento e incentivación de la actividad de museos, planetarios y centros divulgativos de la ciencia y el fomento de la comunicación científica e innovadora por parte de los agentes de ejecución del Sistema Español de Ciencia, Tecnología e Innovación.

e) Incentivar y reconocer el papel del personal de investigación en el fomento de la divulgación científica, tecnológica e innovadora, y de las Unidades de Cultura Científica y de la Innovación de universidades y centros de investigación.

f) Proteger el patrimonio científico y tecnológico histórico.

g) Incluir la cultura científica, tecnológica y de innovación como eje transversal en todo el sistema educativo.

h) Promover el acceso a la cultura científica y de la innovación a colectivos con mayores barreras de acceso, por motivos socioeconómicos, territoriales, edad u otros.

Con el fin de contribuir a la sensibilización de la sociedad respecto a la ciencia y de trasladar información veraz y contrastada, las cadenas públicas de radio y televisión de titularidad estatal promoverán espacios de divulgación científica en su programación.

1.5.3. Internacionalización del sistema y cooperación al desarrollo

A) Internacionalización del Sistema Español de Ciencia, Tecnología e Innovación

La dimensión internacional será considerada como un componente intrínseco en las acciones de fomento, coordinación y ejecución de la Estrategia Española de Ciencia y Tecnología y de la Estrategia Española de Innovación.

La Administración General del Estado y las comunidades autónomas promoverán acciones para aumentar la visibilidad internacional y la capacidad de atracción de España en el ámbito de la investigación y la innovación.

La Administración General del Estado y las comunidades autónomas fomentarán la participación de entidades públicas, empresas y otras entidades privadas en proyectos internacionales, redes del conocimiento y especialmente en las iniciativas promovidas por la Unión Europea, la movilidad del personal de investigación, y la presencia en instituciones internacionales o extranjeras vinculadas a la investigación científica y técnica y la innovación.

El Ministerio de Ciencia e Innovación articulará un sistema de seguimiento con el fin de garantizar que las aportaciones de España a Organismos Internacionales en materia de investigación e innovación tengan un adecuado retorno e impacto científico-técnico, con especial atención al Programa Marco de Investigación y Desarrollo Tecnológico de la Unión Europea.

Los agentes públicos del Sistema Español de Ciencia, Tecnología e Innovación podrán crear centros de investigación en el extranjero, por sí solos o mediante acuerdos con otros agentes nacionales, supranacionales o extranjeros, que tendrán la estructura y el régimen que requiera la normativa aplicable.

En el caso de las Universidades públicas, la creación de dichos centros estará sometida a lo dispuesto en la Ley Orgánica 2/2023, de 22 de marzo, del Sistema Universitario.

En el caso de la Administración General del Estado y de las entidades a esta adscritas, la creación de centros de investigación en el extranjero se ajustará a las disposiciones que regulan la Administración General del Estado en el exterior, y se realizará previa obtención de los informes favorables del Ministerio de Economía y Hacienda y de la Presidencia.

B) Cooperación al desarrollo

Las Administraciones públicas fomentarán, en colaboración y coordinación con el Ministerio de Asuntos Exteriores y Cooperación, la cooperación internacional al desarrollo en los ámbitos científicos, tecnológicos y de innovación en los países prioritarios para la cooperación española y en los programas de los organismos internacionales en los que España participa, para favorecer los procesos de generación, uso por el propio país y utilización del conocimiento científico y tecnológico para mejorar las condiciones de vida, el crecimiento económico y la equidad social en consonancia con el Plan Director de la Cooperación Española.

Se establecerán programas y líneas de trabajo prioritarias en el marco de la Estrategia Española de Ciencia y Tecnología y de la Estrategia Española de Innovación, y se fomentará la transferencia de conocimientos y tecnología en el marco de proyectos de cooperación para el desarrollo productivo y social de los países prioritarios para la cooperación española.

Las Administraciones públicas reconocerán adecuadamente las actividades de cooperación al desarrollo que lleven a cabo los participantes en las mismas.

1.6. Fomento y coordinación de la investigación científica y técnica en la Administración General del Estado

1.6.1. Gobernanza

A) Comisión Delegada del Gobierno para Política Científica, Tecnológica y de Innovación

Esta Comisión se encontraba regulada en el artículo 41 de la LCTI, que ha sido derogado por la disposición final 3 del Real Decreto-ley 8/2020, de 17 de marzo, de medidas urgentes extraordinarias para hacer frente al impacto económico y social del COVID-19.

B) Plan Estatal de Investigación Científica y Técnica y de Innovación

El desarrollo por la Administración General del Estado de la Estrategia Española de Ciencia, Tecnología e Innovación se llevará a cabo a través del Plan Estatal de Investigación Científica y Técnica y de Innovación.

Este plan financiará las actuaciones en materia de investigación científica y técnica y de innovación que se correspondan con las prioridades establecidas por la Administración General del Estado, con objeto de transformar el conocimiento generado en valor social, para así abordar con mayor eficacia los desafíos sociales y globales planteados, y en él se definirán, para un periodo plurianual:

a) En el ámbito de la investigación científica y técnica:

   1.º Los objetivos a alcanzar, y sus indicadores de seguimiento y evaluación de resultados.

   2.º Las prioridades científico-técnicas y sociales, que determinarán la distribución del esfuerzo financiero de la Administración General del Estado.

3.º Los programas a desarrollar por los agentes de ejecución de la Administración General del Estado para alcanzar los objetivos. Dichos programas integrarán las iniciativas sectoriales propuestas por los distintos departamentos ministeriales, así como por los agentes de financiación y de ejecución adscritos a la Administración General del Estado. En cada programa se determinará su duración y la entidad encargada de su gestión y ejecución.

4.º Los criterios y mecanismos de articulación del Plan con las políticas sectoriales del Gobierno, de las comunidades autónomas y de la Unión Europea, para evitar redundancias y prevenir carencias con objeto de lograr el mejor aprovechamiento de los recursos disponibles y alcanzar la mayor eficiencia conjunta del sistema.

5.º Los costes previsibles para su realización y las fuentes de financiación. Se detallará una estimación de las aportaciones de la Unión Europea y de otros organismos públicos o privados que participen en las acciones de fomento, así como de aquellas que, teniendo en cuenta el principio de complementariedad, correspondan a los beneficiarios de las subvenciones.

b) En el ámbito de la innovación:

1.º Los objetivos a alcanzar, y sus indicadores de seguimiento y evaluación de resultados.

2.º Los ejes prioritarios de la actuación estatal, como vectores del fomento de la innovación, que incluirán análisis y medidas relativos a la modernización del entorno financiero, el desarrollo de los mercados innovadores, las personas, la internacionalización de las actividades innovadoras, la formación y la capacitación, la sostenibilidad de los recursos, la colaboración y participación de los actores sociales, y la cooperación territorial como base fundamental de la innovación.

3.º Los agentes, entre los que se encuentran las universidades, los Organismos Públicos de Investigación, otros organismos de I+D+i como los centros tecnológicos, y las empresas.

4.º Los mecanismos y criterios de articulación del Plan con las políticas sectoriales del Gobierno, de las comunidades autónomas y de la Unión Europea, para lograr la eficiencia en el sistema y evitar redundancias y carencias.

5.º Los costes previsibles para su realización y las fuentes de financiación.

El Plan Estatal de Investigación Científica y Técnica y de Innovación establecerá los ejes prioritarios de la actuación estatal en el ámbito de la innovación, que incluirán análisis y medidas relativos a la modernización del entorno financiero, el desarrollo de mercados innovadores, las personas, la internacionalización de las actividades innovadoras, la formación y la capacitación, la sostenibilidad de los recursos, la colaboración y participación de los actores sociales, y la cooperación territorial como base fundamental de la innovación.

Se diseñarán instrumentos que faciliten el acceso de las empresas innovadoras a la financiación de sus actividades y proyectos, mediante la promoción de líneas específicas a estos efectos y fomentando la inversión privada en empresas innovadoras.

Se impulsará la contratación pública de actividades innovadoras, con el fin de alinear la oferta tecnológica privada y la demanda pública, a través de actuaciones en cooperación con las comunidades autónomas y con las Entidades locales.

Los departamentos ministeriales competentes aprobarán y harán público un plan que detalle su política de compra pública innovadora y precomercial.

Se apoyará la participación de entidades españolas en programas europeos e internacionales, y se impulsarán instrumentos conjuntos en el ámbito de la Unión Europea para proteger la propiedad industrial e intelectual.

Las convocatorias de ayudas a la innovación incorporarán, entre sus criterios de evaluación, la valoración del impacto internacional previsto por los proyectos.

Se fomentará la suscripción de convenios de colaboración, cooperación y gestión compartida por parte de la Administración General del Estado con las comunidades autónomas para el desarrollo de los objetivos del Plan Estatal de Investigación Científica y Técnica y de Innovación, en los que se establecerá el desarrollo de los ejes prioritarios del Plan.

Se desarrollarán programas de incorporación a las empresas de personal doctor, de personal tecnólogo y de personal gestor de transferencia de conocimiento ligados a grupos de investigación, dedicados a proteger y transferir la propiedad industrial e intelectual generada por la investigación de excelencia.

El Plan Estatal desarrollará el principio de igualdad de género de manera transversal en todos sus apartados estableciendo objetivos cuantitativos e indicadores de seguimiento, con objeto de que la igualdad de género y la lucha contra las brechas de género sean principios básicos independientes.

El Ministerio de Ciencia e Innovación elaborará la propuesta del Plan Estatal de Investigación Científica y Técnica y de Innovación en coordinación con los departamentos ministeriales competentes, integrará la perspectiva de género y tendrá en cuenta los recursos humanos, económicos y materiales necesarios para su desarrollo, así como sus previsiones de futuro.

El Plan Estatal será aprobado por el Gobierno, a propuesta del Ministerio de Ciencia e Innovación, previo informe del Consejo Asesor de Ciencia, Tecnología e Innovación y de los órganos que proceda.

En todo caso, el Plan Estatal deberá contar con un informe de impacto de género con carácter previo a su aprobación, impulsado por el Ministerio de Ciencia e Innovación, y con el asesoramiento de la Unidad de Igualdad del Ministerio de Ciencia e Innovación.

El Plan Estatal se financiará con fondos procedentes de los Presupuestos Generales del Estado, cuya dotación estará supeditada al cumplimiento del objetivo de estabilidad presupuestaria y eficacia del gasto, y con aportaciones de entidades públicas y privadas y de la Unión Europea.

El Plan Estatal podrá ser revisado con periodicidad anual, mediante el procedimiento que se establezca en el mismo. Las revisiones podrán dar lugar a la modificación del Plan Estatal o a su prórroga.

El Plan Estatal de Investigación Científica y Técnica y de Innovación podrá incluir planes complementarios que desarrollen las medidas contempladas en sus distintos ejes prioritarios, así como aquellas otras que se consideren estratégicas en el ámbito de la política de I+D+i, pudiendo participar en la programación y ejecución de los mismos aquellas comunidades autónomas y agentes públicos del Sistema Español de Ciencia, Tecnología e Innovación que contribuyan en su financiación.

El Plan Estatal de Investigación Científica y Técnica y de Innovación tendrá la consideración de Plan estratégico de subvenciones a los efectos de lo establecido en la Ley 38/2003, de 17 de noviembre, de Subvenciones.

El Plan Estatal incluirá mecanismos de seguimiento y evaluación de su desarrollo, en colaboración con los departamentos ministeriales competentes. El seguimiento y evaluación durante el desarrollo del Plan y una vez finalizado deberá contar con un informe de impacto de género impulsado por el Ministerio de Ciencia e Innovación. Además, podrá contar con la opinión de la Autoridad Independiente de Responsabilidad Fiscal. Los resultados de seguimiento y evaluación de los proyectos deberán ser objeto de difusión anualmente.

1.6.2. Agentes de financiación adscritos al Ministerio de Ciencia e Innovación

Dentro de los agentes de financiación de la Administración General del Estado, son agentes de financiación adscritos al Ministerio de Ciencia e Innovación la Agencia Estatal de Investigación y el Centro para el Desarrollo Tecnológico Industrial.

Son funciones de la Agencia Estatal de Investigación y del Centro para el Desarrollo Tecnológico Industrial:

a) Gestionar los programas o instrumentos que les sean asignados por el Plan Estatal de Investigación Científica y Técnica o por el Plan Estatal de Innovación, y, en su caso, los derivados de convenios de colaboración con entidades españolas o con sus agentes homólogos en otros países.

b) Contribuir a la definición de los objetivos del Plan Estatal de Investigación Científica y Técnica y del Plan Estatal de Innovación, y colaborar en las tareas de evaluación y seguimiento del mismo.

c) Realizar la evaluación científico-técnica de las acciones del Plan Estatal de Investigación Científica y Técnica, del Plan Estatal de Innovación, y de otras actuaciones de política científica y tecnológica para la asignación de los recursos, así como la evaluación para la comprobación de la justificación de ayudas y de la realización de la actividad y del cumplimiento de la finalidad que determinen la concesión o disfrute de las ayudas. Los resultados de las evaluaciones serán objeto de difusión.

d) Asesorar en materia de gestión, sistemas de financiación, justificación y seguimiento del Plan Estatal de Investigación Científica y Técnica y del Plan Estatal de Innovación.

e) Cualquier otra que les sea encomendada por su estatuto, su reglamento o la normativa vigente.

La Agencia Estatal de Investigación estará orientada al fomento de la generación del conocimiento en todas las áreas del saber mediante el impulso de la investigación científica y técnica, y utilizará como criterio evaluativo para la asignación de los recursos el mérito científico o técnico de acuerdo con lo indicado en el artículo 5 de la LCTI.

El Centro para el Desarrollo Tecnológico Industrial estará orientado al fomento de la innovación mediante el impulso de la investigación, del desarrollo experimental y de la incorporación de nuevas tecnologías. Utilizará para la asignación de sus recursos criterios de evaluación que tomarán en cuenta el mérito técnico o de mercado y el impacto socioeconómico de los proyectos de acuerdo con lo indicado en el artículo 5 de la LCTI.

Tanto la Agencia Estatal de Investigación como el Centro para el Desarrollo Tecnológico Industrial desarrollarán su actividad como agentes de financiación de forma coordinada y de acuerdo con los principios de autonomía, objetividad, transparencia, rendición de cuentas, eficacia y eficiencia en la gestión. Sus procedimientos de evaluación y financiación se ajustarán a los criterios vinculados a las buenas prácticas establecidas en el ámbito internacional. Además, cooperarán en el ámbito de sus funciones con sus homólogos españoles y extranjeros.

1.6.3. Agentes de ejecución

A) Agentes de ejecución de la Administración General del Estado

Son agentes de ejecución de la Administración General del Estado los Organismos Públicos de Investigación, así como otros Organismos de investigación públicos dependientes, creados o participados mayoritariamente por la Administración General del Estado.

B) Organismos Públicos de Investigación de la Administración General del Estado

B1) Naturaleza

Son Organismos Públicos de Investigación los creados para la realización directa de actividades de investigación científica y técnica, de actividades de prestación de servicios tecnológicos, y de aquellas otras actividades de carácter complementario, necesarias para el adecuado progreso científico y tecnológico de la sociedad, que les sean atribuidas por la LCTI o por sus normas de creación y funcionamiento. Además, el Instituto de Salud Carlos III realizará actividades de financiación de la investigación científica y técnica.

Tienen la condición de Organismos Públicos de Investigación de la Administración General del Estado la Agencia Estatal Consejo Superior de Investigaciones Científicas (CSIC), el Instituto Nacional de Técnica Aeroespacial (INTA), el Instituto de Salud Carlos III (ISCIII), el Centro de Investigaciones Energéticas Medioambientales y Tecnológicas (CIEMAT), y el Instituto de Astrofísica de Canarias (IAC) sin perjuicio de su propia naturaleza consorcial.

Se establecerán medidas para mejorar y optimizar los procesos de evaluación de la actividad de los Organismos Públicos de Investigación.

B2) Control financiero

El artículo 3 del Real Decreto-ley 3/2019, de 8 de febrero, de medidas urgentes en el ámbito de la Ciencia, la Tecnología, la Innovación y la Universidad establece en este sentido que los organismos públicos de investigación de la Administración General del Estado quedarán sujetos al control financiero permanente en sustitución de la función interventora, de acuerdo con lo dispuesto en el apartado 2 del artículo 149 de la Ley 47/2003, de 26 de noviembre, General Presupuestaria.

Con independencia de lo previsto en el artículo 161 de la Ley 47/2003, de 26 de noviembre, los organismos públicos de investigación habrán de dar cuenta a la Intervención General de la implementación de las recomendaciones que consten en los informes definitivos en el plazo de un mes desde su emisión.

La Intervención General de la Administración del Estado elaborará un informe global anual de control financiero permanente y, en caso de que esté contemplado en el correspondiente Plan Anual de Auditoría, de auditoría pública de los organismos públicos de investigación que recogerá los resultados más significativos de los informes emitidos, así como de las recomendaciones y su seguimiento. Dicho informe deberá ser objeto de publicación.

Si transcurridos dos años desde la sujeción de estos organismos al control financiero permanente en sustitución de la función interventora, o en cualquier momento posterior, se considerara que los sistemas y procedimientos de gestión económico-financiera de un organismo no resultaran adecuados en los términos anteriormente previstos, el Consejo de Ministros, a propuesta de la Intervención General podrá acordar la aplicación de la función interventora en los términos establecidos en la Ley 47/2003, de 26 de noviembre, conforme a la naturaleza jurídica del organismo.

C) Operaciones de crédito autorizadas

El artículo 4 del Real Decreto-ley 3/2019, de 8 de febrero, de medidas urgentes en el ámbito de la Ciencia, la Tecnología, la Innovación y la Universidad establece los organismos públicos de investigación de la Administración General del Estado y las universidades públicas no transferidas, así como los consorcios, fundaciones y otras entidades de derecho público que sean agentes de ejecución del Sistema Español de Ciencia, Tecnología e Innovación y se encuentren adscritos al Estado, podrán concertar operaciones de crédito como consecuencia de los anticipos reembolsables que se les conceden con cargo al Capítulo VIII del presupuesto de la Administración General del Estado, en los términos que se establezcan en la correspondiente ley de presupuestos generales del Estado.

Esta autorización será aplicable únicamente a los anticipos que se concedan con el fin de facilitar la disponibilidad de fondos para el pago de la parte de los gastos que, una vez justificados, se financien con cargo al Fondo Europeo de Desarrollo Regional o al Fondo Social Europeo.

1.7. Otras normas de la LCTI

1.7.1. Estatuto del personal investigador en formación

En el plazo de dos años desde la entrada en vigor de la LCTI, el Gobierno elaborará un estatuto del personal investigador en formación, que deberá someterse a informe previo del Consejo de Política Científica, Tecnológica y de Innovación. Dicho estatuto sustituirá al actual Estatuto del personal investigador en formación, e incluirá las prescripciones recogidas en la LCTI para el contrato predoctoral.

1.7.2. Joven empresa innovadora

El Ministerio de Ciencia e Innovación otorgará la condición de joven empresa innovadora a aquella empresa que tenga una antigüedad inferior a 6 años y cumpla los siguientes requisitos:

a) Que haya realizado unos gastos en investigación, desarrollo e innovación tecnológica que representen al menos el 15 % de los gastos totales de la empresa durante los dos ejercicios anteriores, o en el ejercicio anterior cuando se trate de empresas de menos de dos años.

b) Que el Ministerio de Ciencia e Innovación haya constatado, mediante una evaluación de expertos, en particular sobre la base de un plan de negocios, que la empresa desarrollará, en un futuro previsible, productos, servicios o procesos tecnológicamente novedosos o sustancialmente mejorados con respecto al estado tecnológico actual del sector correspondiente, y que comporten riesgos tecnológicos o industriales.

El Gobierno, en el plazo de un año tras la entrada en vigor de la LCTI, aprobará el Estatuto de la joven empresa innovadora, inspirado en experiencias europeas de éxito, como aspecto clave para el apoyo de sociedades de reciente creación que dedican una parte significativa de su facturación a actividades de I+D+i.

1.7.3. Personal del Sistema Nacional de Salud

El personal que preste servicios en centros del Sistema Nacional de Salud o vinculados o concertados con él que, junto a la actividad asistencial, desempeñe actividad investigadora, será considerado personal investigador a los efectos de lo establecido en el Capítulo I, Título II de la LCTI, sin perjuicio de las condiciones de carrera y laborales que establezcan sus correspondientes regulaciones de trabajo.

1.7.4. Reorganización de los Organismos Públicos de Investigación de la Administración General del Estado

Se autoriza al Gobierno para que, mediante real decreto acordado en Consejo de Ministros a iniciativa de los Ministerios de adscripción y a propuesta conjunta de los Ministros de Economía y Hacienda y de la Presidencia, proceda a reorganizar los actuales Organismos Públicos de Investigación de la Administración General del Estado para adecuarlos a los objetivos de la LCTI, con arreglo a los principios de eficacia, eficiencia, calidad, coordinación, rendición de cuentas y cooperación con el resto de los agentes del Sistema Español de Ciencia, Tecnología e Innovación. Dicha reorganización supondrá la extinción de aquellos Organismos Públicos de Investigación en que una parte sustancial de sus fines y objetivos coincida con los de otros Organismos Públicos de Investigación, que se subrogarán en los contratos de trabajo del personal de aquellos y a los que se adscribirán sus bienes y derechos.

El Gobierno aprobará los nuevos estatutos de los Organismos Públicos de Investigación resultantes. Además de los contenidos exigidos en función de su forma jurídica, los estatutos deberán ajustarse a los siguientes principios organizativos:

a) Se establecerán mecanismos de coordinación entre todos los Organismos Públicos de Investigación a través de la elaboración de sus Planes Plurianuales de Acción, de la representación recíproca en los Consejos Rectores y de la gestión conjunta de instalaciones y servicios. Todos los Planes Plurianuales de Acción tendrán una proyección plurianual coincidente en el tiempo; para su diseño y ejecución podrán incorporar la colaboración del resto de los agentes del Sistema Español de Ciencia, Tecnología e Innovación, especialmente de comunidades autónomas y Universidades.

b) En el seno de la Estrategia Española de Ciencia y Tecnología se establecerán mecanismos de colaboración de los Organismos Públicos de Investigación con los demás agentes del sistema de ciencia y tecnología de las comunidades autónomas en las que estén ubicados sus centros.

c) Para el cumplimiento de sus fines, los Organismos Públicos de Investigación se organizarán en institutos como núcleo organizativo básico, a través de los que ejecutarán sus políticas específicas definidas en los Planes Plurianuales de Acción. Los institutos gozarán de autonomía para la gestión de los recursos que les sean asignados, dentro de las disponibilidades presupuestarias y de las limitaciones establecidas en la normativa aplicable. Los institutos podrán organizarse con recursos pertenecientes a un único Organismo o mediante la asociación con otros agentes del Sistema, a través de los instrumentos previstos en la LCTI.

d) En aquellos casos en que se considere necesario para alcanzar la masa crítica precisa para una actividad de excelencia, se podrán crear centros de investigación o de prestación de servicios mediante la agrupación, física o en red, de institutos del propio Organismo Público de Investigación y/o de otros agentes asociados al mismo, pertenecientes a la misma área temática. Los estatutos de los Organismos Públicos de Investigación determinarán la naturaleza y funciones de dichos centros, que podrán tener un ámbito de actuación territorial superior al de los agentes asociados al Organismo Público de Investigación.

e) Se promoverá la investigación en áreas temáticas prioritarias mediante la constitución de unidades de investigación, propias o en cooperación con otros agentes del

Sistema, con la forma jurídica de fundación o cualquier otra adecuada a la naturaleza de las funciones que hayan de realizar. Dichas unidades tendrán la consideración de centros adscritos al Organismo Público de Investigación que los promueva y estarán sujetas a su coordinación y dirección estratégica. Las fundaciones estarán bajo el protectorado establecido por la Ley 50/2002, de 26 de diciembre, de Fundaciones.

f) Los órganos de gobierno de los Organismos Públicos de Investigación podrán contar con miembros expertos en investigación científica y técnica, así como con gestores experimentados.

g) Cada Organismo podrá contar con un comité asesor, que estará integrado por expertos en investigación científica y técnica, y cuyos cometidos incluirán la propuesta y seguimiento de los Planes Plurianuales de Acción del Organismo.

h) En ningún caso esta reorganización podrá ocasionar incremento del gasto público.

1.7.5. Protección de datos de carácter personal

Lo establecido en la Ley Orgánica 3/2018, de 5 de diciembre, de Protección de Datos Personales y Garantía de los Derechos Digitales, y en el Reglamento (UE) 2016/679 del Parlamento europeo y del Consejo de 27 de abril de 2016 relativo a la protección de las personas físicas en lo que respecta al tratamiento de datos personales y a la libre circulación de estos datos y por el que se deroga la Directiva 95/46/CE (Reglamento general de protección de datos) será de aplicación al tratamiento y cesión de datos derivados de lo dispuesto en la LCTI.

Los agentes públicos de financiación y de ejecución deberán adoptar las medidas de índole técnica y organizativa necesarias que garanticen la seguridad de los datos de carácter personal y eviten su alteración, tratamiento o acceso no autorizados.

El Gobierno regulará, previo informe de la Agencia Española de Protección de Datos, el contenido académico y científico de los currículos del personal docente e investigador de Universidades y del personal investigador que los agentes de financiación y de ejecución pueden hacer público sin el consentimiento previo de dicho personal.

1.7.6. Informes de evaluación de solicitudes de ayudas del Plan Estatal de Investigación Científica y Técnica

En el marco de los procedimientos de concesión de ayudas del Plan Estatal de Investigación Científica y Técnica, serán preceptivos y vinculantes, con los efectos previstos en la Ley 30/1992, de 26 de noviembre, de Régimen Jurídico de las Administraciones públicas y del Procedimiento Administrativo Común[12], los informes del Centro para el Desarro-

12 Las referencias hechas a la Ley 30/1992, de 26 de noviembre, de Régimen Jurídico de las Administraciones Públicas y del Procedimiento Administrativo Común, se entenderán hechas a la Ley del Procedimiento Administrativo Común de las Administraciones Públicas o a la Ley de Régimen Jurídico del Sector Público, según corresponda.

llo Tecnológico e Industrial (CDTI), o de la Agencia Nacional de Evaluación y Prospectiva (ANEP) o del órgano equivalente que se determine en el seno de la Agencia Estatal de Investigación.

Con objeto de facilitar la evaluación de la solicitud, y en el marco de los procedimientos arriba indicados, las órdenes de bases podrán prever los supuestos en los que se deba emitir un informe tecnológico de patentes por parte de una Oficina de Propiedad Industrial.

1.7.7. Subvenciones y ayudas

Las bases reguladoras de subvenciones y ayudas impulsarán la aplicación de las técnicas y medios electrónicos, informáticos y telemáticos de gestión para reducir o suprimir la documentación requerida y reducir los plazos y tiempos de respuesta.

El Ministerio de Ciencia e Innovación podrá impulsar la creación y el funcionamiento de un portal digital de la Administración General del Estado a través del que las personas, organismos, entidades y empresas puedan acceder a toda la información de ayudas y subvenciones a la I+D+i de dicho ámbito.

La justificación de las ayudas públicas y subvenciones concedidas por los agentes públicos del Sistema Español de Ciencia, Tecnología e Innovación, con independencia de la cuantía de las mismas, podrá efectuarse mediante la modalidad de cuenta justificativa simplificada a que se refiere el artículo 75 del Reglamento de la Ley 38/2003, de 17 de noviembre, aprobado mediante Real Decreto 887/2006, de 21 de julio, salvo que en las correspondientes bases reguladoras se estableciera otra modalidad de justificación.

Dicha justificación será objeto de comprobación por muestreo por el órgano concedente en los términos previstos en el apartado 3 del artículo 75 del Reglamento de la Ley 38/2003, de 17 de noviembre, General de Subvenciones; en caso de que en el muestreo se detecten deficiencias en los justificantes analizados, los resultados obtenidos se aplicarán a toda la cuenta justificativa para determinar el importe de subvención correctamente aplicada y para exigir, en su caso, el reintegro correspondiente. Las bases reguladoras podrán concretar la forma de generalizar las conclusiones del muestreo en caso de que la cuenta justificativa deba presentarse estructurada en capítulos o conceptos de gasto.

El muestreo y demás actividades de comprobación económico-administrativa de las actividades subvencionadas de dichas entidades en el caso de que los beneficiarios de las referidas ayudas o subvenciones sean Organismos Públicos de Investigación de la Administración General del Estado o fundaciones, consorcios y demás agentes de ejecución del Sistema Español de Ciencia, Tecnología e Innovación de la Administración General del Estado que estén sometidos al control financiero permanente de la Intervención General de la Administración del Estado, se regirá por lo dispuesto en el párrafo anterior y podrá realizarse por órganos internos de dichas entidades, siempre que se garantice su debida separación de los órganos gestores de cada ayuda y en los términos que se establezcan en las bases reguladoras. Del resultado del examen se dará cuenta al órgano concedente a los efectos oportunos.

Cuando no fuera preciso presentar la documentación que conforma el contenido de la cuenta justificativa con aportación de justificantes de gasto, las bases reguladoras determinarán el contenido de la cuenta justificativa.

Las ayudas y subvenciones financiadas con cargo a fondos de la Unión Europea se justificarán de acuerdo a las normas comunitarias aplicables en cada caso y a las normas nacionales de desarrollo o transposición de aquellas. Los procedimientos de justificación regulados en esta disposición tendrán carácter supletorio respecto de las normas de aplicación directa a las ayudas y subvenciones financiadas con cargo a fondos de la Unión Europea.

Las bases reguladoras de las subvenciones y ayudas públicas para el desarrollo de proyectos de investigación concedidas por los agentes públicos del Sistema Español de Ciencia, Tecnología e Innovación establecerán el porcentaje de las mismas que corresponda a los costes indirectos que se puedan imputar por el beneficiario a la actividad subvencionada. Con carácter general, el importe de los costes indirectos no será inferior al 21 por 100 del coste de dicha actividad, sin necesidad de justificación, siempre que lo permita la correspondiente normativa aplicable.

Podrán concederse de forma directa, mediante resolución de la persona titular de la dirección del correspondiente agente público de financiación del Sistema Español de Ciencia, Tecnología e Innovación y de conformidad con lo establecido en los artículos 22.2.b) y 28.1 de la Ley 38/2003, de 17 de noviembre, las subvenciones para la realización de proyectos de investigación científica, técnica e innovación que sean consecuencia de las siguientes convocatorias competitivas:

a) Convocatorias públicas efectuadas por las estructuras creadas por varios Estados miembros en ejecución del programa marco plurianual de la Unión Europea, al amparo de lo dispuesto en los artículos 182, 185, 186 y 187 del Tratado de Funcionamiento de la Unión Europea, así como las que se realicen en el marco de las asociaciones creadas al amparo del propio Programa Marco de Investigación e Innovación de la Unión Europea.

b) Convocatorias públicas de investigación e innovación competitivas, evaluadas según estándares internacionales de evaluación por pares y gestionadas por las estructuras creadas con base en tratados o acuerdos internacionales suscritos por España o los agentes públicos de financiación del Sistema Español de Ciencia, Tecnología e Innovación.

Además, las Administraciones públicas podrán basar sus convocatorias de subvenciones enmarcadas en el ámbito de la Estrategia Española de Ciencia, Tecnología e Innovación, en las evaluaciones que hayan realizado los agentes públicos de las mismas u otras Administraciones públicas en sus convocatorias de ayudas para el mismo objeto en el ámbito de la Estrategia Española de Ciencia, Tecnología e Innovación. En estos supuestos las ayudas podrán concederse de forma directa, mediante resolución del órgano competente para la concesión de ayudas en el correspondiente agente público, y de conformidad con lo establecido en los artículos 22.2.b) y 28.1 de la Ley 38/2003, de 17 de noviembre. En todo caso se tendrá en cuenta lo dispuesto en la normativa de protección de las personas físicas en lo que respecta al tratamiento de datos personales.

Será de aplicación la Ley 9/2017, de 8 de noviembre, en caso de que en la ejecución de las subvenciones y ayudas se celebren contratos que deban someterse a dicha ley.

1.7.8. Autorización legal para la creación de la Agencia Estatal de Investigación[13]

Se autoriza al Gobierno para la creación de Agencia Estatal de Investigación, orientada al fomento de la generación del conocimiento en todas las áreas del saber mediante el impulso de la investigación científica y técnica, a la que será de aplicación la Ley 28/2006, de 18 de julio, de Agencias Estatales para la Mejora de los Servicios Públicos. La Agencia tendrá el mismo régimen fiscal que los Organismos Autónomos, y utilizará como criterio evaluativo para la asignación de los recursos el mérito científico o técnico.

La creación de la Agencia se realizará sin aumento de gasto público, y no se financiará con créditos del presupuesto financiero del Estado, salvo en los casos y con los límites que se establezcan mediante ley de presupuestos generales del Estado.

El Gobierno creará en el plazo máximo de un año la Agencia Estatal de Investigación mediante la aprobación de su estatuto.

1.7.9. Implantación de la perspectiva de género

Los Planes de Igualdad de género en el ámbito de la I+D+i de los agentes del Sistema Español de Ciencia, Tecnología e Innovación que formen parte del sector público estatal, conllevarán un plan de implementación, seguimiento y evaluación de los mismos, así como medidas de transparencia para conocer sus resultados. Los resultados obtenidos del seguimiento anual supondrán la revisión y actualización de los planes aprobados en un máximo de dos años, y serán tenidos en cuenta en todo caso en los planes que se aprueben para períodos posteriores.

Se fomentará también la elaboración de guías y protocolos que homogeneicen el alcance y tratamiento de estos planes y su desarrollo y adaptación a los organismos correspondientes en sus entornos específicos.

1.7.10. Otros agentes de ejecución del Sistema Español de Ciencia, Tecnología e Innovación pertenecientes al sector público

La Fundación Española para la Ciencia y la Tecnología (FECYT), la Fundación Biodiversidad, la Fundación Estatal Salud, Infancia y Bienestar Social (FCSAI), el Museo Nacional del Prado, la Biblioteca Nacional de España O.A. (BNE), el Instituto de Patrimonio Cultural de España (IPCE), la Filmoteca Española, adscrita al Instituto de la Cinematografía y de las Artes Audiovisuales O.A., los museos y archivos de titularidad y gestión estatal, la

---

13 Por Real Decreto 1067/2015, de 27 de noviembre, se crea la Agencia Estatal de Investigación y se aprueba su Estatuto.

Dirección General del Instituto Geográfico Nacional, el Centro Nacional de Información Geográfica O.A., el Centro de Estudios y Experimentación de Obras Públicas O.A. (CEDEX), el Centro Español de Metrología O.A., el Instituto Nacional de Estadística O.A. y las Reales Academias y Academias Asociadas vinculadas con el Instituto de España, y la Agencia Estatal de Meteorología y la Agencia Española de Medicamentos y Productos Sanitarios tendrán la condición de agentes de ejecución a los efectos de lo dispuesto en la LCTI.

1.7.11. Consideración de actividades prioritarias a efectos de la Ley 49/2002, de 23 de diciembre, de régimen fiscal de las entidades sin fines lucrativos y de los incentivos fiscales al mecenazgo

Las leyes anuales de Presupuestos Generales del Estado que declaren prioritarias de mecenazgo las referidas actividades de investigación, desarrollo e innovación, podrán declarar como beneficiarias del mecenazgo a las Instituciones de Excelencia, a los efectos previstos en los artículos 16 a 24, ambos inclusive, de la Ley 49/2002.

1.7.12. Compensación económica por obras de carácter intelectual

En los casos en que los derechos de explotación de la obra de carácter intelectual creada correspondan a un centro público de investigación, el personal dedicado a la investigación tendrá derecho a una compensación económica en atención a los resultados en la producción y explotación de la obra, que se fijará en atención a la importancia comercial de aquella y teniendo en cuenta las aportaciones propias del empleado.

Las modalidades y cuantía de la participación del personal investigador de los centros públicos de investigación en los beneficios que se obtengan de la explotación o cesión de los derechos regulados en el párrafo anterior, serán establecidas por el Gobierno, las comunidades autónomas o las Universidades, atendiendo a las características concretas de cada centro de investigación. Dicha participación en los beneficios no tendrá en ningún caso la consideración de una retribución o salario para el personal investigador.

1.7.13. Regulación de los centros de investigación propios de las comunidades autónomas con competencia exclusiva

Los centros y estructuras de investigación propios de una comunidad autónoma que haya asumido estatutariamente la competencia exclusiva para la regulación de sus propios centros de investigación se regirán por la normativa aprobada a tal efecto por su comunidad autónoma, sin perjuicio de lo dispuesto en la disposición final novena respecto de la extensión a los mismos de los artículos de carácter básico o de aplicación general de la LCTI.

A los efectos del párrafo anterior, se entenderá por centros y estructuras de investigación propios aquellos que estén participados mayoritariamente en su capital o fondo patrimonial o en su órgano de gobierno por la comunidad autónoma o por entidades de su sector público, o cuyos presupuestos se doten ordinariamente en más de un 50% con subvenciones u otros ingresos procedentes de la Administración de la comunidad autónoma o de entidades de su sector público.

En el caso de los centros y estructuras de investigación en los que participen de forma mayoritaria entidades que forman parte del sector público de la Administración General del Estado o de comunidades autónomas que hayan asumido estatutariamente competencia exclusiva para la regulación de sus propios centros de investigación, se entenderá a los efectos de la aplicación de la normativa pública, que forman parte del sector público que detente una participación que, aunque siendo minoritaria, sea superior a la de cada una de las restantes entidades públicas, consideradas individualmente.

Para el cálculo de los cómputos de participación, no se tendrán en consideración las contribuciones económicas que, con carácter individual y específico, se realicen a cargo de los Presupuestos Generales del Estado.

1.7.14. Regulación de las entidades de investigación compartidas entre el Estado y las comunidades autónomas

Las entidades de investigación dependientes, creadas o participadas a partes iguales por la Administración General del Estado o sus organismos y entidades, y por una comunidad autónoma o sus organismos y entidades, se regirán por la normativa que indiquen las normas o los instrumentos jurídicos de creación.

1.7.15. Los centros tecnológicos y centros de apoyo a la innovación tecnológica de ámbito estatal

Se consideran centros tecnológicos aquellas entidades sin ánimo de lucro, legalmente constituidas y residentes en España, que gocen de personalidad jurídica propia y sean creadas con el objeto, declarado en sus estatutos, de contribuir al beneficio de la sociedad y a la mejora de la competitividad de las empresas mediante la generación de conocimiento tecnológico, realizando actividades de I+D+i y desarrollando su aplicación.

Esta función de aplicación del conocimiento comprenderá, entre otras, la realización de proyectos de I+D+i con empresas, la intermediación entre los generadores del conocimiento y las empresas, la prestación de servicios de apoyo a la innovación y la divulgación mediante actividades de transferencia de tecnología y formativas.

Tendrán la consideración de centros de apoyo a la innovación tecnológica aquellas entidades sin ánimo de lucro, legalmente constituidas y residentes en España, que gocen de personalidad jurídica propia y sean creadas con el objeto, declarado en sus estatutos, de facilitar la aplicación del conocimiento generado en los organismos de investigación, incluidos los centros tecnológicos, mediante su intermediación entre estos y las empresas, proporcionando servicios de apoyo a la innovación.

El Gobierno, a propuesta del Ministerio de Ciencia e Innovación, regulará el registro de centros tecnológicos y centros de apoyo a la innovación tecnológica de carácter estatal.

1.7.16. Programas de ayudas a la investigación dirigidas al personal de investigación

Los Programas de ayudas a la investigación que impliquen la realización de tareas de investigación en régimen de prestación de servicios por personal de investigación deberán establecer la contratación laboral de sus beneficiarios por parte de las entidades a las que se adscriban, mediante la formalización de un contrato laboral de acuerdo con lo establecido en el Texto Refundido de la Ley del Estatuto de los Trabajadores, aprobado por Real Decreto Legislativo 1/1995, de 24 de marzo y en el convenio colectivo vigente en la entidad de adscripción.

1.7.17. Programas de ayudas a la investigación dirigidas al personal de investigación

Los Programas de ayudas a la investigación que impliquen la realización de tareas de investigación en régimen de prestación de servicios por personal de investigación deberán establecer la contratación laboral de sus beneficiarios por parte de las entidades a las que se adscriban, mediante la formalización de un contrato laboral de acuerdo con lo establecido en el Texto Refundido de la Ley del Estatuto de los Trabajadores, aprobado por Real Decreto Legislativo 1/1995, de 24 de marzo y en el convenio colectivo vigente en la entidad de adscripción.

1.7.18. Consideración de los proyectos de investigación, desarrollo e innovación como unidades funcionales

Siempre que sean autónomos en su objeto, los proyectos de investigación, desarrollo e innovación que hayan sido encomendados a los agentes públicos del Sistema Español de Ciencia, Tecnología e Innovación mediante contratos, resoluciones de concesión de subvenciones en concurrencia competitiva o cualquier otro instrumento jurídico, tendrán cada uno de ellos la consideración de unidades funcionales separadas dentro de dichos agentes públicos del Sistema Español de Ciencia, Tecnología e Innovación, a los efectos del cálculo del valor estimado que establece el artículo 101.6 de la Ley 9/2017, de 8 de noviembre, de Contratos del Sector Público.

1.7.19. Mapa de Infraestructuras Científicas y Técnicas Singulares

Se establece el Mapa de Infraestructuras Científicas y Técnicas Singulares (ICTS) como instrumento para la planificación y desarrollo a largo plazo de este tipo de infraestructuras de titularidad pública en España, de manera coordinada entre la Administración General del Estado y las comunidades autónomas.

El Mapa de ICTS y sus sucesivas actualizaciones serán aprobados por el Consejo de Política Científica, Tecnológica y de Innovación.

La Administración General del Estado, las comunidades autónomas y las entidades titulares o gestoras de ICTS podrán colaborar en el desarrollo del Mapa de ICTS mediante la coordinación de la aplicación de recursos nacionales, regionales, fondos comunitarios, y de otras fuentes. Para ello, la Administración General del Estado y las comunidades autónomas podrán definir programas de financiación específicos o actuaciones de programación conjunta a tal fin. Asimismo, las ICTS se considerarán incluidas en las estrategias de especialización en el ámbito de la investigación y la innovación de sus Administraciones públicas de dependencia.

El Ministerio de Ciencia e Innovación elevará al Consejo de Política Científica, Tecnológica y de Innovación, para su aprobación, el sistema de elaboración del Mapa de ICTS y sus sucesivas actualizaciones, y coordinará su desarrollo. El sistema que se apruebe incluirá, al menos, los objetivos perseguidos, los principios y metodología aplicables, así como la definición del concepto, criterios y requisitos aplicables a las Infraestructuras Científicas y Técnicas Singulares.

1.7.20. Bancos de pruebas regulatorios del Sistema Español de Ciencia, Tecnología e Innovación

Con el fin de fomentar la investigación y la innovación de vanguardia, el Gobierno y las comunidades autónomas en sus ámbitos de competencia podrán establecer bancos de pruebas regulatorios que permitan la ejecución de proyectos piloto de I+D+i con arreglo a un marco normativo y administrativo adecuados, para garantizar el respeto a la legalidad y la competitividad internacional del Sistema Español de Ciencia, Tecnología e Innovación.

El establecimiento de los bancos de pruebas regulatorios y las condiciones de funcionamiento y acceso de los proyectos de I+D+i a los mismos, se realizarán por el Gobierno y las comunidades autónomas mediante los oportunos desarrollos reglamentarios. En todo caso, será necesario prever un protocolo de pruebas en el que se incluyan cláusulas de confidencialidad y secreto empresarial, así como cláusulas, sujetas a la regulación específica, sobre los derechos de propiedad industrial e intelectual, obtenciones vegetales o secretos empresariales que pudieran verse afectados durante la realización de pruebas. El protocolo de pruebas también deberá incluir las normas, condiciones y límites a los que estará sujeto el proyecto piloto, aspectos relevantes sobre su seguimiento y sus objetivos, así como la previsión de un sistema de garantías e indemnizaciones.

La ejecución de pruebas, proyectos o actividades en los bancos de pruebas regulatorios se realizará con fines exclusivamente de investigación o innovación, por el tiempo necesario para su ejecución en los términos programados, limitándose el volumen y alcance de los mismos, y no supondrá, en ningún caso, el otorgamiento de autorización para el ejercicio de actividades comerciales o industriales ajenas o no relacionadas con los fines propios de la investigación e innovación.

Sin perjuicio de lo dispuesto en el párrafo siguiente, las actividades que se realicen en ejecución de proyectos de I+D+i desarrollados en los bancos de pruebas deberán acomodarse a la normativa reguladora de los mismos, que contemplará plazos abreviados y procedimientos administrativos específicos o simplificados, dentro del ámbito de las competencias que correspondan al Gobierno y las comunidades autónomas.

Los bancos de pruebas regulatorios deberán estar circunscritos a espacios geográficamente delimitados, vinculados a la actividad de infraestructuras científico-técnicas de titularidad pública. Los proyectos que se repitan de manera recurrente en este tipo de bancos de pruebas se someterán a evaluación de impacto ambiental simplificada, cuando este trámite resulte preceptivo.

Las autoridades con competencias en la materia cooperarán entre sí para garantizar que los bancos de pruebas regulatorios sirvan a los objetivos y principios rectores previstos en la LCTI, facilitando, dentro de su ámbito competencial y con las garantías adecuadas, la ejecución de los correspondientes proyectos y actividades.

Para la elección de la ubicación de estos bancos de pruebas regulatorios se tendrá en cuenta como criterio de selección su implantación en áreas despobladas, así como otros criterios de cohesión territorial.

1.7.21. Reducción de cargas administrativas en el ámbito científico, tecnológico e investigador

Por parte de los agentes del Sistema Español de Ciencia, Tecnología e Innovación que formen parte del sector público estatal se promoverá la adopción de medidas para la reducción de cargas administrativas y duplicidades en los procedimientos de acreditación y evaluación contemplados en la LCTI, de forma que los interesados en los correspondientes procedimientos administrativos no aporten documentos que ya se encuentren en poder de los citados agentes o hayan sido elaborados por los mismos, ni se les exija a tales interesados datos o documentos que no resulten preceptivos de acuerdo con la normativa legal o reglamentaria aplicable a los procesos de acreditación y evaluación de la actividad investigadora, o que ya hayan sido aportados por estos en cualquier momento anterior.

1.7.22. Título competencial y carácter de legislación básica

1. La LCTI se dicta al amparo de lo dispuesto en el artículo 149.1.15.ª de la Constitución, que atribuye al Estado competencia exclusiva sobre el fomento y la coordinación general de la investigación científica y técnica.
2. Las siguientes disposiciones de la LCTI constituyen regulación de las condiciones básicas que garantizan la igualdad de todos los españoles en el ejercicio de los derechos y el cumplimiento de los deberes constitucionales, de acuerdo con el artículo 149.1.1.ª de la Constitución: disposición adicional decimotercera.

3. Las siguientes disposiciones de la LCTI se dictan al amparo del artículo 149.1.7.ª de la Constitución, que atribuye al Estado competencia exclusiva sobre legislación laboral, y son de aplicación general: artículos 16, 17, 18, 20, 21, 22, y 23 y disposición adicional decimosexta.
4. Las siguientes disposiciones de la LCTI se dictan al amparo del artículo 149.1.9.ª de la Constitución, que atribuye al estado competencia exclusiva sobre legislación sobre propiedad intelectual e industrial, y son de aplicación general: disposición adicional decimonovena y disposición final segunda.
5. La siguiente disposición de la LCTI se dicta al amparo del artículo 149.1.16.ª de la Constitución, que atribuye al Estado competencia sobre legislación sobre productos farmacéuticos y en materia de bases y coordinación general de la sanidad: disposición final séptima y disposición final octava.
6. Las siguientes disposiciones de la LCTI se dictan al amparo del artículo 149.1.14.ª de la Constitución, que atribuye al Estado competencia exclusiva sobre Hacienda general: disposición adicional decimoquinta y disposición final cuarta.
7. Tienen el carácter de legislación básica, de acuerdo con lo preceptuado en el artículo 149.1.18.ª de la Constitución, las siguientes disposiciones de la LCTI: artículos 16, 17 y 18, disposición adicional undécima, disposición final primera, disposición final quinta y disposición final sexta.
8. Las siguientes disposiciones de la LCTI se dictan al amparo del artículo 149.1.17.ª de la Constitución, que atribuye al Estado competencia exclusiva sobre el régimen económico de la Seguridad Social: disposición adicional decimoctava.
9. Las siguientes disposiciones de la LCTI se dictan al amparo del artículo 149.1.30.ª de la Constitución, que atribuye al Estado competencia exclusiva sobre regulación de las condiciones de obtención, expedición y homologación de Títulos académicos y profesionales y normas básicas para el desarrollo del artículo 27 de la Constitución, a fin de garantizar el cumplimiento de las obligaciones de los poderes públicos en esta materia: Capítulo III del Título II y disposición final tercera.

2. La Investigación en las Universidades

2.1. Configuración jurídica de la investigación en la Universidad

La Ley Orgánica de Universidades del año 2001, ya en su preámbulo ponía especialmente énfasis en resaltar la labor investigadora en la Universidad, y en su reforma, llevada a cabo por la Ley Orgánica 4/2007, de 12 de abril, volvía a incidir en la labor investigadora de la Universidad, intentando acercar esta al sector productivo, al mundo empresarial, logrando una óptima transferencia de conocimiento a la sociedad.

La Ley Orgánica 2/2203, de 22 de marzo, del Sistema Universitario establece en su Preámbulo que "Necesitamos una Ciencia Abierta, que asuma ese conocimiento como un bien común, accesible y no mercantilizado, una Ciencia Ciudadana en la que se construya conocimiento de manera compartida, asumiendo la complejidad de la investigación de manera colectiva. Por ello, esta ley orgánica promueve la labor conjunta con la sociedad de creación y difusión del conocimiento, fomentando la Ciencia Abierta y Ciudadana mediante el acceso a publicaciones, datos, códigos y metodologías que garanticen la comunicación de la investigación".

La LOSU ya desde su artículo segundo establece que el sistema universitario presta y garantiza el servicio público de la educación superior universitaria mediante la docencia, la investigación y la transferencia del conocimiento. En el mismo artículo, el apartado 2 c) reconoce como funciones de la Universidad: "La generación, desarrollo, difusión, transferencia e intercambio del conocimiento y la aplicabilidad de la investigación en todos los campos científicos, tecnológicos, sociales, humanísticos, artísticos y culturales".

Y en su artículo tercero señala que en los términos de esta ley orgánica, la autonomía de las universidades comprende y requiere:

a) El establecimiento de las líneas estratégicas de la universidad, entre otras, en las políticas docentes, de investigación e innovación, de aseguramiento de la calidad, de gestión financiera, de personal, de estudiantado, de cultura y de internacionalización (…).

i) El establecimiento e implantación de programas de investigación y de transferencia e intercambio del conocimiento e innovación.

Además la LOSU por primera vez dedica un Título, el Título IV a la investigación, a la transferencia e intercambio del conocimiento y a la innovación, lo cual supone una continuación de su antecesora la Ley Orgánica de Universidades que por primera vez dedicó a la investigación un Título de su articulado y supuso, siguiendo a la profesora CUETO PÉREZ, un reconocimiento individualizado a esta actividad, que se echaba de menos en la legislación precedente. Este Título consta de tres preceptos (arts. 11 al 13), cuyo contenido pasamos a examinar.

2.2. Normas generales

A tenor del artículo 11 de la LOSU la investigación es una de las funciones fundamentales de las universidades.

La investigación, al igual que la docencia, es un derecho y un deber del personal docente e investigador. Por ello, el personal docente e investigador podrá desarrollarlas con intensidades distintas a lo largo de su trayectoria académica, sin perjuicio de las normas establecidas en cada universidad.

La investigación universitaria deberá abarcar todos los ámbitos de conocimiento, ya sean de tipo científico, tecnológico, humanístico, artístico o cultural.

Las universidades impulsarán estructuras de investigación y de transferencia e intercambio del conocimiento e innovación que faciliten la interdisciplinariedad y multidisciplinariedad. De igual modo, la investigación universitaria podrá desarrollarse juntamente con otros organismos o Administraciones públicas, así como con entidades y empresas públicas, privadas y de economía social.

Las universidades promocionarán las relaciones entre la investigación universitaria, las necesidades sociales y culturales y su articulación con el sistema productivo, atendiendo especialmente a la estructura social y económica del territorio en que están implantadas. A su vez, impulsarán iniciativas para compartir, difundir y divulgar los resultados de la investigación al conjunto de la sociedad a través de diversos canales, en particular los espacios de formación a lo largo de la vida. Promoverán, asimismo, la investigación, la transferencia e intercambio del conocimiento en las lenguas oficiales de sus territorios.

Las actividades de investigación, y de transferencia e intercambio del conocimiento e innovación realizadas por el personal docente e investigador se considerarán conceptos evaluables a efectos retributivos y de promoción.

La interdisciplinariedad o multidisciplinariedad en la investigación constituirá un mérito en la evaluación de la actividad del personal docente e investigador.

Las universidades impulsarán la formación de redes de investigación entre grupos, departamentos, centros, instituciones, entidades y empresas.

2.3. Fomento de la Ciencia Abierta y Ciencia Ciudadana

El artículo 12 de la LOSU establece que el conocimiento científico tendrá la consideración de un bien común. Las Administraciones públicas y las universidades promoverán y contribuirán activamente a la Ciencia Abierta mediante el acceso abierto a publicaciones científicas, datos, códigos y metodologías que garanticen la comunicación de la investigación, a fin de alcanzar los objetivos de investigación e innovación responsables que se impulsen desde la comunidad científica, así como los objetivos de libre circulación de los conocimientos científicos y las tecnologías que promulga la política europea de investigación y desarrollo tecnológico.

El personal docente e investigador deberá depositar una copia de la versión final aceptada para publicación y los datos asociados a la misma en repositorios institucionales o temáticos de acceso abierto, de forma simultánea a la fecha de publicación.

La versión digital de las publicaciones académicas se depositará en los repositorios institucionales, sin perjuicio de otros repositorios de carácter temático o generalista.

Los Ministerios de Universidades y de Ciencia e Innovación y los órganos correspondientes de las comunidades autónomas, cada uno en su ámbito de actuación, promoverán otras iniciativas orientadas a facilitar el libre acceso a los datos generados por la investigación (datos abiertos) y a desarrollar infraestructuras y plataformas abiertas.

Los datos, entendidos como aquellas fuentes primarias necesarias para validar los resultados de las investigaciones, deberán seguir los principios FAIR (datos fáciles de encontrar, accesibles, interoperables y reutilizables) y, siempre que sea posible, difundirse en acceso abierto.

Las universidades deberán promover la transparencia en los acuerdos de suscripción con editoriales científicas.

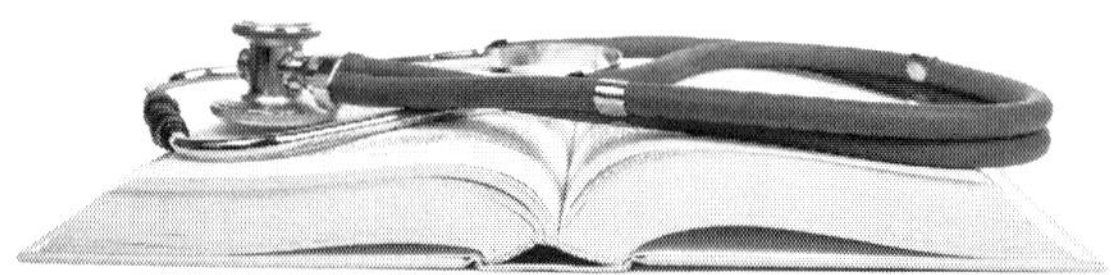

Las bibliotecas y otras unidades universitarias facilitarán el acceso de la ciudadanía a los recursos informativos, digitales y no digitales, así como la formación necesaria para promover la difusión de la Ciencia Abierta en la comunidad universitaria y en el conjunto de la sociedad.

Las agencias de calidad estatal y autonómicas incluirán entre sus criterios y requisitos de evaluación la accesibilidad en abierto de los resultados científicos del personal docente e investigador.

Las agencias de calidad utilizarán los repositorios institucionales como forma de acceso a la documentación, para garantizar la agilidad de los procedimientos de evaluación.

Se fomentará la Ciencia Ciudadana como un campo de generación de conocimiento compartido entre la ciudadanía y el sistema universitario de investigación. Con el objetivo de promover la reflexión científica, tecnológica, humanística, artística y cultural y su aplicación a los retos sociales, las universidades favorecerán e impulsarán la colaboración con los actores sociales, y con las Administraciones públicas, en especial con las comunidades autónomas y la Administración local.

Lo anterior será compatible con la posibilidad de tomar las medidas oportunas para proteger, con carácter previo a la publicación científica, los derechos sobre los resultados de la actividad de investigación, desarrollo e innovación, de acuerdo con las normativas nacionales y europeas en materia de propiedad intelectual e industrial, obtenciones vegetales o secreto empresarial.

2.4. Desarrollo de proyectos para la investigación, creación y transferencia e intercambio del conocimiento

De conformidad con lo dispuesto en el artículo 13 de la LOSU las Administraciones públicas fomentarán la investigación y, asimismo, el desarrollo tecnológico en el ámbito universitario, sin perjuicio del desarrollo de programas propios de las universidades, mediante, entre otras, las siguientes actuaciones:

a) Conectar las universidades con otros centros educativos, culturales y científicos para incentivar la investigación y reforzar las actividades educativas científicas y las vocaciones científicas. En el desarrollo de estas actividades se atenderá especialmente a criterios de renta, origen, territorio y género.

b) Impulsar convocatorias de programas de investigación conducentes a la contratación de personal investigador para la obtención del título de Doctorado y que permitan la posterior incorporación de jóvenes investigadoras e investigadores a la carrera académica.

c) Impulsar convocatorias para el desarrollo de proyectos de investigación, programas de doctorado y de formación a lo largo de la vida, que se lleven a cabo en universidades y entidades o empresas de forma colaborativa, priorizando aquellas del entorno local, para contribuir a la creación y transferencia e intercambio del conocimiento, así como a promover la incorporación de talento en el tejido social y económico.

d) Impulsar convocatorias para garantizar el liderazgo de jóvenes investigadoras e investigadores en proyectos de investigación.

e) Impulsar actividades de investigación entre el conjunto del profesorado universitario, fomentando la calidad y la competitividad internacional de la investigación desarrollada por las universidades españolas.

f) Desarrollar la investigación interdisciplinar y transdisciplinar entre los diversos campos de conocimiento, facilitando asimismo la compatibilidad entre actividades investigadoras y docentes.

g) Impulsar programas de cooperación entre universidades e institutos universitarios de investigación para potenciar acciones y programas conjuntos de investigación, transferencia e intercambio del conocimiento e innovación.

h) Impulsar programas de atracción de talento mediante la incorporación de investigadores e investigadoras de especial relevancia dentro de las iniciativas de investigación implementadas por las universidades.

i) Impulsar programas de movilidad nacional e internacional de investigadores e investigadoras y de grupos de investigación para la formación de equipos y centros de excelencia.

j) Impulsar programas que incentiven actividades conjuntas de investigación, transferencia e intercambio del conocimiento e innovación entre grupos e institutos universitarios españoles con otros internacionales.

k) Promocionar políticas de creación de patentes y de generación de entidades o empresas basadas en el conocimiento, así como la incentivación de los procesos de transferencia e intercambio del conocimiento científico, tecnológico, humanís-

tico, social y cultural universitario y su transformación en procesos de innovación en el sistema productivo tanto a escala local como internacional.

l) Potenciar y desarrollar estructuras, servicios y unidades que sirvan de apoyo técnico a las actividades de investigación, transferencia e intercambio del conocimiento e innovación.

La composición de las comisiones de evaluación y selección de todas estas convocatorias y proyectos se ajustará al principio de composición equilibrada entre hombres y mujeres, y se incluirán mecanismos para evitar los sesgos de género. A su vez, se incentivará la promoción de proyectos científicos con perspectiva de género, la paridad de género en los equipos de investigación y los mecanismos que faciliten la promoción de un mayor número de mujeres investigadoras principales.

2.5. La actividad investigadora de las Universidades en la Ley 2/2011, de 4 de marzo de Economía Sostenible

2.5.1. Introducción

La ley 2/2011, de 4 de marzo de Economía Sostenible (en adelante LES) incide en varios de sus artículos en la actividad investigadora realizada en las Universidades, fundamentalmente en el apartado relativo a "Transferencia de resultados en la actividad investigadora".

2.5.2. Formación, investigación y transferencia de resultados en el sistema universitario

A) Objetivos en materia universitaria

Tal y como señala el artículo 60 de la LES con el fin de contribuir a los objetivos que la misma establece el sistema universitario atenderá a la consecución de los siguientes objetivos:

a) Facilitar, a través de la formación, la adquisición de las cualificaciones demandadas por el sistema productivo y el sector público y la adaptabilidad ante los cambios económicos y sociales y, en general, la capacidad para afrontar los desafíos a largo plazo.

b) Promover la calidad, la competitividad e internacionalización de las universidades mediante la especialización formativa investigadora, la modernización de sus infraestructuras y la mejora en la eficiencia en su gestión, con un compromiso reforzado con el Espacio Europeo de Educación Superior y el Espacio Europeo de Investigación.

c) Impulsar la productividad científica, la transferencia de conocimiento, el desarrollo tecnológico y la innovación, en todas las ramas del saber.

d) Facilitar la gobernanza universitaria impulsando medidas que garanticen el ejercicio de las funciones de gobierno y dirección; la revisión de los procedimientos internos de dirección y gestión, y la implementación de buenas prácticas, conforme a los criterios internacionalmente reconocidos de calidad y eficiencia en la gestión.

e) Incrementar la transparencia, el control interno de sus finanzas y el equilibrio presupuestario, así como la evaluación externa de sus actividades.

f) Fomentar la captación de talento, la movilidad internacional y la colaboración con universidades y centros de investigación de referencia mundial.

g) Impulsar medidas de atracción de capital privado nacional e internacional para contribuir a la financiación de los objetivos de la universidad, especialmente a la investigación, transferencia del conocimiento y a la creación de empresas innovadoras de base tecnológica.

Para ello, las universidades atenderán a un esfuerzo de modernización, mejora de la eficiencia y búsqueda de la calidad y de la excelencia académica.

B) Formación universitaria y economía sostenible

El artículo 61 de la LES establece que para garantizar su aportación a la economía sostenible, la formación universitaria debe responder a los siguientes principios:

a) La incorporación en sus planes de estudio de habilidades y destrezas orientadas a la innovación, el fomento de la creatividad, el emprendimiento y espíritu empresarial, integradas en materias, conceptos, competencias transversales, métodos de aprendizaje y de examen, y en todos los niveles de la educación, singularmente el doctorado. Estos planes de estudios han de establecerse en cooperación con los centros de investigación, la industria y otras instituciones y agentes, según proceda.

b) La propuesta de nuevos títulos y ofertas educativas que preparen a los estudiantes para las nuevas cualificaciones que demandan los nuevos empleos, de manera que mejoraran la empleabilidad de los ciudadanos en el mercado laboral, así como modernizar y adaptar sus enseñanzas a la producción de productos, servicios, planteamientos y métodos innovadores en la economía y la sociedad en sentido más amplio.

c) La promoción de la adaptabilidad ante los cambios económicos y sociales dando oportunidades completas de formación continua y de extensión universitaria, especialmente las posibilidades de incrementar la movilidad en el aprendizaje en España y en Europa, así como la incorporación efectiva de los titulados universitarios, incluidos los docentes, en el mercado laboral, reforzando las conexiones entre universidad y empresa, con especial atención al fomento de capacidades para la iniciativa empresarial y el autoempleo.

C) Competitividad universitaria

Tal y como señala el artículo 62 de la LES, el Gobierno, en el ámbito de sus competencias y en el marco de la Estrategia Universidad 2015, promoverá la competitividad de las universidades españolas y su progresiva implantación en el ámbito internacional, mediante la mejora de la calidad de sus infraestructuras y su agregación con otros agentes y actores, públicos y privados, que operan en la sociedad del conocimiento. Estas iniciativas se articularán a través del programa Campus de Excelencia Internacional.

A estos efectos, se convocará anualmente el programa Campus de Excelencia Internacional, que tendrá los siguientes objetivos básicos:

a) Promover la agregación de instituciones que, compartiendo un mismo campus, elaboren un proyecto estratégico común.

b) Desarrollar un entorno académico, científico, emprendedor e innovador, de calidad, dirigido a obtener una alta visibilidad internacional.

c) Crear un entorno académico y de innovación que sea un verdadero entorno de calidad para la vida universitaria, integrada socialmente a un distrito urbano o a un territorio y con alto nivel de prestaciones de servicios y de mejoras energéticas y medioambientales.

En el marco de este programa, el Gobierno, a través del Ministerio de Educación, priorizará aquellos proyectos que persigan las siguientes finalidades:

a) Generar campus universitarios altamente competitivos de reconocido prestigio internacional y con un elevado nivel de diferenciación y especialización, al potenciar sus fortalezas y actividades más excelentes.

b) Fomentar campus donde exista una mejor investigación, transferencia de conocimientos y especialización. Se potenciarán la mayor especialización y diferencias dentro de los mismos.

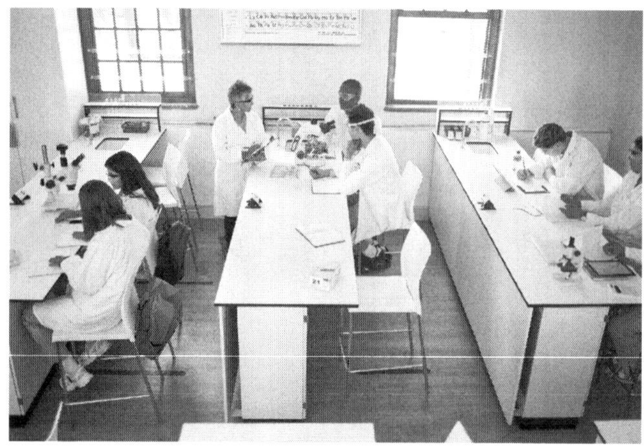

c) Promover la agregación de instituciones que elaboren un proyecto estratégico común y desarrollen un entorno académico, científico, emprendedor e innovador de calidad.

d) Mejorar las infraestructuras universitarias, en general, y las relacionadas con la investigación e innovación, en particular, promoviendo, además, su accesibilidad.

e) Generar un alto nivel de prestaciones de servicios públicos dirigidos a la comunidad universitaria, promoviendo un nuevo urbanismo que tenga en cuenta también mejoras energéticas, medioambientales, y de accesibilidad.

f) Concentrar en un mismo espacio urbano o periurbano los centros docentes, las instalaciones deportivas, los servicios de apoyo, unos entornos y servicios que fomenten el desarrollo sostenible medioambiental, social y económico, y la residencia de estudiantes, profesores, investigadores de institutos de posgrado con vocación internacional.

g) Potenciar la cooperación al desarrollo, configurando los Campus de Excelencia Internacional como espacios de socialización, de transmisión de valores humanos y de garantía de la igualdad de oportunidades, igualdad de género, y la plena integración de las personas con discapacidad.

h) Incorporar fórmulas flexibles de organización del trabajo, es decir, la asunción de medidas que permitan conciliar la vida personal, familiar y laboral.

i) Promover el conocimiento sobre la importancia de la creatividad y el fomento de la innovación para conseguir y conservar una nueva economía basada en la creación de valor.

Las inversiones derivadas de la ejecución de los proyectos señalados podrán ser financiadas, total o parcialmente por la Administración General del Estado, a través de subvenciones y préstamos, y fomentando la inversión por las comunidades autónomas y los Ayuntamientos en cuyo territorio radiquen las instalaciones o equipamientos objeto de la inversión.

D) Agregaciones estratégicas en campus universitarios

El artículo 63 de la LES establece que las universidades, como promotores de Campus de Excelencia Internacional, promoverán acuerdos de agregación estratégica con entidades públicas y privadas orientados a la formación, la investigación y la innovación.

Estas colaboraciones fomentarán el desarrollo económico sostenible local o territorial, a través de la consolidación de ecosistemas de conocimiento que faciliten el intercambio de conocimiento y la innovación abierta guiada por la empresa y basada en la mejor investigación universitaria.

Se considerarán estratégicas las agregaciones que tengan como objetivo potenciar los sectores (industriales o de servicios) en los que haya la posibilidad de penetración en el mercado global con aportación de valor añadido.

Las universidades, las Administraciones públicas y las empresas promoverán, en el marco de los parques científicos y tecnológicos universitarios y de los campus universitarios, interacciones entre la cultura académica y la cultura empresarial cuyo objetivo fundamental deberá ser incrementar la riqueza de su región, promover la cultura emprendedora y la innovación y fomentar la competitividad de las empresas y las instituciones generadoras de conocimiento instaladas o asociadas al parque.

E) Investigación y transferencia del conocimiento

A tenor del artículo 64 de la LES las universidades potenciarán sus funciones de investigación básica y aplicada y de transferencia del conocimiento a la sociedad para la mejora del bienestar y la competitividad, mediante el desarrollo de proyectos e iniciativas en colaboración con el sector productivo.

La colaboración entre las universidades y el sector productivo podrá articularse mediante cualquier instrumento admitido por el ordenamiento jurídico y, en particular, podrá adoptar las siguientes modalidades:

a) La constitución de empresas innovadoras de base tecnológica.

b) La generación de polos de innovación, mediante la concurrencia en un mismo espacio físico de centros universitarios y de empresas.

c) La puesta en marcha y la potenciación de programas de valorización y transferencia de conocimiento.

d) La formación de consorcios de investigación y transferencia del conocimiento.

e) La creación de cátedras-empresa basadas en la colaboración en proyectos de investigación que permitan a los estudiantes universitarios participar y conciliar su actividad investigadora con la mejora de su formación.

Las universidades podrán promover la creación de empresas innovadoras de base tecnológica, abiertas a la participación en su capital societario de uno o varios de sus investigadores, al objeto de realizar la explotación económica de resultados de investigación y desarrollo obtenidos por estos.

2.6. El artículo 60 de la Ley Orgánica del Sistema Universitario. Los contratos de investigación

2.6.1. Concepto

Los contratos de investigación aparecían regulados en el artículo 83.1 de la LOU del año 2011 con la siguiente redacción:

«Los Grupos de Investigación reconocidos por la Universidad, los Departamentos y los Institutos universitarios de investigación, y su profesorado a través de los mismos o de los

órganos, centros, fundaciones o estructuras organizativas similares de la Universidad dedicados a la canalización de las iniciativas investigadoras del profesorado y la transferencia de los resultados de la investigación, podrán celebrar contratos con personas, universidades o entidades públicas y privadas para la realización de trabajos de carácter científico, técnico o artístico, así como para el desarrollo de enseñanzas de especialización o actividades específicas de formación».

Presentaban en su regulación algunas diferencias respecto al artículo 11 de la anterior LRU del año 1983, cuyas particularidades se presentan a continuación:

a) Incorpora como sujetos de los contratos a los «grupos de investigación reconocidos por la Universidad», auténtico refrendo de la consideración de la actividad investigadora como un trabajo en equipo.

b) La redacción de la LOU legaliza la posibilidad de utilizar entres instrumentales con personalidad jurídica distinta de la Universidad (fundaciones o sociedades) para canalizar las iniciativas investigadoras del profesorado.

Siguiendo la línea de la regulación realizada por la LOU en el año 2001, la LOSU, en su artículo 60, contempla a los contratos de investigación con el siguiente contenido:

Los grupos de investigación reconocidos por la universidad, los departamentos y los institutos universitarios de investigación, así como su profesorado tanto a través de los anteriores como a través de los órganos, centros, fundaciones o estructuras organizativas similares de la universidad dedicados a la canalización de las iniciativas investigadoras del profesorado y a la transferencia de los resultados de la investigación, podrán celebrar contratos con personas físicas, universidades, o entidades públicas y privadas para la realización de trabajos de carácter científico, tecnológico, humanístico o artístico, así como para actividades específicas de formación.

En su apartado segundo establece dicho artículo que los órganos de gobierno de las universidades, en el marco de las normas básicas que dicte el Gobierno, regularán los procedimientos de autorización de los trabajos y de celebración de los contratos previstos en el apartado anterior, así como los criterios para fijar el destino de los bienes y recursos que con ellos se obtengan.

2.6.2. Naturaleza. Su configuración como contrato privado

La LCTI, para evitar cualquier indefinición en la aplicación de esta figura a las Universidades, aprovechó para resolver la vieja polémica doctrinal sobre la naturaleza jurídica de estos contratos así como para resolver el viejo problema de la enajenación a particulares de los resultados científicos y tecnológicos al declarar ambos de naturaleza privada (artículo 36). Es importante recordar, con la profesora CUETO PÉREZ, que en estos contratos de investigación la Universidad no actúa como contratante, sino como contratista, relevante diferencia.

En efecto este tipo de contratos, como afirman ARIAS RODRÍGUEZ y CHAVES GARCÍA, se encuadran dentro de los contratos privados de la Administración, cuando se forma-

lizan con entidades privadas (la mayoría de las veces), sin perjuicio de que, cuando la otra parte, sea una Administración pública, su carácter pueda llegar a ser administrativo, de estar lo contratado afectado a su giro o tráfico específico, esto es a su potestad, y someterlo a licitación aplicando la normativa de contratación pública, excluyendo, en este caso, la exigencia de clasificación de contratista[14].

3. El Estatuto del personal investigador predoctoral en formación

3.1. Antecedentes y aprobación

Mediante el Real Decreto 63/2006, de 27 de enero, se aprobó el Estatuto del personal investigador en formación. Este Estatuto supuso una mejora importante en las condiciones laborales del personal investigador que comienza su carrera profesional, que hasta entonces quedaban reguladas en el Real Decreto 1326/2003, de 24 de octubre, por el que se aprueba el Estatuto del becario de investigación.

Entre las mejoras mencionadas, con el Estatuto del personal investigador en formación de 2006 se amplió el ámbito subjetivo de aplicación, y se previó, para los últimos años de la formación del personal investigador, una relación jurídica laboral dentro del marco normativo general vigente.

Así mismo se configuró un sistema obligatorio para todos los programas de ayudas que tengan por finalidad la formación del personal investigador, teniendo como premisa necesaria que ello no es posible sin la obtención última del título universitario oficial de doctorado.

Por su parte, se dio un paso decisivo en la regulación de las condiciones laborales del personal investigador en formación con la aprobación de la Ley 14/2011, de 1 de junio, de la Ciencia, la Tecnología y la Innovación. Esta ley, en su Título II, se centra en los recursos humanos dedicados a la investigación en universidades públicas, organismos públicos de investigación de la Administración General del Estado y organismos de investigación de otras administraciones públicas. En concreto, en la Sección 2.ª del Capítulo I de este Título II, se regulan tres modalidades contractuales. Y, entre ellas, el contrato predoctoral, que tiene por objeto la realización de tareas de investigación en un proyecto específico y novedoso. Se trata de un contrato temporal con una duración de hasta cuatro años para el que se establece una reducción en la aportación empresarial a la Seguridad Social por contingencias comunes. El artículo 21 de la Ley 14/2011, de 1 de junio, establece la regulación básica de esta importante modalidad contractual.

---

14 La Disposición Adicional Sexta de la Ley 9/2017, de 8 de noviembre, de Contratos del Sector Público establece que «No será exigible la clasificación a las Universidades Públicas para ser adjudicatarias de contratos en los supuestos a que se refiere el apartado 1 del artículo 83 de la Ley Orgánica 6/2001, de 21 de diciembre, de Universidades».

Por su parte, la disposición final décima de la Ley 14/2011, de 1 de junio, prevé que el Gobierno dictará en el ámbito de sus competencias las disposiciones necesarias para la ejecución y desarrollo de lo establecido en esta ley. A estos efectos, el Real Decreto 355/2018, de 6 de junio, por el que se reestructuran los Departamentos Ministeriales, dispone en su artículo 18 que corresponde al Ministerio de Ciencia, Innovación y Universidades la propuesta y ejecución de la política del Gobierno en materia de universidades, investigación científica, desarrollo tecnológico e innovación en todos los sectores

En el precitado marco normativo y sobre la habilitación legal referida, fue aprobado el Real Decreto 103/2019, de 1 de marzo, por el que se aprueba el Estatuto del personal investigador predoctoral en formación. Esta norma se estructura en 2 capítulos, 13 artículos, 1 Disposición adicional, 1 Disposición derogatoria y 5 Disposiciones finales. Entró en vigor el 16 de marzo de 2019.

3.2. Disposiciones generales

3.2.1. Objeto

El Real Decreto 103/2019, de 1 de marzo tiene por objeto desarrollar el régimen jurídico de la relación laboral establecida mediante el contrato predoctoral previsto en el artículo 21 de la Ley 14/2011, de 1 de junio, de la Ciencia, la Tecnología y la Innovación, cuando se suscribe entre el personal investigador predoctoral en formación y las entidades públicas recogidas en el artículo 20.2 de dicha ley, o las privadas a que se refiere la disposición adicional primera de la misma.

A los efectos previstos tienen la condición de personal investigador predoctoral en formación todas aquellas personas que estén en posesión del Título de licenciado, ingeniero, arquitecto, graduado universitario con grado de al menos 300 créditos ECTS (European Credit Transfer System) o master universitario, o equivalente, que hayan sido admitidas a un programa de doctorado cuyo objeto es, como establece el Real Decreto 99/2011, de 28 de enero, por el que se regulan las enseñanzas oficiales de doctorado, el desarrollo de los distintos aspectos formativos del doctorando y el establecimiento de los procedimientos y líneas de investigación para el desarrollo de la tesis doctoral, y estén adscritas a las entidades citadas en el apartado anterior mediante la modalidad de contratación predoctoral descrita en el artículo 21 de la Ley 14/2011, de 1 de junio.

3.2.2. Ámbito de aplicación

El Real Decreto 103/2019, de 1 de marzo será de aplicación a cualquier contratación predoctoral según la modalidad y condiciones definidas en el apartado anterior, con independencia de la naturaleza pública o naturaleza privada de la entidad contratante. Todas las contrataciones se adecuarán a las previsiones del contrato predoctoral cuya regulación básica se contiene en la Ley 14/2011, de 1 de junio, y que se desarrolla en el Real Decreto 103/2019, de 1 de marzo.

La contratación predoctoral según la modalidad y condiciones definidas deberá respetar los principios de publicidad, igualdad, mérito y capacidad en la concesión de las ayudas o en los procesos selectivos correspondientes.

No estará incluida en el Real Decreto 103/2019, de 1 de marzo la actividad de las personas en posesión del título de licenciado, ingeniero, arquitecto o grado universitario beneficiarias de ayudas dirigidas al desarrollo y especialización científica y técnica no vinculadas a estudios oficiales de doctorado, o que hayan sido contratadas bajo cualquier otra modalidad diferente a la modalidad predoctoral del artículo 21 de la Ley 14/2011, de 1 de junio.

3.3. El contrato predoctoral

3.3.1. Naturaleza jurídica

El contrato predoctoral es una modalidad de contrato de trabajo del personal investigador en formación, que se rige por lo establecido en los artículos 20 y 21 y en la disposición adicional primera de la Ley 14/2011, de 1 de junio, en este real decreto y, con carácter supletorio, por el texto refundido de la Ley del Estatuto de los Trabajadores, aprobado por Real Decreto legislativo 2/2015, de 23 de octubre, por la demás legislación laboral que le sea de aplicación, por los convenios colectivos y por la voluntad de las partes manifestada en los contratos de trabajo, sin que en ningún caso se puedan establecer en ellos condiciones menos favorables al trabajador o trabajadora o contrarias a las previstas en las disposiciones legales y convenios colectivos antes referidos.

3.3.2. Objeto del contrato predoctoral

El contrato predoctoral tendrá por objeto la realización simultánea por parte del personal investigador predoctoral en formación, por un lado, de tareas de investigación en un proyecto específico y novedoso y, por otro, del conjunto de actividades, integrantes del programa de doctorado, conducentes a la adquisición de las competencias y habilidades necesarias para la obtención del título universitario oficial de Doctorado, sin que pueda exigírsele la realización de cualquier otra actividad que desvirtúe la finalidad investigadora y formativa del contrato.

El personal investigador predoctoral en formación podrá colaborar en tareas docentes sin que suponga una merma de la carga docente del departamento que asigne la colaboración hasta un máximo de 180 horas durante la extensión total del contrato predoctoral, y sin que en ningún caso se puedan superar las 60 horas anuales.

Los departamentos universitarios de la universidad en la que el personal investigador predoctoral en formación se encuentre matriculado en un Programa de doctorado oficial facilitarán a dicho personal investigador que lo solicite, en igualdad de oportunidades, y en la medida en que sea posible dentro de los límites anteriormente establecidos, la realización de estas colaboraciones en tareas docentes.

3.3.3. Forma del contrato predoctoral

El contrato se celebrará por escrito entre el personal investigador predoctoral en formación, en su condición de trabajador o trabajadora, y la entidad pública de las previstas en el artículo 20.2 de la Ley 14/2011, de 1 de junio, o entidad privada a que se refiere la disposición adicional primera de la misma, en su condición de empleadora, y deberá acompañarse de escrito de admisión al programa de doctorado expedido por la unidad responsable de dicho programa, o por la escuela de doctorado o posgrado en su caso. Asimismo, se identificará en el contrato un proyecto o línea de investigación específica y novedosa que constituya el marco en el que se realizará la formación del personal investigador predoctoral en formación, así como la duración pactada.

La entidad empleadora deberá informar por escrito al personal investigador predoctoral en formación, en los términos y plazos establecidos por el Real Decreto 1659/1998, de 24 de julio, por el que se desarrolla el artículo 8, apartado 5, de la Ley del Estatuto de los Trabajadores en materia de información al trabajador sobre los elementos esenciales del contrato de trabajo, sobre dichos elementos esenciales y las principales condiciones de ejecución de la prestación laboral, si tales elementos y condiciones no figuran en el contrato de trabajo formalizado por escrito. Entre los elementos que deben quedar identificados en el contrato deberá figurar el lugar de realización efectiva de las actividades del personal investigador predoctoral en formación.

La entidad empleadora está obligada a comunicar a la oficina pública de empleo, en el plazo de los diez días siguientes a su concertación, el contenido de los contratos de trabajo que celebre y las prórrogas de los mismos, de conformidad con lo previsto en el artículo 8.3 del texto refundido de la Ley del Estatuto de los Trabajadores.

En el mismo plazo de diez días a contar desde la celebración del contrato, y con anterioridad a su remisión a la oficina pública de empleo, la entidad empleadora entregará a la representación legal del personal investigador predoctoral en formación una copia básica del mismo. Posteriormente, dicha copia básica se enviará a la oficina de empleo. Cuando no exista representación legal del personal investigador predoctoral en formación también deberá formalizarse copia básica y remitirse a la oficina de empleo.

3.3.4. Duración

La duración del contrato no podrá ser inferior a un año, ni exceder de cuatro años, y tendrá dedicación a tiempo completo durante toda su vigencia. Cuando el contrato se hubiese concertado por una duración inferior a cuatro años podrá prorrogarse sucesivamente sin que, en ningún caso, las prórrogas puedan tener duración inferior a un año. No obstante, cuando el contrato se concierte con una persona con discapacidad, el contrato podrá alcanzar una duración máxima de seis años, prórrogas incluidas, teniendo en cuenta las características de la actividad investigadora y el impacto del grado de las limitaciones en el desarrollo de la actividad, previo informe favorable del servicio público de empleo competente, que a estos efectos podrá recabar informe de los equipos técnicos de valoración y orientación de la discapacidad competentes.

A estos efectos, se considerarán personas con discapacidad las previstas en el Texto Refundido de la Ley General de derechos de las personas con discapacidad y de su inclusión social, aprobado por el Real Decreto Legislativo 1/2013, de 29 de noviembre.

Cuando el contrato resulte prorrogable, y el trabajador continúe desarrollando las actividades objeto del mismo, se entenderá prorrogado automáticamente, salvo informe desfavorable de evaluación motivado emitido por la comisión académica del programa de doctorado, o en su caso de la escuela de doctorado, hasta completar su duración máxima.

El personal investigador predoctoral en formación no podrá ser contratado mediante esta modalidad, en la misma o distinta entidad, por un tiempo superior al máximo posible de cuatro o seis años, según los casos.

Sin perjuicio de lo establecido en los párrafos anteriores, en el supuesto de que, por haber estado ya contratado el trabajador bajo esta modalidad, el tiempo que reste hasta el máximo de cuatro años, o de seis en el caso de personas con discapacidad, sea inferior a un año, podrá concertarse el contrato, o su prórroga, por el tiempo que reste hasta el máximo establecido en cada caso.

Las situaciones de incapacidad temporal, riesgo durante el embarazo o riesgo durante la lactancia natural, maternidad, adopción, guarda con fines de adopción o acogimiento y paternidad, suspenderán el cómputo de la duración del contrato. Igualmente lo suspenderán las situaciones previstas en el artículo 45.1.n) del texto refundido de la Ley del Estatuto de los Trabajadores, como medida de protección de las mujeres víctimas de violencia de género.

En el caso de que el personal investigador predoctoral en formación formulara reclamación por incumplimiento de las tareas propias de la dirección de la tesis doctoral ante el órgano competente para resolver dicha reclamación y este emitiera dictamen favorable al reclamante, durante el periodo que transcurra desde la presentación de dicho dictamen favorable y hasta que se produzca el cambio en la dirección de la tesis doctoral se suspenderá el cómputo de la duración del contrato, con un límite de cuatro meses, transcurridos los cuales se reanudará el referido cómputo. El dictamen deberá emitirse a la mayor brevedad posible. La entidad competente deberá resolver, previo informe positivo de dicha entidad respecto de la nueva dirección, el cambio en la dirección de la tesis en el plazo máximo de un mes.

3.3.5. Retribuciones

La retribución de este contrato no podrá ser inferior al 56 por 100 del salario fijado para las categorías equivalentes en los convenios colectivos de su ámbito de aplicación durante los dos primeros años, al 60 por 100 durante el tercer año, y al 75 por 100 durante el cuarto año. Tampoco podrá ser inferior al salario mínimo interprofesional que se establezca cada año, según el artículo 27 del Texto Refundido de la Ley del Estatuto de los Trabajadores.

Para el establecimiento de las retribuciones anteriores se tomará como referencia mínima la categoría correspondiente al Grupo 1 de personal laboral de la tabla salarial recogida en el convenio único de personal laboral de la Administración General del Estado.

3.3.6. Otras condiciones de trabajo

La jornada laboral, descansos, vacaciones y permisos, así como las restantes condiciones de trabajo aplicables al personal investigador predoctoral en formación serán las que se establezcan en el convenio colectivo aplicable a la entidad empleadora respecto al personal con titulación de licenciado, ingeniero, arquitecto o grado universitario y acceso a los programas de doctorado.

En ausencia de convenio colectivo de aplicación, resultará aplicable a este personal lo dispuesto en el Texto Refundido de la Ley del Estatuto de los Trabajadores.

3.3.7. Extinción

El contrato predoctoral se extinguirá por la llegada a término o previa denuncia de cualquiera de las partes, así como por las restantes causas previstas en el artículo 49 del texto refundido de la Ley del Estatuto de los Trabajadores. Para los contratos de duración superior a un año, la parte que formule la denuncia estará obligada a notificar a la otra la terminación del contrato con una antelación mínima de quince días.

La consecución del título universitario oficial de Doctorado pondrá fin a la etapa de formación del personal investigador predoctoral en formación y a partir de ese momento dará comienzo la etapa postdoctoral. La obtención del título de Doctorado extinguirá el contrato predoctoral, aunque no se hubiera agotado la duración máxima del mismo. A estos efectos se considera que se ha obtenido el título de Doctorado en la fecha del acto de defensa y aprobación de la tesis doctoral.

3.3.8. Incumplimiento

En el caso de circunstancias sobrevenidas que impidan el cumplimiento de las obligaciones o en las tareas de desarrollo de actividades de formación científica y técnica por parte de la persona responsable de la dirección de la tesis doctoral, la entidad empleadora, con la autorización expresa de la entidad financiadora del contrato predoctoral, si la hubiera, adoptará, junto con la designación de nueva persona responsable, las medidas necesarias que garanticen la continuidad de las tareas de investigación del personal contratado predoctoral en formación en un proyecto específico y novedoso, cuando las convocatorias así lo exijan, que permita la culminación de su tesis doctoral así como el resto de las actividades necesarias para la obtención del título universitario oficial de Doctorado.

En el caso de incumplimiento de las tareas propias del contrato por parte del personal investigador predoctoral en formación, y dado que la actividad desarrollada por el mismo será validada anualmente a la vista del preceptivo informe emitido por la comisión académica del programa de doctorado, o en su caso de la escuela de doctorado, el contrato podrá ser resuelto en el supuesto de no superarse favorablemente dicha evaluación.

3.4. Derechos y obligaciones específicos en materia de investigación del personal investigador predoctoral en formación

3.4.1. Principios rectores

El personal investigador predoctoral en formación contratado al amparo del artículo 21 de la Ley 14/2011, de 1 de junio, tiene como derechos y obligaciones aquellos que se recogen en dicha Ley, así como en la Carta Europea del Investigador, contenida en la Recomendación de la Comisión de 11 de marzo de 2015 sobre la Carta Europea de los Investigadores y el Código de Conducta para la Selección de Investigadores, publicado en el Diario Oficial de la Unión Europea, L 75/67, de 22 de marzo de 2005.

Además, el personal investigador predoctoral en formación debe respetar los siguientes principios recogidos en el Código Europeo de conducta para la integridad en la investigación y en su caso en la normativa estatal que las recoja:

a) Veracidad para asegurar la calidad de la investigación, reflejada en el diseño, metodología, análisis y uso de recursos.

b) Honestidad en el desarrollo, realización, revisión, presentación de informes y comunicación de la investigación de una manera transparente, justa, completa e imparcial.

c) Respeto por sus colegas, participantes en la investigación, sociedad, ecosistemas, patrimonio cultural y entorno.

d) Responsabilidad y rendición de cuentas en el ciclo completo de la investigación, desde la idea a la publicación, desde su gestión y organización, en la formación y la supervisión y en cualquiera de sus amplias repercusiones.

3.4.2. Derechos específicos en materia de investigación del personal investigador predoctoral en formación

Son derechos específicos en materia de investigación del personal investigador predoctoral en formación, con carácter general:

a) Disponer de libertad de pensamiento y expresión, así como de la libertad para determinar los métodos de resolución de problemas, dentro del marco de las prácticas y los principios éticos reconocidos y de las limitaciones a estas libertades derivadas de determinadas circunstancias de investigación o de limitaciones operativas.

b) Obtener de los organismos, centros o instituciones a los que se adscriban la colaboración y el apoyo necesarios para el desarrollo de actividades de formación y especialización científica y técnica correspondientes a su formación.

c) El cumplimiento, por parte de los organismos, centros o instituciones, de la observancia de las normativas nacionales, estatales o sectoriales en materia de salud y seguridad laboral. Las entidades contratantes deberán velar para que las condiciones laborales del personal investigador predoctoral en formación, incluido aquel con discapacidad, garanticen el rendimiento de la investigación de conformidad con la legislación vigente y con los convenios colectivos nacionales, estatales o sectoriales. Así mismo, se comprometen a proporcionar unas condiciones de trabajo que permitan tanto al del personal investigador predoctoral en formación conciliar la vida familiar, el trabajo y el desarrollo de las actividades profesionales.

d) Integrarse en los departamentos, institutos, organismos públicos y entidades en los que lleven a cabo las actividades formativas y de investigación, así como cualquier otra actividad relevante para el desarrollo profesional.

e) Participar, en la forma prevista en los estatutos de las entidades públicas y privadas de investigación contratantes, en los órganos pertinentes de información, consulta y gobierno a fin de proteger y defender sus intereses profesionales individuales y contribuir activamente a los trabajos colectivos.

f) Participar en las convocatorias de bolsas y ayudas complementarias para asistencia reuniones científicas o para estancias de formación y perfeccionamiento en centros diferentes al de adscripción, incluidas las que se financien con fondos propios de la institución contratante o de terceros.

g) Ejercer los derechos de propiedad intelectual y derechos de autor derivados de los resultados de las actividades formativas y de especialización y de acuerdo con su contribución, conforme a lo establecido en el texto refundido de la Ley de Propiedad Intelectual, aprobado por Real Decreto Legislativo 1/1996, de 12 de abril, y que se establecerán de conformidad con lo previsto en el artículo 14.1.i) de la Ley 14/2011, de 1 de junio. Los citados derechos serán independientes, compatibles y acumulables con otros derechos que puedan derivarse de la actividad realizada, sin perjuicio de los condicionantes derivados de la obra colectiva cuando el personal en formación participe o esté vinculado a un proyecto colectivo de investigación.

h) En cuanto a los posibles derechos del personal investigador predoctoral en formación sobre la propiedad industrial, se estará a lo que disponga la correspondiente convocatoria, en el marco de la Ley 24/2015, de 24 de julio, de Patentes. Los referidos derechos no tendrán en ningún caso naturaleza salarial, y se establecerán de conformidad con lo previsto en el artículo 14.1.i) de la Ley 14/2011, de 1 de junio.

i) Obtener de las entidades contratantes las estrategias, prácticas y procedimientos que permitan al personal investigador predoctoral en formación disfrutar de reconocimientos, menciones y/o citas, dentro de sus contribuciones reales, como coautores y coautoras de informes, patentes, etc.

j) Disponer de información clara sobre las personas a las que pueden dirigirse para consultar temas relacionados con la ejecución de sus obligaciones, las cuales deben contar con la suficiente experiencia para poder ofrecer al personal investigador predoctoral en formación el apoyo adecuado aplicando los procedimientos de progreso y revisión necesarios.

k) Contar con una persona responsable de la dirección de la tesis doctoral, designada por la entidad empleadora.

l) Recibir de la entidad empleadora la información y formación oportuna para que pueda cumplir la normativa y obligaciones previstas en el Real Decreto 103/2019, de 1 de marzo.

3.4.3. Deberes específicos en materia de investigación del personal investigador en formación

Son deberes específicos en materia de investigación del personal investigador predoctoral en formación, con carácter general:

a) Cumplir las condiciones y obligaciones establecidas en la convocatoria, realizar las actividades previstas en sus programas de formación y especialización en la investigación, así como cumplir los objetivos del programa de formación y especialización con aprovechamiento.

b) Observar los principios y prácticas éticas fundamentales correspondientes a sus disciplinas, así como las normas éticas recogidas en los diversos códigos deontológicos europeos, nacionales, sectoriales o institucionales.

c) Procurar que su labor sea relevante para la sociedad. Evitar la duplicidad y falta de originalidad de los resultados y el plagio de todo tipo, y respetar el principio de la propiedad intelectual o industrial o de la propiedad conjunta de resultados y datos cuando la investigación se realice en colaboración con otro personal investigador.

d) Mantener una relación estructurada y regular con las personas que supervisen su trabajo y que representen la unidad en la que trabajan.

e) Mantener registros de todos los resultados y hallazgos de los trabajos de investigación y su comunicación mediante informes y seminarios, y el respeto en los trabajos asignados según calendarios acordados, objetivos fijados, presentación de resultados o productos de la investigación.

f) Actualizar y ampliar regularmente sus cualificaciones y competencias.

g) Seguir en todo momento prácticas de trabajo seguras conformes a la legislación nacional, incluida la adopción de las precauciones necesarias en materia de salud y seguridad; así como cumplir con la normativa en materia de prevención de riesgos laborales.

h) Conocer las exigencias legales europeas y nacionales vigentes en materia de protección y de apertura de datos de investigación y de confidencialidad, y adoptar las medidas necesarias para cumplirlos en todo momento.

i) Conocer la normativa europea, nacional, sectorial o institucional que rige las condiciones de formación o trabajo incluyendo la normativa sobre acceso abierto a resultados y publicaciones, derechos de propiedad intelectual o industrial y las exigencias y condiciones de toda posible entidad patrocinadora o financiadora, independientemente de la naturaleza del contrato.

j) Entregar los resultados requeridos (tesis, publicaciones, datos, patentes, informes, desarrollo de nuevos productos, etc.), de acuerdo con lo establecido en las condiciones del contrato predoctoral.

k) Rendir cuentas a las instituciones que los emplean y/o financian, así como, por razones éticas, al conjunto de la sociedad. El personal investigador predoctoral en formación cuyos contratos están financiados por fondos públicos es también responsable del uso adecuado y de la justificación de los recursos públicos asignados. Por lo tanto, debe observar principios de gestión económica correcta, transparente y eficaz, y cooperar con toda auditoría autorizada de su investigación, tanto si la emprenden las instituciones que los emplean o financian como si lo hace un comité de ética.

3.5. Otras normas

3.5.1. Clave correspondiente al contrato predoctoral

El contrato predoctoral dispondrá de una clave específica de contrato de trabajo establecida por el Ministerio de Trabajo, Migraciones y Seguridad Social, a través del Servicio Público de Empleo Estatal y de la Tesorería General de la Seguridad Social.

3.5.2. Gasto público

La aplicación del Real Decreto 103/2019, de 1 de marzo no supondrá incremento del gasto público.

TEMA 11

La Ley 3/2022, de 24 de febrero, de convivencia universitaria: estructura y contenido

¿Y si pruebas las nuevas Técnicas de Memoria 360 que te proponemos? **De esta forma potenciarás** tu estudio.

Índice

1. La Ley de convivencia universitaria: antecedentes y aprobación

La Ley Orgánica 6/2001, de 21 de diciembre, de Universidades (LOU) estableció, en su artículo 46, los derechos y deberes de los y las estudiantes. Dicho artículo, en su apartado 2, determina que los Estatutos y normas de organización y funcionamiento de las propias universidades desarrollarán dichos derechos y deberes, incluyendo los mecanismos para su garantía.

Por su parte, el Estatuto del Estudiante Universitario, aprobado por Real Decreto 1791/2010, de 30 de diciembre, dio respuesta a la necesidad de desarrollar el régimen jurídico del estudiante universitario. Se completó de esta forma la articulación del binomio de protección de derechos y ejercicio de la responsabilidad por parte del estudiantado universitario.

La LOU estableció que se deben crear las condiciones apropiadas para que los agentes de la actividad universitaria, los genuinos protagonistas de la mejora y el cambio, estudiantado, profesorado y personal de administración y servicios, impulsen y desarrollen aquellas dinámicas de progreso que promuevan un sistema universitario mejor coordinado y de mayor calidad. Las normas de convivencia pacífica consensuadas en la comunidad universitaria son un elemento para la mejora del sistema universitario en su conjunto.

De hecho, el marco de convivencia universitaria de nuestra democracia actual está impregnado de los principios que configuran el sistema educativo en su conjunto. Ya la Ley Orgánica 2/2006, de 3 de mayo, de Educación, establece que nuestro sistema educativo tiene entre sus fines conseguir una educación residenciada en el ejercicio de la tolerancia y de la libertad dentro de los principios democráticos de convivencia, así como en la prevención de conflictos, la mediación y la resolución pacífica de los mismos. Asimismo, dispone que el sistema se orientará a la educación en el respeto a los derechos y libertades fundamentales, en la igualdad de derechos y oportunidades entre hombres y mujeres y en la igualdad de trato y no discriminación de las personas por razón de nacimiento, origen racial o étnico, sexo, religión, convicción, edad, discapacidad, orientación o identidad sexual, enfermedad, o cualquier otra condición o circunstancia. Estos fines se establecen respecto del conjunto del sistema educativo, incluyendo el nivel universitario.

Por su parte, la Ley Orgánica 1/2004, de 28 de diciembre, de Medidas de Protección Integral contra la Violencia de Género, en su artículo 4.1, y la Ley Orgánica 3/2007, de 22 de marzo, para la Igualdad efectiva de mujeres y hombres, establecen que el sistema educativo español incluirá entre sus fines la educación en el respeto de los derechos y libertades fundamentales y en la igualdad de derechos y oportunidades entre mujeres y hombres así como en el ejercicio de la tolerancia y de la libertad dentro de los principios democráticos de convivencia. También incluirá, dentro de sus principios de calidad, la eliminación de los obstáculos que dificultan la igualdad efectiva entre mujeres y hombres, el fomento de la igualdad plena entre unas y otros y la formación para la prevención de conflictos y para la resolución pacífica de los mismos.

No obstante, el anacrónico y preconstitucional Reglamento de Disciplina Académica de los Centros Oficiales de Enseñanza Superior y de Enseñanza Técnica, aprobado por

Decreto de 8 de septiembre de 1954, continúa vigente de manera parcial. La derogación sin más del Reglamento de Disciplina Académica generaría un vacío normativo que será suplido por esta ley que permitirá que en todas las comunidades autónomas y universidades se produzca una efectiva igualdad en el ejercicio de los derechos y el cumplimiento de los deberes constitucionales. La ley reformula el modelo de convivencia en el ámbito universitario, regulando a nivel nacional una cuestión que ya se ha abierto paso en algunas universidades en el ejercicio de su autonomía.

De este modo, esta ley ofrece un sistema integral de protección y garantía de la convivencia dentro del ámbito universitario adaptado completamente a los valores y principios democráticos. Estos valores y principios entroncan plenamente con las bases de convivencia en la universidad, donde no solo debe desarrollarse una formación adecuada, sino que debe fomentarse que el estudiantado se beneficie del espíritu crítico y la extensión de la cultura, como funciones ineludibles de la institución universitaria. Es precisamente en el espacio universitario donde se desarrolla de forma especialmente intensa el ejercicio de algunos derechos fundamentales esenciales para el desarrollo de nuestra democracia, como son la libertad ideológica y religiosa, la libertad de expresión, los derechos de reunión, asociación y manifestación, y, cómo no, la libertad de enseñanza, la libertad de cátedra y el derecho a la educación, entre otros.

La Ley 3/2022, de 24 de febrero, de convivencia universitaria fue publicada en el Boletín Oficial del Estado el 25 de febrero y entró en vigor el 26 de febrero. Consta de un total de 22 artículos, 4 disposiciones adicionales, 1 disposición transitoria y 4 disposiciones finales con la siguiente estructura:

- Título Preliminar. Disposiciones generales (arts. 1 a 4).
- Título I. De los medios alternativos de solución de los conflictos de convivencia (arts. 5 y 6).
- Título II. Del régimen disciplinario (arts. 7 a 22).

Quedan derogadas cuantas disposiciones se opongan a lo dispuesto en la ley de convivencia, y en particular, el Decreto de 8 de septiembre de 1954, por el que se aprueba el

Reglamento de Disciplina Académica de los Centros Oficiales de Enseñanza Superior y de Enseñanza Técnica dependientes del Ministerio de Educación Nacional.

La ley de convivencia se dicta conforme a lo dispuesto en los artículos 149.1.18.ª y 149.1.30.ª de la Constitución Española que atribuyen al Estado competencia exclusiva sobre, respectivamente, las bases del régimen jurídico de las Administraciones públicas y del régimen estatutario de sus funcionarios que, en todo caso, garantizarán a los administrados un tratamiento común ante ellas, así como el procedimiento administrativo común, sin perjuicio de las especialidades derivadas de la organización propia de las Comunidades Autónomas; y normas básicas para el desarrollo del artículo 27 de la Constitución, a fin de garantizar el cumplimiento de las obligaciones de los poderes públicos en esta materia.

Corresponde al Gobierno, a las Comunidades Autónomas y a las universidades, en el ámbito de sus respectivas competencias, dictar las disposiciones necesarias para el desarrollo y aplicación de la ley de convivencia.

2. Disposiciones generales

2.1. Objeto

La ley tiene por objeto establecer las bases de la convivencia en el ámbito universitario, fomentando la utilización preferente de modalidades alternativas de resolución de aquellos conflictos que pudieran alterarla, o que impidan el normal desarrollo de las funciones esenciales de docencia, investigación y transferencia del conocimiento.

Asimismo, la ley establece el régimen disciplinario del estudiantado universitario. El régimen disciplinario del personal docente e investigador y del personal de administración y servicios se regirá por lo dispuesto en su normativa específica.

2.2. Ámbito subjetivo de aplicación

Lo dispuesto por la ley será de aplicación a la comunidad universitaria, integrada por el estudiantado, el personal docente e investigador y el personal de administración y servicios de las universidades públicas del sistema universitario español, y de sus centros públicos adscritos, con las siguientes particularidades:

a) El Título Preliminar y el Título I serán de aplicación al estudiantado, al personal docente e investigador y al personal de administración y servicios, en estos dos últimos casos cualquiera que sea la vinculación jurídica de dicho personal con la universidad, salvo que se trate de comportamientos o conductas que tengan la consideración de faltas según su régimen disciplinario o puedan ser constitutivas de delito.

b) El Título II será de aplicación al estudiantado, incluido aquel en situación de movilidad, quedando excluido el personal docente e investigador y el personal de administración y servicios, cuyo régimen disciplinario se regirá por lo dispuesto en su normativa específica.

Las universidades privadas y los centros adscritos privados aprobarán sus Normas de Convivencia, con base en los principios y directrices de convivencia que para el ámbito universitario establece la ley de convivencia.

2.3. Normas de Convivencia

Con el fin de favorecer el entendimiento, la convivencia pacífica y el pleno respeto de los valores democráticos, los derechos fundamentales y las libertades públicas en el ámbito universitario, las universidades públicas y privadas aprobarán sus propias Normas de Convivencia, que serán de obligado cumplimiento para todos los miembros de la comunidad universitaria, tanto respecto de sus actuaciones individuales, como colectivas.

Las Normas de Convivencia de las universidades públicas y privadas promoverán:

a) El respeto a la diversidad y la tolerancia, la igualdad, la inclusión y la adopción de medidas de acción positiva en favor de los colectivos vulnerables;

b) la libertad de expresión, el derecho de reunión y asociación, la libertad de enseñanza y la libertad de cátedra;

c) la eliminación de toda forma de violencia, discriminación, o acoso sexual, por razón de sexo, orientación sexual, identidad o expresión de género, características sexuales, origen nacional, pertenencia a grupo étnico, discapacidad, edad, estado de salud, clase social, religión o convicciones, lengua, o cualquier otra condición o circunstancia personal o social;

d) la transparencia en el desarrollo de la actividad académica;

e) la utilización y conservación de los bienes y recursos de la universidad de acuerdo con su función de servicio público;

f) el respeto de los espacios comunes, incluidos los de naturaleza digital;

g) la utilización del nombre y los símbolos universitarios de acuerdo con los protocolos establecidos.

Las Normas de Convivencia de las universidades públicas y privadas incluirán, asimismo, medidas de prevención y respuesta de acuerdo con un enfoque de protección de los derechos humanos frente a la violencia, la discriminación, o el acoso por las causas señaladas. El acoso sexual y el acoso por razón de sexo deberán ser interpretados conforme al artículo 7 de la Ley Orgánica 3/2007, de 22 de marzo, para la igualdad efectiva de mujeres y hombres.

Por su parte, la discriminación por racismo, xenofobia e intolerancia en el deporte en el ámbito universitario deberá interpretarse de acuerdo con el artículo 1 de la Ley 19/2007, de 11 de julio, contra la violencia, el racismo, la xenofobia y la intolerancia, y en relación con el artículo 8.j) de la Ley 10/1990, de 15 de octubre, del Deporte.

En cuanto a la discriminación por razón de discapacidad en la esfera universitaria, esta deberá interpretarse conforme a lo dispuesto en los artículos 2, 7, 63 y siguientes del Texto Refundido de la Ley General de derechos de las personas con discapacidad y su inclusión social, aprobado por el Real Decreto Legislativo 1/2013, de 29 de noviembre.

Las universidades elaborarán esta regulación con la participación y audiencia de todos los sectores de la comunidad universitaria a través de sus respectivos órganos de representación, sin perjuicio de la posibilidad de utilizar otros procesos de participación o consulta, en coordinación con las unidades de igualdad y de diversidad, y teniendo en cuenta diagnósticos, protocolos y planes previos o cualesquiera otros instrumentos existentes sobre la materia.

En cualquier caso, las universidades públicas y privadas, en aplicación de la ley de convivencia, garantizarán la libertad de expresión y los derechos de reunión, asociación, manifestación y huelga, constitucionalmente reconocidos.

2.4. De las medidas de prevención y respuesta frente a la violencia, la discriminación o el acoso

Las Normas de Convivencia establecerán disposiciones relativas a las medidas de prevención y respuesta frente a la violencia, discriminación, o acoso por las causas señaladas, que serán de aplicación al estudiantado, al personal docente e investigador y al personal de administración y servicios, cualquiera que sea el instrumento jurídico de vinculación con la universidad, sin perjuicio de la aplicación de la normativa laboral o del régimen disciplinario que corresponda.

En el desarrollo de estas disposiciones, las Normas de Convivencia incorporarán el enfoque de género y deberán ajustarse a las normas sobre igualdad efectiva entre hombres y mujeres y de protección integral contra la violencia de género.

Estas disposiciones incluirán medidas de prevención primaria como la sensibilización, la concienciación y la formación, para fomentar el reconocimiento y respeto a la diversidad y la equidad en el ámbito universitario; medidas de prevención secundaria para actuar sobre contextos, circunstancias y factores de riesgo, y evitar que se produzcan las situaciones de violencia, discriminación, o acoso por las causas señaladas; y procedimientos específicos para dar cauce a las quejas o denuncias por situaciones de violencia, discriminación, o acoso que pudieran haberse producido. Asimismo, deberán favorecer medidas de acompañamiento a las víctimas en su recuperación.

Además, estas disposiciones preverán que cuando se considere que los hechos denunciados podrían ser constitutivos de delito, se suspenderá el procedimiento disciplinario, poniéndolo en conocimiento de la autoridad judicial o del Ministerio Fiscal.

Estas disposiciones incluirán también la posibilidad de que los órganos o unidades responsables de su implementación, en cualquier momento del procedimiento de actuación, adopten las medidas provisionales que se consideren oportunas para evitar el mantenimiento de los efectos de dicha situación, y asegurar la eficacia de la resolución que pudiera recaer. Cuando se trate de comportamientos o conductas consideradas como faltas en el régimen disciplinario del personal al servicio de las universidades, se aplicará dicha normativa en materia de medidas provisionales.

Asimismo, deberán prever medidas adecuadas y herramientas oportunas para garantizar a las víctimas, en todo momento, la información sobre sus derechos y un acompañamiento psicológico y jurídico que favorezca su recuperación.

En el desarrollo de estas disposiciones, las universidades asegurarán que cualquier actuación frente a situaciones de violencia, discriminación, o acoso por las causas señaladas se ajustará a los siguientes principios:

a) Enfoque de género: las determinaciones de las Normas de Convivencia incluirán un enfoque de género fundamentado en la comprensión de los estereotipos y las relaciones de género, sus raíces y sus consecuencias en la aplicación y la evaluación del impacto de las disposiciones de la ley de convivencia. Dicho enfoque de género, además, incorporará una perspectiva interseccional para asegurar los derechos de las personas con discapacidad o cualquiera otra desigualdad social.

b) Respeto y protección a las personas: se procederá con la discreción necesaria para proteger la intimidad y la dignidad de las personas afectadas, que podrán ser asistidas por algún representante u otro acompañante de su elección, a lo largo del procedimiento.

c) Confidencialidad: las personas que intervengan en el procedimiento tendrán obligación de guardar una estricta confidencialidad y reserva y no deberán transmitir ni divulgar información sobre el contenido de las denuncias presentadas, resueltas o en proceso de investigación de las que tengan conocimiento.

d) Diligencia y celeridad: la investigación y la resolución sobre la conducta denunciada deberán ser realizadas con la debida profesionalidad, diligencia y sin demoras indebidas, de forma que el procedimiento pueda ser completado en el menor tiempo posible respetando las garantías debidas.

e) Imparcialidad y contradicción: el procedimiento deberá garantizar una audiencia imparcial y un tratamiento justo para todas las personas afectadas; todas las personas que intervengan en el procedimiento actuarán de buena fe en la búsqueda de la verdad y el esclarecimiento de los hechos denunciados.

f) Prevención y prohibición de represalias: tanto durante el curso del procedimiento como al término de este, se adoptarán las medidas necesarias para evitar cualquier clase de represalias contra las personas que efectúen una denuncia, comparezcan como testigos o participen en una investigación sobre violencia o acoso sexual, acoso por razón de sexo y por cualquier otra circunstancia, en los términos previstos en la normativa aplicable.

3. De los medios alternativos de solución de los conflictos de convivencia

3.1. Medios alternativos de solución de los conflictos de convivencia

Sin perjuicio del desarrollo que en el ámbito de sus competencias pudieran llevar a cabo las Comunidades Autónomas, las universidades desarrollarán en sus Normas de Convivencia medios alternativos de solución de los conflictos de la convivencia basados en la mediación, para ser aplicados antes y durante el procedimiento disciplinario. Los medios que se desarrollen se ajustarán, en todo caso, a los principios de voluntariedad, confidencialidad, equidad, imparcialidad, buena fe y respeto mutuo, prevención y prohibición de represalias, flexibilidad, claridad y transparencia.

3.2. Comisión de Convivencia

Con el fin de dar cumplimiento a lo dispuesto por la ley, las universidades crearán una Comisión de Convivencia, integrada de manera paritaria por representantes del estudiantado, del personal docente e investigador, y del personal de administración y servicios.

Las universidades, en el ámbito de sus competencias, desarrollarán las disposiciones relativas a la organización y funcionamiento de dicha Comisión, así como en relación con el nombramiento e incompatibilidades de sus miembros y los motivos de abstención y recusación en los procedimientos en los que intervengan.

4. Del régimen disciplinario

4.1. Del régimen disciplinario

La ley de convivencia determina las faltas y sanciones aplicables al estudiantado de las universidades públicas, sin perjuicio de las regulaciones establecidas por las Comunidades Autónomas en el ámbito de sus competencias.

4.2. Potestad disciplinaria

Se atribuye a las universidades públicas la potestad de sancionar disciplinariamente las infracciones del estudiantado que quebranten la convivencia o que impidan el normal desarrollo de las funciones de docencia, investigación y transferencia del conocimiento, sin perjuicio de la responsabilidad de carácter civil o penal que pudiera derivarse de tales infracciones.

La persona titular del Rectorado será competente para ejercer la potestad disciplinaria, que podrá delegar en los términos de lo dispuesto en la Ley 40/2015, de 1 de octubre, de Régimen Jurídico del Sector Público.

La instrucción de los procedimientos se llevará a cabo por el instructor o instructora que designe la persona titular del Rectorado. En todo caso, sus actuaciones se regirán por los principios de independencia, autonomía y transparencia.

El órgano sancionador podrá apartarse de la propuesta de resolución del instructor o instructora, de forma motivada y ateniéndose a los hechos considerados probados durante la fase de instrucción.

La potestad disciplinaria se ejercerá de acuerdo con los siguientes principios:

a) Principio de legalidad y tipicidad de las faltas y sanciones.

b) Principio de irretroactividad de las disposiciones sancionadoras no favorables y de retroactividad de las favorables a la persona presuntamente infractora.

c) Principio de responsabilidad.

d) Principio de proporcionalidad, referido tanto a la clasificación de las faltas y sanciones, como a su aplicación.

e) Principio de prescripción de las faltas y las sanciones.

f) Principio de garantía del procedimiento.

Cuando de la instrucción de un procedimiento disciplinario se considerase que el hecho podría ser constitutivo de delito, se suspenderá su tramitación poniéndolo en conocimiento del Ministerio Fiscal.

No podrán sancionarse los hechos que lo hayan sido penal o administrativamente, en los casos en que se aprecie identidad del sujeto, hecho y fundamento.

4.3. Responsabilidad disciplinaria

El estudiantado de las universidades públicas queda sujeto al régimen disciplinario establecido respecto de la actividad desarrollada en las instalaciones, sistemas y espacios de la universidad.

El estudiantado que colaborara en la realización de actos o conductas constitutivas de falta muy grave también incurrirá en responsabilidad disciplinaria.

4.4. Faltas disciplinarias

Las faltas disciplinarias de la ley de convivencia se califican como muy graves, graves y leves.

Sin perjuicio de la regulación establecida por las Comunidades Autónomas, las universidades, reglamentariamente, podrán introducir especificaciones o graduaciones a las infracciones que, sin constituir otras nuevas, ni alterar la naturaleza o límites de las que la ley contempla, contribuyan a la más correcta identificación de las conductas, respetando los principios de la potestad sancionadora.

4.4.1. Faltas muy graves

Se consideran faltas muy graves:

a) Realizar novatadas o cualesquiera otras conductas o actuaciones vejatorias, física o psicológicamente, que supongan un grave menoscabo para la dignidad de las personas.

b) Acosar o ejercer violencia grave contra cualquier miembro de la comunidad universitaria.

c) Acosar sexualmente o por razón de sexo.

d) Discriminar por razón de sexo, orientación sexual, identidad de género, origen nacional, pertenencia a grupo étnico, edad, clase social, discapacidad, estado de salud, religión o creencias, o por cualquier otra causa personal o social.

e) Alterar, falsificar, sustraer o destruir documentos académicos, o utilizar documentos falsos ante la universidad.

f) Destruir y deteriorar de manera irreparable o sustraer obras catalogadas del patrimonio histórico y cultural de la universidad.

g) Plagiar total o parcialmente una obra, o cometer fraude académico en la elaboración del Trabajo de Fin de Grado, el Trabajo de Fin de Máster o la Tesis Doctoral. Se entenderá como fraude académico cualquier comportamiento premeditado tendente a falsear los resultados de un examen o trabajo, propio o ajeno, realizado como requisito para superar una asignatura o acreditar el rendimiento académico.

h) Incumplir las normas de salud pública establecidas para los centros universitarios, sus instalaciones y servicios, poniendo en riesgo a la comunidad universitaria.

i) Suplantar a un miembro de la comunidad universitaria en su labor propia o prestar el consentimiento para ser suplantado, en relación con las actividades universitarias.

j) Impedir el desarrollo de los procesos electorales de la universidad.

k) Haber sido condenado, por sentencia firme, por la comisión de un delito doloso que suponga la afectación de un bien jurídico distinto, cometido en los centros universitarios, sus instalaciones y servicios, o relacionado con la actividad académica de la universidad.

4.4.2. Faltas graves

Se consideran faltas graves:

a) Apoderarse indebidamente del contenido de pruebas, exámenes o controles de conocimiento.

b) Deteriorar gravemente los bienes catalogados del patrimonio histórico y cultural de la universidad.

c) Impedir la celebración de actividades universitarias de docencia, investigación o transferencia del conocimiento, sin perjuicio de lo establecido en el apartado 2.3 (Normas de convivencia).

d) Cometer fraude académico, definido este de acuerdo con lo dispuesto en la letra g) del apartado 4.4.1. anterior.

e) Utilizar indebidamente contenidos o medios de reproducción y grabación de las actividades universitarias sujetas a derechos de propiedad intelectual.

f) Incumplir las normas de seguridad y salud establecidas por los centros universitarios y sus instalaciones y servicios.

g) Acceder sin la debida autorización a los sistemas informáticos de la universidad.

4.4.3. Faltas leves

Se consideran faltas leves:

a) Acceder a instalaciones universitarias a las que no se tenga autorizado el acceso.

b) Utilizar los servicios universitarios incumpliendo los requisitos establecidos de general conocimiento.

c) Realizar actos que deterioren los bienes del patrimonio de la universidad.

4.5. Sanciones y otras medidas

4.5.1. Clasificación

Las sanciones de la ley se clasifican en muy graves, graves y leves. La gravedad de la falta cometida determinará las sanciones que resulten aplicables.

Sin perjuicio de la regulación establecida por las comunidades autónomas, las universidades, reglamentariamente, podrán introducir especificaciones o graduaciones a las sanciones establecidas por la ley de convivencia que, sin constituir otras nuevas, ni alterar la naturaleza o límites de las que la ley contempla, contribuyan a la más precisa determinación de las sanciones correspondientes.

Son sanciones aplicables por la comisión de faltas muy graves:

a) Expulsión de dos meses hasta tres años de la universidad en la que se hubiera cometido la falta. La sanción con expulsión deberá constar en el expediente académico hasta su total cumplimiento.

b) Pérdida de derechos de matrícula parcial, durante un curso o semestre académico.

Son sanciones aplicables por la comisión de faltas graves:

a) Expulsión de hasta un mes de la universidad en la que se hubiera cometido la falta. Esta sanción no se podrá aplicar durante los períodos de evaluación y de matriculación según hayan sido definidos por cada universidad.

b) Pérdida del derecho a la convocatoria ordinaria en el semestre académico en el que se comete la falta y respecto de la asignatura en la que se hubiera cometido.

La pérdida de derechos de matrícula no podrá afectar a los derechos relativos a las becas en los términos previstos en su normativa de desarrollo.

La amonestación privada es la sanción aplicable por la comisión de faltas leves.

Cuando se trate de las sanciones aplicables por la comisión de una falta grave, el órgano sancionador podrá proponer una medida sustitutiva de carácter educativo o recuperador.

4.5.2. Graduación de las sanciones

El órgano competente para sancionar concretará la sanción dentro de su gravedad adecuándola al caso concreto, siempre de forma motivada, según el principio de proporcionalidad y ponderando de conformidad con los siguientes criterios:

a) La intencionalidad o reiteración.

b) La naturaleza de los perjuicios causados.

c) El ánimo de lucro.

d) El reconocimiento de responsabilidad, mediante la comunicación del hecho infractor a las autoridades universitarias con carácter previo a la iniciación del procedimiento disciplinario.

e) La reparación del daño con carácter previo a la iniciación del procedimiento disciplinario.

f) Las circunstancias personales, económicas, de salud, familiares o sociales de la persona infractora.

g) El grado de participación en los hechos.

h) Realizar las acciones por cualquiera de las causas de violencia, discriminación o acoso.

4.5.3. Otras medidas

Además de imponer las sanciones que en cada caso correspondan, la resolución del procedimiento disciplinario podrá declarar la obligación de:

a) Restituir las cosas o reponerlas a su estado anterior en el plazo que se fije.

b) Indemnizar los daños por cuantía igual al valor de los bienes destruidos o el deterioro causado, así como los perjuicios ocasionados, en el plazo que se fije.

Las indemnizaciones que se determinen tendrán naturaleza de crédito de Derecho público y su importe podrá ser exigido por el procedimiento de apremio.

4.6. Extinción de la responsabilidad

La responsabilidad disciplinaria derivada del régimen previsto en la ley de convivencia quedará extinguida por:

a) El cumplimiento de la sanción o de la medida sustitutiva.

b) La prescripción de la falta o de la sanción.

c) La pérdida de la vinculación del o de la estudiante con la universidad.

d) El fallecimiento de la persona responsable.

Las faltas muy graves prescribirán a los tres años, las graves a los dos años y las leves a los seis meses. Las sanciones impuestas por faltas muy graves, por faltas graves y por faltas leves, prescribirán, respectivamente, a los tres años, a los dos años y al año.

El plazo de prescripción de las faltas comenzará a contarse a partir de su comisión, o del día en que cesa su comisión cuando se trate de faltas continuadas. El plazo de prescripción de las sanciones se iniciará desde la firmeza de la resolución sancionadora.

4.7. Procedimiento disciplinario

4.7.1. Principios del procedimiento disciplinario

El procedimiento disciplinario se regirá por los siguientes principios:

a) En ningún caso se podrá imponer una sanción sin que se haya tramitado el necesario procedimiento.

b) El procedimiento deberá establecer la debida separación entre la fase instructora y la sancionadora, encomendándolas a órganos distintos.

c) Se ajustará a los principios de eficacia, celeridad y economía procesal, con pleno respeto a los derechos y garantías de defensa de la persona presuntamente responsable.

d) A lo largo de todo el procedimiento, la o las personas presuntamente responsables podrán estar asistidas por una persona de su elección, a quien el instructor o instructora deberá tener al tanto del desarrollo del procedimiento.

e) Respecto de aquellos casos que involucren conductas que pudieran constituir violencia, discriminación o acoso, serán de aplicación los principios previstos en el apartado 2.4. Asimismo, deberán garantizarse medidas adecuadas y herramientas oportunas para el acompañamiento psicológico y jurídico de las víctimas. Las universidades promoverán que dicho acompañamiento se realice, preferentemente, por personas del mismo sexo de la víctima si esta así lo manifiesta, aplicando los protocolos específicos correspondientes.

4.7.2. Procedimiento disciplinario

El procedimiento disciplinario se desarrollará en las siguientes fases, de acuerdo con lo establecido, en su caso, por las comunidades autónomas y las universidades:

a) El procedimiento se iniciará siempre de oficio por la persona titular del Rectorado, bien por propia iniciativa, a petición razonada de otro órgano, o por denuncia. Será la persona titular del Rectorado la encargada de incoar el procedimiento mediante la correspondiente resolución, en la que nombrará al instructor o instructora.

   El acuerdo de incoación del procedimiento deberá contener, como mínimo: la identificación de la persona o personas presuntamente responsables; los hechos sucintamente expuestos, su posible calificación y la sanción que pudiera corresponderles; la designación del instructor o instructora con expresa indicación del régimen de abstención o recusación; el órgano competente de la resolución del procedimiento; así como la indicación del derecho a formular alegaciones y a la audiencia, el plazo para ello, y el requerimiento para que las personas involucradas en el procedimiento disciplinario manifiesten su voluntad de acogerse, en su caso, al procedimiento de mediación.

El acuerdo de incoación del procedimiento se notificará a la persona o personas interesadas en el procedimiento.

b) El instructor o instructora ordenará la práctica de cuantas diligencias sean adecuadas para la determinación y comprobación de los hechos y en particular de cuantas pruebas puedan conducir a su esclarecimiento y a la determinación de las responsabilidades susceptibles de sanción.

Como primeras actuaciones, el instructor o instructora procederá a recibir declaración a la o las personas presuntamente responsables y a evacuar cuantas diligencias se deduzcan de la comunicación o denuncia que motivó la incoación del procedimiento y de lo que aquellas hubieran alegado en su declaración.

Las partes dispondrán de un plazo de diez días para aportar cuantas alegaciones, documentos o informaciones estimen convenientes y, en su caso, proponer prueba concretando los medios de que pretenden valerse.

A la vista de las alegaciones realizadas y la prueba propuesta, el instructor o instructora podrá realizar de oficio las actuaciones necesarias para la determinación de los hechos que pudieran constituir infracción, recabando los datos e informaciones que pudieran resultar relevantes.

Si a la vista de lo actuado, el instructor o instructora considera que no existen indicios de la comisión de una falta, o no hubiera sido posible determinar la identidad de las personas posiblemente responsables, propondrá el archivo del expediente.

c) Concluida la práctica de las pruebas, en aquellos casos en que las partes hubieren manifestado oportunamente su voluntad de acogerse a un procedimiento de mediación, el instructor o instructora remitirá el expediente a la Comisión de Convivencia que decidirá si resulta procedente, o bien si devuelve el expediente al instructor o instructora para que formule el correspondiente pliego de cargos. En el primer caso, lo comunicará a las partes y se suspenderá el procedimiento disciplinario. Si se llegara a un acuerdo en el marco del procedimiento de mediación, el instructor o instructora archivará el expediente; en caso contrario, continuará con la tramitación del procedimiento disciplinario.

En el segundo caso, o bien si las partes no hubieren manifestado su voluntad de acogerse a un procedimiento de mediación, el instructor o instructora formulará el pliego de cargos.

d) El pliego de cargos incluirá los hechos imputados con expresión, en su caso, de la falta presuntamente cometida, de las sanciones que puedan ser de aplicación y, si procede, acordará el mantenimiento o levantamiento de las medidas provisionales.

El pliego se notificará a la persona o personas presuntamente responsables que dispondrán de un plazo de diez días para formular sus alegaciones, aportar los documentos e informaciones que consideren oportunos para su defensa, y proponer la práctica de pruebas.

Contestado el pliego o transcurrido el plazo sin hacerlo, el instructor o instructora podrá acordar la práctica de las pruebas que considere oportunas y dará audiencia al interesado, en el plazo de diez días.

e) El instructor o instructora formulará, dentro de los diez días siguientes, su propuesta de resolución en la que se fijarán los hechos de manera motivada, especificándose los que se consideren probados y su exacta calificación jurídica, y se determinará la infracción que constituyan y la persona o personas que resulten responsables, especificándose la sanción que se propone que se imponga y las medidas provisionales que se hubieran adoptado. Si a juicio del instructor o instructora no existiera infracción o responsabilidad, propondrá el archivo del expediente.

La propuesta de resolución se notificará a la persona expedientada, que tendrá un plazo de diez días para alegar ante el instructor o instructora cuanto considere conveniente en su defensa y aportar los documentos e informaciones que estime pertinentes, y que no hubiera podido aportar en el trámite anterior.

Transcurrido el plazo de alegaciones, hayan sido o no formuladas, el instructor o instructora remitirá la propuesta al órgano competente para resolver, que adoptará su resolución en el plazo de diez días. El órgano competente para resolver podrá devolver el expediente al instructor o instructora para la práctica de las diligencias que resulten imprescindibles para la resolución.

Cuando el órgano competente para resolver considere que la infracción o la sanción revisten mayor gravedad que la determinada en la propuesta de resolución, se notificará al inculpado para que aporte cuantas alegaciones estime convenientes en el plazo de quince días.

La resolución que ponga fin al procedimiento disciplinario habrá de ser motivada y decidirá todas las cuestiones planteadas por las personas interesadas, y aquellas otras que resulten del procedimiento.

f) El procedimiento podrá finalizar por la resolución sancionadora, el archivo, el reconocimiento voluntario de la responsabilidad, la declaración de caducidad, el desistimiento de la universidad o por imposibilidad material por causas sobrevenidas.

g) Para aquellos casos en que a juicio del instructor o instructora existan elementos suficientes para considerar que los hechos pudieran dar lugar a una falta leve, se podrá prever un procedimiento abreviado o simplificado, con reducción de los plazos y simplificación de los trámites, en los términos de lo dispuesto por la Ley 39/2015, de 1 de octubre, del Procedimiento Administrativo Común de las Administraciones Públicas.

h) La resolución, que pondrá fin a la vía administrativa, deberá expresar los recursos que contra la misma procedan, órgano administrativo o judicial ante el que hubieran de presentarse y plazo para interponerlos de acuerdo con lo dispuesto en la Ley 39/2015, de 1 de octubre, del Procedimiento Administrativo Común de las Administraciones Públicas y, en su caso, en la normativa de desarrollo de la comunidad autónoma.

i) Si de la resolución sancionadora resultara que la persona infractora ha obtenido fraudulentamente un título oficial expedido por la universidad, esta declarará de oficio la nulidad de dicho acto en los términos de la revisión de oficio prevista por la Ley 39/2015, de 1 de octubre, del Procedimiento Administrativo Común de las Administraciones Públicas.

4.8. Medidas sustitutivas de la sanción

Las universidades podrán prever medidas de carácter educativo y recuperador en sustitución de las sanciones establecidas por la ley de convivencia ley para las faltas graves, siempre que se garanticen plenamente los derechos de la persona o personas afectadas, y de conformidad con los siguientes principios:

a) Que exista manifiesta conformidad por parte de la persona o personas afectadas por la infracción, y por parte de la persona infractora.

b) Que la medida sustitutiva de la sanción esté orientada a la máxima reparación posible del daño causado, y que se garantice su efectivo cumplimiento.

c) Que la o las personas infractoras reconozcan su responsabilidad en la comisión de la falta, así como las consecuencias de su conducta para la o las personas afectadas, y para la comunidad universitaria.

d) Que, en su caso, la persona o personas responsables muestren disposición para restaurar la relación con la o las personas afectadas por la infracción. Dicha restauración se facilitaría siempre que la persona afectada preste su consentimiento de manera expresa.

Dichas medidas podrán consistir en la participación o colaboración en actividades formativas, culturales, de salud pública, deportivas, de extensión universitaria y de relaciones institucionales, u otras similares. En ningún caso podrán consistir en el desempeño de funciones o tareas asignadas al personal de la universidad en las relaciones de puestos de trabajo.

Las universidades determinarán la duración de estas medidas.

4.9. Medidas provisionales

Antes de la iniciación del procedimiento administrativo, la persona titular del Rectorado, de oficio o a instancia de parte, en los casos de urgencia inaplazable y para la protección provisional de los intereses implicados, podrá adoptar de forma motivada las medidas provisionales que resulten necesarias y proporcionadas. En este caso, las medidas provisionales deberán ser confirmadas, modificadas o levantadas en el acuerdo de iniciación del procedimiento, que deberá efectuarse dentro de los quince días siguientes a su adopción, el cual podrá ser objeto del recurso que proceda. En todo caso, dichas medidas quedarán sin efecto si no se inicia el procedimiento en dicho plazo o cuando el acuerdo de iniciación no contenga un pronunciamiento expreso acerca de las mismas.

En cualquier momento del procedimiento disciplinario, el instructor o instructora podrá, de forma motivada, adoptar las medidas provisionales que considere necesarias para evitar el mantenimiento de los efectos de la falta y asegurar la eficacia de la resolución que pudiera recaer.

La adopción de dichas medidas podrá tener lugar de oficio o a solicitud de las personas posiblemente afectadas.

Dichas medidas tendrán carácter temporal, deberán ser proporcionadas y podrán ajustarse, de forma motivada, si se producen cambios en la situación que justificó su adopción. En todo caso, se extinguirán con la eficacia de la resolución que ponga fin al procedimiento.

La adopción de medidas provisionales no supondrá prejuzgar sobre el resultado del procedimiento.

4.10. Procedimiento ante la Comisión de Convivencia

Recibido el expediente de acuerdo con lo dispuesto por el apartado 4.7.2, la Comisión de Convivencia decidirá si procede la tramitación ante ella por la vía del procedimiento de mediación, o si debe inhibirse devolviendo el expediente al instructor o instructora del procedimiento disciplinario para que continúe con su tramitación.

El procedimiento de mediación ante la Comisión de Convivencia se desarrollará de acuerdo con lo dispuesto en la normativa de la universidad.

Si el procedimiento de mediación concluyera sin acuerdo o no resolviese la totalidad de las cuestiones planteadas, la Comisión devolverá el expediente al instructor o instructora del procedimiento disciplinario para que continúe con su tramitación por su objeto total o parcial.

El acuerdo total o parcial alcanzado por las partes como resultado del procedimiento de mediación, será confidencial, deberá constar por escrito y ser firmado por las partes, conservando cada una un ejemplar y trasladando otro a la Comisión de Convivencia para que conste en el expediente.

Las Normas de Convivencia de cada universidad desarrollarán el procedimiento relativo a la custodia y seguimiento de los acuerdos alcanzados.

El inicio del procedimiento de mediación supondrá la suspensión del cómputo de los plazos de caducidad y prescripción del procedimiento disciplinario. Dicha suspensión se mantendrá mientras dure el procedimiento de mediación.

5. Otras normas

5.1. Centros universitarios de la Defensa, de la Guardia Civil y de la Policía Nacional

La ley de convivencia se aplicará al estudiantado que curse sus enseñanzas en el sistema de centros universitarios de la Defensa y de la Guardia Civil, regulados, respectivamente, por el Real Decreto 1723/2008, de 24 de octubre, por el que se crea el sistema de centros universitarios de la defensa, y el Real Decreto 1959/2009, de 18 de diciembre, por el que se crea el Centro Universitario de la Guardia Civil, en todo aquello que sea compatible con la condición de militar, y especialmente en las infracciones de carácter académico no incluidas en los regímenes jurídicos que rigen para las Fuerzas Armadas y la Guardia Civil.

Asimismo, la ley será de aplicación al estudiantado que curse sus enseñanzas en el Centro Universitario de Formación de la Policía Nacional, en todo aquello que sea compatible con la condición de instituto armado de naturaleza civil, y especialmente en las infracciones de carácter académico no incluidas en su régimen jurídico.

5.2. Potestad de ejecución forzosa

Se reconoce a las universidades públicas la potestad de ejecución forzosa de los actos administrativos establecidos en la ley de convivencia, de acuerdo con los procedimientos legalmente establecidos.

5.3. No incremento del gasto público

La ley no podrá suponer aumento neto de los gastos de personal sin perjuicio de lo que se disponga anualmente en las correspondientes leyes de presupuestos en relación con las retribuciones y tasa de reposición del personal al servicio del sector público.

5.4. Aprobación de las Normas de Convivencia y de las medidas de prevención y respuesta frente a la violencia, la discriminación o el acoso

En el plazo máximo de un año a contar desde la entrada en vigor de la ley de convivencia y en los términos de lo dispuesto por los artículos 3 y 4, las universidades públicas y privadas aprobarán sus Normas de Convivencia, que incluirán las medidas de prevención y respuesta frente a la violencia, la discriminación o el acoso. Las universidades podrán incorporar a dichas Normas de Convivencia aquellas medidas de análoga naturaleza que tuvieran vigentes, en todo caso ajustándolas a lo dispuesto por la ley de convivencia.

5.5. Régimen transitorio de los procedimientos disciplinarios.

A los procedimientos disciplinarios iniciados con anterioridad a la entrada en vigor de la ley de convivencia, les serán de aplicación las faltas y sanciones establecidas por dicha ley cuando resulten más favorables.

Sin perjuicio de lo anterior, dichos expedientes continuarán su tramitación conforme al mismo procedimiento con el que se iniciaron.

5.5. Régimen disciplinario en las universidades privadas

En el marco de lo dispuesto en la normativa básica del Estado y en la normativa de las Comunidades Autónomas con competencias en esta materia, las universidades privadas y los centros adscritos privados gozarán de autonomía para establecer su propio régimen disciplinario y determinar el órgano al que corresponda el ejercicio de las facultades disciplinarias en sus respectivas normas.

Cómo acceder al Curso

Personal de Administración de Universidades

Temario general Materias Específicas

El uso de los códigos **es exclusivo de los compradores de los productos de Editorial MAD**. Cada producto posee un código único y de un solo uso. Es personal e intransferible y da acceso a servicios y contenidos adicionales. Editorial MAD se reserva el derecho de hacer cuantas comprobaciones sean necesarias para identificar al legítimo poseedor del código y dejar de dar servicio a quien haga uso fraudulento del mismo, además de emprender cuantas acciones legales estime oportunas según la legislación vigente.

Deberás acceder a:

mad.es/registro-campus

Si una vez aceptadas las condiciones de uso del Campus decides hacer uso del mismo, necesitarás del siguiente código de acceso junto con los códigos del resto de títulos que se exigen (si fuera el caso):

7V4XYTLMUK